LE ROMAN DU ROI ARTHUR
ET DE SES CHEVALIERS DE LA TABLE RONDE

THOMAS MALORY

LE ROMAN DU ROI ARTHUR
ET DE SES CHEVALIERS DE LA TABLE RONDE

(Le morte d'Arthur)

TRADUIT DE L'ANGLAIS PAR PIERRE GOUBERT
avec le concours du Centre national du livre

Préface de Claude Gauvin

TOME I

L'ATALANTE
Nantes

L'éditeur remercie Claudine Glot et le Centre de l'Imaginaire arthurien à Comper-en-Brocéliande.

ISBN 2-905158-96-4 pour le premier tome
ISBN 2-905158-98-0 pour l'ensemble des deux volumes

PRÉFACE

Sir Thomas Malory et *Le Morte Darthur*

Si le public français cultivé a pu prendre connaissance de l'histoire du roi Arthur et des chevaliers de la Table Ronde par l'œuvre du poète Chrétien de Troyes (qui vient de faire l'objet d'une réimpression dans la Bibliothèque de la Pléiade) à l'occasion d'études de philologie médiévale, c'est à l'invention de l'imprimerie que le public anglais doit sa familiarité avec l'histoire du mythique roi Arthur et de ses compagnons.

Caxton, le premier imprimeur anglais qui, après avoir exercé son métier à Bruges, s'est installé dans une dépendance du palais de Westminster à Londres, publie en 1485 une sorte de résumé en prose des aventures arthuriennes qu'il déclare dans sa préface tenir « d'un manuscrit à moi remis, lequel manuscrit Sir Thomas Malory a pris dans certain livre en français et les a réduites en anglais ». La version de Caxton n'a cessé depuis d'être réimprimée, lue et adaptée en anglais moderne. Encore aujourd'hui on peut en trouver, dans une célèbre édition de poche, le texte original en orthographe modernisée, qui n'est pas inabordable par un lecteur anglais cultivé. Le caractère tardif de la langue et l'aspect plus abordable de la prose expliquent en grande partie que l'œuvre de Thomas Malory ait continué à être lue jusqu'à nos jours et fasse aujourd'hui partie de l'imaginaire littéraire anglais.

Il en serait allé sans doute différemment si, au lieu de la version de Caxton, une autre version avait été d'abord connue qui se trouve dans un manuscrit découvert au Collège de Winchester en 1934. La version de Winchester diffère, tant par son texte, sa longueur et son organisation, de celle de Caxton et sert en général de base aux éditions savantes; certains épisodes y sont plus étendus que dans la version Caxton. Certains indices laissés sur le manuscrit indiquent que Caxton l'a eu en main; c'est donc vraisemblablement lui qui a « lissé » le texte pour aboutir à sa version imprimée.

Qui était Sir Thomas Malory, connu seulement comme l'auteur de *Le Morte Darthur* par plusieurs mentions figurant sur le manuscrit? On ne connaît son existence que par trois inscriptions à la charnière de deux parties du récit et indiquant qu'il est dû à Sir Thomas Malory, qu'il fut écrit dans la dernière année du règne d'Édouard IV (4 mars 1469-3 mars 1470) et que l'auteur était à l'époque en prison. Plusieurs Thomas Malory ont existé en Angleterre à cette époque, mais le seul qui, tout en étant chevalier, corresponde à la plage temporelle indiquée est un Sir Thomas Malory qui vivait à Newbold Revel dans le Warwickshire et qui est mort le 14 mars 1471. Ce que l'on sait de ce personnage indique qu'il a connu une existence pleine d'animation. Il a pris part aux combats de la guerre des Deux-Roses sous les ordres d'Édouard IV dans le Northumberland en 1462-1463, fut mis plusieurs fois en prison, s'est évadé deux fois, a été arrêté de nouveau. De nombreuses accusations ont été portées contre lui, vol de bétail, pillage d'église, viol, tentatives de meurtre, mais on ne trouve trace d'aucune condamnation. Plusieurs critiques ont trouvé qu'il n'était pas possible que l'auteur d'un roman de chevalerie aussi vertueux ait pu mener une vie aussi peu en rapport avec son œuvre, mais ces considérations ne semblent pas très pertinentes. Un critique fait d'ailleurs remarquer que ce goût de la vertu relève peut-être de la nostalgie d'un monde perdu.

De toutes façons, Malory n'a pas inventé les belles histoires qu'il nous raconte. Comme tout auteur médiéval, il prend son sujet dans les livres de ses prédécesseurs et le récrit à sa façon. Ce que Caxton appelle « un certain livre en français » est constitué en fait d'un nombre considérable de textes en vers (entre autres, par Chrétien de Troyes) ou en prose, ces derniers mettant l'accent plus sur l'aspect religieux que sur l'aspect chevaleresque du récit. D'où une alternance, dans le livre de Malory, entre les objectifs de la chevalerie terrestre et ceux de la chevalerie céleste, cette dernière faisant l'unique objet du sixième récit consacré à la quête du Saint Graal*. Mais la vaste culture de Malory ne se limite pas aux sources françaises. Des critiques modernes ont pu montrer qu'il avait lu aussi des ouvrages anglais du début du XVe siècle sur le sujet. Tous ces textes constituent un ensemble considérable que Malory « réduit » en le récrivant dans sa prose moyen-anglaise. C'est-à-dire qu'il choisit librement les épisodes qu'il incorpore en en laissant d'autres de côté, qu'il ajoute sa contribution ou son point de vue personnel (par exemple la célèbre remarque sur l'inconstance politique des Anglais) et qu'il résume l'histoire en un récit rapide ou un dialogue réduit à l'essentiel.

Le titre *Le Morte Darthur*, avec son erreur moyen-anglaise sur le genre du mot « morte », ne s'applique dans le manuscrit qu'au huitième récit*, ce qui a donné lieu à une de ces féroces batailles de critiques qui mettent en émoi le monde des érudits et étonnent toujours le profane. S'agit-il de huit récits différents dus au même auteur ou d'un même récit divisé en huit épisodes ? Certes, le titre ne couvre que le sujet du huitième récit, mais le manuscrit, à la fin de ce même récit, parle du « livre tout entier », ce qui renvoie bien à l'ensemble des huit histoires. De plus, plusieurs récits français ou moyen-anglais portent le même titre tout en racontant l'histoire complète d'Arthur et de ses chevaliers. Enfin le texte lui-même, en dépit de ses nombreuses interpolations, indique clairement une continuité dans un récit dont l'objet est de raconter

* Le manuscrit de Malory, dit « manuscrit de Winchester », était composé de huit récits distincts. Caxton les transforma en une suite de vingt et un livres (NdE).

l'histoire merveilleuse d'Arthur et des chevaliers qui, avec lui, ont fait la gloire et provoqué la chute de la Table Ronde.

Né et émevé dans le secret, Arthur prend possession du trône de Grande-Bretagne grâce au miracle de l'épée fichée dans une pierre flottante. Ses guerres en Italie font de lui un empereur. Lancelot, le parfait chevalier, vient à la cour et tombe amoureux de Guenièvre, épouse d'Arthur. Tristan (*Tristam* en anglais) accède à la Table Ronde, ce qui explique la présence dans le récit de l'histoire des amours de Tristan et d'Yseut, histoire qui fournit un contrepoint au récit des amours adultères de Lancelot et de Guenièvre et un avertissement quant aux conséquences funestes des amours adultères d'un chevalier et d'une reine.

C'est à ce moment du récit qu'est atteint l'apogée de la Table Ronde comme parangon de la chevalerie terrestre. Vient ensuite la Quête du Saint-Graal qui marque le passage de la chevalerie terrestre à la chevalerie céleste. L'ensemble des compagnons d'Arthur n'auront pas tous accès au Saint-Graal; ce dernier sera en particulier dénié à Lancelot, qui refuse de renoncer à son amour pour Guenièvre. Ce détail pourrait n'avoir qu'une signification théologique : en réalité, il est le défaut de la cuirasse dont va découler la suite des événements et, en fin de compte, la chute ultime de la Table Ronde et la mort d'Arthur.

Lancelot se voit confirmé dans son rôle de chevalier parfait par l'épisode de la guérison miraculeuse de messire Urry. Mais les larmes de Lancelot à l'issue de cette guérison semblent préfigurer la suite fâcheuse des événements. Par trois fois la reine Guenièvre est en danger de mort et par trois fois elle est sauvée par Lancelot en conformité avec les règles de l'amour courtois, mais dans une application de plus en plus douteuse des règles de la chevalerie. La première fois, la reine est accusée, à tort, d'avoir fait manger une pomme empoisonnée à un chevalier. Lancelot, revenu incognito d'une escapade en forêt, entre en lice pour Guenièvre et lave son honneur. La seconde fois, Guenièvre, prisonnière chez un chevalier de la cour d'Arthur, est accusée d'avoir eu une relation adultère avec un de ses gardes. En réalité c'est Lancelot qui s'est introduit chez elle pendant la nuit. À nouveau, il combat pour elle et lui rend son honneur en gagnant le combat. Mais cette fois-ci la justification repose sur une faible distinction technique et sur la force physique de Lancelot qui gagne tous ses combats. L'accusation contre Guenièvre n'était fausse que dans la mesure où elle ne désignait pas le vrai coupable.

Le troisième sauvetage de Guenièvre n'a plus rien à voir avec les lois, même formelles, de l'honneur. Tombés dans un piège tendu par Arthur, Guenièvre et Lancelot sont pris sur le fait. Arthur refuse un combat singulier (car Lancelot gagne toujours, dit-il) et condamne la reine au bûcher. Lancelot rassemble ses fidèles et vient la délivrer par la force. Ce faisant, il tue, sans le savoir, deux frères de Gauvain, qui sont parmi les plus parfaits chevaliers de la Table Ronde et dont l'un, messire Gahériet, était dévoué corps et âme à Lancelot. Cette mort déclenche la guerre entre Arthur et Lancelot, guerre qui entraînera la mort d'Arthur sur le champ de bataille. Cette erreur fatale de Lancelot est le premier événement qui conduira à la tragédie finale : on passe d'un roman de chevalerie à une tragédie médiévale.

Le récit de Malory ne s'arrête pas avec la mort d'Arthur mais se poursuit par la fin chrétienne d'abord de Guenièvre, puis de Lancelot lui-même : on passe maintenant de la tragédie médiévale à la moralité religieuse. Ces derniers épisodes justifient la déclaration de Caxton qui dit, dans sa préface, « tout cela est écrit pour le bien de notre doctrine [chrétienne] ». Après avoir renoncé à leur amour, les deux héros renoncent au monde et meurent chrétiennement.

On a parfois parlé de réalisme à propos de Malory, mais en réalité ce « réalisme » ne va pas au-delà de la notation du détail caractéristique et du recours fréquent à un dialogue vif et direct, qui donne l'impression d'assister soi-même à la scène. Mais le « roman » médiéval n'est pas un genre réaliste, il a recours à la magie (bien que Malory l'utilise moins que ses sources), se meut dans une géographie en partie réelle, en partie fantaisiste et dans un temps ancien, certes, mais non mythique. Pour Malory, l'histoire d'Arthur fait partie de l'histoire de l'Angleterre. La chevalerie elle-même, dépeinte par Malory, est une combinaison d'une perfection passée dont on se souvient avec nostalgie et d'une organisation sociale qui est celle du XVe siècle.

Il faut noter que la seule classe sociale mentionnée dans le roman est celle des chevaliers et des rois, et que ceux-ci ne sont décrits que dans leur vie publique et non privée. Ils agissent en tant que chevaliers et leurs propos sont toujours empreints d'une grande formalité : personne ne parle ou n'existe sans son titre.

Personne n'existe non plus en tant que caractère. Comme ailleurs au Moyen Âge, les personnages ne sont que ce qu'ils font, la plupart du temps en public, et n'évoluent pas, même s'ils changent d'avis. Gauvain, par exemple, qui n'occupe pas chez Malory la même place que dans certaines sources, est un ami de Lancelot, devient son ennemi après la mort de messire Gahériet et se réconcilie avec lui lorsque, sur le point de mourir, il lui écrit une lettre magnifique.

Le héros du livre, plus qu'Arthur, est Lancelot qui résume en lui toutes les qualités du parfait chevalier : fidèle, courageux, physiquement fort, courtois, généreux, y compris financièrement. Son seul défaut du point de vue chrétien — sa fidélité à Guenièvre — est une qualité au regard de l'amour courtois. C'est pourtant par ce défaut-là qu'il provoque la catastrophe finale. Ici resurgit la contradiction fondamentale entre roman courtois, tragédie médiévale et moralité religieuse. Présente dans les sources, elle n'a pas été éliminée lorsque Malory les a « réduites » et traduites en anglais : sans doute ne le souhaitait-il pas lui-même.

Claude Gauvin,
juillet 1994

AVANT-PROPOS DU TRADUCTEUR

La traduction du roman de Thomas Malory, *Le Morte Darthur*, qui est ici donnée est la première qui soit mise à la disposition du lecteur français. Marguerite-Marie Dubois a bien publié en 1948 chez Aubier *Le Roman d'Arthur et des chevaliers de la Table Ronde,* mais il ne s'agissait que d'extraits.

Ces extraits, en outre, proposés dans une édition bilingue, s'adressaient davantage à des spécialistes de la langue et de la littérature anglaises qu'à des personnes peu averties de l'une et de l'autre. La présente édition est destinée au grand public, et cette intention justifie un certain nombre de choix : le texte utilisé est celui que fit connaître en 1485 l'imprimeur Caxton et qui fut depuis réédité de nombreuses fois avec un succès constant, aussi bien auprès des amateurs de romans d'aventures que parmi les poètes et les cinéastes en quête d'une inspiration; la langue dont il est fait usage se veut sobre et dépouillée, comme l'était celle de Malory; des expressions vieillies aident à colorer le récit et à l'éloigner dans le temps, mais elles ont été choisies dans le souci de ne pas nuire à la compréhension; on a introduit des paragraphes dans des chapitres qui n'en comportaient pas, afin de rendre la lecture plus facile et plus agréable; on a conservé, bien sûr, la division de l'ouvrage en vingt et un livres opérée par Caxton; elle permet de mieux suivre l'histoire en en distinguant les différents épisodes; on a attribué enfin à chacun de ces livres un titre qui en éclaire le contenu, titre en général proche des indications de l'imprimeur.

Le lecteur français, qui se voit maintenant proposer sous diverses formes de nombreux romans arthuriens appartenant à sa littérature nationale, pourra se demander ce que va lui apporter de nouveau et de profitable un roman arthurien de plus, étranger cette fois. Il sera davantage encore fondé à se poser la question lorsqu'il saura que l'auteur anglais a fréquemment fait appel à des sources françaises pour composer son récit. Mais tous ceux qui ont eu accès à Malory après avoir lu nos romanciers médiévaux n'ont pu qu'être agréablement surpris par les différences qu'ils ont observées. Le roman anglais est écrit dans un style clair, où l'on ne perçoit ni savoir particulier ni recherche. De même qu'il veut être simple, l'auteur aspire à être bref. Il va droit à l'action. Il taille dans les dialogues diffus et bavards des originaux. Il ajoute souvent humour, truculence. Il met une pointe d'émotion, de trouble intérieur dans les propos et dans la relation des difficultés de ses héros, ce qui fait que le lecteur se sent plus proche d'eux. Il démêle dans un enchevêtrement d'épisodes divers et digressifs des ensembles cohérents, d'une logique plus facile à suivre. Le tout semble correspondre à un ordre, et même à une organisation.

Il est probable cependant que *Le Morte Darthur*, tel qu'il a été conçu et rédigé par Malory lui-même, n'a jamais atteint à la belle unité qu'il possède dans la version de Caxton. C'est l'imprimeur anglais qui, à la demande de gentilshommes et de nobles personnages, transforma les huit récits distincts laissés par le chevalier prisonnier en une grande histoire du roi Arthur, conduisant le prince légendaire de la naissance à la mort et de la prospérité au déclin, ce déclin apparaissant comme la conséquence inéluctable d'une faute commise au début de son règne. Il est peut-être plus habituel maintenant dans les éditions savantes, comme le fait observer Claude Gauvin, de substituer au texte remanié de Caxton celui du manuscrit de Winchester, découvert en 1934, différent dans sa structure et sans doute plus proche de l'original, s'il n'est pas l'original lui-même. Le public français nous saura gré néanmoins de nous être tenus à la version de l'imprimeur « remanieur », qui propose une lecture plus séduisante, plus captivante et moins déconcertante à qui est accoutumé à l'exposition et au développement des romans modernes.

Que le lecteur ne gâte pas son plaisir par la considération des différents états du texte de Malory et des différentes sources où l'auteur a pu puiser. Aucune science ne lui est ici nécessaire pour aimer. Qu'il se laisse conduire par l'histoire qu'on lui raconte, gagner par le merveilleux qu'on lui offre, qu'il consente à être transporté dans le monde à la fois irréel et cohérent, amusant et poignant, cruel et beau de Thomas Malory. Qu'il retrouve en présence de ce récit fabuleux la candeur nécessaire à l'appréciation des contes de fées. Il s'agit de l'un des romans qui depuis des siècles ont su le mieux enchanter l'imagination. Il figurait parmi les quatre livres que Lawrence d'Arabie emportait toujours dans les sacoches de sa selle quand il partait pour de lointains voyages.

Pierre Goubert,
juillet 1994

LIVRE PREMIER

L'avènement

CHAPITRE I

Comment Uter Pendragon fit venir à lui le duc de Cornouailles ainsi qu'Ygerne, sa femme, et comment ils repartirent soudainement

IL ADVINT au temps d'Uter Pendragon, lorsqu'il était roi de toute l'Angleterre et régnait comme tel, qu'il y avait en Cornouailles un puissant duc qui avait soutenu contre lui une longue guerre. Ce duc s'appelait le duc de Tintagel. Le roi Uter fit venir ce duc, lui ordonnant d'amener avec lui son épouse, car elle était réputée belle dame et grandement sage. Elle avait nom Ygerne.

Adonc, lorsque le duc et sa femme arrivèrent chez le roi, grâce à l'entremise de grands seigneurs ils furent réconciliés. La dame plut beaucoup au roi, il s'éprit d'elle et les festoya sans mesure. Il aurait voulu partager la couche de la duchesse. Mais c'était une femme de grande vertu, et elle refusa de consentir aux désirs du roi. Elle avertit le duc, son époux, lui disant : « Je soupçonne qu'on nous a mandés pour que je sois déshonorée. C'est pourquoi, mon époux, je conseille que nous partions d'ici au plus vite pour chevaucher toute la nuit jusqu'à notre château. » Comme elle l'avait dit, c'est ainsi qu'il fut fait, et ni le roi ni aucun de ses conseillers ne s'aperçurent de leur départ.

Dès que le roi Uter apprit qu'ils s'en étaient allés aussi soudainement, il entra en grand courroux. Il réunit ses conseillers particuliers et les informa du brusque départ du duc et de sa femme. Lors les conseillers demandèrent au roi d'obliger le duc et son épouse à venir par mandement impératif. « Et s'il refuse de se rendre à votre ordre, alors vous serez libre d'agir à votre guise. Vous aurez fondement à mener contre lui une dure guerre. »

Ainsi fut fait. Réponse fut donnée aux messagers. C'était en peu de mots ceci : ni le duc ni son épouse n'acceptaient de venir au roi. Lors le roi entra en grand courroux. À nouveau il fit remettre au duc un clair message, disant qu'il lui fallait se préparer, renforcer troupes et défenses, car avant quarante jours il viendrait le tirer de son plus puissant château. Quand le duc reçut cet avertissement, aussitôt il alla pourvoir d'hommes et de défenses deux de ses châteaux forts, dont l'un avait nom Tintagel et l'autre Terrabel. Il mit sa femme, dame Ygerne, dans le château de Tintagel, et lui-même prit place dans celui de Terrabel, lequel avait maintes issues et poternes. Lors en diligence accourut le roi Uter avec une grande armée. Il mit le siège devant le château de Terrabel. Il y planta des tentes en grand nombre, de grands assauts furent menés de part et d'autre et bien des gens tués.

Si vive était sa colère et si impérieux son amour pour la belle Ygerne que le roi Uter tomba malade. Devers lui vint alors messire Ulfin, noble chevalier, qui demanda au roi les causes de sa maladie. « Je vais te les donner, dit le roi. Si je suis malade, c'est de colère, et c'est l'amour que je porte à la belle Ygerne qui m'empêche de guérir. — Eh bien, repartit messire Ulfin, je vais quérir Merlin. Il y apportera remède et votre cœur sera content. »

C'est ainsi qu'Ulfin partit, et d'aventure il rencontra Merlin sous l'accoutrement d'un gueux. Merlin demanda à Ulfin qui il cherchait. « Ce n'est pas ton affaire, lui fut-il répondu. — Eh bien, dit Merlin, je sais qui tu cherches, car tu cherches Merlin. Donc ne cherche pas plus longtemps, car je suis cet homme-là. Si le roi Uter veut bien m'en récompenser et s'il peut s'engager à satisfaire mon désir, il en tirera plus d'honneur et de profit que moi, car je ferai en sorte qu'il obtienne tout ce qu'il souhaite. — Je m'engage, repartit Ulfin, à ce que, dans la limite du raisonnable, ton désir soit satisfait. — Eh bien, dit Merlin, le sien sera exaucé et comblé. Poursuis donc ton chemin. J'aurai tôt fait de te rejoindre. »

CHAPITRE II

Comment Uter Pendragon fit la guerre au duc de Cornouailles et comment, par l'entremise de Merlin, il partagea la couche de la duchesse et engendra Arthur

LORS Ulfin fut bien content et chevaucha bon train jusqu'à ce qu'il arrivât chez le roi Uter Pendragon et lui rapportât qu'il avait fait rencontre de Merlin. « Où est-il ? dit le roi. — Sire, répondit Ulfin, il ne tardera guère. » Et Ulfin s'aperçut que Merlin se tenait sous le porche à l'entrée du pavillon. Il fut ordonné à Merlin de venir au roi. Lorsque le roi Uter le vit, il lui dit qu'il était le bienvenu. « Sire, repartit Merlin, je connais votre cœur jusque dans ses moindres recoins. Si j'ai votre parole de roi, et de roi d'autorité sacrée, que vous accéderez à mon désir, alors le vôtre sera exaucé. » Le roi en fit serment par les quatre évangélistes.

« Sire, dit Merlin, voici ce que je vous demande. La première nuit que vous passerez auprès d'Ygerne, vous devrez d'elle engendrer un enfant. Quand il sera né, il me sera remis, que je le nourrisse là où je l'aurai décidé. Cela vous vaudra du renom et à l'enfant un profit aussi vaste que sa valeur sera grande. — Je veux bien, répondit le roi, qu'il soit fait comme tu le demandes. — Or donc, préparez-vous, dit Merlin, car cette nuit même vous partagerez la couche d'Ygerne au château de Tintagel. Vous prendrez l'aspect du duc son époux, Ulfin celui de messire

Bretiaus, un chevalier du duc, et moi celui d'un chevalier qui a nom messire Jourdain, lui aussi chevalier du duc. Mais veillez à ne pas lui poser trop de questions, à elle ou à ses gens. Dites que vous êtes malade, hâtez-vous d'aller vous coucher. Et le lendemain matin ne vous levez point avant que je vienne à vous — le château de Tintagel n'est jamais qu'à quatre lieues d'ici. »

Il en fut fait comme ils l'avaient conçu. Mais le duc de Tintagel épia comment le roi quittait les assiégeants de Terrabel. Aussi, cette nuit-là, il sortit du château par une poterne afin de harceler l'armée d'Uter. Et, en sortant de sa propre initiative, le duc fut tué avant que le roi parvînt au château de Tintagel. Il se fit donc que ce fut après la mort du duc que le roi Uter partagea la couche d'Ygerne, plus de trois heures après cette mort, et qu'il engendra d'elle Arthur cette nuit-là. Avant le jour, Merlin vint au roi. Il lui dit de se préparer. Lors le roi embrassa dame Ygerne et partit en toute hâte.

Mais, lorsque la dame eut des nouvelles de son époux, que selon tous les rapports elle sut qu'il était mort avant que le roi Uter vînt à elle, elle se demanda qui cela pouvait bien être qui avait dormi avec elle sous l'aspect de son seigneur. Elle s'en désola secrètement mais se tint coite.

Lors tous les barons d'une seule voix prièrent le roi de se réconcilier avec dame Ygerne. Le roi ne s'y opposa point, car il avait grande envie de bien s'entendre avec elle. Aussi s'en remit-il entièrement à Ulfin pour parlementer et, par le moyen de ces négociations, enfin le roi et elle se rencontrèrent. « Maintenant, dit Ulfin, tout va s'arranger. Notre roi est un chevalier plein de vigueur qui n'a point d'épouse, et dame Ygerne est une dame d'une rare beauté. Ce serait grande joie pour nous tous s'il pouvait plaire au roi de faire d'elle sa reine. »

Tous en tombèrent aisément d'accord. On fit cette proposition au roi. Aussitôt, en chevalier plein de vigueur, il y consentit volontiers et ainsi, sans attendre, au matin ils furent mariés au milieu de la joie et de l'allégresse générales. Et le roi Lot, des Lothians et des Orcades, épousa la fille d'Ygerne, Morcade, qui fut mère de Gauvain, et le roi Nante, du pays de Garlot, épousa Blasine. Tout ceci fut fait à la requête du roi Uter. La troisième sœur, Morgane la Fée, fut mise dans un couvent pour y être instruite, et là elle devint si savante qu'elle fut grand clerc en nécromancie. Par la suite, elle fut mariée au roi Urien de Gorre, qui fut père de messire Yvain aux Blanches Mains.

CHAPITRE III

De la naissance du roi Arthur et de la manière dont il fut nourri

LORS la reine Ygerne chaque jour devint plus grosse et il advint qu'ensuite, moins de six mois après, tandis que le roi était au lit couché auprès de sa reine, il la requit, par la foi qu'elle lui devait, de lui dire de qui était l'enfant qu'elle portait en son sein. Elle fut fort embarrassée pour lui répondre. « Ne soyez pas en peine, reprit le roi. Dites-moi seulement la vérité, et par ma foi je ne vous en aimerai que mieux. — Sire, répondit-elle, je vais vous dire la vérité. La même nuit que mon seigneur perdit la vie, à l'heure de sa mort s'il faut en croire ses chevaliers, il vint en mon château de Tintagel un homme qui ressemblait à mon seigneur par la parole et les traits du visage, ainsi que deux chevaliers qui avaient le même aspect que ses deux chevaliers Bretiaus et Jourdain. J'allai donc me coucher auprès de lui, ainsi que le voulait mon devoir envers mon seigneur, et cette même nuit, j'en répondrai devant Dieu, cet enfant fut conçu. — C'est vérité, repartit le roi, que vous me dites là, car c'est moi-même qui vins à vous sous cet aspect. Donc, n'en ayez nul effroi, car je suis le père de cet enfant. » Il lui révéla alors comment tout cela avait pu se produire et comment il avait suivi le conseil de Merlin. Et la reine se réjouit grandement quand elle sut qui était le père de l'enfant.

Peu de temps après, Merlin vint trouver le roi et dit : « Sire, il vous faut pourvoir à la manière dont votre enfant sera nourri. — Qu'il en soit fait comme tu l'entends, dit le roi. — Eh bien, reprit Merlin, je connais dans ce pays un de vos seigneurs qui est d'une loyauté et d'une fidélité parfaites. C'est lui qui aura la charge de nourrir votre enfant. Son nom est messire Auctor, et c'est un seigneur qui a de grands biens en mainte partie d'Angleterre et de Galles. Ce seigneur, messire Auctor, envoyez-le chercher, qu'il vienne vous parler, et demandez-lui vous-même, s'il vous aime, de mettre son propre enfant en nourrice avec une autre femme et que sa femme à lui donne le sein à votre enfant à vous. Ensuite, quand celui-ci sera venu au monde, remettez-le moi à cette poterne secrète là-bas sans qu'il ait été baptisé. »

Il en fut fait comme Merlin l'avait imaginé. Quand messire Auctor arriva, il fit promesse au roi de nourrir l'enfant comme il le désirait. Et le roi accorda à messire Auctor de grandes récompenses. Puis, quand la reine fut délivrée, le roi donna ordre à deux chevaliers et à deux dames de prendre l'enfant, enveloppé dans un drap d'or, et de le remettre au premier pauvre hère qu'ils rencontreraient à la poterne du château. C'est ainsi que l'enfant fut remis à Merlin, qu'il le porta à messire Auctor, le fit baptiser par un saint homme et lui donna le nom d'Arthur. Et ce fut ainsi que la femme de messire Auctor le nourrit de son propre lait.

CHAPITRE IV

De la mort du roi Uter Pendragon

LORS, au cours des deux années qui suivirent, le roi Uter fut atteint d'une grave maladie. Pendant ce temps, ses ennemis empiétèrent sur ses domaines, livrèrent à ses soldats une grande bataille et tuèrent beaucoup de ses sujets. « Sire, dit Merlin, il ne faut pas rester au lit couché comme vous faites. Il faut aller sur le champ de bataille, quand vous iriez en litière, car vous ne l'emporterez sur vos ennemis que si vous êtes là en personne. Alors vous aurez la victoire. »

On fit comme Merlin l'avait imaginé. On porta le roi en litière, et avec lui une grande armée alla à la rencontre de ses ennemis. À Saint-Albans ils se heurtèrent à une troupe nombreuse venue du Nord. Et ce jour-là, messire Ulfin et messire Bretiaus accomplirent de hauts faits d'armes. Les gens du roi Uter déconfirent la troupe venue du Nord, occirent beaucoup de gens et mirent le reste en fuite. Après quoi, le roi s'en retourna à Londres et mena grande liesse de sa victoire. Puis il tomba gravement malade et de trois jours, trois nuits ne put dire un seul mot. Tous les barons en eurent grande douleur et demandèrent à Merlin ce qu'il convenait faire de mieux.

« Il n'y a nul remède, leur répondit Merlin, que de se soumettre à la volonté de Dieu. Mais n'oubliez pas, barons, de paraître vous tous, demain matin, devant le roi Uter. Dieu et moi le ferons parler. » Ainsi, le matin suivant, tous les barons en compagnie de Merlin se présentèrent devant le roi. Merlin dit à haute voix au roi Uter : « Sire, est-ce que votre fils Arthur sera après vous le roi de ce royaume, de même que de ses terres données en apanage ? » À ce moment, le roi Uter Pendragon se tourna et dit, de façon que chacun pût entendre : « Il a ma bénédiction et celle de Dieu. Je lui enjoins de prier pour mon âme et, dans la justice et dans l'honneur, de réclamer la couronne, faute de quoi il n'aurait plus ma bénédiction. » Là-dessus, il rendit l'âme et fut mis en terre ainsi qu'il convenait à un roi. La reine, la belle Ygerne, en eut grande douleur ainsi que tous les barons.

CHAPITRE V

Comment Arthur fut choisi comme roi, et des merveilles et prodiges d'une épée ôtée d'une pierre par ledit Arthur

Lors le royaume fut longtemps en grand péril, car chacun des seigneurs qui disposaient de beaucoup de gens accrut sa puissance, et beaucoup songèrent à ceindre la couronne. Merlin alla trouver l'archevêque de Cantorbéry et lui conseilla de mander à tous les seigneurs du royaume ainsi qu'à tous les gentilshommes portant armes de venir à Londres le jour de Noël sous peine d'être frappés d'anathème. Il le proposait afin que Jésus, qui naquit cette nuit-là, en sa grande miséricorde fît quelque miracle — puisqu'il était venu pour régner parmi les hommes, qu'il montrât par un miracle qui devait légitimement régner sur ce pays. Ainsi donc l'archevêque, suivant le conseil de Merlin, fit venir à Londres tous les seigneurs et tous les gentilshommes portant armes. Et beaucoup veillèrent à ce que leur vie fût sans tache pour que leur prière en fût plus agréable à Dieu.

Dans la plus grande église de Londres — était-ce ou non Saint-Paul ? le livre français n'en dit rien — tous les notables se retrouvèrent, longtemps avant le jour, afin de prier. Et lorsque les matines furent chantées et la première messe dite, on put voir devant l'église, vis-à-vis du grand autel, une énorme pierre quadrangulaire semblable à du marbre, au milieu de laquelle il y avait une enclume d'un pied de haut. Et dans cette enclume était fichée par la pointe une belle épée nue et des lettres d'or inscrites sur l'épée disaient ceci : qui tirera cette épée de cette pierre est bien né pour régner sur toute l'Angleterre.

Lors les gens s'émerveillèrent. On avertit l'archevêque. « Je vous ordonne, dit l'archevêque, de demeurer dans votre église et de continuer à prier Dieu. Que nul ne touche à cette épée avant que la grand-messe soit tout à fait finie. » Ainsi donc, seulement lorsque toutes les messes eurent été dites, tous les seigneurs allèrent contempler la pierre et l'épée. Quand ils virent l'inscription, certains s'essayèrent, ceux qui auraient voulu être roi. Mais nul ne put ébranler l'épée ni la mouvoir. « Il n'est pas ici, dit l'archevêque, celui qui doit obtenir cette épée, mais soyez sans crainte, Dieu révélera qui il est. Cependant, ajouta-t-il, je suis d'avis que nous mettions dix chevaliers de bonne renommée à garder cette épée. » C'est ce qui fut décidé. Puis on fit crier que quiconque voudrait prendre l'épée pourrait en faire l'essai.

Le jour du Nouvel An, les barons mirent en place un tournoi pour le divertissement de ceux des chevaliers qui voudraient jouter ou combattre. Ceci fut fait pour maintenir ensemble les seigneurs et le peuple, car l'archevêque ne doutait aucunement que Dieu ferait connaître qui obtiendrait l'épée. Donc, le jour du Nouvel An, après l'office, les barons gagnèrent la lice, d'aucuns pour la joute, d'autres pour le tournoi, et il advint que messire Auctor, qui avait beaucoup de biens auprès de Londres, vint à la joute. Chevauchaient à ses côtés messire Keu, son fils, et le jeune Arthur qui avait été élevé comme son frère. Messire Keu avait été fait chevalier à la Toussaint précédente.

Tandis qu'ils se rendaient sur le lieu de la joute, messire Keu s'aperçut qu'il n'avait pas son épée. Il l'avait laissée à l'hôtellerie de son père. Il pria donc le jeune Arthur d'aller l'y chercher. « Je veux bien », dit Arthur, et il pressa son cheval pour aller la quérir. Quand il fut rendu, l'hôtesse et tous les autres étaient partis aux joutes. Arthur en fut contrarié. Il se dit : « Je vais aller jusqu'à l'église et prendre l'épée qui est fichée dans la pierre, car il ne peut s'admettre que mon frère, messire Keu, soit privé d'épée un jour comme celui-ci. »

Quand il arriva devant l'église, messire Arthur mit pied à terre et attacha son cheval à la barrière. Il se rendit à la tente, mais n'y trouva nul chevalier, car ils étaient aux joutes. Il saisit donc l'épée par la poignée et, sans violence mais avec fermeté, il la tira de la pierre. Puis il prit son cheval, chevaucha jusqu'à ce qu'il rejoignît son frère, messire Keu, et lui remit l'épée.

Dès que messire Keu vit l'épée, il sut parfaitement que c'était celle de la pierre. Il alla trouver son père, messire Auctor, et lui dit : « Regardez, messire, voici l'épée de la pierre et, de par cette épée, c'est moi qui dois être le roi de ce pays. » Lorsque Messire Auctor l'eut contemplée, il rebroussa chemin et s'en vint à l'église. Tous trois mirent pied à terre et entrèrent. Aussitôt messire Auctor fit jurer à messire Keu sur un livre saint de reconnaître comment il s'était procuré cette épée. « Seigneur, dit messire Keu, ce fut par mon frère Arthur. Ce fut lui qui me l'apporta. — Comment avez-vous eu cette épée? dit messire Auctor à Arthur. — Seigneur, je vais vous le dire. Lorsque j'arrivai au logis pour y quérir l'épée de mon frère, je n'y trouvai personne pour me bailler son épée. J'ai pensé que mon frère, messire Keu, ne devait pas rester sans épée. Je me suis donc hâté de venir céans, et j'ai tiré celle-ci de la pierre sans mal aucun. — Avez-vous trouvé des chevaliers auprès de cette épée? demanda messire Auctor. — Non, répondit Arthur. — Or donc, dit messire Auctor à Arthur, j'en conclus que c'est vous qui devez être roi de ce pays. — Pourquoi moi? repartit Arthur, et pour quelle raison? — Messire, dit Auctor, parce que Dieu le veut. Aucun homme ne devait retirer cette épée, hors celui qui était appelé à devenir le roi légitime de ce pays. Maintenant, faites-moi savoir si vous pouvez la remettre où elle était et l'en tirer à nouveau. — Nul besoin d'être maître », dit Arthur. Et il la mit en la pierre. Là-dessus, messire Auctor tenta de l'en retirer mais sans succès.

CHAPITRE VI

Comment le roi Arthur ôta l'épée à plusieurs reprises

« MAINTENANT, à vous d'essayer », dit messire Auctor à messire Keu. Aussitôt, celui-ci tira sur l'épée de toutes ses forces mais sans effet aucun. « À vous à présent, dit messire Auctor à Arthur. — Je veux bien », dit Arthur. Et il la retira aisément. Là-dessus, messire Auctor mit un genou en terre de même que messire Keu. « Las ! dit Arthur, vous qui êtes mon père et mon frère, pourquoi vous agenouiller devant moi ? — Non, non, monseigneur Arthur, jamais je ne fus votre père ni de votre sang, mais je vois bien que vous êtes d'un sang plus noble que je n'imaginais. » Et messire Auctor lui dévoila tout. Il lui dit comment il avait été chargé de le nourrir, qui le lui avait ordonné et comment Merlin lui avait confié l'enfant.

Arthur se lamenta grandement lorsqu'il comprit que messire Auctor n'était pas son père. « Messire, dit Auctor à Arthur, voulez-vous bien être mon bon et gracieux seigneur lorsque vous serez roi ? — Autrement je serais bien coupable, répondit Arthur, car vous êtes au monde l'homme auquel je dois le plus, de même que je suis redevable à la bonne dame, ma mère et votre épouse qui, comme si j'étais à elle, m'a nourri et élevé. Et si jamais c'est la volonté de Dieu que je sois roi, comme vous dites, vous me demanderez tout ce que je pourrai et je ne vous ferai point défaut, Dieu me garde de vous faire défaut. — Messire, dit Auctor, je ne vous demanderai qu'une chose, que vous fassiez mon fils, votre frère d'adoption, messire Keu, sénéchal de toutes vos terres. — Ce sera fait, répondit Arthur, et en outre, par ma foi, j'assure que jamais homme n'aura cet office que lui, tant que nous serons en vie, lui et moi. »

Sur ce, ils allèrent trouver l'archevêque. Ils lui contèrent comment l'épée avait été obtenue et par qui. Et, le jour de l'Épiphanie, tous les barons vinrent pour tenter de prendre l'épée, libre à chacun d'essayer. Mais là, devant tous, nul ne put s'en saisir qu'Arthur. De quoi maint seigneur fut courroucé, disant que c'était grande honte pour eux tous et pour le royaume d'être soumis à un jouvenceau qui n'était point de haute naissance. Ils se querellèrent alors, tant et si bien qu'on remit l'affaire à la Chandeleur, quand tous les barons se réuniraient à nouveau. Nonobstant, les dix chevaliers reçurent ordre de veiller sur l'épée, de jour comme de nuit. On dressa donc un pavillon au-dessus de la pierre et de l'épée, et ils furent toujours cinq à faire bonne garde.

Ainsi, à la Chandeleur, beaucoup d'autres grands seigneurs vinrent en ce lieu pour s'attribuer l'épée, mais nul n'y réussit. Et ce qu'Arthur avait fait à Noël, il le fit à la Chandeleur. Il enleva l'épée sans difficulté, ce dont les barons furent fort consternés, et ils remirent l'affaire à la grande fête de Pâques. Le même succès qu'avait eu Arthur auparavant, il l'eut à Pâques. Néanmoins, quelques-uns des grands seigneurs s'indignèrent qu'Arthur pût être roi, et ils renvoyèrent l'affaire à la fête de la Pentecôte. Lors l'archevêque de Cantorbéry, par les soins de Merlin, se procura les meilleurs chevaliers qu'ils fussent à même d'obtenir et les mieux aimés d'Uter Pendragon, les plus fidèles en son temps. Des chevaliers furent mis auprès d'Arthur, comme messire Baudouin de Bretagne, messire Keu, messire Ulfin, messire Bretiaus. Tous ceux-là, et bien d'autres, ne quittèrent jamais Arthur, ni de jour ni de nuit, jusqu'à la fête de la Pentecôte.

CHAPITRE VII

Comment le roi Arthur fut sacré roi, et comment il distribua des offices

À LA FÊTE DE LA PENTECÔTE s'essayèrent à tirer l'épée toutes sortes de gens qui en avaient envie, mais nul n'y put réussir qu'Arthur, qui l'ôta au vu de tous les seigneurs et de tout le peuple qui étaient là présents. À quoi tout le peuple s'écria d'une seule voix : « Nous voulons Arthur pour notre roi. Nous ne le ferons pas attendre davantage, car nous voyons bien que c'est la volonté de Dieu qu'il soit notre roi, et celui qui s'y oppose, nous le mettrons à mort. »

Là-dessus, tous ils s'agenouillèrent, riches et pauvres, et ils demandèrent pardon à Arthur de l'avoir fait languir aussi longtemps. Et Arthur leur pardonna, prit l'épée entre ses mains et en fit offrande sur l'autel, près duquel se tenait l'archevêque. Ainsi fut-il fait chevalier par le plus digne des hommes qui se trouvaient là. Sans attendre on procéda au sacre. Et Arthur fit serment à ses seigneurs et au peuple d'être un roi loyal, d'observer strictement la justice dorénavant, tous les jours de sa vie.

Lors aussi fit-il entrer tous ceux des seigneurs qui tenaient leurs biens de la couronne, afin qu'ils remplissent leurs offices comme il se devait. Maintes doléances furent faites auprès du roi Arthur. De grands torts avaient été subis depuis la mort du roi Uter. Beaucoup de terres avaient été ravies à des seigneurs, des chevaliers, des dames, des gentilshommes. Le roi Arthur fit rendre ces terres à ceux auxquels elles appartenaient. Quand ce fut fait, que le roi eut rétabli l'ordre dans toute la contrée à l'entour de Londres, il fit messire Keu sénéchal d'Angleterre. Messire Baudouin de Bretagne fut fait connétable, messire Ulfin chambellan et messire Bretiaus gouverneur, pour faire bonne garde dans tout le territoire du Nord à partir de la rivière de Trent, car en ce temps-là c'était pays surtout tenu par les ennemis du roi. Mais après, il ne fallut que quelques années à Arthur pour soumettre tout le Nord, l'Écosse et tout ce qui en dépendait. Les Gallois aussi, certains d'entre eux, s'opposèrent à Arthur, mais il les réduisit tous, comme il fit du reste du pays, grâce aux nobles prouesses qu'il accomplit, ainsi que ses chevaliers de la Table Ronde.

CHAPITRE VIII

Comment le roi Arthur au pays de Galles, à la Pentecôte, donna une grande fête, et quels rois et seigneurs vinrent à cette fête

LORS le roi s'en alla au pays de Galles et fit crier qu'une grande fête serait donnée à la Pentecôte, après son couronnement, dans la cité de Carlion. À cette fête vint le roi Lot, des Lothians et Orcades, en compagnie de cinq cents chevaliers. Vint aussi à cette fête le roi Urien de Gorre, avec cinq cents chevaliers. Vint également à cette fête le roi Nante de Garlot, avec sept cents chevaliers. Vint pareillement à cette fête le roi d'Écosse, avec six cents chevaliers, et ce n'était encore qu'un jouvenceau. Vint de même à cette fête un prince que l'on nommait le roi des Cent Chevaliers, mais lui et ses hommes étaient fort bien armés, de toutes pièces. Vint semblablement le roi Caradoc, accompagné de cinq cents chevaliers. Le roi Arthur se réjouit de leur venue, car il pensait que si tous ces rois et chevaliers étaient là, c'était à cause de la grande amitié qu'ils lui portaient et pour lui faire honneur en cette solennité. De quoi le roi eut grande joie, et il envoya aux rois et chevaliers force présents.

Mais les rois ne voulurent rien prendre. Ils repoussèrent indignement les messagers. Ils dirent qu'ils n'avaient nulle satisfaction à recevoir des dons de la part d'un jouvenceau sans barbe au menton et de basse naissance, mais c'était eux qui venaient lui faire des présents, avec de dures épées, entre le col et les épaules. Voilà pourquoi ils étaient venus, ils le dirent aux messagers sans détour, car il y avait grande honte pour eux tous à voir un jeune garçon comme celui-là avoir autorité sur un aussi noble royaume. Avec cette réponse les messagers repartirent, et ils la transmirent au roi Arthur. La conséquence en fut que, sur le conseil de ses barons, le roi s'enferma dans une tour bien défendue, avec cinq cents hommes valeureux. Et tous les rois susdits investirent la tour, mais le roi Arthur était bien approvisionné.

Dans les quinze jours qui suivirent, Merlin vint se mêler à ces rois dans la cité de Carlion. Tous eurent grande joie à le voir, et ils lui demandèrent : « Pour quelle raison avez-vous fait de ce jouvenceau d'Arthur votre roi ? — Messires, répondit Merlin, je vais vous en dire la raison. Il est fils du roi Uter Pendragon, issu de mariage, engendré d'Ygerne, l'épouse du duc de Tintagel. — Il est donc bâtard, s'écrièrent-ils tous. — Non, repartit Merlin. Après la mort du duc, plus de trois heures après, Arthur fut conçu et, treize jours après, le roi Uter épousa Ygerne. Ainsi donc, je prouve qu'il n'est point bâtard, et à qui soutiendra le contraire j'affirme qu'il sera roi et réduira tous ses ennemis. Et, avant de mourir, longtemps il régnera sur toute l'Angleterre, et lui rendront hommage le pays de Galles, l'Irlande, l'Écosse et plus de royaumes que je n'en puis citer maintenant. »

Certains des princes s'émerveillèrent des paroles de Merlin et furent enclins à penser qu'il en serait comme il l'avait dit. D'autres eurent un rire méprisant, tel le roi Lot. Un plus grand nombre le traitèrent de sorcier. Mais ils tombèrent d'accord avec Merlin pour que le roi Arthur sortît et parlât aux rois. Il fut donné assurance qu'il pouvait sans crainte aller et venir. Adonc Merlin alla trouver le roi Arthur, lui dit ce qu'il avait fait et de ne rien craindre mais de sortir hardiment et de leur parler, de ne pas les ménager mais de leur répondre comme il convenait à leur roi et à leur chef, « car vous les réduirez tous, qu'ils le veuillent ou non. »

CHAPITRE IX

De la première guerre que fit le roi,
et comment il demeura maître du champ de bataille

LORS le roi Arthur sortit de sa tour. Il avait sous sa robe une cotte de mailles doubles. L'accompagnaient l'archevêque de Cantorbéry, messire Baudouin de Bretagne, messire Keu et messire Bretiaus. C'étaient là les hommes les plus en renom qui se trouvaient avec lui. Quand la rencontre eut lieu, il n'y eut point d'humilité mais des paroles pleines de fermeté de part et d'autre. Toujours le roi Arthur riposta aux autres rois, et il leur dit qu'il les ferait plier si vie lui était gardée. Ils partirent en colère. Le roi Arthur leur souhaita de se bien porter, et eux lui souhaitèrent de se bien porter. Puis il s'en retourna dans la tour et s'arma, de même que tous ses chevaliers.

« Qu'allez-vous faire ? dit Merlin aux rois. Vous feriez mieux d'en rester là, car vous ne l'emporterez pas céans, quand vous seriez dix fois plus nombreux que vous n'êtes. — Sommes-nous bien avisés d'avoir peur d'un homme qui lit dans les songes ? » demanda le roi Lot. Sur ce, Merlin disparut. Il vint au roi Arthur et lui dit qu'il fallait les attaquer de vive force. Cependant, il se trouva trois cents hommes valeureux, parmi les meilleurs qui étaient venus avec les princes, pour se joindre incontinent au roi Arthur. Cela le réconforta grandement. « Sire, dit Merlin à Arthur, ne combattez point avec l'épée que vous avez acquise par miracle, tant que vous ne verrez pas que vous avez le dessous. Alors seulement, tirez-la du fourreau et donnez toute votre mesure. »

Aussitôt donc le roi Arthur les assaillit en leur campement. Messire Baudouin, messire Keu et messire Bretiaus occirent de droite et de gauche que c'était merveille. Et toujours le roi Arthur sur son cheval distribuait les coups d'épée et accomplissait de prodigieux faits d'armes, si bien que beaucoup des rois se réjouissaient grandement de ses exploits et de sa bravoure. Lors le roi Lot rompit leurs rangs en les prenant de revers, et le roi des Cent Chevaliers l'imita, et le roi Caradoc. Ils attaquèrent vivement Arthur par derrière. Le roi Arthur, voyant cela, fit volte-face, de même que ses chevaliers, et frappa derrière et devant. Toujours il était au plus fort de la mêlée, jusqu'à ce que son cheval fût tué sous lui. Sur ce, le roi Lot d'un coup d'épée le jeta à terre. Ce que voyant, ses quatre chevaliers le recueillirent et le remirent en selle.

Lors il tira du fourreau son épée, mais elle était si brillante au regard de ses ennemis qu'elle répandait de la lumière comme eussent fait trente torches. Et ainsi il les repoussa et occit beaucoup d'entre eux. Puis les menus gens de Carlion entrèrent dans la bataille avec massues et bâtons et tuèrent beaucoup de chevaliers. Néanmoins, tous les rois, avec ceux des chevaliers qui avaient échappé à la mort, ne se débandèrent point mais ainsi s'enfuirent et abandonnèrent la place. Merlin vint à Arthur et lui conseilla de ne pas les poursuivre.

CHAPITRE X

Comment Merlin conseilla au roi Arthur de faire venir le roi Ban et le roi Bohort, et comment on prit leur avis sur la conduite de la guerre

ADONC, après la grande fête et le voyage, le roi Arthur s'en revint à Londres et, suivant l'avis de Merlin, tint conseil avec ses barons, car Merlin le lui avait dit : les six rois qui lui avaient fait la guerre se hâteraient de se venger à ses dépens et aux dépens de ses domaines. Le roi leur demanda à tous ce qu'ils proposaient. Ils ne purent faire de proposition mais dirent qu'ils se sentaient assez forts. « C'est bien parlé, repartit Arthur. Je vous sais gré de votre courage, mais consentez-vous, vous tous qui m'aimez, à vous en entretenir avec Merlin ? Vous savez qu'il a beaucoup fait pour moi. Il connaît bien des choses. Lorsqu'il sera devant vous, je voudrais que, de bon gré, vous lui fissiez requête de vous conseiller du mieux qu'il pourra. »

Tous les barons dirent qu'ils lui feraient cette requête. On fit donc venir Merlin, et civilement tous les barons lui demandèrent de les conseiller du mieux qu'il pourrait. « Je vous dirai ceci, leur répondit-il : prenez garde, vous tous. Vos ennemis sont bien forts pour vous. Ils sont parmi les meilleurs hommes d'armes qui soient. À l'heure qu'il est, ils ont gagné à leur parti quatre rois de plus et un puissant duc. À moins que notre roi n'ait plus de chevalerie avec lui qu'il n'en peut assembler dans les limites de son royaume, s'il les affronte en bataille rangée, il sera défait et occis. — Que vaut-il mieux faire en ce cas ? demandèrent tous les barons. — Je vais vous donner mon avis, répondit Merlin. Il y a deux frères de l'autre côté de la mer. Ils sont rois tous deux et merveilleusement adroits à manier les armes. L'un se nomme le roi Ban de Benoïc et l'autre le roi Bohort de Gaunes. Contre ces rois se bat un puissant entre les puissants, le roi Claudas. Il leur fait la guerre pour la possession d'un château, et entre ces princes le combat est rude. Mais ce

Claudas a tant de richesses, par le moyen desquelles il s'adjoint de bons chevaliers, que le plus souvent ce sont les autres qui ont le dessous.

« Or donc, voici mon conseil : que notre roi et seigneur souverain fasse mander aux rois Ban et Bohort, par deux chevaliers qui ont sa confiance, pourvus de lettres bien tournées, que s'ils acceptent de venir voir le roi Arthur à sa cour et de l'aider dans ses guerres à lui, il s'engagera par serment à les aider dans leur guerre à eux contre le roi Claudas. Or çà, que dites-vous de ce conseil ? interrogea Merlin. — C'est un bon conseil », répondirent le roi et tous les barons.

Incontinent, en diligence, il fut ordonné à deux barons d'aller avec ce message trouver les deux rois. Il fut fait des lettres de la plaisante manière que désirait le roi Arthur. Ulfin et Bretiaus furent les messagers. Ils se mirent en chemin, avec belles montures et belles armes, selon les usages de ce temps, passèrent la mer et se dirigèrent vers la cité de Benoïc. Près de là, huit chevaliers les épièrent et, dans un chemin en ligne droite, voulurent les faire prisonniers. Eux les prièrent de les laisser passer, car ils étaient porteurs d'un message pour les rois Ban et Bohort et envoyés du roi Arthur. « Or donc, dirent les huit chevaliers, vous mourrez ou serez nos prisonniers, car nous sommes chevaliers du roi Claudas. »

Là-dessus deux d'entre eux mirent leurs lances en arrêt, Ulfin et Bretiaus aussi mirent leurs lances en arrêt, et ils se coururent sus avec beaucoup de vigueur. Les chevaliers de Claudas rompirent leurs lances. Mais les leurs tinrent bon et jetèrent à bas les deux chevaliers. Ulfin et Bretiaus les laissèrent étendus à terre et poursuivirent leur route. Les six autres chevaliers chevauchèrent devant jusqu'à un passage propice à une autre rencontre. Là, Ulfin et Bretiaus en renversèrent encore deux et passèrent leur chemin. Au quatrième passage, ils se rencontrèrent deux contre deux, et les deux derniers chevaliers furent renversés. Ainsi nul des huit n'échappa sans de graves blessures ou contusions.

Il advint que les rois Ban et Bohort étaient tous deux présents quand Ulfin et Bretiaus arrivèrent à Benoïc. Lorsqu'on apprit aux rois l'arrivée des messagers, il leur fut envoyé deux chevaliers de renom, l'un qui se nommait Léonce, seigneur du pays de Paërne, et messire Pharien, un fameux chevalier. Aussitôt ceux-ci leur demandèrent d'où ils venaient. Ils répondirent que c'était de la part du roi Arthur. Lors ce furent embrassades et grande liesse. Mais, sitôt après, lorsque les rois surent qu'ils étaient messagers d'Arthur, ils ne souffrirent aucun retard. Sans délai ils parlèrent aux chevaliers, leur souhaitèrent la bienvenue de la manière la plus cordiale qui soit et leur dirent qu'ils avaient plus de plaisir à les voir qu'aucun prince de la terre. Là-dessus, Ulfin et Bretiaus portèrent les lettres à leurs lèvres pour les baiser et les remirent aux rois. Mais quand Ban et Bohort entendirent le sens de ces lettres, les chevaliers eurent encore meilleur accueil. L'agitation causée par les lettres une fois calmée, on leur donna cette réponse : il serait satisfait aux désirs exprimés dans le message du roi Arthur. Ulfin et Bretiaus pourraient demeurer aussi longtemps qu'ils le voudraient. Il leur serait fait aussi bonne chère qu'ils pouvaient en attendre dans ces marches. Lors Ulfin et Bretiaus contèrent aux rois l'aventure des huit chevaliers à leurs quatre passages. « Ah ! ah ! s'exclamèrent Ban et Bohort. C'étaient nos bons amis. Quel regret de ne pas avoir su qu'ils étaient là ! Ils ne s'en seraient pas tirés à si bon compte. »

Ainsi donc Ulfin et Bretiaus furent bien traités et reçurent de beaux présents, autant qu'ils en pouvaient emporter. Et il leur fut donné réponse, de vive voix et par écrit, que les deux rois viendraient à Arthur aussitôt qu'ils le pourraient. Les deux chevaliers les précédèrent. Ils passèrent la mer et allèrent à leur seigneur. Ils lui dirent quel succès ils avaient eu, ce dont le roi Arthur se montra fort satisfait. « Quand pensez-vous que ces deux rois pourront être ici ? — Sire, répondirent-ils, avant la Toussaint. » Lors le roi fit préparer un grand festin et crier de grandes joutes.

La Toussaint venue, les deux rois avaient franchi la mer en compagnie de trois cents chevaliers, bien équipés pour la paix comme pour la guerre. Le roi Arthur les accueillit, quatre lieues avant d'arriver à

Londres. La joie fut aussi vive qu'on peut l'imaginer et les réjouissances aussi grandes. Le jour de la Toussaint, au grand festin, les trois rois étaient assis à table dans la grand-salle. Messire Keu, le sénéchal, servait dans cette salle avec messire Lucan, l'échanson, qui était fils du duc Corneus, et messire Girflet, qui était fils de Do de Carduel. Ces trois chevaliers avaient autorité sur tous ceux qui servaient les rois. Sitôt après le banquet, quand ils se furent lavé les mains et eurent quitté leurs sièges, tous les chevaliers qui désiraient jouter se préparèrent. Lorsqu'ils furent prêts, ils étaient sur leurs montures sept cents chevaliers. Arthur, Ban et Bohort, l'archevêque de Cantorbéry, messire Auctor, le père de Keu, tous étaient en un lieu couvert d'un drap d'or qui faisait comme une salle, avec des dames et leurs suivantes, pour voir qui était le meilleur et rendre jugement là-dessus.

CHAPITRE XI

D'un grand tournoi mis sur pied par le roi Arthur et les deux rois Ban et Bohort, et comment on passa la mer

LE ROI ARTHUR et les deux rois partagèrent les sept cents chevaliers en deux camps. Il y en eut trois cents, tant du royaume de Benoïc que de Gaule, qui furent mis dans le camp d'en face. Lors chacun prit son bouclier et commença maint chevalier à coucher sa lance. Girflet fut le premier à rencontrer un adversaire, un certain Ladinas, et ils y apportèrent une ardeur si grande que tous en furent émerveillés. Ils combattirent tant et si bien que leurs écus volèrent en éclats et qu'hommes et chevaux furent jetés au sol. Le chevalier français, de même que l'anglais, restèrent si longtemps étendus à terre qu'on les crut morts. Lorsque Lucan l'échanson vit Girflet ainsi couché, il le remit en selle sans attendre, et l'un et l'autre accomplirent de hauts faits d'armes, ainsi que maint bachelier. Messire Keu se sortit d'une embûche où il se trouvait avec cinq chevaliers et, à eux six, ils en renversèrent six autres. Mais messire Keu ce jour-là se signala par de prodigieux faits d'armes, et personne ne fit mieux que lui. Puis vinrent Ladinas et Gratien, deux chevaliers de France, et ils accomplirent des actions d'éclat dont chacun les loua. Ensuite entra en lice messire Placidas, un bon chevalier. Il rencontra messire Keu et jeta à terre l'homme et le cheval, ce qui déplut fort à messire Girflet, qui se heurta si rudement à messire Placidas que le cavalier et la monture tombèrent au sol.

Mais, lorsque les cinq chevaliers susdits apprirent que messire Keu avait été jeté à bas, ils furent transportés de colère et sur ce, chacun d'eux renversa un chevalier. Le roi Arthur et les deux rois virent que dans chaque camp l'on commençait à s'échauffer. Ils sautèrent sur de petites haquenées et firent crier que chacun se retirât en son logis. Ainsi donc chacun rentra chez soi et se dépouilla de son armure puis fut à vêpres et soupa. Ensuite, les trois rois allèrent en un jardin et donnèrent le prix à messire Keu, à Lucan l'échanson et à messire Girflet. Puis ils tinrent conseil avec Guinebaut, le frère du roi Ban et du roi Bohort, un clerc plein de sagesse, et vinrent aussi Ulfin, Bretiaus et Merlin. Et après qu'ils eurent tenu conseil, ils allèrent se coucher.

Le lendemain matin, ils entendirent la messe, dînèrent puis tinrent conseil et délibérèrent longuement du parti à prendre. Fin de compte, ils conclurent que Merlin irait, muni d'un signe de reconnaissance donné par le roi Ban (c'était un anneau), trouver les gens de ce roi, ainsi que ceux du roi Bohort. Gratien et Placidas s'en retourneraient veiller à la sûreté de leurs châteaux et de leurs pays, comme le roi Ban de Benoïc et le roi Bohort de Gaunes le leur avaient ordonné. Ils passèrent la mer et arrivèrent à Benoïc. Quand le peuple vit l'anneau du roi, Gratien et Placidas, il se réjouit, demanda comment se portaient ses rois et mena grande liesse de leur prospérité et de leur traité. En accord avec le souhait de leurs princes souverains, les gens de guerre se préparèrent aussi vite que possible, si bien qu'on put disposer de quinze mille hommes, tant gens à pied que de cheval, et pourvus de provisions en abondance par les soins de Merlin.

Cependant, Gratien et Placidas furent laissés en arrière pour munir les châteaux de tout le nécessaire, par peur du roi Claudas. Merlin put passer par la mer, bien approvisionné pour le voyage de terre et de mer. Mais quand il arriva à la côte, il renvoya chez eux les gens à pied et ne prit avec lui que dix mille cavaliers, hommes d'armes pour la plupart. C'est ainsi qu'il s'embarqua et passa de l'autre côté de l'eau, débarquant à Douvres. Puis, grâce aux facultés qui lui étaient propres, Merlin mena l'armée vers le nord par le chemin le plus dérobé qu'on pût trouver, jusqu'à la forêt de Bédingran, et là, dans une vallée, il les logea secrètement.

Lors Merlin se rendit auprès d'Arthur et des deux rois et leur dit comment il s'y était pris. Ce dont ils s'ébahirent, tout étonnés qu'être humain pût faire aussi vite pour aller et venir. Merlin leur dit que dix mille hommes étaient dans la forêt de Bédingran, bien armés de toutes pièces. Il n'y avait rien à ajouter. Toute la troupe qu'Arthur avait à l'avance préparée se mit à cheval. Ainsi, avec vingt mille hommes, il fit route de jour comme de nuit. Mais, devant, ordre avait été donné par Merlin qu'on ne vît nul homme de guerre, ni à cheval ni à pied, de ce côté-ci de la rivière de Trent, autrement que muni d'un signe de reconnaissance donné par le roi Arthur. Par quoi les ennemis du roi n'osèrent plus chevaucher, ainsi qu'ils le faisaient auparavant, pour épier.

CHAPITRE XII

Comment onze rois assemblèrent une grande armée contre le roi Arthur

AINSI, en peu de temps, les trois rois arrivèrent devant le château de Bédingran et là trouvèrent une fort belle compagnie, bien armée, ce dont ils se réjouirent grandement, et nulle provision n'y faisait défaut.

Voici maintenant où en était l'armée du Nord. Elle avait été levée à cause du dépit des six rois et de l'affront essuyé à Carlion. Ces six rois firent en sorte de gagner cinq autres rois. Ainsi donc, ils commencèrent à rassembler leurs gens. Et ils jurèrent de rester unis, quoi qu'il pût arriver, tant qu'ils ne seraient pas venus à bout d'Arthur.

Il y eut un serment solennel. Le premier à se lier par serment fut le duc de Cambénic. Il amenait avec lui cinq mille hommes d'armes, lesquels étaient prêts et avec leurs montures. Puis ce fut le tour du roi Brangorre d'Estrangore. Il jura qu'il apporterait cinq mille hommes d'armes à cheval. Puis le roi Clarion du Northumberland promit qu'il contribuerait de cinq mille hommes d'armes. Ensuite ce fut le roi des Cent Chevaliers. Il était fort valeureux et jeune. Il jura qu'il aurait avec lui quatre mille hommes d'armes pourvus de chevaux. Lors prêta serment le roi Lot, chevalier de grand mérite et qui fut le père de messire Gauvain. Il donna sa parole qu'il amènerait cinq mille hommes d'armes avec leurs destriers. Pareillement jura le roi Urien, qui fut le père de messire Yvain, du pays de Gorre. Il apporterait six mille hommes d'armes avec leurs montures. Jura aussi le roi Ider de Cornouailles de conduire cinq mille hommes d'armes à cheval. Semblablement jura le roi Tradelmant d'amener cinq mille hommes d'armes avec leurs chevaux. Le roi Aguisant d'Irlande l'imita. Il aurait cinq mille hommes d'armes sur leurs destriers. Puis ce fut le roi Nante qui prêta serment. Il serait à la tête de cinq mille hommes d'armes à cheval. Enfin ce fut le roi Caradoc. Il garantissait cinq mille hommes d'armes avec leurs montures.

Ainsi donc, en tout, leur armée comprenait de parfaits hommes d'armes sur leurs destriers cinquante mille et de gens à pied dix mille, tous vigoureux. Ils furent bientôt prêts. On se mit en selle et devant on envoya des hommes en reconnaissance. En effet, ces onze rois chemin faisant avaient mis le siège devant le château de Bédingran. Ils partirent donc à la rencontre d'Arthur en laissant en arrière une petite troupe pour maintenir le siège, car le château de Bédingran dépendait d'Arthur et les gens qui étaient dedans appartenaient à Arthur.

CHAPITRE XIII

D'un rêve que fit le roi des Cent Chevaliers

ADONC, par le conseil de Merlin, il fut envoyé des gens pour reconnaître le pays. Ils rencontrèrent des gens du Nord qui étaient aussi en reconnaissance et les contraignirent à leur révéler par où venait leur armée. Ils le rapportèrent à Arthur et, pour suivre l'avis des rois Ban et Bohort, on fit brûler et raser tout le pays devant, par où l'on chevaucherait.

Le roi des Cent Chevaliers eut un rêve étrange, deux jours avant la bataille. Il rêva qu'il soufflait un grand vent qui renversait leurs châteaux et leurs villes, après quoi venait un flot qui emportait tout. Ceux qui ouïrent parler de ce rêve dirent qu'il présageait une grande bataille. Lors, par le conseil de Merlin, quand ils surent où les onze rois se rendraient et logeraient cette nuit-là, à minuit ils les assaillirent pendant qu'ils étaient dans leurs pavillons. Mais le guet de leur armée cria : « Messeigneurs, aux armes ! Voici vos ennemis tout près ! »

CHAPITRE XIV

Comment les onze rois et leur armée combattirent Arthur et son armée, et de beaucoup de hauts faits en cette guerre

LORS le roi Arthur et les rois Ban et Bohort, avec leurs bons et loyaux chevaliers, attaquèrent leurs ennemis avec tant d'ardeur que leurs pavillons s'écroulèrent sur leurs têtes. Mais les onze rois par mâles prouesses gagnèrent l'espace libre au dehors. Furent occis tout de même ce matin-là dix mille hommes de valeur. Ainsi peut-on dire qu'ils eurent fort à faire pour se tirer de là, alors qu'ils étaient cinquante mille et de grand courage.

Le jour approchait. « Maintenant, vous ferez comme je vous le conseille, dit Merlin aux trois rois. Je voudrais que le roi Ban et le roi Bohort, avec leur compagnie de dix mille hommes, fussent mis dans un bois, à côté d'ici, en embuscade. Qu'ils ne fassent aucun bruit, soient en place avant le lever du jour et ne bougent mie avant que vous et vos chevaliers aient longtemps combattu avec vos ennemis. Puis, quand il fera jour, disposez-vous en ordre de bataille juste devant eux et le terrain qui vous sépare, de façon qu'ils puissent voir toute l'étendue de votre armée. Cela les enhardira de découvrir que vous n'avez qu'à peu près vingt mille hommes, et ils accepteront de meilleur gré que vous et vos troupes aillent à leur rencontre. »

Les trois rois et tous les barons dirent que Merlin avait fort bien parlé, et il fut aussitôt fait comme il l'avait conçu. Ainsi donc, le matin venu, quand chacune des deux armées put distinguer l'autre, celle du Nord fut très réconfortée. À Ulfin et Bretiaus on donna trois mille hommes d'armes, et ils se portèrent à l'attaque avec furie, pourfendant de droite et de gauche que c'était merveille. Quand les onze rois virent une compagnie si peu nombreuse accomplir pareils exploits, ils furent pris de honte et attaquèrent à leur tour avec fougue. Messire Ulfin eut son cheval tué sous lui mais, à pied, il fit des prodiges. Cependant, le duc Eustache de Cambénic et le roi Clarion du Northumberland ne cessaient de le presser dangereusement. Lorsque Bretiaus vit son compagnon en aussi mauvaise posture, il heurta le duc de sa lance, de telle sorte que l'homme et la monture tombèrent au sol.

Le roi Clarion le vit. Il se retourna contre Bretiaus. Ils se frappèrent l'un l'autre. Cavaliers et chevaux furent jetés à terre. Les cavaliers restèrent longtemps abasourdis, et les genoux des chevaux furent ouverts jusqu'à l'os. Vinrent à la rescousse messire Keu le sénéchal et cinq hommes avec lui. Ils firent merveille. Là-dessus arrivèrent les onze rois. Girflet fut renversé avec son cheval, Lucan l'échanson pareillement, avec son cheval, par le roi Brangorre d'Estrangore, le roi Ider et le roi Aguisant. La mêlée devint très rude pour les deux camps. Lorsque messire Keu vit Girflet démonté, il courut sus au roi Nante, le renversa, mena le cheval de celui-ci à messire Girflet pour le remettre en selle. Messire Keu, de la même lance, culbuta le roi Lot et lui infligea de graves blessures.

Ce que voyant, le roi des Cent Chevaliers chargea sus à messire Keu et le jeta au sol. Il lui ravit sa monture et la donna au roi Lot, lequel lui dit grand merci. Quand messire Girflet vit messire Keu et Lucan l'échanson privés de chevaux, il prit une lance bien pointue, grande et forte, et courut sus à Pinel, un valeureux homme d'armes. Il renversa homme et cheval, emmena le cheval et le bailla à messire Keu. Le roi Lot vit que le roi Nante était démonté. Il se rua sur Maret de la Roche, jeta bas le cavalier et la monture, donna celle-ci au roi Nante et le remit en selle. Semblablement, le roi aux Cent Chevaliers s'aperçut que le roi Ider n'avait plus de monture. Il courut sus à Guinas le Bloi, abattit l'homme et le destrier, bailla celui-ci au roi Ider et le remit en selle. Quand au roi Lot, il renversa Clarians de la Forêt Sauvage et donna son cheval au duc Eustache.

Lorsque les rois susdits furent tous remis en selle, ils se réunirent tous les onze et dirent qu'ils tireraient vengeance du dommage qu'ils avaient subi ce jour-là. Cependant messire Auctor vint se mêler au combat. L'ardeur se lisait sur son visage. Il trouva Ulfin et Bretiaus démontés. Leur vie était en grand péril. Les chevaux les avaient piétinés et souillés de boue. Lors le roi Arthur, tel un lion, courut sus au roi Tradelmant du nord du pays de Galles. Il lui perça le flanc gauche, si bien que cheval et roi tombèrent à terre. Puis il prit l'animal par la bride, le mena à Ulfin et dit : « Prends ce cheval, mon vieil ami, car tu as bien besoin d'une monture. — Grand merci », lui dit Ulfin.

Lors le roi Arthur accomplit des faits d'armes si prodigieux que chacun s'en ébahit. Quand le roi des Cent Chevaliers s'aperçut que le roi Tradelmant était démonté, il donna sus à messire Auctor, le père de messire Keu, qui avait un beau destrier. Il culbuta l'homme et le cheval, bailla le destrier au roi Tradelmant et le remit en selle. Mais lorsqu'Arthur vit ce roi chevaucher le destrier de messire Auctor, il fut pris de rage. De son épée il choqua Tradelmant sur le heaume, si bien qu'un quart du heaume et de l'écu tombèrent. L'épée trancha jusques au cou du cheval, et ainsi le roi et sa monture s'abattirent.

Lors vint messire Keu à messire Marganor, qui était sénéchal du roi des Cent Chevaliers. Il renversa l'homme et la monture et mena le cheval à son père, messire Auctor. Messire Auctor courut sus à un chevalier qui avait nom Lardenois. Il culbuta l'homme et la monture et conduisit celle-ci à messire Bretiaus, qui avait grand besoin d'un cheval et était tout couvert de boue. Quand Bretiaus aperçut Lucan l'échanson qui, comme s'il eût été mort, gisait sous les pieds des chevaux, quand il vit que messire Girflet multipliait les prodiges pour le sauver mais qu'il y avait toujours quatorze chevaliers sur messire Lucan, lors Bretiaus choqua l'un d'eux sur le heaume si rudement que l'épée fendit jusques aux dents. Il courut sus à un autre et le frappa de telle sorte que son bras alla voler dans le pré. Puis il vint au troisième et l'atteignit à l'épaule. L'épaule et le bras allèrent voler dans le pré. Girflet aperçut les secours. Il porta un tel coup à la tempe d'un chevalier que la tête et le heaume tombèrent sur le sol. Girflet prit la monture de ce chevalier, la mena à messire Lucan et lui dit d'enfourcher ce destrier pour venger ses blessures — car auparavant Bretiaus avait occis un chevalier et remis Girflet en selle.

CHAPITRE XV

Toujours de la même bataille

LORS Lucan aperçut le roi Aguisant qui, peu de temps auparavant, avait failli occire Maret de la Roche. Lucan courut sus au roi Aguisant avec une lance qui était courte mais fort bonne et lui porta un coup si violent que le cheval tomba. Lucan trouva là aussi, combattant à pied, Bélias de la Flandre et messire Guinas, deux braves chevaliers et, dans la fureur où il était, pour les remettre en selle il occit deux bacheliers. La bataille devint très âpre pour les deux camps. Mais Arthur fut heureux de voir que ses chevaliers avaient retrouvé une monture. Ils combattirent de concert, et bois et rivières retentirent du fracas des armes.

Là-dessus le roi Ban et le roi Bohort se préparèrent à intervenir. Ils prirent leurs écus et revêtirent leurs armures. Ils étaient animés d'un tel courage que beaucoup de chevaliers se mirent à vibrer d'une même ardeur. Cependant, Lucan, Guinas, Driant et Bélias de la Flandre livraient un combat opiniâtre à six rois, à savoir le roi Lot, le roi Nante, le roi Brangorre d'Estrangore, le roi Ider, le roi Urien et le roi Aguisant. Avec le secours de messire Keu et de messire Girflet ils assaillaient si rudement ces six rois que c'est à peine s'ils parvenaient à se défendre.

Mais quand le roi Arthur comprit que pareil combat ne pouvait avoir d'issue, sa fureur fut celle d'un lion. Il lança son cheval d'un côté, de l'autre, à droite, à gauche et n'eut de cesse qu'il n'eût occis vingt chevaliers. Il infligea aussi au roi Lot une grave blessure à l'épaule et lui fit abandonner le terrain, messire Keu et Girflet y accomplissant, de même que le roi Arthur, de hauts faits d'armes. Puis Ulfin et Bretiaus, ainsi que messire Auctor, se heurtèrent au duc Eustache, au roi Tradelmant, au roi Clarion du Northumberland et au roi Caradoc ainsi qu'au roi des Cent Chevaliers. Leur rencontre fut telle que ces rois préférèrent abandonner le terrain.

Lors le roi Lot se lamenta grandement du dommage qu'il avait subi et de celui de ses compagnons. Il dit aux dix autres rois : « Si vous ne faites pas ce que je vous conseille, nous courons à notre perte et nul ne survivra. Que le roi des Cent Chevaliers, le roi Aguisant, le roi Ider et le duc de Cambénic se joignent à moi ! À nous cinq, nous aurons quinze mille hommes d'armes. Nous nous écarterons de vous, les six autres rois, tandis que vous livrerez bataille à douze mille hommes. Quand nous verrons que vous avez longuement soutenu le combat contre eux, alors nous jetterons toutes nos forces dans la mêlée. Autrement que par ce moyen, dit le roi Lot, nous ne pourrons jamais leur tenir tête. »

Adonc ils s'éloignèrent comme ils l'avaient conçu. Six rois opposèrent à Arthur une forte résistance et se battirent longuement. Sur ce, le roi Ban et le roi Bohort sortirent de là où ils s'étaient embusqués. Léonce et Pharien étaient à l'avant-garde. Ces deux chevaliers se heurtèrent au roi Ider et à sa compagnie. Il s'ensuivit une grande mêlée avec beaucoup de bris de lance, de coups d'épée, d'hommes et de chevaux tués, et le roi Ider fut près d'être déconfit. Ce que voyant, le roi Aguisant fit craindre pour leur vie à Léonce et à Pharien. Le duc de Cambénic survint sur ces entrefaites avec une grande compagnie, si bien que nos deux chevaliers furent en tel péril que volontiers ils eussent rebroussé chemin. Mais toujours ils se tiraient d'affaire et tiraient d'affaire leurs compagnons que c'était merveille.

Quand le roi Bohort vit que ces chevaliers étaient repoussés, il en fut fort marri. Il fondit sur l'ennemi si impétueusement que sa compagnie courait, tel un flot ténébreux. Lorsque le roi Lot aperçut le roi Bohort, il le reconnut sans peine. Il dit : « Jésus, gardez-nous de la mort et d'être horriblement estropiés, car je vois bien que notre vie est en grand péril. J'aperçois là-bas un roi, l'un des hommes les plus renommés et l'un des meilleurs chevaliers qui soient au monde. Il vient au secours de ses compagnons. — Qui est-ce ? demanda le roi des Cent Chevaliers. — C'est, répondit le roi Lot, le roi Bohort de Gaunes. Je m'étonne que ces gens-là puissent venir dans ce pays à l'insu de nous tous. — C'est l'œuvre de Merlin, repartit le chevalier. — Pour ce qui est de cet homme, dit le roi Caradoc, je vais le rencontrer, moi, ce roi Bohort, pourvu que vous acceptiez de me secourir en cas de besoin. — Allez, dirent-ils tous, nous ferons tout notre possible. » Lors le roi Caradoc et son armée sans forcer l'allure chevauchèrent jusqu'à ce qu'ils fussent à portée de flèches. Puis chaque camp lança ses chevaux aussi vite que faire se pouvait. Bliobéris, qui était filleul du roi Bohort, portait son étendard. C'était un fort bon chevalier. « Maintenant nous allons voir, dit le roi Bohort, de quelle force aux armes sont ces Bretons du Nord. » Et le roi Bohort rencontra un chevalier. Il le transperça de sa lance, si bien qu'il tomba raide mort. Puis le roi tira son épée et accomplit de si prodigieux faits d'armes que de tous côtés on en fut grandement ébahi. Et ses chevaliers ne faillirent point mais firent leur ouvrage. Le roi Caradoc tomba sous les coups. Là-dessus arriva le roi des Cent Chevaliers. Il fut au roi Caradoc d'un puissant secours par la force de ses armes, car ce prince était fort bon chevalier en dépit de sa jeunesse.

CHAPITRE XVI

Davantage encore sur la même bataille

Lors entra dans le combat le roi Ban, avec la férocité d'un lion. Ses armes étaient de sinople à bandes d'or. « Ah ! ah ! dit le roi Lot, il nous faudra être déconfits, car je vois venir là-bas le plus vaillant chevalier de la terre et l'homme le plus en renom. Deux frères tels que le roi Ban et le roi Bohort n'existent nulle part ailleurs. Il nous faut donc ou partir ou périr. Si nous ne refusons pas de nous battre, en alliant à la bravoure la prudence, il ne nous reste qu'à mourir. » Quand le roi Ban se joignit à la mêlée, il le fit avec tant de fureur que les coups retentirent par les bois et les rivières. Le roi Lot versa des pleurs, de compassion et de douleur, à voir tant de valeureux chevaliers aller à la mort. Mais si grande était la force du roi Ban que les deux troupes des gens du Nord, qui avaient abandonné le terrain, se heurtèrent l'une à l'autre sous l'effet de la terreur. Et les trois rois, de même que leurs chevaliers, occirent sans répit que c'était pitié de voir la multitude des fuyards.

Néanmoins, le roi Lot, le roi des Cent Chevaliers et le roi Brangorre d'Estrangore rassemblèrent ces gens avec une belle maîtrise, accomplirent de valeureux faits d'armes et soutinrent le combat toute la journée avec une égale vaillance. Lorsque le roi des Cent Chevaliers vit le grand dommage causé par le roi Ban, il courut sus à lui avec son cheval, lui asséna un coup sur le sommet du heaume, un grand coup qui le laissa fort abasourdi. Le roi Ban en devint furieux et le poursuivit avec rage. L'autre le vit. Il voulut jeter son écu, éperonna sa monture, mais le coup que porta le roi Ban en s'abattant tailla dans l'écu. L'épée glissa derrière le dos le long du haubert, passa au travers du harnais d'acier et du cheval qu'elle coupa en deux au point de toucher le sol. Lors le roi des Cent Chevaliers avec aisance vida les arçons et de son épée embrocha le destrier du roi Ban de part en part. Là-dessus le roi Ban aisément se dégagea du cadavre de son cheval. Il choqua sus à l'autre avec tant d'ardeur et le frappa sur le heaume, si bien qu'il s'écroula. En proie au même emportement, le roi Ban jeta au sol le roi Brangorre d'Estrangore, et il y eut grand massacre de bons chevaliers et de nombreux gens de pied.

Lors au cœur de la mêlée intervint le roi Arthur. Il trouva le roi Ban debout au milieu de cadavres d'hommes et de chevaux, qui combattait à pied avec la fureur d'un lion, et nul n'approchait à portée de son épée sans recevoir une douloureuse estocade. Le roi Arthur en eut grande compassion. Lui-même était tellement couvert de sang qu'à son écu nul ne pouvait le reconnaître, et sur son épée il n'y avait que sang et cervelle. Arthur regarda autour de lui et aperçut un chevalier qui avait fort beau destrier. Il donna sus à ce chevalier, frappa sur son heaume. La lame fendit jusques aux dents, et l'homme tomba raide mort. Aussitôt Arthur prit le cheval par la bride et le mena au roi Ban, disant : « Gentil frère d'armes, prends ce cheval, car tu en as grand besoin, et j'ai grand regret de tout ce mal que tu souffres. — J'en serai bientôt vengé, repartit le roi Ban, car je me fie en Dieu que ma chance ne sera si mauvaise que certains d'entre eux n'aient aussi grand regret de cette journée. — Je te crois volontiers, dit Arthur, car je te vois te battre avec beaucoup d'ardeur. Pourtant, il se pourrait qu'au moment voulu il me fût impossible de venir à tes côtés. »

Cependant, quand le roi Ban fut monté à cheval, la bataille reprit avec une violence et une âpreté renouvelées, et le massacre fut considérable. Ainsi donc, leur grande force permit au roi Arthur, au roi Ban et au roi Bohort de faire quelque peu reculer les chevaliers des onze rois. Mais jamais les onze rois et leurs chevaliers ne tournèrent bride. Ils se retirèrent dans un petit bois puis passèrent une petite rivière et là prirent du repos car, la nuit à venir, ils risquaient de ne pas pouvoir en prendre sur le champ de bataille. Lors les onze rois et leurs chevaliers s'entassèrent les uns contre les autres comme font des hommes frappés d'épouvante et dénués d'espoir. Nul pourtant n'aurait pu rompre leurs rangs. Ils se tenaient si fermement groupés, tant derrière que devant, que le roi Arthur s'étonnait de leurs prouesses et que sa fureur était grande.

« Ah, Sire Arthur, dirent le roi Ban et le roi Bohort, ne les blâmez point, car ils font ce que doit faire tout homme de valeur. — Ma foi, dit le roi Ban, ce sont les meilleurs combattants et les plus vaillants chevaliers que j'aie jamais vus ou dont j'aie jamais ouï parler, et ces onze rois méritent beaucoup d'honneur. S'ils étaient à vous, nul roi au monde n'aurait onze chevaliers de cette sorte aussi dignes d'estime. — Je ne puis les aimer, repartit Arthur, ils ont voulu me tuer. — Nous le savons bien, dirent le roi Ban et le roi Bohort, car ce sont vos ennemis mortels. Ils l'ont déjà prouvé mais, en ce jour, ils n'ont fait que leur devoir, et leur obstination n'en est que plus regrettable. »

Lors les onze rois se réunirent tous. Le roi Lot dit : « Messires, il vous faut procéder autrement, ou c'est désastre qui nous attend. Vous voyez combien d'hommes nous avons perdus et combien de combattants valeureux nous perdons, parce que nous protégeons toujours ces gens de pied et, chaque fois, en épargnant l'un d'eux nous sacrifions dix gens de cheval. Voici donc ce que je vous propose. Écartons-nous de nos gens de pied. La nuit tombe. Arthur est généreux. Il ne s'attardera pas à cette piétaille et ils pourront se sauver, le bois n'est pas loin. Quand nous, les cavaliers, nous serons bien groupés, que chacun d'entre vous, princes, veille à maintenir sa troupe en un bon ordre auquel nul ne manque sans encourir la mort. Si l'un de vous s'aperçoit qu'un de ses hommes se dispose à fuir, qu'il ne se fasse nul scrupule de l'occire, car mieux vaut tuer un poltron que d'être tous réduits à nous faire tuer par la faute d'un poltron. Qu'en dites-vous ? demanda le roi Lot. Répondez-moi, princes, tous, tant que vous êtes.

— C'est bien parlé », dit le roi Nante. Même réponse lui fit le roi des Cent Chevaliers. Même réponse donnèrent le roi Caradoc et le roi Urien. Le roi Ider et le roi Brangorre d'Estrangore furent du même avis. L'approuvèrent le roi Tradelmant et le duc de Cambénic. Il en fut de même pour le roi Clarion et le roi Aguisant. Ils firent serment de ne jamais faillir les uns aux autres, que vie ou mort s'ensuive. Quiconque s'enfuirait ou ne les imiterait pas serait occis. Puis ils remirent en place leurs harnois, bien droits leurs écus, prirent de nouvelles lances, les appuyèrent contre leurs cuisses et ne bougèrent pas plus que n'aurait fait un bouquet d'arbres.

CHAPITRE XVII

Davantage encore sur cette même bataille,
et comment il y fut mis fin grâce à Merlin

LORSQUE LE ROI ARTHUR et les rois Ban et Bohort les virent avec tous leurs chevaliers, ils les louèrent grandement pour leur conduite noble et chevaleresque et dirent qu'ils étaient les combattants les plus braves qu'ils eussent jamais vus ou dont ils eussent jamais ouï parler. Là-dessus se préparèrent vingt et un gentils chevaliers qui dirent aux trois rois qu'ils rompraient les rangs ennemis. Voici quels étaient leurs noms : Léonce, Pharien, Ulfin, Bretiaus, Auctor, Keu, Lucan l'échanson, Girflet le fils de Do, Maret de la Roche, Guinas le Bloi, Driant de la Forêt Sauvage, Bélias, Morian du Château des Pucelles, Flandrin du Château des Dames, Anciaume qui fut filleul du roi Bohort et noble chevalier, Ladinas le Roux, Esmare, Taulas, Gratien le Châtelain, un certain Blois de la Casse et Messire Calogrenant de Gorre. Tous ces chevaliers s'avancèrent, la lance en arrêt sur la cuisse, et ils éperonnèrent leurs montures avec force pour les faire courir aussi vite qu'il se pût. Les onze rois, ainsi qu'une partie de leur chevalerie, chargèrent sur leurs destriers, aussi rapidement qu'ils le pouvaient avec leurs lances et, dans chaque camp, s'accomplirent en ce lieu de prodigieux faits d'armes.

Lors entrèrent au plus fort de la mêlée Arthur, Ban et Bohort. Ils occirent de droite et de gauche, tant que leurs chevaux avaient du sang jusques aux pâturons. Mais toujours les onze rois et leur armée se retrouvaient face à Arthur. Ban et Bohort s'en ébahissaient grandement, vu l'ampleur du massacre qui se faisait, mais, fin de compte, l'ennemi fut rejeté au-delà d'une petite rivière.

Sur ces entrefaites arriva Merlin, monté sur un grand cheval noir. Il dit à Arthur : « Tu n'en auras donc jamais fini. N'en as-tu pas assez fait ? De soixante mille qu'ils étaient aujourd'hui tu n'en as laissé en vie que quinze mille. Il est temps d'y mettre le holà. Dieu est en colère contre toi, à cause que tu ne veux pas t'arrêter. Ces onze rois-là ne seront pas défaits cette fois, mais si tu persistes à en découdre avec eux, la chance tournera et ils connaîtront plus de succès.

« Ainsi donc, retirez-vous en votre logis, reposez-vous sitôt que vous le pourrez, et récompensez vos bons chevaliers avec de l'or et de l'argent, car ils l'ont bien mérité. Il ne peut y avoir de richesses trop grandes pour payer leur peine, car vos hommes ont beau être peu nombreux, jamais on ne fit plus de prouesses qu'ils n'en ont fait aujourd'hui. En ce jour vous avez égalé les plus vaillants combattants de la terre. — C'est vérité, dirent les rois Ban et Bohort. — Adonc, reprit Merlin, retirez-vous où vous voudrez, car de trois ans, je vous le garantis, ils n'oseront pas vous défier. Et d'ici là les choses auront changé. »

Après quoi Merlin dit à Arthur : « Ces onze rois ont plus d'affaires sur les bras qu'ils ne pensent. Les Sarrasins ont débarqué dans leurs pays. Ils sont plus de quarante mille. Ils brûlent et tuent. Ils ont mis le siège devant le château de Vandebère et font de grands ravages. Aussi n'avez-vous rien à craindre d'ici trois ans. Ainsi donc, Sire, tout le butin saisi lors de cette bataille, qu'on le rassemble puis, quand vous l'aurez entre vos mains, distribuez-le généreusement à ces deux rois, Ban et Bohort, qu'ils puissent en récompenser leurs chevaliers. Les étrangers vous en serviront de meilleure grâce en cas de besoin. Vous pourrez récompenser vos propres chevaliers sur votre propre trésor quand bon vous semblera. — C'est bien parlé, lui répondit Arthur. Qu'il en soit fait comme tu l'as conçu. » Et quand le butin fut remis à Ban et Bohort, ils le distribuèrent à leurs chevaliers en usant de la même largesse dont on avait usé avec eux.

Lors Merlin prit congé d'Arthur et des deux rois afin d'aller voir Blaise, son maître, qui vivait dans le Northumberland. Il partit donc et vint à son maître, qui se réjouit fort de sa venue. Et là il rapporta quel succès Arthur et les deux rois avaient connu lors de la grande bataille, comment celle-ci avait pris fin, et il donna les noms de tous les rois et de tous les chevaliers de renom qui y avaient participé. Et Blaise consigna le récit de la bataille, mot pour mot, comme Merlin le lui faisait. Il nota comment elle avait débuté, qui l'avait lancée et pareillement comment elle s'était terminée et qui avait eu le dessous. Toutes les batailles qui furent livrées du temps d'Arthur, Merlin voulut que Blaise en fît une relation écrite. Il fit également par écrit rendre compte de tous les combats livrés par tous les chevaliers de mérite qui étaient à la cour du roi Arthur.

Après quoi Merlin quitta son maître et vint à Arthur, qui se trouvait au château de Bédingran, l'un des châteaux qu'il y avait dans la forêt de Sherwood. Merlin était ainsi déguisé que le roi ne le reconnut point. Il était tout couvert de peaux de mouton noir, portait une grande paire de bottes, et il était muni d'un arc et de flèches. Sa robe était d'un tissu grossier, et il apportait des oies sauvages qu'il tenait en ses mains. C'était le lendemain de la Chandeleur. Arthur ne le reconnut point. « Sire, dit Merlin au roi, voulez-vous me faire un présent ? — Pourquoi, dit le roi, te ferais-je un présent, maraud ? — Sire, poursuivit Merlin, mieux vaudrait pour vous me faire un présent que vous ne tenez pas que perdre de grandes richesses que vous détenez. Céans, à l'endroit même où s'est déroulée la grande bataille, un trésor considérable gît caché sous la terre. — Qui te l'a dit, coquin ? demanda Arthur. — Merlin », répondit-il. Lors

Ulfin et Bretiaus surent bien qui se trouvait en face d'eux, et ils se mirent à sourire. « Sire, dirent ces deux chevaliers, c'est Merlin qui vous parle. » Le roi Arthur en fut fort ébahi. Il s'étonna de ce que faisait Merlin, de même que le roi Ban et le roi Bohort, qui s'égayèrent beaucoup de ses tours.

Sur ces entrefaites il vint une demoiselle qui était fille d'un comte. Ce comte avait nom Senain et sa fille se nommait Lisanor. C'était une demoiselle d'une grande beauté. Elle venait rendre hommage, comme le firent d'autres seigneurs après la grande bataille. Le roi Arthur conçut beaucoup d'amour pour elle, et elle pour lui. Il partagea sa couche et elle eut de lui un enfant, lequel reçut le nom de Boort. Par la suite, il fut de la Table Ronde et bon chevalier.

Lors on apprit que le roi Rion du nord du pays de Galles faisait une guerre sans merci au roi Léodegan de Carmélide, de quoi Arthur fut courroucé, car il aimait beaucoup ce roi Léodegan et détestait le roi Rion, qu'il retrouvait toujours au nombre de ses ennemis. Et, par ordre des trois rois, furent renvoyés chez eux à Bénoïc tous ceux qui désiraient s'en retourner par crainte du roi Claudas : Pharien, Anciaume, Gratien et Léonce de Paërne, ainsi que l'avant-garde de ceux qui avaient mission de veiller sur les terres des rois.

CHAPITRE XVIII

Comment le roi Arthur, le roi Ban et le roi Bohort secoururent le roi Léodegan, et d'autres incidents

ET LORS le roi Arthur, le roi Ban et le roi Bohort partirent avec leurs compagnies, soit vingt mille hommes, et ils arrivèrent moins de six jours plus tard au pays de Carmélide. Là ils secoururent le roi Léodegan, occirent beaucoup des gens du roi Rion, jusques au nombre de dix mille, et mirent le reste en fuite. À ces trois princes le roi Léodegan fit bonne chère et les remercia de leur grande bonté pour l'avoir vengé de ses ennemis. C'est alors qu'Arthur aperçut pour la première fois Guenièvre, la fille du roi de Carmélide, et il ne cessa jamais de l'aimer. Après ils se marièrent, comme il est dit dans le livre.

Donc, brièvement, pour en finir, ils prirent congé afin d'aller dans leurs pays, car le roi Claudas faisait de grands ravages sur leurs terres. « En ce cas, dit Arthur, je vous accompagnerai. — Non, dirent les rois, pas cette fois, car vous avez encore beaucoup à faire en ces contrées. En conséquence nous partirons et, grâce aux richesses que nous avons acquises en ces pays par votre largesse, nous louerons les services de bons chevaliers et pourrons défier la méchanceté du roi Claudas. Si besoin est, par Dieu tout puissant, nous enverrons quérir votre secours. Si de votre côté vous avez besoin de nous, envoyez-nous chercher, nous ne tarderons pas, vous avez notre parole. — Il n'y aura nul besoin, dit Merlin, que ces deux rois reviennent pour faire la guerre. Par contre, je suis assuré que le roi Arthur ne pourra longtemps rester éloigné de vous. D'ici un an ou deux, vous serez en grand péril, et lors il vous vengera de vos ennemis ainsi que vous l'avez fait pour les siens. Quant à ces onze rois, ils mourront tous en un seul jour, grâce à la grande force et aux exploits de deux vaillants chevaliers (ainsi qu'on le verra plus tard). Leurs noms sont Balain le Sauvage et Balan, son frère, les meilleurs et les plus merveilleux chevaliers qui soient au monde. »

À présent revenons-en aux onze rois. Ils s'en retournèrent dans une cité qui avait nom Sorham, laquelle cité était dans le royaume du roi Urien. Là ils se rétablirent du mieux qu'ils purent. Ils se servirent de sangsues pour nettoyer leurs plaies et s'affligèrent grandement de la mort de leurs gens. C'est alors qu'arriva un messager. Il leur dit qu'il était venu en leurs pays un peuple qui ne connaissait pas de lois, des Sarrasins, au nombre de quarante mille, qu'ils avaient brûlé, occis tous les gens qu'ils avaient rencontrés, sans merci, et mis le siège devant le château de Vandebère.

« Hélas ! s'exclamèrent les rois. Nos peines ne finiront donc jamais. Si nous n'avions pas guerroyé contre Arthur comme nous l'avons fait, il nous eût tôt vengés. Pour ce qui est du roi Léodegan, il aime Arthur mieux que nous. Quant au roi Rion, il a assez à faire avec Léodegan, car il met le siège devant son château. » Ils s'accordèrent donc à placer sous bonne garde toutes les marches de Cornouailles, du pays de Galles et du Nord. Premièrement, ils établirent le roi Ider en la cité de Nantes en Bretagne, avec quatre mille hommes d'armes, pour surveiller ce qui venait de terre et de mer. Ils mirent de même dans la cité de Wissant le roi Nante de Garlot, avec quatre mille chevaliers pour surveiller terre et mer. Pareillement, ils disposèrent d'autres hommes de guerre, plus de huit mille, à consolider toutes les forteresses des marches de Cornouailles. D'autres chevaliers furent postés dans toutes les marches de Galles et d'Écosse, avec beaucoup de bons hommes d'armes. Ainsi ils maintinrent leur alliance, l'espace de trois ans, sans jamais cesser de s'adjoindre celle de puissants rois, ducs et seigneurs. Ils reçurent l'appui du roi Rion, de Galles du Nord, lequel était vaillant entre tous, et celui de Néro, vaillant entre tous. Et pendant tout ce temps ils munirent et garnirent leurs états de bons hommes d'armes, de provisions et de tout équipement de nature à servir à la guerre pour tirer vengeance de la bataille de Bédingran, ainsi qu'on le raconte dans le livre d'aventures qui va suivre.

CHAPITRE XIX

Comment le roi Arthur chevaucha jusqu'à Carlion, de son rêve, et comment il vit la Bête en Chasse

APRÈS LE DÉPART du roi Ban et du roi Bohort, le roi Arthur chevaucha jusqu'à Carlion. Et là vint à lui l'épouse du roi Lot des Orcades, sous couleur d'apporter un message, mais en fait c'était pour épier à la cour du roi Arthur. Elle vint richement parée avec ses quatre fils, Gauvain, Guerrehet, Agravain et Gahériet, ainsi qu'avec beaucoup d'autres chevaliers et d'autres dames. C'était une personne d'une grande beauté. Le roi en devint fort amoureux et désira partager sa couche. Ils s'accordèrent, et c'est d'elle qu'il engendra Mordret. Elle était sœur d'Arthur du côté de sa mère, Ygerne. Elle se reposa là un mois et partit enfin.

Lors le roi fit un rêve étrange qui l'épouvanta grandement — cependant, il ne savait pas que la femme du roi Lot était sa sœur. Voici quel fut le rêve d'Arthur : il imagina qu'étaient venus en ce pays des griffons et des serpents et qu'ils brûlaient et tuaient tous les gens. Après quoi il rêva qu'il combattait ces bêtes, qu'elles lui faisaient beaucoup de mal et lui causaient de très graves blessures. Mais fin de compte il en venait à bout.

Quand le roi s'éveilla, son rêve le laissait fort accablé. Pour le bannir de ses pensées, il se prépara à chasser à courre en compagnie de beaucoup de chevaliers. Dès qu'il fut dans la forêt, il vit devant lui un grand cerf. « Je m'en vais chasser ce cerf », se dit le roi Arthur. Il donna des éperons à son cheval et le poursuivit longuement. Souvent la grande vigueur du roi le rapprochait à pouvoir presque frapper. Cependant, si longue avait été la poursuite que son cheval suffoqua et tomba mort. Un sergent alla lui chercher une autre monture. Ainsi donc le roi vit le cerf embusqué et son cheval perdu. Il s'assit près d'une fontaine et là s'abîma dans de grandes réflexions.

Alors qu'il était assis là, il crut entendre des chiens, jusqu'au nombre de trente. Et il vit venir à lui la bête la plus étrange qu'il eût jamais vue ou dont il eût jamais ouï parler. La bête s'approcha de la source et but. Le bruit que faisaient ses entrailles était le même qu'eussent fait trente couples de chiens en quête de gibier. Tout le temps qu'elle étancha sa soif, nul grondement ne provint de son ventre. Mais quand elle eut fini, elle partit en faisant entendre un grand bruit, ce dont le roi s'ébahit grandement. Il tomba dans une songerie profonde puis il s'endormit.

À ce moment vint à Arthur un chevalier sans monture. Il lui dit : « Chevalier pensif et ensommeillé, dis-moi si tu n'as pas vu une étrange bête passer par ici. — J'en ai vu une de cette sorte, repartit le roi Arthur. Elle s'est depuis éloignée d'une lieue. Que voulez-vous à cet animal ? — Messire, je lui donne la chasse depuis bien longtemps. J'y ai crevé mon cheval. Plût à Dieu que j'en eusse un autre pour continuer la poursuite. » À cet instant précis on amenait un cheval au roi. Quand le chevalier le vit, il pria Arthur de le lui bailler : « Voilà douze mois que je poursuis cette quête. Ou j'achèverai la bête, ou j'y perdrai jusqu'à la dernière goutte de mon sang. »

Pellinor, qui régnait alors, poursuivit la Bête en Chasse et, après sa mort, ce fut au tour de messire Palamède.

CHAPITRE XX

Comment le roi Pellinor prit le cheval d'Arthur et poursuivit la Bête en Chasse, et comment Merlin fit rencontre d'Arthur

« SIRE CHEVALIER, dit le roi, laissez là cette quête et souffrez que je m'en charge. Je la continuerai une année de plus. — Ah ! fol, dit le chevalier à Arthur, vain est ton désir, car cette quête ne sera jamais menée à bien que par moi ou par l'un de mes proches. » Là-dessus, il s'élança vers le cheval du roi, l'enfourcha et dit : « Grand merci, ce cheval est à moi. — Bien sûr, repartit le roi, tu peux prendre mon cheval de force, mais je pourrais te prouver lequel est le meilleur cavalier des deux. — Soit, dit le chevalier. Viens me chercher ici quand bon te semblera. Céans, près de cette source, tu es sûr de me trouver. » Et il passa outre.

Lors le roi s'assit pensivement et dit à ses gens de lui ramener un cheval aussi tôt que possible. À ce moment-là Merlin s'approcha sous l'apparence d'un enfant de quatorze ans. Il salua Arthur et lui demanda pourquoi il était si songeur. « J'ai toute raison de l'être, repartit le roi, car je viens de voir la chose la plus étrange que j'aie jamais vue. — Je la connais aussi bien que toi, de même que je connais toutes tes pensées, mais tu es bien fol justement d'y songer, car tu n'en tireras aucun profit. Je sais aussi qui tu es, et qui était ton père, et quelle était la femme dont tu fus engendré. Le roi Uter Pendragon était ton père, et ce fut d'Ygerne qu'il t'engendra. — C'est faux, dit le roi Arthur. Comment le saurais-tu ? Tu n'as pas l'âge d'avoir connu mon père. — Eh si, dit Merlin, je le sais, mieux que vous ou que n'importe qui au monde. — Je ne te crois pas », dit Arthur, et il se courrouça contre l'enfant.

Adonc partit Merlin, et il revint sous l'aspect d'un vieillard de quatre-vingts ans, ce dont le roi fut très satisfait, car le vieillard paraissait fort sage. Ce vieillard lui dit : « Pourquoi êtes-vous si triste ? — J'ai bien sujet d'être en peine, repartit le roi Arthur. Les raisons ne manquent pas. Un enfant était là il y a un instant, qui m'a dit mainte chose dont il me semble qu'il ne devrait pas les savoir, car il n'était pas assez âgé pour avoir connu mon père. — Et pourtant, dit le vieillard, cet enfant vous a dit la vérité, et il vous en aurait dit davantage si vous l'aviez laissé faire. Mais, il y a peu, vous vous êtez rendu coupable d'une action qui fait que Dieu est malcontent de vous. Vous avez partagé la couche de votre sœur et d'elle engendré un enfant qui sera la cause de votre mort et de celle de tous les chevaliers de votre royaume.

— Qui êtes-vous, dit Arthur, pour m'annoncer ces choses-là ? — Je suis Merlin, et c'est moi qui avais pris l'apparence de l'enfant. — Ah ! dit le roi Arthur, tu es un homme étrange. Mais je m'étonne beaucoup de tes paroles quand tu me dis que je dois mourir dans une bataille. — Ne vous en étonnez pas, repartit Merlin, car c'est la volonté de Dieu que votre corps soit puni pour vos mauvaises actions. Quant à moi, je puis en avoir du regret, car je mourrai d'une mort indigne après avoir été enterré vivant, tandis que vous, vous connaîtrez un trépas glorieux. »

Pendant qu'ils devisaient ainsi, on amena la monture du roi. Celui-ci enfourcha son cheval, Merlin un autre, et ainsi ils chevauchèrent jusques à Carlion. Aussitôt Arthur demanda à Auctor et à Ulfin comment il avait été engendré. Ils lui répondirent qu'Uter Pendragon était son père et la reine Ygerne sa mère. Lors il dit à Merlin : « Je veux qu'on aille chercher ma mère, afin que je puisse l'entretenir. Si elle me fait la même réponse qu'eux, alors je le croirai. » En diligence, on alla chercher la reine. Elle vint, amenant avec elle Morgane la Fée, sa fille, qui était aussi belle qu'on peut l'être, et le roi fit à Ygerne le meilleur accueil.

CHAPITRE XXI

Comment Ulfin accusa la reine Ygerne, la mère d'Arthur, de trahison. Et comment il arriva un chevalier qui demanda que fût vengée la mort de son maître

À CE MOMENT survint Ulfin et il dit ouvertement, si bien que le roi et tous ceux que l'on fêtait en ce jour purent l'entendre : « Vous êtes la dame la plus fausse qui soit au monde et la plus traîtresse à la personne du roi. — Prends bien garde, dit Arthur, à ce que tu dis. Ton accusation est lourde. — Je sais ce que je dis, repartit Ulfin, et voici mon gant pour prouver à qui soutiendra le contraire que la reine Ygerne ici présente est la cause de vos grands malheurs et de votre grande guerre. Si, du vivant du roi Uter Pendragon, elle avait révélé le secret de votre naissance et comment vous fûtes conçu, vous auriez évité les terribles guerres que vous avez livrées. La plupart des barons de votre royaume ne savaient aucunement de qui vous étiez le fils ni de qui vous aviez été engendré. Celle qui vous a porté en son sein aurait dû le publier pour laver son honneur et le vôtre, et cela par tout le royaume. C'est pourquoi je la déclare fausse, à Dieu comme à vous ainsi qu'à tous vos états, et qui dira le contraire, je lui prouverai qu'il a tort aux dépens de sa personne. »

Lors parla Ygerne et elle dit : « Je ne suis qu'une femme et ne puis combattre. Mais, pour m'épargner le déshonneur, il se trouvera assurément un homme de bien qui soutiendra ma cause. En outre, poursuivit-elle, Merlin est averti, tout comme vous, messire Ulfin, comment le roi Uter vint à moi dans le château de Tintagel sous l'aspect de mon seigneur, qui était mort trois heures plus tôt, et de moi engendra un enfant cette nuit-là. Et qu'après le treizième jour, le roi Uter me prit pour épouse et que, par son ordre, lorsque l'enfant vint au monde, il fut remis à Merlin pour qu'il le nourrît. Jamais ensuite je ne revis cet enfant et ne connus même quel était son nom, car jusques à ce jour je ne sus rien de lui. »

Lors Ulfin dit à la reine : « Merlin est davantage à blâmer que vous. — Je savais bien, repartit la reine, que j'avais porté un enfant de mon seigneur, le roi Uter. Mais j'ignorais ce qu'il était devenu. » Merlin à ce moment prit le roi par la main, disant : « Voici votre mère. » Et messire Auctor témoigna qu'il l'avait nourri par ordre d'Uter. Sur ce, le roi Arthur prit sa mère, la reine Ygerne, dans ses bras. Il l'embrassa et chacun d'eux pleura sur les malheurs de l'autre.

Ensuite le roi donna une fête qui dura huit jours. Et lors vint à la cour un écuyer à cheval, conduisant devant lui un chevalier blessé à mort. Il dit au roi qu'un autre chevalier dans la forêt avait dressé un pavillon près d'une fontaine. « Il a tué mon maître, chevalier valeureux. Son nom était Milon. Adonc je vous conjure de faire en sorte que sépulture soit donnée à mon maître et qu'un chevalier venge son trépas. »

Cette mort fit grand bruit à la cour et chacun y alla de son avis. Girflet s'approcha qui n'était alors qu'un écuyer, et jeune par surcroît. Il avait même âge que le roi Arthur. Il le pria, eu égard aux services qu'il lui avait rendus, de lui conférer l'ordre de chevalerie.

CHAPITRE XXII

Comment Girflet fut fait chevalier, et comment il jouta avec un chevalier

« TU ES BIEN JEUNE et d'un âge bien tendre, lui dit Arthur, pour être reçu dans un ordre de cette importance. — Sire, s'entêta Girflet, je vous supplie de me faire chevalier. — Sire, dit Merlin, ce serait grand dommage de perdre Girflet, car il sera homme de grande valeur, l'âge venu, et demeurera auprès de vous le reste de sa vie. Et s'il s'aventure à rencontrer ce chevalier là-bas à la fontaine, il est en grand danger de ne jamais revenir, car c'est l'un des meilleurs chevaliers qui soient au monde et le plus vigoureux des hommes d'armes. — Bien », dit Arthur. Et, comme Girflet l'avait souhaité, le roi le fit chevalier.

« Maintenant, dit Arthur à messire Girflet, puisque je t'ai fait chevalier, il faut que tu m'accordes une faveur. — Ce que vous voudrez, dit Girflet. — Tu vas me donner ta parole que, lorsque tu auras jouté avec le chevalier à la fontaine, qu'il advienne alors que tu sois à pied ou bien à cheval, incontinent tu reviendras à moi sans pousser plus loin la querelle. — Je vous promets, dit Girflet, qu'il en sera fait selon votre désir. »

Lors Girflet diligemment prit son cheval, ajusta son écu, se saisit d'une lance et au grand galop courut à la fontaine. Là il vit un riche pavillon et, sous un caparaçon, il y avait un beau destrier, bien sellé et bridé, et suspendus à un arbre un écu de diverses couleurs et une grande lance. Girflet heurta l'écu du bois de sa lance, si fort qu'il tomba sur le sol. Sur ce, le chevalier sortit du pavillon et dit : « Gentil chevalier, pourquoi avez-vous fait choir mon écu ? — Pour ce que je veux jouter avec vous, repartit Girflet. — Il vaut mieux vous en abstenir. Vous êtes encore jeune. Il y a peu de temps que vous avez été armé chevalier, et votre force n'est rien en comparaison de la mienne. — Nonobstant, dit Girflet, je veux jouter avec vous. — Je n'en ai nulle envie, repartit le chevalier, mais puisqu'il le faut, je vais me préparer. D'où êtes-vous ? — Messire, je suis de la cour d'Arthur. »

Les deux chevaliers coururent l'un sus à l'autre avec tant de vigueur que la lance de Girflet vola en éclats. Sur ce, son adversaire porta à Girflet un coup qui transperça l'écu et le flanc gauche. La lance se rompit de telle sorte que le tronçon resta fiché dans le corps et que tombèrent monture et cavalier.

CHAPITRE XXIII

Comment douze chevaliers s'en vinrent de Rome et demandèrent qu'il fût payé tribut pour les terres d'Arthur, et comment Arthur combattit un chevalier

LORSQUE LE CHEVALIER le vit ainsi gisant sur le sol, il mit pied à terre car il imagina l'avoir tué. Puis il délaça son heaume et l'aida à respirer. Après quoi, au moyen du tronçon de la lance, il le mit sur son cheval, l'aidant toujours à respirer, et ainsi le confia à Dieu, disant qu'il avait beaucoup de courage et que, s'il vivait, il se révélerait chevalier de grand mérite. Messire Girflet de la sorte s'en revint à la cour, où l'on se désola grandement de le voir en cet état. Mais, grâce à de bons médecins, il fut guéri et sauvé.

Lors s'en vinrent à la cour douze chevaliers. C'étaient des hommes d'âge envoyés par l'empereur de Rome. Ils demandèrent à Arthur qu'il fût payé tribut pour ce royaume, sinon l'empereur le mettrait à néant de même que son pays. « Bien, dit le roi Arthur. Vous êtes messagers. Vous pouvez donc tout dire. Autrement vous m'en auriez rendu raison de votre vie. Mais voici ma réponse : je ne suis redevable à l'empereur d'aucun tribut et n'accepterai de lui en devoir aucun. Par contre, en combat loyal, je lui paierai tribut, et ce sera avec une lance bien pointue ou avec une épée tranchante, et il n'aura pas longtemps à attendre, j'en fais serment sur l'âme de mon père, Uter Pendragon. »

Là-dessus les messagers partirent, fort courroucés. Le roi Arthur était également en grand courroux, car ils étaient venus bien mal à propos. Le roi était fort irrité des blessures de messire Girflet. Il ordonna à l'un de ses valets de chambre qu'avant le jour son meilleur destrier et sa meilleure armure, ainsi que tout son équipement, fussent mis à disposition hors les murs de la cité le lendemain matin. Ainsi donc, avant le jour, le lendemain il trouva serviteur et cheval. Il se mit en selle, ajusta son écu, prit sa lance et dit à son valet de ne point bouger avant son retour.

Arthur chevaucha sans se presser jusqu'à l'aube. Il vit alors trois drôles qui pourchassaient Merlin et tentaient de l'occire. Le roi courut à eux et leur dit : « Arrière, manants ! » Ils prirent peur en voyant un chevalier et s'enfuirent. « Ah ! Merlin, dit Arthur, tu serais mort malgré tout ton savoir si je n'avais pas été là. — Non, repartit Merlin, car si j'avais voulu j'aurais pu leur échapper. Mais toi, tu es plus près de mourir que moi, car tu vas à la mort si Dieu ne t'assiste pas. »

Ainsi devisant ils arrivèrent à la fontaine et au riche pavillon qui se trouvait auprès. Lors le roi Arthur s'aperçut qu'un chevalier en armes était assis dessous. « Chevalier, lui dit le roi Arthur, pour quelle raison demeures-tu céans, dans un lieu par où ne passe nul chevalier si ce n'est pour jouter avec toi ? Je te conseille d'abandonner cette coutume. — Cette coutume, repartit le chevalier, est la mienne. J'entends m'y tenir quoi qu'on dise, et celui qui se plaint de ma coutume, qu'il la change s'il l'ose. — Je la changerai, dit Arthur. — Je t'en empêcherai bien », dit le chevalier. Sur ce, il prit son cheval, ajusta son écu, se saisit d'une lance, et ils heurtèrent si fort leurs écus que leurs lances volèrent en éclats. Làdessus Arthur tira son épée. « Non, pas cela, dit le chevalier. Il est plus noble que nous continuions à nous courir sus avec des lances bien pointues. — J'y consentirais volontiers, repartit Arthur, si j'avais d'autres lances. — J'en ai à ma suffisance », dit le chevalier. Et il vint un écuyer qui apporta deux bonnes lances. Arthur en choisit une, et l'autre prit celle qui restait.

Ils donnèrent des éperons à leurs montures et se heurtèrent avec toute la force dont ils étaient capables, si bien que tous deux ils rompirent leurs lances à hauteur de la prise. Arthur mit la main à son épée. « Non, dit le chevalier. Tu es l'un des meilleurs jouteurs que j'aie jamais rencontrés. Une fois encore, pour l'amour du grand ordre de chevalerie, joutons. — J'y consens, dit Arthur. » Aussitôt on leur apporta deux grandes lances. Chacun des chevaliers eut la sienne. Ils coururent à la rencontre l'un de l'autre, de telle manière que la lance d'Arthur vola en éclats. Cependant, le chevalier le heurta si fort au mitan de l'écu qu'homme et cheval tombèrent au sol. Arthur en eut de l'impatience. Il tira son épée et dit : « Je vais t'entreprendre à pied, chevalier, car à cheval j'ai perdu l'avantage. — Je resterai à cheval », repartit le chevalier.

Lors Arthur entra en courroux. Il ajusta son écu pour faire face, l'épée hors du fourreau. Ce que voyant, le chevalier mit pied à terre, car il pensa qu'il n'y avait nul honneur à rencontrer un chevalier avec un tel avantage, lui à cheval et l'autre à pied. Il descendit et mit son écu vis-à-vis d'Arthur. Et là commença un âpre combat, où fut porté maint coup valeureux. Ils taillèrent de leurs épées, tant que des éclats volèrent dans les prés alentour, et ils versèrent beaucoup de sang, tant que partout où ils se battaient la terre était couverte de sang. Ils s'opposèrent longuement, prirent quelque repos puis retournèrent au combat et donnèrent l'un contre l'autre tels deux béliers, si bien que chacun tomba sur le sol.

Finalement ils frappèrent en même temps, de telle sorte que les épées se heurtèrent. Cependant, l'épée du chevalier brisa celle du roi Arthur en deux morceaux, ce qui le désola. Lors le chevalier dit à Arthur : « Tu es à ma merci. Je suis libre de t'épargner ou de t'occire et, si tu ne t'avoues pas vaincu, tu mourras. — Pour ce qui est de la mort, repartit le roi Arthur, elle sera la bienvenue à son heure, mais pour ce qui est de reconnaître que tu as pris le dessus, j'aimerais mieux mourir que d'avoir cette honte. » Sur ce, le roi bondit sur Pellinor, le saisit par le milieu du corps, le jeta à terre et lui arracha son heaume. Lors le chevalier, se sentant redoutable, car il était homme d'une taille et d'une force peu communes, incontinent fit choir Arthur dessous lui, lui arracha son heaume et s'apprêta à lui trancher la tête.

CHAPITRE XXIV

Comment Merlin sauva la vie à Arthur, jeta un sort au roi Pellinor et l'endormit

SUR CES ENTREFAITES survint Merlin qui dit : « Chevalier, retiens ton bras, car si tu occis ce chevalier-là, tu mettras ce royaume dans le plus grand hasard où jamais fut royaume, car c'est homme de plus grande dignité que tu ne penses. — Comment cela ? dit le chevalier. Qui est-il ? — C'est le roi Arthur. » Lors le chevalier songea à l'occire par crainte de sa colère. Il leva son épée, ce que voyant Merlin lui jeta un sort, et il tomba sur le sol profondément endormi.

Lors Merlin releva le roi Arthur, et ils s'éloignèrent sur la monture du chevalier. « Las ! dit Arthur, qu'as-tu fait, Merlin ? Aurais-tu occis ce bon chevalier par ta magie ? Aucun ne vivait qui fût plus digne d'estime. J'aurais mieux aimé un an durant renoncer à mes terres que le voir périr. — Ne soyez pas en peine, dit Merlin, car il se porte mieux que vous. Il n'est qu'endormi et se réveillera dans les trois heures à venir. Je vous avais dit quel chevalier c'était. Vous auriez perdu la vie si je n'avais été là. Nul n'a plus de force, et à l'avenir il vous rendra de très bons services. Son nom est Pellinor. Il aura deux fils qui seront hommes de grand mérite. Un seul excepté, ils n'auront pas leur pareil pour les prouesses et une vie sans tache. Ils auront nom Perceval le Gallois et Lamorat de Galles. Et il vous dira comment se nomme le fils que vous avez engendré de votre sœur et qui causera la ruine de tout ce royaume. »

CHAPITRE XXV

Comment Arthur, par l'entremise de Merlin, obtintde la Dame du Lac une autre épée du nom d'Excalibur

SUR CE, le roi et lui s'en allèrent visiter un ermite qui était homme de bien et grand médecin. L'ermite sonda toutes les blessures du roi et lui bailla de bons onguents. Le roi demeura là trois jours. Lors ses plaies furent en bien meilleur état. Il put monter à cheval et partir, ce qu'il fit. En chemin, Arthur dit : « Je n'ai point d'épée. — C'est sans importance, repartit Merlin. Non loin d'ici se trouve une épée qui sera vôtre si mes efforts aboutissent. » Et ils chevauchèrent jusques à un lac, lequel était large et d'une eau pure. Et au milieu du lac, Arthur aperçut un bras vêtu de soie blanche qui tenait dans sa main une belle épée.

« Voyez, dit Merlin, là-bas se trouve l'épée dont je parlais. » Là-dessus, ils virent une demoiselle qui marchait sur le lac. « Quelle demoiselle est-ce là ? demanda Arthur. — C'est la Dame du Lac, répondit Merlin. Et dedans ce lac il y a un rocher, et dedans ce rocher un palais, le plus beau qui se puisse voir et richement décoré. Cette demoiselle va bientôt venir au devant de vous. Lors parlez-lui courtoisement, afin qu'elle vous donne cette épée. »

Sur ce, la demoiselle tôt vint à la rencontre d'Arthur, le salua et il lui rendit son salut. « Demoiselle, dit Arthur, quelle épée est-ce là que le bras tient au-dessus de l'eau ? Je voudrais bien qu'elle fût mienne car je n'ai point d'épée. — Roi Arthur, repartit la demoiselle, cette épée m'appartient et, si vous acceptez de m'accorder une faveur quand je vous la demanderai, elle est à vous. — Sur ma foi, dit Arthur, je vous accorderai tout ce que vous me demanderez. — C'est bien, dit la demoiselle. Montez dans cette barque et ramez jusqu'à l'épée. Prenez-la, ainsi que le fourreau, et je vous rappellerai votre promesse quand l'heure sera venue. »

Le roi Arthur et Merlin mirent pied à terre. Ils attachèrent leurs chevaux à deux arbres et montèrent dans la nef. Quand ils furent arrivés à l'épée que tenait la main, le roi Arthur la saisit par la poignée et l'emporta. Le bras et la main disparurent sous l'eau.

Ils revinrent à terre et reprirent leur chevauchée. Le roi Arthur alors aperçut un riche pavillon. « Que signifie ce pavillon là-bas ? — C'est celui du chevalier, répondit Merlin, que vous avez tantôt combattu, messire Pellinor. Mais il n'y est pas, il est parti. Il a un démêlé avec l'un de vos chevaliers du nom d'Héglan. Ils ont combattu et finalement Héglan s'est enfui, sans quoi il serait mort. L'autre l'a pourchassé jusques à Carlion, et nous le rencontrerons bientôt sur le grand chemin. — Tu parles à propos, dit Arthur, car maintenant que j'ai une épée, je vais lui livrer combat et me venger. — Sire, vous n'en ferez rien, lui dit Merlin. Ce chevalier est las de combattre et de poursuivre. Vous ne tireriez aucune gloire de vous mesurer à lui. En outre, il ne trouvera pas facilement son égal parmi tous les chevaliers vivants. Mon conseil est donc de le laisser passer. Il vous rendra de grands services avant peu, ainsi que ses fils après lui. Vous en serez bientôt témoin et bien content de lui donner votre sœur en mariage. — Quand je le verrai, je ferai comme tu dis », repartit Arthur.

Lors le roi Arthur regarda son épée et elle lui plut beaucoup. « Que préférez-vous, dit Merlin, l'épée ou le fourreau ? — J'aime mieux l'épée, dit Arthur. — Vous n'en montrez que moins de jugement, repartit Merlin, car le fourreau vaut dix épées comme celle-ci. Tant que vous l'aurez sur vous, vous ne verserez nulle goutte de sang ni ne serez gravement blessé. Gardez donc ce fourreau toujours par devers vous. » Ainsi chevauchèrent-ils jusques à Carlion et, chemin faisant, firent rencontre de messire Pellinor. Mais Merlin par sortilège avait fait en sorte que Pellinor ne vît point Arthur, et il passa auprès sans mot dire. « Je m'étonne, dit Arthur, que le chevalier n'ait point ouvert la bouche. — Sire, répondit Merlin, il ne vous a pas vu. S'il l'avait fait, vous n'auriez pas continué votre route aussi aisément. » C'est ainsi qu'ils arrivèrent à

Carlion, ce dont tous ses chevaliers eurent grande joie. Et quand ils ouïrent parler de ses aventures, ils s'ébahirent qu'il hasardât ainsi sa personne sans compagnie aucune. Mais tous les hommes d'honneur dirent que c'était plaisir de servir un tel chef, qui s'aventurait au péril de sa vie comme faisaient les pauvres chevaliers.

CHAPITRE XXVI

Comment Arthur eut connaissance que le roi Rion avait défait onze rois, et comment celui-ci demanda la barbe d'Arthur pour en agrémenter son manteau

CEPENDANT vint un messager du roi Rion, de Galles du Nord. Il était roi de toute l'Irlande et de beaucoup d'îles. Voici quel était son message : il saluait le roi Arthur ainsi qu'on va le voir, disant que le roi Rion avait défait et déconfit onze rois, que chacun d'eux lui rendait hommage et que — c'était là qu'il voulait en venir — ils lui avaient baillé leurs barbes bien écorchées, sans en rien retenir. Le messager venait donc chercher la barbe d'Arthur, car le roi Rion avait orné son manteau de barbes royales, et il lui restait une place sur ce manteau. Pour quoi il envoyait quérir cette barbe, faute de quoi il envahirait les terres d'Arthur, brûlant et tuant, et n'aurait de cesse qu'il n'ait eu la tête avec la barbe.

« Bien, dit Arthur, tu as donné ton message, le plus grossier et le plus infâme qu'on entendît jamais donner à un roi. Tu peux voir que ma barbe est beaucoup trop jeune pour servir d'ornement. Mais dis ceci à ton maître : je ne lui dois nul hommage, pas plus qu'aucun de mes aînés. Au contraire, avant qu'il soit longtemps, c'est lui qui me rendra hommage, et à genoux. Autrement il y perdra sa tête, par ma foi, car c'est de tous les messages dont j'aie jamais ouï parler le plus ignominieux. J'ai observé que ton roi ne s'est jamais encore heurté à homme de renom, mais dis-lui que j'aurai sa tête s'il ne me rend point hommage. »

Lors le messager partit. « Maintenant, y a-t-il ici quelqu'un, demanda Arthur, qui connaisse le roi Rion ? » Un chevalier du nom de Narran lui répondit : « Sire, je connais bien ce roi. C'est un homme comme il y en a peu pour ce qui est de la force et qui a beaucoup d'orgueil. Ne doutez pas qu'il vous fasse la guerre de toute sa puissance. — Bien, dit Arthur. Je prendrai sans tarder toutes dispositions pour le combattre. »

CHAPITRE XXVII

Comment on envoya chercher tous les enfants nés le premier jour de mai, et comment Mordret fut épargné

ENSUITE le roi Arthur envoya chercher tous les enfants nés le premier jour de mai, engendrés par des seigneurs et mis au monde par de grandes dames. Merlin avait dit au roi que celui qui le ferait périr naîtrait le premier jour de mai, ce pour quoi il les fit amener tous, sous peine de mort pour qui s'y refuserait. C'est ainsi qu'on trouva beaucoup de fils de seigneurs, que tous furent envoyés chez le roi. Mordret fut remis par l'épouse du roi Lot. Tous furent placés dans une nef qu'on poussa vers le large.

Le hasard voulut que la nef fût entraînée jusques à un château fort et là se brisât en morceaux. Mordret seul fut rejeté par les flots. Un homme de bien l'aperçut, prit soin de lui jusqu'à l'âge de quatorze ans. Ensuite il l'amena à la cour, comme on le lira plus loin, vers la fin du roman d'Arthur.

Beaucoup de seigneurs et de barons furent mécontents d'avoir ainsi perdu leurs enfants, et plus d'un y vit l'ouvrage de Merlin plutôt que celui d'Arthur. Tant la crainte que l'attachement firent qu'ils se tinrent en paix.

Cependant, lorsque le roi Rion reçut le messager, sa fureur ne connut pas de bornes. Il leva une grande armée, ainsi qu'il est raconté dans le livre de Balain le Sauvage qui fait suite à celui-ci, et où il advient que Balain obtient l'épée.

Fin du LIVRE PREMIER

LIVRE DEUXIÈME

Balain

CHAPITRE I

D'une demoiselle qui vint ceinte d'une épée à la recherche d'un homme possédant assez de vertu pour dégager cette épée de son fourreau

APRÈS LA MORT du roi Uter Pendragon régna son fils Arthur, lequel dut âprement guerroyer en son temps pour tenir toute l'Angleterre en son obéissance, car il y avait en ce royaume d'Angleterre beaucoup de rois, de même qu'au pays de Galles, en Écosse et en Cornouailles.

Il advint donc, alors que le roi Arthur était à Londres, que se présenta un chevalier pour lui annoncer que le roi Rion de Norgalles avait levé des gens en grand nombre et qu'il était entré en son royaume, brûlant et tuant ses bons et loyaux sujets. « S'il faut vous croire, dit Arthur, ce serait grande honte pour mon autorité qu'il ne se heurtât point à forte résistance. — C'est à n'en pas douter, repartit le chevalier, car cette armée, je l'ai vue de mes yeux. — Eh bien, dit le roi, faites crier que tous les seigneurs, chevaliers et gens d'armes se rendent à mon château de Camaalot (c'était son nom en ce temps-là), que j'y tiendrai un grand conseil et ferai disputer de grandes joutes. »

Adonc, lorsque le roi Arthur se fut rendu là-bas avec tous ses barons, et chacun logé à sa convenance, il vint une demoiselle, laquelle était envoyée par la grande dame de l'île d'Avalon. Lorsqu'elle se présenta devant le roi Arthur, cette demoiselle lui dit de la part de qui elle venait et que ladite dame l'avait chargée d'une ambassade pour des raisons que l'on allait voir. Elle fit alors tomber son manteau, qui était richement fourré, et l'on vit qu'elle était ceinte d'une noble épée. Le roi s'en étonna. Il dit : « Demoiselle, pourquoi êtes-vous ceinte de cette épée ? Elle ne vous sied point. — Je vais vous dire pourquoi, répondit la demoiselle. Cette épée que je porte au côté me cause beaucoup de peine et d'embarras, car je n'en serai délivrée que par un chevalier, encore doit-il exceller par son adresse et ses faits d'armes et être exempt de vilénie, perfidie et fourberie. Si je puis trouver un chevalier possédant toutes ces vertus, il tirera cette épée de son fourreau. Je me suis rendue chez le roi Rion. On m'avait dit qu'il y avait là-bas des chevaliers de grand mérite. Lui-même ainsi que tous ses chevaliers ont tenté l'épreuve. Nul n'y a réussi.

— C'est chose bien étrange, repartit Arthur, si tant est qu'elle soit vraie. Je vais moi-même essayer de tirer cette épée. Ce n'est pas que je prétende être ici le meilleur chevalier, mais je veux être le premier à tenter de la dégager pour donner l'exemple à tous les barons, afin qu'ils s'y essaient ensuite tous l'un après l'autre, lorsque j'aurai essayé moi-même. » Lors Arthur saisit l'épée par le fourreau et par la garde et tira vivement, mais sans extraire la lame. « Sire, dit la demoiselle, point n'est besoin d'y employer tant de force. Celui qui dégagera cette épée le fera sans grand effort. — Vous avez raison, repartit Arthur. Maintenant, à votre tour d'essayer, vous tous mes barons, mais prenez garde de n'être point souillés d'opprobre ni de perfidie ni de duplicité. — Cela ne servirait alors de rien, dit la demoiselle, car mon chevalier doit être sans tache, exempt de vilénie, et de sang noble tant du côté de son père que de celui de sa mère. »

La plupart des barons de la Table Ronde qui se trouvaient là à cette heure tentèrent l'épreuve l'un après l'autre, mais nul n'y put réussir. La demoiselle en conçut un chagrin extrême. Elle dit : « Las ! je croyais qu'en cette cour il y avait les meilleurs des chevaliers, qu'ils n'étaient ni fourbes ni perfides. — Ma foi, répliqua Arthur, il y a là des chevaliers à mon sens parmi les meilleurs qui soient au monde, mais ils n'ont pas le bonheur de pouvoir vous aider. Vous m'en voyez désolé. »

CHAPITRE II

Comment Balain, sous l'accoutrement d'un pauvre chevalier, tira l'épée qui ensuite fut cause de sa mort

OR IL ADVINT qu'il y avait alors chez le roi un pauvre chevalier qu'on avait retenu prisonnier du château six mois et plus pour avoir causé la mort d'un autre chevalier, qui était cousin du roi. Le nom de ce prisonnier était Balain. Les barons firent en sorte qu'il fût remis en liberté, car il avait réputation d'être valeureux et il était natif du Northumberland. Adonc il se rendit secrètement à la cour et fut témoin de cette aventure. Cela le stimula. L'envie lui prit de s'essayer comme l'avaient fait les autres chevaliers. Mais il était pauvre et pauvrement vêtu. Il ne chercha pas à traverser la foule. Pourtant, en son cœur il était pleinement assuré de faire aussi bien, si tel était son destin, qu'aucun de ceux qui se trouvaient là.

Lorsque la demoiselle prit congé d'Arthur, alors même qu'elle partait, Balain l'appela et lui dit : « Demoiselle, je le requiers de votre courtoisie, souffrez que je fasse le même essai que les seigneurs qui sont ici. J'ai beau être bien mal vêtu, au-dedans de moi il me semble posséder tout autant d'assurance que certains de ceux-là, et en mon cœur je crois que je vais réussir pleinement. » La demoiselle regarda le pauvre chevalier. Elle vit qu'il avait bonne mine mais, en raison de son misérable accoutrement, elle jugea qu'il n'était point noble, exempt de vilénie et de perfidie.

Adonc elle lui dit : « Messire, il est inutile que je me donne davantage de peine et de tracas, car il n'y a point apparence que vous réussissiez là où d'autres ont échoué. — Ah, belle demoiselle, repartit Balain, le mérite, les qualités, les belles actions ne se découvrent pas rien qu'à la mise. Le courage et l'honneur sont cachés en l'homme. Maint chevalier de valeur n'a pas de réputation auprès de tous. Ne cherchez donc ni le mérite ni la bravoure en l'habit. — Par Dieu, repartit la demoiselle, c'est vrai, ce que vous dites là. En conséquence je vous donnerai occasion de faire de votre mieux. »

Lors Balain prit l'épée par la garde et par le fourreau et la dégaina facilement. Le roi et tous les barons s'ébahirent grandement du succès de Balain en cette épreuve, et beaucoup de chevaliers en eurent grand dépit. « Assurément, dit la demoiselle, c'est là un fort bon chevalier et le meilleur que j'aie jamais trouvé. C'est lui qui a le plus de noblesse. On ne peut lui reprocher perfidie, traîtrise ou vilénie, et il accomplira mainte action extraordinaire. À présent, gentil chevalier plein de courtoisie, rendez-moi cette épée. — Non, repartit Balain. Cette épée, je la garde. Ce n'est que par force qu'on pourra me l'ôter. — Eh bien, dit la demoiselle, vous êtes mal avisé de m'empêcher de vous la reprendre, car avec elle vous tuerez le meilleur ami que vous ayez au monde, l'homme aussi que vous aimez le mieux, et elle sera cause de votre trépas. — Ma fortune sera, répondit Balain, telle que Dieu l'aura voulue, mais pour ce qui est de cette épée, sur ma foi, maintenant vous ne l'aurez pas. — Vous le regretterez avant qu'il soit longtemps, repartit la demoiselle. Si je voulais vous la reprendre, c'était pour votre bien davantage que pour le mien, car je suis bien peinée pour vous. Vous ne voulez pas croire que cette épée causera votre mort, et c'est bien dommage. » Là-dessus la demoiselle s'en alla, en manifestant beaucoup de chagrin.

Incontinent Balain envoya chercher son cheval et son armure et ainsi voulut quitter la cour. Il prit congé du roi Arthur. « Non, dit le roi, vous n'allez tout de même pas quitter votre compagnie avec aussi peu de cérémonie. J'imagine que vous êtes fâché de la rigueur que je vous ai montrée. Ne m'en veuillez point, car on m'avait mal renseigné à votre sujet. Je ne pensais pas que vous étiez le chevalier que vous êtes, plein de noblesse et de bravoure. Si vous consentez à demeurer à ma cour parmi mes compagnons, je vous avancerai de telle sorte que vous en serez content. — Dieu en sache gré à Votre Altesse, répondit Balain. Votre générosité, votre haut mérite, nul ne peut les louer même pour la moitié de ce qu'ils sont. Mais aujourd'hui il me faut absolument partir, en vous priant de me conserver toujours votre faveur. — Vraiment, dit le roi, je suis bien fâché que vous nous quittiez. Je vous prie, gentil chevalier, de ne pas longtemps vous attarder loin d'ici. Vous serez bien accueilli à votre retour, par moi et par mes barons, et je réparerai tout le tort que je vous ai causé. — Dieu en rende grâce à Votre Seigneurie », dit Balain. Et là-dessus il se prépara à partir. Lors la plupart des chevaliers de la Table Ronde murmurèrent que Balain n'était pas venu à bout de cette épreuve par ses seules ressources mais aussi par sorcellerie.

CHAPITRE III

Comment la Dame du Lac demanda la tête du chevalier qui avait obtenu l'épée, ou bien la tête de la pucelle

PENDANT QUE CE CHEVALIER se préparait à partir, il vint à la cour une dame qui avait nom la Dame du Lac. Elle vint à cheval, richement parée. Elle salua le roi Arthur et lui demanda aussitôt son épée. « C'est vrai, dit Arthur. Je vous ai promis une faveur. Mais j'ai oublié le nom de l'épée que vous m'avez offerte. — Son nom, repartit la dame, est Excalibur, autrement dit Tranche-acier. — C'est juste, dit le roi. Demandez-moi ce que vous voudrez et vous l'aurez, s'il est en mon pouvoir de vous l'obtenir. — Eh bien, dit la dame, je vous demande la tête du chevalier qui a conquis l'épée ou bien celle de la demoiselle qui l'a apportée ici. Je ne serais pas mécontente d'avoir l'une et l'autre, car lui a tué mon frère, qui était bon et loyal chevalier, et cette noble demoiselle fut cause de la mort de mon père. — Vraiment, répondit le roi Arthur, je ne peux en honneur vous accorder aucune de ces deux têtes. Demandez-moi n'importe quoi d'autre et je satisferai votre désir. — Je ne vous demanderai pas autre chose », dit la dame.

Lorsque Balain fut prêt à partir, il aperçut la Dame du Lac. Elle avait fait mourir sa mère, et il l'avait recherchée trois années durant. Quand on lui apprit qu'elle demandait sa tête au roi Arthur, il alla droit à elle et lui dit : « C'est un jour funeste puisque je vous vois. Vous vouliez ma tête. Eh bien, vous perdrez la vôtre. » Et de son épée, sans délibérer, il lui trancha la tête en présence du roi Arthur. « Hélas ! quelle honte ! s'exclama Arthur. Pourquoi avez-vous fait cela ? Vous nous avez déshonorés, ma cour et moi, car c'était une dame à laquelle j'étais redevable, et elle est venue ici avec mon sauf-conduit. Je ne vous pardonnerai jamais cette faute. — Sire, repartit Balain, je suis désolé de vous avoir offensé, mais cette dame était perfide entre toutes. Par enchantements et sorcellerie elle a causé la mort de plus d'un chevalier valeureux, et par sa faute ma mère fut brûlée, par sa traîtrise et duplicité.

— Quelles que soient vos raisons pour agir ainsi, dit Arthur, vous auriez dû l'épargner en ma présence. C'est pourquoi, sachez-le bien, vous vous en repentirez, car je n'avais jamais eu à subir à ma cour pareil outrage. Donc, partez d'ici, et aussi vite que vous le pourrez. » Lors Balain prit la tête de la dame et l'emporta dans son hôtellerie. Il y trouva son écuyer, qui fut désolé qu'il eût déplu au roi Arthur. Ils prirent leurs chevaux et quittèrent la ville. « À présent, dit Balain, il faut nous séparer. Prends cette tête et porte-la à mes amis. Mets-les au courant de ce qui m'est arrivé, et dis à ceux qui m'aiment dans le Northumberland que ma pire ennemie est morte. Raconte-leur également comment je suis sorti de prison et par quelle aventure j'ai gagné cette épée. — Hélas ! repartit l'écuyer, vous êtes grandement à blâmer d'avoir offensé le roi Arthur. — Pour ce qui est de cela, répondit Balain, je vais en diligence partir à la rencontre du roi Rion afin de le tuer, quitte à périr dans l'entreprise. Si j'ai la chance de le vaincre, alors le roi Arthur sera mon bon et gracieux seigneur. — Où dois-je vous attendre ? demanda l'écuyer. — À la cour du roi », répondit Balain. C'est ainsi qu'alors son écuyer et lui se séparèrent.

Le roi Arthur et toute la cour se désolèrent grandement de la mort de la Dame du Lac et la considérèrent comme une souillure. Le roi lui fit de magnifiques funérailles.

CHAPITRE IV

Comment Merlin conta l'aventure de la demoiselle

EN CE TEMPS-LÀ il y avait un chevalier, fils du roi d'Irlande, du nom de Lancer. Il était plein de suffisance et s'estimait l'un des meilleurs à la cour. Quand Balain réussit à prendre l'épée, il en conçut beaucoup de dépit, à la pensée qu'un autre pût être considéré comme plus brave que lui. Il demanda au roi Arthur s'il lui permettait de partir à la poursuite de Balain pour venger l'affront qu'il avait subi. « Faites de votre mieux, dit Arthur, je suis très en colère contre Balain. J'aimerais qu'il fût puni de l'outrage qu'il m'a fait, ainsi qu'à ma cour. » Lors ce Lancer s'en fut à son hôtellerie afin de s'y préparer.

Sur ces entrefaites Merlin vint à la cour du roi Arthur, et on lui rapporta l'aventure de l'épée et la mort de la Dame du Lac. « À présent, dit Merlin, je vais vous dire ce qu'il en est vraiment. Cette demoiselle, là, sous vos yeux, qui apporta l'épée à votre cour, je vais vous donner la raison de sa venue. Elle s'est montrée la plus fourbe qui soit au monde. — Ce n'est pas possible, dirent-ils. — Elle a un frère, un chevalier remarquable par sa vaillance et quelqu'un de parfaitement loyal. Cette demoiselle aimait un autre chevalier qui fit d'elle sa maîtresse. Le bon chevalier son frère se battit avec cet homme-là dont elle était la maîtresse et l'occit grâce à la force de son bras. Lorsque cette fausse demoiselle en eut connaissance, elle alla trouver la dame de l'île d'Avalon et requit son aide pour tirer vengeance de son propre frère. »

CHAPITRE V

Comment Balain fut poursuivi par messire Lancer, chevalier d'Irlande. Comment il jouta avec lui et le tua

« ET C'EST AINSI que cette Dame du Lac d'Avalon lui bailla cette épée qu'elle apporta ici avec elle et lui dit que nul ne la sortirait du fourreau s'il n'était l'un des meilleurs chevaliers du royaume, qu'il devrait être brave et plein de vaillance et qu'avec cette épée il tuerait son frère. Voilà pourquoi cette demoiselle est venue à cette cour. Je le sais tout aussi bien que vous. Et plût à Dieu qu'elle n'y fût jamais venue, car ce n'était pas pour y trouver des gens de bien afin de bien faire mais uniquement pour faire le mal. Le chevalier qui a obtenu cette épée mourra par cette épée. Ce sera grand dommage, car il n'existe en ce moment nul chevalier plus vaillant que lui et vous lui devrez, Sire, beaucoup d'honneur et de grands services. Il est bien regrettable que sa vie ne doive se prolonger que peu de temps, car pour la force et la bravoure je ne connais pas son pareil sur la terre. »

Adonc le chevalier d'Irlande s'arma de pied en cap, ajusta son bouclier à son épaule, monta à cheval, prit en main sa lance et se mit à la poursuite de Balain en chevauchant bon train, aussi vite que sa monture le lui permettait. Peu de temps après, parvenu sur une montagne, il aperçut Balain et d'une voix retentissante il lui cria : « Arrêtez-vous, chevalier, car vous vous arrêterez de gré ou bien de force, et le bouclier que vous avez devant vous ne vous sera d'aucun secours. » Lorsque Balain entendit tout ce bruit, il fit faire aussitôt demi-tour à son cheval et dit : « Gentil chevalier, que me voulez-vous ? Désirez-vous jouter avec moi ? — Oui, répondit le chevalier irlandais. C'est pourquoi je me suis mis à votre poursuite. — Peut-être, repartit Balain, eût-il mieux valu rester chez vous, car on s'imagine souvent qu'on va défaire un ennemi quand souvent c'est à soi qu'advient la défaite. De quelle cour êtes-vous l'envoyé ? — Je viens de celle du roi Arthur, dit le chevalier d'Irlande, afin de venger l'outrage que vous avez fait aujourd'hui au roi et à sa cour. — Eh bien, conclut Balain, je vois qu'il me faudra vous combattre, et j'ai regret de causer de la peine au roi Arthur ou à quiconque en sa cour. Votre querelle, cependant, est des plus vaines à mon sens, car la dame qui est morte m'avait fait grand tort, sinon j'eusse été aussi peu enclin à tuer une dame que tout autre chevalier au monde. — Préparez-vous, dit le chevalier Lancer, et faites-moi face, car l'un de nous demeurera sur le terrain de notre rencontre. »

Lors ils se saisirent de leurs lances et se heurtèrent avec autant de force que le permettait l'élan de leurs montures. Le chevalier irlandais toucha l'écu de Balain. La lance le mit en morceaux. Balain, lui, transperça le bouclier de Lancer. La cuirasse ne résista pas. La pointe de la lance passa au travers du corps du cavalier et de la croupe du cheval. Aussitôt, vivement, Balain fit tourner son destrier. Il dégaina son épée, ne sachant pas encore s'il avait tué ou non son adversaire. C'est alors qu'il le vit étendu sans mouvement et apparemment sans vie.

CHAPITRE VI

Comment une demoiselle qui était l'amante de Lancer se tua par amour pour lui, et comment Balain fit rencontre de son frère Balan

LORS Balain regarda à l'entour et vit une demoiselle qui venait vers lui, montée sur un beau palefroi, et qui chevauchait aussi vite que l'autorisait sa monture. Lorsqu'elle s'aperçut que Lancer était mort, sa douleur ne connut plus de bornes. Elle s'écria : « Oh ! Balain, ce sont deux corps que tu as tués mais un seul cœur, deux cœurs mais un seul corps. Ce sont deux âmes qui te devront leur perte. » Là-dessus elle prit l'épée de son amant qui gisait sans vie et s'affaissa sans connaissance. Quand elle se releva, elle manifesta la plus vive douleur. Sa peine affligea grandement Balain. Il alla vers elle pour lui enlever l'épée, mais elle la tenait si fermement qu'il ne pouvait la lui ôter des mains sans lui faire du mal. Tout à coup elle appuya le pommeau contre le sol et se transperça le corps. Quand Balain vit ce qu'elle avait fait, il fut pénétré de chagrin, et il eut honte qu'une aussi belle demoiselle eût mis fin à ses jours pour un amant dont il avait causé la mort.

« Hélas ! se dit Balain, je regrette amèrement d'avoir tué ce chevalier, et ce à cause de cette demoiselle, car il y avait entre eux beaucoup de véritable amour. » De tristesse il ne put davantage soutenir ce spectacle. Il fit faire demi-tour à son cheval et porta ses regards sur une grande forêt. Là il reconnut à ses armes la présence de son frère Balan. Lorsqu'ils furent l'un près de l'autre, ils ôtèrent leurs heaumes, s'embrassèrent et pleurèrent de joie et de compassion. Lors dit Balan : « Je ne pensais guère tomber sur vous ainsi par hasard. Je suis bien content que vous soyez délivré de votre pénible emprisonnement. Quelqu'un m'a rapporté, au château des Quatre Pierres, que vous étiez rendu à la liberté. Cet homme vous avait vu à la cour du roi Arthur. C'est pourquoi je suis venu ici, en ce pays, où je pensais pouvoir vous trouver. »

Aussitôt le chevalier Balain conta à son frère l'aventure de l'épée. Il lui apprit la mort de la Dame du Lac et lui rapporta comment il avait offensé le roi Arthur. « C'est pourquoi, dit-il, il a mis ce chevalier à ma poursuite, qui est là étendu sans vie, et la mort de cette demoiselle m'afflige profondément. — Moi aussi, dit Balan, mais il vous faut accepter les aventures que Dieu vous envoie. — Vraiment, ajouta Balain, je suis bien triste d'avoir offensé mon seigneur Arthur, car c'est le plus digne des chevaliers qui règnent à présent sur cette terre. J'obtiendrai qu'il m'aime, et pour cela je vais risquer ma vie. Le roi Rion tient le siège du château de Terrabel. Allons-y en toute hâte pour prouver notre valeur et notre bravoure à ses dépens. — Je veux bien, répondit Balan, et nous nous entraiderons ainsi qu'il convient à deux frères. »

CHAPITRE VII

Comment un nain reprocha à Balain la mort de Lancer,
et comment le roi Marc de Cornouailles trouva les corps des amants
et leur érigea un tombeau

« MAINTENANT partons d'ici, dit Balain. Je suis content de vous avoir rencontré. » Cependant qu'ils s'entretenaient survint à cheval un nain de la cité de Camaalot. Il faisait aussi vite qu'il pouvait. Il découvrit les corps inanimés et s'abandonna à la douleur. De chagrin il s'arrachait les cheveux. Il dit : « Lequel de vous deux, chevaliers, a commis ce forfait ?

— Pourquoi le demandes-tu ? repartit Balain. — Parce que je voudrais le savoir, répliqua le nain. — C'est moi, dit Balain, qui ai tué ce chevalier, pour me défendre, car il venait ici à ma poursuite et si je ne l'avais pas tué, c'est lui qui m'aurait tué. Quant à cette demoiselle, elle s'est donné la mort par amour pour lui. Cela me désole, et à cause d'elle j'en aimerai toutes les femmes davantage. — Hélas ! dit le nain, tu t'es fait grand tort, car ce chevalier qui gît là sans vie était l'un des hommes les plus braves qu'il y eût, et sois-en assuré, Balain, ses parents te poursuivront sur toute la surface de la terre jusqu'à ce qu'ils t'aient ôté du nombre des vivants. — Pour ce qui est de cela, repartit Balain, je n'en suis pas autrement effrayé, mais je m'attriste beaucoup d'avoir offensé le roi Arthur par la mort de ce chevalier. »

Comme ils s'entretenaient survint à cheval un roi de Cornouailles, lequel avait nom le roi Marc. Lorsqu'il vit les deux corps inanimés et sut comment cela s'était produit, lors il se lamenta grandement en songeant au véritable amour qui les unissait. Il dit : « Je ne partirai pas d'ici avant d'y avoir érigé un tombeau. » Il planta ses tentes et par tout le pays se mit en quête de ce tombeau. Il en trouva un dans une église, qui était de belle apparence et richement orné. Lors le roi fit mettre en terre les deux corps, élever le tombeau au-dessus d'eux et inscrivit leurs deux noms : « Ci-gît Lancer, fils du roi d'Irlande, qui, combattant à sa requête, fut tué de la main de Balain. Colombe, sa dame et la maîtresse de ses pensées, s'est donné la mort avec l'épée de son amant, de chagrin et de désespoir. »

CHAPITRE VIII

Comment Merlin prophétisa que les deux meilleurs chevaliers du monde combattraient en cet endroit, à savoir messire Lancelot et messire Tristan

SUR CES ENTREFAITES Merlin vint au roi Marc et, voyant tout ce dont il se chargeait, il dit : « Ici même aura lieu le plus grand combat entre deux chevaliers qu'il y ait eu ou qu'il y aura jamais, ces combattants aussi les amants les plus loyaux. Aucun des deux cependant ne tuera l'autre. » Sur le tombeau Merlin inscrivit en lettres d'or les noms de ceux qui combattraient en cet endroit. Ces noms étaient Lancelot du Lac et Tristan. « Tu n'es pas l'homme qu'on attendrait, dit le roi Marc à Merlin, pour parler de choses comme celles-là. Tu n'es qu'un rustre et peu fait pour annoncer de semblables exploits. Quel est ton nom ? demanda le roi Marc. — À présent, répondit Merlin, je le tairai, mais plus tard, lorsque messire Tristan s'éprendra de sa souveraine, alors vous entendrez et saurez mon nom. Alors aussi vous viendront aux oreilles des nouvelles qui ne vous plairont point. » Puis Merlin s'adressa à Balain : « Tu t'es fait grand tort en ne sauvant pas cette dame qui a mis fin à ses jours. Tu aurais pu la garder en vie si tu l'avais voulu. — Sur ma foi, repartit Balain, je ne pouvais le faire, car elle s'est tuée soudainement. — Je le déplore, dit Merlin. À cause de la mort de cette dame tu porteras le coup le plus douloureux qu'homme ait jamais porté, exception faite de celui que reçut Notre-Seigneur, car tu blesseras le chevalier le plus loyal et l'homme le plus digne qui soit aujourd'hui sur cette terre. Suite à ce coup, douze années trois royaumes connaîtront grande pauvreté, grand malheur et grand chagrin. Quant au chevalier, il ne guérira pas de sa blessure avant longtemps. » Lors Merlin prit congé de Balain. Balain s'écria : « Si j'étais assuré que tu dises la vérité et que je me rende coupable d'une action aussi funeste, je me tuerais pour te faire mentir. »

Là-dessus Merlin disparut tout à coup. Lors Balain et son frère prirent congé du roi Marc. « Mais d'abord, dit le roi à Balain, dites-moi votre nom. — Sire, répondit Balan, vous voyez qu'il porte deux épées. De ce fait, vous pouvez l'appeler le chevalier aux deux épées. » Ainsi le roi Marc partit pour Camaalot visiter le roi Arthur, et Balain, lui, se mit en quête du roi Rion. Tandis que les deux frères chevauchaient de concert, ils rencontrèrent Merlin sous un déguisement et ne le reconnurent pas. « Où allez-vous ? demanda Merlin. — Nous n'avons pas à t'en informer, répondirent les deux chevaliers. Mais comment t'appelles-tu ? — À présent, repartit Merlin, je ne veux pas le dire. — Il paraît fâcheux, répliquèrent les deux chevaliers, que toi, homme de vérité, tu refuses de dire ton nom. — À ce propos, répliqua Merlin, je puis en tout cas vous dire pour quel motif vous prenez ce chemin. C'est afin de rencontrer le roi Rion. Mais vous n'en aurez nul profit si vous n'écoutez pas mes conseils. — Ah ! s'exclama Balain, vous êtes Merlin. Nous nous laisserons guider par vos avis. — Allez, leur dit Merlin, vous vous couvrirez de gloire. Et soyez vaillants, car de vaillance vous aurez grand besoin. — Là-dessus, repartit Balain, ne soyez pas en peine. Nous ferons tout notre possible. »

CHAPITRE IX

Comment Balain et son frère, grâce aux conseils de Merlin, se saisirent du roi Rion et l'amenèrent au roi Arthur

LORS Merlin les logea dans un bois sous la feuillée auprès du grand chemin. Il ôta la bride à leurs chevaux et les mit à paître. À eux, il leur dit de prendre du repos jusqu'à ce qu'il fût près de minuit. Merlin leur enjoignit alors de se lever et de se tenir prêts, car le roi n'était pas loin. Il avait secrètement quitté son armée avec soixante cavaliers parmi les meilleurs de sa chevalerie, et vingt d'entre eux allaient devant pour prévenir la dame des Vaux de l'arrivée du roi, comme cette nuit-là il devait partager sa couche. « Lequel est le roi ? demanda Balain. — Patience, dit Merlin. Là, le chemin est en ligne droite. Vous y combattrez avec lui. » Là-dessus il montra à Balain et à son frère où le roi chevauchait.

Aussitôt Balain et son frère allèrent à la rencontre du roi. Ils le renversèrent. Ils lui infligèrent de graves blessures. Ils le firent tomber à terre. Ils occirent de droite et de gauche, tuèrent plus de quarante de ses gens. Le reste prit la fuite. Puis ils retournèrent auprès du roi Rion et l'auraient tué s'il ne s'était rendu à leur merci. Alors il leur dit : « Chevaliers pleins de bravoure, ne me tuez point, car de la vie que vous me laisserez vous pourrez tirer avantage mais de ma mort vous n'obtiendrez rien. » En réponse dirent les deux chevaliers : « C'est bien la vérité. » Et ils l'étendirent sur une litière attelée de chevaux.

Merlin avait disparu. Il les avait devancés auprès du roi Arthur et lui rapporta comment son pire ennemi avait été fait prisonnier et déconfit. « Par qui ? demanda le roi Arthur. — Par deux chevaliers, répondit Merlin, désireux de plaire à Votre Seigneurie. Demain vous saurez desquels il s'agit. » Peu de temps après arrivèrent le chevalier aux deux épées et Balan son frère. Ils avaient avec eux le roi Rion de Norgalles. Ils le laissèrent aux mains des portiers et leur en confièrent le soin. Puis ils s'en retournèrent au point du jour.

Le roi Arthur alors vint trouver le roi Rion et lui dit : « Sire le roi, vous êtes le bienvenu. Quelle aventure vous a conduit ici ? — Sire, répondit le roi Rion, ce fut une aventure bien pénible. — Qui vous a défait? demanda le roi Arthur. — Sire, ce sont le chevalier aux deux épées et son frère, qui sont deux admirables chevaliers pleins de vaillance. — Je ne les connais pas mais je leur dois beaucoup. — Ah ! dit Merlin, je vais vous dire qui ils sont. Ce sont Balain qui conquit l'épée et son frère Balan, un bon chevalier. Il n'y a pas meilleur que Balain en fait de vaillance et de mérite, et on le regrettera plus, à ma connaissance, qu'on n'a jamais regretté chevalier, car il ne vivra plus longtemps encore. — Hélas ! soupira le roi Arthur, c'est grand dommage, car je lui dois beaucoup et je l'ai mal payé de son affection. — Sans compter, ajouta Merlin, qu'il fera encore bien d'autres choses pour vous et lesquelles, vous ne tarderez pas à le savoir. Mais, Sire, préparez-vous, car demain l'armée de Néro, le frère du roi Rion, vous attaquera avant qu'il soit midi. Ils sont nombreux. Préparez-vous donc. Pour ma part, je vous quitte. »

CHAPITRE X

Comment le roi Arthur se battit contre Néro et le roi Lot des Orcades, comment le roi Lot fut joué par Merlin, et comment douze rois furent tués

LORS le roi Arthur disposa son armée en dix compagnies. Néro se tenait prêt sur le terrain devant le château de Terrabel. Il avait dix compagnies également et beaucoup plus d'hommes que n'en avait Arthur. Néro était à l'avant-garde, avec la plupart de ses gens. Merlin alla trouver le roi Lot des Orcades et l'empêcha de partir en lui racontant une prophétie, cela jusqu'à ce que Néro et sa troupe fussent mis hors de combat. À ce combat messire Keu le sénéchal fit merveille. Tous les jours de sa vie la gloire qu'il en eut l'accompagna. Messire Hervieu de Rivel accomplit d'admirables exploits aux côtés du roi Arthur. Le roi ce jour-là tua vingt chevaliers et en estropia quarante. Le chevalier aux deux épées et son frère Balan entrèrent dans la mêlée. Ils se conduisirent de manière si étonnante que le roi et tous les chevaliers en furent stupéfaits. Tous ceux qui les regardaient dirent que c'étaient ou des anges venus du ciel ou des démons sortis de l'enfer. Le roi Arthur lui-même fut d'avis que c'étaient les meilleurs chevaliers qu'il eût jamais vus, car ils assénaient de tels coups que chacun s'en ébahissait.

Cependant quelqu'un vint trouver le roi Lot pour lui dire que, tandis qu'il perdait son temps, Néro et tous ses gens avaient été déconfits et tués jusqu'au dernier. « Hélas ! s'écria le roi Lot, que j'ai honte ! Mon absence a fait que plus d'un homme valeureux a perdu la vie. Si nous avions été ensemble, nulle armée au monde n'aurait pu tenir contre la nôtre. Ce drôle avec sa prophétie s'est joué de moi. » Tout cela, Merlin l'avait fait parce qu'il savait bien que si le roi Lot avait été présent avec son armée lors du premier choc entre les adversaires, le roi Arthur aurait été tué et tous ses gens avec lui. Merlin savait bien aussi que l'un de ces deux rois perdrait la vie ce jour-là. Il regrettait qu'il dût en être ainsi. Mais il préférait la mort du roi Lot à celle du roi Arthur. « À présent, que vaut-il mieux faire ? demanda le roi Lot. Traiter avec le roi Arthur ou combattre ? La plupart de nos gens ont péri. — Sire, proposa un chevalier, attaquez Arthur. Ils sont las, fatigués de combattre, et nous, nous sommes frais et dispos. — Quant à moi, dit le roi Lot, je voudrais que chaque chevalier tînt sa partie comme je tiendrai la mienne. »

Alors ils avancèrent leurs enseignes. Les armes s'entrechoquèrent. Leurs lances toutes se brisèrent en morceaux. Les chevaliers d'Arthur, avec le secours du chevalier aux deux épées et de son frère Balan, prirent le dessus sur le roi Lot et son armée. Mais toujours ce prince demeurait à l'avant-garde et accomplissait de merveilleux faits d'armes. Tous les siens étaient portés par ses prouesses, car il résistait à tous les chevaliers. Hélas ! il ne pouvait tenir. Ce fut grand dommage qu'un combattant aussi valeureux succombât sous le nombre, lui qui peu de temps auparavant avait compté parmi les chevaliers du roi Arthur et épousé sa sœur. Mais, parce que le roi Arthur avait partagé la couche de son épouse — laquelle était la sœur d'Arthur — et d'elle engendré Mordret, le roi Lot avait rejoint ses ennemis.

Il y avait un chevalier qu'on appelait le chevalier à la Bête Étrange. Son véritable nom était Pellinor. C'était quelqu'un de valeureux et de brave. Il porta au roi Lot un coup terrible tandis qu'il affrontait tous ses ennemis. Le coup manqua. Il atteignit l'encolure du cheval qui s'effondra avec le roi Lot. Là-dessus sans tarder Pellinor asséna un grand coup qui fendit le heaume et la tête jusqu'aux sourcils. Alors, devant la mort du roi Lot, toute la troupe des Orcades se mit à la fuite, et plus d'une mère perdit son fils.

Cependant, on fit grief au roi Pellinor d'avoir tué le roi Lot. Messire Gauvain vengea la mort de son père, dix ans après qu'il fut fait chevalier. Il occit Pellinor de ses propres mains. Furent également tués à cette bataille douze rois du côté du roi Lot, sans compter Néro. Tous furent enterrés dans l'église de Saint-Étienne à Camaalot. Les autres, chevaliers ou non, furent mis en terre sous un grand rocher.

CHAPITRE XI

Des funérailles de douze rois, de la prophétie de Merlin, et du coup douloureux que Balain devait porter

AUX FUNÉRAILLES DONC vinrent l'épouse du roi Lot, Morcade, et ses quatre fils, Gauvain, Agravain, Guerrehet et Gahériet. Vinrent aussi le roi Urien, père de messire Yvain, et Morgane la Fée, son épouse, qui était sœur du roi Arthur. Tous ceux-là vinrent aux funérailles. Mais des tombes de ces douze rois le roi Arthur voulut que celle du roi Lot fût la plus richement décorée, et il plaça cette tombe à côté de la sienne. Puis Arthur fit faire douze effigies de cuivre jaune et de cuivre rouge couvertes d'or pour représenter les douze rois. Chacune figurait un prince tenant un cierge qui brûlait nuit et jour. La statue du roi Arthur fut mise au-dessus d'eux tous. Il était debout, l'épée nue à la main, tandis que sur les douze effigies les rois semblaient autant d'hommes vaincus. Tout ceci fut l'œuvre de Merlin. Il y employa ses subtils artifices. Il dit au roi : « Lorsque je serai mort, les cierges s'arrêteront de brûler. Peu de temps après ce seront pour vous les aventures du Saint-Graal. Vous les mènerez à bonne fin. » Il révéla également à Arthur comment Balain, le valeureux chevalier, porterait le coup douloureux qui susciterait une terrible vengeance.

« Oh ! où sont donc Balain, Balan et Pellinor ? demanda le roi Arthur. — Pour ce qui est de Pellinor, répondit Merlin, vous vous rencontrerez bientôt. Quant à Balain, il ne sera pas longtemps éloigné de vous. Mais l'autre frère va partir et vous ne le reverrez plus. — Sur ma foi, dit Arthur, ce sont deux admirables chevaliers. Balain en particulier est d'une bravoure qui dépasse celle de tous les chevaliers que je connais, et je lui dois beaucoup. Plût à Dieu qu'il demeurât à mes côtés ! — Sire, repartit Merlin, veillez bien à garder le fourreau d'Excalibur, car vous ne verserez nulle goutte de votre sang aussi longtemps que vous le porterez par devers vous. »

Dans la suite, si grande fut sa confiance qu'Arthur remit ce fourreau à Morgane la Fée, sa sœur. Elle s'éprit d'un chevalier qu'elle préféra à son mari, le roi Urien, ainsi qu'au roi Arthur, dont elle résolut la mort. Dans ce but elle fit faire un fourreau semblable au premier par sortilège et donna le vrai fourreau d'Excalibur à son amant. Le nom de ce chevalier était Acalon. Il faillit tuer le roi Arthur.

Quand il eut fini, Merlin mit le roi au courant de la prophétie annonçant une grande bataille près de Salisbury et prévoyant que Mordret, son propre fils, serait son ennemi. Il lui dit également que Bademagu était son cousin et cousin germain du roi Urien.

CHAPITRE XII

Comment un chevalier plein de tristesse se présenta aux regards d'Arthur, comment Balain alla le chercher, et comment ce chevalier fut tué par un autre chevalier qui s'était rendu invisible

UN JOUR OU DEUX plus tard le roi Arthur fut quelque peu malade. Il fit dresser un pavillon dans une prairie. Là il se coucha sur un lit de camp pour y dormir mais ne put trouver le sommeil. C'est alors qu'il entendit un cheval qui faisait beaucoup de bruit. Le roi regarda par le porche du pavillon. Il vit un chevalier passer juste devant lui, donnant tous les signes d'une vive douleur. « Arrête-toi, gentil seigneur, dit Arthur, et confie-moi le sujet de ce chagrin. — Vous n'y pouvez changer grand-chose », repartit le chevalier. Et il passa son chemin, en direction du château de Méliot.

Peu de temps après survint Balain. Quand il aperçut le roi Arthur, il mit pied à terre. Il alla au roi et le salua. « Ma foi, dit Arthur, je me réjouis de vous voir. À l'instant, messire, est venu par ici un chevalier témoignant d'une vive affliction dont j'ignore la cause. C'est pourquoi je serais obligé à votre courtoisie et bon vouloir de ramener ici ce chevalier, de bon gré sinon de force. — Je ferais pour Votre Seigneurie bien davantage », répondit Balain.

Il chevaucha bon train et trouva le chevalier dans une forêt en compagnie d'une demoiselle. Il lui dit : « Sire chevalier, il vous faut venir avec moi devers le roi Arthur, qu'il sache ce qui vous met en peine. — Je n'en ferai rien, répondit le chevalier. Cela me causerait beaucoup de tourment et ne vous serait d'aucun profit. — Messire, repartit Balain, préparez-vous, je vous prie. Il vous faut m'accompagner, sinon je vais me battre avec vous et vous amènerai de force, parti que je répugnerais à prendre. — M'accorderez-vous votre protection, dit le chevalier, si je vous suis ? — Oui, répondit Balain, ou j'y perdrai la vie. »

Lors le chevalier se prépara à suivre Balain mais sans se faire accompagner de la demoiselle. Alors qu'ils arrivaient juste devant le pavillon du roi Arthur survint un homme qui s'était rendu invisible. Il transperça de sa lance le chevalier qui était aux côtés de Balain. « Hélas ! s'exclama le chevalier, je meurs, sous votre escorte, des mains d'un chevalier nommé Garlan. Prenez mon cheval, il est meilleur que le vôtre. Allez retrouver la demoiselle, poursuivez la quête dans laquelle je m'étais engagé de la manière qu'elle vous dira et vengez ma mort lorsque l'occasion vous en sera donnée. — Je le ferai, foi de chevalier », dit Balain. Puis, avec beaucoup de peine, il le quitta.

Le roi Arthur fit à ce chevalier de magnifiques funérailles. On inscrivit sur sa tombe comment avait été tué Herlau le Barbu. On indiqua l'auteur de cette traîtrise, le chevalier Garlan. Toujours la demoiselle conserva par devers elle le tronçon de la lance dont avait été frappé à mort messire Herlau.

CHAPITRE XIII

Comment Balain et la demoiselle firent rencontre d'un chevalier qui fut tué de même manière, et comment la demoiselle dut donner son sang à cause de la coutume d'un château

ADONC Balain et la demoiselle entrèrent dans une forêt et là rencontrèrent un chevalier qui revenait de la chasse. Ce chevalier demanda à

Balain pour quel motif il se désolait pareillement. « Je n'ai pas envie de vous le dire, répondit Balain. — Si j'étais armé comme vous l'êtes, repartit le chevalier, pour cette réponse je me battrais avec vous. — Cela n'en vaudrait guère la peine, dit Balain. Je ne crains pas de vous l'avouer. » Et il lui donna toutes les explications nécessaires. « Ah ! s'exclama le chevalier, est-ce là tout ? À partir de cet instant, je m'engage sur mon honneur à ne pas vous quitter tant que ma vie durera. » Il s'en alla donc à son hôtellerie, s'arma puis tint compagnie sur sa route à Balain.

Ils arrivèrent près d'un ermitage, juste à côté d'un cimetière, quand survint le chevalier Garlan qui s'était rendu invisible. Il transperça de sa lance le compagnon de Balain, Périn de Montbéliard. « Hélas ! s'exclama Périn, je meurs de par ce chevalier perfide qui chevauche sans qu'on puisse le voir. — Hélas ! dit Balain, ce n'est pas la première fois que j'ai à me plaindre de lui. » En ce lieu même l'ermite et Balain enterrèrent Périn sous la pierre richement sculptée d'un tombeau royal. Le lendemain ils y trouvèrent inscrit en lettres d'or que messire Gauvain vengerait la mort de son père, le roi Lot, aux dépens du roi Pellinor.

Peu de temps après, Balain et la demoiselle en chevauchant arrivèrent à la porte d'un château. Là Balain mit pied à terre. La demoiselle et lui s'apprêtèrent à entrer. Il avait à peine franchi le seuil que la herse tomba derrière son dos. Beaucoup d'hommes surgirent qui entourèrent la demoiselle avec pour dessein de la tuer. Lorsque Balain vit cela, il fut bien en peine, car il lui était impossible de lui porter secours. Il monta dans la tour et sauta par-dessus les murs dans les fossés sans se faire aucun mal. Puis il dégaina son épée et s'apprêta à combattre. Mais ils s'y refusèrent tous. Ils ne voulaient pas se battre avec lui. Ils ne faisaient que suivre l'ancienne coutume du château. Leur dame était malade. Elle était alitée depuis bien des années et ne pouvait guérir que si l'on remplissait pour elle un plat d'argent du sang d'une vierge qui fût fille de roi. La coutume du château voulait donc que nulle demoiselle ne passât par là sans que son sang coulât, assez pour emplir un plat d'argent. « Eh bien, répondit Balain, elle donnera de son sang autant qu'elle le pourra, mais je la garderai en vie aussi longtemps que durera la mienne. » Balain fit donc en sorte qu'elle acceptât d'être saignée, mais son sang ne fut à la dame d'aucun secours.

La demoiselle et lui se reposèrent en ce château la nuit entière. On leur fit véritablement bonne chère, et le lendemain ils continuèrent leur chemin. On verra dans le livre du Saint-Graal comment la sœur de messire Perceval vint au secours de cette dame en lui donnant son sang, ce qui fut cause de sa propre mort.

CHAPITRE XIV

Comment Balain rencontra ce chevalier nommé Garlan dans un festin et là le tua pour, avec son sang, guérir le fils de son hôte

ILS CHEVAUCHÈRENT ENSUITE trois ou quatre jours sans connaître la moindre aventure, lorsque le hasard voulut que leur logement se fit chez un gentilhomme qui avait de la fortune et vivait à l'aise. Tandis qu'ils étaient à table à souper, Balain entendit quelqu'un gémir douloureusement qui était assis auprès de lui sur une chaise. « Pourquoi ces plaintes ? demanda Balain. — En vérité, je vais vous le dire, répondit son hôte. Il y a peu, je fus à des joutes et joutai avec un chevalier qui est le frère du roi Pellehan. Par deux fois je le renversai. Alors il me promit de se venger aux dépens de mon meilleur ami. C'est ansi qu'il blessa mon fils, qui ne pourra guérir tant que je n'aurai pas eu du sang de ce chevalier. Il chevauche toujours sans qu'on puisse le voir. Je ne connais pas son nom. — Ah ! dit Balain, à moi il ne m'est pas inconnu. Son nom est

Garlan. Il a tué deux de mes chevaliers de la même façon, et j'aimerais mieux le rencontrer que de me voir offrir tout l'or du royaume, en raison du tort qu'il m'a fait. — Eh bien, repartit son hôte, voici qui va vous intéresser. Pellehan, roi de Listenois, a fait crier par tout le pays un grand festin. Il se tiendra dans les vingt jours à venir. Nul chevalier n'y sera admis s'il n'amène avec lui son épouse ou la dame qu'il aime. Cet homme qui est votre ennemi et le mien, vous pourrez l'y voir ce jour-là. — En ce cas, dit Balain, je puis vous promettre de son sang pour la guérison de votre fils. — Nous nous mettrons en route demain matin », conclut son hôte.

Adonc le lendemain matin ils partirent tous les trois devers le roi Pellehan. Il leur fallut quinze jours pour faire le voyage. Le jour même de leur arrivée commença le grand festin. Ils quittèrent leurs chevaux, les logèrent à l'écurie et s'apprêtèrent à pénétrer dans le château. Mais l'hôte de Balain ne put y avoir accès, parce qu'il n'avait pas de dame avec lui. Balain, lui, fut bien reçu. On le conduisit à une chambre. On lui ôta son armure. On lui apporta des robes, autant qu'il en voulait. On eût aimé le voir quitter son épée. « Non, dit Balain, c'est la coutume en mon pays qu'un chevalier garde toujours son arme avec lui. Cette coutume, j'entends m'y tenir, sinon je pars comme je suis venu. » Lors on lui permit de la garder. Il entra dans le château, où il fut placé parmi les chevaliers de renom, sa dame à côté de lui.

Peu de temps après, Balain demanda à un chevalier : « N'y a-t-il pas à cette cour un chevalier du nom de Garlan ? — Tu le vois là-bas, lui fut-il répondu. C'est l'homme au visage sombre. C'est le chevalier le plus admirable qui soit au monde. Il vient à bout de plus d'un valeureux adversaire, car il sait se rendre invisible. — Ah oui ! répondit Balain, c'est donc lui. » Lors Balain délibéra longuement. « Si je le tue ici même, se dit-il, je ne pourrai m'échapper. Mais si je n'interviens pas maintenant, peut-être ne retrouverai-je jamais pareille occasion de le rencontrer. Et tant qu'il sera en vie, il fera bien du mal. »

À ce point Garlan s'avisa que Balain l'observait. Il vint à lui et lui donna un soufflet du revers de la main en disant : « Chevalier, pourquoi me dévisages-tu de la sorte ? Fi donc ! Mange ton repas et fais ce que tu es venu faire. — Tu dis vrai, repartit Balain. Ce n'est pas la première fois que j'ai sujet de me plaindre de toi. En conséquence, je vais faire ce pour quoi je suis venu. » Il se leva brutalement et lui fendit la tête jusqu'aux épaules. « Donnez-moi le tronçon de la lance, dit Balain à sa dame, cette lance avec laquelle il a tué votre chevalier. » Elle le lui donna aussitôt, car elle avait toujours ce tronçon avec elle. Lors Balain en perça le corps de Garlan en disant à voix haute : « De ce tronçon tu as tué un brave chevalier, et maintenant il te reste en travers du corps. » Puis Balain appela à lui son hôte et dit : « À présent, vous pouvez lui prendre le sang qu'il vous faut pour la guérison de votre fils. »

CHAPITRE XV

Comment Balain combattit le roi Pellehan, comment son épée se brisa, et comment il se procura une lance avec laquelle il porta le coup douloureux

Aussitôt tous les chevaliers se levèrent de table pour assaillir Balain. Le roi Pellehan lui-même se leva, plein de rage, et dit : « Chevalier, aurais-tu tué mon frère ? Tu le paieras de ta vie avant que tu partes. — Eh bien, répondit Balain, chargez-vous-en. — Oui, repartit le roi Pellehan, personne d'autre que moi ne se battra avec toi, pour l'amour que je portais à mon frère. » Lors il se saisit d'une arme redoutable et vivement voulut en frapper Balain. Mais Balain de son épée para le coup qui le visait à la tête. L'épée éclata en morceaux. Se trouvant désarmé, Balain courut à une chambre dans l'espoir d'y trouver une arme quelconque, puis ainsi de chambre en chambre, mais sans mettre la main sur rien, et toujours avec le roi Pellehan à ses trousses.

Finalement il entra dans une chambre qui était merveilleusement décorée et de manière somptueuse. Il s'y voyait un lit recouvert d'un drap d'or, le plus magnifique qui pût se concevoir. Quelqu'un y était couché. Auprès il y avait une table en or massif. Quatre colonnes d'argent en soutenaient le plateau, et dessus était verticalement posée une lance singulière, bizarrement ouvragée. Lorsque Balain vit cette lance, il s'en saisit. Il se tourna vers le roi Pellehan et lui porta un coup des plus rudes. Le roi tomba sans connaissance.

Là-dessus, le toit et les murs du château tombèrent à leur tour, s'effondrèrent, et Balain lui-même se retrouva à terre sans pouvoir bouger ni pied ni pouce. La plus grande partie du château, qui s'était écroulée après ce coup douloureux, recouvrit Pellehan et Balain trois jours durant.

CHAPITRE XVI

Comment Balain fut délivré par Merlin
et sauva un chevalier qui voulait se tuer par amour

LORS Merlin survint et releva Balain. Il lui procura un bon cheval, car le sien était mort, et lui dit qu'il lui fallait quitter ce pays-là. « Je voudrais ma demoiselle, répondit Balain. — Regarde, dit Merlin, c'est là qu'est son tombeau. » Le roi Pellehan, quant à lui, resta longtemps au lit couché, gravement blessé, et ne put jamais recouvrer la santé jusqu'à ce que Galaad le guérît par sa quête du Saint-Graal. C'est dans ce château en effet que se trouvait un peu du sang de Notre-Seigneur Jésus-Christ, que Joseph d'Arimathie avait apporté en cette contrée. C'est lui-même qui reposait en ce lit magnifique. Et la lance était la même que Longin plongea dans le cœur de Notre-Seigneur. Le roi Pellehan était proche parent de Joseph. C'était l'homme le plus digne qui vécût en ce temps-là, et grand dommage ce fut qu'il souffrît de cette blessure, car de ce coup résulta beaucoup de douleur, de chagrin et de désolation. Lors Balain se sépara de Merlin et lui dit : « Nous ne nous reverrons plus jamais en ce monde. »

Puis il s'en alla parmi des pays et des cités qui avaient été florissants. Il y trouva les gens inanimés. Partout on leur avait ôté la vie. Et tous ceux qui avaient réchappé s'écriaient : « Oh ! Balain, tu as causé de grands dommages en ces pays. À cause du coup douloureux que tu as porté au roi Pellehan, trois ont été dévastés. N'en doute pas, la vengeance retombera sur toi en fin de compte. » Lorsque Balain eut quitté ces contrées, il se réjouit grandement. Il chevaucha huit jours sans rencontrer d'aventure. Enfin il entra dans une grande forêt au creux d'un vallon. Il y remarqua une tour. À côté il aperçut un grand cheval de bataille attaché à un arbre et auprès, sur le sol, était assis un gentil chevalier. Il manifestait beaucoup de chagrin. Il avait bonne mine et était bien bâti. Balain s'adressa à lui : « Dieu vous garde, pourquoi êtes-vous si triste ? Confiez-le moi, et j'y porterai remède si c'est en mon pouvoir. Sire chevalier, continua-t-il, vous me causez bien de la peine, car mes pensées étaient gaies et maintenant, par votre faute, je recommence à souffrir. » Balain s'éloigna de lui quelque peu et regarda sa monture. Lors il entendit le chevalier qui disait : « Ah ! belle dame, pourquoi avoir manqué à votre promesse ? Vous m'aviez promis de me retrouver ici à midi. Je puis bien vous maudire de m'avoir donné cette épée, car avec cette épée je vais mettre fin à mes jours. » Et il la sortit du fourreau.

Sur ce, Balain marcha vers lui et lui prit la main. « Laisse ma main, dit le chevalier. Sinon, je vais te tuer. — Ce serait mal à propos, repartit Balain, car je vous promets de vous aider à obtenir votre dame si vous me dites où elle se trouve. — Quel est votre nom ? demanda le chevalier. — Mon nom est Balain le Sauvage. — Ah ! messire, je vous connais bien, je crois. Vous êtes le chevalier aux deux épées et l'homme le plus adroit qui soit à manier les armes. — Et vous, quel est votre nom ? demanda Balain. — Mon nom est Garnier de la Montagne. Je suis le fils d'un pauvre homme, mais mes exploits et ma bravoure m'ont valu d'être fait chevalier par un duc qui m'a donné des terres. Il s'appelle le duc Harniel. Sa fille est celle que j'aime. Elle aussi m'aimait, du moins je le croyais. — À quelle distance d'ici habite-t-elle ? demanda Balain. — Guère plus de deux lieues, répondit le chevalier. — Partons », dirent-ils d'un commun accord.

Ils chevauchèrent bon train jusqu'à ce qu'ils fussent au pied d'un beau château bien remparé et bien fossoyé. « Je vais entrer dans ce château, déclara Balain, et regarder si elle y est. » Il entra, chercha de chambre en chambre. Il trouva son lit mais elle n'y était point. Lors Balain regarda dans un beau jardinet et, sous un laurier, il la vit étendue sur une courtepointe de samit, un chevalier entre les bras. Ils se tenaient étroitement serrés, sous leurs têtes un coussin de gazon et d'herbes folles. Lorsque Balain la vit ainsi couchée près du chevalier le plus vil qu'il eût jamais connu, elle qui était si belle, lors Balain traversa de nouveau toutes les chambres. Il dit au chevalier comment il l'avait découverte profondément endormie et ainsi l'amena là où elle dormait profondément.

CHAPITRE XVII

Comment ce chevalier tua la jeune fille qu'il aimait,
de même qu'un chevalier couché près d'elle,
comment il se tua de sa propre épée,
et comment Balain chevaucha vers un château où il perdit la vie

LORSQUE GARNIER la vit ainsi couchée, de douleur le sang jaillit de sa bouche et de son nez. De son épée il leur trancha la tête à tous deux. Puis il s'abandonna à sa souffrance. Il s'exclama : « Oh ! Balain, tu m'auras causé bien de la peine. Si tu ne m'avais pas montré ce spectacle, mon chagrin aurait disparu. — Que dis-tu là ? repartit Balain. Je l'ai fait afin de ranimer ton courage, qu'il te fût donné de voir et de connaître sa fausseté, et pour que tu ne songes plus à aimer pareille dame. Dieu sait que je n'ai rien fait d'autre que ce que j'aurais voulu que tu fisses pour moi. — Hélas ! reprit Garnier, maintenant ma peine est deux fois plus grande, et je ne puis l'endurer. J'ai tué la personne que j'ai le plus aimée de toute ma vie. » Là-dessus soudainement il se jeta sur son épée qui s'enfonça jusqu'à la garde.

Quand Balain vit cela, il se mit en devoir de quitter ces lieux, de crainte qu'on ne le tînt pour l'auteur de leur mort. Il chevaucha donc et, dans les trois jours qui suivirent, arriva près d'une croix sur laquelle était inscrit en lettres d'or : « Il n'appartient pas à un chevalier solitaire d'aller vers ce château. » Lors il vit un vieux gentilhomme tout chenu se diriger vers lui, qui lui dit : « Balain le Sauvage, tu passes tes frontières à venir par ici. Fais demi-tour, tu t'en porteras bien. » Puis il disparut aussitôt. C'est alors que Balain entendit le son du cor, comme pour la curée. « Cette fanfare me concerne, songea-t-il. C'est moi l'objet de la chasse, et pourtant je ne suis pas mort. » Là-dessus il vit cent dames et moult chevaliers qui donnaient apparence de lui faire bon accueil, prenant un air des plus gracieux lorsqu'il les regardait. Ils le conduisirent au-dedans du château, et là ce furent des danses, des chants et toutes sortes de réjouissances.

Lors la dame qui commandait en ce château lui dit : « Chevalier aux deux épées, il vous faut affronter un chevalier près d'ici qui tient une île et jouter avec lui. Nul homme ne peut passer où vous êtes sans jouter avant de continuer son chemin. — C'est une coutume malencontreuse, repartit Balain, qui veut qu'un chevalier ne puisse passer par ici sans qu'il joute. — Vous ne vous battrez qu'avec un seul chevalier, dit la dame. — Eh bien, repartit Balain, puisqu'il le faut, je suis prêt. Mais les voyageurs sont souvent fatigués, de même que leurs montures. Cependant, si mon cheval est las, mon cœur, lui, ne l'est pas. Je serais heureux d'aller où la mort m'attend. — Messire, dit un chevalier à Balain, il me semble que votre bouclier ne vaut rien. Je vais vous en prêter un plus grand, si vous voulez bien l'accepter. »

C'est ainsi que Balain prit un écu qu'on ne lui connaissait pas, laissa le sien, se rendit près de l'île et s'embarqua ainsi que sa monture dans un grand bateau. Lorsqu'il fut de l'autre côté, il fit rencontre d'une demoiselle qui lui dit : « Oh ! chevalier Balain, pourquoi vous être défait de votre écu ? Hélas ! vous vous êtes mis en grand péril, car à votre écu on vous eût reconnu. Quel dommage, comme jamais n'en souffrit aucun chevalier, car pour la bravoure et la vaillance vous n'avez pas votre pareil sur la terre ! — Je regrette, répondit Balain, d'avoir jamais franchi les frontières de ce pays-ci. Mais je ne puis maintenant m'en retourner sans honte et, quelle que soit l'aventure qui me sera impartie, que vie ou mort s'ensuive, je l'accepterai. » Lors il regarda son armure, vit qu'il était bien protégé. Il se signa et monta sur son cheval.

CHAPITRE XVIII

Comment Balain rencontra son frère Balan, et comment à leur insu ils combattirent l'un contre l'autre jusqu'à mourir de leurs blessures

Lors devant lui il vit sortir d'un château un chevalier dont le cheval était tout caparaçonné de rouge et qui était en rouge lui aussi. Quand ce chevalier vit Balain, il lui sembla que c'était là son frère, à cause des deux épées, mais, pour ce qu'il ne connaissait pas l'écu, il écarta cette idée. Ainsi donc ils couchèrent leurs lances et se heurtèrent à une vitesse prodigieuse. L'un et l'autre frappèrent contre les boucliers, mais leurs lances avaient tant de force et leur élan était tel qu'hommes et chevaux furent jetés au sol et que tous deux, Balain et Balan, restèrent sans connaissance. Balain, cependant, souffrit beaucoup de la chute de son cheval, car il se ressentait des fatigues du voyage. Balan fut le premier à se relever et à dégainer l'épée. Il alla au-devant de Balain. Celui-ci se releva à son tour et marcha vers lui. Mais Balan porta le premier coup. Il leva son bouclier, atteignit son adversaire au travers du sien et défonça le heaume.

Lors Balain rendit le coup de sa malheureuse épée. Il faillit renverser son frère Balan. Ils combattirent ainsi jusqu'à en perdre le souffle. Balain leva les yeux vers le château et vit aux tours mainte dame. Adonc ils retournèrent au combat et se blessèrent l'un l'autre douloureusement. Puis ils reprirent haleine à de nombreuses reprises pour se battre de plus belle, de telle sorte que la terre, là où ils se battaient, était couverte de sang. Aucun des deux n'avait alors infligé moins de sept blessures graves à son adversaire, et la moindre aurait causé la mort du géant le plus robuste du monde. Mais ils recommencèrent à s'affronter, dans un combat si prodigieux qu'on tremblait à les entendre. Le sang coulait en abondance, et les hauberts disjoints les laissaient nus de toute part.

Finalement Balan, le plus jeune des deux frères, fit quelques pas en arrière et se coucha sur le sol. Lors Balain le Sauvage lui dit : « Quel chevalier es-tu donc, car jusqu'à ce jour jamais je n'en avais trouvé aucun pour me tenir tête ? — Mon nom, répondit-il, est Balan. Je suis le frère du brave chevalier Balain. — Las ! repartit Balain, dire que j'aurai vu pareil jour ! » Et il tomba à la renverse sans connaissance. Lors Balan, en rampant sur les pieds et les mains, s'en fut ôter le heaume de son frère. Il ne put le reconnaître à ses traits, tant le visage était couvert de plaies et de sang. Mais, lorsque Balain revint à lui, il dit : « Oh ! Balan, mon frère, tu m'as tué et moi, je t'ai tué aussi. Le monde entier à cause de cela parlera de nous. — Hélas ! s'exclama Balan, dire que j'aurai vu pareil jour ! C'est par malchance que je n'ai pu te reconnaître. J'ai bien vu tes deux épées mais, comme tu avais un autre écu, j'ai cru me trouver devant quelqu'un d'autre. — Hélas ! s'exclama Balain. Tout cela est l'œuvre d'un malheureux chevalier qui, au château, m'a fait laisser mon propre écu pour notre perte à tous deux. Si je restais en vie, je détruirais ce château pour ses mauvais usages. — Ce serait à propos, repartit Balan, car je n'ai jamais eu la chance de pouvoir partir d'ici depuis que je suis venu. Le hasard a voulu que je tue céans un chevalier qui tenait cette île, et depuis je n'ai pu m'en aller. Toi non plus, mon frère, tu n'aurais pas pu, à moins de me tuer comme tu l'as fait et ainsi d'avoir la vie sauve. »

Lors arriva la dame de la tour en compagnie de quatre chevaliers, de six dames et de leurs six serviteurs. Elle les ouït mêler leurs plaintes et dire : « Nous sommes issus l'un et l'autre d'une même tombe, à savoir le ventre de la même mère, et nous reposerons l'un et l'autre dans la même fosse. » Balan requit donc de la dame en sa bonté, et pour ses loyaux services, de bien vouloir les enterrer tous deux à l'endroit même où ils avaient combattu. En pleurant elle leur accorda que ce serait fait, avec beaucoup de cérémonie et de la meilleure façon qui fût. « Maintenant, voudriez-vous faire chercher un prêtre, que nous puissions recevoir notre sacrement et le corps béni de Notre-Seigneur Jésus-Christ ? — Oui, répondit la dame, ce sera fait. » Elle envoya chercher un prêtre, et ils eurent le sacrement demandé. « À présent, dit Balain, quand nous aurons été mis dans la même tombe et qu'il aura été écrit au-dessus de nous comment deux frères se sont donné la mort, jamais il n'y aura bon chevalier ni homme de bien qui pourra voir notre tombeau sans prier pour notre âme. » Lors de pitié toutes les dames et nobles dames se mirent à pleurer. Balan mourut presque aussitôt, mais Balain ne rendit le dernier soupir qu'à la minuit le lendemain. Ils furent mis en terre tous deux, et la dame fit inscrire que Balan avait été tué de la main de son frère. Mais elle ignorait le nom de Balain.

CHAPITRE XIX

Comment Merlin leur donna une même sépulture, et de l'épée de Balain

LE MATIN arriva Merlin. Il fit inscrire sur le tombeau en lettres d'or le nom de Balain : « Ci-gît Balain le Sauvage, le chevalier aux deux épées, qui porta le coup douloureux. » Merlin fit aussi dresser un lit en cet endroit. Nul n'y devait pouvoir s'y coucher sans perdre l'esprit. Pourtant Lancelot du Lac en sa noblesse d'âme détruisit ce lit. Peu après la mort de Balain, Merlin prit son épée. Il en ôta le pommeau et en mit un autre. Puis il demanda à un chevalier qui se trouvait là de prendre l'épée en main. Il essaya mais ne put y réussir. Merlin se mit à rire. « Pourquoi riez-vous ? demanda le chevalier. — Voici pourquoi, répondit Merlin. Nul ne pourra jamais manier cette épée s'il n'est le meilleur chevalier qui soit au monde, et ce sera messire Lancelot, sinon Galaad son fils. Avec cette épée Lancelot tuera l'homme qu'il aimait le plus sur la terre, à savoir messire Gauvain. » Tout ceci, il le fit inscrire au-dedans du pommeau de l'épée.

Lors Merlin fit faire un pont de fer et d'acier pour aller dans l'île. Il n'avait qu'un demi-pied de large. Nul ne devait passer ce pont, avoir la hardiesse de le franchir, s'il n'était homme de grand mérite et valeureux chevalier, sans perfidie ni bassesse. Le fourreau de l'épée de Balain, Merlin en outre le plaça dans l'île, du côté le plus proche, afin que Galaad pût l'y trouver. Par ses artifices Merlin s'arrangea pour que l'épée de Balain fût mise dans un bloc de marbre dressé et de la grosseur d'une meule. La pierre flottait toujours à la surface de l'eau. Il en fut ainsi de nombreuses années puis, par aventure, elle descendit au gré du courant jusqu'à la cité de Camaalot (en anglais Winchester). Ce même jour, Galaad y vint avec le roi Arthur. Galaad avait le fourreau et il conquit l'épée qui se trouvait là, dans le bloc de marbre flottant sur l'eau. Ce fut le dimanche de la Pentecôte qu'il conquit l'épée, ainsi qu'il est dit dans le livre du Saint-Graal.

Peu après qu'il en eut fini, Merlin vint au roi Arthur. Il lui rapporta comment Balain avait porté au roi Pellehan le coup douloureux, comment Balain et Balan avaient livré ensemble le combat le plus admirable dont on eût jamais ouï parler et comment ils avaient été mis en terre tous deux dans un même tombeau. « Hélas ! dit le roi Arthur, c'est le plus triste sort que j'aie jamais entendu réservé à deux chevaliers, car je ne connais pas leurs pareils en ce monde. » Ainsi se termina l'histoire de Balain et de Balan, deux frères, natifs du Northumberland, de valeureux chevaliers.

Suit le LIVRE TROISIÈME.

LIVRE TROISIÈME

Le mariage

CHAPITRE I

Comment Arthur prit femme et épousa Guenièvre, fille de Léodegan, roi du pays de Carmélide, grâce auquel il eut la Table Ronde

AU COMMENCEMENT DE SON RÈGNE, après qu'il fut choisi comme roi, par chance miraculeuse et grâce divine, la plupart des barons ignoraient qu'Arthur était le fils du roi Uter Pendragon. Merlin eut beau le faire connaître à tous, beaucoup de rois et de seigneurs lui livrèrent une guerre dure et âpre à cause de cela. Arthur, cependant, les défit tous, car durant la plus grande partie de sa vie, il fut souvent guidé par les conseils de Merlin.

Il advint donc que le roi dit un jour à celui-ci : « Mes barons ne veulent pas me laisser en repos, tant que je n'aurai pas pris femme, et je n'en veux prendre aucune que par tes conseils et avis. — Il est bon, répondit Merlin, que vous preniez femme, car un homme de votre état et qualité ne saurait demeurer sans épouse. Maintenant, y a-t-il quelque femme que vous préfériez à toute autre? — Oui, dit le roi. J'aime Guenièvre, la fille du roi Léodegan, du pays de Carmélide, celui qui possède en sa maison la Table Ronde, dont tu m'as dit qu'il la tenait de mon père, le roi Uter. Cette demoiselle est la plus digne et la plus gracieuse des femmes que je connaisse, parmi celles qu'il m'a été donné de rencontrer. — Sire, repartit Merlin, pour ce qui est de la beauté et de la grâce, elle est bien l'une des plus gracieuses qui soient au monde. Pourtant, si vous ne l'aviez aimée autant que je vous vois l'aimer, je vous aurais trouvé une autre demoiselle dont les attraits et le mérite vous auraient plu et vous auraient satisfait — mais cela, si votre cœur n'avait pas arrêté son choix. Quand le cœur est pris, il n'y a pas à y revenir. — C'est vérité », dit le roi Arthur. Merlin, cependant, à mots couverts, l'avertit qu'il ne lui vaudrait rien d'épouser Guenièvre. Il lui dit que Lancelot l'aimerait et qu'il serait payé de retour. Puis il changea de sujet et passa aux aventures du Saint-Graal.

Merlin demanda au roi de lui procurer des gens qui le renseigneraient sur Guenièvre. Cela lui fut accordé. Merlin alla devers le roi Léodegan de Carmélide et lui fit part du désir qu'avait Arthur de prendre pour épouse sa fille Guenièvre. « C'est, répondit Léodegan, la meilleure nouvelle que j'aie jamais entendue, qu'un roi aussi valeureux, aussi brave et aussi grand veuille épouser ma fille. Pour ce qui est de mes terres, je lui en donnerais si je pensais qu'il en tirerait satisfaction. Mais il en possède à sa suffisance, il n'en a nul besoin. Je lui enverrai un présent qui lui plaira bien davantage. Je lui ferai don de la Table Ronde, qu'Uter Pendragon m'a offerte. Quand elle est entièrement garnie, y prennent place cent cinquante chevaliers. J'en ai bien cent, mais les cinquante autres me font défaut, tant ils ont été nombreux à trouver la mort depuis que je suis roi. »

C'est ainsi que Léodegan confia sa fille Guenièvre à Merlin, également la Table Ronde avec ses cent chevaliers. Ils chevauchèrent bon train, avec une magnificence toute royale, voyagèrent tant par terre que par mer, jusqu'à ce qu'ils fussent arrivés près de Londres.

CHAPITRE II

Comment les chevaliers de la Table Ronde furent installés et leurs sièges bénis par l'archevêque de Cantorbéry

LORSQUE LE ROI ARTHUR sut qu'approchaient Guenièvre et les cent chevaliers avec la Table Ronde, il se réjouit grandement de la venue de la jeune fille et du magnifique présent qui l'accompagnait. Il dit à voix haute : « L'arrivée de cette belle dame est ici accueillie avec joie. Il y a longtemps que je l'aime, et rien ne pouvait m'être plus agréable. Quant à ces chevaliers et à la Table Ronde, ils me plaisent davantage qu'un amas de richesses. » En diligence le roi donna des ordres pour que fussent célébrés le mariage et le couronnement, de la manière la plus digne qui pût se concevoir.

« À présent, Merlin, dit le roi Arthur, va et trouve-moi, en toute l'étendue de ce pays, cinquante chevaliers, les plus valeureux qui soient et les plus en renom. » En peu de temps, Merlin eut trouvé assez d'hommes de valeur pour occuper quarante-huit des places vacantes, mais il ne put en découvrir davantage. On fit alors chercher l'archevêque de Cantorbéry. Il donna sa bénédiction aux sièges, avec une pompe toute royale et beaucoup de solennité. Puis il installa les quarante-huit nouveaux chevaliers. Quand ce fut fait, Merlin leur dit : « Gentils sires, il vous faut tous vous lever et venir rendre hommage au roi Arthur. Il n'en aura que plus d'inclination à pourvoir à vos besoins. » Lors ils se levèrent et rendirent hommage à leur seigneur.

Quand ils furent partis, Merlin sur chacun des sièges grava en lettres d'or le nom du chevalier qui s'était assis là. Seuls deux sièges restaient vides. Alors aussitôt vint le jeune Gauvain, qui demanda au roi une faveur. « Demandez, dit le roi, et je vous l'accorderai. — Sire, je vous demanderai de m'armer chevalier, le jour même où vous épouserez la belle Guenièvre. — Je le ferai de bon cœur, repartit le roi Arthur, et vous conférerai tous les honneurs que je pourrai. C'est pour moi un devoir, considéré que vous êtes mon neveu, le fils de ma sœur. »

CHAPITRE III

Comment un pauvre bère demanda au roi Arthur de faire son fils chevalier

PRÉSENTEMENT il arriva un pauvre diable à la cour, amenant avec lui un gracieux jeune homme de dix-huit ans monté sur une jument étique. Ce pauvre diable demandait à tous les gens qu'il voyait : « Où pourrais-je trouver le roi Arthur ? — Il est là-bas, répondirent les chevaliers. Que lui veux-tu ? » Peu après, il arriva devant le roi, le salua et lui dit : « Oh ! roi Arthur, la fleur de tous les chevaliers et de tous les princes, j'implore Jésus de veiller sur toi. Sire, on m'a rapporté qu'à l'occasion de votre mariage, vous accorderiez à quiconque la faveur qu'il vous demanderait, hormis ce qui serait déraisonnable. — C'est vrai, répondit le roi. J'ai fait crier ces choses-là, et je tiendrai ma promesse, pourvu qu'aucune atteinte n'en soit portée à mon royaume ou à ma royauté. — Vous parlez bien et gracieusement, repartit le pauvre diable. Sire, je ne vous demande rien d'autre que de faire mon fils que voici chevalier. — C'est beaucoup me demander, répliqua le roi. Quel est ton nom ? — Sire, je m'appelle Arès le vacher. — Est-ce toi ou ton fils qui est à l'origine de ceci ? — Non, Sire, répondit Arès, c'est le souhait de mon fils et non le mien, car je vais vous dire, j'ai treize fils et tous se mettent à la tâche que je leur assigne et sont bien contents de travailler pour moi. Mais cet enfant ne veut pas. Ma femme et moi n'y pouvons rien changer. Toujours il tire à l'arc ou lance des javelines. Il aime assister à des combats, regarder des chevaliers. Jour et nuit il me demande que je le fasse armer chevalier.

— Quel est ton nom ? demanda le roi au jeune homme. — Sire, mon nom est Tor. » Le roi l'examina et vit qu'il était de fort bonne mine et très robuste pour son âge. — Eh bien, dit-il à Arès le vacher, amène-moi tous tes fils que je les voie. » Le pauvre hère s'exécuta. Tous étaient faits plus ou moins comme lui. Mais Tor ne ressemblait à aucun, d'allure ou de physionomie. Il leur était de beaucoup supérieur. « Maintenant, dit le roi au vacher, où est l'épée avec laquelle il sera fait chevalier ? — La voici, dit Tor. — Sors-la du fourreau, commanda le roi, et demande-moi de te faire chevalier. »

À ce moment Tor quitta sa jument et tira l'épée du fourreau en s'agenouillant et priant le roi de l'adouber et l'accepter à la Table Ronde. « Chevalier je veux bien te faire. » Et le roi le frappa au col du plat de l'épée, disant : « Soyez un bon chevalier. Je prie Dieu que vous le soyez, et si vous faites preuve de bravoure et vaillance, vous serez de la Table Ronde.

« Maintenant, Merlin, poursuivit Arthur, dites-nous si Tor que voici sera ou non un bon chevalier. — Oui, Sire, il devrait faire un bon chevalier, car il a pour père l'un des hommes les plus valeureux qui soient au monde, et il est de sang royal. — Comment cela se fait-il, messire ? — Je vais vous le dire. Ce pauvre homme, Arès le vacher, n'est pas son père. Il n'a avec lui nul lien de parenté. Le roi Pellinor est son père. — Je n'en crois rien, dit le vacher. — Va me chercher ta femme, repartit Merlin. Tu verras qu'elle sera d'un autre avis. »

Aussitôt on fit chercher la femme, qui était une plaisante mère de famille. Elle répondit à Merlin avec beaucoup de modestie. Elle raconta au roi et à Merlin que, lorsqu'elle était fille et qu'elle était allée traire les vaches, elle avait rencontré un fougueux chevalier. « Moitié par force, il eut mon pucelage et engendra alors mon fils Tor. Il m'enleva mon lévrier, que j'avais avec moi, et me dit qu'il le garderait en souvenir de moi. — Ah ! s'écria le vacher, je n'en savais rien. Mais je le crois sans peine, car jamais il n'a montré de mes qualités. — Messire, dit Tor à Merlin, ne touchez pas à l'honneur de ma mère. — Messire, répliqua

Merlin, ceci est à votre avantage plus qu'à votre désavantage, car votre père est homme de bien et prince régnant. Il est tout à fait possible qu'il aide à votre avancement, ainsi qu'à celui de votre mère, car vous fûtes engendré avant son mariage. — C'est vrai, dit la femme. — Et moins pénible ainsi pour moi », dit le vacher.

CHAPITRE IV

Comment messire Tor fut reconnu pour être le fils du roi Pellinor, et comment Gauvain fut fait chevalier

LE LENDEMAIN MATIN donc, le roi Pellinor vint à la cour du roi Arthur, qui s'en réjouit grandement et lui parla de Tor. Il lui dit que Tor était son fils et qu'il l'avait fait chevalier à la requête du vacher. Lorsque Pellinor vit Tor, il lui plut beaucoup. Le roi Arthur fit Gauvain chevalier, mais lors de ces fêtes Tor avait été le premier adoubé. « Comment se fait-il, demanda le roi à Merlin, que deux des sièges restent vides ? — Sire, répondit Merlin, nul n'y prendra place s'il n'est d'un mérite tout particulier. Sur le Siège Périlleux nul ne doit s'asseoir qu'un seul, et s'il se trouve quelqu'un d'autre assez hardi pour s'y risquer, il mourra. Celui auquel ce siège est destiné n'aura point d'égal. »

Là-dessus Merlin prit le roi Pellinor par la main et le mena droit aux sièges. Quand il fut près de la place laissée vide à côté du Siège Périlleux, Merlin dit, de façon que chacun pût l'entendre : « Ceci est votre place, et vous êtes le plus digne de l'occuper de tous ceux qui sont ici. » Messire Gauvain en conçut beaucoup de dépit. Il souffla à Guerrehet, son frère : « Ce chevalier là-bas est fort honoré. J'en suis bien affligé, car il a tué notre père, le roi Lot. C'est pourquoi, dit-il, je le tuerai, moi, avec une épée que l'on m'a envoyée et qui est excellemment affilée. — Vous n'en ferez rien maintenant, répliqua Guerrehet, car pour ma part, à présent, je ne suis qu'un écuyer et, lorsque j'aurai été fait chevalier, je voudrais moi aussi pouvoir me venger de lui. En conséquence, mon frère, mieux vaut que vous patientiez jusqu'à une autre fois, que nous le rencontrions en dehors de la cour. Sinon, nous troublerions ce grand festin. — Je veux bien, répondit Gauvain, faire comme vous le souhaitez. »

CHAPITRE V

Comment, au festin de mariage du roi Arthur avec Guenièvre, un cerf fit irruption dans la grand-salle, ainsi que trente couples de chiens, et comment une chienne mordit le cerf, qui fut emmené

LORS le grand festin fut préparé, et le roi fut à Camaalot uni à dame Guenièvre en grande pompe dans l'église de Saint-Étienne. Lorsque chacun eut été placé selon son rang dans la grand-salle avant le banquet, Merlin alla devers les chevaliers de la Table Ronde et leur dit surtout de ne pas bouger, que personne ne quittât la salle : « Vous allez être témoins de quelque chose d'étrange et de merveilleux. » Ils ne bougeaient mie, quand un cerf de couleur blanche fit irruption dans la grand-salle. Une chienne, blanche elle aussi, le serrait de près. Puis suivirent au milieu d'un grand bruit trente couples de chiens noirs courants. Le cerf tourna autour de la Table Ronde. Comme il passait auprès d'autres tables, la chienne blanche le mordit à l'arrière-train et lui arracha un morceau de chair. Là-dessus le cerf fit un grand saut et renversa un chevalier qui était assis à une des tables. Ce chevalier se releva. Il saisit la chienne, sortit de la salle, prit son cheval et partit avec son butin.

Sur ces entrefaites entra une dame montée sur un palefroi blanc. Elle cria bien haut à l'adresse du roi Arthur : « Sire, ne tolérez point qu'on me fasse pareil tort. Cette chienne que le chevalier a emportée m'appartenait. — Je n'y puis rien », repartit le roi. Là-dessus survint un autre chevalier, armé de toutes pièces et chevauchant un grand destrier. Il emmena la dame de force, cependant qu'elle poussait des cris et manifestait la plus vive douleur. Quand elle fut partie, le roi en fut content, si grand était le bruit qu'elle faisait. « Ah ! mais non, dit Merlin, vous ne pouvez à aussi bon compte être quittes de ces aventures. Il faut les poursuivre, sinon ce serait un déshonneur pour vous et votre festin. — Ma volonté, repartit le roi, est que tout soit fait selon votre conseil. — En ce cas, dit Merlin, appelez messire Gauvain. C'est lui qui doit ramener le cerf blanc. Et, Sire, il faut également appeler messire Tor, car il devra ramener la chienne avec le chevalier qui l'a prise ou bien tuer ce dernier. Appelez encore le roi Pellinor. Il aura charge de ramener la dame partie avec l'autre chevalier. Sinon il lui faudra occire celui-ci. Vos trois chevaliers susnommés vivront de merveilleuses aventures avant de revenir céans. »

Lors on les appela tous les trois. Chacun d'eux se vit confier sa tâche et s'arma sûrement. À messire Gauvain fut présentée la première requête. C'est donc par lui que nous commencerons.

CHAPITRE VI

Comment messire Gauvain s'en fut chercher le cerf, et comment deux frères combattirent l'un contre l'autre pour la possession dudit cerf

Messire Gauvain chevaucha bon train, de même que Guerrehet, son frère, qui chevauchait à ses côtés pour lui servir d'écuyer. Chemin faisant, ils virent deux chevaliers qui combattaient fort âprement. Messire Gauvain et son frère s'interposèrent et leur demandèrent le sujet de leur querelle. L'un des deux leur dit en réponse : « Nous nous battons pour un motif qui ne mérite pas qu'on s'y arrête, car nous sommes deux frères, nés et engendrés de même père et même mère. — Las ! s'exclama messire Gauvain, pourquoi donc vous battre ? — Messire, répondit le plus âgé, il est venu par ici en ce jour un cerf de couleur blanche. Beaucoup de chiens étaient à sa pousuite. Une chienne, blanche elle aussi, le serrait continuellement de près. Nous avons pensé que c'était là une aventure faite pour le grand festin donné par le roi Arthur. J'ai donc voulu suivre le cerf pour en tirer de la réputation. Mais mon jeune frère alors a protesté que lui voulait le faire, pour ce qu'il était meilleur chevalier que moi. C'est là l'origine de notre dispute. Et puis nous avons songé à faire la preuve duquel était le meilleur chevalier.

— C'est une vaine querelle, leur repartit messire Gauvain. C'est avec des étrangers qu'il vous faut avoir des démêlés, et non pas entre frères. C'est pourquoi, si vous vous rangez à mon avis, je m'en vais me battre avec vous, ce qui vaut à dire que vous vous rendrez à moi, irez devers le roi Arthur et vous en remettrez à son bon vouloir. — Seigneur chevalier, nous sommes fatigués de combattre, et nous avons perdu beaucoup de sang à cause de notre entêtement. C'est à contre-cœur que nous vous affronterions. — Tenez-vous-en donc à ce que je vous demande, répliqua messire Gauvain. — Nous consentons à nous soumettre à votre désir. Mais par qui dirons-nous que nous sommes envoyés ? — Vous pourrez dire que c'est par le chevalier qui mène la quête du cerf blanc. À présent, comment vous nommez-vous ? — Sorlouse de la Forêt, répondit l'aîné. — Mon nom à moi, répondit le plus jeune, est Driant de la Forêt. » C'est ainsi qu'ils partirent pour se rendre à la cour du roi et que messire Gauvain poursuivit sa quête.

Tandis qu'il était sur les traces du cerf, se fiant aux aboiements de la meute, juste devant lui il vit une grande rivière, que le cerf traversa à la nage. Messire Gauvain s'apprêta à traverser lui aussi, mais de l'autre côté parut un chevalier qui lui dit : « Seigneur chevalier, ne suis le cerf de l'autre côté de l'eau que si tu acceptes de jouter avec moi. — Je ne faillirai point, répliqua messire Gauvain, à la poursuite de la quête que j'ai entreprise. » Et il fit passer son cheval à la nage. Aussitôt l'un et l'autre couchèrent leurs lances et se coururent sus avec ardeur. Messire Gauvain culbuta son adversaire puis, faisant faire demi-tour à sa monture, ordonna au chevalier de se rendre. « Non, répondit le chevalier, je m'y refuse, bien qu'à cheval tu aies pris le meilleur. Je t'en prie, vaillant chevalier, mets pied à terre et mesurons-nous avec nos épées. — Quel est ton nom ? demanda messire Gauvain. — Alardin des Iles. »

Lors chacun ajusta son bouclier, et ils se choquèrent. Mais messire Gauvain donna un coup si violent qu'il fendit le heaume, atteignit la cervelle et que le chevalier tomba mort. « Ah ! s'exclama Guerrehet, c'était un coup bien puissant pour un jeune chevalier ! »

CHAPITRE VII

Comment le cerf fut poursuivi jusque dans un château et là mis à mort, et comment messire Gauvain tua une dame

LORS Gauvain et Guerrehet chevauchèrent bon train à la poursuite du cerf blanc. Ils lâchèrent contre le cerf trois couples de lévriers, qui le pourchassèrent jusque dans un château. Dans la grand-salle les chiens tuèrent le cerf. Messire Gauvain et Guerrehet suivaient leurs chiens. C'est alors qu'un chevalier sortit d'une chambre, l'épée nue à la main. Il tua deux des lévriers, sous les yeux de messire Gauvain. Quant aux autres, en s'aidant de son épée il les chassa hors du château. Quand il fut de retour, il s'exclama : « Oh ! mon cerf blanc, je suis désolé de ta mort, car la dame qui a sur moi tout pouvoir t'avait à moi donné. Bien mal je t'ai gardé, et c'est chèrement que je paierai ta perte, si je survis. » Incontinent il alla à sa chambre, s'arma, sortit avec un air farouche et fit face à messire Gauvain. « Pourquoi avez-vous tué mes chiens ? demanda messire Gauvain. Ils ne faisaient qu'obéir à leur nature. J'eusse mieux aimé que vous fissiez tomber sur moi votre colère plutôt que sur une pauvre bête. — Tu dis vrai, répliqua le chevalier. Je me suis vengé sur tes chiens, et je me vengerai sur toi avant que tu partes. »

Lors messire Gauvain mit pied à terre. Il ajusta son bouclier. Ils se heurtèrent avec violence, fendirent leurs écus, enfoncèrent leurs heaumes, brisèrent leurs armures, si bien que le sang leur coula jusques aux pieds. Finalement messire Gauvain asséna un coup si rude au chevalier qu'il tomba à terre. Il demanda alors merci, se rendit et requit son adversaire, s'il était chevalier et gentilhomme, de lui laisser la vie sauve. « Tu mourras, dit messire Gauvain, pour avoir tué mes chiens. — Je réparerai mes torts, dit le chevalier, autant que je le pourrai. » Mais messire Gauvain ne voulut pas entendre parler de merci. Il délaça le heaume du chevalier pour lui trancher la tête.

À cet instant, sa dame sortit d'une chambre et se jeta sur le corps du chevalier, si bien que Gauvain lui coupa la tête sans l'avoir fait exprès. « Hélas ! s'exclama Guerrehet, voilà qui est infâme et déshonorant. L'opprobre ne vous en quittera plus jamais. En outre, vous devez accorder votre merci à qui vous la demande, car un chevalier est sans honneur qui n'a point de merci. » Messire Gauvain était si abasourdi de la mort de cette gente dame qu'il ne savait plus ce qu'il faisait. Il dit au chevalier : « Lève-toi, je t'accorde ta grâce.

— Non, non, repartit le chevalier. Je n'en veux plus à présent. Tu as tué mon amie et la dame que j'aimais plus que tout au monde. — J'en ai grand regret, dit messire Gauvain. Je pensais te frapper, toi. Mais, maintenant, tu iras devers le roi Arthur lui conter tes aventures et comment tu as été vaincu par le chevalier qui partit en quête du cerf blanc. — Peu m'importe, répliqua le chevalier, de vivre ou de mourir. » Pourtant, par peur de la mort, il fit serment d'aller devers le roi Arthur, et Gauvain l'obligea à porter un lévrier devant lui sur sa monture et un autre derrière. « Quel est ton nom, demanda messire Gauvain, avant que nous nous séparions ? — Ablamor du Marais. » Et il partit pour Camaalot.

CHAPITRE VIII

Comment quatre chevaliers combattirent Gauvain et Guerrehet,
et comment ceux-ci furent vaincus et leurs vies épargnées
à la requête de quatre dames

MESSIRE GAUVAIN dans le château se prépara à prendre du repos la nuit entière et voulut ôter son armure. « Que comptez-vous faire ? protesta

Guerrehet. Vous proposez-vous de rester sans armure en ces lieux? Songez que vous pouvez avoir céans bien des ennemis. » Il n'avait pas plus tôt prononcé ce mot que surgirent quatre chevaliers bien armés, qui assaillirent rudement messire Gauvain et lui dirent : « Chevalier de fraîche date, tu as souillé ton honneur de chevalier, car un chevalier sans merci est sans honneur. En outre, tu as occis une gente dame. Le reproche t'en suivra toujours. Sois assuré que de merci tu auras grand besoin avant que tu nous quittes. » Là-dessus l'un d'entre eux asséna à messire Gauvain un coup violent, qui faillit le faire tomber à terre. Guerrehet lui rendit la pareille. Cependant, les choses prirent de côté et d'autre une telle tournure que Gauvain et Guerrehet furent en danger de perdre la vie. Un de leurs ennemis, qui avait un arc, un archer, perça le bras de Gauvain, lui causant une vive douleur. Les deux frères eussent dû être tués, lorsque survinrent quatre dames, qui demandèrent aux chevaliers la grâce de messire Gauvain. Courtoisement, à la requête de ces dames, ils lui laissèrent la vie sauve, ainsi qu'à Guerrehet, et les contraignirent à se reconnaître leurs prisonniers.

Lors messire Gauvain et Guerrehet se désolèrent grandement. « Hélas ! gémit Gauvain, mon bras me fait beaucoup souffrir. Je pourrais bien en rester estropié. » C'est ainsi qu'il se plaignait amèrement. Le lendemain matin vint à messire Gauvain l'une des quatre dames. Elle avait entendu toutes ses plaintes. Elle lui dit : « Sire chevalier, comment vous portez-vous ? — Je ne me porte pas bien. — C'est votre faute. Vous avez commis un grave forfait en tuant cette femme. Cela vous sera compté comme une grande vilénie. Mais n'êtes-vous pas parent du roi Arthur ? — Si fait. — Quel est votre nom ? Il faut me le dire avant que vous partiez. — Mon nom est Gauvain. Je suis fils du roi Lot des Orcades, et ma mère est sœur du roi Arthur. — Ah ! s'écria la dame, vous êtes donc son neveu. J'interviendrai en votre faveur de manière à ce que, par amour pour lui, vous puissiez librement aller le retrouver. »

Sur ce elle partit rapporter aux quatre chevaliers que leur prisonnier était neveu du roi Arthur et que son nom était messire Gauvain, fils du roi Lot des Orcades. Ils lui donnèrent la tête du cerf, parce que cela faisait partie de sa quête. Puis, sans tarder, ils le relâchèrent, contre la promesse qu'il porterait la morte de la manière suivante : la tête serait pendue à son cou, et le reste du corps posé devant lui sur la crinière de son cheval. Aussitôt il partit pour Camaalot. Dès qu'il fut rendu, Merlin demanda au roi Arthur que sous la foi du serment Gauvain ne laissât rien ignorer de ses aventures, de la manière dont il avait tué la dame, avait refusé sa grâce au chevalier, ce qui avait conduit à la mort de cette dame.

Le roi et la reine conçurent un vif déplaisir à l'égard de messire Gauvain pour le meurtre de cette femme. Par ordonnance de la reine fut institué un tribunal de dames, afin de juger messire Gauvain. Elles prononcèrent qu'il devrait se ranger du côté de toutes les dames aussi longtemps qu'il vivrait, et combattre en leurs querelles. Par ailleurs, il lui faudrait toujours se montrer courtois et jamais ne refuser sa grâce à quiconque la lui demanderait. Gauvain fit donc serment sur les quatre évangélistes de ne jamais s'opposer à nulle dame, de haute ou basse naissance, que s'il venait à combattre pour une et son adversaire pour une autre.

Ainsi se termine l'aventure de messire Gauvain, qu'il eut lors du mariage du roi Arthur. Amen.

CHAPITRE IX

Comment messire Tor courut à la poursuite du chevalier qui avait emporté la chienne, et de son aventure chemin faisant

LORSQUE MESSIRE TOR fut prêt, il monta à cheval et poursuivit le chevalier qui avait pris la chienne. Pendant qu'il chevauchait ainsi, il fit soudain rencontre d'un nain qui frappa sa monture à la tête avec un bâton, de telle sorte que le cheval recula de la longueur d'une lance. « Pourquoi fais-tu cela ? demanda messire Tor. — Parce que tu ne passeras que si tu joutes avec les chevaliers qui sont là-bas dans les pavillons. » Lors messire Tor s'avisa de la présence de deux pavillons. Il en sortait de grandes lances, et deux écus étaient pendus à des arbres auprès. « Je ne puis m'attarder, dit Tor. Je poursuis une quête à laquelle je suis tenu. — Tu ne passeras pas », répliqua le nain. Là-dessus il souffla dans une trompe. Survint alors quelqu'un à cheval, qui ajusta son bouclier et vite s'avança à la rencontre de Tor. Il se plaça face à lui, et ils se heurtèrent de telle sorte que Tor le fit tomber de cheval. Aussitôt le chevalier se rendit à sa merci. « Cependant, messire, j'ai un compagnon en ce pavillon qui ne tardera guère à venir vous combattre. — Il sera le bienvenu », répondit Tor.

Lors il s'aperçut qu'accourait vers lui furieusement un autre chevalier. Chacun se mit en position de se battre, que c'était merveille à voir. Le chevalier donna un grand coup au mitan du bouclier de Tor. Sa lance se brisa en morceaux. Messire Tor, lui, l'atteignit au travers de son écu, au bas de celui-ci. Sa lance perça les côtes du chevalier, mais sans le tuer. Là-dessus messire Tor mit pied à terre et asséna à son adversaire un grand coup sur le heaume. Le chevalier s'avoua vaincu et demanda merci.

« Je veux bien, répondit Tor, mais votre compagnon et vous devrez aller devers le roi Arthur et là vous reconnaître prisonniers. — Par qui dirons-nous que nous sommes envoyés ? — Vous direz par le chevalier dont la quête est celui qui partit avec la chienne. Maintenant, quels sont vos deux noms? — Mon nom, dit le premier, est messire Phélot du Languedoc. — Et le mien, dit le second, messire Petitpas de Winchelsea. — À présent partez, dit messire Tor, et que Dieu nous garde, vous et moi! »

Lors vint le nain, qui s'adressa à messire Tor : « Je vous en prie, accordez-moi une faveur. — Je veux bien, demande. — Je ne vous demande rien d'autre que de consentir à ce que je me mette à votre service. Je ne veux plus servir des chevaliers sans courage. — Trouve-toi un cheval, répondit messire Tor, et suis-moi. — Je sais que vous courez après le chevalier à la chienne blanche. Je vous mènerai là où il est », dit le nain. C'est ainsi qu'ils traversèrent une forêt et finalement découvrirent deux pavillons juste à côté d'un prieuré, avec deux écus. L'un était de couleur blanche et l'autre de couleur rouge.

CHAPITRE X

Comment messire Tor trouva la chienne près d'une dame, et comment un chevalier s'en prit à lui pour la possession de cette chienne

LÀ-DESSUS messire Tor mit pied à terre. Il prit son épée des mains du nain et ainsi vint au pavillon blanc. Il y vit trois demoiselles couchées, qui dormaient sur un lit de camp. Il alla à l'autre pavillon. Il y trouva une dame endormie. Mais la chienne blanche y était aussi. Elle se mit à aboyer furieusement pour mettre la dame en garde. La dame sortit du pavillon, suivie par toutes ses demoiselles. Aussitôt que messire Tor aperçut la chienne blanche, il s'en saisit et la porta au nain. « Que faites-vous là ? dit la dame. Auriez-vous l'intention de me prendre ma chienne ? — Oui, répliqua messire Tor. Cette chienne, je la poursuis depuis que j'ai quitté la cour du roi Arthur. — Eh bien, chevalier, repartit la dame, vous n'irez pas loin avec elle sans qu'on vous rejoigne et que vous en souffriez. — Je suis prêt à tout ce qui m'adviendra par la grâce de Dieu. » Il enfourcha son cheval et passa son chemin pour se diriger vers Camaalot. Cependant, la nuit était si proche qu'il ne pouvait guère aller plus avant. « Connais-tu un endroit où loger ? demanda-t-il au nain. — Je n'en connais aucun, répondit le nain, mais près d'ici il y a un ermitage. Il vous faudra dans ce pays vous contenter de ce que vous trouverez. »

Peu de temps après ils arrivèrent à l'ermitage et s'y logèrent. Il y avait là de l'herbe, de l'avoine, de quoi nourrir les chevaux. Ce fut bientôt mangé. Quant à leur souper à eux, il se réduisit à peu de chose. Mais ils purent se reposer la nuit entière, jusqu'au matin où ils entendirent pieusement la messe et prirent congé de l'ermite. Messire Tor lui demanda de l'aider de ses prières. Il dit qu'il le ferait et confia son hôte à Dieu. Puis Tor se mit en selle et chevaucha longuement vers Camaalot.

Il faisait route lorsqu'ils entendirent un chevalier derrière eux les appeler à voix haute : « Arrête, chevalier, et rends-moi ma chienne, que tu as prise à ma dame. » Messire Tor se retourna et vit que l'homme était de bonne mine, qu'il avait belle monture et était bien armé de toutes pièces. Lors il ajusta son écu, prit en main sa lance. L'autre chargea sus à lui avec force. Cavaliers et chevaux furent jetés à terre. Sans tarder les combattants se relevèrent avec agilité, dégainèrent leurs épées avec la rapidité du lion, se couvrirent de leurs boucliers. Les lames percèrent les écus. De chaque côté, il en tomba des éclats. En outre, on enfonça les heaumes, si bien que jaillit le sang chaud. On tailla dans les mailles épaisses des hauberts et les déchira, si bien que du sang coula jusques au sol. L'un et l'autre subirent de graves blessures et furent recrus de fatigue.

Messire Tor, cependant, vit que son adversaire faiblissait. Il le serra de près, redoubla ses coups et l'amena à se coucher sur le flanc. Lors il lui ordonna de se rendre. « Je n'en ferai rien, répondit Abelin, et ce tant que ma vie durera et que mon âme n'aura pas quitté mon corps, à moins que tu ne consentes à me donner la chienne. — N'y compte pas, dit messire Tor. Ma quête consistait à ramener ta chienne, ou toi, ou les deux ensemble. »

CHAPITRE XI

Comment messire Tor vainquit le chevalier,
et comment celui-ci perdit sa tête à la requête d'une dame

LÀ-DESSUS il survint une dame montée sur un palefroi. Elle ne pouvait aller plus vite. Elle poussait de grands cris à l'adresse de messire Tor. « Que me voulez-vous ? demanda-t-il. — Je vous en conjure, répondit-elle, pour l'amour du roi Arthur accordez-moi une faveur. Je le requiers de vous, gentil chevalier, en tant que gentilhomme. — Demandez votre faveur, dit messire Tor, et j'y consentirai. — Grand merci, repartit la dame. Maintenant, ce que je voudrais, c'est la tête de ce fourbe de chevalier, Abelin. C'est le plus infâme qui soit au monde et le plus grand criminel. — Je suis bien fâché, dit messire Tor, de vous avoir promis une faveur. Permettez qu'il répare la faute qu'il a commise contre vous. — Cela ne se peut. Il a tué mon frère sous mes yeux, lequel aurait prouvé qu'il était le meilleur chevalier des deux, s'il lui avait fait grâce. Je suis restée à genoux une demi-heure dans la boue devant lui pour sauver la vie de mon frère. Mon frère ne lui avait fait aucun tort. Il lui avait livré combat, mais c'était le hasard des rencontres. J'ai eu beau faire, il lui a tranché la tête. C'est pourquoi je le requiers de votre chevalerie, accordez-moi la faveur que je vous ai demandée, ou je vous ferai honte parmi tous les courtisans du roi Arthur. C'est le plus faux de tous les chevaliers qui soient au monde, et il a causé la perte de plus d'un qui avait grand mérite. »

Lorsqu'Abelin entendit cela, sa peur s'accrut. Il se rendit et demanda grâce. « À présent, dit messire Tor, je ne puis vous l'accorder sans qu'on me reproche de faillir à ma promesse. Auparavant je vous aurais fait quartier, mais vous n'avez pas voulu le demander, à moins d'obtenir la chienne qui était l'objet de ma quête. » Là-dessus Tor lui ôta son heaume, mais il se leva et s'enfuit. Messire Tor le pourchassa et d'un coup d'épée lui trancha la tête.

« Maintenant, messire, dit la dame, la nuit va tomber. Je vous prie de venir loger chez moi. C'est tout près d'ici. — Je veux bien », répondit messire Tor, dont le cheval, comme son cavalier, avait fait pauvre chère depuis leur départ de Camaalot. Il chevaucha donc avec elle, et elle lui fit fort bon accueil. Elle avait pour mari un vieux chevalier des plus courtois, qui lui fit aussi fort bon accueil et pourvut de belle façon à ses besoins et à ceux de sa monture.

Le lendemain matin, Tor ouït la messe, déjeuna et prit congé du vieux chevalier et de la dame, qui le prièrent de leur dire son nom. « En vérité, leur répondit-il, mon nom est messire Tor. J'ai été fait chevalier il y a peu de temps. Ceci est la première quête que j'aie jamais menée en me servant de mes armes. Il me fallait rapporter ce que ce chevalier Abelin avait dérobé à la cour du roi Arthur. — Oh ! gentil chevalier, dirent la dame et son époux, si vous passez par ces marches, visitez notre pauvre logis. Il vous sera toujours ouvert. »

Adonc messire Tor prit congé. Il arriva à Camaalot le troisième jour à midi. Le roi et la reine, ainsi que toute la cour, furent bien aises de sa venue et se réjouirent grandement qu'il fût sain et sauf. En effet, il avait quitté la cour bien mal équipé. Le roi Pellinor, son père, lui avait fait don d'un vieux cheval de bataille. Le roi Arthur l'avait pourvu d'une armure et d'une épée. Hormis cela, il n'avait nul équipement et chevauchait sans compagnie. Puis le roi et la reine, suivant en cela l'avis de Merlin, lui firent jurer de conter fidèlement ses aventures. Ce qu'il fit, et il apporta des preuves de ses exploits, tels que vous les avez entendus. Le roi et la reine en furent fort satisfaits. « Et pourtant, dit Merlin, ce ne sont qu'enfantillages à côté de ce qu'il fera. Il se révélera noble et preux chevalier. Il vaudra tous ceux qui sont en vie. Il sera gentil et courtois, plein de qualités, toujours fidèle à la parole donnée. Jamais il ne se rendra coupable d'un forfait. »

Ces paroles de Merlin eurent pour effet que le roi Arthur lui bailla, avec la dignité de comte, des terres qui lui appartenaient. Ainsi prend fin la quête de messire Tor, fils du roi Pellinor.

CHAPITRE XII

Comment le roi Pellinor courut à la poursuite de la dame et du chevalier qui l'avait enlevée, comment une autre dame requit son aide, comment il combattit pour la première avec deux chevaliers, desquels il tua l'un d'un seul coup d'épée

LORS le roi Pellinor s'arma, monta sur son cheval et chevaucha bon train à la poursuite de la dame que le chevalier avait enlevée. Comme il traversait une forêt, il vit au creux d'un vallon une demoiselle assise auprès d'une fontaine. Elle tenait entre ses bras un chevalier blessé. Pellinor la salua. Lorsqu'elle s'avisa de sa présence, elle cria le plus haut qu'elle put : « Aidez-moi, chevalier, pour l'amour du ciel, roi Pellinor. » Mais il ne voulut pas s'attarder, tant il était désireux de mener sa quête, et toujours elle criait et criait pour demander son aide. Quand elle vit qu'il refusait de s'arrêter, elle pria Dieu de faire en sorte qu'il eût un jour autant besoin de secours qu'elle en ce moment-là et qu'il en sentît l'absence avant de mourir. Adonc le livre nous dit que le chevalier expira qui était là blessé et que la dame, de trop de chagrin, se tua avec l'épée du chevalier.

Tandis que le roi Pellinor chevauchait en ce vallon, il fit rencontre d'un pauvre homme, un vilain aux travaux des champs. « N'as-tu pas vu, demanda Pellinor, un chevalier passer qui emmenait une dame sur son cheval ? — Si fait, répondit l'homme, je l'ai vu, et la dame poussait bien des gémissements. Là-bas, dans une vallée en dessous, vous verrez deux pavillons. Un des chevaliers en ces pavillons a voulu prendre la dame à l'homme qui l'emportait. Il a dit qu'elle était une proche cousine et qu'on ne l'emmènerait pas plus loin. Ils se sont battus à ce sujet. L'un disait qu'il aurait la dame par force, l'autre qu'il déciderait de ce qu'elle ferait parce qu'il était son parent, et qu'il la mènerait en sa famille. » Le paysan les avait laissés alors qu'ils se battaient en cette querelle. « Et si vous faites vite, vous les trouverez encore occupés de cela. La dame a été remise aux deux écuyers dans les pavillons. — Dieu te sache gré de ton aide ! »

Lors il galopa, jusqu'à ce qu'il fût en vue des deux pavillons et des deux chevaliers qui étaient aux prises. Vite il alla jusqu'aux pavillons. Il vit la dame qui était l'objet de sa quête et lui dit : « Gente dame, il vous faut m'accompagner à la cour du roi Arthur. — Seigneur chevalier, repartirent les deux écuyers qui étaient avec elle, vous voyez là-bas deux chevaliers qui se battent pour cette dame. Allez-y et séparez-les. Mettez-vous d'accord avec eux. Alors vous pourrez l'emmener si bon vous semble. — Vous avez raison », dit le roi Pellinor. Sans tarder il alla se placer entre les deux chevaliers, les sépara et leur demanda pourquoi ils se battaient. « Sire chevalier, répondit l'un, je vais vous le dire. Cette dame est une proche parente, la fille de ma tante. Lorsque je l'ai entendue se plaindre qu'elle était avec cet homme contre son gré, j'ai jugé que je devais le combattre. — Sire chevalier, répondit l'autre, qui avait nom Hontzlake de

Wentland, cette dame, je l'ai gagnée par haut fait d'armes en ce jour à la cour du roi Arthur.

— Voilà qui n'est pas vrai, répliqua le roi Pellinor, car vous êtes entré soudainement, alors que nous étions attablés au grand festin. Vous avez enlevé cette dame avant que quiconque eût pu se préparer. C'est pourquoi l'objet de ma quête est de la ramener, et vous avec, sinon l'un de nous deux restera sur le terrain. La dame m'accompagnera, ou j'y perdrai la vie. Je l'ai promis au roi Arthur. En conséquence, cessez de vous battre, car ni l'un ni l'autre ne l'aura mie aujourd'hui, et si le cœur vous dit de combattre pour elle, combattez-moi. Je la défendrai. — Soit, repartirent les chevaliers, préparez-vous, et nous vous assaillirons de toutes nos forces. »

Le roi Pellinor voulut dégager son cheval, mais messire Hontzlake fendit le corps de l'animal de son épée et dit : « Maintenant, tu es à pied comme nous. » Quand le roi vit que son cheval était mort, avec agilité il quitta les arçons, dégaina son épée, se couvrit de son écu et dit : « Chevalier, gare à ta tête ! Je vais la frapper pour ce que tu as tué mon cheval. » Lors le roi Pellinor asséna un tel coup sur le heaume de son ennemi qu'il lui trancha la tête jusqu'au menton et qu'il tomba raide mort.

CHAPITRE XIII

Comment le roi Pellinor obtint la dame et l'emmena à Camaalot à la cour du roi Arthur

PUIS le roi Pellinor se tourna vers l'autre chevalier, qui était grièvement blessé. Cependant, lorsque celui-ci vit quel coup avait été porté à son adversaire, il refusa de combattre. Il mit un genou en terre et dit : « Prenez la dame ma cousine, et emmenez-la si vous le souhaitez. Je vous demande, si vous êtes un vrai chevalier, de ne lui faire subir ni indignité ni vilénie. — Quoi ? repartit le roi, ne voulez-vous pas combattre pour elle ? — Non, messire. Je ne combattrai point un chevalier aussi valeureux que vous l'êtes. — Eh bien, dit Pellinor, voilà qui est raisonnablement parlé. Je vous promets qu'elle ne souffrira de ma part d'aucune vilénie, foi de chevalier. Mais à présent il me faudrait une monture. Je vais prendre celle de Hontzlake. — Vous n'en aurez nul besoin, repartit l'autre. Je vous donnerai une monture à votre convenance, à condition que vous logiez chez moi. Venez, il fera bientôt nuit. — Je veux bien, consentit le roi Pellinor, rester toute la nuit chez vous. »

Là il lui fut fait fort bon accueil. Il eut un excellent repas, avec du très bon vin, et la nuit goûta un plaisant repos. Le lendemain matin, il entendit la messe et mangea. Puis on lui amena un beau cheval de bataille de couleur baie. On le sella, de la selle que son cheval avait auparavant. « Maintenant, comment dois-je vous appeler ? lui demanda le chevalier. Vous emmenez ma cousine, comme le veut votre quête. — Messire, je vais vous le dire. Mon nom est le roi Pellinor des Iles, et je suis chevalier de la Table Ronde. — Me voilà satisfait, repartit l'autre, qu'un homme aussi digne dispose du sort de ma cousine. — Et vous, quel est votre nom ? Je vous prie de me le dire. — Messire, mon nom est messire Meliot de Logres, et cette dame ma cousine s'appelle Viviane. Le chevalier qui était dans l'autre pavillon, je le considère comme mon frère. C'est un fort bon chevalier. Son nom est Briant des Iles. Il craint beaucoup de mal agir et répugne à se battre avec quiconque, sauf si on insiste pour lui chercher querelle, de telle sorte qu'il ne peut se retirer avec honneur. — Il est étonnant, dit Pellinor, qu'il n'ait pas voulu me combattre. — Messire, il ne veut combattre personne qui ne le désire. — Amenez-le à la cour, conseilla Pellinor, un de ces jours. — Messire, nous viendrons tous les deux. — Vous serez les bienvenus à la cour du roi Arthur, dit Pellinor, et félicités d'avoir fait le voyage. » Sur ce, il s'en alla en compagnie de la dame pour la conduire à Camaalot.

Tandis qu'ils chevauchaient au creux d'un vallon, dans un chemin semé de pierres, le cheval de la dame trébucha et la jeta au sol. Elle en eut le bras tout meurtri et faillit s'évanouir de douleur. « Hélas ! gémit-elle, j'ai le bras déboîté. Il faut que je me repose. — Je veux bien », répondit Pellinor. Il mit pied à terre sous un bel arbre, où l'herbe était plaisante. Il attacha sa monture à cet arbre, s'étendit à l'abri des branchages et dormit jusqu'au crépuscule. Quand il s'éveilla, il voulut se remettre en route. « Messire, dit la dame, il fait si noir que vous ne pourrez savoir si vous avancez ou reculez. » Aussi demeurèrent-ils là où ils étaient. Ce fut leur logis. Messire Pellinor ôta son armure. Peu avant minuit, ils entendirent le trot d'un cheval. « Ne bougez point, dit le roi Pellinor, quelque chose va nous advenir. »

CHAPITRE XIV

Comment, sur son chemin, Pellinor surprit l'entretien de deux chevaliers, tandis qu'il reposait la nuit dans un vallon, et des aventures de Pellinor et de la dame

LÀ-DESSUS il mit son armure. Juste devant lui se rencontrèrent deux chevaliers. L'un venait du nord et l'autre de Camaalot. Ils se saluèrent. « Quelles nouvelles de Camaalot? demanda le premier. — Sur ma foi, répondit le second, j'y étais. J'ai épié la cour du roi Arthur. Il y a là une telle compagnie que jamais on ne pourra les défaire. Presque le monde entier se range aux côtés d'Arthur, car là se trouve la fleur de la chevalerie. C'est pour cette raison que je chevauche vers le nord, afin d'informer nos chefs de cette troupe qui est à la disposition du roi Arthur. — Quant à cela, répliqua l'autre, j'y apporte remède. Ceci est le poison le plus fort dont vous ayez jamais ouï parler. Je vais me rendre à Camaalot avec ce poison. Nous avons un ami tout proche d'Arthur et très aimé de lui. Il l'empoisonnera. Il s'y est engagé auprès de nos chefs et a reçu de grandes récompenses pour ce faire. — Méfiez-vous de Merlin, dit son compagnon. Il sait tout par sorcellerie. — C'est pourquoi je garderai bouche close. » Sur ce, ils se séparèrent.

Aussitôt Pellinor se prépara, de même que la dame, et ils chevauchèrent en direction de Camaalot. En passant près de la fontaine où il y avait eu le chevalier blessé et sa compagne, Pellinor découvrit le corps de l'homme. Celui de la femme avait été entièrement dévoré par les lions ou les bêtes sauvages, à l'exception de la tête. Pellinor s'en désola grandement, pleura beaucoup et dit : « Hélas! j'aurais pu lui sauver la vie, mais j'étais si ardent à pousuivre ma quête que je n'ai voulu souffrir nul délai. — Pourquoi tant vous lamenter? dit la dame. — Je ne sais pas, répondit Pellinor, mais mon cœur éprouve bien du regret de sa mort, car elle était fort belle, et jeune aussi. — Voulez-vous suivre mon conseil?

Emportez le corps du chevalier, et qu'il soit enterré dans un ermitage. Puis prenez la tête de la femme et portez-la au roi Arthur. »

Pellinor prit le corps du chevalier sur ses épaules. Il l'emmena à l'ermitage. Il le remit à l'ermite en demandant qu'une messe fût dite pour le repos de son âme. « Et pour votre peine gardez le harnois. — Ce sera fait, dit l'ermite. J'en réponds devant Dieu. »

CHAPITRE XV

Comment, lorsqu'il fut venu à Camaalot, on fit jurer à Pellinor sur un livre saint de dire la vérité au sujet de sa quête

LÀ-DESSUS ils partirent et se rendirent où gisait la tête de la dame avec les beaux cheveux blonds. Le roi Pellinor était saisi d'une vive douleur chaque fois qu'il la regardait, car il aimait beacoup son visage. À midi ils arrivèrent à Camaalot. Le roi et la reine furent bien aises de la venue de Pellinor à la cour. On lui fit jurer sur les quatre évangélistes de ne rien dissimuler de sa quête. « Ah ! messire Pellinor, s'exclama la reine Guenièvre, vous fûtes bien coupable de ne pas avoir sauvé la vie de cette dame. — Madame, répondit-il, on est bien coupable de ne pas vouloir épargner sa propre vie, alors qu'on le peut. Mais, pardonnez-moi, j'étais si furieusement attaché à mener ma quête que je ne voulus point m'attarder, et de cela je me repentirai tous les jours de ma vie.

— À la vérité, dit Merlin, vous avez bon motif de vous en repentir, car cette dame était votre fille, engendrée de la dame de Ruel, et ce chevalier défunt était son amant. Il l'eût épousée. C'était un jouvenceau qui était fort bon chevalier. Son nom était messire Milon des Plaines. Un chevalier survint derrière lui, qui le tua d'une lance. Il s'appelle Lorrain le Sauvage. Il est fourbe et lâche. Si grand fut le chagrin de votre fille et si vive sa douleur qu'elle mit fin à ses jours de l'épée de son amant. Elle se nommait Aline. Parce que vous n'avez pas voulu rester à lui porter aide, vous verrez votre meilleur ami vous manquer quand vous serez dans la détresse la plus grande que vous ayez connue ou connaîtrez jamais. Et la pénitence que voici, Dieu vous l'a imposée pour votre forfait : l'homme auquel, entre tous, vous accorderez le plus de confiance vous abandonnera là où vous serez tué. — Je déplore, repartit le roi Pellinor, que ceci doive m'arriver. Mais Dieu peut très bien changer le cours du destin. »

Lorsque furent achevées la quête du cerf blanc, laquelle fut menée par messire Gauvain, la quête de la chienne blanche, poursuivie par messire Tor, fils de Pellinor, et enfin celle de la dame enlevée par le chevalier, qui fut confiée au roi Pellinor lui-même, le roi Arthur pourvut tous ses chevaliers. À ceux dont les terres n'étaient pas riches il donna d'autres terres et leur enjoignit de ne commettre ni excès ni meurtres et toujours de fuir la trahison. Il leur commanda aussi de ne faire preuve de cruauté en nulle occasion, mais de prendre à merci qui demanderait merci, sous peine de forfaire à l'honneur et de perdre à jamais sa faveur royale. Il leur fallait toujours porter secours aux dames, demoiselles et nobles dames, faute de quoi on encourait la mort. À tous il était interdit de se battre dans une mauvaise querelle, qu'il s'agît de contester un droit ou de se disputer des biens terrestres quelconques. À tout cela les chevaliers de la Table Ronde s'engagèrent par serment, tous, tant vieux que jeunes. Et chaque année ils renouvelèrent leur promesse à la grande fête de Pentecôte.

Ainsi se termine « Le mariage du roi Arthur ».

Suit le LIVRE QUATRIÈME.

LIVRE QUATRIÈME

Sorcières, enchanteresses, inspiratrices

CHAPITRE I

Comment Merlin sottement s'enticha d'une des dames du Lac, comment il fut emprisonné sous une pierre au creux d'un rocher et là mourut

ADONC, après ces quêtes de messire Gauvain, de messire Tor et du roi Pellinor, il advint que Merlin tomba amoureux à en perdre le sens de la demoiselle que ledit roi avait amenée à la cour. C'était une des demoiselles du Lac. Elle avait nom Viviane. Merlin ne voulait pas la laisser en repos. Toujours il se tenait à ses côtés. Elle lui fit bon accueil mêmement, jusqu'à ce qu'elle eût appris de lui tout ce qu'elle pouvait désirer savoir. Il était entiché d'elle. Il ne pouvait s'en séparer.

Un jour il dit au roi Arthur qu'il n'en avait plus pour longtemps et que, malgré toute sa science, il serait bientôt sous terre. Il avertit le roi de bien des événements qui allaient se produire tout en lui recommandant de bien veiller sur son épée et sur le fourreau de son épée, car l'une et l'autre, dit-il, lui seraient dérobés par une femme qui avait toute sa confiance. Il fit savoir aussi au roi Arthur qu'il le regretterait quand il ne serait plus là : « À toutes vos terres vous préféreriez ma présence à vos côtés. — Ah ! repartit le roi, puisque vous savez ce qui va vous arriver, pourvoyez-y, et par votre science conjurez ce malheur. — Non, dit Merlin, cela ne sera point. » Et il prit congé du roi.

Peu après, la demoiselle du Lac partit, Merlin la suivant partout où elle allait. Souvent il aurait pu jouir d'elle à son insu, par ses subils artifices. Mais elle lui avait fait jurer de n'avoir recours avec elle à nul

enchantement s'il voulait parvenir à ses fins. Il s'était lié par serment. Merlin et elle passèrent la mer pour gagner le pays de Benoïc. Le roi Ban y régnait. Il était engagé dans une âpre guerre contre le roi Claudas. Merlin s'entretint avec l'épouse du roi Ban. Elle était belle et bonne et avait nom Hélaine. Il vit le jeune Lancelot. La reine se plaignit amèrement de la guerre sans merci que le roi Claudas faisait à son seigneur, ainsi qu'à son royaume. « N'en soyez pas désolée, lui dit Merlin, car l'enfant que voici avant vingt ans vous vengera du roi Claudas, de telle sorte que toute la chrétienté en parlera. Cet enfant deviendra l'homme au monde qui aura le plus de renom. Vous l'aviez d'abord appelé Galaad, je le sais bien. Mais depuis vous avez abandonné ce nom pour Lancelot.
— C'est vérité, dit la reine. Son nom fut d'abord Galaad. Oh! Merlin, vivrai-je assez longtemps pour voir mon fils accomplir ces prouesses?
— Oui, madame, sur ma tête je vous jure que vous les verrez, et vous vivrez ensuite encore bien des années. »

Peu après la demoiselle et Merlin s'en allèrent. Chemin faisant, Merlin lui montra nombre de choses merveilleuses. Ils arrivèrent en Cornouailles. Et toujours Merlin importunait la demoiselle, afin d'avoir son pucelage. Elle était fort lasse de ses avances et eût bien aimé être débarrassée de lui. Mais elle en avait peur, parce qu'il était fils d'un démon, et ne pouvait s'en défaire de nulle façon. Un jour il advint que Merlin lui montra où dans un rocher se trouvait une grande merveille. Elle avait été faite par sortilège et recouverte d'une grosse pierre. Par ses subtils artifices, la demoiselle obtint que Merlin s'engageât sous la pierre pour lui conter ensuite quelle merveille était là. Mais elle fit en sorte qu'il ne ressortît jamais plus, malgré tous ses pouvoirs. Et c'est ainsi qu'elle partit en l'abandonnant.

CHAPITRE II

Comment cinq rois vinrent en ce pays guerroyer contre le roi Arthur, et à quel parti celui-ci s'arrêta

LE ROI ARTHUR se rendit à Camaalot et y donna un grand festin dans la joie et l'allégresse. Peu de temps après, il revint à Carlisle, et là il apprit que le roi de Danemark et le roi d'Irlande son frère, le roi de Val, le roi des Iles Sorlingues et celui des Iles Lointaines, ces cinq rois avec une grande armée étaient tous entrés sur ses terres, brûlant et tuant tout sur leur passage, par villes et châteaux, que c'était pitié de l'entendre. « Hélas ! s'exclama Arthur, je n'ai pas connu un mois de repos depuis que j'ai été couronné roi en ce pays. Mais maintenant, je m'y engage, je ne me reposerai point avant d'avoir rencontré face à face ces rois sur un champ de bataille. Mes bons et loyaux sujets ne périront pas de ce que je leur aurai fait défaut, vienne avec moi qui veut et demeure qui voudra. »

Ensuite le roi Arthur fit écrire au roi Pellinor. Il le priait de se préparer en diligence, de se faire accompagner d'autant de gens qu'il en pourrait lever au plus vite, et de venir en toute hâte. Tous les barons, sans en rien dire, étaient fâchés d'un départ aussi soudain de leur roi. Mais lui ne voulut pas entendre parler d'un délai. Il fit faire des lettres pour ceux qui n'étaient pas là, enjoignant de le suivre sans tarder à quiconque était alors absent de la cour.

Après quoi il s'en fut trouver la reine Guenièvre. Il lui dit : « Madame, apprêtez-vous, car vous allez venir avec moi. Je ne puis longtemps me passer de vous. Vous serez cause que je me montrerai plus hardi, quelle que soit l'aventure qui m'échoie. Je ne voudrais pas que ma dame fût à l'abri de tout danger. — Sire, répondit-elle, je suis à vos ordres. Je serai prête lorsque vous le serez. »

Adonc le lendemain matin le roi et la reine partirent, avec ceux de leurs gens qui se trouvaient là. Ils arrivèrent dans le Nord, au sein d'une forêt à côté de la rivière Humber, et là ils établirent leur campement. Lorsque la nouvelle parvint aux cinq rois susdits qu'Arthur était à côté de la rivière Humber dans une forêt, il y eut un chevalier, frère de l'un des cinq rois, pour leur donner ce conseil : « Vous savez bien que le roi Arthur avec lui a la fleur de la chevalerie de ce monde. La grande bataille qu'il a livrée aux onze rois l'a prouvé. En conséquence, nuit et jour hâtez-vous, jusqu'à ce que nous soyons près de lui. Plus il attendra, plus fort il sera, tandis que nous nous affaiblirons toujours davantage. Et il est si courageux de nature qu'il vient sur le champ de bataille avec peu de gens. Donc assaillons-le avant le jour, et nous les massacrerons. De ses chevaliers nul ne réchappera. »

CHAPITRE III

Comment le roi Arthur rencontra ses ennemis, les défit, tua les cinq rois, et mit tout le reste à la fuite

CE CONSEIL reçut l'approbation des cinq rois. Ils traversèrent avec leur armée le nord du pays de Galles pour arriver près d'Arthur de nuit et assaillir le roi et son armée tandis qu'ils seraient en leurs pavillons. Le roi avait ôté son armure et reposait aux côtés de sa reine, Guenièvre. « Sire, lui dit messire Keu, il n'est pas sage pour nous d'ôter nos armures. — Nous n'en aurons nul besoin », s'écrièrent messire Gauvain et messire Girflet, qui avaient leurs lits en un petit pavillon près du roi. Là-dessus ils entendirent un grand bruit. Beaucoup criaient : « Trahison, trahison ! » « Hélas ! s'exclama le roi Arthur, nous sommes trahis ! Aux armes, compagnons ! » s'écria-t-il ensuite. C'est ainsi qu'en peu de temps ils s'armèrent de toutes pièces.

Lors il vint devers le roi un chevalier blessé. Il lui dit : « Sauvez-vous, ainsi que madame la reine. Notre armée est déconfite, et beaucoup de nos gens sont morts. » Sans perdre de temps le roi, la reine et les trois chevaliers que j'ai nommés montèrent à cheval et se dirigèrent vers la rivière Humber, pour passer de l'autre côté de l'eau. Mais la rivière était si agitée qu'ils eurent peur de la franchir. « Il vous faut décider si vous restez sur cette rive, avec les risques que cela comporte, dit le roi Arthur à la reine, car si l'on vous prend l'on vous tuera. — J'aime mieux, répondit-elle, périr noyée que de tomber aux mains de vos ennemis pour être tuée. »

Alors qu'il étaient là à s'entretenir, messire Keu aperçut les cinq rois. Ils venaient à leur rencontre, à cheval, sans compagnie aucune, leurs lances à la main. « Regardez, s'écria messire Keu, voilà les cinq rois. Allons par devers eux. Ils trouveront à qui parler. — Ce serait folie, dit messire Gauvain. Nous ne sommes que trois, et ils sont cinq. — C'est vrai, dit messire Girflet. — Peu importe, repartit messire Keu. J'engagerai le combat avec deux d'entre eux, et vous trois pourrez faire de même avec les trois autres. » Sur ce, il partit de toute la vitesse de son cheval. Il choqua l'un des rois. Sa lance traversa le bouclier et le corps d'une toise, et le roi tomba raide mort. Messire Gauvain le vit. Il courut sus à un autre roi, avec tant de vigueur qu'il lui perça le corps d'outre en outre.

Là-dessus le roi Arthur courut sus à un autre encore. Sa lance le transperça. Il tomba mort lui aussi. Lors messire Girflet se rua sur le quatrième. Il le renversa, de telle sorte qu'il se rompit le col. Aussitôt messire Keu s'élança vers le cinquième. Il frappa si rudement sur le heaume que le coup le fendit, ainsi que la tête, et descendit jusques au sol. « C'est bien frappé, dit le roi Arthur. Tu as tenu dignement ta promesse. Je t'en honorerai, aussi longtemps que je vivrai. » Lors ils placèrent la reine Guenièvre dans une barque sur la rivière Humber. Elle ne cessait de louer messire Keu pour ses exploits. Elle dit : « S'il est une dame que vous aimez et qui ne vous aime pas en retour, elle est bien à blâmer. Parmi les dames je serai garante de votre renom. Vous avez parlé avec vaillance et agi dignement. » Après quoi, elle les quitta.

Lors le roi, accompagné des trois chevaliers, pénétra dans la forêt, car il comptait y avoir des nouvelles de ceux qui s'étaient sauvés. Il y trouva la plupart de ses gens et leur raconta à tous comment les cinq rois étaient morts. « Adonc restons bien ensemble, jusqu'à ce qu'il fasse jour. Quand leur armée se sera rendu compte que ses chefs ont été tués, ils en seront si affligés qu'ils n'auront plus de courage. » Comme le roi l'avait dit, c'est ainsi précisément que les choses se passèrent. Lorsqu'ils découvrirent que les cinq rois étaient morts, les ennemis se lamentèrent au point de tomber de leurs selles. Ce fut à ce moment que le roi Arthur intervint, mais avec peu de gens. Il occit de droite et de gauche, si bien que c'est à peine si un seul en réchappa. Tous périrent, jusqu'au nombre de trente mille. Lorsque la bataille fut entièrement achevée, le roi mit un genou en terre et remercia Dieu humblement. Puis il envoya chercher la reine. Elle fut bientôt là et se réjouit grandement de la victoire en cette bataille.

CHAPITRE IV

Comment les combats furent terminés avant la venue du roi Pellinor, et comment le roi Arthur fonda une abbaye au lieu où s'était tenue la bataille

SUR CES ENTREFAITES il vint quelqu'un devers le roi Arthur, qui lui annonça que le roi Pellinor était à une lieue de là avec une grande armée. Arthur lui répondit : « Va le trouver, et informe-le du succès que nous avons eu. » Adonc peu de temps après le roi Pellinor arriva avec une troupe considérable. Il salua le roi Arthur et ses gens, et des deux côtés il y eut beaucoup de réjouissances. Puis le roi Arthur fit rechercher combien de pertes il y avait eu en son camp, et l'on découvrit qu'il n'y avait guère eu plus de deux cents tués, auxquels il fallait ajouter huit chevaliers de la Table Ronde occis en leurs pavillons. Après quoi le roi fit élever et instituer, en ce même lieu où s'étaient tenus les combats, une belle abbaye. Il la dota de belles rentes et lui donna le nom d'abbaye de la Belle-Aventure. Cependant, lorsque certains dans leurs pays, où avait régné l'un ou l'autre des cinq rois, contèrent comment ceux-ci avaient trouvé la mort, l'affliction fut grande. Et lorsque tous les ennemis du roi Arthur, comme le roi de Norgalles et les rois du Nord, surent ce qu'avait été la bataille, ils en furent fort marris.

Hâtivement Arthur s'en retourna à Camaalot. Lorsqu'il fut rendu, il appela le roi Pellinor par devers lui et lui dit : « Vous savez sûrement que nous avons perdu huit des chevaliers de la Table Ronde, parmi les meilleurs. Nous suivrons votre avis pour en choisir huit autres entre les plus dignes que nous puissions trouver en cette cour. — Sire, répondit Pellinor, je vais vous donner mon sentiment sur la meilleure façon de procéder. Il y a des chevaliers à votre cour dont la noblesse est grande, tant vieux que jeunes. Si vous voulez mon avis, vous prendrez la moitié de vos chevaliers parmi les vieux et l'autre parmi les jeunes.

— Quels seront les vieux? demanda le roi Arthur. — Sire, répondit le roi Pellinor, je pense au roi Urien, qui a épousé votre sœur Morgane la Fée, au roi Lac, à Hervieu de Rivel, un noble chevalier, le quatrième étant messire Galigart. — C'est bien choisi, dit le roi Arthur, et nous n'y changerons rien. Maintenant, quels seront les quatre jeunes? — Sire, répondit Pellinor, le premier sera messire Gauvain, votre neveu. Il vaut les meilleurs chevaliers qu'on puisse trouver présentement en ce pays. Le deuxième, à mon avis, sera messire Girflet, fils de Do. Il est bon chevalier et brûle d'envie de s'illustrer par les armes. Si Dieu lui prête vie, il apportera la preuve de sa valeur. Le troisième, à ce qu'il me semble, a tout ce qu'il faut pour faire un chevalier de la Table Ronde. C'est messire Keu, le sénéchal. En mainte occasion il s'est conduit avec beaucoup d'honneur, et lors de votre dernière bataille, il vient de mériter bien de l'estime pour avoir entrepris d'occire deux rois à la fois. — Assurément, dit Arthur, de tous ceux que vous avez cités il est le plus digne d'appartenir à la Table Ronde, quand il n'aurait fait de sa vie nul autre exploit. »

CHAPITRE V

Comment messire Tor fut fait chevalier de la Table Ronde, et comment Bademagu en conçut du mécontentement

« MAINTENANT, dit le roi Pellinor, je vais vous proposer deux chevaliers, et vous déciderez duquel est le plus méritant. Ce sont messire Bademagu et messire Tor, mon fils. Pour ce que messire Tor est mon fils, il ne m'est pas permis d'en dire du bien, mais sans quoi, s'il n'était pas mon fils, j'oserais dire qu'il n'y a pas en ce pays, à son âge, meilleur chevalier que lui ni mieux disposé, moins enclin à faire le mal et à ressentir l'offense. — Sur ma foi, répondit Arthur, il vaut tous ceux que vous avez cités aujourd'hui, je le sais bien. Je l'ai vu à l'œuvre. Il parle peu, agit davantage, et je ne connais personne à la cour, s'il était aussi bien né du côté de sa mère qu'il l'est du vôtre, qui pût rivaliser avec lui en fait de vaillance et de force. En conséquence, c'est lui que je prendrai cette fois, et je laisserai Bademagu pour une autre occasion. »

Ainsi donc, lorsque leur choix eut été confirmé par l'assentiment de tous les barons, on trouva inscrit sur leurs sièges les noms de tous les chevaliers susdits. Ils furent dûment installés. Bademagu entra en grand courroux de la préférence qui avait été donnée sur lui à messire Tor. Il quitta la cour soudainement, emmenant son écuyer avec lui. Ils avaient chevauché longtemps dans une forêt quand ils trouvèrent une croix. Là Bademagu mit pied à terre et dit ses prières dévotement.

Cependant, son écuyer découvrit, inscrit sur la croix, que Bademagu ne retournerait jamais à la cour, aussi longtemps qu'il n'aurait pas vaincu un chevalier de la Table Ronde, l'un devant remplacer l'autre. « Messire, dit l'écuyer, considéré ce qui est ici écrit à votre sujet, je vous conseillerais de retourner à la cour. — Je n'en ferai rien, repartit Bademagu, et cela tant qu'on ne parlera pas de moi avec grande estime et que je ne serai pas digne de la Table Ronde. » C'est ainsi qu'il poursuivit sa route et qu'au bord du chemin il trouva un peu d'une herbe sacrée qui était signe du Saint-Graal. Nul chevalier ne découvrait pareil indice que si sa vie était sans reproche.

Tandis que Bademagu chevauchait vers de nombreuses aventures, le hasard fit qu'il arriva devant le rocher où la demoiselle du Lac avait emprisonné Merlin sous une pierre, et là il l'entendit qui se plaignait amèrement. Messire Bademagu voulut le secourir. Il mit la main sous la grosse pierre, mais elle était si lourde que cent hommes n'auraient pu la soulever. Lorsque Merlin s'avisa de la présence de Bademagu, il lui dit d'arrêter ses efforts. Ils étaient vains, car nul secours ne pouvait lui être porté que par celle qui était cause de sa captivité. En conséquence, Bademagu partit. Il courut beaucoup d'aventures et se révéla ensuite parfait chevalier. Il retourna à la cour et devint de la Table Ronde.

Le lendemain matin apporta une autre nouvelle et d'autres choses étonnantes.

CHAPITRE VI

Comment le roi Arthur, le roi Urien et messire Acalon de Gaule poursuivirent un cerf, et de leurs prodigieuses aventures

Il advint alors qu'Arthur et beaucoup de ses chevaliers allèrent chasser dans une grande forêt. Le roi Arthur, le roi Urien et messire Acalon de Gaule suivirent à la trace un grand cerf. Ils avaient tous trois de bonnes montures. Ils firent si vite en leur chasse qu'en peu de temps ils prirent sur leurs compagnons une avance de quatre lieues. Finalement ils y mirent tant d'ardeur qu'ils crevèrent leurs chevaux. Ils se retrouvèrent tous trois à pied, tandis que sous leurs yeux passait et repassait le cerf, qui était à bout de forces et pris au piège. « Que faire ? demanda le roi Arthur. Nous voilà bien embarrassés. – Marchons, repartit le roi Urien, jusqu'à ce que nous rencontrions quelque endroit où loger. »

Lors ils aperçurent le cerf sur le rivage d'un vaste lac. Une chienne le tenait à la gorge, et beaucoup d'autres chiens suivaient derrière. Le roi Arthur sonna l'hallali et servit le cerf. Puis il regarda alentour. Il vit devant lui sur le lac un petit navire. Sa voilure était toute de soie et descendait jusqu'à l'eau. Le bateau vint droit à eux et s'échoua sur le sable. Arthur alla sur la grève. Il regarda au-dedans de la nef. Il n'y vit nulle créature terrestre. « Messires, dit-il, venez et voyons ensemble ce que contient ce navire. »

Adonc ils entrèrent tous trois et le trouvèrent magnifiquement tendu de drap de soie. Il faisait maintenant nuit noire. Soudain s'illuminèrent autour d'eux une centaine de torches. Elles étaient partout sur les flancs du navire et répandaient une vive lumière. Là-dessus parurent douze belles demoiselles. À genoux elles saluèrent le roi Arthur. Elles l'appelèrent par son nom, dirent qu'il était le très bien venu et que des mets dont elles disposaient il aurait ce qu'il y avait de plus délectable.

Le roi les remercia gracieusement. Sur ce elles le conduisirent, de même que ses compagnons, dans une belle salle. Là se trouvait une nappe garnie de la plus belle vaisselle qui convienne à une table. On leur servit tous les vins et tous les plats imaginables. Le roi s'en ébahit grandement, car il n'avait de sa vie jamais fait meilleure chère en un seul souper.

Lorsqu'ils eurent mangé à leur content, on mena le roi Arthur dans une chambre à coucher. Plus richement meublée il n'avait jamais vue. Le roi Urien fut servi de même manière et mené dans une chambre de même sorte. Messire Acalon fut conduit dans la troisième chambre, qui était magnifiquement meublée, elle aussi. On les mit en des lits douillets. Ils s'endormirent aussitôt. Leur sommeil toute la nuit fut étonnamment agité. Le lendemain matin, le roi Urien se retrouva à Camaalot, couché dans les bras de son épouse, Morgane la Fée. Lorsqu'il s'éveilla, il fut stupéfait, se demandant comment il était venu là, lui qui la veille au soir était à deux jours de cheval de Camaalot. Quant au roi Arthur, en s'éveillant il se découvrit dans les ténèbres d'un cachot, avec dans les oreilles les plaintes nombreuses de tristes chevaliers.

CHAPITRE VII

Comment Arthur décida de combattre, afin de sortir de son emprisonnement, et aussi de délivrer vingt chevaliers qui étaient emprisonnés avec lui

« QUI ÊTES-VOUS, qui vous plaignez tant ? demanda le roi Arthur. — Nous sommes vingt chevaliers tenus là prisonniers, répondirent-ils. Certains d'entre nous croupissent en ces lieux depuis sept ans, d'autres plus, d'autres moins. — Et pourquoi ? demanda Arthur. — Nous allons vous le dire. Le seigneur de ce château a pour nom messire Domas. C'est le chevalier le plus fourbe qui soit au monde. Il est perfide à l'extrême et n'a pas son pareil en fait de lâcheté. Il a un frère cadet, un bon chevalier plein de bravoure. Il s'appelle messire Ontzlake. Ce fourbe de Domas ne veut rien lui laisser des biens qui lui reviennent en droit, hormis ce que messire Ontzlake a réussi à garder par la force des armes. C'est ainsi qu'il est parvenu à retenir un manoir des plus beaux et de grand profit. Là messire Ontzlake vit entouré de respect, et il est bien aimé de tous.

« Ce messire Domas qui a pouvoir sur nous est aussi détesté que son frère est aimé. C'est qu'il est sans pitié et sans courage aucun. Les deux frères se font une guerre implacable. C'est Ontzlake toujours qui prend le dessus. Toujours il propose à messire Domas de se battre, pour savoir qui aura l'héritage, en combat singulier. Mais Domas ne veut pas. Ontzlake accepte que son frère trouve un chevalier pour combattre à sa place. Cela, Domas y consent. Mais il est si haï que nul chevalier ne veut lui rendre ce service. Cela étant, il épie chaque jour, entouré de maint homme de guerre. Tous les chevaliers qui passent en ce pays, il s'en saisit pour savoir quelles aventures ils ont vécues. Il s'en rend maître par la force et les mène en sa prison. C'est ainsi qu'il s'est assuré de nous, l'un après l'autre, alors que nous cherchions l'aventure. Beaucoup de bons chevaliers sont morts de faim en cette geôle, jusqu'au nombre de dix-huit. Si un seul de tous ceux qui sont ici, ou qui ont demeuré ici, avait bien voulu combattre son frère Ontzlake, il nous aurait relâchés, mais ce Domas est si fourbe et perfide que nous n'accepterions jamais de nous battre pour lui, quitte à périr. Et nous sommes si maigres de manquer de nourriture que c'est à peine si nous pouvons tenir debout.
— Dieu vous délivre en sa miséricorde ! » leur dit le roi Arthur.

Peu après devers lui vint une demoiselle qui lui demanda : « Comment vous portez-vous ? — Ni bien ni mal. — Messire, si vous consentez à combattre pour mon seigneur, vous quitterez cette prison. Sinon, vous y perdrez la vie. — Voilà qui est rigoureux, dit Arthur. Mais je préfère combattre un chevalier que mourir enfermé. Si cela me vaut la liberté, pour moi et ces prisonniers, j'accepte de me battre. — Bien, dit la demoiselle. — Je suis prêt. Mais il me faut un cheval et une armure. — Vous les aurez, dit-elle. — Il me semble, demoiselle, vous avoir déjà vue à la cour d'Arthur. — Non. Je n'y suis jamais allée. Je suis fille du seigneur de ce château. » Or, elle mentait, car elle était de la suite de Morgane la Fée.

Aussitôt elle alla trouver messire Domas. Elle lui rapporta que le prisonnier acceptait de se battre pour lui. Il fit chercher Arthur, qui vint. Il avait un visage vermeil, et il était bien taillé de tous ses membres. Tous les chevaliers en le voyant dirent que c'était pitié que pareil chevalier mourût au fond d'un cachot. Messire Domas et lui tombèrent d'accord. Il combattrait à la place de Domas, à la condition que seraient libérés tous ses compagnons. Messire Domas s'y engagea par serment auprès d'Arthur, ainsi qu'à faire durer le combat jusqu'à la mort de l'un ou de l'autre. Là-dessus les vingt chevaliers furent sortis des ténèbres de leur prison et amenés dans la grand-salle. On leur rendit la liberté, mais tous ils demeurèrent pour assister à la rencontre.

CHAPITRE VIII

Comment Acalon se retrouva près d'une fontaine,
et comment il entreprit de livrer combat à Arthur

À PRÉSENT tournons-nous du côté d'Acalon de Gaule. Lorsqu'il s'éveilla, il se retrouva au bord d'une fontaine profonde, à moins d'un demi-pied du vide, en grand danger de perdre la vie. De la fontaine sortait un tuyau d'argent, et du tuyau jaillissait de l'eau, qui tombait de haut sur un bloc de marbre. Quand Acalon s'avisa de tout ceci, il se signa et dit : « Jésus, sauvez monseigneur le roi Arthur et le roi Urien. Ces demoiselles dans le navire nous ont abusés. C'étaient des démons et non des femmes. Si je réchappe de cette mésaventure, je détruirai tout, là où se trouvent ces demoiselles perfides qui usent de sortilèges. »

À ce moment survint un nain. Il avait une large bouche et un nez camard. Il salua messire Acalon et lui dit qu'il était le messager de la reine Morgane la Fée. « Elle vous salue bien et vous demande d'affermir votre courage, car demain vous devrez combattre un chevalier à la première heure du jour. En conséquence, elle vous envoie l'épée d'Arthur, Excalibur, ainsi que son fourreau, et vous fait obligation, si vous l'aimez, de mener le combat jusqu'à son extrémité, sans merci, comme vous le lui avez promis lors de votre entretien en privé. Quant à la demoiselle qui lui apportera la tête du chevalier que vous allez combattre, elle en fera une reine.

— À présent, dit Acalon, je vous comprends parfaitement. Je tiendrai la promesse que j'ai faite à la reine, maintenant que j'ai l'épée. Quand l'avez-vous vue pour la dernière fois? — Il y a peu », répondit le nain. Lors Acalon le prit dans ses bras et lui dit : « Recommande-moi à ma dame la reine, et dis-lui que je tiendrai tout ce que j'ai promis, sinon j'y perdrai la vie. Je suppose qu'elle a eu recours à tous ces artifices et sortilèges en vue de ce combat particulier. — Vous avez bien raison de le croire », repartit le nain.

Sur ces entrefaites il arriva un chevalier, accompagné d'une dame et de six écuyers. Il salua Acalon et le pria de se lever pour venir se reposer en son manoir. Acalon monta sur un cheval libre de cavalier. Il suivit le chevalier jusqu'à un beau manoir auprès d'un prieuré. Là on lui fit fort bon accueil. Lors messire Domas envoya un messager à son frère, messire Ontzlake : il lui fallait se préparer pour le lendemain à la première heure et se rendre sur le terrain pour rencontrer un valeureux chevalier, car il avait trouvé quelqu'un de mérite, qui s'offrait à livrer combat, armé de toutes pièces. Lorsque messire Ontzlake entendit cela, il en fut fort marri. Une lance, peu de temps avant, l'avait blessé en lui transperçant les deux cuisses, et il souffrait beaucoup. Pourtant, en dépit de ses blessures, il accepta de combattre.

Or il advint qu'alors, par le moyen de Morgane la Fée, c'était chez messire Ontzlake qu'Acalon se trouvait logé. Quand il fut informé de ce combat et sut qu'Ontzlake était blessé, il s'offrit à combattre à sa place. Morgane lui avait envoyé Excalibur et le fourreau pour affronter le chevalier le lendemain matin. Ce fut la raison pour laquelle messire Acalon se chargea de l'affaire. Messire Ontzlake fit montre de beaucoup de contentement. Il remercia messire Acalon du fond du cœur de bien vouloir faire tout cela pour lui. Sur ce il fit savoir à son frère, messire Domas, qu'il connaissait un chevalier qui s'offrait à se présenter à sa place sur le champ clos à la première heure.

Adonc le lendemain matin, le roi Arthur eut armure et bon destrier. Il demanda à messire Domas : « Quand nous rendrons-nous sur le terrain de la rencontre ? — Messire, lui répondit messire Domas, d'abord nous entendrons la messe. » Arthur donc ouït la messe, et lorsqu'elle eut été dite arriva un écuyer sur un grand cheval. Il demanda à messire Domas si son chevalier était prêt. « Le nôtre est dans la lice et prêt à combattre. » Lors le roi Arthur enfourcha son cheval. Il y avait là tous les chevaliers et tout le peuple de ce pays. On choisit d'un commun accord douze hommes d'estime parmi ceux-là, pour servir les deux combattants.

Arthur était à cheval lorsque survint une demoiselle de la part de Morgane la Fée. Elle apportait au roi une épée semblable à Excalibur, ainsi que son fourreau. Elle lui dit : « Morgane la Fée vous envoie cette épée, pour la grande affection qu'elle vous porte. » Il la remercia et la crut. Mais elle mentait. L'épée et le fourreau étaient contrefaits, fragiles et instruments de trahison.

CHAPITRE IX

Du combat entre le roi Arthur et Acalon

ILS SE MIRENT alors en place des deux côtés du champ clos et firent courir leurs chevaux, si vite qu'en se heurtant l'un l'autre du fer de leurs lances au mitan de l'écu ils firent tomber à terre hommes et montures. Les deux chevaliers se relevèrent. Ils dégainèrent leurs épées. Cependant qu'ils étaient ainsi occupés à se battre, la demoiselle du Lac entra dans la lice, qui avait mis Merlin sous la pierre. Elle venait par amour pour le roi Arthur, car elle savait que Morgane la Fée avait pris des dispositions pour que le roi fût tué ce jour-là. Elle venait donc pour lui sauver la vie.

Les deux adversaires mettaient de l'ardeur à combattre. Ils portaient des coups qui souvent avaient beaucoup de puissance. Cependant, l'épée d'Arthur n'était pas aussi tranchante que celle d'Acalon. La plupart du temps, les coups que portait Acalon ne manquaient point d'infliger à Arthur de graves blessures. C'était merveille s'il tenait encore debout. Toujours le sang coulait. Quand Arthur vit le sol ainsi couvert de son sang, la frayeur le prit. Il pensa que par traîtrise on avait changé son épée. Elle ne mordait pas dans l'acier comme elle avait coutume de le faire. Il craignait fort de perdre la vie, car il lui semblait à chaque fois que l'épée dans la main d'Acalon était Excalibur. À chaque fois le coup que donnait son ennemi lui faisait verser le sang.

« À présent, chevalier, dit Acalon à l'adresse d'Arthur, prends bien garde à moi. » Arthur ne répondit rien, mais le choqua si violemment sur le heaume qu'il fléchit sur ses jambes et faillit tomber. Acalon prit un peu de recul. Puis il s'approcha, tenant bien haut Excalibur, et porta à monseigneur Arthur un coup si rude qu'il fut près de trébucher. L'un et l'autre s'échauffèrent et donnèrent maint coup douloureux. Mais toujours monseigneur Arthur perdait tellement de sang qu'on se demandait comment il tenait encore debout. Néanmoins, il était si parfait chevalier qu'en chevalier il endurait sa douleur. Messire Acalon, lui, ne perdait guère de sang. Il se montrait de plus en plus agile. Monseigneur Arthur s'affaiblissait beaucoup. Il pensait vraiment que la mort était proche. Malgré tout, il donnait à croire qu'il pouvait tenir et serrait Acalon d'aussi près que possible.

Cependant, celui-ci avait tant d'assurance à se savoir en possession d'Excalibur qu'il s'enhardissait sans cesse davantage. Tous ceux qui regardaient Arthur disaient qu'ils n'avaient jamais vu chevalier combattre aussi vaillamment, compte tenu du sang qu'il perdait. Pourtant, les deux frères refusaient de se mettre d'accord. On combattait donc toujours avec la même fièvre, et chacun en bon chevalier.

Le roi Arthur fit quelques pas en arrière pour prendre du repos. Mais messire Acalon l'appela à se battre. Il dit : « Ce n'est pas le moment pour moi de te permettre de te reposer. » Là-dessus il l'assaillit avec fureur. Monseigneur Arthur était courroucé d'avoir perdu tout ce sang. Il frappa Acalon au sommet du heaume, avec tant de force qu'il faillit le jeter à terre. L'épée d'Arthur alors se brisa à hauteur de la garde. Elle tomba dans l'herbe au milieu du sang. Le pommeau et la bonne poignée demeurèrent en sa main. Lorsque monseigneur Arthur vit cela, il eut grand peur de mourir. Pourtant, il maintint fermement son écu, ne recula point et ne montra nul signe de détresse.

CHAPITRE X

Comment l'épée du roi Arthur, avec laquelle il combattait, se brisa, comment d'Acalon il recouvra sa propre épée, Excalibur, et comment il défit son ennemi

LORS Acalon se mit à tenir des propos perfides. Il lança : « Chevalier, tu es vaincu. Tu ne peux me résister. » Il dit aussi : « Tu n'as plus d'arme. Tu as perdu beaucoup de ton sang. J'aurais grand regret de te tuer. En conséquence, reconnais ta défaite et rends-toi à merci. — Non, repartit Arthur, je ne le puis. J'ai promis de mener ce combat jusqu'à son extrême limite. J'ai donné ma parole que ce serait jusqu'à mon dernier souffle. J'aime mieux mourir dans l'honneur que vivre dans la honte. Si je pouvais perdre cent fois la vie, je préférerais la perdre cent fois plutôt que de te demander grâce. Je n'ai pas d'arme, c'est vrai, mais j'ai de la valeur, et si tu me tues désarmé, l'opprobre en retombera sur toi. — Eh bien, dit Acalon, ce n'est pas cet opprobre-là qui va me retenir. Garde-toi, car il ne te reste qu'à mourir. »

Là-dessus il asséna à Arthur un coup si violent qu'il faillit tomber à terre. Il aurait voulu qu'Arthur criât grâce. Mais celui-ci le pressa de son bouclier, et du pommeau qu'il avait en main le frappa, si bien qu'il recula de trois pas. Lorsque la demoiselle du Lac vit Arthur, de quelle vaillance il faisait preuve et à quelle basse traîtrise on avait recours pour se débarrasser de lui, elle eut grand-pitié que si bon chevalier et homme si valeureux fût ainsi mené à sa perte. Au coup suivant messire Acalon voulut toucher le roi, mais le sortilège de la demoiselle fit que l'épée Excalibur lui tomba des mains. Monseigneur Arthur avec agilité bondit pour s'en emparer. De suite il reconnut que c'était là son épée Excalibur. Il dit : « Trop longtemps tu m'auras manqué, et tu m'as fait beaucoup de mal. » Sur ce, il s'avisa du fourreau, qui pendait au côté d'Acalon. Il se précipita sur son adversaire, lui arracha le fourreau et le fit voler aussi loin qu'il put. « Ah ! chevalier, dit Arthur, en ce jour tu m'as fait subir de graves blessures avec cette épée. Mais maintenant c'est la mort qui t'est promise, car n'attends de moi nul répit avant que je t'octroie au moyen de cette épée la même largesse dont tu m'as gratifié. C'est bien de la douleur que tu m'as fait endurer et bien du sang que j'ai perdu. »

Là-dessus monseigneur Arthur se rua sur messire Acalon de toutes ses forces. Il le jeta au sol. Puis il lui arracha son heaume et lui asséna un tel coup sur la tête que le sang coula des oreilles, du nez et de la bouche. « Maintenant, je vais te tuer, dit Arthur. — Pour ce qui est de me tuer, vous le pouvez fort bien, repartit Acalon, si le cœur vous en dit, car vous êtes le meilleur de tous les chevaliers que j'aie jamais rencontrés, et je vois clairement que Dieu est avec vous. Mais parce que j'ai promis de livrer ce combat jusqu'à ce que mort s'ensuive, et de ne jamais m'avouer vaincu aussi longtemps que je serai en vie, jamais ma bouche ne reconnaîtra ma défaite. De mon corps que Dieu dispose ! »

Lors monseigneur Arthur se rappela les traits de cet homme. Il pensa l'avoir déjà vu. « Dis-moi maintenant, lui demanda-t-il, avant que je te tue, de quel pays tu es et de quelle cour. — Sire chevalier, répondit messire Acalon, je suis de la cour du roi Arthur, et mon nom est Acalon de Gaule. » Arthur alors fut saisi d'un doute, car lui revinrent en mémoire sa sœur Morgane la Fée et le sortilège du navire. « Oh ! sire chevalier, dit-il, je vous prie de me faire savoir comment vous avez eu cette épée, et qui vous l'a remise. »

CHAPITRE XI

Comment Acalon reconnut la félonie de Morgane la Fée, sœur du roi Arthur, et comment elle avait projeté de faire périr celui-ci

LORS messire Acalon se reprit et dit : « Maudite soit cette épée, car c'est elle qui aura causé ma mort ! — Cela se pourrait en effet, repartit le roi. — À présent, messire, poursuivit Acalon, je vais tout vous dire. Cela fait bientôt un an que je suis devenu le possesseur de cette épée, et Morgane la Fée, l'épouse du roi Urien, me l'a fait porter par un nain, afin que je tue le roi Arthur, son frère. Vous devez comprendre que le roi Arthur est l'homme qu'elle déteste le plus au monde, pour ce qu'il est le plus renommé et le plus brave de toutes les personnes de son sang. Sachez aussi qu'elle nourrit pour moi une affection sans mesure parce que je suis son amant, affection que je lui rends. Si elle pouvait par ses artifices obtenir que périsse le roi Arthur, sans scrupule elle tuerait le roi Urien, son époux, et ensuite me ferait monter sur le trône de ce pays. Je régnerais, et elle serait ma reine. Mais il n'y faut plus penser, car ma mort est certaine.

— Eh bien, repartit le roi Arthur, à ce que vous me dites, je vois que vous seriez devenu le roi de ce pays. C'eût été quand même grand dommage de faire périr votre seigneur. — C'est vrai, admit Acalon. Pourtant, je ne vous ai pas menti et vous serais en conséquence obligé de me dire d'où vous venez et de quelle cour vous êtes. — Ô Acalon ! s'exclama le roi Arthur, maintenant laisse-moi te dire que c'est moi, le roi Arthur, et que tu m'as fait grandement souffrir. » Quand Acalon entendit cela, il cria à voix haute : « Gentil seigneur, doux seigneur, faites-moi grâce, car je ne savais pas qui vous étiez. — Ô Acalon ! dit le roi, tu auras ma grâce, parce que je vois bien aux paroles que tu viens de prononcer que tu ne le savais pas. Mais, à ces mêmes paroles, je comprends clairement que tu avais consenti à me faire périr. Donc tu es un traître.

« Je t'en blâme moins cependant de ce que c'est ma sœur, Morgane la

Fée, qui par ses sortilèges t'a fait consentir à la perfidie de ses désirs et s'est assurée ton appui. Mais si vie m'est donnée, je me vengerai d'elle, et ma vengeance sera terrible, toute la chrétienté en parlera. Dieu sait que je l'ai comblée d'honneurs et d'affection, plus que tout autre en ma parenté, et que je lui ai donné ma confiance plus qu'à ma femme et à toute ma famille la plus proche. »

Lors monseigneur Arthur appela à lui les officiers en charge de la lice, et il leur dit : « Messires, venez céans. Nous sommes deux chevaliers qui avons combattu de telle sorte que, l'un et l'autre, nous avons grandement souffert. Nous aurions pu l'un et l'autre nous tuer, si le sort en avait décidé ainsi. Mais, si nous avions su qui nous étions, il n'y aurait pas eu de combat. Nul coup n'eût été porté. » Lors Acalon parla bien haut à l'adresse de tous les chevaliers et de tous ceux qui étaient là assemblés à cette heure. Il leur dit ceci : « Ô seigneurs ! ce noble chevalier avec lequel j'ai combattu, ce dont je me repens amèrement, est l'homme au monde qui a le plus de vaillance, de courage et de gloire, car c'est le roi Arthur en personne, de nous tous le seigneur lige, et c'est par malchance et mésaventure que j'ai livré ce combat au roi et seigneur auquel je dois service et obéissance. »

CHAPITRE XII

Comment Arthur réconcilia les deux frères, délivra les vingt chevaliers, et comment messire Acalon mourut

LORS tous ceux qui étaient là tombèrent à genoux et implorèrent le pardon du roi Arthur. « Vous l'aurez, dit-il. Vous pouvez vous rendre compte par vous-mêmes des aventures qui souvent échoient aux chevaliers errants, de la façon dont j'ai combattu l'un de mes propres chevaliers, à mon grand dam ainsi qu'au sien. Cependant, messires, parce que je suis grièvement blessé, de même que lui, et que j'aurais grand besoin d'un peu de repos, vous allez entendre ce que je décide en votre litige à vous, les deux frères.

« Pour ce qui est de toi, Domas, dont j'ai été le champion, malgré cela je prononce, parce qu'on dit de toi que tu es orgueilleux, plein de bassesse et que tes actions sont dénuées de bravoure, que je veux te voir abandonner à ton frère tout ton domaine, avec les droits qui s'y attachent. Cela se passera de la manière suivante : tu concéderas ce domaine à messire Ontzlake à titre de fief. Chaque année il te donnera en redevance un palefroi. Cette monture te siéra davantage qu'un cheval de bataille. Je t'enjoins aussi, Domas, sous peine de mort, de ne jamais plus tourmenter de chevaliers errants courant l'aventure. Il faut, en outre, que tu restitues à ces vingt chevaliers, que tu as longtemps gardés prisonniers, leurs harnois tout entiers, de manière à les satisfaire. Et si l'un d'eux vient me trouver à ma cour pour se plaindre de toi, je te donne ma parole que tu le paieras de ta vie.

« Quant à vous, messire Ontzlake, pour ce qu'on vous dit bon chevalier, plein de vaillance, loyal et débonnaire en toutes vos actions, voici ce que je vous assigne : je veux, pour marque de ma faveur, qu'après que promptement et courtoisement vous serez venu par-devers moi en ma cour, vous soyez mis au nombre de mes chevaliers. Si vos actes s'accordent avec ce que j'attends de vous, je vous avancerai tant, par la grâce de Dieu, qu'en peu de temps votre fortune vous permettra de tenir un état qui n'aura rien à envier à celui de votre frère, messire Domas. Que Dieu vous récompense de l'étendue de vos mérites et vertus ! Je serai désormais à toute heure soucieux de vous rendre service.

— Sire, repartit messire Ontzlake, Dieu a voulu qu'il y a peu je fusse blessé par un chevalier redoutable. Il transperça mes deux cuisses. J'en eus grande douleur. Sans cela j'eusse livré ce combat contre vous. — Plût à Dieu, dit Arthur, qu'il en eût été ainsi ! J'eusse été moins sévèrement touché. Je vais vous en dire la raison. Mes blessures eussent été moindres sans mon épée, qui me fut dérobée par traîtrise. Ce combat avait été décidé à l'avance afin de m'occire, et le projet s'effectua de par la fourberie de traîtres et de perfides sortilèges. — Las ! s'exclama messire Ontzlake, c'est grand-pitié qu'en dépit de toute la noblesse de vos actions et du courage qui vous inspire, homme ou femme puisse avoir le cœur d'ourdir un complot contre vous. — Je leur donnerai leur récompense, assura Arthur, avant longtemps, si Dieu le veut.

« Et maintenant, dites-moi, à quelle distance suis-je de Camaalot ? — Sire, il vous faut deux jours pour vous y rendre. — J'aimerais m'arrêter dans quelque maison de religion, afin de m'y reposer. — Sire, près d'ici se trouve une riche abbaye fondée par vos ancêtres, un couvent de femmes. Elle est à un peu plus d'une lieue. » Le roi prit alors congé de tous et monta à cheval. Messire Acalon l'accompagnait. Quand ils furent arrivés à l'abbaye, le roi fit chercher des sangsues et sonder ses plaies, de même que celles d'Acalon. Messire Acalon mourut dans les quatre jours qui suivirent. Il avait perdu tant de sang qu'il ne pouvait rester en vie. Mais le roi Arthur se rétablit parfaitement.

Lorsqu'Acalon fut mort, Arthur fit mettre le corps sur une litière et envoya cette litière à Camaalot. Six chevaliers formaient l'escorte. Le roi déclara : « Portez-le à ma sœur, Morgane la Fée, et dites-lui aussi que j'ai mon épée Excalibur, ainsi que son fourreau. » Ils partirent avec la dépouille.

CHAPITRE XIII

Comment Morgane eût voulu faire périr le roi Urien, son époux, et comment messire Yvain, son fils, le sauva

CEPENDANT, Morgane la Fée croyait mort le roi Arthur. Adonc un beau jour elle vit que son époux, le roi Urien, était au lit couché et dormait. Lors elle appela à elle une demoiselle qui lui était dévouée et lui dit : « Va me chercher l'épée de mon seigneur. Je n'ai jamais eu moment plus propice pour le tuer. — Oh ! madame, repartit la demoiselle, si vous tuez mon seigneur, jamais vous ne pourrez échapper. — Ne t'en soucie point, répliqua Morgane. Je vois bien à présent que le moment est venu qui m'est le plus favorable pour ce faire. Hâte-toi. Va me chercher l'épée. »

La demoiselle partit et trouva messire Yvain qui reposait sur un lit dans une autre chambre. Elle alla par devers lui, l'éveilla et lui dit : « Levez-vous et voyez madame votre mère. Elle veut tuer le roi votre père, qui repose en son lit. Je vais chercher son épée. — Allez-y, dit messire Yvain, et laissez-moi faire. »

Incontinent la demoiselle apporta l'épée à Morgane d'une main tremblante. Elle s'en saisit avec aisance, la sort du fourreau et hardiment s'approche du lit, guettant le moment et choisissant l'endroit qui conviendra le mieux pour porter le coup mortel. Alors qu'elle lève l'arme pour frapper, messire Yvain bondit près de sa mère. Il l'agrippe par la main et dit : « Ah ! monstre, que veux-tu faire ? Si tu n'étais ma mère, de cette épée je te trancherais la tête. On raconte que Merlin fut engendré par un démon, mais moi, je suis en droit de dire que c'est un diable incarné qui m'a donné le jour. — Oh ! mon gentil Yvain, mon fils, aie pitié de moi ! Un démon m'a tentée. Maintenant j'implore ta merci. Je ne recommencerai plus. Épargne ma renommée et ne découvre rien de tout ceci. — Je vous pardonne, repartit Yvain, mais à la condition que vous n'ayez plus jamais pareils desseins. — Non, mon fils, dit-elle. Je t'en donne l'assurance. »

CHAPITRE XIV

Comment la reine Morgane la Fée conçut beaucoup de chagrin de la mort d'Acalon, et comment elle déroba le fourreau à Arthur

Lors Morgane la Fée apprit qu'Acalon était mort, son corps amené en l'église, et qu'Arthur avait recouvré son épée. Quand elle fut informée de cette mort, elle en eut tant de chagrin que son cœur faillit se rompre. Mais, parce qu'elle voulait que son chagrin demeurât secret, elle n'en montra nul signe et ne se livra à nulle manifestation de douleur. Elle savait pourtant bien que, si elle attendait la venue de son frère Arthur, sa vie ne vaudrait pas cher. Elle alla trouver la reine Guenièvre et lui demanda permission de s'absenter pour une chevauchée dans le pays. « Vous pourriez attendre pour cela, suggéra la reine Guenièvre, que votre frère fût de retour chez lui. — C'est impossible, repartit Morgane la Fée. Les nouvelles que j'ai reçues ne permettent pas que je tarde. — Soit, dit Guenièvre. Partez quand vous voudrez. »

Adonc, tôt le lendemain, avant l'aube, Morgane prit son cheval et chevaucha toute la journée, ainsi que la plus grande partie de la nuit. Le jour suivant, à midi, elle arriva au même couvent de nonnes où le roi Arthur prenait du repos. Sachant qu'il était en ce couvent, elle demanda en quel endroit. On lui répondit qu'il avait gagné son lit pour y dormir, car cela faisait trois nuits qu'il n'avait guère pu trouver le sommeil. « Bien, dit-elle, je vous enjoins à tous de ne pas l'éveiller avant que je le fasse. » Lors elle descendit de cheval. Son intention était de dérober l'épée du roi, Excalibur. Elle se rendit en conséquence directement à sa chambre, nul n'osant contrevenir à ses ordres. Elle y trouva Arthur endormi en son lit et tenant dans sa main droite Excalibur dégainée. De cette découverte elle fut fort consternée. Elle ne pouvait prendre l'épée sans réveiller son frère. Elle se vit déjà morte. Elle prit le fourreau et continua son chemin à cheval.

Lorsque le roi s'éveilla et prit conscience de la perte du fourreau, il se mit en colère. Il demanda qui était passé par là. On lui répondit que sa sœur, la reine Morgane, était venue, qu'elle avait mis le fourreau sous son manteau et qu'elle était repartie. « Hélas ! s'exclama Arthur, vous m'avez traîtreusement gardé. — Sire, repartirent-ils tous, nous n'avons pas osé contrevenir aux ordres de votre sœur. — Ah ! s'écria le roi, faites quérir le meilleur cheval que l'on puisse trouver, et dites à messire Ontzlake de s'armer en toute hâte, de prendre un autre bon cheval et de m'accompagner. »

Présentement le roi et Ontzlake s'armèrent de bonne sorte et partirent à la poursuite de la dame. Ils arrivèrent à une croisée de chemins et y trouvèrent un vacher. Ils demandèrent au pauvre hère si une dame était passée par là récemment à cheval. « Messire, répondit le pauvre homme, il y a peu une dame est passée avec quarante chevaux, et elle allait dans la direction de cette forêt là-bas. » Ils éperonnèrent leurs montures, toujours la serrant de près. Bientôt Arthur aperçut Morgane la Fée. Il redoubla d'efforts pour la rejoindre. Lorsqu'elle vit qu'il la poursuivait, elle hâta l'allure au travers de la forêt. Elle arriva à une plaine. Voyant qu'elle ne pouvait échapper, elle choisit d'aller à un lac auprès, se disant : « Quoi qu'il puisse m'advenir, mon frère n'aura pas ce fourreau. » Et elle le jeta au plus profond de l'eau, où il s'enfonça, car il était rendu pesant par l'or et les pierres précieuses.

Lors elle entra dans un vallon où se trouvaient beaucoup de gros rochers. Quand elle se vit rejointe, par sortilège elle se changea, ainsi que ses chevaux et ses gens, en grandes statues de marbre. Incontinent qu'elle l'eut fait survinrent monseigneur Arthur et messire Ontzlake. Le roi put voir sa sœur, la distinguer de ses gens et un chevalier de l'autre. « Ah ! s'exclama-t-il, ici s'exerce la vengeance divine. Je déplore que leur soit arrivée cette mésaventure. » Puis il se mit à la recherche du fourreau, mais en vain. Il retourna donc à l'abbaye d'où il venait. Lorsqu'il eut disparu, Morgane reprit sa forme et restitua à tous l'aspect qu'ils avaient auparavant. Après quoi elle dit : « Messires, à présent nous pouvons aller où bon nous semble. »

CHAPITRE XV

Comment Morgane la Fée sauva la vie à un chevalier, qui sans cela eût été noyé, et comment le roi Arthur rentra chez lui

Lors demanda Morgane : « Avez-vous vu Arthur, mon frère ? — Oui, répondirent ses chevaliers, fort clairement, et vous auriez pu vous en rendre compte s'il nous avait été possible de remuer sur nos montures, car son visage guerrier nous donnait envie de fuir. — Je vous crois », dit Morgane. Peu après, sur sa route elle fit rencontre d'un chevalier qui devant lui en conduisait un autre sur un cheval, les pieds et les mains liés, les yeux bandés, afin de le noyer dans un puits. Lorsqu'elle vit ce chevalier ainsi garrotté, Morgane demanda : « Que comptez-vous faire de cet homme ? — Madame, je vais le noyer. — Pourquoi ? — Je l'ai trouvé avec ma femme, et elle aussi avant peu connaîtra le même sort.

— Ce serait dommage, dit Morgane la Fée. Maintenant, qu'en dites-vous, chevalier ? demanda-t-elle à celui qu'on allait noyer, est-ce vrai ce qu'il dit de vous ? — Non, madame, assurément, il ne dit pas la vérité. — D'où êtes-vous et de quel pays ? — Je suis de la cour du roi Arthur et me nomme Manassés, cousin d'Acalon de Gaule. — C'est bien parlé, et par amour pour lui vous serez délivré, tandis que votre adversaire se retrouvera dans le même embarras où vous êtes à présent. »

Ainsi donc Manassés recouvra la liberté, et l'autre chevalier fut garrotté. Manassés eut tôt fait de lui prendre son armure et de s'en armer lui-même. Lors il monta à cheval, l'autre chevalier devant lui, le jeta dans le puits et l'y noya. Ensuite il retourna auprès de Morgane et lui demanda si elle avait un message pour le roi Arthur. « Dites-lui que je vous ai secouru, non par amour pour lui mais par amour pour Acalon, et dites-lui que je ne le craindrai pas, aussi longtemps que je pourrai donner à moi-même et à mes chevaliers l'apparence de la pierre. Donnez-lui également à savoir que je pourrai faire bien davantage que je n'ai fait, le moment venu. »

Adonc elle partit pour le pays de Gorre. Elle y fut magnifiquement reçue. Les châteaux et les villes, elle renforça grandement leurs défenses, car elle ne cessait de beaucoup redouter le roi Arthur. Lorsque celui-ci se fut bien reposé en l'abbaye, il regagna Camaalot. Il y trouva sa reine et ses barons fort satisfaits de sa venue. Quand leur fut fait le récit de ses étranges aventures, ci-dessus contées, tous ils furent ébahis de la perfidie de Morgane la Fée. Beaucoup de chevaliers voulaient qu'on la fît périr par le feu. Lors Manassés arriva à la cour et rapporta au roi ce qui lui était advenu. « Eh bien, dit le roi, voilà une sœur aimante. Je me vengerai d'elle si Dieu me prête vie, de telle sorte que toute la chrétienté en parlera. »

Le lendemain matin il vint devers le roi une demoiselle de la part de Morgane. Elle apportait le plus riche manteau qu'on eût jamais vu à la cour. Il était garni d'autant de pierres précieuses qu'il était possible d'y mettre, et les pierres les plus belles que le roi eût jamais vues. La demoiselle dit : « Votre sœur vous envoie ce manteau et désire que vous acceptiez ce présent de sa main. Le tort qu'elle a pu vous faire, elle le réparera de la manière qui vous conviendra le mieux. » Quand le roi vit ce manteau, il lui plut beaucoup. Mais il ne dit que peu de chose.

CHAPITRE XVI

Comment la demoiselle du Lac sauvegarda le roi Arthur d'un manteau qui l'aurait brûlé

LÀ-DESSUS la demoiselle du Lac vint trouver le roi et lui dit : « Sire, je dois avoir avec vous un entretien en particulier. — Vous pouvez, dit le roi, parler en toute liberté. — Sire, ne mettez pas ce manteau avant d'en savoir davantage, et qu'en nulle façon il ne vête votre personne ni celle de vos chevaliers, aussi longtemps que celle qui vous l'apporte ne l'aura point elle-même revêtu. — Je veux bien, repartit le roi Arthur, qu'il en soit fait comme vous me le conseillez. »

Lors il dit à la demoiselle qui venait par ambassade de la part de sa sœur : « Demoiselle, ce manteau que vous m'avez apporté, j'en veux voir l'effet sur vous. — Sire, il ne me sied point de porter le vêtement d'un roi. — Par ma foi, dit Arthur, vous le porterez, avant qu'il touche mes épaules ou celles de quiconque en ce lieu. » C'est ainsi que le roi la contraignit à mettre le manteau, et incontinent elle tomba morte, sans pouvoir dire un seul mot, et fut réduite en cendres.

Le roi alors entra en grand courroux. Sa colère dépassa tout ce qu'il avait ressenti jusque-là. Il dit au roi Urien : « Ma sœur, votre épouse, ne cesse de chercher à me trahir, et je vois bien que vous, ou mon neveu, votre fils, êtes d'intelligence avec elle pour œuvrer à ma perte. Pour ce qui est de vous, toutefois, dit-il au roi Urien, je ne crois guère que vous lui prêtiez les mains, car Acalon l'a reconnu lui-même, il avait pour projet de vous tuer ainsi que moi. En conséquence, j'admets que vous soyez innocent. Mais pour ce qui est de votre fils, messire Yvain, je le tiens pour suspect. Donc, je vous en donne l'ordre, éloignez-le de ma cour. »

Messire Yvain fut donc chassé. Lorsque messire Gauvain l'apprit, il se prépara à le suivre. Il déclara : « Quiconque bannit mon cousin germain me bannit moi aussi. » Ils partirent tous deux et entrèrent dans une vaste forêt. Ils arrivèrent à une abbaye d'hommes et y furent bien logés. Cependant, quand on vint avertir le roi que messire Gauvain avait quitté la cour, chacun s'en désola, du plus grand au plus petit. « Nous aurons perdu deux bons chevaliers, remarqua Guerrehet, le frère de Gauvain, à cause de l'affection que nous portions à un seul. »

Adonc le lendemain matin ils ouïrent la messe en l'abbaye et continuèrent leur route jusqu'à ce que devant eux il y eût une vaste forêt. Lors messire Gauvain au creux d'un vallon aperçut près d'une tourelle douze gentes demoiselles, ainsi que deux chevaliers en armes montés sur de grands destriers. Les demoiselles allaient et venaient auprès d'un arbre. Messire Gauvain découvrit ensuite qu'à l'arbre était suspendu un écu de couleur blanche et qu'à chaque fois qu'elles passaient devant, les demoiselles crachaient sur cet écu. Certaines y jetaient de la boue.

CHAPITRE XVII

Comment messire Gauvain et messire Yvain firent rencontre de douze gentes demoiselles, et comment elles se plaignirent de messire Marehaut

LORS messire Gauvain et messire Yvain allèrent par devers elles, les saluèrent et leur demandèrent pourquoi elles outrageaient ainsi cet écu. « Messires, dirent les demoiselles, nous allons vous en donner la raison.

Il y a en cette contrée un chevalier auquel appartient ce bouclier blanc. C'est un homme d'armes plein de vigueur, mais il déteste toutes les dames et nobles dames. C'est pourquoi nous faisons subir à cet écu tant d'outrages. — À mon avis, dit messire Gauvain, il ne sied point à un bon chevalier de mépriser dames et nobles dames. Peut-être, pour que vous lui déplaisiez tant, a-t-il quelque bonne raison, peut-être aime-t-il ailleurs et est-il aimé de retour, si c'est bien le preux chevalier que vous dites. Mais quel est son nom ? — Messire, répondirent-elles, il se nomme Marehaut, et il est fils du roi d'Irlande. — Je le connais bien, dit messire Yvain. Son mérite n'a rien à envier à celui d'aucun chevalier au monde. Je l'ai vu éprouvé lors de joutes qui rassemblaient beaucoup de combattants, et nul n'a pu alors lui opposer de résistance. — Ah ! s'exclama messire Gauvain, demoiselles, il me semble que vous êtes à blâmer. On doit supposer que celui qui a pendu là son écu ne sera pas longtemps sans revenir. Lors les chevaliers que voici pourront le défier à cheval. Ce serait plus à votre honneur que de faire ce que vous faites. Quant à moi, je ne resterai pas ici davantage, pour être le témoin de l'infamie que subit l'écu d'un chevalier. »

Là-dessus messire Yvain et messire Gauvain s'éloignèrent un peu. C'est alors qu'ils virent messire Marehaut qui venait droit à eux, monté sur un grand cheval. Quand les demoiselles l'aperçurent, elles s'enfuirent dans la tourelle en courant comme des folles, si bien que certaines tombèrent avant d'y parvenir. Un des chevaliers de la tour ajusta son écu et lança à voix haute : « Messire Marehaut, défendez-vous. » Ils se chargèrent sus avec tant de force que le chevalier brisa sa lance sur le bouclier de Marehaut. Marehaut, lui, le frappa si durement qu'il lui rompit le col, ainsi que le dos de son cheval. Cela, l'autre chevalier de la tour le vit. Il se mit en place devant Marehaut. Ils apportèrent tant d'ardeur à se rencontrer que le chevalier de la tour en un instant fut culbuté. Homme et cheval furent jetés au sol et tombèrent raides morts.

CHAPITRE XVIII

Comment messire Marehaut jouta avec messire Gauvain et messire Yvain et les renversa tous deux

LORS messire Marehaut galopa jusqu'à son écu. Il vit la manière dont il avait été souillé. Il dit : « De cet outrage je suis en partie vengé. Mais, pour l'amour de celle qui me donna cet écu, je veux le porter sur moi et suspendre celui que j'ai où l'autre se trouvait. » C'est ainsi qu'il pendit l'écu à son cou.

Ensuite il alla droit à messire Gauvain et à messire Yvain et leur demanda ce qu'ils faisaient là. Ils lui répondirent qu'ils venaient de Camaalot à la recherche d'aventures. « Eh bien, répliqua messire Marehaut, me voici prêt. Je suis un chevalier aventureux, et vous aurez grâce à moi toutes les aventures que vous pouvez désirer. » Sur ce il les quitta pour prendre ses distances. « Laissez-le partir, dit messire Yvain à messire Gauvain. C'est un chevalier parmi les meilleurs qui soient au monde. Je ne voudrais pas qu'à cause de moi l'un de nous dût se mesurer à lui. — Non, répliqua messire Gauvain. Ce serait pour nous une honte de refuser le combat, quelle que soit sa valeur. — Eh bien, dit messire Yvain, je l'entreprendrai le premier, car je ne vous vaux point et, s'il me renverse, vous serez à même de me venger. »

C'est ainsi qu'Yvain et Marehaut se heurtèrent avec force. Messire Yvain frappa messire Marehaut de telle sorte que sa lance se brisa en morceaux sur le bouclier. Messire Marehaut, lui, choqua messire Yvain avec tant de violence qu'il jeta à terre l'homme et le cheval, blessant messire Yvain au flanc gauche. Lors messire Marehaut fit tourner sa monture et se dirigea vers Gauvain, la lance à la main. Quand messire Gauvain vit cela, il ajusta son écu, et l'un et l'autre couchèrent leurs lances. Ils se heurtèrent de toute la puissance de leurs destriers. Chacun des deux frappa aussi rudement au mitan du bouclier, mais la lance de messire Gauvain se rompit, alors que celle de messire Marehaut tint bon. Messire Gauvain et son cheval du coup furent précipités au sol.

Avec agilité messire Gauvain se releva. Il dégaina son épée et à pied se mit en mesure d'affronter messire Marehaut. Celui-ci le vit. Il tira son épée et à cheval s'approcha de messire Gauvain. « Chevalier, lui dit messire Gauvain, descends de ton cheval, sinon je le tue. — Grand merci, repartit messire Marehaut. Votre courtoisie m'enseigne à me montrer courtois, car il ne sied point qu'un chevalier combatte à pied tandis que l'autre est à cheval. »

Là-dessus messire Marehaut appuya sa lance contre un arbre. Il descendit de son cheval, l'attacha à un tronc d'arbre, ajusta son bouclier. Avec ardeur ils allèrent l'un vers l'autre. De leurs épées ils portèrent ensemble de tels coups que leurs écus volèrent en éclats. Ils défoncèrent leurs heaumes, leurs hauberts et se blessèrent mutuellement. La force de messire Gauvain, cependant, ne faisait que croître. Le combat commença à neuf heures. À midi sa vigueur avait triplé. Tout ceci, messire Marehaut le vit et se demanda bien comment cela pouvait se faire. Ils s'infligèrent tout ce temps de graves blessures.

Et puis, lorsque ce fut l'après-midi, et plus encore quand approcha l'heure des vêpres, les forces de messire Gauvain décrurent. Il devint si faible qu'il eut peine à combattre davantage, tandis que messire Marehaut retrouvait de plus en plus d'énergie. « Sire chevalier, dit messire Marehaut, j'ai pu me rendre compte que vous étiez un chevalier de très grande valeur, aussi un homme d'une vigueur étonnante. Plus considérable il ne m'avait jamais été donné d'en connaître. Mais c'est seulement pendant que cette force dure. Nos querelles n'ont rien de grave. Ce serait dommage que vous eussiez à en pâtir, car je vois bien que vous êtes très affaibli. — Ah ! dit messire Gauvain, gentil chevalier, vous parlez ainsi que je devrais le faire. » Là-dessus ils ôtèrent leurs heaumes, s'embrassèrent, firent serment de s'aimer comme des frères. Et messire Marehaut pria messire Gauvain de loger chez lui cette nuit-là.

Ils prirent leurs destriers et se dirigèrent vers le logis de messire Marehaut. Chemin faisant : « Sire chevalier, dit messire Gauvain, je m'étonne qu'un homme de votre mérite n'aime d'amour ni dames ni demoiselles. — Messire, répliqua messire Marehaut, c'est à tort qu'on me fait cette réputation, quand on me la fait. Je sais fort bien en réalité que ce sont les demoiselles de la tour qui parlent ainsi de moi, et d'autres qui leur ressemblent. Je vais vous dire pourquoi je les déteste. Ce sont des sorcières et des enchanteresses, pour beaucoup d'entre elles, et un chevalier a beau être aussi fort qu'il est possible et aussi vaillant, elles le peindront dénué de tout courage pour mieux en venir à bout. C'est surtout pour cela que je les déteste. Mais à toutes les dames de toute condition mes services sont dus, ainsi qu'il sied à un chevalier. »

Comme le raconte le livre français, il y eut maint chevalier qui se montra supérieur à messire Gauvain, bien que ses forces pussent ainsi tripler : messire Lancelot du Lac, messire Tristan, messire Bohort de Gaunes, messire Perceval, messire Pelléas et messire Marehaut, ces six chevaliers l'emportèrent sur messire Gauvain.

Ensuite, peu de temps après, ils arrivèrent au logis de messire Marehaut, dans un petit prieuré. Là ils mirent pied à terre. Des dames et des demoiselles leur ôtèrent leurs armures. En diligence elles soignèrent leurs blessures, car tous trois étaient blessés. Tous trois furent bien logés chez messire Marehaut et firent bonne chère. En effet, lorsqu'il sut qu'ils étaient fils des sœurs du roi Arthur, il leur réserva le meilleur accueil possible. Ils restèrent là une semaine et furent bien guéris de leurs blessures avant de partir.

« Maintenant, dit messire Marehaut, nous n'allons pas nous quitter aussi facilement. Je vais vous faire traverser la forêt. » Ils chevauchèrent jour après jour, une bonne semaine, sans rencontrer d'aventure aucune.

Finalement ils pénétrèrent dans une vaste forêt qu'on appelait le pays et la forêt d'Aroie, aussi le pays des Étranges Aventures. « En ce pays, dit messire Marehaut, jamais chevalier n'est venu, depuis qu'on l'a ainsi nommé, sans rencontrer des aventures hors du commun. » Adonc ils chevauchèrent et entrèrent dans un vallon profond, encombré de grosses pierres. Au creux de ce vallon coulait une belle rivière. En en remontant le cours on voyait à sa source une belle fontaine. Trois demoiselles y étaient assises.

Ils allèrent les trouver. On se salua. La plus âgée portait une guirlande d'or, qui ceignait son front. Elle avait vu passer trois fois vingt années, ou même davantage, et ses cheveux étaient blancs sous la guirlande. La deuxième avait trente ans. Un diadème d'or entourait sa tête. La troisième n'avait que quinze ans, et une guirlande de fleurs à l'entour des cheveux.

Lorsque ces chevaliers les eurent contemplées, ils leur demandèrent pourquoi elles étaient assises à cette fontaine. « Voici pourquoi nous sommes ici, dirent les demoiselles : si nous voyons passer des chevaliers errants, nous leur enseignons la voie d'étranges aventures. Vous êtes trois chevaliers dont telle est la poursuite. Nous sommes trois demoiselles. En conséquence, que chacun de vous choisisse l'une de nous ! Lorsque ce sera fait, nous vous conduirons jusqu'à trois grands chemins. Chacun de vous fera choix de l'un de ces chemins, et sa demoiselle l'y suivra. Dans un an d'ici, vous devrez vous retrouver à l'endroit où nous sommes si Dieu vous prête vie. À cela il faut vous engager. — C'est bien parlé », dit messire Marehaut.

CHAPITRE XIX

Comment messire Marehaut, messire Gauvain et messire Yvain firent rencontre de trois demoiselles, et comment chacun en choisit une

« À PRÉSENT, que chacun de nous choisisse une demoiselle ! — Pour ma part, dit messire Yvain, je suis plus jeune et moins robuste que vous deux. Je prendrai donc la plus âgée. Elle a beaucoup d'expérience et sera la plus à même de m'aider en cas de nécessité. J'ai davantage que vous deux besoin que l'on m'aide. — Et moi, dit messire Marehaut, je prendrai celle de trente ans. C'est elle qui me convient le mieux. — Eh bien, dit messire Gauvain, je vous en remercie. Vous m'avez laissé la plus jeune et la plus belle, et c'est celle que je préfère. »

Lors chaque demoiselle prit les rênes de la monture de son chevalier et l'amena où se séparaient les trois chemins. Ils y firent tous trois serment de se retrouver à la fontaine un an plus tard à dater de ce jour, si Dieu leur prêtait vie. Ils s'embrassèrent et se quittèrent. Chacun des chevaliers mit sa dame en selle derrière lui. Messire Yvain prit le chemin de l'ouest, messire Marehaut celui du sud et messire Gauvain celui du nord.

Nous commencerons par messire Gauvain. Il garda la même direction jusqu'à ce qu'il arrivât devant un beau manoir, où habitait un vieux chevalier en compagnie d'une digne gouvernante. Messire Gauvain demanda au chevalier s'il connaissait quelque aventure en ce pays-là. « Je vous en indiquerai demain matin, répondit-il, et de fort étonnantes. » Adonc le lendemain matin ils entrèrent dans la forêt des Aventures et chevauchèrent jusqu'à une clairière. Là ils trouvèrent une croix. Tandis qu'ils marquaient une pause survint le chevalier le plus gracieux et l'homme le mieux fait qu'ils eussent jamais vu. Il se lamentait comme personne avant lui. S'avisant de la présence de messire Gauvain, il le salua et pria Dieu de lui procurer grand renom. « Je vous en remercie, dit messire Gauvain. Moi aussi, je prierai Dieu de vous donner honneur et gloire. — Ah ! s'exclama le chevalier, il ne me faut plus penser à ces choses-là. Ce sont le chagrin et la honte qui pour moi suivent le temps de la renommée. »

CHAPITRE XX

Comment un chevalier et un nain se disputèrent une dame

LÀ-DESSUS il passa d'un côté de la clairière. De l'autre messire Gauvain aperçut dix chevaliers. Ils s'arrêtèrent et se disposèrent, avec leurs boucliers et leurs épées, à se heurter à celui qui avait approché messire Gauvain et chevauchait sans personne avec lui. Ce chevalier seul coucha une grande lance, et l'un des dix autres vint à sa rencontre. Mais le triste chevalier le frappa si rudement qu'il le fit passer par-dessus la queue de son cheval. De la même manière il les servit tous. Chacun eut droit au moins à une culbute, de même que sa monture, et il accomplit tout cela d'une seule lance.

Lorsqu'ils furent tous les dix à pied, ils allèrent à lui. Il ne bougea mie. Il souffrit de se voir tiré et mis à bas de son cheval pour ensuite, pieds et poings liés, être attaché sous le ventre de la bête et ainsi emmené. « Oh ! Seigneur ! s'exclama messire Gauvain, c'est un pitoyable spectacle auquel nous assistons, avec ce chevalier traité de la sorte ! Il semble qu'il accepte d'être garrotté par eux, car il n'offre point de résistance. — C'est de son fait, dit son hôte, vous avez raison, car s'il le voulait, tous ensemble ils seraient trop faibles pour y réussir. — Messire, dit sa demoiselle à messire Gauvain, sans doute serait-il à votre honneur de secourir ce triste chevalier, car à mon sens il compte parmi les meilleurs que j'aie jamais vus. — Je me porterais bien à son secours, repartit messire Gauvain, mais apparemment il ne veut d'aucune aide. — Je crois, dit la demoiselle, que c'est vous qui n'avez nulle envie de l'aider. »

Comme ils s'entretenaient ainsi, ils aperçurent de l'autre côté de la clairière un chevalier armé de toutes pièces, mais dont la tête était nue. À l'opposé survint un nain à cheval, armé de même manière. Il avait une large bouche et un nez camard. Quand il fut tout près, il lança : « Où est donc la dame qui devait nous rencontrer céans ? » Aussitôt elle sortit du bois. Lors ils se mirent à en découdre pour le gain de la dame. Le chevalier disait qu'il la voulait, le nain aussi. « Voici ce qu'il faut faire, déclara le nain. Il y a un chevalier à cette croix là-bas. Remettons-lui le soin de cette affaire, et il en sera fait selon son jugement. — Je veux bien », répondit le chevalier.

Ce fut ainsi qu'ils allèrent tous trois trouver messire Gauvain et lui confièrent la raison de leur querelle. « Eh bien, messires, leur dit-il, êtes-vous d'accord pour me laisser décider ? — Oui, firent-ils tous deux. — À présent, demoiselle, dit messire Gauvain, vous allez vous mettre entre les deux, et celui vers lequel vous aimerez mieux aller, c'est lui qui vous aura. » Lorsqu'elle fut placée entre l'un et l'autre, elle quitta le chevalier pour aller vers le nain. Le nain la prit et partit en chantant, tandis que le chevalier s'en allait de son côté en se désolant grandement.

Lors surgirent deux chevaliers armés de toutes pièces. L'un d'eux cria à haute voix : « Messire Gauvain ! chevalier du roi Arthur ! préparez-vous en diligence à jouter avec moi ! » Là-dessus Gauvain et lui se coururent sus l'un à l'autre, de telle sorte qu'ils tombèrent tous les deux. Lors à pied ils tirèrent leurs épées et combattirent avec beaucoup de vigueur. Cependant, l'autre chevalier alla devers la demoiselle de Gauvain et lui demanda pourquoi elle demeurait avec un chevalier comme celui-là. « Si vous voulez rester près de moi, je m'engagerai à vous servir fidèlement. — Et près de vous je resterai, répondit la demoiselle, car pour ce qui est de messire Gauvain, mon cœur n'accepte point que je reste avec lui. Il y avait ici à l'instant un chevalier qui en avait déconfit dix autres. Fin de compte, lâchement il fut emmené. Partons donc ensemble, cependant qu'ils combattent. »

Messire Gauvain longuement se battit contre le premier des deux chevaliers, mais ils finirent par se mettre d'accord. Lors son adversaire pria messire Gauvain de bien vouloir loger chez lui cette nuit-là. Tandis qu'il accompagnait son hôte, Gauvain lui demanda : « Quel est donc ce chevalier qui habite en ce pays et vient d'en renverser dix autres ? Après s'être conduit aussi vaillamment, il s'est soumis à se laisser lier par eux et à se faire ainsi emmener. — Ah ! lui fut-il répondu, c'est, je pense, le meilleur chevalier qui soit au monde, et le plus brave aussi. Il a déjà été traité de la sorte plus de dix fois. Son nom est messire Pelléas, et il est amoureux d'une grande dame du voisinage, qui s'appelle Arcade.

« Il était déjà épris de la sorte quand furent en ce pays criées de grandes joutes de trois jours de durée. Tous les chevaliers des environs devaient s'y rendre, ainsi que les nobles dames. Celui qui se montrerait le meilleur recevrait une fort belle épée et un diadème d'or. Ce diadème, le vainqueur devait le remettre à la plus belle des dames qui assisteraient aux joutes. Le chevalier dont vous parlez, messire Pelléas, se montra le meilleur parmi tous les présents. Il y avait là cinq cents chevaliers, mais nul ne se heurta à messire Pelléas sans être renversé sur sa selle ou jeté à bas de son cheval. Chacun des trois jours que durèrent les joutes, il renversa vingt chevaliers. On lui donna donc le prix. Aussitôt il alla où se trouvait la dame Arcade et lui remit le diadème, déclarant à qui voulait l'entendre qu'elle était la plus belle en ces lieux et que lui en rendrait raison tout chevalier qui soutiendrait le contraire. »

CHAPITRE XXI

Comment le roi Pelléas souffrit d'être fait prisonnier pour ce qu'il voulait voir sa dame, et comment messire Gauvain lui promit de lui faire obtenir l'amour de cette dame

« C'EST AINSI qu'il fit choix de cette femme pour régner sur son cœur et décida de ne jamais aimer qu'elle seule. Mais elle était si fière qu'elle le prit en dédain et déclara qu'elle ne l'aimerait jamais, dût-il en mourir pour elle. Cela fit que toutes les dames et nobles dames la méprisèrent d'avoir tant de fierté, car il en était de plus belles et aucune là présente, si messire Pelléas lui avait offert de l'aimer, ne lui aurait refusé son cœur, tant il montrait de généreux courage. Adonc ce chevalier promit à la dame Arcade qu'il la suivrait en ce pays-ci et ne la quitterait plus jusqu'à ce qu'elle l'aimât. C'est ce qui fait que, la plupart du temps, il est ici près d'elle. Il loge non loin d'un prieuré. Et elle, chaque semaine, lui envoie des chevaliers pour le combattre. Quand il les a défaits, de bon gré il accepte d'être fait prisonnier, afin de voir sa dame. Cependant, toujours elle lui fait subir des outrages. Parfois, sur son ordre, ses chevaliers l'attachent à la queue de son cheval. Parfois ils le lient sous le ventre de la bête. C'est ainsi, de diverses façons, les plus ignominieuses qu'elle puisse imaginer, qu'on le lui amène. Elle fait tout cela pour l'engager à quitter ce pays et à cesser de l'aimer. Mais rien ne peut le résoudre à partir. S'il avait voulu combattre à pied, il aurait pris le dessus sur les dix chevaliers, comme il l'avait fait à cheval. — Las ! s'exclama messire Gauvain, c'est grand dommage pour lui. Demain matin je partirai à sa recherche en cette forêt, pour lui offrir toute l'aide en mon pouvoir. »

Adonc le lendemain matin messire Gauvain prit congé de son hôte, messire Caradoc, et il entra dans la forêt. Finalement il trouva messire Pelléas, qui se lamentait excessivement. Ils se saluèrent, et Gauvain lui demanda la raison de tant de chagrin. Messire Pelléas, de la manière qu'on a dite, expliqua son tourment à messire Gauvain. « Chaque fois, confia-t-il, je tolère que ses chevaliers me traitent comme vous les avez vus faire hier, assuré en fin de compte d'obtenir son amour, car elle sait bien que tous ses chevaliers ne pourraient aisément me vaincre si je voulais les combattre à outrance. Fussé-je moins follement épris, j'aimerais mieux mourir cent fois, si tant est que ce fût possible, qu'endurer pareils outrages. Mais je demeure confiant qu'elle prendra pitié de moi à la fin, car l'amour oblige maint chevalier valeureux à souffrir pour la satisfaction de ses vœux. Hélas ! je suis infortuné ! » Là-dessus il se répandit en de telles plaintes et lamentations que c'est à peine s'il pouvait tenir à cheval.

« Allons, dit messire Gauvain, cessez vos gémissements, et je vous promets, foi de chevalier, de faire tout ce qui sera en mon pouvoir pour vous obtenir l'amour de votre dame. J'y engage mon honneur. — Ah ! fit messire Pelléas, mais de quelle cour êtes-vous donc ? Dites-le-moi, je vous prie, mon bon ami. » Lors messire Gauvain : « Je suis de la cour du roi Arthur, et le fils de sa sœur. Le roi Lot des Orcades était mon père, et j'ai nom messire Gauvain. » L'autre dit à son tour : « Mon nom est messire Pelléas. Je suis né dans les Iles, et de beaucoup d'îles je suis le seigneur. Jamais jusqu'à maintenant, où c'est pour mon malheur, je n'ai aimé d'amour dame ou demoiselle. Sire chevalier, puisque vous êtes si proche parent du roi Arthur et fils de roi, ne me trahissez point, mais aidez-moi. Je ne pourrai jamais l'approcher que grâce à quelque bon chevalier, car elle vit dans un château bien défendu, à moins de deux lieues de là où nous sommes, et sur tout le pays alentour elle a autorité. Ainsi donc il se peut que jamais je n'arrive à la voir que si j'accepte que ses chevaliers me capturent, et si je n'agissais pas de la sorte, afin de peut-être l'apercevoir, il y a longtemps que je serais mort.

« Pourtant, belle parole de sa part m'a toujours été déniée. Lorsqu'on me conduit devant elle, elle m'injurie de la manière la plus vile. Puis on me prend mon cheval et mon harnois, et l'on me met dehors. Elle ne consent même pas à ce qu'on me donne à manger ou à boire. Chaque fois je lui propose de demeurer son prisonnier, mais elle refuse. Cependant, je ne désirerais rien d'autre, malgré toutes les peines que j'aurais à subir, pourvu que tous les jours chance me fût laissée de l'apercevoir. — Eh bien, dit messire Gauvain, j'arrangerai tout cela, si vous voulez bien me suivre en mon projet. Je prendrai votre cheval et votre armure, puis je me rendrai à son château et lui annoncerai que je vous ai occis. De cette façon je l'amènerai à me chérir. Ensuite je me montrerai sous mon vrai jour, si bien qu'infailliblement c'est à vous qu'ira son amour. »

CHAPITRE XXII

Comment messire Gauvain alla voir la dame Arcade,
et comment messire Pelléas les trouva endormis

SUR CE messire Gauvain donna sa parole à messire Pelléas qu'il serait avec lui franc et loyal. Chacun des deux fit la même promesse. Ils échangèrent montures et harnois. Messire Gauvain partit et s'en vint au château, où devant le portail se dressaient les pavillons de cette dame. Dès que la dame Arcade aperçut messire Gauvain, elle courut se réfugier dans le château. Messire Gauvain parla à voix haute. Il lui dit de rester, qu'il n'était point messire Pelléas. « Je suis un autre chevalier, et j'ai occis messire Pelléas. — Otez votre heaume, répliqua la dame Arcade, que je voie votre visage. » Lorsqu'elle se rendit compte qu'il ne s'agissait point de Pelléas, elle demanda à son visiteur de mettre pied à terre et le mena en son château. Elle le pria bien sincèrement de lui dire s'il avait tué ou non messire Pelléas. Il lui dit qu'il l'avait bel et bien tué, aussi que son nom était messire Gauvain, de la cour du roi Arthur, et le fils de la sœur de ce roi. « À la vérité, avoua-t-elle, c'est grand dommage. C'était un chevalier fort bien fait de sa personne, mais de tous les hommes au monde celui que je détestais le plus, car je ne pouvais parvenir à m'en défaire. Pour ce que vous l'avez occis, je suis à vous pour tout ce qu'il vous plaira de me demander. »

Adonc elle fit bon accueil à messire Gauvain. Lors celui-ci lui dit qu'il était épris d'une dame qui en nulle façon ne consentait à l'aimer. « Elle est coupable, repartit la dame Arcade, si elle ne veut point vous aimer. Vous êtes de si haute naissance et si courageux qu'aucune dame au monde n'est trop bonne pour vous. — Accepteriez-vous, dit messire Gauvain, de vous engager sur l'honneur à faire tout votre possible pour m'obtenir l'amour de ma dame ? — Assurément. Je vous en fais promesse sur l'honneur. — En fait, dit messire Gauvain, c'est vous que j'aime tant. Je vous prie donc de tenir votre promesse. — Je ne puis me dérober à moins d'être parjure. » Elle lui accorda donc la satisfaction de ses désirs. On était alors dans le mois de mai. Messire Gauvain et elle sortirent du château pour aller souper dans un pavillon. Il y fut préparé un lit. Messire Gauvain et la dame Arcade s'y étendirent tous les deux. Dans un autre pavillon elle mit ses demoiselles, dans le troisième une partie de ses chevaliers, car elle n'entretenait plus aucune crainte de messire Pelléas. En ce pavillon messire Gauvain partagea sa couche deux jours et deux nuits.

Le troisième jour, tôt le matin, messire Pelléas endossa son armure. Il n'avait plus dormi depuis que messire Gauvain l'avait quitté. Messire Gauvain s'était engagé sur l'honneur à venir à lui en son pavillon près d'un prieuré, avant qu'un jour et une nuit se fussent écoulés. Lors messire Pelléas enfourcha sa monture et arriva devant les pavillons qui se dressaient au-dehors du château. Dans le premier il trouva trois chevaliers dans trois lits couchés, et trois écuyers qui reposaient à leurs pieds. Puis il se rendit au deuxième pavillon et y trouva quatre nobles dames reposant en quatre lits. Ensuite il alla au troisième pavillon. Il y découvrit messire Gauvain au lit près de sa dame, la dame Arcade. Ils se tenaient embrassés. Lorsqu'il vit cela, de chagrin son cœur faillit se rompre. Il s'exclama : « Las ! Comment un chevalier peut-il se montrer aussi perfide ! » Puis il prit son cheval. Sa peine était si vive qu'il ne pouvait demeurer en place.

Il avait chevauché près d'un quart de lieue quand il fit demi-tour, dans l'intention de les occire l'un et l'autre. Mais, quand il les vit tous deux qui reposaient dans un profond sommeil, de douleur c'est à peine s'il put tenir à cheval. Il se dit en lui-même : « Quelle que soit la fourberie de ce chevalier, je me refuserai toujours à l'occire en son sommeil. Jamais je ne porterai atteinte au grand ordre de chevalerie. » Sur ce il repartit. Cependant, avant qu'il eût fait un quart de lieue, il revint en arrière et pensa les tuer l'un et l'autre. Il était en proie à la plus grande tristesse qu'homme eût jamais ressentie. Lorsqu'il se retrouva devant les pavillons, il attacha son cheval à un arbre. Il dégaina son épée. L'épée nue en la main, il alla où ils étaient couchés. Mais à nouveau il éprouva que ce serait honteux de les tuer en leur sommeil. Il leur posa l'épée au travers de la gorge. Puis il prit son cheval et s'en alla.

Lorsqu'il fut de retour à ses pavillons, il dit à ses chevaliers et écuyers ce qu'avait été son voyage et leur annonça : « Pour vos bons et loyaux services je vous fais don de tous mes biens. Je vais aller me coucher et ne me relèverai point, aussi longtemps que je ne serai pas mort. Lorsque je serai mort, je vous ordonne de tirer mon cœur de ma poitrine, de le lui porter entre deux plats d'argent et de lui dire que je l'ai vue couchée près de ce fourbe chevalier qu'est messire Gauvain. » Là-dessus messire Pelléas ôta son armure et alla s'étendre sur sa couche en donnant tous les signes d'une extrême douleur.

Quand messire Gauvain et la dame Arcade sortirent de leur sommeil et trouvèrent l'épée nue au travers de leurs gorges, la dame n'eut point de doute et sut que c'était l'épée de messire Pelléas. « Las ! dit-elle à messire Gauvain, vous m'avez trahie, ainsi que messire Pelléas, car vous m'avez déclaré l'avoir occis, et maintenant je vois bien qu'il n'en est rien.

Il est en vie. Si messire Pelléas avait autant failli à la courtoisie envers vous que vous envers lui, vous seriez mort à l'heure qu'il est. Mais vous m'avez trompée et perfidement trahie. Puissent toutes les dames et demoiselles être sur leurs gardes quand elles penseront à vous et à moi ! »

Messire Gauvain s'apprêta. Puis il entra dans la forêt. Lors il advint que Viviane, la demoiselle du Lac, fit rencontre d'un chevalier de messire Pelléas, qui en cette forêt allait son chemin à pied, en proie à la désolation. Elle lui demanda la cause de son affliction. Il lui conta comment son seigneur et maître avait été trahi par un chevalier et une dame et ne quitterait plus son lit avant que vînt la mort. « Menez-moi à lui, dit-elle, et je vous garantis qu'il vivra. Il ne mourra point d'amour, et celle qui est la cause qu'il est tant épris, avant longtemps elle sera en aussi triste état que lui à présent. Il est bien dommage de voir dame aussi hautaine n'avoir nulle pitié d'aussi vaillant chevalier. »

Sans tarder il la mena jusqu'à Pelléas. Lorsqu'elle le vit étendu sur sa couche, elle pensa n'avoir jamais vu plus beau chevalier. Elle usa d'un enchantement, et il s'endormit. Puis elle se rendit au château de la dame Arcade, après avoir ordonné que personne n'éveillât messire Pelléas avant son retour. Moins de deux heures plus tard, elle revint avec la dame Arcade, et les deux dames trouvèrent Pelléas qui dormait toujours. « Regardez, dit la demoiselle du Lac, vous devriez avoir honte de causer la mort de pareil chevalier. » Là-dessus Viviane employa contre la dame Arcade un tel sortilège qu'elle se prit à aimer Pelléas avec passion. Elle faillit en perdre la raison. « Ah ! Seigneur ! s'écria-t-elle, comment se fait-il que j'aime à présent l'homme que je détestais le plus au monde ? — C'est la justice de Dieu », répliqua la demoiselle du Lac.

Sur ce messire Pelléas s'éveilla et jeta ses regards sur la dame Arcade. Lorsqu'il la vit, il la reconnut et l'exécra plus que toute autre. Il lui dit : « Va-t-en, traîtresse, ne reparais plus jamais devant moi ! » Quand elle l'entendit, elle se mit à pleurer et se lamenta au-delà de toute mesure.

CHAPITRE XXIII

Comment messire Pelléas cessa d'aimer la dame Arcade grâce à la demoiselle du Lac, qu'ensuite il aima toujours

« SIRE CHEVALIER PELLÉAS, dit la demoiselle du Lac, prenez votre cheval et avec moi sortez de ce pays. Vous aimerez une dame qui vous aimera aussi. — Je veux bien, repartit messire Pelléas, car cette dame Arcade m'a outrageusement et honteusement traité. » Là-dessus il lui raconta tout, du commencement jusqu'à la fin, et lui confia comment il avait eu dessein de ne plus se relever avant la venue de la mort. « Et maintenant telle grâce Dieu m'a envoyée que je la hais autant que je l'ai jamais aimée. Notre-Seigneur en soit loué ! — C'est moi qu'il faut remercier », répliqua la demoiselle du Lac.

Incontinent messire Pelléas mit son armure, prit son cheval et ordonna à ses gens d'amener ses pavillons et biens là où la demoiselle du Lac le dirait. La dame Arcade mourut de chagrin, tandis que la demoiselle du Lac fit le bonheur de messire Pelléas, et ils s'aimèrent toute la vie durant.

CHAPITRE XXIV

Comment messire Marehaut chevaucha en compagnie de sa demoiselle, et comment il vint devers le duc des Marches du Sud

À PRÉSENT tournons-nous du côté de messire Marehaut. Il chevauchait en direction du sud avec la demoiselle de trente ans. Adonc ils entrèrent dans une forêt profonde. Il advint qu'ils y furent surpris par la nuit. Ils suivirent d'abord un long chemin boueux. Finalement ils arrivèrent à une petite cour et là demandèrent asile. Cependant, l'homme qui se trouvait en cette cour refusa de les loger, quels que fussent les termes de l'accord. Le brave homme leur dit seulement : « Si vous êtes prêts à en courir le risque, je veux bien vous conduire là où vous serez reçus. — Quel est donc ce risque à prendre en échange du logement ? répliqua messire Marehaut. — Vous le saurez quand vous y serez. — Messire, peu importe le risque, menez-moi là où il faut. Je suis fatigué, la demoiselle aussi, et mon cheval est fourbu. »

Le brave homme se mit en chemin et, moins d'une heure après, ils étaient aux portes d'un beau château. Il appela le portier. Aussitôt on le fit entrer. Il dit au seigneur qu'il amenait avec lui un chevalier errant, accompagné d'une demoiselle, qui était désireux d'être logé chez lui. — Qu'il entre, répondit le seigneur, mais il se pourrait qu'il regrettât d'avoir choisi de s'arrêter ici. » Messire Marehaut fut donc admis à la lumière des torches. Il vit de gracieux jeunes gens, qui lui firent bon accueil. Son cheval fut mené à l'écurie, lui et la demoiselle introduits dans la grand-salle. Là se tenait un puissant duc, entouré de beaucoup d'hommes de fière allure. Ce seigneur lui demanda son nom, d'où il venait et à qui il appartenait.

« Messire, répondit-il, je suis chevalier du roi Arthur et de la Table Ronde. Mon nom est messire Marehaut, et je suis natif d'Irlande. » Lors le duc repartit : « J'en ai bien du regret. La raison en est que je n'aime ni ton seigneur ni tes compagnons de la Table Ronde. En conséquence, prends cette nuit autant de repos que tu le pourras, car demain matin mes six fils et moi nous battrons contre toi. — N'y a-t-il nul remède? dit messire Marehaut. Dois-je vous affronter, vous et vos six fils, tout à la fois? — Il n'y a de remède aucun, répondit le duc. Je me suis juré, parce que messire Gauvain lors d'une rencontre a tué mon septième fils, que jamais chevalier de la cour du roi Arthur ne logerait chez moi, ou ne m'offrirait en passant l'occasion de le combattre sans que je tire vengeance de la mort de mon fils. — Quel est votre nom? demanda messire Marehaut. Je vous en prie, dites-le moi, si vous le voulez bien. — Sache que je me nomme le duc des Marches du Sud. — Ah! s'exclama messire Marehaut, j'ai ouï dire que depuis longtemps vous êtes l'ennemi mortel de monseigneur Arthur et de ses chevaliers. — Tu en feras demain l'expérience. — Me battrai-je contre vous? — Oui, dit le duc. Tu n'auras pas le choix. Donc retire-toi en ta chambre. On t'y portera tout ce qu'il te faut. »

Adonc messire Marehaut se retira. On le mena dans une chambre et sa demoiselle dans une autre. Le lendemain matin, le duc lui envoya dire qu'il eût à se préparer. Il se leva, s'arma. Il assista à une messe, qui fut chantée devant lui. Il déjeuna et enfourcha son cheval dans la cour du château, là où devait se dérouler le combat. Le duc s'y trouvait déjà, sur sa monture, tout à fait prêt, armé de pied en cap. Ses fils étaient près de lui. Chacun d'eux avait à la main une lance. Ils coururent sus à messire Marehaut. Le duc et deux de ses fils rompirent leurs lances dans la rencontre, mais messire Marehaut ne se servit point de la sienne et ne toucha personne.

CHAPITRE XXV

Comment messire Marehaut combattit le duc et quatre de ses fils et les contraignit à se rendre

LORS vinrent les quatre autres fils, deux par deux. Les premiers rompirent leurs lances, les seconds également. Pendant tout ce temps, messire Marehaut ne les toucha point. Puis il courut sus au duc. Il le heurta de sa lance, de telle sorte que monture et cavalier tombèrent au sol. Ses fils furent servis de même manière. Quand ce fut fait, messire Marehaut descendit de son cheval et enjoignit au duc de se rendre, sinon il le tuerait. Certains des fils, remis de leur chute, voulurent assaillir messire Marehaut. Celui-ci dit au duc : « Arrêtez vos fils, ou bien je vous combattrai tous jusqu'à la mort. »

Quand le duc comprit qu'il ne pourrait s'en sortir vivant, il cria à l'adresse de ses fils qu'il leur fallait se soumettre. Ils s'agenouillèrent tous, présentant le pommeau de leurs épées au chevalier. Celui-ci reçut leurs armes. Ensuite ils relevèrent leur père, et d'un commun accord ils promirent tous à messire Marehaut de ne plus jamais être les ennemis du roi Arthur mais, à la Pentecôte suivante, de venir requérir son pardon.

Lors messire Marehaut s'en alla. Avant le surlendemain, sa demoiselle le conduisit là où se tenait un grand tournoi, qu'avait fait crier la dame des Vaux. Qui s'y montrerait le meilleur aurait un riche diadème d'or valant mille besants. Là messire Marehaut fit si bien qu'il en acquit de la gloire. Un jour durant le tournoi il renversa quarante chevaliers. Le diadème d'or lui fut donc attribué en récompense. Il partit fort honoré.

Moins de sept jours après, sa demoiselle le mena chez un comte. Il avait nom le comte Fergus, et plus tard devint chevalier de messire Tristan. Ce comte n'était encore qu'un jouvenceau, depuis peu en possession de ses domaines. Il y avait dans le voisinage un géant nommé Taillard (il avait un frère en Cornouailles qui s'appelait Taulas — pendant qu'il fut frappé de déraison, messire Tristan l'occit). Adonc ce comte se plaignit auprès de messire Marehaut qu'il y avait non loin de chez lui un géant qui ravageait toutes ses terres et lui dit comment il n'osait aller nulle part, à pied ou à cheval, à cause de ce géant.

« Messire, répondit messire Marehaut, comment se bat-il d'ordinaire, à pied ou à cheval ? — À pied. Nul cheval ne pourrait le porter. — Eh bien, je le combattrai donc à pied. » Le lendemain matin donc, messire Marehaut demanda au comte qu'un de ses gens le conduisît là où se trouvait le géant. Il était bien là où on le mena, assis sous un houx, avec nombre de masses d'armes et de haches d'armes autour de lui. Marehaut se mit en mesure de le combattre, en plaçant son bouclier devant lui. Le géant se saisit d'une masse et du premier coup fendit en deux l'écu de messire Marehaut.

Celui-ci courut alors un grand danger. Le géant était un combattant rusé. Mais finalement messire Marehaut lui trancha le bras droit au-dessus du coude. Lors il prit la fuite, le chevalier à ses trousses, qui le réduisit à se réfugier dans un étang. Cependant, le géant était si grand qu'on ne pouvait l'y suivre. Messire Marehaut demanda au serviteur du comte Fergus d'aller lui chercher des pierres. Avec ces pierres il porta au géant bien des coups douloureux, jusqu'au moment où il le fit tomber dans l'eau, et il se noya.

Lors messire Marehaut se rendit au château du géant. Il délivra vingt-quatre dames et douze chevaliers, qui s'y trouvaient emprisonnés. Il découvrit des trésors à foison, si grands que jamais de sa vie par la suite il ne connut le besoin. Puis il retourna auprès du comte Fergus, lequel le remercia chaleureusement et eût voulu lui donner la moitié de ses terres, mais il n'accepta rien. Messire Marehaut demeura chez le comte près de six mois, car son combat avec le géant l'avait beaucoup meurtri. Enfin il prit congé. Sur son chemin il rencontra messire Gauvain et messire Yvain. Par aventure il se heurta à quatre chevaliers de la cour d'Arthur. Le premier était messire Sagremor le Desrée, les autres messire Osenain, messire Dodinel le Sauvage et messire Félot de Listenois. D'une seule lance messire Marehaut renversa ces quatre chevaliers et leur infligea de graves blessures. Puis il partit pour être au lieu de la rencontre au jour dit.

CHAPITRE XXVI

Comment messire Yvain chevaucha en compagnie de la demoiselle de soixante ans, et comment il obtint le prix dans un tournoi

MAINTENANT voyons ce que faisait messire Yvain. Il chevauchait vers l'ouest avec sa demoiselle de trois fois vingt ans. Elle le conduisit là où se déroulait un tournoi, non loin de la marche du pays de Galles. À ce tournoi messire Yvain renversa trente chevaliers. On lui donna donc le prix. C'était un gerfaut, auquel s'ajoutait un destrier de couleur blanche, caparaçonné d'or.

Messire Yvain connut bien des étranges aventures, par le moyen de sa demoiselle si âgée. Elle le mena chez une dame qu'on appelait la dame de la Roche, laquelle était fort courtoise. Il y avait dans la contrée deux chevaliers qui étaient frères. Ils étaient réputés dangereux. L'un se nommait messire Édouard du Château Rouge, l'autre messire Hue du Château Rouge. Ces deux frères avaient dépouillé la dame de la Roche de l'héritage d'une baronnie, en s'en emparant par la force. Tandis que messire Yvain logeait chez elle, cette dame se plaignit auprès de lui de ces deux chevaliers. « Madame, lui dit messire Yvain, ils sont à blâmer, car ils manquent à ce que réclame le grand ordre de chevalerie et au serment qu'ils ont fait. Si vous y consentez, je leur parlerai, pour ce que je suis chevalier du roi Arthur. Ma requête sera courtoise. S'ils refusent, je me battrai avec eux pour défendre votre droit.

— Grand merci, répondit la dame, et si je ne puis m'acquitter envers vous, Dieu y pourvoiera. » Adonc le lendemain matin, demande fut faite aux deux chevaliers de venir parler à la dame de la Roche. Ils n'y faillirent point, sachez-le bien, car ils vinrent, mais avec cent hommes à cheval. Lorsque la dame les vit aussi bien accompagnés, elle n'accepta point que messire Yvain allât par devers eux, même fort de leurs garanties et belles paroles. Elle obtint qu'il s'adressât à eux du haut d'une tour. Fin de compte, ces deux frères ne voulurent rien entendre. Ils répondirent qu'ils garderaient ce qu'ils avaient en possession. « Eh bien, leur dit messire Yvain, en ce cas je combattrai l'un de vous et prouverai à ses dépens que vous faites tort à cette dame. — Point du tout, répliquèrent-ils. Si nous vous combattons, ce sera deux contre un. Dites oui, et nous serons prêts à l'heure que vous fixerez. Si vous l'emportez, la dame recouvrera ses terres. — C'est bien parlé, dit messire Yvain. En conséquence, préparez-vous pour être ici demain matin. J'y défendrai le droit de cette dame. »

CHAPITRE XXVII

Comment messire Yvain combattit deux chevaliers et les défit

ON S'ASSURA des deux côtés que de part et d'autre on n'aurait à redouter nulle traîtrise. Puis les chevaliers s'en allèrent se préparer. Cette nuit-là messire Yvain fit grande chère. Le lendemain matin, il se leva tôt. Il ouït la messe, déjeuna, puis sortit à cheval sur le champ clos devant les portes, là où les deux frères l'attendaient. Ils se coururent sus avec beaucoup de vigueur. Messire Édouard et messire Hue rompirent leurs lances contre messire Yvain. Messire Yvain choqua messire Édouard de telle sorte qu'il le fit passer par-dessus son cheval, et cela sans rompre sa lance. Ensuite il donna des éperons à sa monture, vint à la rencontre de messire Hue et le renversa. Cependant, les deux frères eurent tôt fait de se reprendre. Ils ajustèrent leurs boucliers, dégainèrent leurs épées et enjoignirent à messire Yvain de mettre pied à terre pour mener le combat jusqu'à sa dernière extrémité.

Lors messire Yvain vivement sauta à bas de son cheval. Il se couvrit de son écu et tira son épée. Chacun se mit en position de combattre, et l'on se porta de tels coups, les deux frères infligèrent à messire Yvain des blessures si graves que la dame de la Roche crut qu'il n'y survivrait pas. Ils se battirent ainsi cinq heures durant, comme si la colère leur avait fait perdre l'esprit. Finalement messire Yvain frappa si rudement sur le heaume de messire Édouard que l'épée trancha jusques au col. Messire Hue alors perdit courage. Cependant, messire Yvain le serrait de près, afin de l'occire. Messire Hue le vit. Il mit un genou en terre et se rendit à messire Yvain. Et lui, en sa bonté, reçut son épée, le prit par la main, et ensemble ils entrèrent dans le château.

Lors la dame de la Roche fut fort contente. Le frère qui restait en vie pleura beaucoup la mort de l'autre. La dame fut remise en possession de toutes ses terres, et messire Hue reçut l'ordre de se présenter à la cour du roi Arthur à la prochaine fête de Pentecôte. Messire Yvain demeura chez la dame environ six mois, car il lui fallut longtemps pour guérir de ses graves blessures. Adonc, lorsque fut proche le jour où messire Gauvain, messire Marehaut et messire Yvain devaient se rejoindre à la croisée des chemins, lors chacun des chevaliers s'y rendit pour tenir l'engagement qu'il avait pris. Messire Marehaut et messire Yvain amenaient avec eux leurs demoiselles, mais messire Gauvain avait perdu la sienne, de la manière qu'on a ci-dessus rapportée.

CHAPITRE XXVIII

Comment, au bout de l'an,
les trois chevaliers avec leurs trois demoiselles se retrouvèrent à la fontaine

Lors, au bout des douze mois, les trois chevaliers se retrouvèrent tous à la fontaine, ainsi que leurs demoiselles. Mais la demoiselle qui avait échu à messire Gauvain ne put en dire que peu de bien. Ils quittèrent leurs demoiselles et traversèrent une vaste forêt. Là, ils rencontrèrent un messager, qui venait de la part du roi Arthur. Il les avait cherchés près d'un an à travers toute l'Angleterre, tout le pays de Galles et toute l'Écosse. Il avait mission, si jamais il rencontrait messire Gauvain et messire Yvain, de les ramener à la cour. Chacun se réjouit, et messire Marehaut fut prié de les accompagner. C'est ainsi que, moins de douze jours plus tard, ils arrivèrent à Camaalot. Le roi fut heureux de les revoir, de même que toute la cour.

Il leur fit alors jurer sur un livre sacré de lui conter toutes les aventures qui leur étaient arrivées l'année d'avant, et c'est ce qu'ils firent. Messire Marehaut était bien connu à la cour. Il y avait là des chevaliers auxquels il s'était mesuré auparavant, et il avait la réputation d'être l'un des meilleurs chevaliers qui fussent au monde. À la fête de Pentecôte vint la demoiselle du Lac. Elle amenait avec elle messire Pelléas. À cette grande fête il y eut de grandes joutes, et parmi tous les chevaliers à ces joutes messire Pelléas obtint le prix. Messire Marehaut fut désigné en second. Mais messire Pelléas était si fort qu'il ne se trouva que peu de chevaliers pour pouvoir résister au choc de sa lance.

Le jour qui suivit, messire Pelléas et messire Marehaut furent faits chevaliers de la Table Ronde, car il y avait deux sièges vacants. Deux chevaliers avaient trouvé la mort au cours des douze mois précédents. Le roi Arthur eut grande joie de pouvoir s'attacher messire Pelléas et messire Marehaut. Mais jamais ensuite Pelléas n'aima messire Gauvain. Il l'épargna, seulement par amour pour le roi Arthur. Souvent, en joutes et tournois, il se fit justice. C'est ce qui est dit dans le livre français.

Longtemps après, messire Tristan combattit messire Marehaut dans une île. Ce fut un combat mémorable. Finalement messire Tristan occit messire Marehaut. Messire Tristan reçut de telles blessures qu'il eut peine à se rétablir. Il demeura alité six mois dans un couvent de femmes. La demoiselle du Lac fit en sorte que jamais messire Pelléas n'eût à se heurter à messire Lancelot. Si celui-ci paraissait à joutes ou bien tournoi, ce jour-là elle ne souffrait pas que messire Pelléas en fût, à moins de se placer dans le même camp que messire Lancelot.

Fin du LIVRE QUATRIÈME.
Commencement du LIVRE CINQUIÈME.

LIVRE CINQUIÈME

Lucius, empereur de Rome

CHAPITRE I

Comment douze ambassadeurs, hommes d'âge, vinrent de Rome devers le roi Arthur, pour demander que la Grande-Bretagne payât tribut

LORSQU'APRÈS UNE LONGUE GUERRE le roi Arthur eut pris du repos, qu'il eut donné un festin royal et tenu assemblée avec ses alliés (rois, princes et nobles chevaliers, tous de la Table Ronde), il arriva dans la grand-salle, où il était assis sur son trône de roi, douze hommes d'âge portant chacun un rameau d'olivier, pour signifier qu'ils venaient en ambassadeurs et messagers de l'empereur Lucius, lequel en ce temps-là était appelé dictateur ou procureur de la république romaine. Lesdits messagers, une fois introduits et mis en présence du roi Arthur, manifestèrent leur respect en s'inclinant devant lui et lui parlèrent comme suit : « Le haut et puissant empereur Lucius salue le roi de Grande-Bretagne. Il te fait obligation de le reconnaître pour ton seigneur et de lui envoyer le tribut qui est dû à l'Empire par ce royaume. Ton père et d'autres avant lui, tes prédécesseurs, l'ont payé. Des documents l'attestent. Mais toi, rebelle, qui ne tiens pas l'empereur pour ton seigneur, tu ne t'y soumets point et le refuses, contrairement aux statuts et décrets édictés par le noble et digne Jules César, qui conquit ce royaume et fut le premier empereur de Rome. Si tu t'opposes à cet ordre et exigence, sache bien que Lucius te livrera une guerre sans merci, à ta personne comme à tes royaumes et terres. Il te châtiera, de même que tes sujets, de telle sorte que cela servira d'exemple en tous les temps à tous les rois et princes qui refuseront leur tribut au noble empire qui domine l'univers. »

Quand ils eurent fait connaître le contenu de leur message, le roi leur ordonna de se retirer. Il dit qu'il prendrait avis de son conseil et leur communiquerait une réponse. Certains des jeunes chevaliers, entendant ce message, eussent voulu assaillir les messagers pour les tuer, disant que c'était un outrage pour tous les chevaliers présents de souffrir qu'ils pussent ainsi s'adresser au roi. Incontinent celui-ci leur enjoignit que nul d'entre eux, sous peine de mort, n'injuriât lesdits ambassadeurs ni ne leur fît aucun mal. Il chargea un chevalier de les conduire à leur logis, de veiller à ce qu'ils eussent le nécessaire, et la meilleure chère qu'on pût trouver. On ne devait épargner nul mets friand. « Les Romains sont de grands seigneurs. Leur message peut me déplaire, ainsi qu'à ma cour, mais il faut se garder de faillir à l'honneur. »

Après quoi le roi manda tous ses barons et chevaliers de la Table Ronde pour avoir leur conseil en cette matière. Il désira de chacun qu'il donnât son avis. Messire Cador de Cornouailles parla le premier. Il dit : « Sire, ce message me convient à merveille. Nous nous tenons en repos depuis de longs jours, nous n'avons rien à faire. J'espère que maintenant vous allez mener contre les Romains une dure guerre, qui nous vaudra de la gloire à n'en point douter. — Je crois sans peine, repartit Arthur, que cela serait pour te plaire, mais ce n'est pas une réponse que l'on peut donner. Il me serait pénible de faire droit à leur demande. À la vérité, jamais je ne consentirai à payer tribut à Rome. C'est pourquoi je sollicite votre conseil. Je crois comprendre que Belin et Brannc, rois de Grande-Bretagne, longtemps ont tenu l'empire entre leurs mains. Il en a été de même de Constantin, fils d'Alain. C'est là une preuve évidente que nous ne sommes redevables à Rome de nul tribut. Au contraire, en droit c'est nous, leur descendant, qui pouvons revendiquer le titre d'empereur. »

CHAPITRE II

Comment les rois et barons promirent au roi Arthur aide et soutien contre les Romains

LORS lui répondit Anguin, roi d'Écosse : « Sire, vous devriez en droit avoir prééminence sur tous les autres rois, car il n'en est aucun dans la chrétienté qui vous soit égal ou semblable par la noblesse ou les vertus de chevalerie. Je vous conseillerai donc de ne jamais vous mettre en l'obéissance des Romains. Lorsqu'ils régnèrent sur nous, ils causèrent de grands malheurs à nos aînés. Ils soumirent ce pays à de lourdes exactions et impositions. Je fais ici le serment d'en tirer vengeance. Afin de fortifier votre parti en cette querelle, je fournirai vingt mille hommes de guerre de bonne étoffe. Je louerai leurs services quand bon vous semblera. »

Le roi de Petite-Bretagne à son tour lui accorda trente mille hommes, ce dont Arthur le remercia. Lors chacun donna son approbation pour faire la guerre et apporter son aide, à proportion de ses moyens. Ainsi le seigneur de Galles de l'Ouest promit d'amener trente mille hommes. Messire Yvain, messire Ider son fils, ainsi que leurs cousins, se lièrent pour trente mille hommes également. Puis messire Lancelot, comme tous les autres, promit de même manière une troupe fort considérable. Lorsque le roi Arthur fut ainsi assuré de leur courage et bonne volonté, il les remercia de grand cœur. Puis il fit venir les ambassadeurs pour qu'ils entendissent sa réponse. Lors, en présence de tous ses barons et chevaliers, il leur parla comme suit : « Je veux que vous retourniez auprès de votre seigneur et procureur de la république romaine, pour lui dire que de ses exigences et ordres je ne tiendrai nul compte. Je ne connais ni tribut ni redevance que j'aie obligation de lui payer, à lui ou à nul prince, chrétien ou païen. Je prétends au contraire à tenir et posséder le pouvoir souverain sur l'empire. J'y suis autorisé par le droit de ceux qui m'ont précédé et ont auparavant régné sur ce pays. Dites-lui donc que j'ai délibéré et décidé, en toute connaissance de cause, d'aller avec mon armée, forte et puissante, jusques à Rome et, par la grâce de Dieu, d'y prendre possession de l'empire et d'y soumettre ceux qui se déclareront rebelles. Suite de quoi je lui ordonne, ainsi qu'à tous les Romains, d'incontinent me rendre hommage et me reconnaître pour leur empereur et gouverneur, sous peine de fâcheuses conséquences. » Lors il donna charge à son trésorier de leur bailler des présents, riches et abondants, de payer toutes leurs dépenses, et il confia le soin à messire Cador de les conduire hors du pays.

Adonc ils prirent congé et s'en allèrent. Ils s'embarquèrent à Sandwich et passèrent par la Flandre, l'Allemagne, les montagnes et l'Italie d'un bout à l'autre, jusqu'à ce qu'ils vinssent à Lucius. Après s'être inclinés devant lui, ils lui rapportèrent la réponse qui leur avait été donnée, telle que vous l'avez ouïe. Lorsque l'empereur Lucius eut bien entendu leur message, il en fut fort troublé, autant que s'il eût été atteint de folie. Il dit : « J'aurais cru qu'Arthur aurait obéi à mes ordres et agi avec vous comme tout autre roi le devait. — Oh ! Sire, s'exclama l'un des sénateurs, à quoi bon ces vaines paroles ? Laissez-nous vous dire que mes amis et moi avons tous eu grand peur en voyant son visage. Je crains que vous n'ayez donné des verges pour vous battre, car il a dessein d'être le seigneur de cet empire, ce qui est grandement à redouter s'il entreprend de venir, car il est tout autre que vous imaginez et tient une cour la plus belle qui soit. Ni roi ni prince ne peut prétendre à la noblesse de son maintien. Le Jour de l'An, nous l'avons vu dans sa magnificence, la plus digne d'un roi que jamais nous vîmes. Il était servi à sa table par neuf autres rois et la plus imposante compagnie — princes, barons, chevaliers — qui soit au monde. Chacun des chevaliers est homme d'expérience et semblable à un baron. Ils sont compagnons de sa Table Ronde. Sa personne est la plus mâle qui soit. Il est de nature à conquérir le monde entier, qui est trop petit pour sa vaillance. Mon conseil, donc, est de bien veiller sur vos marches et pas de montagnes, car c'est à coup sûr un seigneur qu'il faut craindre.

— Eh bien, répondit Lucius, avant Pâques j'envisage de franchir ces montagnes, puis d'entrer en France, et là de le dépouiller de ses terres à l'aide des Génois et autres puissants guerriers de Toscane et de Lombardie. Je manderai à tous ceux qui sont sujets et alliés de l'empire de Rome de m'apporter leur soutien. » Incontinent il envoya des chevaliers, hommes d'âge et de prudence, devers les pays suivants : d'abord Albanie et Arcadie, puis Alexandrie, Inde, Arménie (là où le fleuve Euphrate pénètre dans l'Asie), Afrique et vaste Europe, Hyrcanie, Élam, Arabie, Égypte — à Damas, Damiette, au Caire —, en Cappadoce, Thrace, Turquie, aussi Pont, Pamphylie, Syrie et Galatie. Tous ces pays étaient soumis à Rome ainsi que bien d'autres, dont la Grèce, Chypre, la Macédoine, la Calabre, la Catalogne, le Portugal et des milliers d'Espagnols.

Ainsi tous ces rois, ducs et amiraux s'assemblèrent non loin de Rome. Il y avait là seize rois réunis, avec grande force de gens. Lorsque l'empereur fut informé de leur venue, il apprêta ses Romains, et toutes les nations entre Rome et la Flandre. Il avait également en son parti cinquante géants, engendrés de démons. Ils eurent à charge de protéger sa personne et de rompre le front de bataille du roi Arthur. C'est ainsi qu'ils partirent de Rome et descendirent des montagnes, afin de ravager les terres qu'Arthur avait conquises. Ils arrivèrent à Cologne et mirent le siège devant un château près de là. Ils ne tardèrent point à le prendre et le garnirent de deux cents Sarrasins ou infidèles. Puis ils mirent à sac mainte belle contrée qu'Arthur avait enlevée au roi Claudas. Ainsi s'en vint Lucius avec toute son armée, déployée sur plus de vingt lieues. Il donna ordre à ses alliés de le rejoindre en Bourgogne, car il avait dessein de ravager le royaume de Petite-Bretagne.

CHAPITRE III

Comment le roi Arthur assembla un parlement à York, et comment il ordonna que le royaume fût gouverné en son absence

MAINTENANT laissons là l'empereur Lucius, et parlons du roi Arthur. Il enjoignit à tous les gens de sa suite de se préparer, huit jours après la Saint-Hilaire, à tenir parlement à York. À ce parlement il fut décidé de requérir tous les navires du pays, de sorte qu'ils fussent à disposition sous quinze jours à Sandwich. Arthur montra là aussi à son armée comment il entendait mener la conquête de l'empire qui légitimement était le sien. Ensuite il nomma deux gouverneurs du royaume, à savoir messire Baudouin de Bretagne, pour donner les meilleurs conseils, et messire Constantin, fils de messire Cador de Cornouailles, qui après la mort d'Arthur fut roi de ce royaume. Puis, en présence de tous ses barons, il leur abandonna le gouvernement du pays et leur confia sa reine, Guenièvre, ce qui courrouça messire Lancelot, car pour venir il avait laissé messire Tristan chez le roi Marc, où le retenait l'amour de la Belle Yseut.

Lors la reine Guenièvre manifesta une vive affliction, pour ce que son seigneur et autres gens s'en allaient. Elle défaillit, de telle sorte que les dames durent la porter dedans sa chambre. Adonc le roi partit avec sa grande armée, laissant la reine et le royaume à l'autorité de messire Baudouin et de messire Constantin. Quand il fut à cheval, il dit à voix haute : « Si je meurs en ce voyage, je veux que messire Constantin me succède et soit couronné roi de ce royaume, comme le plus proche de moi par le sang. » Ensuite il s'éloigna. Il se mit en la mer à Sandwich avec toute son armée. Une grande multitude de navires, galères, grands vaisseaux de commerce et de guerre voguaient sur les flots.

CHAPITRE IV

Comment le roi Arthur, une fois à bord de son navire et couché dans sa cabine, eut un rêve étrange, et de l'interprétation de ce rêve

ALORS QUE LE ROI reposait en sa cabine sur le navire, il s'endormit et rêva. Ce fut un rêve étrange. Il lui sembla qu'un dragon redoutable noyait beaucoup de son peuple. Il venait de l'occident en volant. Sa tête était émaillée d'azur. Ses épaules brillaient comme l'or. Son ventre paraissait annelé, d'une couleur merveilleuse. La queue était déchiquetée, les pattes du plus beau noir, les griffes du plus bel or. Une flamme hideuse jaillissait de sa gueule. On eût dit que la terre et le ciel en étaient embrasés. Ensuite il parut au roi que venait de l'orient un farouche sanglier. Il était tout noir et enveloppé de nuées. Ses pattes avaient la grosseur d'un pilier. D'apparence il était âpre et rude, la bête la plus vile qu'on eût jamais vue. Il grondait et rugissait, de manière si épouvantable que c'était merveille de l'entendre.

Lors le terrible dragon s'avança. Il volait dans le vent, tel un oiseau de proie. Il porta des coups violents au sanglier. Le sanglier le frappa à son tour de ses défenses grises, de telle sorte que son poitrail en fut tout ensanglanté. Le sang chaud en coulant empourpra toute la mer. Puis le dragon s'envola sur une hauteur pour mieux fondre sur le sanglier. Il l'atteignit à l'échine, qui était longue de dix pieds, de la tête jusqu'à la queue. Il le réduisit en poudre, tant la chair que les os, et la poudre vola et se dispersa sur la mer.

Sur ces entrefaites le roi s'éveilla. Il était fort las après un tel rêve. Il envoya quérir en diligence un sage philosophe et lui enjoignit de lui dire la signification de son rêve. « Sire, répondit le philosophe, le dragon que vous avez vu représente votre propre personne, ici même sur ce navire. Les couleurs de ses ailes sont les royaumes qui vous avez conquis. La queue, qui est de petits morceaux, est symbole des nobles chevaliers de la Table Ronde. Quant au sanglier que le dragon a tué sortant des nuées, il figure quelque tyran qui tourmente le peuple, ou bien encore vous devrez sans doute combattre vous-même quelque géant, créature hideuse et abominable, dont vous n'avez de votre vie jamais vu le pareil. En conséquence de ce rêve, ne concevez nulle crainte, mais montrez-vous conquérant. »

Peu après la terre fut en vue. Ils firent voile jusqu'à ce qu'ils fussent à Barfleur. Là le roi Arthur trouva beaucoup de ses barons prêts à le suivre, ainsi qu'ordre leur en avait été donné.

CHAPITRE V

Comment un habitant de la contrée lui parla d'un géant extraordinaire, et comment il le combattit et le défit

LORS vint à lui un paysan de la contrée, qui lui dit qu'il y avait en pays de Cotentin, jouxtant la Bretagne, un grand géant qui avait tué, massacré, dévoré bien des gens qui vivaient là, et que sept années durant il s'était nourri d'enfants pris dans le peuple de ce pays, tant et si bien qu'il n'en restait aucun qui n'eût été occis et mis à mort. Il y a peu, ce géant avait enlevé la duchesse de Bretagne, alors qu'elle chevauchait avec sa suite, et l'avait emmenée en son logis sur le mont, afin de la forcer et de l'avoir à lui aussi longtemps qu'elle vivrait. Beaucoup d'hommes et de femmes l'avaient suivie, plus de cinq cents, mais nul n'avait pu la sauver. Ils l'avaient laissée poussant des cris et plaintes lamentables, ce qui donnait à penser que le géant l'avait tuée en satisfaisant l'infâme désir de sa lubricité. « Elle était mariée, dit-il, à votre cousin messire Hoël, que nous considérons comme tout proche de vous par les liens du sang. Vous êtes notre souverain légitime. Prenez pitié de cette dame, et vengez-nous tous en noble conquérant.

— Hélas! s'exclama le roi Arthur, c'est grand-pitié. Au meilleur royaume de mes états j'eusse préféré avoir ce géant devant moi tout près, afin de secourir cette dame. Peux-tu, l'ami, me conduire où il habite? — Oui, Sire, répondit le brave homme. Regardez là-bas, où vous apercevez ces deux grands feux allumés. Vous l'y trouverez, avec plus de richesses qu'il n'en est, je crois, en la France entière. » Lorsque le roi eut pris connaissance de cette lamentable affaire, il retourna sous sa tente. Il manda messire Keu et messire Bédoïer et leur ordonna de préparer dans le secret chevaux et harnois, pour lui-même ainsi que pour eux deux. C'était qu'après vêpres il désirait aller en pèlerinage en leur seule compagnie au mont Saint-Michel. Ensuite promptement il s'apprêta, s'arma de toutes pièces, prit sa monture et son bouclier. Ainsi ils partirent tous les trois et, aussi vite qu'ils purent, se rendirent aux abords de ce mont. Là ils mirent pied à terre. Le roi leur donna ordre de demeurer à l'attendre, car c'était lui seul qui entendait gravir la butte.

Il monta donc à cette colline pour parvenir à un grand feu. Là il trouva une veuve, qui se tordait les mains de douleur et poussait de tristes gémissements. Elle était assise près d'une fosse fraîchement creusée. Le roi Arthur la salua et lui demanda pourquoi elle se désolait tant. Elle répondit : « Sire chevalier, point de bruit, car là-bas se trouve un démon qui, s'il vous entendait, viendrait vous occire. Je vous tiens pour infortuné. Que faites-vous ici sur ce mont? Seriez-vous cinquante de votre force, vous ne pourriez résister à ce diable. Ci-gît morte une duchesse, laquelle était la plus belle au monde. Elle était femme de messire Hoël, duc de Bretagne. Il l'a tuée en la forçant. Il lui a déchiré le ventre jusqu'au nombril. — Madame, repartit le roi, je suis envoyé par le noble conquérant qu'est le roi Arthur pour, au nom de ses vassaux, traiter avec ce tyran. — Fi de pareils traités ! répliqua-t-elle, il n'a cure ni du roi ni de qui que ce soit. Si vous lui aviez amené l'épouse d'Arthur, dame Guenièvre, alors il en aurait été plus content que si vous lui aviez donné la moitié de la France. Prenez garde, n'approchez pas trop près. Il a défait quinze rois et de leurs barbes a fait border une cotte toute garnie de pierres précieuses. Ces barbes, ils les lui avaient envoyées à Noël dernier, pour s'assurer sa faveur et le salut de leurs peuples. Si vous le désirez, parlez-lui. Il est près de ce grand feu là-bas, à son souper.

— Eh bien, dit Arthur, je vais m'acquitter de ma mission, en dépit de toutes vos craintes. » Il poursuivit son chemin, pour s'arrêter près du sommet de la colline. Là il vit le géant, qui était assis à son souper. Sans chausses, il se rôtissait le corps devant le feu, tandis que trois gentes demoiselles faisaient tourner trois broches, où étaient embrochés douze enfants nouveaux-nés, tels de petits oiseaux. Quand le roi Arthur contempla ce pitoyable spectacle, il en eut grande compassion. Son cœur saigna de douleur. Il héla le géant en ces termes : « Que Celui qui tient le monde en Sa puissance te baille une vie courte et une mort ignominieuse ! Et que le diable ait ton âme ! Pourquoi avoir tué ces jeunes enfants innocents et cette duchesse ? Allons, debout, et mets-toi en garde, glouton, car ce jour tu mourras de ma main. »

Lors le glouton incontinent se dressa sur ses jambes. Il prit une grande masse d'armes et en frappa le roi, de telle sorte que son heaume tomba à terre. À son tour le roi le frappa. Il lui fendit le ventre et lui coupa les génitoires. Entrailles et boyaux churent sur le sol. Lors le géant jeta au loin sa masse. Il saisit le roi à bras le corps et lui écrasa les côtes. Les trois pucelles s'agenouillèrent et implorèrent le Seigneur de porter aide et secours à Arthur. Lui, en se roulant au sol, desserra l'étreinte. Tantôt il était dessous, tantôt dessus. Tournant et roulant ainsi, ils dévalèrent la pente jusqu'à se trouver à hauteur de l'eau. Cependant qu'ils tombaient de la sorte, toujours Arthur portait à son adversaire des coups de sa dague. Le hasard voulut que leur chute les conduisît là où les deux chevaliers veillaient sur la monture du roi. Lorsqu'ils le virent étreint dans les bras du géant, ils vinrent le dégager.

Lors le roi ordonna à messire Keu de trancher la tête du géant, de la placer à l'extrémité d'une lance, de la porter à messire Hoël et de lui annoncer que son ennemi était mort. « Ensuite, dit-il, qu'on attache la tête à une barbacane, de façon que chacun puisse la regarder à loisir ! Vous deux, gravissez le mont et ramenez-moi mon bouclier, mon épée et la masse d'armes. Quant au trésor, prenez-le. Vous trouverez là-haut des richesses innombrables. Pour ma part, si j'ai la tunique et la masse, je ne désire rien d'autre. C'était le géant le plus féroce qu'il m'eût été donné de rencontrer, j'en excepte un sur le mont Anaby, mais celui-ci était plus grand et plus terrible. »

Les chevaliers ramenèrent la masse d'armes et la tunique, ainsi qu'une partie du trésor, qu'ils gardèrent pour eux, puis ils rejoignirent l'armée. Il ne fallut que peu de temps pour que la nouvelle se répandît à travers le pays. Les gens vinrent remercier le roi. Il leur dit et répéta : « Remerciez Dieu et partagez-vous les biens. » Ensuite il donna ordre à son cousin Hoël de faire bâtir une église sur la colline même, en l'honneur de saint Michel. Le lendemain matin, il partit avec sa grande armée. Ils arrivèrent en Champagne, dans une vallée, et là dressèrent leurs tentes. Le roi à son dîner, il vint deux messagers dont l'un était maréchal de France. Il dit au roi que l'empereur était entré en France, en avait ravagé une grande partie et se trouvait à présent en Bourgogne. Il avait tué beaucoup de gens et brûlé villes et bourgs, « ce pourquoi, lui dit-il, si vous ne venez en diligence, il nous faudra lui abandonner nos biens et nos personnes. »

CHAPITRE VI

Comment le roi Arthur envoya messire Gauvain et d'autres chevaliers devers Lucius, et comment ils furent assaillis et s'en sortirent avec honneur

LORS le roi manda messire Gauvain, messire Bohort, messire Lionel et messire Bedoïer, et leur ordonna d'aller droit à messire Lucius : « Dites-lui qu'en diligence il se retire en ses terres. S'il refuse, qu'il se prépare à combattre et ne tourmente plus les pauvres gens ! » Incontinent ces nobles chevaliers s'apprêtèrent à chevaucher. Lorsqu'ils arrivèrent en lisière de la forêt, ils virent maint pavillon dressé dans une prairie. Ils étaient de soie, de couleurs variées, en bordure d'une rivière. Le pavillon de l'empereur était au milieu, avec au-dessus une aigle déployée. Nos chevaliers allèrent à cette tente. Messire Gauvain et messire Bohort reçurent mission de porter le message, tandis que messire Lionel et messire Bedoïer demeuraient embusqués.

Messire Gauvain et messire Bohort portèrent donc le message. Ils enjoignirent à Lucius, au nom d'Arthur, de quitter ses terres ou bien sans délai de se préparer à combattre. Lucius répondit en ces termes : « Vous retournerez à votre seigneur et lui direz que je le soumettrai, de même que tous ses états. » Lors messire Gauvain entra en courroux. Il dit : « J'aimerais mieux que toute la France qu'on m'offrît de combattre avec toi. — Moi de même, dit messire Bohort, de préférence à toute la Bretagne et toute la Bourgogne. » Un chevalier du nom de messire Caïus, proche cousin de l'empereur, s'écria : « Voyez-vous cela, ces Bretons anglais sont pleins d'orgueil et de vantardise. On croirait à entendre ces bravaches qu'ils portent le monde entier à bout de bras. » Messire Gauvain fut fort fâché de ces paroles. Il tira son épée et lui trancha la tête. Là-dessus, ils tournèrent bride et chevauchèrent à travers rivières et bois, jusqu'au lieu où messire Lionel et messire Bedoïer les attendaient dissimulés.

Les Romains les suivirent de près, à pied, à cheval, dans la plaine et jusqu'à la forêt. Lors messire Bohort fit volte-face. Il vit venir un chevalier tout près de lui. Il le perça de sa lance, si bien qu'il tomba raide mort. Vint alors Caliburne. C'était l'un des plus valeureux parmi les païens. Il mettait à terre maint chevalier du roi Arthur. Lorsque messire Bohort le vit à l'ouvrage, il se tourna vers lui et lui transperça la poitrine. Il tomba sans vie. Feltemour s'avisa de venger la mort de Caïus aux dépens de messire Gauvain. Mais celui-ci s'en aperçut. Il lui asséna un coup sur la tête. La lame ne s'arrêta pas avant la poitrine. Lors messire Gauvain retourna près de ses compagnons cachés dans le bois. Il y eut un affrontement. Ceux qui étaient en embuscade fondirent sur les Romains. Ils occirent, taillèrent en pièces et forcèrent les ennemis à fuir et retourner en arrière. Les nobles chevaliers les repoussèrent jusqu'à leur campement. Lors les Romains s'assemblèrent en plus grand nombre. Vinrent aussi des gens de pied. Ce fut une nouvelle bataille, avec tant de forces engagées que messire Bohort et messire Bérille furent faits prisonniers. Mais lorsque messire Gauvain s'en aperçut, il prit avec lui messire Ider, le brave chevalier, et déclara qu'il ne reverrait le roi Arthur que s'il les délivrait. Il dégaina Galuth, sa bonne épée, et poursuivit ceux qui emmenaient les chevaliers que j'ai nommés. Il frappa celui qui conduisait messire Bohort, libéra celui-ci et le remit à ses compagnons. De même manière messire Ider secourut messire Bérille.

Lors commença la bataille à prendre de l'étendue, si bien que nos chevaliers furent en grand péril. Messire Gauvain fit demander assistance au roi Arthur et qu'il se hâtât. « Je suis grièvement blessé. Quant aux prisonniers que nous avons faits, ils peuvent payer rançon, et rançon incalculable. » Le messager vint au roi et lui donna son message. Aussitôt le roi assembla son armée, mais bientôt, avant qu'il fût parti, les prisonniers arrivèrent. Messire Gauvain et ses compagnons restèrent maîtres du champ de bataille et mirent les Romains à la fuite. Ensuite ils revinrent à leur camp avec leurs troupes, en tel état qu'aucun homme de renom ne fut perdu. Cependant, messire Gauvain avait reçu de graves blessures. Le roi fit sonder ses plaies et le réconforta.

Tel fut le commencement des premiers combats entre Bretons et Romains. Des Romains furent occis plus de dix mille, et il y eut grande liesse et allégresse cette nuit-là en l'armée du roi Arthur. Le lendemain matin il envoya à Paris tous les prisonniers sous la conduite de messire Lancelot, accompagné de nombreux chevaliers et de messire Cador.

CHAPITRE VII

Comment Lucius mit des espions en embuscade
pour reprendre ses chevaliers qui avaient été faits prisonniers,
et comment il y fut mis obstacle

À PRÉSENT tournons-nous du côté de l'empereur de Rome. Il sut que ces prisonniers devaient être envoyés à Paris. Aussitôt il dépêcha pour se mettre en embuscade certains de ses chevaliers et de ses princes, avec soixante mille hommes, afin de secourir les chevaliers et barons qui avaient été faits prisonniers. Adonc, le lendemain matin, Lancelot et messire Cador, qui avaient autorité et commandement sur tous ceux qui conduisaient ces prisonniers, allaient traverser un bois quand messire Lancelot donna mission à certains de ses chevaliers d'aller regarder secrètement s'il y avait en ce bois personne pour s'opposer à leur passage. Lorsqu'ils entrèrent dans le bois, ils eurent tôt fait d'épier et remarquer la grande embuscade qui était là tendue. Ils firent demi-tour et rapportèrent à Lancelot que les guettaient en ce lieu soixante mille Romains.

Lors messire Lancelot, avec les chevaliers qu'il avait et des hommes de guerre au nombre de dix mille, se mit en état de combattre. Il rencontra les Romains et se battit vaillamment contre eux, les assaillant et tuant en grand nombre. Maint chevalier, maint amiral de leur parti et de celui des Sarrasins y perdirent la vie. Furent occis le roi de Libye et trois grands seigneurs, Aliduc, Héraud et Heringdale. Messire Lancelot se conduisit si noblement que nul ne put résister à ses coups. Partout où il apparaissait, il faisait la preuve de sa vaillance et de sa force, car il tuait de tous côtés. Les Romains et les Sarrasins le fuyaient comme moutons le loup ou bien le lion. Tous ceux qui demeuraient en vie, il les mettait à la fuite.

Ils furent si longtemps à se battre que, la nouvelle en parvenant au roi Arthur, celui-ci eut le temps de s'armer et de venir sur le champ de bataille. Il vit comment ses chevaliers y remportaient la victoire. L'un après l'autre il les serra dans ses bras et dit : « Vous êtes dignes de tout l'honneur et de toute la renommée qui vous accompagnent. Jamais roi n'eut comme moi d'aussi nobles chevaliers. — Sire, repartit Cador, aucun de nous n'a failli à ses compagnons, mais de la vaillance et bravoure de messire Lancelot le récit serait plus qu'étonnant, ainsi que de celle de ses cousins, qui en ce jour accomplirent plus d'un magnifique exploit. »

Messire Cador dit aussi qui, parmi les chevaliers du roi, avait trouvé la mort, comme messire Bérille, et aussi messires Moris et Maurel, deux bons chevaliers. Cela tira des larmes au roi Arthur. Il s'essuya les yeux et dit : « Votre courage a bien failli vous perdre. Si vous aviez battu en retraite, votre honneur eût été sauf. Je tiens pour folie de la part de chevaliers de vouloir demeurer à combattre quand ils ont affaire à plus fort qu'eux. — Non, repartit Lancelot, et les autres aussi. Honneur perdu jamais ne se retrouve. »

CHAPITRE VIII

Comment un sénateur informa Lucius de leur déconfiture, et aussi de la grande bataille entre Arthur et Lucius

À PRÉSENT laissons là le roi Arthur, ainsi que ses nobles chevaliers, qui avaient remporté la victoire et conduit leurs prisonniers à Paris, et parlons d'un sénateur qui avait réchappé de la bataille et s'en vint à l'empereur Lucius pour lui dire ceci : « Sire, je vous conseille de vous retirer. Que faites-vous ici? Vous ne gagnerez en ces marches que des coups, des coups douloureux, hors de toute mesure, car en ce jour un seul des chevaliers d'Arthur valait au combat cent des nôtres. — Fi donc! repartit Lucius, c'est parlé comme un poltron. Tes paroles me font plus de peine que toutes les pertes que j'ai subies aujourd'hui. » Et sans tarder il envoya un roi, du nom de Léo, avec une grande armée, à charge pour lui de se hâter devant, tandis que lui suivrait hâtivement derrière.

Le roi Arthur en fut secrètement prévenu. Il envoya ses troupes dans le val de Soissons pour ôter aux Romains villes et châteaux. Puis il commit à messire Cador le soin de l'arrière-garde, lui disant de prendre avec lui certains des chevaliers de la Table Ronde : « Messire Lancelot, messire Bohort, messire Keu, messire Marrok, messire Marehaut ne quitteront pas votre personne. » C'est ainsi que le roi Arthur divisa son armée et l'éparpilla, afin que ses ennemis n'eussent nul moyen de lui échapper.

Lorsque l'empereur fut entré dans le val de Soissons, il fut à même de voir où le roi Arthur avait disposé ses troupes et déployé son étendard. Il se trouva environné d'ennemis de toutes parts, si bien qu'il lui fallait ou combattre ou se rendre à merci. Il lui était impossible de fuir. Il dit sans détour aux Romains : « Messires, je vous demande en ce jour de vous battre et de vous conduire de mâle façon. Souvenez-vous que Rome est souveraine maîtresse de la terre entière, de tout l'univers, et ne souffrez point qu'aujourd'hui ces Bretons nous tiennent tête. » Là-dessus il donna ordre à ses trompettes d'appeler au combat, si bien que le sol se mit à trembler et frémir.

Lors les armées allèrent à la rencontre l'une de l'autre. D'un côté et d'autre on courut, on poussa des cris. Des coups valeureux furent portés, bien des gens renversés, blessés et occis. On fit preuve en ce jour de beaucoup de vaillance, on vit bien des prouesses et faits d'armes. Il serait trop long de raconter les nobles exploits de chacun. Il y faudrait tout un livre. Faisons cependant exception pour le roi Arthur. Il alla de l'un à l'autre parmi ses troupes, exhortant ses chevaliers à bien se conduire, et auteur lui-même des actions les plus remarquables qu'on pût accomplir. Il tira du fourreau son épée Excalibur et fut toujours là où les Romains étaient le plus nombreux et faisaient le plus de dommage en ses rangs. Alors vite il accourait, frappait et tuait sans merci, et secourait ses gens. Il abattit un géant nommé Golapas, un homme qui était hors du commun par la taille et la grosseur. Il le raccourcit. Il lui trancha les deux jambes à hauteur du genou, disant : « Te voici à présent d'une taille dont il est plus aisé de s'accommoder qu'auparavant. » Puis il lui coupa la tête. Messire Gauvain se battit vaillamment. Il occit trois amiraux en cette bataille. Tous les chevaliers de la Table Ronde se conduisirent de même manière.

Ainsi longtemps durèrent les combats entre le roi Arthur et l'empereur Lucius. Lucius avait avec lui de nombreux Sarrasins, qui perdirent la vie. La bataille fut âpre. Souvent l'un des deux camps prenait l'avantage. Puis incontinent il le perdait. Cela se prolongea outre mesure, jusqu'à ce que finalement le roi Arthur s'avisât d'où combattait Lucius et où son bras faisait merveille. En diligence il courut à sa rencontre. Chacun des deux frappa l'autre avec fureur. Enfin Lucius choqua Arthur au travers du visage, lui causant une grande blessure. Lorsque le roi sentit qu'il était touché, aussitôt en retour il porta un coup à son adversaire de son épée Excalibur. L'épée fendit la tête de Lucius, depuis le sommet du crâne, ne s'arrêtant qu'à la poitrine. L'empereur tomba mort. Ainsi s'acheva sa vie.

Quand ils surent que l'empereur avait été tué, aussitôt tous les

Romains et leur armée entière se mirent à la fuite. Le roi Arthur avec ses chevaliers les pourchassa. Ils occirent sans merci tous ceux qu'ils purent atteindre. Ainsi la victoire revint-elle au roi Arthur, de même que le triomphe. On dénombra du côté de Lucius plus de cent mille morts. Ensuite le roi fit examiner les cadavres. Il fit enterrer ceux qui étaient de son armée, chacun selon son rang et sa condition. Ceux qui étaient blessés, il commanda aux chirurgiens de sonder leurs plaies et blessures et ordonna de n'épargner ni drogue ni onguent jusqu'à guérison.

Puis le roi alla droit où gisait sans vie l'empereur Lucius. Avec lui il trouva morts le sultan de Syrie, le roi d'Égypte et d'Éthiopie. C'étaient deux nobles princes. Il y avait aussi dix-sept autres monarques de divers pays, ainsi que soixante sénateurs de Rome, tous gentilshommes. Le roi les fit embaumer et fit enduire les corps de beaucoup de gommes aromatiques. Puis il les fit envelopper de linceuls de soie, soixante fois repliés, et placer en cercueils de plomb, afin de les garder de la chaleur et d'empêcher les odeurs. Sur tous ces corps on mit les écus avec armes et bannières, pour que fût reconnu le pays d'où ils étaient.

Après quoi Arthur découvrit encore vivants trois sénateurs, auxquels il dit : « Si vous voulez avoir la vie sauve, prenez ces corps et emmenez-les jusqu'à la grande ville de Rome, afin de les y présenter en mon nom au premier magistrat de la cité. Vous lui montrerez mes lettres et direz que je serai bientôt moi-même en personne dans votre ville. J'imagine que les Romains y regarderont maintenant à deux fois avant de me demander tribut. Et je vous ordonne de dire, quand vous serez à Rome, au premier magistrat, à tous les conseillers et à tout le sénat, que je leur envoie ces dépouilles pour tenir lieu de ce tribut qu'ils m'avaient demandé. Si cela ne les satisfait point, je paierai davantage lorsque je viendrai, car d'autre tribut je n'en dois aucun, et de nul autre ne m'acquitterai. Il me semble que cela suffit pour la Grande-Bretagne, l'Irlande et toute l'étendue de l'Allemagne et de la Germanie. En outre, je vous charge de leur dire que je leur donne ordre, au risque pour eux d'y perdre leurs têtes, de ne jamais plus me demander tribut ni impôt, ni pour moi ni pour mes terres. »

Lors, munis de ces charges et instructions, les trois sénateurs susdits s'en furent avec tous les corps que j'ai nommés, celui de Lucius étant placé sur un char séparément et couvert des armes impériales. Après venaient sur un chariot les dépouilles de deux rois, puis celles des sénateurs. C'est ainsi qu'ils firent route vers Rome et donnèrent au premier magistrat, de même qu'au sénat, leurs instructions et message, narrant la bataille qu'il y avait eu en France, comment elle avait été perdue et maintes gens occis, impossibles à dénombrer. Ce pourquoi ils conseillaient de ne plus jamais en aucune façon engager de guerre contre Arthur, ce noble conquérant, car « de sa puissance et vaillance il faut tout redouter, considérant les nobles rois et chevaliers de la Table Ronde, auxquels nul prince de la terre ne se peut comparer. »

CHAPITRE IX

Comment Arthur, après avoir gagné la bataille contre les Romains, entra en Allemagne, et de là passa en Italie

À PRÉSENT, tournons-nous du côté du roi Arthur et de ses nobles chevaliers. Après avoir gagné la grande bataille contre les Romains, ils entrèrent en Lorraine, Brabant et Flandre, ensuite retournèrent en Haute-Allemagne et, de là franchissant les montagnes, passèrent en Lombardie, puis en Toscane. Ils y trouvèrent devant eux une cité qui en nulle façon ne consentit à se rendre ou à obéir. Le roi Arthur l'assiégea, demeurant longuement sous ses murs et donnant souvent l'assaut. Mais ceux qui étaient dedans se défendaient vaillamment.

Un jour, le roi fit venir à lui messire Florent, un chevalier. Il lui dit qu'ils étaient à court de vivres. « Non loin d'ici, il y a de grands bois et de grandes forêts. Beaucoup de mes ennemis y sont, avec force bétail. Je veux que tu te prépares et t'y rendes, pour en ramener de quoi nous nourrir. Prends avec toi messire Gauvain, mon neveu, messire Guichard, messire Clégis, messire Clèremonde et le capitaine de Cardiff, ainsi que d'autres. Avec vous ramenez toutes les bêtes sur lesquelles vous pourrez mettre la main. »

En diligence ces chevaliers se préparèrent. Ils chevauchèrent par collines et boqueteaux, bois et forêts, jusqu'à une belle prairie couverte de belles fleurs et belle herbe. Là ils se reposèrent toute la nuit, ainsi que leurs chevaux. À l'aube le lendemain matin, messire Gauvain prit son cheval et furtivement quitta ses compagnons, à la recherche d'aventures. Peu après il aperçut un homme en armes. Il promenait son cheval à la lisière d'un bois. Son écu était lacé à son épaule. Il chevauchait un robuste destrier, sans personne pour le servir qu'un page portant une forte lance. À l'écu de ce chevalier on voyait trois griffons d'or sur escarboucle de sable et champ d'argent.

Lorsque messire Gauvain aperçut ce beau chevalier, il coucha sa lance, courut droit à lui et lui demanda d'où il était. L'autre répondit qu'il était de Toscane et à son tour demanda à messire Gauvain : « Que me veux-tu, fier chevalier, pour être aussi hardi ? Tu ne peux espérer ici nul butin. Tu auras beau faire, tu seras mon prisonnier avant que tu partes. — Tu te vantes grandement par de telles paroles, repartit Gauvain. Tu parles avec arrogance. Je te conseille, en dépit de toute ta vantardise, de tc préparer et de te munir de tes armes, avant que malheur t'advienne. »

CHAPITRE X

D'un combat livré par messire Gauvain à un Sarrasin, lequel ensuite se rendit à merci et devint chrétien

Lors ils prirent leurs lances et se coururent sus avec toute la vigueur dont ils étaient capables. Les armes, au travers des boucliers, atteignirent les épaules. Sur ce, sans attendre, ils dégainèrent leurs épées et se portèrent de tels coups que le feu jaillit de leurs heaumes. Messire Gauvain en fut abasourdi. À l'aide de Galuth, sa bonne épée, il perça l'écu et le haubert épais, fait de grosses mailles. Il le déchira, brisa les pierres précieuses. Il fit une large plaie, si grande qu'on pouvait voir le foie et les poumons. L'autre chevalier gémit. Il se tourna vers messire Gauvain et, frappant de revers, le blessa gravement, lui ouvrant une veine. Gauvain en éprouva une vive douleur et saigna beaucoup.

Lors le chevalier lui dit : « Bande ta plaie ou cesse de perdre ton sang, car tu en couvres ton cheval et tes belles armes. Mais tous les barbiers de Bretagne ne sauraient étancher ce sang, car quiconque est blessé de cette lame, jamais son sang ne sera étanché. » Gauvain repartit : « Je ne souffre que peu. Tes grands mots ne suffiront pas à m'effrayer et ne pourront diminuer mon courage. C'est toi au contraire qui vas souffrir et te lamenter avant que nous nous séparions. Mais cependant dis-moi vite qui peut arrêter le sang de ma blessure. — Moi, je puis le faire, dit le chevalier, mais à condition que je le veuille. Et je le voudrai si tu consens à me porter aide et secours, afin que je puisse recevoir le baptême et croire en Dieu. Je le requiers de ton humanité, et ce sera grand mérite pour ton âme. — Je t'accorde, répondit Gauvain, avec l'aide de Dieu, l'accomplissement de tous tes souhaits, mais d'abord dis-moi ce que tu cherchais ici solitaire et quel est ton pays et ton seigneur lige.

— Messire, dit-il, mon nom est Priamus. Mon père est un grand prince. Il s'est rebellé contre les Romains et les a chassés de beaucoup de leurs terres. Il descend en droite ligne d'Alexandre et d'Hector. Le duc Josué et Maccabée étaient de notre lignée. Je suis l'héritier légitime d'Alexandrie, de l'Afrique et de toutes les îles qui bordent ses rivages. Pourtant je veux croire en ce dieu auquel tu crois aussi, et pour ta peine je te donnerai des richesses en nombre suffisant. J'étais en mon cœur si arrogant et bouffi d'orgueil que je ne jugeais nul homme mon égal ni semblable à moi. J'ai été envoyé à cette guerre en compagnie de cent quarante chevaliers, et maintenant que je t'ai rencontré tu m'as donné de rencontres mon content. C'est pourquoi, seigneur chevalier, je t'en prie, dis-moi qui tu es. — Je ne suis point chevalier, répondit Gauvain. J'ai été instruit de longues années à la cour du noble roi Arthur à la garde-robe, afin de prendre soin de son armure et autres habillements, de galonner les pourpoints qui lui appartiennent. À la Noël passée, il m'a fait valet, m'a donné cheval et harnois et cent livres en argent comptant. Si la fortune m'est favorable, je ne doute point d'obtenir avancement et appui de la part de mon seigneur lige.

— Ah ! s'exclama Priamus, si ses valets ont tant d'ardeur et de feu, ses chevaliers doivent avoir une valeur bien grande. À présent, pour l'amour de Celui qui règne dans les cieux, que tu sois valet ou chevalier, dis-moi ton nom. — Par Dieu, répondit messire Gauvain, je vais te dire la vérité. Mon nom est messire Gauvain. Je suis connu à la cour du roi Arthur et dans ses appartements, et l'un des chevaliers de la Table Ronde. Il m'a fait duc de ses propres mains. En conséquence, ne te plains pas de la grâce qui m'échoit : c'est la bonté de Dieu qui m'a prêté ma force. — J'en suis plus satisfait, dit Priamus, que si tu m'avais fait don de toute la Provence et de Paris l'opulente. J'eusse mieux aimé être écartelé par des chevaux sauvages que de voir un valet gagner un tel renom, ou un page ou un écuyer à mes dépens remporter le prix. Maintenant, sire chevalier, je te préviens que dans ces parages se trouve le duc de Lorraine avec son armée, les hommes les plus braves du Dauphiné, des seigneurs de Lombardie, la garnison du Saint-Gothard, et des Sarrasins des terres du Sud, au nombre de soixante mille valeureux hommes d'armes. Cela fait que si nous ne nous hâtons pas de fuir, nous allons souffrir l'un et l'autre. Nous sommes gravement blessés tous deux et n'avons que peu de chances de nous en remettre. Prends seulement soin de mon page, qu'il ne sonne point du cor. S'il le faisait accourraient bien vite cent chevaliers qui veillent sur ma personne, et s'ils te capturaient, nulle rançon d'or ni d'argent ne pourrait te valoir la liberté. »

Lors messire Gauvain franchit une rivière, pour se sauver. Le chevalier le suivit. Gauvain continua ainsi jusqu'à ce qu'il eût rejoint ses compagnons dans le pré, où ils étaient demeurés la nuit entière. Dès que messire Guichard aperçut messire Gauvain et se rendit compte qu'il était blessé, il courut à lui en pleurant tristement et lui demanda qui lui avait fait cette blessure. Gauvain lui répondit qu'il avait combattu avec l'homme qui l'accompagnait, qu'ils s'étaient blessés l'un l'autre et que son adversaire avait des onguents pour les guérir tous deux. « Mais, ajouta-t-il, je puis vous annoncer d'autres nouvelles. Bientôt nous aurons affaire à beaucoup d'ennemis. »

Messire Priamus et messire Gauvain descendirent de cheval. Ils mirent leurs destriers à paître dans le pré, et le sang à nouveau coula de leurs blessures. Priamus prit des mains de son page une fiole emplie des quatre eaux venues du Paradis. D'un certain baume il oignit leurs plaies et les lava de l'eau de la fiole. Moins d'une heure après, ils étaient l'un et l'autre en aussi parfaite santé que jamais auparavant.

Lors au son de la trompette ils s'assemblèrent tous en conseil. Là Priamus leur dit quels seigneurs et chevaliers s'étaient engagés par serment à le secourir, que sans doute aucun ils seraient assaillis par des milliers et des milliers de gens, ce pour quoi il leur conseillait de battre en retraite. Messire Gauvain répondit que ce serait pour eux grande honte que de se retirer sans combattre. « Mon avis, dit-il, est donc que nous nous armions et tenions prêts à rencontrer ces Sarrasins et mécréants. Avec l'aide de Dieu nous les vaincrons et à leurs dépens gagnerons une grande bataille. Messire Florent demeurera dans ce pré pour garder en vaillant chevalier le terrain que nous occupons, tandis que nous ne refuserons point d'affronter ces gens-là. — Or çà, dit Priamus, cessez ce bavardage. Je vous préviens que dans ces bois là-bas vous trouverez maint chevalier dangereux. Ils pousseront des bêtes devant eux pour vous attirer. Ils sont innombrables. Vous n'êtes pas plus de sept cents, ce sera trop peu pour combattre tant de monde. — Nonobstant, repartit messire Gauvain, nous les rencontrerons. Nous verrons ce dont ils sont capables, et les meilleurs remporteront la victoire. »

CHAPITRE XI

Comment les Sarrasins sortirent d'un bois pour sauver leurs bêtes, et d'une grande bataille

Lors messire Florent appela à lui messire Floridas, ainsi que cent autres chevaliers, et poussa devant lui le troupeau de bétail. Les suivaient sept cents hommes d'armes. Messire Ferrant d'Espagne sur un beau destrier surgit des bois. Il vint à messire Florent et lui demanda pourquoi il s'enfuyait. Messire Florent prit sa lance et courut à sa rencontre. Il le heurta au front et lui brisa le cou. Tous les autres alors se mirent en mouvement, dans le dessein de venger la mort de messire Ferrant. Ils frappèrent au milieu de la compagnie. Il y eut un combat furieux. Beaucoup furent occis et jetés au sol. Cependant messire Florent et ses cent chevaliers ne reculèrent point et toujours se battirent avec vaillance.

Lorsque Priamus, le valeureux chevalier, vit cette âpre mêlée, il alla trouver messire Gauvain et lui dit d'aller porter secours à ses compagnons, qui étaient dangereusement pressés par leurs ennemis. « Messire, repartit Gauvain, ne soyez pas en peine. La victoire appartiendra aux nôtres. Je ne dirigerai mon cheval vers eux que si je vois plus de péril que maintenant. Ils sont assez forts pour leur tenir tête. » Là-dessus il aperçut un comte du nom de messire Ethelwold, ainsi que le duc de Lorraine, qui saillaient d'un bois avec des milliers et des milliers de gens, de même que les chevaliers de Priamus, tous prenant part aussitôt à la bataille.

Messire Gauvain réconforta ses chevaliers. Il leur dit de ne pas perdre courage. « La journée sera nôtre. » Ils se mirent à galoper et affrontèrent leurs ennemis. Il y eut des hommes occis et culbutés de tous côtés. C'est alors que se jetèrent dans la mêlée les chevaliers de la Table Ronde. Ils firent choir quiconque leur résistait, si bien que leurs adversaires durent battre en retraite et prirent la fuite. « Par Dieu, dit messire Gauvain, cela me réjouit le cœur, car à présent leur nombre s'est réduit de vingt mille. » Sur ce entra dans la bataille Jubance, un géant. Il se battit et tua sans merci. Il causa grand dommage parmi beaucoup de nos chevaliers, au nombre desquels perdit la vie messire Gérard, chevalier de Galles.

Mais nos chevaliers reprirent courage et occirent force Sarrasins. Messire Priamus parut avec sa bannière. Il se rangea aux côtés des chevaliers de la Table Ronde et combattit avec tant de bravoure que beaucoup de leurs ennemis perdirent la vie. Messire Priamus occit le marquis de Metz. Messire Gauvain et ses compagnons se conduisirent de telle sorte qu'ils restèrent maîtres du champ. Cependant, au cours des combats périt messire Chastelain, un damoiseau qui était pupille de messire Gauvain, ce qui fut cause de grande douleur. Sa mort fut bientôt vengée.

C'est ainsi que s'acheva la bataille. Maint seigneur de Lombardie, maint Sarrasin restèrent sans vie sur le lieu des engagements. Messire Florent et messire Gauvain trouvèrent pour leurs gens un abri sûr. Ils prirent quantité de bétail, d'or et d'argent, de richesses et trésors en abondance, puis s'en retournèrent devers le roi Arthur, qui était demeuré au siège de la cité. Lorsqu'ils furent devant le roi, ils lui présentèrent leurs prisonniers et lui contèrent leurs aventures, et comment ils avaient vaincu leurs ennemis.

CHAPITRE XII

Comment messire Gauvain s'en retourna devers le roi Arthur, comment le roi conquit une cité, et comment il fut couronné empereur

« À PRÉSENT, que Dieu soit loué ! dit le noble roi Arthur. Mais quel est donc cet homme qui se tient à l'écart ? Il n'a pas l'air d'un prisonnier. — Sire, répondit messire Gauvain, c'est un valeureux homme d'armes. Il m'a combattu, mais s'est rendu à Dieu — ainsi qu'à moi — afin de se faire chrétien. Sans lui nous n'aurions pu revenir, ce pour quoi je vous prie de permettre qu'il soit baptisé, car il n'existe point d'homme plus généreux, ni de chevalier qui ait plus de vigueur. » Lors le roi sans tarder commanda qu'on lui donnât le baptême, avec Priamus pour prénom, et de lui fit un duc et un chevalier de la Table Ronde.

Puis sans attendre il fit crier l'assaut contre la cité. On dressa des échelles, enfonça des murs, combla des fossés, pour que les hommes de guerre sans trop de peine pussent entrer dans la ville. Sortirent alors une duchesse et Clarisse la comtesse, avec beaucoup de dames et de demoiselles. Elles s'agenouillèrent devant le roi Arthur, le réquérant pour l'amour de Dieu de recevoir la reddition de la ville et ne pas la prendre d'assaut, car maint innocent y perdrait la vie. Lors le roi abaissa la visière de son heaume, laissant voir un visage doux et généreux. Il dit : « Madame, nul de mes sujets ne fera de tort, ni à vous ni à vos pucelles ni à aucun des gens qui vous appartiennent, mais le duc devra se soumettre à mon jugement. »

Le roi alors incontinent ordonna qu'on renonçât à l'assaut, et en diligence le fils aîné du duc apporta les clefs. S'agenouillant, il les bailla au roi en implorant sa grâce. Le roi prit possession de la ville, avec l'assentiment de ses barons. Il fit le duc prisonnier et l'envoya à Douvres, pour y demeurer captif le restant de ses jours. Il assigna des revenus au douaire de la duchesse et à ses enfants. Puis il institua des seigneurs pour gouverner ce pays et fit des lois, comme tout seigneur doit en faire en ses propres terres. Après quoi il entreprit son voyage vers Rome. Il envoya devant messire Florent et messire Floridas, avec cinq cents hommes d'armes. Ils arrivèrent devant la cité d'Urbino. Là certains s'embusquèrent, en un lieu qui leur semblait le plus propice. Les autres s'avancèrent jusqu'à la ville. Incontinent saillirent beaucoup de gens, qui avec l'avant-garde s'escarmouchèrent. Lors l'embuscade soudainement sortit de sa cachette, prit le pont, puis la ville, et fit flotter sur les remparts l'étendard du roi.

Le roi monta sur une colline. Il vit la cité et son étendard sur les murailles, par où il connut que la cité était conquise. Aussitôt il donna ordre que nul de ses hommes liges n'usât d'outrage ou violence avec dame, épouse ni pucelle. Quand il entra dans la ville, il se rendit au château, y réconforta ceux qui étaient dans la peine et désigna comme capitaine un chevalier de son propre pays. Lorsque les gens de Milan entendirent que cette cité était prise, ils envoyèrent au roi Arthur de grandes sommes d'argent, l'implorant en tant que leur seigneur d'avoir pitié d'eux, lui promettant de demeurer à jamais ses sujets, se reconnaissant ses fidèles vassaux pour les terres de Plaisance et de Pavie, de Petresainte et de Pontremoli, et s'engageant à lui donner tous les ans un million en or sa vie durant. Lors le roi passa en Toscane, prenant villes et châteaux. Il dévastait tout sur sa route à chaque fois qu'on lui refusait obéissance. Il atteignit ainsi Spolète et Viterbe, puis la vallée de Visconti parmi les vignes.

Quand il y fut, il fit parvenir un message aux sénateurs, afin de savoir s'ils voulaient bien le reconnaître pour leur seigneur. Cependant, peu après, un samedi, vinrent devers le roi Arthur tous les sénateurs qui restaient en vie et les plus éminents cardinaux logeant alors à Rome. Ils le supplièrent de leur octroyer la paix. Ils lui firent des offres considérables. En tant que gouverneur, ils le prièrent de permettre pendant six semaines d'assembler tous les Romains, pour ensuite pouvoir le couronner empereur avec l'huile consacrée, le chrême, ainsi qu'il convenait à une dignité aussi haute. « Je consens, dit le roi, à ce qu'il soit fait comme vous l'avez conçu, à ce qu'à Noël je sois ici couronné, et à tenir ici ma Table Ronde avec mes chevaliers, si tel est mon bon plaisir. »

Lors les sénateurs mirent tout en place pour qu'il pût monter sur le trône. Au jour dit, d'après le roman, il vint à Rome et y fut couronné empereur de la main du pape, avec toute la magnificence qu'il fut possible d'apporter. Il demeura là quelque temps. Il détermina le sort de toutes ses terres, depuis Rome jusqu'en France. Il distribua royaumes et domaines à ses serviteurs et chevaliers, chacun selon son mérite, et de telle manière que nul n'eût à se plaindre, riche ou pauvre. À messire Priamus il bailla le duché de Lorraine. Il le remercia et dit qu'il l'obligerait, aussi longtemps qu'il serait en vie. Puis il fit des ducs et des comtes, et enrichit chacun.

Quand ce fut fait, tous ses chevaliers et barons s'assemblèrent devant lui et lui dirent : « Dieu soit loué, vos combats sont finis et votre conquête est achevée, au point que nous ne connaissons personne de si grand et de si puissant qu'il ose mener une guerre contre vous. En conséquence, nous vous prions avec instance de retourner en votre pays et de nous donner liberté de rentrer chez nous, d'y retrouver nos épouses, dont longtemps nous avons été séparés, et d'y prendre du repos, car votre voyage a touché son terme et vous a valu honneur et renom. »

Lors le roi : « Vous dites vrai et tenter Dieu n'est point sagesse. Adonc tenez-vous prêts, que nous repartions pour l'Angleterre. » On amassa les harnois, les bagages. Il y eut grand charroi. Une fois liberté donnée à chacun, le roi Arthur revint en arrière pour intimer l'ordre que nul, sous peine de mort, ne dérobât ni ne s'emparât de vivres ni de quoi que ce fût en son chemin, sans payer pour ce qu'il emportait. C'est ainsi qu'il passa la mer et débarqua à Sandwich. La reine Guenièvre, son épouse, y vint à sa rencontre. Il fut dignement accueilli de tout son peuple, en chaque cité et chaque bourg, et des présents considérables lui furent offerts à son retour en son pays pour lui souhaiter la bienvenue.

Ici se clôt le CINQUIÈME LIVRE, de la conquête que le roi Arthur mena à l'encontre de Lucius, empereur de Rome, et suit le SIXIÈME LIVRE, qui est de messire Lancelot du Lac.

LIVRE SIXIÈME

Lancelot

CHAPITRE I

Comment messire Lancelot et messire Lionel quittèrent la cour, et comment messire Lionel, après avoir laissé dormir messire Lancelot, fut fait prisonnier

PEU APRÈS QUE LE ROI ARTHUR vint en Angleterre, de retour de Rome, tous les chevaliers de la Table Ronde se rendirent auprès de lui. Ils prirent part à mainte joute et maint tournoi. Il y en eut qui n'étaient que chevaliers, dont l'habileté aux armes et le renom tant s'accrurent qu'ils surpassèrent tous leurs compagnons par le courage et les belles actions. On pourrait en citer bien des exemples. Mais la preuve en fut surtout donnée avec messire Lancelot du Lac. En tournois, joutes, faits d'armes il était meilleur que tout autre de tout temps. En nulle occasion il n'était vaincu, si ce n'est par traîtrise ou enchantement. Il acquit ainsi tant merveilleusement d'honneur et de renommée qu'il est le premier chevalier dont parle le livre français après que le roi Arthur revint de Rome. Ce pour quoi il fut en grande faveur auprès de la reine Guenièvre, plus que tout autre chevalier, et assurément en retour il l'aima plus que toute autre dame ou demoiselle sa vie durant. Pour elle il accomplit de nombreux exploits et la sauva du feu par sa bravoure chevaleresque.

Adonc messire Lancelot se récréa longuement par jeux et passetemps. Lors il songea à se mettre à l'épreuve par des aventures hors du commun. Il commanda à son neveu, messire Lionel, d'avoir à se préparer. « Ensemble nous allons chercher l'aventure. » Ils se mirent donc en selle, armés de toutes pièces, et entrèrent dans une vaste forêt, puis dans une vaste plaine. Vers l'heure de midi, la chaleur se fit sentir. Messire Lancelot eut grande envie de dormir. Messire Lionel aperçut un grand pommier près d'une haie. Il dit : « Mon frère, là-bas l'ombre est plaisante. Nous pourrions y faire reposer nos chevaux. — C'est bien parlé, gentil frère, repartit messire Lancelot, car de sept ans je n'ai ressenti une telle envie de dormir. »

Ils mirent donc pied à terre. Ils attachèrent leurs destriers à deux arbres. Messire Lancelot se coucha sous un pommier et plaça son heaume dessous sa tête. Messire Lionel veilla, cependant qu'il dormait. Messire Lancelot n'avait guère tardé à s'assoupir.

Sur ces entrefaites survinrent trois chevaliers sur leurs montures, qui fuyaient aussi vite que pouvoir leur en était donné. À leur poursuite venait un seul chevalier. Quand messire Lionel le vit, il pensa n'avoir jamais vu plus grand, ni d'aussi belle allure, ni aussi bien armé de toutes pièces. Peu après, ce robuste chevalier rejoignit l'un des fuyards. Il le fit choir sur la froide terre, où il demeura immobile. Puis il courut sus au deuxième et le frappa de telle sorte que tombèrent l'homme et le cheval. Aussitôt il alla droit au troisième et l'atteignit au cul de son cheval du bout de sa lance. Quand ce fut fait, il mit pied à terre, attacha sa monture par la bride et lia les trois chevaliers à l'aide des courroies de leurs propres brides.

Lorsque messire Lionel le vit faire, il pensa l'assaillir. Il se prépara. Sans bruit et secrètement il prit son cheval, pour ne pas éveiller messire Lancelot. Une fois en selle, il rejoignit le robuste chevalier et lui intima l'ordre de faire demi-tour. L'autre le choqua si rudement qu'il culbuta cavalier et monture. Après quoi il mit pied à terre, attacha Lionel solidement et le jeta au travers de son cheval. Il fit subir le même sort à tous les quatre et s'en fut avec eux en son château. Quand il y fut rendu, il leur fit ôter leurs armures et les fit battre d'épines complètement nus. Ensuite il les mit dans un cul de basse-fosse, où se trouvaient déjà beaucoup d'autres chevaliers dont l'affliction était grande.

CHAPITRE II

Comment messire Hector partit à la recherche de messire Lancelot, et comment il fut fait prisonnier par messire Tarquin

LORSQUE MESSIRE HECTOR DES MARES sut que messire Lancelot avait quitté la cour en quête d'aventures, il en fut irrité et se prépara à partir à sa recherche. Il avait longuement chevauché dans une grande forêt quand il fit rencontre d'un homme qui avait l'air d'un forestier. « Mon ami, demanda messire Hector, as-tu connaissance en ce pays d'aventures non loin d'ici? Messire, répondit le forestier, ce pays, je le connais bien. Non loin d'ici, à moins d'une demi-lieue, il y a un manoir bien défendu, bien fossoyé. Près de ce manoir, à gauche, se trouve un gué de bonne sorte pour y faire boire les chevaux. Au-dessus du gué pousse un bel arbre. Y est pendu maint écu superbe, que naguère tenait maint valeureux chevalier. Au creux de cet arbre est accroché un bassin de cuivre et de laiton. Frappez trois fois sur ce bassin du bois de votre lance et, avant qu'il soit longtemps, vous entendrez parler de quelque chose, sinon vous seriez le plus chanceux de tous les chevaliers qui ont toutes ces années traversé cette forêt.

— Grand merci! » repartit messire Hector. Il quitta le forestier et s'en vint à l'arbre. Là il vit plus d'un bel écu. Au nombre de ces écus il y avait celui de son frère, messire Lionel, et bien d'autres qu'il savait appartenir à ses compagnons de la Table Ronde. Son cœur en fut affligé, et il se promit de venger son frère. Incontinent il se mit à frapper sur le bassin, comme s'il eût été pris de rage. Puis il fit boire son cheval au gué. Un chevalier survint derrière lui. Il lui dit de sortir du gué et de se préparer. Messire Hector aussitôt rapidement se tourna. Il mit sa lance en arrêt et heurta l'autre si rudement que son cheval en fit deux tours sur lui-même. « Voilà qui était bien fait, dit le robuste chevalier, et plein d'audace. » Là-dessus il fit courir sa monture sus à messire Hector. La lance le prit sous le bras droit et lui fit vider les arçons. Le chevalier alors l'emmena dans la grand-salle de son château et l'y jeta au sol au milieu de celle-ci.

Le nom de ce chevalier était messire Tarquin. Il dit à messire Hector : « Pour ce que tu m'as fait en ce jour plus que tout autre chevalier ces douze dernières années, je te fais grâce de la vie. J'y mets cependant la condition que tu t'engages par serment à être mon prisonnier le reste de tes jours. — Non, dit messire Hector, cela, je ne m'y engagerai jamais. Je ferai comme bon me semblera. — Je le regrette », repartit messire Tarquin. Sur ce il commença à lui ôter son armure, puis le battit d'épines une fois qu'il fut tout à nu. Ensuite il le mit dans un cul de basse-fosse, où il reconnut beaucoup de ses compagnons. Cependant, lorsque messire Hector aperçut messire Lionel, il se lamenta grandement. « Hélas! mon frère, s'exclama-t-il, où donc est messire Lancelot? — Gentil frère, il dormait lorsque je l'ai quitté, dessous un pommier. Ce qu'il est advenu de lui, je ne saurais le dire. — Hélas! s'écrièrent les chevaliers, si messire Lancelot ne nous secourt point, nous ne pourrons jamais être délivrés, car nous ne connaissons nul autre chevalier à l'heure qu'il est capable de se mesurer à Tarquin, notre maître. »

CHAPITRE III

Comment quatre reines trouvèrent Lancelot endormi,
et comment par enchantement il fut pris et emmené dans un château

À PRÉSENT laissons ces chevaliers dans leur prison, et parlons de messire Lancelot du Lac, qui est étendu sous le pommier, endormi. Vers l'heure de midi vinrent près de lui quatre grandes reines. Pour que la chaleur ne les incommodât point, quatre chevaliers chevauchaient à leurs côtés, portant un drap de soie verte au bout de quatre lances, entre elles et le soleil. Les quatre reines étaient montées sur quatre mules blanches. Alors qu'elles allaient en ce cortège, elles entendirent tout près le hennissement farouche d'un grand coursier et s'avisèrent de la présence d'un chevalier, endormi tout armé sous un pommier. Aussitôt que ces reines eurent regardé son visage, elles surent que c'était là messire Lancelot. Ce fut alors à qui aurait ce chevalier, chacune le voulant pour son amant.

« Ne nous disputons point, dit Morgane la Fée, la sœur du roi Arthur. J'userai sur lui d'un enchantement tel que de six heures il ne s'éveillera point. Puis je le conduirai en mon château. Quand il sera assurément en mon pouvoir, je romprai le charme auquel je l'aurai soumis. Il pourra alors choisir laquelle de nous il prendra pour maîtresse. » Un charme fut donc jeté sur messire Lancelot. Puis on l'étendit sur son bouclier, et il fut ainsi porté à dos de cheval, entre deux chevaliers, pour être mené au château de la Charrette. Là on le mit dans une chambre fraîche et, le soir venu, on lui envoya une belle demoiselle avec son souper tout prêt. Pour lors l'enchantement n'avait plus d'effet. À son entrée, elle le salua et lui demanda si tout allait bien. « Je ne saurais vous dire que tout va bien, demoiselle, répondit-il. Je ne vois pas comment j'ai pu venir en ce château, si ce n'est par enchantement. — Messire, il ne faut point vous laisser abattre et, si vous êtes le chevalier que l'on dit, je vous en ferai savoir davantage demain matin à l'aube. — Grand merci, gente demoiselle, je le requiers de votre bonne grâce. »

Elle s'en alla. Toute la nuit il resta ainsi couché sans le réconfort d'aucune présence. Le lendemain de bonne heure vinrent les quatre reines. Elles étaient fort bien parées. Toutes elles lui souhaitèrent le bonjour, et lui fit de même en retour. « Sire chevalier, dirent les quatre reines, il vous faut comprendre que vous êtes notre prisonnier. Nous savons bien que vous êtes messire Lancelot du Lac, fils du roi Ban. Nous connaissons vos mérites, vous êtes le plus digne chevalier qui soit au monde. Nous n'ignorons nullement qu'aucune dame ne peut prétendre à votre amour qu'une seule, et cette dame la reine Guenièvre. Cependant, à l'heure qu'il est, il vous faut la perdre pour toujours et il lui faut vous perdre aussi. En conséquence, vous devez à présent choisir l'une de nous quatre. Je suis Morgane la Fée, reine du pays de Gorre, et voici la reine de Norgalles, la reine des Iles de l'Ouest, et la reine des Iles Lointaines. Choisissez sans tarder celle de nous que vous voulez pour maîtresse. Vous n'avez pas d'autre choix. Autrement vous mourrez en cette prison.

— Triste situation ! dit messire Lancelot. Ou je dois périr, ou je dois faire choix de l'une de vous. Malgré cela, j'aimerais mieux mourir en cette prison en gardant mon honneur que d'avoir à mon corps défendant l'une de vous pour maîtresse. Voici donc ma réponse : je ne veux d'aucune, car vous êtes de fausses enchanteresses. Quant à ma dame, dame Guenièvre, si j'étais libre comme auparavant je l'étais, je prouverais par ma victoire à vos dépens ou aux dépens des vôtres qu'elle est de toutes les femmes la plus loyale envers son seigneur. — Eh bien, dirent les reines, est-ce là votre réponse ? Vous ne voulez point de nous ? — Non, sur ma vie, je ne veux point de vous. » Là-dessus elles partirent, le laissant seul, et fort consternées.

CHAPITRE IV

Comment messire Lancelot fut délivré par le moyen d'une demoiselle

À L'HEURE DE MIDI, la demoiselle vint à lui avec son dîner et lui demanda de ses nouvelles. « En vérité, gente demoiselle, lui répondit-il, de ma vie elles n'ont été aussi mauvaises. — Messire, je le déplore. Mais si vous voulez bien vous en remettre à moi, je vous aiderai à échapper à votre détresse. Vous n'aurez à craindre ni honte ni vilénie, pourvu que vous me fassiez une promesse. — Gente demoiselle, je vous la fais. Je suis fort effrayé par ces reines-sorcières. Elles ont causé la perte de plus d'un bon chevalier. — Messire, c'est vérité. À cause du renom et du mérite qu'elles ont entendu que vous avez, elles voudraient être aimées de vous. Messire, elles disent que votre nom est messire Lancelot du Lac, la fleur de la chevalerie, et elles sont fort courroucées contre vous de ce que vous les avez éconduites. Pourtant, messire, si vous vouliez bien me promettre, le mardi à venir, d'aider mon père, qui a mis sur pied un tournoi avec le roi de Norgalles... Mardi dernier, mon père a perdu les honneurs de la journée à cause de trois chevaliers de la cour d'Arthur. Si vous consentez à être là le mardi à venir et à aider mon père, demain matin à la première heure, Dieu m'en soit témoin, je vous rendrai une entière liberté.

— Gente demoiselle, repartit messire Lancelot, dites-moi quel est le nom de votre père, et alors vous aurez ma réponse. — Sire chevalier, répondit-elle, mon père est le roi Bademagu, qui fut vilainement déconfit lors du dernier tournoi. — Je connais bien votre père, dit messire Lancelot, pour un noble roi et un valeureux chevalier. Par ma foi, je serai prêt à vous servir, vous et votre père, au jour convenu. — Messire, grand merci. Demain matin, veillez à être prêt de bonne heure. Je serai celle qui vous délivrera et vous baillera votre armure, votre cheval, votre écu, votre lance. Non loin d'ici, à moins de quatre lieues, se trouve une abbaye de moines blancs. Je vous prierais de m'y attendre et vous y amènerai mon père. — Tout ceci sera exécuté, dit messire Lancelot, sur ma foi de chevalier. »

C'est ainsi qu'elle s'en alla, revint le lendemain matin de bonne heure et le trouva prêt. Lors elle lui ouvrit vingt portes qui étaient fermées à clef. Elle le conduisit là où était son armure. Quand il fut entièrement armé, elle le mena où était son cheval. Vite il le sella. Il prit une grande lance et s'en fut, disant : « Gente demoiselle, je ne vous faillirai pas, si Dieu le veut. »

Il chevaucha tout le jour dans une vaste forêt. Il ne put trouver de grand chemin. L'obscurité descendit. Lors il aperçut dans un vallon un pavillon de soie vermeille. « Par ma foi, se dit-il, en ce pavillon je logerai la nuit entière. » Il mit pied à terre, attacha son cheval au pavillon, y ôta son armure. Là il trouva un lit, s'y coucha et s'endormit d'un profond sommeil.

CHAPITRE V

Comment un chevalier trouva messire Lancelot couché dans le lit de sa maîtresse, et comment messire Lancelot combattit ce chevalier

LORS, moins d'une heure plus tard, survint le chevalier auquel le pavillon appartenait. Il crut que sa maîtresse était couchée dedans le lit. Il s'y étendit, aux côtés de messire Lancelot, le prit dans ses bras et se mit à l'embrasser. Lorsque messire Lancelot sentit sur son visage les baisers donnés par une barbe rude, il fit vite à sortir du lit. L'autre le suivit. Ils se saisirent tous deux de leurs épées. Le chevalier sortit par la porte du pavillon. Messire Lancelot n'était pas loin derrière. Là, près d'un petit ravin, il causa au chevalier une grave blessure, qui faillit mettre fin à ses jours. Lors celui-ci se rendit à son adversaire, qui lui fit grâce, pourvu qu'il lui donnât la raison pour laquelle il était entré dans son lit.

« Messire, dit le chevalier, ce pavillon est à moi. J'y avais cette nuit assigné à ma dame d'y dormir à mes côtés, et voilà que je risque fort de mourir de cette blessure. — J'ai regret, repartit Lancelot, de votre blessure, mais je redoutais une traîtrise. Il y a peu, j'ai été victime de tromperie. Passez dans votre pavillon, prenez-y du repos, et je pense pouvoir étancher votre sang. » Ils passèrent donc tous deux dans le pavillon, et messire Lancelot eut bientôt étanché le sang du chevalier.

Sur ces entrefaites arriva la dame de ce dernier. Elle était d'une rare beauté. Lorsqu'elle vit que son seigneur, Bellius, était gravement blessé, elle se mit à injurier messire Lancelot et se répandit en lamentations au-delà de toute mesure. « Paix! madame, mon amour, dit Bellius. Nous avons là un homme de mérite et un chevalier en quête d'aventures. » Lors il lui conta par le menu comment il avait été blessé. « Et quand je me suis rendu à sa merci, courtoisement il a cessé de se battre, et il a étanché mon sang.

— Messire, repartit la dame, je vous prierais de me dire quel chevalier vous êtes et quel est votre nom. — Gente dame, mon nom est messire Lancelot du Lac. — C'est ce que je pensais à vous entendre, car je vous ai souvent vu avant ce jour et vous connais mieux que vous ne croyez. Mais je voudrais à présent que vous me promettiez en votre courtoisie, en raison des maux que vous nous avez causés, à moi et à mon seigneur, Bellius, lorsqu'il se rendra à la cour d'Arthur d'obtenir qu'il soit fait chevalier de la Table Ronde, car c'est un homme d'armes valeureux et un puissant seigneur, qui a des terres en beaucoup d'îles. — Gente dame, répondit messire Lancelot, qu'il vienne à la cour lors de la prochaine grande fête. Ne manquez point d'y venir avec lui et je ferai mon possible, si votre bras est redoutable, messire, pour que votre désir soit satisfait. »

Ainsi, tout en devisant, sans que le temps leur parût long, la nuit s'écoula, le jour se mit à poindre. Messire Lancelot s'arma. Il prit son cheval. On lui indiqua le chemin de l'abbaye, et il y fut moins de deux heures plus tard.

CHAPITRE VI

Comment messire Lancelot fut accueilli par la fille du roi Bademagu, et comment il se plaignit à son père

Dès que messire Lancelot entra dans la cour de l'abbaye, la fille du roi Bademagu entendit le bruit que le grand cheval faisait sur le pavé. Elle se leva et s'approcha d'une fenêtre. Là elle vit messire Lancelot. Vite elle ordonna qu'on lui prît aussitôt sa monture et qu'on la menât dans une écurie. Lui-même fut conduit dans une belle chambre. On lui ôta son armure. La demoiselle lui fit porter une longue robe. Elle ne tarda guère à venir en personne. Elle fit à Lancelot fort bon visage, lui dit qu'il était le chevalier au monde qu'elle avait le plus de plaisir à voir. Puis en toute hâte elle envoya chercher son père, Bademagu, qui était à moins de cinq lieues de cette abbaye. Avant le soir il vint, avec une belle compagnie de chevaliers. Lorsqu'il fut descendu de cheval, il se rendit aussitôt à la chambre de Lancelot. Là il trouva sa fille. Le roi serra messire Lancelot dans ses bras, et chacun fit à l'autre le meilleur accueil.

Incontinent messire Lancelot se plaignit au roi Bademagu. Il lui raconta comment il avait été trahi, comment son frère Lionel l'avait quitté — il ne savait où il était maintenant — et comment sa fille l'avait tiré de prison. « Ce pour quoi, ajouta-t-il, ma vie durant je la servirai, ainsi que toute sa parenté. — En ce cas, suis-je assuré de votre aide, demanda le roi, le mardi à venir ? — Oui, sire, je ne vous faillirai point. Je m'y suis engagé auprès de madame votre fille. Mais, sire, quels étaient les chevaliers de monseigneur Arthur qui s'étaient mis du côté du roi de Norgalles ? » Le roi répondit qu'il s'agissait de messire Mador de la Porte, de messire Mordret et de messire Galeheudin. « Ils sont venus à bout de tous mes chevaliers. À eux trois ni moi ni mes chevaliers n'avons pu opposer de résistance. — Messire, repartit Lancelot, j'ai ouï dire que le tournoi se déroulera à moins de deux lieues de cette abbaye. Envoyez-moi trois de vos chevaliers, des hommes qui ont votre confiance, et assurez-vous que les trois ont bien des écus de couleur blanche, ainsi que moi, sans nul emblème sur l'écu. Tous quatre, nous sortirons d'un petit bois au milieu de nos ennemis et leur ferons subir autant de dommage que nous pourrons. Ainsi on ne saura point quel chevalier je suis. »

Adonc cette nuit-là ils prirent du repos. C'était le dimanche. Le roi partit et envoya à messire Lancelot trois chevaliers avec les quatre écus de couleur blanche. Le mardi, ils se postèrent dans un petit bois feuillu, non loin de l'endroit où devait se dérouler le tournoi. Il y avait des tribunes et des fenêtres pour permettre aux seigneurs et aux dames de regarder et de donner le prix. Lors entra dans la lice le roi de Norgalles, avec huit fois vingt hommes d'armes. Les trois chevaliers d'Arthur se tenaient à part. Puis ce fut au tour du roi Bademagu d'entrer sur le champ clos, avec quatre fois vingt hommes d'armes. Tous ils mirent leurs lances en arrêt et se heurtèrent avec force. De chevaliers morts à la première rencontre, il y en eut douze dans le camp du roi Bademagu et six dans celui du roi de Norgalles. Le parti du roi Bademagu fut repoussé loin en arrière.

CHAPITRE VII

Comment messire Lancelot se conduisit en un tournoi,
et comment il rencontra messire Tarquin menant messire Guerrebet

LÀ-DESSUS intervint messire Lancelot du Lac. Il entra avec sa lance au plus fort de la mêlée. D'une seule lance il renversa cinq chevaliers. À quatre de ceux-là il rompit l'échine. Au milieu de cette cohue, il jeta au sol le roi de Norgalles, qui eut la cuisse brisée dans sa chute. Toutes ces actions n'échappèrent point aux trois chevaliers d'Arthur. « Voilà un hôte périlleux, dit messire Mador de la Porte. Règlons-lui son compte. » Adonc tous deux se rencontrèrent. Messire Lancelot renversa l'homme et le cheval. Messire Mador se déboîta l'épaule. « C'est maintenant à mon tour de jouter, dit Mordret, car messire Mador a fait une dure chute. » Messire Lancelot le vit. Il prit une grande lance et lui fit face. Messire Mordret rompit une lance dans la rencontre. Messire Lancelot, lui, le choqua si rudement que le pommeau de la selle se rompit. Mordret vola par-dessus la queue de son cheval, si bien que son heaume s'enfonça dans la terre d'un pied et plus. Il faillit se briser le cou et demeura longtemps étendu sans connaissance.

Lors entra en lice messire Galeheudin, avec une grande lance, face à lui Lancelot. Ils se ruèrent l'un contre l'autre, de toute la vigueur dont ils étaient capables. Les lances, des deux côtés, se brisèrent à hauteur de la poignée. Incontinent ils dégainèrent leurs épées et se portèrent plus d'un coup redoutable. Messire Lancelot devint furieux. Il choqua messire Galeheudin sur le heaume. Le sang jaillit par le nez, les oreilles, la bouche. La tête s'affaissa. Le cheval partit au galop avec le cavalier, qui tomba à terre. Sur ce, promptement, messire Lancelot se saisit d'une grande lance. Avant que cette lance se brisât, il culbuta seize chevaliers, pour certains cavalier et monture, pour d'autres non. Mais il n'y en eut aucun qui ne fût efficacement heurté et qui pût combattre à nouveau ce jour-là. Puis il prit une autre grande lance et renversa douze chevaliers, dont la plupart ensuite ne firent rien de bon. Lors les chevaliers du roi de Norgalles renoncèrent à jouter, et la victoire fut donnée au roi Bademagu.

Chacun des deux partis retourna chez lui. Messire Lancelot chevaucha avec Bademagu pour se rendre à son château. Il y fut fort bien reçu, tant du roi que de sa fille, et ils lui firent des présents considérables. Le lendemain matin, il prit congé. Il informa le roi qu'il partait à la recherche de son frère, messire Lionel, qui l'avait quitté alors qu'il dormait. Il enfourcha sa monture en les recommandant à Dieu. Il dit à la fille du roi : « Si jamais vous avez besoin de mes services, je vous en prie, faites-le-moi savoir. Je ne vous faillirai point, parole de chevalier. »

C'est ainsi qu'il partit. Le hasard voulut qu'il vînt dans la même forêt où il avait été fait prisonnier pendant son sommeil. Au milieu d'un grand chemin, il fit rencontre d'une demoiselle montée sur un palefroi blanc. Chacun des deux salua l'autre. « Gente demoiselle, dit messire Lancelot, avez-vous connaissance d'aventures en ce pays-ci ? — Sire chevalier, répondit-elle, des aventures, il y en a tout près, pourvu que vous osiez les tenter. — Et pourquoi ne tenterais-je pas d'aventures ? C'est pour cela que je suis venu par ici. — Vous me semblez être un bon chevalier. Si vous osez rencontrer un autre bon chevalier, je vous conduirai là où se trouve le meilleur et le plus vigoureux que vous ayez jamais vu. Mais il faut me dire votre nom et quel chevalier vous êtes. — Demoiselle, vous dire mon nom, j'y consens volontiers. En vérité, je me nomme messire Lancelot du Lac.

— Sire chevalier, votre apparence est bonne. Il y a non loin d'ici des aventures qui vous conviennent. Dans ces parages habite un chevalier qui n'admet la supériorité de nul homme que je connaisse, sans qu'il l'ait d'abord prouvée. Son nom est messire Tarquin. À ce que je comprends, il a en sa prison de la cour d'Arthur et de bons chevaliers soixante et quatre, qu'il a conquis de son bras. Il faut pourtant me promettre que, lorsque vous aurez fait ce voyage, sur votre chevalerie vous m'accompagnerez et m'aiderez, ainsi que d'autres demoiselles qui chaque jour ont à souffrir d'un chevalier plein de fourberie. — Tous vos vœux et souhaits, demoiselle, je les exaucerai, pourvu que vous me conduisiez au premier dont vous avez parlé. — Eh bien, gentil chevalier, venez où vous voulez vous rendre. » C'est ainsi qu'elle le conduisit jusques au gué et à l'arbre où était suspendu le bassin.

Messire Lancelot fit boire son cheval. Puis il frappa sur le bassin du bois de sa lance, si fort, de toute sa vigueur, que le fond se détacha. Il frappa longtemps, mais sans rien voir. Ensuite il chevaucha devant les portes de ce manoir, une demi-heure ou peu s'en faut. Il aperçut alors un grand chevalier poussant un destrier devant lui et, sur le dos du cheval, jeté au travers, il y avait un autre chevalier, en armure, pieds et poings liés. À mesure qu'ils se rapprochaient davantage, messire Lancelot crut reconnaître ce dernier. Puis il se rendit compte qu'il s'agissait de messire Guerrehet, le frère de Gauvain, comme lui de la Table Ronde. « À présent, gente demoiselle, dit messire Lancelot, je vois venir là-bas solidement lié un chevalier qui est un de mes compagnons et frère de messire Gauvain. De prime face, par Dieu, je vous promets de le sauver. Cependant, si son maître ne tombe pas aisément de sa selle, alors là je délivrerai tous les prisonniers qu'il détient et ils ne risqueront plus rien, car je suis sûr qu'il a deux de mes frères captifs en sa demeure. »

Dès lors qu'ils se virent, les deux hommes se saisirent de leurs lances. « À présent, gentil chevalier, dit messire Lancelot, ôte ce chevalier blessé du cheval sur lequel il se trouve, permets-lui de se reposer un peu et éprouvons notre force. À ce que l'on m'a rapporté, tu as fait subir de grands outrages et une grande ignominie à des chevaliers de la Table Ronde. Or çà, défends-toi. — Si tu es de la Table Ronde, dit Tarquin, je te défie, de même que tous tes compagnons. — C'est te vanter », dit Lancelot.

CHAPITRE VIII

Comment messire Lancelot et messire Tarquin combattirent ensemble

Lors ils mirent leurs lances en arrêt et se coururent sus avec leurs montures, aussi vite que faire se pouvait. Chacun frappa l'autre au mitan de l'écu. Les deux chevaux sous eux en eurent l'échine rompue. Les cavaliers en furent étourdis. Aussitôt qu'ils purent se dégager des arçons, ils se couvrirent de leurs boucliers, dégainèrent leurs épées et vivement se rencontrèrent. Fut porté maint coup douloureux, car ni écu ni harnois ne pouvaient garder de leur puissance. Cela fit qu'en peu de temps ils souffrirent l'un et l'autre de cruelles blessures et perdirent du sang en abondance. Ils se battirent ainsi deux heures et plus, redoublant les assauts quand ils pensaient pouvoir toucher quelque endroit découvert.

Finalement, tous les deux hors d'haleine, ils se tinrent immobiles, prenant appui sur leurs épées. « À présent, l'ami, dit messire Tarquin, arrête-toi un instant et réponds à ce que je vais te demander. — Parle. — Tu es l'homme le plus fort que j'aie jamais rencontré, celui qui a le plus de souffle, et tu ressembles à un chevalier que j'exècre plus que tout autre. À la condition que tu ne sois pas celui-là, je m'accorderai aisément avec toi, et par égard pour toi délivrerai tous les prisonniers que j'ai, savoir soixante et quatre, après que tu m'auras dit ton nom. Ensuite, toi et moi serons bons amis et ne nous ferons jamais défaut, aussi longtemps que je serai en vie.

— C'est bien parlé, dit messire Lancelot. Mais s'il est vrai que je puisse avoir ton amitié, quel est donc ce chevalier que tu abomines plus que tout autre ? — Pour ne rien te cacher, son nom est messire Lancelot du Lac. Il a tué mon frère, messire Caradoc, à la Tour Douloureuse. Mon frère était l'un des meilleurs chevaliers qu'il y eût au monde. En conséquence, ce Lancelot est celui que j'attends entre tous les chevaliers. Et si jamais je le rencontre, l'un de nous mettra un terme à la vie de l'autre, j'en fais ici le serment. À cause de ce Lancelot, j'ai occis cent chevaliers de mérite, autant estropié, si complètement qu'ensuite jamais ils ne purent s'en remettre. Beaucoup sont morts en prison. Cependant, il m'en reste soixante et quatre. Tous ils seront délivrés, pourvu que tu me dises ton nom, seulement ce ne doit pas être Lancelot.

— À présent je vois bien, répondit messire Lancelot, que si je suis ceci, paix me sera accordée, mais que si je suis cela, entre nous ce sera une guerre sans merci. Eh bien, sire chevalier, à ta requête je veux que tu saches, sans doute possible, que je suis bien Lancelot du Lac, fils du roi Ban de Benoïc, et assurément chevalier de la Table Ronde. Je te défie. Fais du mieux que tu pourras. — Ah ! Lancelot, repartit Tarquin, tu es le bienvenu, plus que chevalier ne le fut jamais, et nous ne nous séparerons pas avant que l'un de nous perde la vie. » Lors ils se heurtèrent l'un à l'autre comme font des taureaux sauvages, s'assaillant vigoureusement de leurs écus, de leurs épées, au point que parfois ils trébuchaient et tombaient sur le nez. Ils se battirent de la sorte deux heures et plus, refusant tout repos, et messire Tarquin infligea à messire Lancelot mainte blessure, si bien que le sol, partout où ils combattaient, était tout parsemé de sang.

CHAPITRE IX

Comment messire Tarquin fut occis, et comment messire Lancelot dit à messire Guerrehet de délivrer tous les prisonniers

À LA LONGUE messire Tarquin faiblit. Il recula un peu. De fatigue il baissa son bouclier. Messire Lancelot le vit. Brutalement il bondit sur son adversaire, le prit par le bas de son heaume, le mit à genoux. Aussitôt, d'un coup d'épée il fendit ce heaume, au ras du visage, et lui trancha le cou. Quand ce fut fait, il alla trouver la demoiselle et lui dit : « Demoiselle, je suis prêt à vous accompagner là où vous désirez que j'aille. Mais je n'ai point de monture. — Gentil sire, dit-elle, prenez celle de ce chevalier blessé et envoyez-le à ce manoir, avec ordre de rendre leur liberté à tous les prisonniers. » Messire Lancelot alla devers Guerrehet et le pria de ne pas s'offenser du prêt de son cheval.

« Certes non, gentil seigneur, répondit messire Guerrehet. Je veux que vous le preniez pour en disposer à votre aise, car vous nous avez sauvé la vie, à moi et à mon cheval. Aujourd'hui je dirai que vous êtes le meilleur chevalier du monde, car vous avez ce jour, sous mes yeux, occis l'homme le plus vigoureux et le meilleur chevalier que j'eusse jamais vu. Gentil seigneur, ajouta-t-il, je vous en prie, dites-moi votre nom. — Messire, mon nom est messire Lancelot du Lac. Je suis à bon droit tenu de vous aider, pour l'amour que je porte au roi Arthur, et plus particulièrement à cause de messire Gauvain, votre frère, qui m'est cher. Lorsque vous serez en ce manoir, je suis assuré que vous y trouverez maint chevalier de la Table Ronde, car j'ai vu beaucoup de leurs écus, qui me sont familiers, pendus à cet arbre là-bas. Il s'y peut voir l'écu de messire Keu, celui de messire Brandelis, celui de messire Marehaut, pareillement ceux de messires Galinde, Briant de Listenois, Aliduc, et de bien d'autres que je n'ai pas à l'esprit maintenant. Il s'y trouve aussi les écus de mes deux frères, messires Hector des Mares et Lionel. Je vous prie donc de tous les saluer de ma part, de leur dire que je leur enjoins de prendre tous les biens qu'ils pourront trouver. Que de toute manière mes frères se rendent à la cour pour y attendre ma venue, car à la fête de la Pentecôte j'ai résolu d'assister ! À l'heure qu'il est, il me faut accompagner cette demoiselle pour ne pas manquer à ma promesse. »

C'est ainsi qu'il quitta Guerrehet. Celui-ci entra dans le manoir. Là il trouva un portier gardien de beaucoup de clefs. Incontinent messire Guerrehet jeta à terre ce portier. Il lui prit ses clefs et en diligence ouvrit la porte de la prison. Il en fit sortir tous les prisonniers, et chacun d'eux délivra l'autre de ses liens. Lorsqu'ils virent Guerrehet, tous ils le remercièrent, car ils associèrent leur délivrance à ses blessures. « Vous vous trompez, dit Guerrehet. C'est Lancelot qui a fait périr cet homme avec honneur, de ses propres mains. Je l'ai vu de mes yeux. Il vous salue bien tous et vous prie de vous hâter de vous rendre à la cour. Pour ce qui est de messire Lionel et de messire Hector des Mares, il les prie de l'y attendre. — Nous n'en ferons rien, dirent ses frères, nous le trouverons, si vie nous est donnée. — Moi aussi, dit messire Keu, je le trouverai avant de me rendre à la cour, foi de chevalier. »

Lors tous ces chevaliers cherchèrent dans le château l'endroit où étaient les harnois. Ils s'armèrent. Chacun reprit son cheval et tout ce qui lui appartenait. Quand ce fut fait, il vint un forestier avec quatre chevaux chargés de grasse venaison. Aussitôt messire Keu dit : « Voici pour nous de quoi faire un repas, mais un seul, car il y a bien longtemps que nous n'avons fait bonne chère. » Cette venaison fut rôtie, cuite au four, ou bouillie. Le souper achevé, certains demeurèrent pour passer la nuit, mais messire Lionel, messire Hector des Mares et messire Keu partirent sur le chemin qu'avait pris messire Lancelot, dans l'espoir de le retrouver.

CHAPITRE X

Comment messire Lancelot chevaucha en compagnie d'une demoiselle et occit un chevalier qui tourmentait toutes les dames, de même qu'un vilain qui gardait un pont

À PRÉSENT, tournons-nous du côté de messire Lancelot. Il chevauchait avec la demoiselle sur un beau et large chemin. « Messire, dit la demoiselle, non loin d'ici dans cette direction se rencontre souvent un chevalier qui a fait le tourment de toutes les dames et nobles dames. Pour le moins il les vole, ou bien il les prend à force. — Comment ! dit messire Lancelot, est-ce un voleur et un violeur de femmes ? Il déshonore l'ordre de chevalerie et ne respecte point le serment qu'il a fait. Il est dommage qu'il vive. Mais, gente demoiselle, vous allez chevaucher devant, seule, tandis que je me tiendrai à couvert, et s'il vous importune ou vous assaille, je viendrai à votre secours et lui apprendrai à se conduire en chevalier. »

La pucelle continua donc son chemin, doucement, à petite allure. Peu après sortit du bois le chevalier susdit. Il était sur sa monture, et son page l'accompagnait. La jeune fille se mit à crier. Accourut alors Lancelot, aussi vite qu'il pouvait. Il aborda le chevalier en lui disant : « Fourbe chevalier, traître envers la chevalerie, qui t'a appris à tourmenter dames et nobles dames ? » Quand l'homme vit messire Lancelot qui le réprimandait de la sorte, il ne répondit rien mais dégaina son épée et s'avança vers lui. Messire Lancelot jeta sa lance, tira son épée et lui asséna sur le heaume un coup si puissant qu'il lui fendit la tête et le cou jusqu'à la gorge.

« À présent tu as le salaire que tu méritais depuis longtemps, à n'en pas douter, dit la demoiselle. De même que messire Tarquin guettait l'occasion de tuer des chevaliers, de même cet homme attendait l'instant propice pour tuer et tourmenter demoiselles, dames et nobles dames. Son nom était messire Paris de la Forêt Sauvage. — Maintenant, demoiselle, dit messire Lancelot, attendez-vous de moi d'autres services? — Non, messire, pas pour le moment. Que le seigneur vous garde partout où vous irez, car vous êtes le chevalier le plus courtois et le plus doux envers toutes les dames et nobles dames qu'il y ait au monde! Cependant, il est une chose, seigneur chevalier, qui à mon sens vous fait défaut. Vous n'avez point d'épouse et n'aimez ni jeune fille ni dame bien née. Je n'ai jamais ouï dire que vous ayez jamais aimé quelqu'une, de quelque condition que ce fût, et c'est grand dommage. On raconte que vous êtes épris de la reine Guenièvre et qu'elle a fait en sorte, par un enchantement, que vous n'ayez jamais d'amour pour une autre qu'elle-même, et que ni demoiselle ni dame autre qu'elle ne pourra vous réjouir. Ce pour quoi mainte femme en ce pays, tant de petit état que de haut rang, se désole grandement.

— Gente demoiselle, repartit messire Lancelot, je ne puis empêcher qu'on dise de moi ce que l'on veut. Mais pour ce qui est de me marier, je n'y songe point. Il me faudrait alors ne plus m'éloigner de la couche de mon épouse. Adieu armes, tournois, batailles, aventures! Quant à prendre mon plaisir avec des maîtresses, je m'y refuse par principe, car je crains Dieu. Les chevaliers qui ont un penchant pour l'amoureuse aventure ou la lubricité ne sont ni heureux ni chanceux à la guerre. Tantôt ils sont défaits par qui ne les vaut point, tantôt par mauvaise fortune et malédiction tuent meilleur qu'eux-mêmes. Qui a des maîtresses est voué au malheur, et chacun autour de lui est malheureux aussi. »

Lors messire Lancelot et elle se séparèrent. Il chevaucha dans une forêt profonde deux jours et davantage, y fut petitement logé. Le troisième jour, il passa sur un pont d'une grande longueur. Là un abominable rustre bondit sur lui. Il frappa son cheval sur le nez, lui fit faire un tour sur lui-même et demanda à Lancelot pourquoi il passait sur ce pont sans sa permission. « Pourquoi n'irais-je pas dans cette direction ? demanda messire Lancelot. Je ne puis passer à côté. — Tu n'as pas le choix », dit le vilain. Et il voulut le frapper à l'aide d'une grande massue garnie de fer. Lors messire Lancelot tira son épée, détourna le coup et lui fendit la tête jusqu'à la poitrine.

Au bout du pont il y avait un beau village. Tous les gens, hommes et femmes, se récrièrent contre messire Lancelot. Ils dirent : « Pire forfait tu n'as jamais commis. Tu as tué le premier portier de notre château. » Messire Lancelot les laissa dire. Il alla droit au château. Quand il y fut, il mit pied à terre. Il attacha son cheval à un anneau qui était au mur. Il vit une belle cour gazonnée. Il s'y rendit, car il lui sembla que l'endroit était propice à un combat. Il jeta ses regards alentour et vit beaucoup de monde aux portes et aux fenêtres. Ils disaient : « Gentil chevalier, tu es infortuné. »

CHAPITRE XI

Comment messire Lancelot occit deux géants et libéra un château

AUSSITÔT vinrent à sa rencontre deux grands géants, bien armés de partout, hormis la tête, et pourvus de deux épouvantables massues qu'ils tenaient en leurs mains. Messire Lancelot se couvrit de son bouclier. Il détourna le coup de l'un des géants et de son épée lui fendit le crâne. Lorsque son compagnon vit cela, il s'enfuit comme s'il eût été frappé de folie, par peur des terribles coups de Lancelot. Celui-ci le poursuivit de toute sa vigueur. Il l'atteignit à l'épaule, et la lame trancha jusqu'au nombril.

Lors Lancelot entra dans la grand-salle. Vinrent à lui soixante dames et demoiselles. Toutes elles s'agenouillèrent, rendant grâce à Dieu, ainsi qu'à lui, de leur délivrance. « C'est que, dirent-elles, la plupart d'entre nous étaient ici depuis sept ans leurs prisonnières. Nous avons fait toutes sortes d'ouvrages de soie pour notre nourriture et sommes toutes pourtant de haute naissance. Béni soit le jour, chevalier, où tu naquis. Tu as fait l'action la plus glorieuse que jamais chevalier ait faite au monde. Nous en témoignerons. Nous te prions toutes de nous dire ton nom, afin que nous puissions informer nos amis de qui nous a délivrées de notre prison.

— Gentes dames, repartit messire Lancelot, mon nom est messire Lancelot du Lac. — Ah ! messire, s'exclamèrent-elles toutes, il faut bien que ce le soit, car excepté toi-même, à notre sens, nul chevalier n'était capable de l'emporter sur ces deux géants. Maint gentil chevalier s'y est essayé, dont la vie s'est ici terminée. Bien des fois nous avons souhaité ta venue. Ces deux géants ne craignaient nul autre que toi. — À présent, vous pourrez rapporter à vos amis, dit messire Lancelot, comment on vous a délivrées et qui l'a fait, tous les saluer de ma part, et si je viens dans aucune de vos marches, me faire aussi bonne chère que vous en aurez motif. Les trésors qui peuvent se trouver en ce château, je vous les donne, en dédommagement des torts que vous avez subis. Quant au seigneur qui avait ce château, je veux qu'il en retrouve la légitime possession.

— Gentil sire, dirent-elles, le nom de ce château est Tintagel. Un duc le posséda naguère, qui avait épousé la belle Ygerne. Elle fut ensuite la femme d'Uter Pendragon, qui d'elle engendra Arthur. — C'est bien, dit messire Lancelot, je vois à qui appartient ce château. » C'est ainsi qu'il partit, en les confiant à Dieu. Il enfourcha son cheval. Il passa dans bien des pays étranges et barbares, traversa rivières et vallées, et n'eut que piètre logement. Finalement, le hasard fit qu'un soir il arriva devant un enclos de belle apparence. Dedans il trouva une dame âgée, de haute condition. Elle l'hébergea volontiers. Il fit bonne chère, ainsi que son cheval. Puis, quand l'heure en fut venue, son hôtesse le mena dans une belle chambre sous les combles pour y coucher, au-dessus d'un portail.

Là, messire Lancelot ôta son armure. Il mit son harnois à côté de lui, se coucha et bientôt s'endormit. Peu de temps après, il arriva quelqu'un à cheval, qui se mit à heurter à la porte en toute hâte. Lorsque messire Lancelot l'entendit, il se leva, regarda par la fenêtre et, à la clarté de la lune, vit trois chevaliers. Ils pourchassaient l'homme qui était devant la porte. Tous trois, ils assaillirent cet homme aussitôt de leurs épées. Lui leur fit face avec vaillance et se défendit. « Assurément, se dit messire Lancelot, ce chevalier qui est seul contre tous, je vais aller le secourir. Ce serait pour moi un déshonneur que de regarder sans rien entreprendre trois hommes en attaquer un seul. S'il est tué, j'ai part à sa mort. » Là-dessus il prit son harnois. Il enjamba une fenêtre, noua un drap et alla devers les quatre chevaliers. Lors il dit à haute voix : « Chevaliers, occupez-vous de moi et cessez de vous battre avec cet homme-là. »

Sur ce, tous les trois ils abandonnèrent messire Keu pour se tourner vers messire Lancelot. Commença une âpre bataille. Tous trois ils mirent pied à terre, portant de grands coups à messire Lancelot et l'assaillant de toutes parts. Messire Keu voulut l'aider. « Non, messire, dit-il, je ne veux point de votre aide. Si la mienne vous importe, laissez-moi seul avec eux. » Messire Keu, pour plaire à ce chevalier, accepta qu'il en fît à sa tête et se tint à l'écart. Messire Lancelot ne tarda guère. Six coups lui suffirent pour les faire choir sur le sol. Ils s'écrièrent tous en même temps : « Sire chevalier, nous nous rendons à un homme comme vous, dont la force n'a point d'égale. — Quant à cela, répliqua messire Lancelot, je n'accepte pas que vous vous rendiez à moi. Pourvu que vous vous rendiez à messire Keu le sénéchal, à cette condition seulement j'épargnerai votre vie. Sinon, point de grâce.

— Gentil chevalier, répondirent-ils, cela, nous ne le ferions qu'à regret. Pour ce qui est de messire Keu, nous l'avons poursuivi jusqu'ici et l'aurions vaincu sans vous. Nous rendre à lui, en conséquence, n'aurait point de raison. — Eh bien, sur cette matière, délibérez comme il convient. Vous pouvez choisir de mourir ou bien de vivre, car si vous vous rendez, ce sera à messire Keu. — Gentil chevalier, dirent-ils alors, pour garder la vie sauve, nous ferons selon vos ordres. — Or donc, reprit messire Lancelot, à la prochaine Pentecôte, vous irez à la cour du roi Arthur et là ferez votre soumission à la reine Guenièvre, vous en remettant tous trois à sa grâce et merci. Et dites que c'est messire Keu qui vous a envoyés pour être ses prisonniers. — Messire, ce sera fait, vous avez notre parole, si vie nous est donnée. » Lors chacun des chevaliers en fit serment sur son épée.

C'est ainsi que messire Lancelot souffrit de les laisser partir. Il heurta à la porte avec le pommeau de son épée Son hôtesse arriva. Ils entrèrent, messire Keu et lui. « Messire, dit son hôtesse, je croyais que vous étiez au lit. — J'y étais, repartit messire Lancelot, mais je me suis levé et j'ai sauté par la fenêtre pour porter secours à l'un de mes vieux compagnons. » Adonc, lorsqu'ils approchèrent de la lumière, messire Keu reconnut bien que c'était là messire Lancelot. Il mit un genou en terre et le remercia de sa bonté pour l'avoir par deux fois sauvé de la mort. « Messire, répondit-il, je n'ai fait que mon devoir. Vous êtes le bienvenu. Arrêtez-vous céans et prenez du repos. »

Lorsque messire Keu eut ôté son armure, il demanda à manger. On lui apporta de la nourriture, et il mangea de bon appétit. Après souper, ils allèrent se coucher et furent logés ensemble en un même lit. Le lendemain matin, messire Lancelot se leva de bonne heure, laissant messire Keu à son sommeil. Il prit l'armure de messire Keu et son écu, s'arma, se rendit à l'écurie d'où il emmena aussi le cheval de messire Keu, prit congé de son hôtesse et partit. Peu de temps après, messire Keu se leva. Il se demanda où messire Lancelot était passé. Lors il s'aperçut qu'il avait emporté son armure et pris son cheval. « Ma foi, se dit-il, je vois bien qu'il va en faire souffrir quelques-uns de la cour du roi Arthur. Les chevaliers s'enhardiront à le voir, pensant que c'est de moi qu'il s'agit. Cela les abusera. Et moi, grâce à son armure et à son écu, je suis certain de chevaucher en paix. » Ensuite, peu après, messire Keu s'en alla, quand il eut remercié son hôtesse.

CHAPITRE XII

Comment chevaucha messire Lancelot
sous le déguisement du harnois de messire Keu,
et comment il renversa un chevalier

À PRÉSENT tournons-nous du côté de messire Lancelot. Après avoir longtemps chevauché dans une grande forêt, il arriva dans une plaine, avec beaucoup de belles rivières et de riantes prairies. Devant lui il vit un pont d'une grande longueur. Trois pavillons de soie étaient tendus dessus, diversement colorés. Au-dehors de ces pavillons, trois écus de couleur blanche étaient suspendus à des fûts de lance et trois lances, grandes et longues, posées verticalement à côté des pavillons. À la porte de chacun des pavillons se tenaient trois vigoureux écuyers. Messire Lancelot passa auprès sans un mot. Après son passage, les trois chevaliers dirent de lui que c'était Keu le hautain. « Il croit que nul chevalier ne le vaut, alors qu'il y a souvent preuve du contraire. — Ma foi, dit l'un, du nom de Gautier, je vais courir à sa poursuite et le défier, malgré toute sa suffisance. Vous verrez ce qu'il en adviendra. »

Adonc ce chevalier, messire Gautier, endossa son armure. Il suspendit son écu à son épaule. Il monta sur un grand cheval. Il prit en main sa lance et, au galop, partit à la poursuite de messire Lancelot. Lorsqu'il fut près de lui, il cria : « Arrête-toi, fier chevalier, messire Keu, car tu ne passeras point sans dommage. » Messire Lancelot fit demi-tour. Chacun mit sa lance en arrêt, et ils se heurtèrent de toute la vigueur dont ils étaient capables. La lance de messire Gautier se rompit. Messire Lancelot, lui, jeta bas cheval et cavalier.

Quand messire Gautier fut à terre, ses frères se dirent l'un à l'autre : « Ce chevalier-là n'est point messire Keu. Il est trop fort pour cela. — Je gagerais ma tête, dit messire Guimart, qu'il a tué messire Keu et lui a pris son cheval et son harnois. — Quoi qu'il en soit, dit messire Regnauld, le troisième des frères, montons à cheval et secourons notre frère, messire Gautier. Que meure celui qui s'y refuse ! Nous aurons assez de besogne à nous trois à soutenir le combat contre ce chevalier, car il me semble bien à sa personne que ce soit messire Lancelot, ou messire Tristan, ou encore messire Pelléas, le valeureux chevalier. »

Lors aussitôt ils prirent leurs chevaux et rejoignirent messire Lancelot. Messire Guimart coucha sa lance et courut sus à lui. Messire Lancelot le renversa. Il resta étendu à terre sans connaissance. « Sire chevalier, dit messire Regnauld, tu es quelqu'un de vigoureux. Je crois que tu viens d'occire mes deux frères, ce pour quoi mon cœur se soulève de vive colère contre toi. Si je le pouvais sans faillir à l'honneur, je me garderais de me mesurer à toi. Mais il me faut combattre, ainsi qu'ils l'ont fait. En conséquence, chevalier, défends-toi. » Adonc ils se heurtèrent de toutes leurs forces, et leurs lances volèrent en éclats. Lors ils tirèrent leurs épées du fourreau et s'assaillirent avec ardeur. Peu après, messire Gautier se releva. Il vint à son frère, messire Guimart, et lui dit : « Levez-vous et portons aide à notre frère, messire Regnauld, qui là-bas tient tête que c'est merveille à ce valeureux chevalier. »

Sur ce, ils bondirent sur leurs montures et coururent sus à messire Lancelot. Quand il les vit venir, celui-ci choqua si rudement messire Regnauld qu'il tomba de cheval. Puis il s'attaqua aux deux autres frères et, en deux coups d'épée, les étendit sur le sol. Messire Regnauld alors se mit en devoir de se relever, la tête tout ensanglantée. Il vint droit à messire Lancelot. « Cela suffit maintenant, dit messire Lancelot. Je n'étais pas loin de vous quand vous fûtes armé chevalier, messire Regnauld. Je sais par ailleurs que vous avez de la valeur, et il m'en coûterait de vous tuer. — Grand merci, repartit messire Regnauld, pour votre bonté. Je pense pouvoir dire, en mon nom et au nom de mes frères, que nous n'hésiterions pas à nous rendre à votre merci si nous connaissions votre nom, car nous savons bien que nous n'êtes pas messire Keu. — Quant à cela, peu importe ce qu'il en est vraiment, car vous ferez votre soumission à dame Guenièvre. Veillez à vous trouver près d'elle le dimanche de la Pentecôte, et dites que c'est messire Keu qui vous a envoyés. » Ils s'engagèrent par serment à ce que ce fût fait. Messire Lancelot continua sa route. Chacun des trois frères aida les autres du mieux qu'il put.

CHAPITRE XIII

Comment messire Lancelot jouta contre quatre chevaliers de la Table Ronde et les défit

ADONC messire Lancelot entra dans une forêt profonde, et par-delà dans une vallée. Il vit quatre chevaliers, qui se reposaient sous un chêne. Ils étaient de la cour d'Arthur. Il y avait là messire Sagremor le Desrée, messire Hector des Mares, messire Gauvain et messire Yvain. Dès que ces quatre chevaliers aperçurent messire Lancelot, ils jugèrent à ses armes qu'il s'agissait de messire Keu. « Ma foi, dit messire Sagremor, je m'en vais éprouver la force de messire Keu. » Il prit en main sa lance et s'avança vers messire Lancelot. Celui-ci le vit. Il le reconnut sans hésiter. Il mit sa lance en arrêt et le heurta, si rudement que le cavalier et le cheval tous deux se retrouvèrent au sol.

« Or çà, compagnons, s'exclama messire Hector, vous avez pu vous rendre compte de la puissance qu'a le bras de cet homme. Ce chevalier est bien plus fort que ne le fut jamais messire Keu. À présent vous allez voir ce que je peux lui faire subir. » Messire Hector prit sa lance et galopa sus à messire Lancelot. La lance de ce dernier perça l'écu, puis l'épaule. Cavalier et monture furent jetés à terre. Cependant, l'arme demeura entière. « Par ma foi, dit messire Yvain, voilà un vigoureux chevalier. Je suis sûr qu'il a tué messire Keu, et je vois à sa grande force qu'il sera difficile d'être un adversaire à sa mesure. » Là-dessus messire Yvain prit en main sa lance et courut sus à messire Lancelot. Celui-ci le reconnut sans peine. Il le rencontra en terrain plat et lui porta un coup si rude qu'il en fut abasourdi. Longtemps il ne sut où il était.

« Je vois bien maintenant, se dit messire Gauvain, qu'il me faudra combattre ce chevalier. » Il ajusta son écu et se saisit d'une bonne lance. Messire Lancelot n'eut pas de difficulté à le reconnaître. Ils firent courir leurs chevaux aussi vite qu'ils purent, et chacun des chevaliers frappa l'autre au mitan de l'écu. Cependant, la lance de messire Gauvain se brisa. Messire Lancelot, lui, chargea sus avec tant de vigueur que le destrier de son rival tomba à la renverse. Le cavalier eut bien de la peine à se dégager de sa monture. Messire Lancelot passa près de lui sans se hâter. Il sourit et dit : « Que Dieu donne contentement à l'homme qui fit cette lance, car jamais meilleure ne me vint en la main ! »

Lors les quatre chevaliers allèrent l'un à l'autre et l'un l'autre se réconfortèrent. « Que dites-vous de notre hôte ? demanda messire Gauvain. D'une lance il nous aura tous mis à bas. — Qu'il aille au diable ! s'exclamèrent-ils tous. C'est un rude gaillard. — Vous avez bien raison de dire, repartit messire Gauvain, que c'est un rude gaillard, car je mets ma tête à couper que c'est messire Lancelot. J'ai reconnu sa façon de monter à cheval. Laissons-le faire, ajouta-t-il. Quand nous serons rendus à la cour, alors nous saurons le fin mot de cette histoire. » Ils eurent beaucoup de mal à se remettre en selle.

CHAPITRE XIV

Comment messire Lancelot poursuivit une chienne jusque dans un château où il découvrit le cadavre d'un chevalier, et comment ensuite une demoiselle le requit de guérir son frère

À PRÉSENT, laissons-les là et parlons de messire Lancelot. Il chevaucha longtemps dans une forêt profonde, où il vit une chienne de couleur noire, flairant comme si elle eût été sur la piste d'un cerf blessé. Il suivit cette chienne et découvrit sur le sol une large trace de sang. Messire Lancelot continua de suivre la chienne, laquelle toujours regardait en arrière. Elle traversa un vaste marécage, cependant que messire Lancelot ne cessait de la suivre. Lors il aperçut un vieux manoir. La chienne y courut, passa le pont-levis. Messire Lancelot franchit ce pont, qui était vieux et chancelant. Lorsqu'il fut au milieu d'une grande salle, il vit qu'y gisait un chevalier mort, qui avait dû être de bonne mine. La chienne léchait ses blessures. Sur ces entrefaites parut une dame, qui pleurait et se tordait les mains de douleur. Elle s'exclama : « Oh ! chevalier, vous m'avez causé par trop de peine ! — Pourquoi me parler ainsi ? demanda messire Lancelot. Je n'ai fait aucun mal à cet homme. Une trace de sang que suivait cette chienne m'a conduit jusqu'ici. Adonc, gente dame, ne soyez pas fâchée contre moi, car je suis fort affligé de vous voir souffrir.

— En vérité, messire, répondit-elle, je pense bien que ce n'est pas vous qui avez tué mon mari. Celui qui a commis ce forfait est atteint de graves blessures et n'a que fort peu de chances de se rétablir, je puis le garantir. — Quel était le nom de votre époux ? demanda messire Lancelot. — Messire, répondit-elle, son nom était messire Gilbert le Bâtard. C'était l'un des meilleurs chevaliers qui fussent au monde. Quant à celui qui l'a tué, j'ignore son nom. — Que Dieu vous envoie le réconfort ! » dit messire Lancelot.

Là-dessus il partit. Il rentra dans la forêt et y fit rencontre d'une demoiselle, laquelle le connaissait bien. Elle dit à haute voix : « Je suis heureuse de vous voir, monseigneur. À présent je requiers de votre chevalerie de porter secours à mon frère. Il est gravement blessé et ne cesse de perdre son sang. En ce jour il a combattu messire Gilbert le Bâtard. Il l'a occis en combat loyal. Or il y a une dame, une sorcière, qui habite un château près d'ici. Elle a déclaré aujourd'hui que les blessures de mon frère ne guériraient point, tant que je n'aurais pas trouvé de chevalier qui acceptât de pénétrer dans la Chapelle Périlleuse. Là il aura devant lui une épée et un drap ensanglanté qui a servi à envelopper le corps de messire Gilbert. Un morceau de ce linceul et l'épée guériront les blessures de mon frère, si l'un et l'autre sont plongés dans ses plaies. — Voilà qui est bien étrange, repartit messire Lancelot. Mais comment se nomme votre frère ? — Messire, dit-elle, son nom est messire Méliot de Logres. — Je déplore qu'il soit en cet état. C'est un compagnon de la Table Ronde. Je ferai tout en mon pouvoir pour lui venir en aide. — En ce cas, dit-elle, suivez tout droit ce grand chemin. Il vous conduira à la Chapelle Périlleuse. Moi, je demeurerai ici jusqu'à ce que Dieu vous y ramène. Si vous ne réussissez pas, je ne connais nul chevalier sur terre qui puisse mener à bien cette entreprise. »

CHAPITRE XV

Comment messire Lancelot entra dans la Chapelle Périlleuse et à un cadavre ôta un morceau de linceul, ainsi qu'une épée

AUSSITÔT messire Lancelot partit. Lorsqu'il fut à la Chapelle Périlleuse, il mit pied à terre. Il attacha son cheval à une petite barrière. Dès qu'il fut entré dans le cimetière, il aperçut sur le devant de la chapelle nombre d'écus, beaux et richement peints, tournés sens dessus dessous. Messire Lancelot en avait vu plus d'un auparavant portés par des chevaliers. Làdessus il s'avisa que près de lui se tenaient trente grands chevaliers, plus grands d'une coudée que tous les hommes qu'il avait rencontrés jusque-là, et tous ils grimaçaient et grinçaient des dents en posant leur regard sur lui. À la vue de leurs visages il fut fort effrayé. Il se couvrit de son bouclier et prit en main son épée pour se préparer au combat. Ils étaient tous armés, d'un harnois de couleur noire, prêts à se battre, avec boucliers et épées nues. Lorsque messire Lancelot voulut se frayer un chemin au milieu d'eux, ils se dispersèrent de tous côtés et lui cédèrent le passage. Sur ce, il s'enhardit grandement. Il entra dans la chapelle. Là il ne vit nulle lumière, hormis la faible lueur d'une lampe. Puis il distingua un cadavre enveloppé dans un linceul de soie.

Messire Lancelot se pencha. Il découpa un morceau de ce linceul. Lors il eut le sentiment que sous lui la terre avait tremblé quelque peu. Il eut un mouvement d'effroi. Puis il aperçut une belle épée, posée près du corps du chevalier. Il s'en saisit et se hâta de sortir de la chapelle. Aussitôt qu'il fut dans le cimetière, tous les chevaliers se mirent à lui parler d'une voix rude, lui disant : « Sire chevalier, Lancelot, laisse là cette épée, ou tu mourras. — Que je vive ou que je meure, repartit messire Lancelot, ce n'est pas avec de grands mots que vous me la reprendrez. Battez-vous pour me l'ôter si le cœur vous en dit. » Et il passa au milieu d'eux.

Une fois sorti du cimetière, il rencontra une belle demoiselle qui lui dit : « Messire Lancelot, laissez là cette épée, ou vous mourrez. — Priez-m'en tant que vous voudrez, répondit-il, je ne la laisserai point. — À moins de la quitter, vous ne reverrez jamais la reine Guenièvre. — Je serais devant une menace comme celle-là bien sot de m'en défaire. — Gentil chevalier, dit-elle, embrassez-moi, je vous le demande, ne serait-ce qu'une fois. — Non, repartit messire Lancelot, cela, Dieu ne le permet pas. — C'est bien. Si vous m'aviez embrassée, ç'eût été la fin de vos jours. Mais à présent, hélas, j'ai perdu ma peine, car j'avais fait bâtir cette chapelle pour vous et messire Gauvain. Il fut un temps où il vivait avec moi. Alors il combattit le chevalier qui gît sans vie dans cette chapelle, messire Gilbert le Bâtard. Et c'est alors qu'il trancha la main gauche de ce Gilbert le Bâtard.

« Maintenant, messire Lancelot, je vous le dis : cela fait sept ans que je vous aime. Mais nulle femme ne peut avoir votre amour que la reine Guenièvre. Puisque je ne pouvais vous réjouir en possédant votre corps vivant, il ne me restait d'autre félicité en ce monde que de l'avoir mort. Lors je l'eusse embaumé, adoré et ainsi gardé le reste de mes jours. Et chacun de ces jours, je l'eusse pris dans mes bras pour le baiser, en dépit de la reine Guenièvre. — Vous parlez bien, répliqua messire Lancelot, que le Seigneur me protège de vos subtils artifices ! » Là-dessus il prit son cheval et la quitta. Le livre nous dit qu'une fois Lancelot parti, elle en conçut un tel chagrin qu'elle mourut avant deux semaines. Son nom était Hélaé la sorcière, dame du château de Nécromance.

Peu de temps après, messire Lancelot rencontra la demoiselle qui était sœur de messire Méliot. Lorsqu'elle l'aperçut, elle battit des mains et pleura de joie. Ils chevauchèrent jusqu'à un château non loin de là, où se trouvait alité messire Méliot. Dès que messire Lancelot le vit, il le reconnut. Mais il était d'une pâleur de cendre, tant il avait perdu de sang. Quand il eut devant lui messire Lancelot, il se mit à genoux et s'écria d'une voix forte : « Oh ! monseigneur Lancelot, aidez-moi ! » Aussitôt messire Lancelot vola à son secours. Il toucha ses plaies de l'épée de messire Gilbert. Puis il les essuya d'un morceau du drap ensanglanté qui recouvrait le corps. Sur-le-champ messire Méliot se trouva en meilleure santé qu'il n'avait jamais été. Ils en eurent grande joie l'un et l'autre. Le frère et la sœur festoyèrent messire Lancelot autant qu'ils purent.

Le lendemain matin, celui-ci prit congé. Il dit à messire Méliot : « Hâtez-vous de vous rendre à la cour de monseigneur Arthur. La fête de la Pentecôte approche et, si Dieu le veut, vous m'y trouverez. » Sur ce ils se séparèrent.

CHAPITRE XVI

Comment messire Lancelot, à la requête d'une dame, recouvra un faucon, mais fut ainsi trompé

ADONC messire Lancelot chevaucha par maint pays qui lui était étranger, par marais et vallons, jusqu'à ce que, par aventure, il arrivât devant un beau château. Il allait passer sans s'arrêter quand il lui parut entendre le tintement de deux clochettes. Il aperçut alors un faucon. Il volait au-dessus de lui, en direction d'un grand orme. De longues lanières étaient fixées à ses pattes. Au moment où il venait dans l'arbre pour s'y percher, les lanières s'emmêlèrent à une branche. Quand l'oiseau voulut reprendre son vol, il se trouva pendu par les pattes. Messire Lancelot vit comment il était ainsi pendu. C'était un beau faucon du Périgord. Il le prit en pitié.

Cependant une dame sortit du château et s'écria : « Ô Lancelot, Lancelot! si tu es la fleur de la chevalerie, aide-moi à recouvrer mon faucon, car si je le perds mon seigneur me tuera. Je le tenais, et il m'a échappé. Si mon époux et seigneur l'apprend, il est si emporté qu'il va me tuer. — Comment se nomme votre seigneur? — Messire, répondit-elle, il se nomme messire Félot. C'est un chevalier qui est au roi de Norgalles. — Eh bien, gente dame, puisque vous connaissez mon nom et me requérez de vous porter aide en bon chevalier, je ferai de mon mieux pour rattraper votre faucon. Pourtant, Dieu sait si je grimpe mal aux arbres, et celui-ci est bien haut, avec peu de branches pour m'y appuyer. »

Là-dessus messire Lancelot mit pied à terre. Il attacha son cheval à l'arbre susdit et pria la dame de lui ôter son armure. Quand ce fut fait, il enleva tous ses vêtements jusqu'à la chemise et jusqu'au haut-de-chausses puis, au prix d'efforts vigoureux, il atteignit le faucon. Il noua les liens de l'oiseau à une grande branche pourrie et jeta au sol l'oiseau et la branche avec. Aussitôt la dame se saisit du faucon. Sur ce sortit soudainement des bosquets messire Félot, son mari, tout armé et l'épée nue à la main. Il dit : « Sire chevalier, Lancelot, à présent je te trouve ainsi que je le souhaitais. » Et il s'arrêta au pied de l'arbre pour le tuer.

« Ah! madame, s'exclama messire Lancelot, pourquoi m'avez-vous trahi? — Elle n'a fait, dit messire Félot, que ce que je lui avais ordonné. En conséquence, il n'y a point de remède, ton heure est venue et tu vas mourir. — Ce serait une honte, répliqua messire Lancelot, pour toi qui es un chevalier en armes, d'occire un homme nu, par traîtrise. — N'attends nulle grâce. Tire-toi d'affaire si tu le peux. — Assurément, dit messire Lancelot, cela te déshonore, mais puisque tu ne veux rien entendre, prends mon harnois, accroche mon épée à une branche de manière à ce que je puisse m'en saisir, puis fais de ton mieux pour me tuer, si tu y parviens. — Non, non. Je te connais mieux que tu ne penses. Tu n'auras nulle arme si je puis l'empêcher. — Hélas! s'exclama messire Lancelot, comment un chevalier peut-il périr sans arme pour se défendre! »

Sur ce, il regarda au-dessus et au-dessous de lui, et au-dessus il aperçut un arbre décrépit. Une grosse branche n'avait point de feuilles. Il la détacha du tronc. Puis il baissa les yeux. Il considéra la position de son cheval. Soudain il bondit du côté de sa monture où il était le plus loin du chevalier. Messire Félot se rua sur lui, croyant bien l'occire. Mais messire Lancelot de sa branche morte détourna le coup, puis l'en frappa sur le côté de la tête, de telle sorte qu'il tomba sans connaissance sur le sol. Lors messire Lancelot lui prit son épée et lui trancha le cou.

La dame se mit à crier : « Hélas! Pourquoi avoir tué mon époux? — Ne m'en accusez point, dit messire Lancelot. Avec hypocrisie, traîtreusement, vous vouliez me tuer. À présent, c'est vous deux qui en subissez les conséquences. » Lors elle tomba en défaillance. On eût cru qu'elle allait mourir. Messire Lancelot remit son armure, pièce par pièce, du mieux qu'il put mais sans tarder, de peur de voir arriver du renfort. Le château du chevalier était fort proche. Aussitôt que possible, il prit son cheval et partit, rendant grâce à Dieu d'avoir échappé à ce péril.

CHAPITRE XVII

Comment messire Lancelot rejoignit un chevalier qui poursuivait sa femme afin de la tuer, et ce qu'il lui dit

ADONC messire Lancelot chevaucha par beaucoup de chemins difficiles. Il passa par des marécages et autres lieux malaisés. Il chevauchait dans un vallon quand il vit un chevalier à la poursuite d'une dame. Il avait l'épée à la main et voulait l'occire. Le hasard fit qu'au moment où ce chevalier allait tuer la dame, elle se mît à crier à l'adresse de messire Lancelot, le priant de la sauver. Lorsque messire Lancelot la vit en ce besoin, il s'en fut se placer entre l'un et l'autre, disant : « Chevalier, fi donc ! Pourquoi vouloir tuer cette dame ? Tu te déshonores, ainsi que toute la chevalerie. — Et pourquoi, toi, t'interposer entre ma femme et moi ? répliqua le chevalier. Je la tuerai, quoi que tu fasses. — Certes non, repartit messire Lancelot, nous nous battrons plutôt. — Lancelot, dit le chevalier, tu outrepasses ton rôle. Cette dame m'a trahi.

— Ce n'est pas vrai, dit la dame. En vérité il médit de moi. Parce que j'aime et chéris mon cousin germain, il est jaloux de ce qu'il y a entre lui et moi. Mais j'en répondrai devant Dieu, il n'y a jamais rien eu qui soit péché. Cependant, messire, poursuivit la dame, si vous êtes de tous les chevaliers celui qui mérite le plus d'estime, je vous requiers en vertu des lois de la chevalerie de me prêter assistance et de me sauver. Quoi qu'on lui dise, il me tuera, car il est sans pitié. — N'en doutez point, dit Lancelot, cela ne sera pas en son pouvoir. — Messire, dit le chevalier, par égard pour vous je ferai comme vous voudrez. » Adonc messire Lancelot chevaucha d'un côté et elle de l'autre. Ils n'avaient guère fait de chemin quand le chevalier dit à messire Lancelot de se tourner et de regarder en arrière. « Messire, voici venir des hommes d'armes à notre poursuite. » Lancelot se tourna sans songer à une traîtrise. Sur ce le chevalier passa du même côté que la dame et soudainement lui fit sauter la tête.

Quand messire Lancelot vit ce qu'il avait fait, il le prit à partie : « Traître, tu m'as déshonoré à jamais. » Promptement il mit pied à terre et dégaina son épée pour le tuer. Là-dessus l'autre tomba face contre terre. Il s'agrippa aux jambes de messire Lancelot et implora sa merci. « Fi donc ! s'écria messire Lancelot, infâme chevalier ! À nulle merci tu ne peux prétendre. Lève-toi et livre-moi combat. — Non, je ne me lèverai point, tant que vous ne m'aurez pas accordé votre grâce. — Je vais te faire une honnête proposition, dit Lancelot. Je vais ôter mon armure et me mettre en chemise. Je n'aurai rien d'autre sur moi. En main j'aurai mon épée. Si tu réussis à me tuer, te voilà quitte pour toujours. — Non, messire, dit Bédivier, en aucun cas. — Eh bien, conclut messire Lancelot, emporte cette dame ainsi que la tête. Porte-les sur toi. Et jure-moi sur mon épée de les porter toujours sur ton dos, sans jamais prendre de repos, jusqu'à ce que tu sois devant la reine Guenièvre. — Messire, dit-il, je m'y engage, sur ma foi. — À présent, dis-moi ton nom. — Messire, mon nom est Bédivier. — Néfaste est le jour qui t'a vu naître », dit Lancelot.

C'est ainsi que partit Bédivier, avec la dépouille de la dame et sa tête. Il trouva la reine à Winchester avec le roi Arthur et là leur avoua toute la vérité. « Sire chevalier, dit la reine, c'est un horrible forfait et plein d'ignominie. C'est aussi un grand outrage fait à messire Lancelot. Il est vrai cependant que sa gloire n'est pas toujours connue en toutes les contrées. Voici ce que je vous inflige en pénitence : vous ferez comme vous voudrez mais vous porterez cette dame avec vous, à dos de cheval, jusqu'au pape de Rome, et c'est lui qui décidera de la pénitence que méritent vos crimes. Vous ne prendrez pas une nuit de repos jusque-là. Si vous vous étendez sur un lit, le corps sans vie sera à vos côtés. » Il s'y engagea par serment et partit. Le livre français nous dit que lorsqu'il fut venu à Rome, le pape lui enjoignit de retourner à la reine Guenièvre. C'est à Rome que la dame fut mise en terre, par ordre de ce pape. Par la suite Bédivier devint fort vertueux. Il fut saint homme et ermite.

CHAPITRE XVIII

Comment messire Lancelot revint à la cour du roi Arthur, et comment tout fut raconté de ses nobles exploits et nobles actions

À PRÉSENT tournons-nous du côté de messire Lancelot du Lac. Il arriva deux jours avant la fête de la Pentecôte. Le roi, ainsi que toute la cour, se réjouirent fort de sa venue. Lorsque messire Gauvain, messire Yvain, messire Sagremor et messire Hector des Mares virent messire Lancelot sous le harnois de Keu, alors ils surent bien que c'était lui qui les avait tous renversés d'une seule lance. On rit et l'on sourit parmi eux. L'un après l'autre arrivèrent à la cour tous les chevaliers que messire Tarquin avait faits prisonniers. Tous ils témoignèrent à messire Lancelot leur respect et leur admiration. Quand messire Guerrehet les ouït parler, il dit : « J'ai vu tout le combat, du commencement à la fin. » Et il rapporta au roi Arthur comment tout s'était déroulé, et que messire Tarquin était le chevalier le plus fort qu'il eût jamais vu, à l'exception de messire Lancelot. Maint chevalier en porta témoignage, près de trois fois vingt.

Lors messire Keu conta au roi comment messire Lancelot l'avait secouru quand il pensait ne pouvoir échapper à la mort, et comment il avait contraint les chevaliers à se rendre à sa merci à lui, Keu, et non à celle de Lancelot. Ils étaient là tous les trois et en portèrent témoignage. « Par Dieu, dit-il, pour ce que messire Lancelot m'avait pris mon harnois et laissé le sien, j'ai chevauché en parfaite tranquillité, et nul ne m'a cherché querelle. » Bientôt arrivèrent les trois chevaliers qui avaient combattu avec messire Lancelot sur le grand pont. Ils se rendirent à messire Keu. Mais celui-ci ne voulut rien avoir à faire avec eux. Il leur dit qu'il ne leur avait jamais livré combat. « Je vais vous mettre à l'aise, ajouta-t-il. Voilà messire Lancelot, qui vous a vaincus. » Quand ils surent cela, ils en furent satisfaits.

Lors arriva messire Méliot de Logres. Il rapporta au roi comment messire Lancelot l'avait sauvé de la mort. Tous les exploits de Lancelot furent mis au jour, comment quatre reines et sorcières l'avaient tenu prisonnier, et comment il avait été délivré par la fille du roi Bademagu. On narra également chacun des hauts faits d'armes accomplis en tournoi par messire Lancelot et dans la bataille entre les deux rois, à savoir celui de Norgalles et Bademagu. L'entière vérité, messire Galeheudin la fit connaître, ainsi que messire Mador de la Porte et messire Mordret, car ils se trouvaient au dit tournoi. Lors entra la dame qui avait reconnu messire Lancelot quand il avait blessé messire Bellius devant le pavillon. À la requête de Lancelot, Bellius fut fait chevalier de la Table Ronde. C'est ainsi qu'en ce temps messire Lancelot acquit le plus de réputation de tous les chevaliers du monde. C'est lui qui fut le plus honoré, tant des petits que des grands.

Ici finit la grande histoire de messire Lancelot du Lac, qui est le SIXIÈME LIVRE. Suit celle de messire Gahériet des Orcades, qui fut appelé Belles Mains par messire Keu, et cela est le SEPTIÈME LIVRE.

LIVRE SEPTIÈME

Gahériet

CHAPITRE I

Comment Belles Mains vint à la cour du roi Arthur et lui présenta trois requêtes

ALORS QU'ARTHUR accueillait à la Table Ronde ses chevaliers au complet, il arriva qu'il donna ordre de célébrer la grande fête de Pentecôte à l'endroit d'un château, lequel en ce temps-là était appelé King Kenadown, dans les sables près du pays de Galles. Le roi observait toujours une coutume, à la fête de Pentecôte plus qu'à toute autre en l'année, celle de ne pas se mettre à table avant d'avoir vu une grande merveille ou d'en avoir ouï parler. Et, pour l'établissement de cette coutume, il faut dire que toutes sortes d'étranges aventures vinrent à la connaissance d'Arthur lors de cette fête-là, plus qu'en aucune autre.

Adonc messire Gauvain, un peu avant midi le jour de la Pentecôte, aperçut par une fenêtre trois hommes à cheval et un nain à pied. Les trois hommes descendirent de leurs montures, que le nain garda. L'un des hommes dépassait les deux autres par la taille d'une coudée. Lors messire Gauvain alla trouver le roi et lui dit : « Sire, mettez-vous à table, car voici venir d'étranges aventures. »

Arthur se mit donc à table, en compagnie de beaucoup d'autres rois. Il y avait là tous les chevaliers de la Table Ronde, à l'exception seulement de ceux qui avaient été faits prisonniers ou tués lors d'une rencontre. À ce grand festin on cherchait toujours à atteindre le nombre de cent cinquante convives, car cela signifiait que la Table Ronde était complète. Entrèrent à ce moment dans la grand-salle deux hommes bien vêtus et richement. À leurs épaules s'appuyait le jouvenceau le plus avenant et le plus gracieux qu'on eût jamais vu. Il était grand et fort, de large carrure et de visage agréable, avec les mains les plus belles et les plus grandes qui eussent jamais frappé le regard. Pourtant il se conduisait comme s'il ne pouvait marcher ni se tenir debout sans s'appuyer à leurs épaules.

Dès qu'Arthur eut posé les yeux sur lui, il imposa silence, et on lui fit place. Aussitôt les arrivants allèrent avec le jouvenceau vers le trône, sous le grand dais, sans dire un mot. Ce très jeune homme alors se recula. Avec aisance il se redressa et dit : « Roi Arthur, Dieu vous bénisse, ainsi que toute votre belle compagnie, en particulier vos compagnons de la Table Ronde. Voici la raison pour laquelle je suis venu vous voir. Je viens vous prier et requérir de m'accorder trois faveurs. Elles ne seront pas demandées de manière assez déraisonnable pour que vous ne puissiez avec honneur et dignité faire droit à mes requêtes, et vous n'en subirez ni grand dommage ni grande perte. La première de ces faveurs et grâces, je la demanderai maintenant. Quant aux deux autres, ce sera dans un an d'ici, où que se tienne votre grand festin.

— Demande, dit Arthur, et tu auras ce que tu souhaites. — Voici quelle est ma requête, Sire, pour la fête que vous célébrez aujourd'hui. C'est que vous me donniez à manger et à boire en suffisance pour une durée d'un an. Au terme de l'année qui va suivre, je solliciterai mes deux autres faveurs. — Bel enfant, dit Arthur, requiers davantage. Je te conseille de le faire, car tu te bornes à peu de chose. Mon cœur est fort bien disposé à ton endroit. Tu es à mon sentiment d'honorable lignée, et je me trompe fort si tu ne te montres à ton tour homme de grand mérite. — Sire, quoi qu'il en soit, j'ai demandé ce que je voulais demander. — C'est bien, dit le roi. Tu auras à manger et à boire à ta suffisance. Je ne l'ai jamais refusé à quiconque, ami ou ennemi. Mais quel est ton nom ? Je voudrais le connaître. — Je ne puis vous le dire, répondit-il. — Il est étonnant, repartit le roi, que tu ne saches point ton nom, alors que tu es le jouvenceau le plus avenant que j'aie jamais vu. »

Lors le roi le confia aux soins de messire Keu le sénéchal, à charge pour lui de lui donner à manger et à boire, que ce fût de toute sorte, et ce qu'il y avait de meilleur. Les mets devaient être les mêmes que s'il était le fils d'un seigneur. « Il n'y a guère besoin, dit messire Keu, de faire tant de frais pour quelqu'un comme lui. Je crois pouvoir avancer qu'il est vilain de naissance et ne nous fera jamais un homme achevé. S'il était fils de gentilhomme, il aurait demandé cheval et armure. Mais telle nature, telle requête. Et puisqu'il n'a pas de nom, moi, je vais lui en donner un. Ce sera Belles Mains. C'est à la cuisine que je le conduirai. Il aura du bon potage gras tous les jours, ce qui fera qu'au bout de l'an il sera pourvu d'autant de graisse qu'un porc qu'on nourrit pour le lard. » Sur ce, les deux personnes qui accompagnaient le jouvenceau le quittèrent, le laissant à messire Keu, à son mépris et à ses moqueries.

CHAPITRE II

Comment messire Lancelot et messire Gauvain se mirent en colère de ce que messire Keu se moquait de Belles Mains, et d'une demoiselle qui désira qu'un chevalier combattît pour une dame

DE CELA messire Gauvain se courrouça, mais surtout messire Lancelot, qui enjoignit à messire Keu de laisser là sa raillerie. « J'en répondrais sur ma tête, lui dit-il, il se montrera homme de grand mérite. — Mais non, répliqua messire Keu, cela ne se peut raisonnablement. Il faut juger de ce qu'il est d'après ce qu'il a demandé. — Prenez garde, continua messire Lancelot. De même manière au valeureux chevalier Brunor, le frère de Dinadan, vous aviez donné un surnom. Vous l'appeliez la Cotte Mal Taillée. On s'en est ensuite irrité. — Cette fois, répondit messire Keu, il n'en ira certainement pas de même. Messire Brunor avait toujours désiré acquérir de la réputation. Celui-ci veut pain, boisson, potage. Je gagerais ma vie qu'il a été nourri dans quelque abbaye et que, je ne sais pourquoi, on n'y peut plus lui donner à manger ni à boire. Aussi est-il venu céans pour se sustenter. » Adonc messire Keu dit à Belles Mains de se trouver une place à table pour s'asseoir. Ce dernier décida d'aller à la porte de la grand-salle s'installer parmi la valetaille, et là il mangea tristement.

Quand le repas fut fini, messire Lancelot l'invita à venir en sa chambre, où il aurait à boire et à manger autant qu'il voudrait. Messire Gauvain fit de même. Mais il refusa à l'un et à l'autre. Il ne voulait que suivre les ordres de messire Keu, quoi qu'on lui offrît. En ce qui concerne messire Gauvain, il était raisonnable qu'il lui proposât le gîte et le couvert. L'offre était dictée par la nature, car il était plus proche de lui par le sang qu'il ne s'en avisait. Mais ce que faisait messire Lancelot provenait de sa grande générosité et courtoisie.

Donc Belles Mains fut mis dans la cuisine et la nuit y couchait, comme faisaient les laveurs de vaisselle. Il endura ce traitement l'année durant, sans jamais incommoder homme ni enfant. Toujours il se montrait doux et humble. Cependant, sitôt qu'il y avait des joutes de chevaliers, il s'y rendait quand cela pouvait se faire. Messire Lancelot ne cessait de le fournir en or pour sa dépense, et en habits. Messire Gauvain faisait de même. Aux jeux où l'on rivalisait pour être le meilleur on était assuré de le voir, et nul ne jetait barre ou pierre aussi loin que lui d'une toise. Lors messire Keu disait : « Que pensez-vous de mon garçon de cuisine ? »

Les choses se passèrent ainsi jusqu'à la fête de Pentecôte. Le roi la célébra à Carlion cette année-là, aussi royalement que cela se pouvait, comme chaque année. Cependant, il ne voulut point le dimanche se mettre à table avant d'entendre parler d'aventures. Lors un écuyer vint le voir, qui lui dit : « Sire, vous pouvez vous mettre à table, car voici venir une demoiselle avec d'étranges aventures. » Le roi s'en réjouit et prit place au festin. Il entra alors dans la grand-salle une demoiselle, qui salua le roi et le pria d'apporter son secours. « À qui ? demanda-t-il. De quelle aventure s'agit-il ?

— Sire, répondit-elle, j'appartiens à une dame qui est en grande estime et renom. Elle est assiégée par un tyran, si bien qu'elle ne peut sortir de son château. Parce qu'on dit qu'ici se trouvent les plus nobles chevaliers du monde, je viens vous prier de lui apporter votre aide. — Comment se nomme votre dame, où habite-t-elle, qui est-elle et quel est le nom de celui qui l'assiège ? — Sire le roi, quant au nom de ma dame, je ne vous en dirai rien pour cette fois. Mais je vous ferai savoir que c'est une dame tenue en grand honneur et qui possède de vastes domaines. Et pour ce qui est du tyran qui l'assiège et ravage ses terres, on l'appelle le Chevalier Rouge de la Plaine Rouge. — Je ne le connais pas. — Sire, dit messire Gauvain, moi, je le connais bien. C'est un des chevaliers les plus dangereux qui soient au monde. On dit qu'à lui seul il a la force de sept hommes, et j'ai eu bien du mal à lui échapper un jour. Ce fut au péril de ma vie.

— Gente demoiselle, dit le roi, il y a ici des chevaliers prêts à faire leur possible pour secourir votre dame. Mais, parce que vous vous refusez à me donner son nom et à me dire où elle habite, nul de mes chevaliers ici présents ne vous accompagnera en obéissance à mes ordres. — Il me faudra donc m'expliquer davantage », dit la demoiselle.

CHAPITRE III

Comment Belles Mains émit le vœu de livrer ce combat, comment cela lui fut accordé, et comment il désira être fait chevalier par messire Lancelot

LÀ-DESSUS Belles Mains vint devant le roi, alors que la demoiselle était présente. Il dit ceci : « Sire le roi, que Dieu vous sache gré de ce que douze mois durant j'ai été en votre cuisine et pleinement repu. À présent, je vais vous demander les deux faveurs qui me restent dues. — Demande, j'en prends le risque. — Sire, voici quelles seront mes deux faveurs. Par la première vous m'accorderez de faire mienne l'aventure que propose cette demoiselle, car c'est une aventure faite pour moi. — Elle est à toi, dit le roi, je te la donne. — L'autre faveur, c'est que vous confierez à Lancelot du Lac le soin de me faire chevalier, car c'est de lui que je veux être armé chevalier et de nul autre. Quand je serai parti, je vous prie de le laisser me suivre, qu'il puisse m'adouber lorsque je le lui demanderai. — Tout ceci sera exécuté, dit le roi.

— Fi donc ! s'écria la demoiselle. N'aurai-je personne d'autre qu'un garçon qui sert en votre cuisine ? » Elle entra en courroux, prit son cheval et s'en alla. Sur ces entrefaites un homme vint à Belles Mains l'informer que son destrier et son armure étaient là et à sa disposition. Le nain était arrivé qui avait amené tout ce qu'il fallait, et qui était du plus grand prix. La cour entière s'ébahit grandement, se demandant d'où venait tout cet équipement. Lorsque Belles Mains fut armé, il n'y en eut que peu d'aussi belle apparence. Aussitôt il entra dans la grand-salle. Il prit congé du roi Arthur, de messire Gauvain et de messire Lancelot, priant ce dernier de se hâter de le suivre. Puis il partit à la poursuite de la demoiselle.

CHAPITRE IV

Comment Belles Mains partit,
comment il eut de messire Keu une lance et un écu,
et comment il jouta avec messire Lancelot

BEAUCOUP le suivirent cependant, afin de voir quel beau cheval il avait et caparaçonné d'or, mais il n'avait toujours ni écu ni lance. Lors messire Keu dit publiquement dans la grand-salle : « Je vais partir derrière mon garçon de cuisine pour savoir s'il va me reconnaître encore comme au-dessus de lui. » Messire Lancelot et messire Gauvain lui répliquèrent : « N'en faites rien. » Mais il se prépara. Il prit son cheval et sa lance, et courut après Belles Mains. Aussitôt que celui-ci eut rejoint la demoiselle, à ce moment arriva messire Keu. Il dit : « Belles Mains, comment cela, messire, ne me reconnaissez-vous point ? » Belles Mains fit alors tourner son cheval. Il sut que c'était messire Keu, qui lui avait fait subir tous les outrages dont vous avez ouï parler. « Certes, répondit-il, je vous connais, pour un chevalier qui à la cour manque de noblesse. En conséquence, prenez garde à moi. »

Là-dessus messire Keu mit sa lance en arrêt et courut droit à lui. Belles Mains aussi rapidement vint à Keu, l'épée sortie du fourreau. De cette épée il écarta la lance et frappa le flanc de son adversaire d'estoc, si bien que celui-ci tomba comme s'il eût été mort. Lors Belles Mains descendit de son cheval. Il prit à messire Keu son écu et sa lance, remonta en selle et continua son chemin. Ensuite il dit à son nain d'enfourcher le cheval de messire Keu, ce qu'il fit.

Messire Lancelot s'étant alors approché, Belles Mains lui proposa de jouter avec lui. Chacun se prépara, et ils se heurtèrent avec tant de vigueur que l'un et l'autre en furent culbutés au sol et bien meurtris.

Messire Lancelot se releva et aida Belles Mains à se dégager de sa monture. Lors Belles Mains jeta son bouclier et proposa à messire Lancelot de combattre à pied. Ils se ruèrent l'un contre l'autre tels des sangliers, avançant, attaquant, frappant d'estoc, une heure durant. Messire Lancelot trouva Belles Mains si fort qu'il s'ébahit de sa vigueur. Il combattait davantage comme un géant que comme un chevalier. Il était endurant et fort dangereux. Messire Lancelot eut tant de peine à le combattre qu'il craignit un affront. Il dit : « Belles Mains, n'y mettez point tant d'ardeur, votre querelle et la mienne ne sont pas telles que nous ne puissions couper court. — Assurément, c'est vérité, repartit Belles Mains, mais cela me fait du bien de sentir à quel point vous êtes fort. Nonobstant, monseigneur, je n'ai point montré ce que j'eusse fait si le combat avait été à outrance. »

CHAPITRE V

Comment Belles Mains dit son nom à messire Lancelot,
et comment par celui-ci il fut fait chevalier et ensuite rejoignit la demoiselle

« PAR DIEU, dit messire Lancelot, je vous promets sur ma foi que j'ai dû faire tout mon possible pour m'épargner un affront de votre part. N'ayez donc à redouter nul chevalier sur cette terre. — Ainsi vous espérez que je vais pouvoir en toute circonstance tenir tête à un chevalier éprouvé ? — Oui, dit Lancelot, conduisez-vous comme vous venez de le faire, et je m'en porte garant. — En ce cas, je vous en prie, repartit Belles Mains, conférez-moi l'ordre de chevalerie. — Il me faudra connaître votre nom, ainsi que le lignage dont vous êtes issu. — Messire, pourvu que vous ne trahissiez point mon secret, je vais vous le dire. — Je ne dévoilerai rien, dit messire Lancelot, j'y engage ma foi, aussi longtemps que tout le monde ne sera pas au courant.

— Sachez alors que je me nomme Gahériet. Je suis frère de messire Gauvain, de père et de mère. — Ah ! messire, s'exclama messire Lancelot, je n'en suis que plus content de vous. Il m'a toujours paru que vous étiez de haute naissance et que vous ne veniez pas à la cour dans le but de manger et de boire. » Lors messire Lancelot lui conféra l'ordre de chevalerie. Ensuite, messire Gahériet le pria de le quitter et de le laisser aller de son côté. Messire Lancelot le quitta donc et vint à messire Keu. Il le fit porter à Camaalot sur son propre écu. Il fallut beaucoup de soins pour lui sauver la vie. Tout le monde le méprisa de ce qu'il avait fait, en particulier messire Gauvain et messire Lancelot, qui dirent qu'il ne lui convenait point d'outrager nul jouvenceau, car il lui était bien difficile de savoir de quel lignage il était et pour quelle raison il venait à la cour.

Adonc laissons là messire Keu et tournons-nous du côté de Belles Mains. Quand il eut rejoint la demoiselle, aussitôt elle lui dit : « Que fais-tu donc ici ? Des pieds à la tête tu pues les odeurs de cuisine. Tes vêtements sont sales de la graisse et du suif recueillis près des marmites du roi Arthur. Crois-tu que je t'admire d'avoir tué ce chevalier là-bas ? Non, vraiment, car tu l'as occis malencontreusement et lâchement. Va-t'en donc, malpropre souillard ! Je te connais bien, car messire Keu t'appelait Belles Mains. Qu'es-tu d'autre qu'un traîne-semelles, un tourne-broche et un écumeur de pots ? — Demoiselle, repartit Belles Mains, dites-moi tout ce que vous voudrez, je n'en resterai pas moins à vos côtés, car je me suis engagé auprès du roi Arthur à mener à bien votre aventure, et je la mènerai à son terme, ou j'en mourrai. — Fi donc ! vilain garçon de cuisine, songes-tu vraiment à mener mon aventure à bonne fin ? Bientôt tu trouveras quelqu'un à qui parler et n'oseras point, pour tout le potage dont tu aies jamais soupé, seulement le regarder en face. — J'essaierai », dit Belles Mains.

Ainsi donc, tandis qu'ils chevauchaient dans le bois, survint un homme qui fuyait aussi vite qu'il le pouvait. « Où vas-tu donc? demanda Belles Mains. — Oh! messire, répondit-il, aidez-moi. Près d'ici, dans un vallon, six voleurs se sont saisis de mon seigneur et l'ont ligoté. Je crains qu'ils ne lui fassent un mauvais parti. — Mène-moi où ils sont, dit Belles Mains. » Ils chevauchèrent ensemble jusqu'à ce qu'ils fussent où se trouvait le chevalier ligoté. Belles Mains courut à la rencontre des voleurs. Il en frappa un mortellement, puis un autre. Au troisième coup qu'il donna, il occit le troisième. Les trois autres prirent la fuite. Il les poursuivit et les rejoignit. Lors ces trois voleurs firent volte-face et l'assaillirent rudement. Mais fin de compte il les tua. Il s'en retourna et délia le chevalier. Celui-ci le remercia et le pria de l'accompagner en son château non loin de là, lui promettant de le récompenser magnifiquement pour ses bonnes actions.

« Messire, dit Belles Mains, je ne veux d'aucune récompense. Aujourd'hui même j'ai été fait chevalier par le noble messire Lancelot. Je ne prendrai donc nulle récompense. Dieu me récompensera. Il me faut en outre suivre cette demoiselle. » Lorsqu'il fut près d'elle, elle lui enjoignit de s'écarter : « Tu sens la cuisine, des pieds à la tête. Pensais-tu que j'allais être contente de toi? Tout ce que tu as fait n'était que malencontre. Mais tu vas voir bientôt quelque chose qui va te faire tourner bride, et cela prestement. »

Lors ce même chevalier qui avait été sauvé des voleurs rejoignit cette demoiselle, la priant de loger chez lui cette nuit-là. Parce que le soir tombait, la demoiselle l'accompagna en son château. Là ils firent fort bonne chère. Au souper, le chevalier donna à messire Belles Mains préséance sur la demoiselle. « Fi donc! fi donc! seigneur chevalier, vous manquez à la courtoisie de donner préséance sur moi à un garçon de cuisine. Il lui convient mieux de tuer un cochon que de s'asseoir plus haut que demoiselle de haut parage. » Le chevalier eut honte de ses paroles. Il prit Belles Mains et le fit asseoir à une petite table, où il s'assit lui aussi. Ainsi toute la nuit ils firent bonne chère et se reposèrent joyeusement.

CHAPITRE VI

Comment Belles Mains combattit et tua deux chevaliers au passage d'une rivière

LE LENDEMAIN MATIN, la demoiselle et lui prirent congé du chevalier. Ils le remercièrent et partirent. Ils poursuivirent leur chemin jusqu'à une vaste forêt. Là il y avait une grande rivière et un seul endroit pour passer l'eau. Deux chevaliers se tenaient prêts de l'autre côté à leur barrer le passage. « Qu'en dis-tu ? demanda la demoiselle. Vas-tu te mesurer à ces chevaliers là-bas, ou bien faire demi-tour ? — Non, dit messire Belles Mains, je ne ferai point demi-tour, quand même il y en aurait six de plus. »

Là-dessus il avança précipitamment dans l'eau. Au milieu de la rivière, les deux adversaires en se heurtant brisèrent leurs lances à hauteur de la poignée. Lors ils dégainèrent leurs épées et s'assaillirent avec ardeur. Finalement messire Belles Mains choqua l'autre sur le heaume. Il en fut abasourdi. Il tomba dans l'eau et se noya. Sur ce Belles Mains donna des éperons à son cheval sur la terre ferme, où le second des chevaliers l'attaqua et à son tour rompit sa lance. Ils tirèrent leurs épées du fourreau et combattirent longuement. Au bout du compte, messire Belles Mains fendit le heaume de son adversaire et la tête jusqu'aux épaules. Puis il alla retrouver la demoiselle et lui dit de continuer sa route.

« Las ! gémit-elle, dire qu'un garçon de cuisine a eu la chance d'ôter la vie à deux chevaliers aussi vaillants ! Tu crois avoir fait preuve de bravoure, mais il n'en est rien. Pour ce qui est du premier, son cheval a trébuché. C'est ainsi qu'il s'est noyé. Ce ne fut nullement grâce à la force de ton bras ni à la puissance de ton épée. Quand au second, malencontreusement tu es arrivé derrière lui et malencontreusement l'as tué. — Demoiselle, repartit Belles Mains, vous pouvez dire ce que vous voulez mais, quel que soit celui que je rencontrerai, je me fie en Dieu qu'il aura son dû avant que nous nous quittions. En conséquence, je n'ai cure de vos paroles, pourvu que j'obtienne l'affection de votre dame. — Fi donc ! fi donc ! vilain souillon, tu vas voir des chevaliers qui te rabattront ton caquet. — Belle demoiselle, parlez-moi gracieusement. Cela m'ôtera de souci, car pour vos chevaliers, quels qu'ils soient, je ne m'en soucie point ni ne les crains. — Ce que j'en dis, je le dis pour ton bien. Tu peux encore t'en retourner avec honneur, tandis que si tu me suis, tu ne peux que perdre la vie. Je vois bien que tout ce que tu fais, tu le dois à la chance, et non aux prouesses de ton bras. — C'est bien, demoiselle. Dites ce qu'il vous plaira de dire. Mais, partout où vous irez, je vous suivrai. »

Adonc ce Belles Mains chevaucha avec cette dame jusqu'à l'heure des vêpres, elle toujours le gourmandant, sans répit aucun. Ils arrivèrent à une plaine noire. Il s'y dressait une épine noire, à laquelle était accrochée une bannière noire. Auprès, debout, était posée une lance noire, forte et longue, tandis qu'un grand cheval noir se tenait là aussi, caparaçonné de soie, une pierre noire tout à côté.

CHAPITRE VII

Comment Belles Mains combattit le Chevalier de la Plaine Noire, jusqu'à ce qu'il tombât et mourût

LÀ ÉTAIT ASSIS un chevalier armé de pied en cap. Son armure était noire et son nom le Chevalier de la Plaine Noire. Lorsque la demoiselle aperçut ce chevalier, elle fit recommandation à Belles Mains de profiter de cette vallée pour s'enfuir, car le cheval n'était pas sellé. « Grand merci, lui repartit Belles Mains. Vous voulez toujours que je me conduise en poltron. » Là-dessus le Chevalier Noir, quand elle s'approcha de lui, prit la parole et lui dit : « Demoiselle, avez-vous amené ici ce chevalier du roi Arthur pour être votre champion ? — Non, gentil chevalier, répondit-elle, ce n'est qu'un souillon, auquel on a donné sa nourriture dans les cuisines du roi par charité. — Pourquoi vient-il ainsi vêtu ? Il est indigne qu'il vous tienne compagnie. — Messire, je ne puis m'en défaire. Il chevauche avec moi, en dépit que j'en aie. Dieu fasse que vous l'éloigniez de moi, sans l'occire, si cela se peut, car c'est un pauvre souillard, et le malheur ne l'a pas quitté de la journée. Par male chance je l'ai vu tuer deux chevaliers au passage de l'eau, et il est d'autres actions qu'il a faites, fort étonnantes, malencontreusement.

— Il me surprend beaucoup, dit le Chevalier Noir, qu'un homme de mérite s'abaisse à le rencontrer. — C'est qu'ils ne le connaissent point, repartit la demoiselle. Parce qu'il chevauche à mes côtés, ils s'imaginent que c'est quelque personne honorable par la naissance. — Cela se peut. Mais vous avez beau dire qu'il n'est pas honorable, c'est quelqu'un de fort bonne mine, et dont l'apparence promet de la vigueur. Je me contenterai de faire ceci pour vous : en me tenant sur un pied, je le ferai tomber. Quant à son cheval et à son harnois, il me les laissera. Ce serait indigne de ma part de lui nuire davantage. » Quand messire Belles Mains l'entendit parler de la sorte, il dit : « Sire chevalier, tu as disposé fort librement de ma monture et de mes armes. Il ne t'en a rien coûté assurément, mais cette plaine, que cela te plaise ou non, je la traverserai, en dépit de toi. Ni cheval ni harnois tu n'auras qui m'appartienne, à moins que tu ne les obtiennes à la force de ton bras. Et maintenant, voyons ce que tu sais faire.

— Sont-ce là tes paroles ? repartit le chevalier. À présent laisse là cette dame, car il ne sied point à un garçon de cuisine de chevaucher en pareille compagnie. — Tu en as menti, dit Belles Mains. Je suis né gentilhomme, de meilleur lignage que le tien, et je le prouverai à tes dépens. » Lors, pris de rage, ils firent partir leurs chevaux et se heurtèrent dans un bruit de tonnerre. La lance du Chevalier Noir se rompit. Belles Mains lui perça les deux flancs. Sa lance se rompit elle aussi, et le tronçon en demeura planté dans le côté de son adversaire. Nonobstant le Chevalier Noir tira son épée. À Belles Mains il porta maint coup rapide et d'une grande force, qui le firent beaucoup souffrir. Mais finalement, une heure et demie plus tard ou peu s'en faut, le chevalier tomba de son cheval sans connaissance et là mourut. Quand Belles Mains vit quel beau destrier et quelle belle armure il avait, il mit pied à terre, se revêtit du harnois, prit la monture et partit rejoindre la demoiselle.

Losqu'elle le vit s'approcher, elle lui dit : « Va-t'en, souillon, que le vent ne m'apporte pas ton odeur, car celle de tes vêtements sales me dérange. Hélas ! poursuivit-elle, dire qu'un souillon de ton espèce a pu par accident tuer un chevalier aussi valeureux que celui-là. Mais tout ceci vient de ta mauvaise fortune. Non loin d'ici se trouve quelqu'un qui saura te payer ton dû. En conséquence, je te le conseille encore : fuis ! — Il pourra m'advenir, repartit Belles Mains, d'être défait ou occis, mais je vous en préviens, gente demoiselle, je ne m'enfuirai point ni ne quitterai votre compagnie en dépit de tout ce que vous pourrez me dire. Chaque fois vous me répétez qu'ils vont me tuer ou me vaincre mais, je ne sais comment cela se fait, j'en réchappe et eux gisent sur le sol. Il serait donc aussi avisé de votre part de vous tenir coite que de me gourmander ainsi tout au long du jour, car pour ce qui est de m'en aller, je n'en ferai rien, jusqu'à ce que j'aie atteint le terme de ce voyage. Sans quoi l'on me tuera, ou je serai bel et bien déconfit. En conséquence, continuez votre chemin, car pour ce qui est de vous suivre, je vous suivrai, quoi qu'il advienne. »

CHAPITRE VIII

Comment le frère du chevalier qui avait été tué rencontra Belles Mains et combattit avec lui, avant de se rendre

TANDIS QU'ILS CHEVAUCHAIENT de concert, ils virent un chevalier qui accourait vers eux au grand galop. Il était tout en vert, tant monture que harnois. Lorsqu'il fut auprès de la demoiselle, il lui demanda : « Est-ce là mon frère le Chevalier Noir, que vous amenez avec vous ? — Non, non, répondit-elle, ce malheureux souillon, il se trouve que malencontreusement il a tué votre frère. — Hélas ! s'exclama le Chevalier Vert, c'est grand dommage qu'un noble chevalier comme était mon frère soit par mauvaise fortune occis, et qui plus est du bras d'un souillon, comme vous dites qu'il est. Ah ! traître, s'écria-t-il, tu mourras pour avoir tué mon frère. C'était un chevalier des plus nobles. Son nom était messire Pérard. — Je te porte défi, répliqua Belles Mains, car sache que je l'ai tué selon les lois de la chevalerie, et non point de manière indigne. »

Là-dessus le Chevalier Vert courut jusques à un cor, qui était de couleur verte. Il était accroché à une épine. Il en tira trois notes guerrières. Vinrent alors trois demoiselles, qui l'armèrent promptement. Il prit un grand cheval, un écu de sinople et une lance de même couleur. Lors ils se chargèrent sus de toutes leurs forces et rompirent leurs lances à hauteur des poignées. Sur ce ils dégainèrent leurs épées et en donnèrent maint coup plein de violence. L'un et l'autre, ils s'infligèrent de bien graves blessures. Finalement, en le prenant de travers, Belles Mains de son cheval heurta le flanc de celui du Chevalier Vert, si bien qu'il s'affaissa. Lors le Chevalier Vert vida les arçons prestement et s'apprêta au combat à pied.

Belles Mains le vit. Il descendit de sa monture. Ils se ruèrent l'un vers l'autre, tels deux vigoureux champions. Ils combattirent longtemps, et l'un et l'autre perdirent beaucoup de sang. Lors vint la demoiselle, qui dit : « Monseigneur le Chevalier Vert, fi donc! pourquoi demeurer si longtemps à vous battre avec ce souillon? Hélas! quelle honte que vous ayez jamais été fait chevalier, lorsqu'on voit un maroufle de cette sorte tenir tête à un homme de votre mérite! C'est comme si l'herbe cédait devant le chiendent! » Le Chevalier Vert eut honte. Il asséna un coup d'une rare puissance, qui fendit l'écu de Belles Mains de part en part. Lorsque celui-ci vit son écu fendu en deux, il se sentit quelque peu honteux, à la fois de ce coup qu'il avait reçu et des paroles de la demoiselle. Lors il choqua son adversaire si rudement sur le heaume qu'il en tomba à genoux. D'un bond Belles Mains l'agrippa et le tira jusque sur le sol, face contre terre. Le Chevalier Vert s'en remit alors à sa merci et se rendit à messire Belles Mains, le priant de ne pas le tuer.

« Tout ceci est en pure perte, dit Belles Mains, car tu mourras, à moins que cette demoiselle qui m'accompagne ne me prie d'épargner ta vie. » Et là-dessus il délaça le heaume, comme s'il se préparait à le tuer. « Fi donc! fourbe garçon de cuisine, jamais je ne te prierai d'épargner sa vie, car jamais je ne mc mettrai pareillement en ton pouvoir. — Il mourra donc, dit Belles Mains. — Ne sois pas assez hardi, souillon, pour oser le tuer. — Hélas! implora le Chevalier Vert, ne souffrez point que je meure, alors qu'une bonne parole suffit à me sauver. Gentil chevalier, poursuivit-il, épargnez-moi, et je vous pardonnerai la mort de mon frère. À jamais je serai votre homme lige, et trente chevaliers, qui de moi tiennent leurs terres, se mettront à votre service jusqu'à la fin de vos jours.

— Comment diable un pareil souillon, s'exclama la demoiselle, pourrait-il se retrouver avec vous et trente chevaliers à son service? — Sire chevalier, dit Belles Mains, tout ceci ne t'est d'aucun profit, si ma demoiselle ne me demande de te sauver la vie. » Et là-dessus il fit mine de vouloir le tuer. « N'en fais rien, dit la demoiselle, souillard malpropre! Ne le tue point. Si tu le fais, tu t'en repentiras. — Demoiselle, repartit Belles Mains, votre commandement est pour moi un plaisir, et sur votre ordre sa vie sera épargnée, autrement non. » Lors il dit : « Sire chevalier aux armes vertes, je te tiens quitte à la requête de cette demoiselle, car je ne veux point susciter sa colère. Je veux exécuter tous les ordres qu'elle me donnera. »

Le Chevalier Vert alors mit un genou en terre et lui rendit hommage avec son épée. La demoiselle dit : « J'ai regret, Chevalier Vert, du dommage que vous avez subi, ainsi que de la mort de votre frère, le Chevalier Noir, car de votre aide j'avais grand besoin. Je redoute grandement de traverser cette forêt. — N'en ayez nulle crainte, repartit le Chevalier Vert, car vous logerez chez moi cette nuit, et demain matin je vous aiderai à la traverser. » Ils prirent donc leurs montures et se rendirent à son manoir, qui était tout près de là.

CHAPITRE IX

Comment, une fois encore, la demoiselle rabroua Belles Mains et ne voulut point consentir à ce qu'il s'assît à sa table, mais l'appela « garçon de cuisine »

LA DEMOISELLE ne cessait de rabrouer Belles Mains. Elle ne voulut pas consentir à ce qu'il prît place à sa table. Elle demanda que le Chevalier

Vert le mît à une petite table à part. « Je m'étonne, dit le Chevalier Vert à la demoiselle, que vous ayez à l'endroit de ce noble chevalier des paroles aussi offensantes, car je vous en avertis, demoiselle, c'est un chevalier dont la noblesse est grande, et je n'en connais nul autre qui soit son égal. Vous avez donc grand tort de le rabrouer, car il vous rendra de bien grands services. Quel que soit le nom qu'il se donne, vous trouverez en fin de compte qu'il est de haute naissance et de royal lignage. — Fi donc ! fi donc ! repartit la demoiselle, il est honteux pour vous d'en parler avec tant de respect. — En vérité, répliqua le Chevalier Vert, ce qui serait honteux de ma part serait d'en parler sans respect aucun. Il s'est montré meilleur chevalier que moi. Pourtant j'ai en ma vie rencontré plus d'un chevalier, et jamais auparavant je n'en avais trouvé un seul qui fût à sa mesure. »

Ainsi, cette nuit-là, ils allèrent se reposer. Toute la nuit, le Chevalier Vert donna mission à trente chevaliers secrètement de veiller sur Belles Mains pour le garder de toute perfidie. Le lendemain matin, tous ils se levèrent, entendirent la messe et déjeunèrent. Puis ils prirent leurs chevaux et poursuivirent leur route. Le Chevalier Vert les escorta pendant la traversée de la forêt. Quand ce fut fait, il dit : « Monseigneur Belles Mains, ces trente chevaliers et moi-même serons toujours à votre disposition, à tout moment, quand vous ferez appel à nous, et où il vous plaira de nous envoyer. — C'est bien parlé, dit Belles Mains. Lorsque je vous ferai signe, il vous faudra faire votre soumission au roi Arthur, de même que tous vos chevaliers. — Si c'est là votre commandement, vous nous trouverez prêts quand vous le voudrez. — Fi donc ! fi donc ! dit la demoiselle, comment diable de valeureux chevaliers peuvent-ils ainsi se mettre aux ordres d'un souillon ? »

Adonc se quittèrent le Chevalier Vert et la demoiselle. Elle dit à Belles Mains : « Pourquoi me suis-tu, garçon de cuisine ? Jette ton écu et ta lance, et enfuis-toi. Je te le conseille encore, pendant qu'il en est temps. Sans quoi bientôt tu diras "hélas !" car quand bien même tu serais aussi fort que le fut jamais Wade ou Lancelot, Tristan ou messire Lamorat, le valeureux chevalier, tu ne franchiras point un passage tout près d'ici, que l'on nomme le Passage Périlleux. — Demoiselle, répondit messire Belles Mains, que s'enfuie celui qui a peur! Mais ce serait indigne de faire demi-tour après avoir si longtemps chevauché à vos côtés. — Eh bien, dit la demoiselle, c'est pourtant ce que tu feras, que tu le veuilles ou non. »

CHAPITRE X

Comment le troisième des frères, qu'on appelait le Chevalier Rouge, jouta et combattit contre Belles Mains, et comment Belles Mains prit le dessus

AU BOUT DE PEU DE TEMPS, ils aperçurent une tour. Elle était blanche comme neige, bien pourvue à l'entour de mâchicoulis et close d'un double fossé. Au-dessus de la porte pendaient cinquante écus de diverses couleurs, et sous la tour s'étendait une belle prairie. Dans cette prairie on pouvait voir maint chevalier, maint écuyer, mainte tribune et maint pavillon, car en ce lieu le lendemain matin devait se dérouler un grand tournoi. Le seigneur de la tour était en son château, qui regardait à une fenêtre. Il vit une demoiselle, un nain et un chevalier armé de toutes pièces. « Si Dieu le veut, se dit le seigneur, avec ce chevalier je vais jouter, car je vois que c'est un chevalier errant. » Il s'arma, et à la hâte monta sur son cheval.

Quand il fut à cheval avec lance et bouclier, tout était rouge, tant cheval que harnois, tout ce qui lui appartenait. Lorsqu'il fut près de Belles Mains, il crut qu'il s'agissait de son frère, le Chevalier Noir. Il cria d'une voix forte : « Mon frère, que faites-vous donc en ces marches? — Non, non, dit la demoiselle, ce n'est pas là votre frère. Ce n'est qu'un souillon, qui fut nourri par charité à la cour du roi Arthur. — Nonobstant, repartit le Chevalier Rouge, je vais lui parler avant qu'il s'en aille. — Ah ! s'écria la demoiselle, ce souillon a tué votre frère. Messire Keu l'appelait Belles Mains, et ce cheval ainsi que ce harnois ont appartenu à votre frère, le Chevalier Noir. J'ai également vu votre autre frère, le Chevalier Vert, se faire vaincre par lui. À présent, puissiez-vous vous venger de cet homme, car il ne m'est pas possible de jamais m'en débarrasser ! ».

Là-dessus les deux chevaliers s'éloignèrent l'un de l'autre, puis mirent toutes leurs forces à se rencontrer. Chacun des chevaux tomba. Les deux cavaliers se dégagèrent de leurs selles, se couvrirent de leurs boucliers, tirèrent leurs épées, et chacun porta à l'autre des coups pleins de violence, tantôt ici, tantôt là, courant, marchant, frappant d'estoc, chargeant comme des sangliers, deux heures de suite. Lors la demoiselle cria d'une voix forte à l'adresse du Chevalier Rouge : « Las ! noble Chevalier Rouge, pensez à la renommée qui vous accompagne, et ne laissez pas un simple souillon vous tenir tête aussi longtemps qu'il le fait. » Le Chevalier Rouge en fut courroucé. Il redoubla ses coups et blessa Belles Mains, si gravement que le sang se répandit sur le sol. C'était merveille de voir un combat aussi incertain. Pourtant, fin de compte, messire Belles Mains abattit son adversaire. Il l'aurait tué si le Chevalier Rouge n'avait crié grâce, disant : « Grand chevalier, ne me tue point, et je te rendrai hommage, de même que soixante chevaliers que j'ai avec moi et qui sont à mes ordres. En outre, je te pardonnerai toutes les offenses que tu m'as fait subir et la mort de mon frère, le Chevalier Noir. — Tout ceci ne sert de rien, repartit Belles Mains, à moins que ma demoiselle ne me prie d'épargner ta vie. » Et là-dessus il fit semblant de vouloir lui couper la tête. « Laisse, Belles Mains, ne le tue point. C'est un noble chevalier, et il n'était point si décidé à t'occire que tu puisses refuser de le sauver. »

Lors Belles Mains dit au Chevalier Rouge : « Lève-toi et remercie à présent cette demoiselle de t'avoir gardé en vie. » Ensuite le Chevalier Rouge les pria de venir voir son château et d'y passer la nuit. La demoiselle accepta. On leur fit bon accueil. Cependant elle avait toujours pour Belles Mains bien des paroles injurieuses, ce dont le Chevalier Rouge s'ébahissait grandement. Toute la nuit il confia à soixante chevaliers la charge de veiller sur Belles Mains, afin qu'il n'eût à souffrir ni de honte ni de vilénie. Le lendemain matin, ils ouïrent la messe et déjeunèrent. Le Chevalier Rouge se présenta devant Belles Mains avec ses soixante chevaliers et lui offrit alors hommage et fidélité en toutes circonstances, ses chevaliers et lui se proposant à le servir. — Je vous en remercie, dit Belles Mains, mais voici ce que vous m'accorderez : quand je vous le demanderai, vous viendrez devers mon seigneur, le roi Arthur, et lui ferez votre soumission en vous offrant à être ses chevaliers. — Messire, répondit le Chevalier Rouge, je serai prêt, de même que mes compagnons, quand vous nous ferez signe. » C'est ainsi que Belles Mains partit, ainsi que la demoiselle, elle toujours le gourmandant, le plus vilainement qui se puisse imaginer.

CHAPITRE XI

Comment messire Belles Mains eut à souffrir de grands outrages de la part de la demoiselle et patiemment les souffrit

« DEMOISELLE, dit Belles Mains, vous manquez à la courtoisie à me rabrouer comme vous faites. Il me semble que je vous ai rendu de bons services. Pourtant, vous me menacez sans cesse d'être vaincu par les chevaliers que nous rencontrons. Malgré tout ce que vous prétendez, ils restent étendus dans la poussière ou dans la boue. Je vous prierais donc de ne plus m'injurier. Lorsque vous me verrez défait ou implorant merci, lors vous pourrez me dire de piteusement vous quitter. Cependant, je dois d'abord vous faire savoir que je ne me séparerai point de vous. Je serais bien sot si je le faisais, tandis que j'acquiers honneur et réputation. — Eh bien, dit-elle, bientôt tu vas trouver sur ton chemin un chevalier qui te baillera tout ton dû, car c'est l'homme qui a le plus de gloire en ce monde, le roi Arthur excepté. — Ce sera volontiers, repartit Belles Mains, que je le rencontrerai. Meilleure est sa réputation, plus grande sera la mienne de m'être mesuré à lui. »

Peu de temps après, ils virent devant eux une cité qui était belle et riche. Entre la ville et eux s'étendait une belle prairie, d'une demi-lieue de long, qui semblait avoir été dernièrement fauchée. Dessus il y avait beaucoup de pavillons. « Regarde, dit la demoiselle. Là-bas se trouve un seigneur qui est le maître de cette cité. Sa coutume, lorsqu'il fait beau temps, est de se reposer en cette prairie, dans l'attente de jouter et de combattre en tournoi. Toujours à ses côtés se tiennent cinq cents chevaliers et gentilshommes en armes, engagés dans toutes sortes de jeux, tous les jeux qu'un gentilhomme peut concevoir. — Ce grand seigneur, dit Belles Mains, c'est volontiers que je le verrais. — Tu le verras bien assez tôt », répliqua la demoiselle et, en approchant, elle épia le pavillon où il était.

« Regarde, dit-elle, vois-tu là-bas un pavillon tout entier d'une couleur bleu indien ? Tout ce qui l'environne, hommes et femmes, chevaux caparaçonnés, écus, lances, tout est de même couleur bleu indien. Son nom est messire Persant de l'Inde. C'est le plus magnifique des chevaliers qu'il t'ait jamais été donné de voir. — Cela se peut, repartit Belles Mains. Mais, quelle que soit la force de ce chevalier, en ce pré j'entends rester jusqu'à ce que je le voie dessous son bouclier. — Nigaud, dit-elle, il vaudrait mieux pour toi t'enfuir pendant qu'il en est temps. — Allons, dit Belles Mains, s'il est le chevalier que vous dites, il ne m'assaillira point avec tous ses gens, ou avec ses cinq cents chevaliers. S'il n'en vient qu'un seul à la fois, je ne lui faillirai pas, aussi longtemps que vie me sera donnée. — Fi donc! fi donc! dire qu'un souillon punais de cette sorte se permet pareille vantardise! — Demoiselle, vous êtes à blâmer de m'injurier comme vous faites. J'aimerais mieux livrer cinq combats que de me faire injurier ainsi. Qu'il vienne, et l'on verra jusqu'où il peut aller!

— Messire, dit-elle, je me demande bien qui vous êtes et de quelle lignée. Vous parlez hardiment et agissez de même, j'en ai été le témoin. C'est pourquoi je vous prie de sauver votre vie, cependant que vous le pouvez. Votre cheval et vous avez eu beaucoup d'ouvrage, et je crains que nous ne passions trop de temps céans, loin du siège. Il ne nous reste plus que trois lieues à parcourir. Tous les endroits périlleux, nous les avons franchis, à la seule exception de celui-ci. En conséquence, je voudrais que vous partiez, afin de n'être ni meurtri ni blessé par ce robuste chevalier. Et pourtant, il me faut vous dire que messire Persant de l'Inde n'est rien, pour ce qui est de la force et de la valeur aux armes, auprès du chevalier qui a mis le siège devant le château de ma dame.

— Quant à cela, repartit Belles Mains, peu importe ce qu'il en est. Mais, puisque je suis venu si près de ce chevalier-ci, je veux faire l'essai de sa valeur avant que je le quitte. Sinon je serais déshonoré, à me dérober ainsi devant lui. N'ayez donc nulle crainte, demoiselle. Avec l'aide de Dieu, je lui livrerai combat, de telle sorte que moins de deux heures après midi je l'aurai vaincu. Nous arriverons alors là où se tient le siège avant la tombée du jour. — Seigneur, je me demande bien, s'écria la demoiselle, quel genre d'homme vous êtes. Il ne peut se faire que vous soyez autrement que de sang noble. Jamais femme n'a traité chevalier plus vilainement que je ne l'ai fait avec vous, et pourtant toujours courtoisement vous l'avez souffert. Il n'y a eu de cela nul exemple que lorsque la naissance était haute.

— Demoiselle, repartit Belles Mains, un chevalier n'est capable que de peu de chose qui ne peut s'accommoder d'une demoiselle. Quoi que vous m'ayez dit, je n'ai pas été affecté par vos paroles. Plus vous en disiez, plus vous me mettiez en colère, et cette colère je l'ai déchargée sur ceux qu'il m'a été donné de rencontrer. Toutes les invectives dont vous m'avez accablé m'ont aidé à me battre et conduit à vouloir montrer et prouver en fin de compte qui j'étais vraiment. Il se peut en effet que j'aie été nourri dans les cuisines du roi Arthur, mais j'aurais pu l'être à ma suffisance en d'autres lieux. Tout ce que j'ai fait l'a été pour éprouver et reconnaître mes amis. La vérité sera connue plus tard. Que je sois ou non né gentilhomme, sachez, gente demoiselle, que je vous ai servie en gentilhomme et qui sait ? Peut-être vous serai-je encore d'un plus grand service avant que je vous quitte.

— Las ! s'exclama-t-elle, gentil Belles Mains, pardonnez-moi toutes les paroles injurieuses et les mauvaises actions dont je me suis rendue coupable envers vous. — De tout mon cœur, répondit-il, je vous les pardonne. Vous n'avez fait que ce que vous deviez faire, puisque toutes vos méchancetés m'ont plu à entendre. Et, demoiselle, poursuivit-il, puisque c'est votre plaisir de me parler ainsi gracieusement, sachez bien que cela me réjouit grandement le cœur, et à présent il me semble qu'il n'est sur terre nul chevalier qui soit trop fort pour moi. »

CHAPITRE XII

Comment Belles Mains combattit avec messire Persant de l'Inde et le contraignit à se soumettre

SUR CES ENTREFAITES messire Persant de l'Inde les aperçut, alors qu'ils s'attardaient dans le pré. En bon chevalier, il envoya quelqu'un leur demander s'ils venaient avec des intentions de paix ou bien de guerre. « Dis à ton seigneur, répondit Belles Mains, que cela m'est égal. Ce sera comme il voudra. » Le messager retourna donc à messire Persant et lui transmit toute la réponse. « Puisque c'est ainsi, je le combattrai à outrance. » Messire Persant s'arma et courut à la rencontre de Belles Mains. Celui-ci le vit et se prépara. Ils se heurtèrent de tout l'élan qu'il était possible de donner à leurs chevaux. Les lances, de part et d'autre, se choquèrent avec tant de force qu'ils tombèrent sur le sol. Prestement les cavaliers se dégagèrent de leurs montures. Ils se couvrirent de leurs boucliers, dégainèrent leurs épées et se portèrent de nombreux coups, si impétueux que parfois, en se ruant à l'assaut, ils tombaient face contre terre. Ils combattirent ainsi durant deux heures et plus. Leurs écus et hauberts furent taillés en pièces, et ils furent blessés en maint endroit.

Finalement messire Belles Mains atteignit son adversaire aux côtes. Après quoi il recula d'un côté, de l'autre. En bon chevalier longuement il soutint le combat. À la fin finale, tout en regrettant d'avoir à le faire, il frappa plus haut. Il choqua le heaume. Messire Persant tomba face contre terre. Lors Belles Mains de biais se jeta sur lui, puis délaça son heaume dans le dessein de le tuer. Messire Persant se rendit et demanda grâce. Sur ce vint la demoiselle, qui pria Belles Mains de le garder en vie. « Je veux bien, dit-il, car ce serait dommage que ce noble chevalier mourût. — Grand merci, dit Persant, gentil chevalier et gente demoiselle. Maintenant, à coup sûr, je vois bien que c'est vous qui avez occis mon frère, le Chevalier Noir, devant l'épine noire. C'était un chevalier des plus valeureux. Son nom était messire Pérard. Je suis sûr, pareillement, que vous êtes celui qui a défait mon autre frère, le Chevalier Vert. Son nom est messire Parthénopée. De même, vous avez vaincu mon frère, le Chevalier Rouge. Il se nomme messire Pergamon. À présent, puisque vous les avez vaincus, voici ce que je vais faire pour vous contenter. Vous recevrez de moi hommage et fidélité. Vous aurez aussi cent chevaliers, toujours à vos ordres, pour aller chevaucher où vous jugerez bon que nous allions. »

Là-dessus ils se rendirent dans le pavillon de messire Persant. Ils y burent le vin, goûtèrent les épices. Ensuite messire Persant fit reposer

Belles Mains sur un lit jusqu'à l'heure du souper, puis après le souper le fit retourner se coucher. Belles Mains une fois au lit, Messire Persant avait une fille, une belle demoiselle de dix-huit ans, il l'appela et lui donna l'ordre, si elle voulait avoir sa bénédiction, d'aller dans le lit du chevalier, de se coucher à ses côtés, de ne pas le traiter avec froideur, mais de lui faire bon visage. « Prenez-le dans vos bras, embrassez-le, et veillez à ce que cela soit fait, je vous l'ordonne, si vous voulez avoir droit à mon affection et à ma bienveillance. » La fille de messire Persant fit ce que son père lui ordonnait. Elle alla près du lit de messire Belles Mains. Discrètement elle se dépouilla de ses vêtements et se coucha à ses côtés.

Lors il s'éveilla, la vit et lui demanda qui elle était. « Messire, répondit-elle, je suis fille de messire Persant. C'est par le commandement de mon père que je suis venue ici. — Êtes-vous pucelle ou femme mariée ? — Messire, je suis parfaitement vierge. — Dieu me garde, dit-il, de vous déflorer et de me rendre ainsi coupable d'une aussi grande indignité envers messire Persant. En conséquence, gente demoiselle, quittez ce lit, sinon c'est moi qui le quitterai. — Messire, ce n'est pas de ma propre volonté que je suis venue, mais en obéissance à des ordres. — Las ! s'exclama messire Belles Mains, je serais un chevalier perdu d'honneur si je déshonorais votre père de quelconque manière. » Sur ce il lui donna un baiser. Elle s'en alla et s'en fut trouver son père, messire Persant, pour lui raconter tout ce qui lui était advenu. « En vérité, dit messire Persant, quel qu'il soit, il est de sang noble. »

Maintenant abandonnons-les jusqu'au lendemain matin.

CHAPITRE XIII

Des gracieuses paroles qu'échangèrent messire Persant et Belles Mains, et comment ce dernier révéla à son hôte que son nom était messire Gabériet

ADONC, le lendemain matin, la demoiselle et messire Belles Mains ouïrent la messe, déjeunèrent et prirent ensuite congé. « Gente demoiselle, demanda messire Persant, où donc conduisez-vous ce chevalier ? — Messire, répondit-elle, ce chevalier se rend au siège que subit ma sœur dans le Château Périlleux. — Ah ! ah ! s'exclama Persant, l'assiégeant est le Chevalier de la Plaine Rouge. C'est de tous les chevaliers le plus dange reux qui soit et un homme qui ne connaît point de merci. On raconte que pour la force il en vaut sept. Dieu vous protège, dit-il à Belles Mains, de ce chevalier, car il fait grand tort à cette dame, et c'est grand dommage. C'est l'une des plus belles dames qui soient au monde, et il me semble que votre demoiselle est bien sa sœur. Votre nom n'est-il pas Léonette ? — Si fait, messire, répondit-elle, et la dame dont je suis la sœur se nomme dame Léone. — À présent, laissez-moi vous dire, poursuivit messire Persant, que cela fait longtemps que le Chevalier de la Plaine Rouge soutient ce siège, près de deux ans. Bien des fois, il aurait pu se saisir de la dame s'il avait voulu. Mais il fait durer l'affaire, afin que messire Lancelot du Lac engage le combat contre lui, ou messire Tristan, ou messire Lamorat de Galles, ou encore messire Gauvain. Voilà pourquoi ils s'attarde aussi longtemps à ce siège.

— Maintenant, monseigneur Persant de l'Inde, dit la demoiselle Léonette, je vous requiers de faire chevalier ce gentilhomme, avant qu'il puisse rencontrer le Chevalier Rouge de la Plaine Rouge. — De tout mon cœur, dit messire Persant, s'il lui convient de recevoir l'ordre de chevalerie d'un homme d'aussi piètre valeur que moi. — Messire, repartit Belles Mains, je vous suis obligé de vos bonnes intentions, mais la chance m'a souri, et c'est messire Lancelot lui-même, le noble chevalier, qui m'a conféré l'ordre de chevalerie. — Ah ! s'exclama messire Persant, de plus en renom vous n'auriez pu être adoubé. Entre tous on peut dire qu'il excelle en chevalerie. Le monde entier proclame qu'elle est en sa pureté seulement le lot de trois d'entre nous, savoir messire Lancelot du Lac, messire Tristan de Léonois et messire Lamorat de Galles. Ce sont eux à présent qui ont la gloire. Il existe bien d'autres vrais chevaliers, tels messire Palamède le Sarrasin et messire Saphar, son frère. Il y a messire Bliobéris et messire Blanor de Gaunes, son frère, de même messire Bohort de Gaunes, messire Hector des Mares et messire Perceval le Gallois. Ceux-là et bien d'autres sont de nobles chevaliers, mais nul ne dépasse les trois que j'ai nommés. Aussi que Dieu vous garde, conclut messire Persant, car si vous parvenez à tenir tête au Chevalier Rouge de la Plaine Rouge, vous serez réputé le quatrième en ce monde.

— Messire, repartit Belles Mains, volontiers j'aimerais être bien considéré et jugé bon chevalier. Sachez donc que je suis de bonne lignée. Je puis prétendre pour mon père à de la noblesse et, pourvu que vous le gardiez pour vous, ainsi que cette demoiselle, je vous dirai à quelle famille j'appartiens. — Nous ne vous découvrirons point, dirent-ils l'un et l'autre, tant que vous ne nous donnerez pas l'ordre de le faire, par la foi que nous devons à Dieu. — En ce cas, dit-il, à la vérité mon nom est Gahériet des Orcades. Le roi Lot fut mon père, et ma mère est sœur du roi Arthur. Son nom est dame Morcade, et messire Gauvain est mon frère, de même que messire Agravain et messire Guerrehet. Je suis le plus jeune de tous. Cependant, ni le roi Arthur ni messire Gauvain ne savent qui je suis. »

CHAPITRE XIV

Comment la dame qui était assiégée apprit par sa sœur que celle-ci avait amené un chevalier afin de combattre pour elle, et sut quels combats il avait livrés avec succès

ADONC le livre nous dit que la dame qui était assiégée eut connaissance de la venue de sa sœur par le nain, fut informée qu'il y avait un chevalier avec elle, et qu'il avait franchi tous les passages périlleux. « Quelle sorte d'homme est-ce ? demanda la dame. — C'est un noble chevalier, assurément, madame, répondit le nain. Il est jeune encore, mais d'aussi bonne mine que les plus avenants que vous ayez pu voir. — Qui est-il ? De quelle famille est-il issu ? Qui l'a fait chevalier ? — Madame, il est fils du roi des Orcades, mais son nom, je vous le tairai pour l'instant. Cependant, sachez-le bien, c'est messire Lancelot qui l'a fait chevalier, car de nul autre il ne voulait que ce fût fait, et messire Keu l'appelait Belles Mains. — Comment a-t-il pu échapper aux frères de Persant ? — Madame, ainsi qu'il sied à un noble chevalier. D'abord il a occis deux frères au passage d'une rivière. — Ah ! s'exclama-t-elle, c'étaient deux chevaliers valeureux, mais ils tuaient les gens. L'un s'appelait messire Gérard de Breuse, l'autre messire Arnaud de Breuse.

— Ensuite, madame, il a rencontré le Chevalier Noir et l'a occis en combat loyal. Il a pris son cheval et son armure, puis combattu le Chevalier Vert. Il l'a vaincu en combat loyal. De même manière il en a usé avec le Chevalier Rouge, puis avec le Chevalier Bleu, et les a défaits loyalement. — Donc, dit la dame, il l'a emporté sur messire Persant de l'Inde, l'un des plus nobles chevaliers qui soient au monde. — Oui, dit le nain, il a vaincu les quatre frères, tous les quatre, et occis le Chevalier Noir, et pourtant il avait fait mieux auparavant. Il avait culbuté messire Keu et l'avait laissé presque sans vie sur le sol. Il avait aussi livré un grand combat à messire Lancelot. À la fin ils s'étaient séparés sans qu'il y eût de vainqueur. C'est alors que messire Lancelot le fit chevalier.

— Nain, dit la dame, ces nouvelles me font plaisir. Va donc dans un ermitage qui m'appartient, tout près d'ici. Tu y porteras de mon vin dans deux flacons d'argent. Ils sont de cinq pintes. Ajoutes-y deux fournées de pain avec de la venaison bien grasse, cuite au four, et des volailles friandes. Et voici une coupe d'or, que je te remets. Elle est riche et précieuse. Porte tout cela à mon ermitage et mets-le dans les mains de l'ermite. Ensuite tu iras trouver ma sœur et la salueras bien. Tu présenteras aussi mes salutations à ce gentil chevalier, le priant de manger et de boire pour se donner des forces. Dis-lui que je le remercie de sa courtoisie et de sa bonté, de prendre tant de peine pour moi, qui n'ai jamais fait preuve envers lui de l'une ou de l'autre. Qu'il soit, je le lui demande, plein de confiance et de courage, car il va rencontrer un chevalier de grand mérite, qui n'a cependant ni générosité, ni courtoisie, ni noblesse d'âme. Il ne s'intéresse qu'au meurtre, et c'est pourquoi je ne puis ni le louer ni l'aimer. »

Là-dessus le nain s'en alla. Il vint à messire Persant. Là il trouva la demoiselle Léonette et messire Belles Mains. Il leur rapporta tout ce qui vous a été dit. Puis ils prirent congé. Cependant, messire Persant monta sur une haquenée et les mit sur leur route. Après quoi il les confia à Dieu. Peu de temps après, ils arrivèrent à l'ermitage. Ils y burent le vin, mangèrent la venaison et les volailles cuites au four. Quand ils se furent bien repus, le nain s'en retourna au château avec la coupe d'or.

Là s'avança vers lui le Chevalier Rouge de la Plaine Rouge, qui lui demanda d'où il venait et où il était allé. « Messire, répondit le nain, j'étais avec la sœur de la dame de ce château. Elle s'est rendue à la cour du roi Arthur et en a ramené un chevalier. — Je crois qu'elle a perdu sa peine. Quand bien même elle aurait ramené messire Lancelot, messire Tristan, messire Lamorat ou messire Gauvain, j'estime que je serais de taille à les rencontrer tous. — Cela se peut, répliqua le nain, mais ce chevalier a franchi tous les passages périlleux. Il a occis le Chevalier Noir, de même que deux autres chevaliers. Il a défait le Chevalier Vert, le Chevalier Rouge, le Chevalier Bleu. — Il est donc l'un des quatre que je viens de nommer. — Il n'est aucun d'entre eux, mais il est fils de roi. — Son nom ? demanda le Chevalier Rouge de la Plaine Rouge. — Je ne vous le dirai pas, repartit le nain. Messire Keu par mépris l'appelait Belles Mains. — Je n'en ai cure, dit le chevalier, il peut être qui il veut, j'aurai tôt fait de lui régler son compte. Si jamais je le rencontre, il aura une mort aussi ignominieuse que beaucoup d'autres avant lui. — Ce serait dommage, dit le nain, et il est surprenant que vous fassiez une guerre aussi indigne à de nobles chevaliers. »

CHAPITRE XV

Comment la demoiselle et Belles Mains vinrent au siège et arrivèrent devant un sycomore. Comment là Belles Mains sonna du cor, et aussitôt le Chevalier de la Plaine Rouge se présenta pour combattre avec lui

À PRÉSENT, laissons là le chevalier et le nain, et parlons de Belles Mains. Toute la nuit il dormit à l'ermitage. Le lendemain matin, Léonette et lui entendirent la messe et déjeunèrent. Puis ils prirent leurs chevaux et traversèrent une belle forêt. Ensuite ils arrivèrent dans une plaine. Ils y virent beaucoup de pavillons et de tentes, et un magnifique château. Il y avait de la fumée et du bruit en abondance. Lorsqu'ils furent près de l'emplacement du siège, messire Belles Mains remarqua, chemin faisant, pendus à de grands arbres, des chevaliers en armes de fort bonne mine, leurs écus à leurs cous ainsi que leurs épées, des éperons dorés à leurs talons. Étaient ainsi indignement pendus près de quarante chevaliers, avec des armes magnifiques.

Messire Belles Mains en fut décontenancé. Il dit : « Que signifie tout ceci? — Gentil chevalier, répondit la demoiselle, ne perdez point courage à cette vue. Il vous faut garder espoir, ou vous serez déconfit. Tous ces chevaliers sont venus ici à ce siège afin de porter secours à ma sœur, dame Léone, et lorsque le Chevalier Rouge de la Plaine Rouge les eut vaincus, il les condamna à cette mort honteuse, sans merci ni pitié aucune. Il en usera de même avec vous, à moins que vous ne fassiez mieux. — Dieu me garde, répliqua Belles Mains, d'un trépas aussi ignominieux et d'une telle infamie pour mes armes. Plutôt qu'un tel sort me soit réservé, j'aimerais mieux périr courageusement en combat loyal. — Cela serait préférable pour vous, dit la demoiselle, car ne vous y fiez point, en lui n'est nulle courtoisie. Tout s'achève par la mort ou le meurtre déshonorant. Et c'est dommage, car c'est un homme de fort bonne mine, bien fait de sa personne. C'est un chevalier qui accomplit de très grands exploits et un seigneur de vastes terres et biens. — Il se peut assurément, répliqua Belles Mains, qu'il ait de la valeur en tant que chevalier, mais il a recours à des usages odieux, et c'est merveille qu'il ait pu agir ainsi aussi longtemps sans qu'aucun des nobles chevaliers de monseigneur Arthur s'occupe de lui. »

Lors ils chevauchèrent jusqu'aux fossés et virent qu'ils étaient doubles, avec des remparts bien faits pour la guerre. Près des remparts logeait maint grand seigneur. On entendait faire une musique bruyante. La mer battait partie des murailles. Il y avait là nombre de navires, et les mariniers criaient « hisse et ho! » Non loin de là se trouvait aussi un sycomore. Un cor y était pendu, le plus grand qu'ils eussent jamais vu, fait de l'ivoire d'un éléphant. Le Chevalier de la Plaine Rouge l'y avait accroché, de sorte que s'il venait un chevalier errant, il n'avait qu'à sonner de ce cor, et lui s'apprêtait à venir livrer combat. « Mais, je vous en prie, messire, dit la demoiselle Léonette, ne sonnez point de ce cor avant qu'il soit tout à fait midi. À présent, il est à peu de chose près six heures du matin. À cette heure sa force s'accroît pour valoir, à ce qu'on dit, celle de sept hommes.

— Fi donc! gente demoiselle, ah! ne me parlez plus jamais de cette façon-là ! Quand il serait le plus valeureux chevalier qui fût jamais, je ne lui ferais point défaut au meilleur de sa force, car ou bien dans l'honneur j'acquerrai de l'honneur, ou bien je mourrai sur le terrain de la rencontre en bon chevalier. » Là-dessus il éperonna sa monture, alla droit au sycomore et sonna du cor, avec tant d'ardeur que tout le siège et tout le château en retentirent. Des chevaliers bondirent hors de leurs tentes et pavillons. Ceux qui étaient dedans le château regardèrent par-dessus les murs et aux fenêtres.

Lors le Chevalier Rouge de la Plaine Rouge hâtivement endossa son armure. Deux barons à ses pieds mirent ses éperons. Tout était d'un rouge sang, harnois, lance, bouclier. Un comte sur sa tête boucla son heaume. On lui apporta une lance rouge, un destrier rouge, et il descendit dans un petit vallon au pied du château, de manière à ce que tous ceux qui étaient dans le château et occupés au siège fussent à même de regarder le déroulement du combat.

CHAPITRE XVI

Comment les deux chevaliers se rencontrèrent, des paroles qu'ils échangèrent, et comment ils entamèrent le combat

« MESSIRE, dit la demoiselle Léonette à messire Belles Mains, soyez, si vous le pouvez, preste et plein d'allant, car voici venir là-bas votre ennemi mortel, et à cette fenêtre se tient ma dame, dame Léone, qui est aussi ma sœur. — Où donc ? demanda Belles Mains. — Là-bas. » Et elle la montra du doigt. « En effet, dit Belles Mains, elle me paraît de loin surpasser en beauté toutes les dames que j'ai pu voir jusqu'à présent et, assurément, je n'ai pas besoin de meilleure querelle pour me battre à cette heure car, je vous le dis, j'en veux faire ma dame, et c'est pour elle que je combattrai. » Cependant il ne cessait de porter ses regards vers la fenêtre avec un air ravi. La dame Léone lui fit une révérence en s'inclinant jusques à terre, tout en élevant les mains au ciel.

Là-dessus le Chevalier Rouge de la Plaine Rouge héla messire Belles Mains. « Cesse donc, chevalier, de regarder là où tu le fais, et regarde-moi, je te le conseille. Je te préviens qu'elle est ma dame, et pour elle j'ai livré maint combat difficile. — Si c'est vrai, repartit Belles Mains, il me semble que tu as perdu ta peine, car elle n'a point de goût pour ta compagnie, et d'aimer qui ne t'aime pas n'est de ta part rien d'autre que folie. Si je pensais qu'elle n'avait nul contentement de ma venue, je délibérerais avant de me battre pour elle. Mais je vois au siège de ce château que son souhait est de se passer de ta fréquentation. En conséquence, sache-le bien, Chevalier Rouge de la Plaine Rouge, je l'aime, et vais la secourir, sinon je mourrai. — Sont-ce là tes paroles ? dit le Chevalier Rouge. Il me semble que la raison eût dû t'apprendre à juger par ces chevaliers que tu as vus pendus aux arbres là-bas. — Fi donc ! répliqua Belles Mains, comment peux-tu parler ou agir aussi mal ? Tu te déshonores, ce faisant, ainsi que la chevalerie. Sois assuré que nulle dame ne t'aimera qui connaîtra tes coutumes infâmes. À présent, tu crois que la vue de ces chevaliers pendus va m'épouvanter. Non, vraiment. Il n'en est rien. Ce spectacle honteux me rend plus courageux et plus hardi pour t'affronter, davantage que si tu avais été un chevalier de bonne conduite. — Prépare-toi, dit le Chevalier Rouge de la Plaine Rouge, et cesse de me parler. »

Lors messire Belles Mains dit à la demoiselle de le quitter. Ils mirent leurs lances en arrêt et se heurtèrent de toute la force dont ils disposaient l'un et l'autre. Chacun atteignit son adversaire au mitan de l'écu. Les plastrons de cuirasse, les sangles de selle, les croupières se rompirent. Tous les deux, ils se retrouvèrent au sol avec en main les rênes de leurs chevaux. Ils demeurèrent ainsi longtemps étendus, tout abasourdis. Tous ceux qui étaient au siège et dans le château crurent qu'ils s'étaient cassé le cou. Plus d'un, tant parmi les habitants du château que parmi les autres, dirent que le chevalier inconnu avait beaucoup de vigueur et qu'il était de grande force à la joute, car jusque-là jamais chevalier ne s'était montré l'égal du Chevalier Rouge de la Plaine Rouge. C'est ce qu'ils dirent, tant au-dedans qu'au-dehors du château.

Puis agilement les deux combattants se dégagèrent de leurs selles, se couvrirent de leurs boucliers, dégainèrent leurs épées et coururent l'un vers l'autre, tels deux lions féroces. Ils s'assénèrent de tels coups sur le heaume que tous deux ils reculèrent de deux pas en chancelant. Ensuite ils recouvrèrent leurs esprits et taillèrent dans les harnois et les écus, si bien que de grands morceaux en tombèrent dans l'herbe des prés.

CHAPITRE XVII

Comment, après un long combat,
Belles Mains défit le chevalier et s'apprêta à l'occire.
Mais, cédant à la requête des barons, il l'épargna
et le contraignit à se soumettre à la dame

ILS COMBATTIRENT AINSI jusqu'à midi passé et ne consentirent à s'arrêter que lorsque finalement ils furent hors d'haleine l'un et l'autre. Lors ils se tinrent immobiles, tremblant, chancelant, haletant, soufflant, saignant, et tous ceux qui les regardaient pour la plupart se mirent à pleurer de compassion. Quand ils eurent pris un peu de repos, ils retournèrent au combat, avançant, courant, chargeant comme deux sangliers. Parfois ils s'élançaient comme font les béliers et se heurtaient, si bien qu'il leur arrivait de tomber face contre terre. Quelquefois, ils étaient si étourdis par les coups qu'ils prenaient l'épée de l'autre au lieu de prendre la leur. Cela dura ainsi jusqu'à vêpres, et nul de ceux qui les regardaient ne pouvait savoir lequel allait l'emporter. Leurs harnois étaient taillés en pièces, de sorte qu'on pouvait voir leurs flancs à nu. Ailleurs aussi ils étaient nus, mais toujours ils protégeaient ces endroits découverts. Le Chevalier Rouge était chevalier bien pourvu en ruses de guerre, et sa manière rusée de combattre enseignait à messire Belles Mains à se montrer prudent. Il paya chèrement le temps qu'il mit à voir clair dans le jeu de l'autre.

Lors d'un commun accord ils s'octroyèrent un peu de répit. Ils s'assirent sur deux taupinières près du lieu du combat. Chacun délaça son heaume et profita de l'air frais. Leurs pages l'un et l'autre étaient à portée, prêts à leur appel à venir délacer les harnois et à les remettre en place quand l'ordre leur en serait donné. Lorsque messire Belles Mains eut enlevé son heaume, il porta son regard vers la fenêtre, et là vit en sa beauté dame Léone. Elle lui fit si bon visage qu'il en eut le cœur gai et léger. Sur ce il dit au Chevalier Rouge d'avoir à se tenir prêt. « Et menons ce combat jusqu'à sa limite extrême. — Je veux bien », répondit le chevalier. Lors ils lacèrent leurs heaumes, laissèrent là leurs pages, avancèrent l'un vers l'autre et recommencèrent à se battre. Mais le Chevalier Rouge de la Plaine Rouge guettait. De biais il porta un coup qui atteignit son adversaire à la paume de la main. Celui-ci lâcha son épée. Le Chevalier Rouge alors le choqua rudement sur le heaume. Belles Mains tomba face contre terre. Le chevalier s'abattit sur lui pour le maintenir au sol.

Lors s'écria la pucelle Léonette d'une voix forte : « Oh ! messire Belles Mains, qu'est devenu votre courage ? Hélas ! la dame, ma sœur, te voit. Elle pleure, elle sanglote. J'en ai le cœur gros. » Quand messire Belles Mains entendit ces paroles, d'un puissant effort il se remit debout. Prestement il bondit sur son épée et s'en saisit. Vite il se porta sur le Chevalier Rouge et commença un nouveau combat. Messire Belles Mains redoubla ses attaques. Il multiplia les coups, tant qu'il fit sauter l'épée de la main du chevalier. Lors il le choqua sur le heaume. Il tomba à terre. Messire Belles Mains tomba sur lui. Il délaça son heaume pour le tuer. Le chevalier se rendit et demanda grâce, disant à voix haute : « Oh ! noble chevalier, je m'en remets à ta merci. »

Messire Belles Mains songea aux chevaliers que cet homme avait fait pendre ignoblement, et il dit : « Je ne puis en honneur épargner ta vie, en raison de la mort indigne à laquelle tu as condamné plus d'un chevalier de haut mérite. — Messire, répondit le Chevalier Rouge de la Plaine Rouge, suspendez vos coups et vous saurez pourquoi je leur ai fait donner une fin aussi déshonorante. — Parle. — Messire, jadis j'ai aimé une dame. Elle était belle. Son frère fut tué. Elle disait que c'était messire Lancelot qui en était la cause, ou bien messire Gauvain. Et elle me pria, si je l'aimais de tout cœur, de lui faire promesse sur ma foi de chevalier de ne pas ménager ma peine, mais chaque jour de prendre les armes, jusqu'à ce qu'il me fût donné de rencontrer l'un d'eux. Tous ceux qu'il m'advenait de vaincre, je devais les mettre à mort, et d'une mort indigne. Voilà pourquoi j'ai fait mourir tous ces chevaliers. C'est ainsi que je l'ai assurée qu'aux chevaliers du roi Arthur je ferais subir toutes sortes de vilénies et tirerais vengeance de tous ceux que vous avez vus. J'ajouterai, messire, que chaque jour ma force grandit jusqu'à ce qu'il soit midi, et que pendant tout ce temps elle vaut celle de sept hommes. »

CHAPITRE XVIII

Comment le chevalier se rendit, et comment Belles Mains le contraignit à aller à la cour du roi Arthur pour y implorer la merci de messire Lancelot

LORS vinrent force comtes, barons, nobles chevaliers. Ils prièrent Belles Mains d'épargner la vie de son adversaire et de le faire prisonnier. Tous ils tombèrent à genoux, le suppliant d'être clément et de lui laisser la vie sauve. « Messire, dirent-ils tous, ce serait plus noble qu'il vous rendît hommage et jurât fidélité, de le laisser tenir de vous ses terres en vasselage, que de le tuer. De sa mort vous ne tirerez nul profit. Les forfaits qu'il a commis, on n'y peut rien changer. Qu'il répare ses torts envers toutes les parties, et tous nous deviendrons vos hommes liges et vous jurerons foi et hommage. — Gentils seigneurs, répondit Belles Mains, sachez bien que j'aurais grand regret de tuer ce chevalier. Néanmoins il a fait beaucoup de mal et de manière infâme. Malgré tout, dans la mesure où tout ce qu'il a fait, il l'a fait pour l'amour d'une dame, je ne l'en blâme pas tant. Adonc, par égard pour vous, je vais lui rendre sa liberté, et il aura la vie sauve, à la condition qu'il aille en ce château et s'y soumette à la dame qui s'y trouve. Si elle lui pardonne et l'acquitte, j'en suis d'accord. En outre, qu'il la dédommage de toutes les transgressions dont il s'est rendu coupable, envers elle et envers ses domaines. Lorsque ce sera fait, il faudra également que vous alliez à la cour du roi Arthur pour y demander pardon à messire Lancelot et à messire Gauvain, en raison du mal que vous leur avez voulu.

— Messire, dit le Chevalier Rouge de la Plaine Rouge, tout ceci je le ferai, comme vous l'avez ordonné. Vous en aurez des assurances et gages sûrs. » Ensuite, lorsque ces engagements furent pris, il jura hommage et fidélité, et tous ces comtes et barons firent de même. Lors la pucelle Léonette vint à messire Belles Mains. Elle lui ôta son armure, sonda ses plaies, étancha son sang, et elle fit de même pour le Chevalier Rouge de la Plaine Rouge. Ils séjournèrent dix jours en leurs tentes. Le Chevalier Rouge donna ordre à ses barons et serviteurs de faire tout ce qu'ils pourraient pour plaire à messire Belles Mains. Peu après le Chevalier Rouge se rendit au château, afin de s'y soumettre au bon vouloir de la dame. Elle accepta, moyennant des garanties suffisantes. Tous ses griefs furent donc redressés, en tout ce dont elle pouvait avoir à se plaindre.

Lors le Chevalier Rouge de la Plaine Rouge partit pour aller à la cour du roi Arthur. Là, publiquement, il se mit à la merci de messire Lancelot et de messire Gauvain. Il rapporta publiquement comment il avait été vaincu et par qui. Également, il raconta tous les combats, du commencement à la fin. « Seigneur! s'écrièrent le roi Arthur et messire Gauvain, nous nous demandons vraiment de quelle famille il est issu, car c'est un noble chevalier. — Ne vous étonnez point, leur dit messire Lancelot. Vous saurez en temps voulu qu'il est de sang parfaitement noble. Quant à sa force et bravoure, il en est peu sur terre qui soient aussi forts que lui et d'une vaillance aussi généreuse. — Il semble à ce que vous dites, repartit le roi Arthur, que vous connaissiez son nom, d'où il vient et quelle est sa famille. — Je pense le savoir, dit Lancelot, ou je ne lui aurais pas conféré l'ordre de chevalerie. Mais il m'a pour lors recommandé de ne point le découvrir avant qu'il m'en fît la demande, ou que cela vînt à être publié par quelqu'un d'autre. »

CHAPITRE XIX

Comment Belles Mains s'en vint à la dame,
comment lorsqu'il arriva devant le château il trouva porte close,
et des paroles que la dame lui adressa

MAINTENANT, tournons-nous du côté de messire Belles Mains. Il désira de Léonette de voir sa sœur et dame. « Messire, lui dit-elle, j'aimerais que cela se fît. » Lors il s'arma, prit son cheval et sa lance et alla droit au château. Lorsqu'il fut devant le portail, il trouva beaucoup de gens armés. Ils mirent en mouvement le pont-levis, empêchant l'accès. Il s'étonna qu'on ne lui permît point d'entrer. Il leva les yeux vers la fenêtre, et là il vit la belle Léone, qui lui dit à voix haute : « Passez outre, messire Belles Mains, car pour l'instant vous n'aurez pas droit à tout mon amour. Il vous faudra attendre de figurer parmi les chevaliers en renom. Donnez-vous donc de la peine pour acquérir de la gloire les douze mois à venir. Alors vous entendrez d'autres nouvelles.

— Las ! répondit Belles Mains, je n'ai point mérité que vous me montriez cette froideur. Je croyais que vous me feriez fort bon accueil. Dans la mesure de mes moyens, j'ai mérité des remerciements. Je suis sûr d'avoir gagné votre amour en versant partie du meilleur de mon sang. — Gentil chevalier plein de courtoisie, repartit dame Léone, ne soyez ni fâché ni trop prompt. Sachez-le bien, ni l'étendue de vos peines, ni celle de vos bons sentiments ne seront perdues pour vous. J'ai pour vos épreuves et fatigues, si grandes, pour votre bonté d'âme et générosité la considération requise. Donc continuez votre route et faites en sorte de garder confiance. Tout contribuera à votre gloire. Tout connaîtra la meilleure des issues. Douze mois, par Dieu, seront vite passés. Fiez-vous à moi, gentil chevalier, je vous serai fidèle. Je ne vous tromperai jamais. Jusqu'à la mort je vous aimerai, vous et nul autre. »

Là-dessus elle quitta la fenêtre. Messire Belles Mains s'éloigna du château, en proie à la désolation. Il chevaucha au hasard, ne sachant où il allait, jusqu'aux dernières lueurs du jour. Lors le hasard voulut qu'il vînt à la demeure d'un pauvre hère, où il trouva asile pour la nuit. Mais il ne put trouver le repos. Il tourna et se retourna, d'amour pour la dame du château. Le lendemain matin, il prit son cheval et chevaucha jusqu'à la neuvième heure. Lors il arriva devant une large rivière. Auprès il y avait une grande loge. Il descendit de cheval pour y dormir. Il posa la tête sur son écu et confia sa monture au nain, lui ordonnant de veiller la nuit entière.

À présent, revenons à la dame du château. Elle pensait beaucoup à Belles Mains. Elle appela messire Guingamor, son frère, et le pria, d'une manière ou d'une autre, s'il l'aimait vraiment, de se mettre à la recherche de messire Belles Mains. « Et soyez vigilant, jusqu'à ce que vous le trouviez endormi, car je suis sûre que sa lassitude est si grande qu'il mettra pied à terre pour s'étendre et s'assoupir. Alors, sans cesser de l'épier, le plus discrètement que vous pourrez saisissez-vous de son nain et partez avec lui, aussi vite que possible, avant qu'il s'éveille. Ma sœur Léonette me dit que ce nain peut nous révéler de quelle famille ce messire Belles Mains est issu et quel est son véritable nom. Pendant ce temps, ma sœur et moi irons à votre château attendre que vous ameniez le nain. Quand il sera là, j'examinerai ce nain moi-même. Tant que je ne saurai pas quel est le véritable nom de ce chevalier et à quelle famille il appartient, je ne pourrai en mon cœur jamais me réjouir.

— Ma sœur, dit messire Guingamor, il en sera fait en tout point selon votre désir. » Il chevaucha donc toute la journée suivante et la nuit, jusqu'à ce qu'il découvrît que messire Belles Mains s'était étendu près d'une rivière, la tête sur son bouclier, pour y dormir. Lorsqu'il vit que messire Belles Mains dormait profondément, sans bruit, en tapinois, il arriva derrière le nain. D'un geste vif, il le mit sous son bras et partit ainsi avec lui, faisant aussi vite que possible pour arriver à son château. Les armes de ce messire Guingamor étaient toutes noires, ainsi que tout ce qui lui appartenait. Cependant, alors qu'il chevauchait avec le nain en direction de sa demeure, l'autre ne cessa de crier pour alerter son seigneur et le supplier de lui porter secours. Cela fit que messire Belles Mains s'éveilla. D'un bond il fut sur ses jambes. Il vit messire Guingamor qui s'éloignait avec le nain. Bientôt Guingamor disparut à ses yeux.

CHAPITRE XX

Comment messire Belles Mains courut après messire Guingamor pour secourir son nain et vint dans le château où il se trouvait

INCONTINENT messire Belles Mains mit son heaume, serra les courroies de son bouclier, prit sa monture et courut après messire Guingamor par toutes sortes de lieux, traversant marais, prés et bas-fonds, si bien que maintes fois son cheval et lui plongèrent tête la première dans de profonds bourbiers, car il ne savait pas le chemin qu'il fallait prendre. Il prenait le premier qui se présentait, dans son égarement, si bien que plus d'une fois il faillit perdre la vie. Enfin il eut devant lui une belle allée herbeuse. Là il fit rencontre d'un pauvre diable de ce pays. Il le salua et lui demanda s'il n'avait pas vu passer un chevalier monté sur un cheval noir et tout armé de noir, avec en croupe un petit nain bien en peine. « Messire, répondit le pauvre homme, il est passé près de moi messire Guingamor, le chevalier, avec un nain de cette sorte, se lamentant comme vous dites. Je vous aviserai de ne pas le poursuivre, car c'est un chevalier parmi les plus redoutables. Son château n'est pas loin d'ici, à moins d'une lieue. Mon conseil sera donc de ne pas courir après lui, sauf si vous n'avez que de bonnes intentions. »

Laissons là messire Belles Mains chevauchant vers le château, et parlons de messire Guingamor et du nain. Aussitôt que le nain fut entré au château, dame Léone et la demoiselle Léonette, sa sœur, lui demandèrent où son maître était né et de quel lignage il était issu. « Et à moins de me le dire, insista dame Léone, tu ne sortiras plus jamais de ce château, mais y demeureras toujours prisonnier. — Pour ce qui est de cela, répondit le nain, je n'ai guère de scrupule à révéler son nom et la famille à laquelle il appartient. Sachez bien qu'il est fils de roi. Sa mère est la sœur du roi Arthur, et il est frère du valeureux chevalier qu'est messire Gauvain. Il se nomme messire Gahériet des Orcades. Maintenant que je vous ai donné son véritable nom, je vous en prie, gente dame, laissez-moi retourner à mon seigneur, car il ne quittera point ce pays qu'il ne m'ait retrouvé. Et s'il est en courroux, il fera beaucoup de mal avant que sa colère s'apaise et ravagera ce pays. — Pour ce qui est de ces menaces, repartit messire Guingamor, nous verrons bien ce qu'il en adviendra. En attendant, allons dîner. »

Ils se lavèrent les mains et passèrent à table, et là eurent gaieté et contentement. Parce que dame Léone, la dame du château, était là, ce furent de grandes réjouissances. « Assurément, madame, dit Léonette à sa sœur, il se peut bien qu'il soit fils de roi, car il a mainte qualité, il est courtois et amène, et l'homme le plus patient que j'aie jamais rencontré. Jamais, je crois, nul n'eut à subir de la part d'une dame des injures aussi grossières que celles dont je l'ai accablé. Pourtant chaque fois ce furent réponses gracieuses et modestes. »

Ils étaient ainsi à deviser quand messire Gahériet entra par la porte du château, l'air courroucé, l'épée nue à la main. Il cria d'une voix forte, si bien qu'on put l'entendre partout dans la demeure : « Traître, messire Guingamor, rends-moi mon nain ou, foi de chevalier, je te ferai tout le mal que je pourrai. » Lors messire Guingamor regarda par une fenêtre et dit : « Messire Gahériet des Orcades, cessez ces propos vantards. On ne vous rendra pas votre nain. — Chevalier poltron, répliqua messire Gahériet, amène-le moi et viens te battre, qu'il soit à toi si tu as la victoire. — C'est ce que je vais faire, dit messire Guingamor, pourvu que cela me plaise, mais ce ne sont pas tes grands mots qui te vaudront de le reprendre.

— Ah! gentil frère, s'exclama dame Léone, j'aimerais que vous lui rendiez son nain. Je voudrais qu'il ne fût pas en colère. Et maintenant qu'il m'a dit tout ce que je voulais savoir, je n'ai plus besoin de ce nain. En outre, mon frère, cet homme a beaucoup fait pour moi. Il m'a délivrée du Chevalier Rouge de la Plaine Rouge. En conséquence, mon frère, je me dois de le servir avant tout autre chevalier au monde. Sachez bien que je l'aime plus que personne, et c'est bien volontiers que je m'entretiendrais avec lui. Pourtant, en nulle façon je ne voudrais qu'il me reconnût. Je voudrais seulement qu'il vît en moi une autre femme, dont il ignorerait tout.

— C'est bien, dit messire Guingamor. Puisqu'à présent je connais vos vœux, je vais me soumettre à ses désirs. » Aussitôt il descendit trouver messire Gahériet et lui dit : « Messire, je vous demande miséricorde, et tout ce que j'ai fait de mal, je le réparerai selon vos souhaits. Je vous prierai donc de bien vouloir mettre pied à terre et d'accepter l'accueil que je pourrai vous faire en ce château. — Aurai-je mon nain? — Oui, messire, ainsi que tous les agréments que je pourrai vous procurer, car dès que votre nain m'eut dit qui vous étiez, de quelle famille vous étiez issu, et quels nobles exploits vous aviez accomplis en ces marches, je me suis repenti de mes actions. » Lors messire Gahériet mit pied à terre. Son nain arriva, puis se chargea de son cheval. « Ah! mon ami, s'écria messire Gahériet, j'ai connu bien des périls à cause de toi! » Messire Guingamor prit alors messire Gahériet par la main et le conduisit dans la grand-salle, où se trouvait sa propre épouse.

CHAPITRE XXI

Comment messire Gahériet, autrement connu sous le nom de Belles Mains, fut mis en présence de sa dame, comment ils firent connaissance, et de leur amour

LORS s'avança dame Léone, vêtue comme une princesse. Elle lui fit fort bon visage, lui également. Ils échangèrent des paroles aimables et se firent de grands sourires. Maintes fois messire Gahériet pensa, à part lui : « Seigneur ! quel dommage que la dame du Château Périlleux ne soit pas aussi belle que celle-ci ! » Il y eut toutes sortes de jeux et d'amusements, de danses et de chants. Plus messire Gahériet regardait cette dame et plus il l'aimait. Il brûlait d'amour à en perdre la tête. Plus tard, avant qu'il fût nuit, ils allèrent souper. Messire Gahériet ne put rien manger. Sa passion était si violente qu'il ne savait plus où il était. Tous ces regards échangés, messire Guingamor les épia. Après souper, il appela sa sœur, dame Léone, dans une chambre et lui dit : « Gente sœur, j'ai bien vu les mines que vous faisiez, ce chevalier et vous. Je veux que vous sachiez, ma sœur, que c'est un chevalier d'une grande noblesse. Si vous parvenez à ce qu'il séjourne céans, je ferai tout pour rendre son séjour agréable, car seriez-vous mieux née que vous ne l'êtes, vous feriez là un bon mariage. — Gentil frère, repartit dame Léone, je comprends bien le mérite de ce chevalier et qu'il est d'une noble maison. Nonobstant j'entends le mettre encore à l'épreuve, bien que je lui doive davantage qu'à toute créature humaine, car il s'est acquis des droits à mon amour au prix de rudes efforts, et il lui a fallu franchir plus d'un passage périlleux. »

Aussitôt messire Guingamor alla trouver messire Gahériet et lui dit : « Messire, prenez courage. Plus rien ne vous est contraire. Cette dame, ma sœur, est vôtre, et pour toujours, honnêtement s'entend. Sachez bien qu'elle vous aime autant que vous l'aimez, et davantage si cela se peut. — Si j'en étais sûr, repartit messire Gahériet, il n'est point d'homme qui serait plus heureux que moi. — Sur mon honneur, dit messire Guingamor, fiez-vous à ce que je vous promets. Et aussi longtemps qu'il vous plaira, vous séjournerez chez moi, et cette dame sera des nôtres, jour et nuit, pour vous faire aussi bon accueil qu'elle le pourra. — Je veux bien, dit messire Gahériet. J'ai promis de rester par ici douze mois au plus, et je suis assuré que le roi Arthur et d'autres nobles chevaliers sauront me trouver là où je suis, si besoin est, avant la fin de l'an, car on va me rechercher et me trouver si je suis vivant. »

Lors messire Gahériet, le noble chevalier, alla devers dame Léone. Il lui dit tout son amour. Il l'embrassa bien des fois, et chacun eut grande joie de l'autre. Elle lui promit de l'aimer fidèlement, lui et nul autre, tous les jours de sa vie. Lors cette dame, dame Léone, avec l'assentiment de son frère, avoua à messire Gahériet toute la vérité. Elle lui dit qui elle était, et la même dame pour laquelle il avait combattu, qu'elle était la dame du Château Périlleux, et lui avoua que c'était elle qui avait été cause que son frère avait enlevé son nain.

CHAPITRE XXII

Comment la nuit survint un chevalier en armes
qui combattit avec messire Gahériet, et comment celui-ci,
bien que grièvement blessé à la cuisse,
fit sauter la tête dudit chevalier

« CE FUT afin de connaître quel était votre nom et de quelle famille vous étiez issu. » Et elle fit venir en sa présence Léonette, la demoiselle qui avait chevauché à ses côtés par maint chemin difficile. Le contentement de messire Gahériet fut plus grand que jamais. Ils engagèrent leur foi à s'aimer l'un l'autre et à ne jamais faillir l'un à l'autre, aussi longtemps que leur vie durerait. Ils brûlaient tant d'amour tous deux qu'ils s'accordèrent à assouvir secrètement leurs désirs. Dame Léone conseilla à messire Gahériet de ne pas dormir ailleurs que dans la grand-salle. Et elle lui promit de venir en son lit peu avant minuit. Le projet ne fut pas assez mystérieux pour que son intention échappât à autrui, car ils étaient novices encore l'un et l'autre, et d'âge tendre, et n'avaient jamais eu recours à de tels stratagèmes.

La demoiselle Léonette en fut quelque peu mécontente. Elle pensa que dame Léone, sa sœur, manquait un tant soit peu de patience à ne pas pouvoir attendre l'heure de son mariage. Afin de sauvegarder leur honneur, elle songea à un moyen de refroidir l'ardeur de leurs désirs. Par ses subtils artifices elle voulut faire en sorte qu'ils fussent contrariés tous deux en ce qu'il espéraient chacun de l'autre et en les plaisirs sur lesquels ils comptaient, jusqu'à ce qu'ils fussent mariés. Et c'est ainsi que les choses se passèrent. Après souper on fit tout enlever, afin que chaque seigneur et chaque dame allassent se reposer. Mais messire Gahériet, lui, annonça qu'il n'irait pas plus loin que la grand-salle. De tels endroits dit-il, conviennent au repos des chevaliers errants. On y fit donc disposer de grands lits, là-dessus des lits de plumes, et il s'y étendit pour dormir. Peu de temps après arriva dame Léone, enveloppée dans un manteau fourré d'hermine, et elle se coucha aux côtés de messire Gahériet. Il commença à l'embrasser. C'est alors qu'en regardant devant lui, il vit paraître un chevalier en armes, entouré de beaucoup de lumières. Ce chevalier avait en main une longue hallebarde et d'un air menaçant s'apprêtait à le frapper.

Lorsque messire Gahériet le vit s'approcher de cette manière, il bondit hors de son lit, se saisit de son épée et d'un saut alla droit au chevalier. Quand celui-ci l'aperçut qui venait aussi farouchement à sa rencontre, il le frappa d'estoc au milieu de la cuisse, si bien qu'il lui ouvrit une blessure d'un empan de large et coupa bien des veines et tendons. Là-dessus messire Gahériet lui asséna sur le heaume un coup si rude qu'il tomba face contre terre. Lors Gahériet bondit sur lui, délaça son heaume et lui trancha la tête. Cependant messire Gahériet saignait si abondamment qu'il ne pouvait tenir debout. Il s'étendit sur son lit et là défaillit, gisant comme s'il eût été mort.

Dame Léone se mit à pousser des cris. Son frère, messire Guingamor, l'entendit. Il descendit l'escalier. Lorsqu'il vit messire Gahériet aussi honteusement blessé, son déplaisir fut extrême. Il dit : « J'ai honte que ce noble chevalier soit honoré de cette manière. Comment se fait-il que vous soyez ici et que ce noble chevalier soit blessé ? — Mon frère, dit-elle, sa blessure, je ne saurais vous l'expliquer. Ce n'est pas moi qui l'ai faite, et ce ne fut pas fait avec mon assentiment. Ce chevalier est mon seigneur, et je lui appartiens. Il sera mon époux. En conséquence, mon frère, je veux que vous sachiez que je n'ai pas de honte à me trouver avec lui, ni à lui donner tout le plaisir que je puis. — Ma sœur, repartit messire Guingamor, je veux que vous le sachiez ainsi que messire Gahériet, ce n'est pas moi qui ai fait cela, et ce n'est pas avec mon approbation qu'on s'est livré à cette action regrettable. » Sur quoi ils étanchèrent le sang du mieux qu'ils purent et se lamentèrent grandement.

Sur ces entrefaites arriva la demoiselle Léonette. Elle prit la tête à la vue d'eux tous et l'oignit d'un onguent à l'endroit où elle avait été coupée. Elle fit de même pour l'autre partie du corps, là où la tête avait été jointe. Puis elle assembla le tout, et cela demeura en place, aussi solidement que jamais. Le chevalier se releva prestement, et la demoiselle Léonette le fit entrer dans sa chambre. Tout ceci, messire Guingamor et dame Léone le virent, ainsi que messire Gahériet. Il sut bien que c'était la même demoiselle Léonette qui l'avait accompagné au travers des passages périlleux. « Ah ! demoiselle, s'écria-t-il, je n'aurais pas cru que vous agiriez comme vous l'avez fait. — Monseigneur Gahériet, répliqua Léonette, tout ce que j'ai fait, je n'ai pas honte de l'admettre, et tout ce que j'ai fait contribuera à votre honneur et renommée, et aux nôtres aussi. »

Adonc, peu de temps après, messire Gahériet se trouva presque guéri. Il devint vif et joyeux. Il se mit à chanter, à danser et à jouer. Dame Léone et lui tant brûlèrent de désir qu'ils tombèrent d'accord pour que, lors de la dixième nuit qui suivrait, elle vînt le retrouver en son lit. Mais, parce qu'il avait été blessé auparavant, il déposa son armure et son épée à côté du lit.

CHAPITRE XXIII

Comment le même chevalier revint lors de la nuit suivante, fut de nouveau décapité, et comment à la fête de Pentecôte tous les chevaliers que messire Gahériet avait vaincus vinrent se soumettre au roi Arthur

DAME LÉONE arriva, ainsi qu'elle l'avait promis. Mais elle n'était pas plus tôt dans le lit qu'elle aperçut un chevalier en armes qui s'approchait. Elle en prévint messire Gahériet. Prestement, avec l'aide de dame Léone, il s'arma. Les combattants s'affrontèrent avec beaucoup de fureur et d'âpreté aux quatre coins de la grand-salle. La lumière était si forte qu'on eût cru qu'il y avait vingt torches, tant derrière que devant. Messire Gahériet fit tant d'efforts que son ancienne blessure se rouvrit et se mit à saigner. Mais il était ardent et courageux. Il n'y prit pas garde. Sa grande force lui permit d'abattre le chevalier. Il fit sauter son heaume et lui trancha la tête. Puis il tailla cette tête en mille morceaux.

Quand il eut fini, il ramassa tous les morceaux et les jeta par une fenêtre dans les fossés du château. Après quoi il se sentit si faible que c'est à peine s'il pouvait tenir debout, avec tout le sang qu'il avait perdu. Lorsqu'il se fut presque entièrement débarrassé de son armure, il fut pris d'une grave défaillance et tomba sur le sol. Dame Léone se mit à crier, si fort que messire Guingamor l'entendit. Lorsqu'il arriva et trouva messire Gahériet en cet état, il s'en affligea grandement. Il le ranima et lui donna à boire un breuvage qui fit merveille pour le soulager. Quant à la désolation où se trouva dame Léone, nul ne peut tenter de la dire. On eût cru à la voir se démener qu'elle était sur le point de perdre la vie.

C'est alors que la demoiselle Léonette parut aux yeux de tous. Elle était allée quérir tous les petits morceaux de la tête que messire Gahériet avait jetés par une fenêtre. Elle les oignit, comme elle avait fait auparavant. Puis elle les assembla. « Vraiment, demoiselle Léonette, dit messire Gahériet, je n'ai pas mérité tout ce mal que vous me faites. — Sire chevalier, répondit-elle, je n'ai rien fait que je ne puisse admettre, et tout ce que j'ai fait contribuera à votre honneur et nous servira tous. » Lors on étancha le sang de messire Gahériet. Mais les médecins dirent que par nul homme vivant il ne serait jamais guéri de sa blessure, si ceux qui le guérissaient n'étaient pas les mêmes qui par sortilège avaient produit le coup dont il avait été frappé.

Laissons là maintenant messire Gahériet, en compagnie de messire Guingamor et de ses sœurs, et tournons-nous du côté du roi Arthur. À la fête de Pentecôte qui suivit il donna son festin. Là vinrent le Chevalier Vert avec cinquante chevaliers, qui tous lui firent leur soumission. Vint également son frère, le Chevalier Rouge. Il se soumit au roi Arthur, de même que soixante chevaliers. Vint aussi le Chevalier Bleu, qui était leur frère. Cent chevaliers l'accompagnaient. Ils se rangèrent à l'obéissance du roi. Le nom du Chevalier Vert était Parthénopée, celui du Chevalier Rouge Pergamon, et celui du Chevalier Bleu messire Persant de l'Inde. Ces trois frères contèrent au roi Arthur comment ils avaient été vaincus par un chevalier qu'une demoiselle avait en sa compagnie et qu'elle appelait Belles Mains. « Seigneur ! s'exclama le roi, je me demande quel chevalier cela peut être et de quelle race il est issu. Il est resté chez moi un an. Il y fut nourri pauvrement et vilainement. Messire Keu en son mépris l'appelait Belles Mains. »

Alors même que le roi Arthur était à s'entretenir avec ces trois frères survint messire Lancelot du Lac. Il informa le roi qu'était arrivé à la cour un gentil seigneur accompagné de six cents chevaliers. Lors le roi sortit de Carlion — c'était là que se tenait le festin — et ce seigneur vint à lui. Il le salua gracieusement. « Que me voulez-vous, demanda Arthur, et quel message m'apportez-vous? — Sire, lui fut-il répondu, on me nomme le Chevalier Rouge de la Plaine Rouge, mais mon véritable nom est messire Bras de Fer. Sachez-le bien, je vous suis envoyé par un chevalier qu'on appelle Belles Mains. Il m'a vaincu en combat loyal, seul contre seul. Jamais nul chevalier n'y avait réussi avant lui, en trente ans. Cet homme m'a ordonné de me soumettre à votre bon vouloir. — Vous êtes le bienvenu, dit le roi. Longtemps vous avez été un grand ennemi, tant pour moi que pour ma cour. À présent, par Dieu, je vous traiterai si bien que vous serez mon ami. — Sire, tant moi que ces six cents chevaliers serons toujours prêts à répondre à votre appel, pour vous rendre les services qui seront en notre pouvoir.

— J'en rends grâce à Dieu, dit le roi Arthur. Je suis grandement redevable à ce chevalier, qui a ainsi payé de sa personne pour ajouter à ma gloire et à celle de ma cour. Quant à toi, Bras de fer, qu'on appelle le Chevalier Rouge de la Plaine Rouge, on dit de toi qu'il ne fait pas bon te rencontrer. Si tu consens à être mon vassal, je t'honorerai et te ferai chevalier de la Table Ronde. Mais tu ne devras plus commettre de meurtres. — Sire, pour ce qui est de cela, j'ai promis à messire Belles Mains d'abandonner de semblables usages. Toutes les infamies dont j'étais coutumier, je les devais aux requêtes d'une dame que j'ai aimée. Il me faut donc aller trouver messire Lancelot, ainsi que messire Gauvain, et leur demander pardon des mauvais sentiments que je nourrissais à leur égard. En effet, tous ceux que je faisais mourir, c'était uniquement à cause de messire Lancelot et de messire Gauvain. — Ils sont ici à présent, dit le roi, devant toi. Tu peux leur dire ce que tu veux. » Lors le chevalier s'agenouilla devant messire Lancelot et devant messire Gauvain et les pria de lui pardonner toute l'inimitié qu'il avait pu nourrir contre eux.

CHAPITRE XXIV

Comment le roi Arthur leur octroya son pardon et leur demanda où se trouvait messire Gabériet

LORS gracieusement ils repartirent ensemble : « Dieu vous pardonne! Nous vous pardonnons et vous prions de nous dire où nous pouvons trouver messire Belles Mains. — Gentils seigneurs, répondit messire Bras de Fer, je ne saurais vous répondre, car il est fort difficile de savoir où il est. De jeunes chevaliers comme lui, une fois qu'ils courent les aventures, ne restent jamais en place. » Cependant, l'éloge que le Chevalier Rouge de la Plaine Rouge, messire Persant et son frère firent de Belles Mains, ce fut merveille de l'entendre. « Eh bien, gentils seigneurs, dit le roi Arthur, sachez que je vous honorerai pour l'amour de messire Belles Mains. Dès que je le trouverai, le même jour je vous ferai tous chevaliers de la Table Ronde. Quant à toi, Persant de l'Inde, on a toujours parlé de toi comme d'un chevalier d'une grande noblesse. C'est aussi toujours la réputation qu'ont eue tes trois frères.

« Mais je m'étonne, poursuivit le roi, de ne pas entendre parler du Chevalier Noir, votre frère lui aussi. C'était un chevalier fort noble. — Sire, répondit Parthénopée, le Chevalier Vert, messire Belles Mains l'occit de sa lance lors d'une rencontre. Il se nommait messire Pérard. — C'est grand dommage », dit le roi. Plus d'un chevalier fut du même avis. En effet, ces quatre frères étaient bien connus à la cour du roi Arthur pour être de nobles chevaliers, car longtemps ils avaient soutenu une guerre contre ceux de la Table Ronde.

Ensuite Parthénopée, le Chevalier Vert, dit au roi : « À un gué de la rivière de Marcoise, messire Belles Mains rencontra deux frères, qui presque toujours gardaient ce passage. C'étaient deux chevaliers sans merci. Là messire Belles mains dans l'eau tua l'aîné. Il lui asséna sur la tête un coup si rude qu'il tomba et fut noyé. Son nom était messire Gérard de Breuse. Ensuite il occit l'autre sur la terre ferme. Il s'appelait messire Arnaud de Breuse. »

CHAPITRE XXV

Comment la reine des Orcades se rendit à cette fête de Pentecôte, et comment messire Gauvain et ses frères vinrent lui demander sa bénédiction

LORS le roi et eux passèrent à table. Ils furent servis de la meilleure manière qui soit. Tandis qu'ils étaient au festin entra la reine des Orcades, accompagnée de dames et de chevaliers en grand nombre. Messire Gauvain, messire Agravain et Guerrehet se levèrent. Ils allèrent au-devant d'elle, à genoux la saluèrent et lui demandèrent sa bénédiction, car ils ne l'avaient pas revue depuis quinze ans. À haute voix alors elle s'adressa à son frère, le roi Arthur : « Qu'avez-vous fait de mon jeune fils, messire Gahériet? Il est demeuré douze mois parmi vous, et de lui vous avez fait un souillon. La honte en incombe à vous tous. Hélas! qu'avez-vous fait de mon fils bien-aimé, qui faisait ma joie et ma félicité? — Oh! ma chère mère, répondit messire Gauvain, je ne l'ai point reconnu. — Ni moi, dit le roi. J'en ai regret à présent. Mais, Dieu soit loué, il s'est montré chevalier aussi valeureux qu'il puisse en exister parmi ceux de son âge. Je n'aurai de contentement que lorsque j'aurai pu le retrouver. — Ah! mon frère, dit la reine au roi Arthur, mais s'adressant en même temps à messire Gauvain et à tous ses fils, vous vous êtes couverts de honte, lorsque vous tous, vous avez mis mon fils aux cuisines et l'y avez nourri comme un misérable porc. — Gente sœur, repartit le roi, soyez-en sûre, je ne savais pas que c'était lui, pas davantage que messire Gauvain et ses frères. Mais, puisqu'il en est ainsi, poursuivit-il, et qu'il est parti loin de nous tous, il nous faut songer à un moyen de le retrouver.

« J'ajouterai, ma sœur, qu'il me semble que vous auriez pu me tenir informé de sa venue. Si alors j'avais mal agi envers lui, vous auriez été en droit de me blâmer. Mais, quand il est arrivé en cette cour, il s'appuyait aux épaules de deux hommes, comme s'il ne pouvait marcher seul. Lors il me demanda trois faveurs. La première, il en fit la demande le jour même. C'était de le nourrir à sa suffisance les douze mois à venir. Pour les deux autres faveurs, il les requit un an plus tard, à dater du jour susdit. La deuxième était de se voir confier l'aventure de la demoiselle Léonette, et la troisième que messire Lancelot le fît chevalier quand il le voudrait. Je lui ai accordé tout ce qu'il désirait. Beaucoup en cette cour s'ébahirent de le voir requérir sa subsistance pour un an. Ce qui nous fit juger, à plus d'un, qu'il n'était pas issu d'une noble maison.

— Sire, dit la reine des Orcades au roi Arthur, son frère, sachez bien que je vous l'ai envoyé avec fort belle armure et fort belle monture, vêtu d'habits selon son rang et muni d'or et d'argent à profusion pour sa dépense. — Cela se peut, repartit le roi, mais nous n'en avons rien vu, hormis le jour où il nous quitta. Ce jour-là, des chevaliers me rapportèrent qu'il était venu céans un nain, que l'on n'attendait point. Il lui avait apporté une armure et un bon cheval, avec fort bel et riche caparaçon. Nous étions tous à nous demander d'où venait cette opulence, et notre avis à tous fut qu'il était d'une famille de haut lignage.

— Mon frère, lui dit la reine, tout ce que vous me dites, je le crois, car toujours depuis qu'il est devenu un homme, il a fait preuve de beaucoup de jugement, et toujours il s'est montré fidèle et loyal à ses engagements. Mais ce qui m'étonne, reprit-elle, c'est que messire Keu l'ait raillé et méprisé, et lui ait donné ce surnom de Belles Mains. Et pourtant, dit la reine, messire Keu l'a fait avec plus de raison qu'il ne pensait car je prétends, s'il est encore en vie, qu'il n'est nulle personne au monde capable de plus beaux gestes ou mieux disposée à l'égard d'autrui. — Madame, repartit Arthur, laissons là ce discours. Si Dieu le veut, on le retrouvera, à condition qu'il soit dans les limites de ces sept royaumes. Oublions le passé et menons grande liesse, car il s'est montré homme de mérite, et cela me réjouit le cœur. »

CHAPITRE XXVI

Comment le roi Arthur envoya chercher dame Léone, et comment elle fit crier un tournoi en son château, auquel se rendirent beaucoup de chevaliers

LORS messire Gauvain et ses frères dirent au roi Arthur : « Sire, si vous nous en donnez la permission, nous nous mettrons en quête de notre frère. — Non, intervint messire Lancelot, cela ne sera point nécessaire. » Messire Baudouin de Bretagne fut du même avis : « Notre conseil est que le roi envoie à dame Léone un messager et la prie de venir à la cour en toute hâte. N'en doutez point, elle viendra. Elle sera alors en mesure de vous informer au mieux de l'endroit où vous pourrez le trouver. — C'est bien parlé », dit le roi.

Adonc on écrivit des lettres aimables, et un messager fut dépêché, qui chevaucha nuit et jour, jusqu'à ce qu'il fût rendu au Château Périlleux. Lors il fut demandé de venir à dame Léone, tandis qu'elle était en compagnie de messire Guingamor, son frère, et de messire Gahériet. Quand elle eut pris connaissance du message, elle dit au chevaucheur d'aller sans s'arrêter devers le roi Arthur, et qu'elle-même suivrait, en y apportant toute la diligence convenable. Lorsqu'elle retourna à messire Guingamor et à messire Gahériet, elle leur rapporta comment le roi Arthur l'avait mandée. « C'est à cause de moi, jugea messire Gahériet. — Adonc conseillez-moi, repartit dame Léone, sur ce que je devrai dire et comment je devrai me conduire.

— Ma dame et mon amour, dit messire Gahériet, je vous demanderais de ne révéler en nulle façon l'endroit où je me trouve. Je sais bien que ma mère est là-bas, ainsi que tous mes frères. Ils vont vouloir me rechercher, je sais bien ce qu'ils vont faire. Mais voici, madame, ce que je voudrais que vous conseilliez au roi, lorsqu'il vous questionnera à mon sujet. Vous pourriez lui dire qu'à votre avis, il faut faire ceci, s'il veut bien y consentir : le jour de la fête de l'Assomption de Notre-Dame, le chevalier qui se montrera le meilleur prendra possession de vous et de toutes vos terres. Et s'il se trouve qu'il est marié, c'est son épouse qui aura le prix, ainsi qu'un diadème d'or serti de pierres précieuses d'une valeur de mille livres, et un faucon blanc. »

Adonc dame Léone partit. Elle arriva à la cour du roi Arthur, où elle fut dignement reçue. Elle y fut soumise à de nombreuses questions de la part du roi et de la reine des Orcades. Elle répondit qu'elle ne pouvait leur faire savoir où se trouvait messire Gahériet. Néanmoins elle dit ceci à Arthur : « Sire, je vais faire crier un tournoi. Il se tiendra devant mon château le jour de l'Assomption de Notre-Dame. Voici ce qui sera proclamé : on publiera que vous, monseigneur Arthur, vous serez là, de même que vos chevaliers, et que je prendrai des dispositions pour que mes chevaliers à moi soient opposés aux vôtres. Ainsi je suis assurée que vous entendrez parler de messire Gahériet. — C'est un bon conseil », dit le roi Arthur. La dame s'en alla. Le roi et elle firent tout ce qu'il fallait en vue de ce tournoi.

Lorsque dame Léone fut de retour dans l'île d'Avalon, qui était l'île où habitait son frère, messire Guingamor, elle leur rapporta à eux tous ce qu'elle avait fait et la promesse qu'elle avait donnée au roi Arthur. « Hélas! s'exclama messire Gahériet, j'ai été si malencontreusement blessé depuis que je suis entré dans ce château que je ne pourrai pas à ce tournoi me conduire en vrai chevalier. Je n'ai jamais pu guérir tout à fait de mes blessures. — Gardez confiance, dit la demoiselle Léonette, je m'engage à ce que, d'ici quinze jours, vous soyez en aussi bonne santé et aussi gaillard que jamais. » Elle l'oignit alors d'un onguent et lui apposa un emplâtre, choisis par elle l'un et l'autre, après quoi jamais il ne s'était senti aussi frais et dispos.

Lors la demoiselle Léonette dit ce qui suit : « Envoyez quelqu'un à messire Persant de l'Inde, afin qu'il vienne ici, de même que ses chevaliers, vous assister comme ils l'ont promis. Pareillement, faites parvenir un message à messire Bras de Fer, autrement dit le Chevalier Rouge de la Plaine Rouge, lui enjoignant de se tenir prêt à vos côtés avec tous ses chevaliers, tant qu'ils sont. Lors vous serez de taille à vous mesurer au roi Arthur et à ses chevaliers. » C'est ce qui fut fait. Tous ces chevaliers furent mandés au Château Périlleux. Le Chevalier Rouge fit réponse. Il dit à dame Léone et à messire Gahériet : « Madame et vous, monseigneur Gahériet, sachez que je me suis présenté à la cour du roi Arthur, de même que messire Persant et ses frères, et là nous avons rendu hommage au roi, ainsi que vous nous l'aviez ordonné. » Messire Bras de fer dit également : « Je me suis permis, de même que messire Persant de l'Inde et que ses frères, de lier partie contre monseigneur Lancelot et les chevaliers de cette cour. Je l'ai fait pour l'amour de ma dame, dame Léone, et de vous, monseigneur Gahériet. — Vous avez bien fait, répondit celle-ci. Mais sachez que vous aurez bien de la difficulté, opposés que vous serez aux plus dignes chevaliers du monde. Il nous faut donc nous munir de bons chevaliers, partout où nous pourrons les obtenir. — C'est bien parlé, repartit messire Persant, et noblement. »

On fit donc crier en Angleterre, Galles, Écosse, Irlande, Cornouailles et dans toutes les Iles Lointaines, en Bretagne et dans maint autre pays, qu'à la fête de l'Assomption de Notre-Dame, l'on se rendît au Château Périlleux, près de l'île d'Avalon. Là tous les chevaliers présents auraient le choix, selon leur bon plaisir, ou de se ranger du parti des chevaliers du château, ou de l'autre, avec le roi Arthur. Deux mois s'écoulèrent avant le jour prévu pour le tournoi.

Adonc il vint plus d'un valeureux chevalier qui était de loisir. Ils se mirent pour la plupart dans le camp opposé au roi Arthur et à ses chevaliers de la Table Ronde, du côté de ceux du château. Il y avait là en premier messire Espinogre. C'était le fils du roi de Northumberland. Vinrent également messire Palamède le Sarrasin, et messire Saphar, son frère, ainsi que messire Ségurade, son frère lui aussi, mais ils étaient baptisés. Il y avait là encore messire Malagrin, messire Briant des Iles, un noble chevalier, messire Hélyan de Gomoret, un bon chevalier d'Écosse, messire Caradoc de la Tour Douloureuse, un digne chevalier, messire Tarquin, son frère, messire Arnaud et messire Gautier, deux frères, de valeureux chevaliers de Cornouailles. Il vint messire Tristan de Léonois et avec lui messire Dinas le sénéchal, et messire Sadoc. Ce messire Tristan n'était point alors chevalier de la Table Ronde, mais c'était l'un des meilleurs chevaliers du monde. Adonc tous ces nobles chevaliers se mirent du côté de la dame du château et avec le Chevalier Rouge de la Plaine Rouge. Quant à messire Gahériet, il ne voulut point se donner plus d'importance que n'en avaient d'autres chevaliers de médiocre stature.

CHAPITRE XXVII

Comment le roi Arthur se rendit à ce tournoi avec ses chevaliers, comment la dame le reçut avec honneur, et comment les chevaliers se rencontrèrent

LORS arrivèrent en compagnie du roi Arthur les frères de messire Gahériet, messires Gauvain, Agravain, Guerrehet. Puis ce furent ses neveux, avec messire Yvain aux Blanches Mains, messire Agloval, messire Tor, messire Perceval le Gallois et messire Lamorat de Galles. Ensuite vint messire Lancelot du Lac avec ses frères, neveux et cousins, tels messire Lionel, messire Hector des Mares, messire Bohort de Gaunes, puis messire Galeheudin, messire Galinde et bien d'autres du même sang que messire Lancelot. Également vinrent messire Dinadan, messire la Cotte Mal Taillée, son frère, un bon chevalier, et messire Sagremor, bon chevalier lui aussi. Ils étaient pour la plupart de la Table Ronde. Vinrent aussi avec le roi Arthur les chevaliers suivants : le roi d'Irlande, Aguisant, le roi d'Écosse, Caradoc, le roi Urien du pays de Gorre, le roi Bademagu et son fils, messire Méléagant, ainsi que messire Galehot, le haut prince. Tous ces rois, princes, comtes, barons, de même que d'autres nobles chevaliers comme messire Brandelis, messire Yvain l'Avoutre, messire Keu, messire Bédoïer, messire Méliot de Logres, messire Petitpas de Winchelsea, messire Godelake, tous ceux-là accompagnaient le roi Arthur, et d'autres encore dont je ne puis citer tous les noms.

À présent laissons là ces rois et chevaliers, et parlons des grands préparatifs qui furent faits, tant au-dedans qu'au-dehors du château, pour chacun des deux partis. Dame Léone, la dame du château, prit de grandes dispositions pour ses nobles chevaliers. Elle leur procura toutes sortes de logements et des vivres, qui arrivèrent par terre aussi bien que par mer. Rien ne manqua aux gens de son parti, ni aux autres. Il y avait en abondance pour le roi et sa chevalerie ce qu'or et argent pouvaient procurer. On vit arriver les fourriers d'Arthur venant pourvoir à son logement et à celui de ses rois, ducs, comtes, barons et chevaliers. Messire Gahériet pria dame Léone, le Chevalier Rouge de la Plaine Rouge, messire Persant et son frère, ainsi que messire Guingamor, qu'en nulle façon nul d'entre eux ne dévoilât son nom. Il désira qu'on ne fît pas plus de cas de lui que du moindre chevalier là présent. « Je ne veux pas qu'on en sache sur moi moins ou davantage, tant au commencement qu'à la fin. »

Lors dame Léone dit à messire Gahériet : « Messire, je vais vous prêter un anneau. Mais, je vous en prie, si vous m'aimez du fond du cœur, rendez-le moi lorsque le tournoi sera fini, car cet anneau accroît ma beauté pour la faire paraître plus grande qu'elle n'est vraiment. Ma bague a une autre vertu. Ce qui est vert, elle le change en rouge, ce qui est bleu elle lui donne l'apparence du blanc, ce qui est blanc l'apparence du bleu, et de même pour toute sorte de couleur. En outre, qui porte mon anneau ne versera point de son sang. C'est le grand amour que j'ai pour vous qui fait que je vous le donne. — Grand merci, répondit messire Gahériet, dame de mon cœur. Cet anneau me sera fort utile. Il rendra autre tout aspect que je pourrai avoir, et de cette manière on ne saura pas qui je suis. »

Lors messire Guingamor à messire Gahériet donna un coursier de couleur baie, qui était un fort bon cheval. Il lui fit don également d'une bonne armure et sûre, et d'une noble épée, que jadis le père de messire Guingamor avait prise à un tyran païen. Ainsi donc chacun se prépara pour le tournoi. Le roi Arthur était là deux jours avant l'Assomption de Notre-Dame. Il y avait les plus merveilleux musiciens qu'on pût trouver. Vinrent aussi la reine Guenièvre et la reine des Orcades, la mère de messire Gahériet.

Le jour de l'Assomption, après messe et matines, des hérauts avec des trompettes reçurent l'ordre de sonner le commencement des combats. Sortit alors du château messire Espinogre, le fils du roi de Northumberland. Il rencontra messire Sagremor le Desrée. Chacun d'eux rompit sa lance à hauteur de la prise. Lors entra en lice messire Palamède au sortir du château. Gauvain le rencontra. L'un et l'autre frappèrent si fort que chevaliers et montures tombèrent au sol. Des chevaliers de chaque camp vinrent au secours des combattants. Puis ce fut le tour de messires Saphar et Ségurade, les frères de messire Palamède. Messire Agravain rencontra Saphar et messire Guerrehet Ségurade. Messire Malagrin, un chevalier du château, se heurta à messire Yvain aux Blanches Mains. Messire Yvain fit choir messire Malagrin, de telle sorte qu'il faillit se rompre le cou.

CHAPITRE XXVIII

Comment les chevaliers se comportèrent dans les combats

LORS messires Briant des Iles et Hélyan de Gomoret, chevaliers du château, rencontrèrent messire Agloval et messire Tor, lequel jeta au sol messire Hélyan de Gomoret. Entrèrent en lice messire Caradoc de la Tour Douloureuse et messire Tarquin, l'un et l'autre du château. S'opposèrent à eux messire Perceval le Gallois et messire Lamorat de Galles, deux frères. Messire Perceval heurta contre messire Caradoc. Chacun rompit sa lance à hauteur de la main. Puis messire Tarquin engagea le combat contre messire Lamorat. Chacun culbuta le cheval de l'autre, ainsi que le cavalier, tout fut jeté à terre. On s'aida mutuellement à se remettre en selle. Messire Arnaud, messire Gautier, du parti du château, se trouvèrent face à messires Brandelis et Keu. Ces quatre chevaliers se heurtèrent vigoureusement, et leurs lances se brisèrent à hauteur de la prise.

Lors entrèrent en lice messires Tristan, Sadoc et Dinas, du château. Messire Tristan rencontra messire Bédoïer. Messire Bédoïer fut jeté au sol, monture et cavalier. Messire Sadoc se trouva devant messire Petitpas. Messire Sadoc fut renversé. Yvain l'Avoutre mit à terre messire Dinas le sénéchal. Puis ce fut au tour de messire Persant de l'Inde d'entrer en lice. C'était un chevalier du château. Il avait contre lui messire Lancelot du Lac, lequel le culbuta. L'homme et le cheval furent mis à bas. Ensuite intervint messire Parthénopée, du château. Il fit face à messire Lionel. Messire Parthénopée, le Chevalier Vert, fit choir messire Lionel, frère de messire Lancelot. Tout ceci fut pris en compte par de nobles hérauts. Ils notèrent qui se comportait le mieux, ainsi que tous les noms.

Après quoi pénétra sur le champ clos messire Pergamon, le Chevalier Rouge, frère de messire Persant. Il était du parti du château. Il trouva devant lui messire Hector des Mares. Chacun frappa si rudement que de chaque côté cavalier et monture tombèrent. Puis ce fut le tour du Chevalier Rouge de la Plaine Rouge et de messire Gahériet, du château. Ils s'opposèrent à messires Bohort de Gaunes et Bliobéris. Le Chevalier Rouge et messire Bohort se heurtèrent avec tant de violence que les lances se brisèrent et que les chevaux furent précipités au sol. Ensuite messire Bliobéris rompit sa lance en choquant messire Gahériet. Il se retrouva à terre après ce coup. Lorsque messire Galeheudin vit cela, il dit à messire Gahériet de prendre garde. Messire Gahériet le jeta à terre. Lors messire Galinde se saisit d'une lance afin de venger son frère. Messire Gahériet le traita de même façon, ainsi que messire Dinadan et son frère, la Cotte Mal Taillée, et encore messire Sagremor le Desrée et messire Dodinel le Sauvage. Tous ceux-là, il les abattit d'une seule lance.

Quand Aguisant, le roi d'Irlande, vit messire Gahériet se conduire de la sorte, il se demanda bien qui cet homme pouvait être qui tantôt paraissait vert et tantôt bleu à son retour en lice. À chacune de ses courses, chaque allée et venue, il changeait de couleur, si bien que ni roi ni chevalier n'avait moyen de savoir aisément qui il était. Lors monseigneur Aguisant, le roi d'Irlande, rencontra messire Gahériet. Celui-ci le jeta à bas de son cheval, hors de sa selle et du reste. Puis ce fut le tour de Caradoc, roi d'Écosse. Messire Gahériet le renversa, cavalier et monture. De même manière il en usa avec le roi Urien, du pays de Gorre. Monseigneur Bademagu entra sur le champ clos. Messire Gahériet le mit à bas, l'homme et le cheval. Le fils de Bademagu, Méléagant, rompit une lance contre messire Gahériet. Ce fut fait avec force et en bon chevalier. Lors messire Galehot, le haut prince, cria d'une voix forte : « Chevalier aux nombreuses couleurs, tu as bien jouté. À présent tiens-toi prêt, que je puisse jouter avec toi. » Messire Gahériet l'entendit. Il prit une grande lance. Ils se heurtèrent. Le prince rompit sa lance. Messire Gahériet cependant l'atteignit sur le côté gauche de son heaume. Il se mit à chanceler, à gauche, à droite. Il serait tombé si ses gens ne l'avaient remis d'aplomb.

« Par Dieu, s'exclama le roi Arthur, ce chevalier aux nombreuses couleurs est un bon chevalier. » Sur ce il appela à lui messire Lancelot et le pria de le combattre. « Sire, répondit Lancelot, j'ai grande envie de le laisser en repos à l'heure qu'il est, car il s'est donné aujourd'hui assez de peine. Lorsqu'un bon chevalier un jour se comporte aussi bien, il n'est pas digne d'un bon chevalier de le priver de la gloire qu'il s'est acquise, surtout quand il voit que c'est au prix de tant d'efforts. Il se peut, continua messire Lancelot, qu'aujourd'hui céans se trouve quelqu'un dont il ait à se plaindre, ou peut-être est-il de la dame de ces lieux mieux aimé que quiconque parmi tous ceux qui sont ici. Je vois bien qu'il s'efforce et s'évertue à accomplir des prouesses. En conséquence, conclut Lancelot, pour moi c'est à lui qu'en ce jour doit aller tout l'honneur. Quand bien même je pourrais l'en priver, je m'y refuserais. »

CHAPITRE XXIX

Davantage au sujet du même tournoi

QUAND CE FUT FINI, on dégaina les épées et commença un âpre tournoi. Messire Lancelot accomplit de merveilleux faits d'armes. Entre lui et messire Bras de Fer, à savoir le Chevalier Rouge de la Plaine Rouge, il y eut un rude combat. De même, entre messire Palamède et messire Bliobéris le combat fut rude. Messire Gauvain et messire Tristan furent opposés l'un à l'autre. Messire Gauvain eut le dessous, car il fut tiré à bas de son cheval, longtemps à pied et souillé de boue.

Lors entra en lice messire Lancelot. Il frappa messire Tarquin. L'autre fit de même. Survint messire Caradoc, le frère de Tarquin. Ils joignirent leurs efforts pour assaillir messire Lancelot. Mais lui, le plus noble chevalier qui fût au monde, les combattit tous deux vaillamment, et tous ceux qui étaient là s'émerveillèrent de ses grands mérites. Puis messire Gahériet entra en lice. Il vit que c'était messire Lancelot aux prises avec les deux redoutables chevaliers. Messire Gahériet vint avec son bon cheval et les sépara en se ruant entre les combattants. Il ne voulut porter nul coup à messire Lancelot.

Messire Lancelot le vit et jugea que ce devait être là messire Gahériet, le valeureux chevalier. Lors celui-ci courut çà et là, frappant de droite et de gauche. On ne le quittait pas des yeux, partout où il allait. Le hasard voulut qu'il se heurtât à son frère, messire Gauvain. Il le déconfit, car il lui ôta son heaume, et il fit de même avec cinq ou six chevaliers de la Table Ronde. Chacun dit que c'était lui qui se donnait le plus de peine et s'acquittait le mieux de sa tâche. Lorsque messire Tristan vit comment il avait d'abord jouté, puis combattu si bien à l'épée, il alla trouver messire Bras de Fer et messire Persant de l'Inde et leur demanda de lui dire, sur l'honneur, s'ils savaient de quelle sorte de chevalier il s'agissait qui paraissait sous tant de diverses couleurs. « À la vérité, dit Tristan, il me semble qu'il se donne beaucoup de mal, car il n'en a jamais fini. — Ne savez-vous pas qui il est? repartit messire Bras de Fer. — Non, répondit messire Tristan.

— En ce cas, sachez que c'est celui qui aime la dame du château et en est aimé en retour. C'est lui qui m'a vaincu, alors que j'assiégeais cette dame, et c'est lui qui a défait messire Persant de l'Inde, ainsi que ses trois frères. — Son nom? dit messire Tristan. Et de quel sang est-il? — À la cour du roi Arthur, on l'appelait Belles Mains. Mais son véritable nom est messire Gahériet des Orcades, frère de messire Gauvain. — Par ma foi, c'est un bon chevalier et un puissant homme d'armes. S'il est jeune encore, il se montrera chevalier de haut mérite. — Ce n'est encore qu'un enfant, dirent-ils tous, et c'est messire Lancelot qui l'a fait chevalier. — Il n'en est que bien meilleur. »

Lors messire Tristan, messire Bras de Fer, messire Persant et son frère allèrent ensemble porter aide à messire Gahériet. Il fut alors distribué maint coup vigoureux. Puis messire Gahériet quitta la lice sur l'un des côtés pour ajuster son heaume. Son nain lui dit : « Donnez-moi votre anneau, de crainte de le perdre pendant que vous boirez. » Quand il se fut rafraîchi, messire Gahériet remit son heaume. Bien vite il prit son cheval et entra dans la lice, sans reprendre sa bague à son nain. Celui-ci se réjouit de savoir qu'il ne l'avait pas reprise, car il savait bien qu'ainsi on finirait par le reconnaître. Adonc, lorsqu'il fut en lice, tout le monde vit bien clairement que sa couleur était le jaune. Il faisait sauter des heaumes et tirait sur des chevaliers pour les traîner à terre, tant que le roi Arthur se demandait vraiment quel chevalier c'était là, car il voyait à sa chevelure que c'était toujours le même.

CHAPITRE XXX

Comment messire Gahériet fut épié par les hérauts, et comment il s'échappa du champ clos

« MAIS AUPARAVANT il avait toutes sortes de couleurs, et maintenant il n'en a qu'une, savoir le jaune. Allez, dit le roi à différents hérauts, chevauchez autour de lui et découvrez de quel chevalier il s'agit. Je m'en suis enquis de maint chevalier aujourd'hui qui appartenait à son camp, et tous m'ont répondu qu'ils ne le connaissaient point. » Adonc l'un des hérauts, s'approchant de messire Gahériet d'aussi près que cela se pouvait, vit écrit sur son heaume en lettres d'or : « Ce heaume est celui de messire Gahériet des Orcades. » Lors il cria bien fort, comme s'il eût perdu l'esprit, et beaucoup de hérauts avec lui : « C'est ici messire Gahériet des Orcades, avec les armes jaunes. » Tous les rois et chevaliers d'Arthur le regardèrent et le considérèrent avec attention. Chacun accourut pour mieux le voir, cependant que les hérauts criaient toujours : « C'est ici messire Gahériet des Orcades, le fils du roi Lot. »

Quand messire Gahériet vit qu'il était découvert, il redoubla ses coups. Il mit à terre messire Sagremor et son propre frère, messire Gauvain. « Ô mon frère ! s'écria messire Gauvain, je n'aurais pas cru que tu me frapperais ! » À ces mots, messire Gahériet tenta de se frayer un chemin dans la cohue et avec beaucoup de mal s'en délivra. Il rencontra son nain. « Fripon, lui dit-il, tu m'as joué un vilain tour aujourd'hui en gardant mon anneau. Dépêche-toi de me le rendre, que je puisse me dissimuler grâce à lui. » Il prit donc l'anneau, et nul ne put savoir ce qu'il était devenu. Messire Gauvain, s'étant fait quelque idée de la direction qu'il avait prise, se mit à sa poursuite, aussi vite qu'il pouvait aller. Messire Gahériet le vit, et prestement entra dans la forêt, si bien que messire Gauvain ne put savoir par où il était passé.

Lorsque messire Gahériet fut assuré que messire Gauvain était parti sans le découvrir, il demanda conseil à son nain sur le meilleur parti à prendre. « Messire, répondit le nain, il me semble que le mieux à faire, à présent que vous avez échappé aux regards, est de renvoyer son anneau à ma dame, dame Léone. — C'est un bon conseil, repartit messire Gahériet. Voici l'anneau, porte-le-lui, dis-lui que je me recommande à sa bonne grâce, que je viendrai dès que je le pourrai, et que je la prie de m'être fidèle et loyale, comme je le serai moi-même à son égard. — Messire, dit le nain, il en sera fait selon vos ordres. »

Adonc il partit de son côté et donna son message à la dame. Elle lui demanda : « Où est mon chevalier, messire Gahériet? — Madame, répondit le nain, il me fait dire qu'il ne restera pas longtemps éloigné de vous. » Vite il retourna à messire Gahériet, lequel volontiers se fût procuré un logement, car il avait besoin de repos. Le tonnerre se mit à gronder, la pluie à tomber, comme si le ciel et la terre eussent voulu ne faire qu'un. Messire Gahériet n'était pas fatigué qu'un peu, car de toute la journée il n'avait pris que peu de repos, lui comme son cheval. Il chevaucha longuement dans la forêt, jusqu'à la tombée de la nuit. Et toujours éclairs et tonnerre faisaient rage. Enfin, par hasard, il arriva devant un château et entendit les gardes sur les remparts.

CHAPITRE XXXI

Comment messire Gahériet s'en vint à un château où il fut bien logé, et comment il jouta avec un chevalier et l'occit

LORS messire Gahériet chevaucha jusqu'à la barbacane de ce château et pria civilement le portier de le laisser entrer. Le portier lui répondit malgracieusement, disant : « Tu n'auras point de logement céans. — Gentil sire, ne dites pas cela. Je suis chevalier du roi Arthur et prie le seigneur ou la dame de ce château de me donner asile pour l'amour de ce roi. » Le portier alla devers la duchesse et l'informa qu'il y avait là un chevalier du roi Arthur qui demandait asile. — Fais-le entrer, dit la duchesse, je veux voir ce chevalier et, pour l'amour du roi Arthur, il ne restera pas sans logement. »

Puis elle monta à une tour, au-dessus du portail, en s'éclairant d'une grande torche. Quand messire Gahériet vit briller la torche, il cria d'une voix forte : « Que tu sois seigneur ou dame, géant ou champion, je n'en ai cure, pourvu que j'aie où loger cette nuit. Et s'il faut que je combatte nécessairement, ne m'épargne point demain matin, une fois que j'aurai pris du repos, mais maintenant je suis fourbu, ainsi que mon cheval. — Sire chevalier, répondit la dame, tu parles hardiment et bravement. Mais sache bien que le seigneur de ce château ne porte pas le roi Arthur dans son cœur, ni aucun de sa cour, car mon seigneur a toujours été son ennemi. Aussi ferais-tu mieux de ne point entrer dans ce château, car si tu entres cette nuit, il te faudra le faire à la condition que, où que tu puisses rencontrer mon seigneur, par petit ou grand chemin, tu te rendes à lui pour être son prisonnier. — Madame, demanda messire Gahériet, qui est votre seigneur et quel est son nom ? — Messire, le nom de mon seigneur est le duc de la Rose. — Eh bien, madame, je vous promets qu'en quelque lieu où je rencontrerai votre seigneur, je me rendrai à lui et m'en remettrai à sa bonne grâce. En ces conditions je pense qu'il ne me fera aucun mal. Si je vois qu'il n'en est rien, je me délivrerai si je le puis, à l'aide de ma lance et de mon épée.

— C'est bien parlé », dit la duchesse. Lors elle fit baisser le pont-levis. Messire Gahériet entra dans la grand-salle. Il y mit pied à terre. Son cheval fut mené dans une écurie. Dans la grand-salle il ôta son armure et dit : « Madame, je ne sortirai point cette nuit de la salle que voici. Lorsqu'il fera jour, faites savoir que celui qui voudra me combattre me trouvera prêt à le suivre. » On le fit alors souper. Il eut force mets friands.

Il avait l'appétit ouvert. Il fit honneur à son repas, qu'il dépêcha sans se faire prier. Il y avait près de lui mainte belle dame. Certaines dirent qu'elles n'avaient jamais vu d'homme d'aussi bonne mine, ni qui mangeait d'aussi bon appétit. Il eut fort grande chère. Peu après qu'il eut soupé, on dressa son lit dans la salle. Il s'y reposa toute la nuit.

Le lendemain matin, il entendit la messe, déjeuna et prit congé de la duchesse, ainsi que de tout le monde. Il la remercia courtoisement de son logement et de son accueil. Elle lui demanda son nom. « Madame, dit-il, en vérité mon nom est messire Gahériet des Orcades, bien que d'aucuns m'appellent Belles Mains. » Lors elle sut bien que c'était là le même chevalier qui avait combattu pour dame Léone.

Adonc messire Gahériet s'en alla. Il chevaucha jusqu'au pied d'un mont et là fit rencontre d'un chevalier. Il se nommait messire Bendelain. Il dit à messire Gahériet : « Tu ne passeras point. Ou tu jouteras avec moi, ou tu seras mon prisonnier. — Je jouterai donc », dit messire Gahériet. Ils firent courir leurs chevaux. Messire Gahériet perça le corps de messire Bendelain d'outre en outre. Celui-ci chevaucha jusqu'à son château, dans les parages, et là rendit l'âme.

Messire Gahériet souhaitait prendre du repos. Il s'en vint au château de Bendelain. Les chevaliers et les serviteurs de ce dernier virent bien que c'était là le chevalier qui avait tué leur seigneur. Ils armèrent vingt hommes de valeur, qui sortirent et assaillirent Gahériet. Lui n'avait pas de lance, mais son épée. Il mit son bouclier devant lui. Ils y rompirent leurs lances. Ils l'attaquèrent avec beaucoup d'ardeur, mais toujours messire Gahériet se défendit avec vaillance.

CHAPITRE XXXII

Comment messire Gahériet combattit avec un chevalier qui retenait captives en son château trente dames, et comment il l'occit

LORSQU'ILS VIRENT qu'ils ne pouvaient en venir à bout, ils s'éloignèrent et délibérèrent comment tuer son cheval. Ils approchèrent donc de messire Gahériet et, à l'aide de lances, ils tuèrent son destrier. Puis ils l'assaillirent avec hargne. Cependant, quand il fut à pied, il n'en combattit aucun sans qu'il fût choqué trop rudement pour pouvoir s'en remettre. Il les occit de cette façon, un à un, jusqu'à ce qu'il n'en restât que quatre. Lors ceux-là s'enfuirent.

Messire Gahériet prit un bon cheval, qui leur avait appartenu, et il poursuivit son chemin. Il chevaucha bon train et arriva devant un château. Là il entendit beaucoup de lamentations de dames et nobles dames. Survint un page à ses côtés. « Quel est donc le bruit, demanda-t-il, que j'entends en ce château ? — Sire chevalier, répondit le page, en ce château se trouvent trente dames. Toutes sont veuves. Un chevalier chaque jour garde la demeure. Son nom est le chevalier Brun sans Pitié, et il est le plus redoutable qui soit au monde. En conséquence, messire, conclut le page, je vous conseille de fuir. — Non, dit messire Gahériet. Je ne fuirai point, même si tu as peur de lui. »

Lors le page s'aperçut que venait à eux ce chevalier Brun. « Regardez, dit-il, c'est lui qui vient à nous. — Laisse-moi m'en occuper », répondit messire Gahériet. Quand chacun eut vu où l'autre se trouvait, ils firent courir leurs chevaux. Le chevalier Brun brisa sa lance. Messire Gahériet, lui, transperça le corps de son adversaire. Il tomba en terre, raide mort.

Messire Gahériet entra dans le château. Il pria les dames de le laisser s'y reposer. « Las ! s'exclamèrent-elles, vous ne pouvez loger ici ! — Faites-lui bon accueil, leur dit le page. Ce chevalier a tué votre ennemi. » Lors elles lui firent toutes aussi bon visage que possible. Notez bien qu'elles lui firent seulement bon visage, car elles ne pouvaient rien faire de mieux. Elles n'avaient rien en leur possession. Le lendemain matin, il alla à la messe. Il y vit les trente dames se mettre à genoux, puis face contre terre sur différents tombeaux, en proie au chagrin et à la douleur les plus vifs. Il comprit bien que sous la pierre gisaient leurs seigneurs. « Gentes dames, leur dit-il, il faudra qu'à la prochaine fête de Pentecôte vous soyez à la cour du roi Arthur, et que vous disiez que c'est moi, Gahériet, qui vous envoie. — Ce sera fait », dirent-elles.

Adonc il s'en alla et par aventure arriva au pied d'un mont. Là il trouva un chevalier de bonne mine, qui lui dit : « Arrêtez, sire chevalier, et joutez avec moi.— Qui êtes-vous ? — Mon nom est le duc de la Rose. — Ah ! messire, vous êtes donc ce chevalier dans le château duquel il m'est advenu de loger. J'y ai fait promesse à votre dame de me rendre à vous. — Ah ! ah ! s'exclama le duc. Serais-tu ce fier chevalier qui défie mes chevaliers ? Prépare-toi. Je veux te combattre. »

Ils firent courir leurs montures. Messire Gahériet heurta le duc, qui tomba de cheval. Cependant le duc promptement se dégagea de sa selle, ajusta son écu, tira son épée et dit à messire Gahériet de mettre pied à terre pour se battre avec lui. Celui-ci mit pied à terre, et ils se livrèrent un grand combat, qui dura plus d'une heure, chacun infligeant à l'autre de graves blessures. Finalement messire Gahériet mit le duc à bas et l'eût tué s'il ne s'était rendu. « Maintenant, dit messire Gahériet, il vous faudra aller devers le roi Arthur, mon seigneur, à la prochaine fête et lui dire que c'est moi, messire Gahériet des Orcades, qui vous envoie. — Ce sera fait, répondit le duc. Je lui rendrai hommage et lui jurerai fidélité, de même que cent chevaliers qui m'accompagneront. Et tous les jours de ma vie, je vous servirai, là où il vous plaira de me l'ordonner. »

CHAPITRE XXXIII

Comment messire Gahériet et messire Gauvain combattirent l'un contre l'autre, et comment ils se reconnurent grâce à la demoiselle Léonette

ADONC le duc s'en alla, et messire Gahériet se retrouva seul. C'est alors qu'il vit venir à lui un chevalier en armes. Messire Gahériet prit le bouclier qui avait appartenu au duc, enfourcha sa propre monture et, sans porter de défi, ils coururent l'un sus à l'autre avec la rapidité de la foudre. Le chevalier de sa lance blessa messire Gahériet sous le flanc. Puis ils mirent pied à terre, dégainèrent leurs épées et se donnèrent de grands coups, si bien que le sang se répandit jusqu'au sol. Ils combattirent de la sorte deux heures durant.

Finalement survint la demoiselle Léonette — d'aucuns l'appelaient la Demoiselle Malgracieuse. Elle vint montée sur une mule, à petit train. Une fois rendue, elle cria aussi haut qu'elle put : « Messire Gauvain, messire Gauvain, cessez de vous battre avec votre frère, messire Gahériet. » Lorsqu'il entendit ces paroles, messire Gauvain jeta épée et bouclier. Il courut à messire Gahériet, le prit dans ses bras, puis s'agenouilla et lui demanda pardon. « Qui êtes-vous donc, lui dit messire Gahériet, vous qui il y a un instant encore montriez tant de vigueur et d'énergie, pour aussi soudainement vous rendre à moi ? — Ô Gahériet ! je suis votre frère, messire Gauvain, qui pour vous venir en aide ai connu bien des peines et tracas. » Lors messire Gahériet délaça son heaume, s'agenouilla devant lui et lui demanda pardon à son tour. Ensuite ils se relevèrent tous les deux, s'étreignirent mutuellement, pleurèrent longtemps avant de pouvoir se parler, et chacun donna à l'autre l'avantage en ce combat. Après quoi ils échangèrent mainte parole flatteuse.

« Las ! mon gentil frère, dit messire Gauvain, par Dieu je devrais à bon droit vous rendre honneur si vous n'étiez mon frère, car vous avez ajouté à la réputation du roi Arthur et de toute sa cour. Vous m'avez ces douze mois passés envoyé davantage de chevaliers en renom que les six meilleurs de la Table Ronde, à l'exception de messire Lancelot. » Lors arriva la Demoiselle Malgracieuse, à savoir Léonette, qui si longtemps avait chevauché aux côtés de messire Gahériet. Elle étancha leur sang à tous deux. « Qu'allez-vous faire à présent? demanda-t-elle. Il me semble qu'il serait bon qu'Arthur eût des nouvelles de l'un et de l'autre, et vos chevaux sont si meurtris qu'ils ne peuvent plus vous porter. — Gente demoiselle, répondit messire Gauvain, à présent je vous prierai d'aller devers mon seigneur et oncle, le roi Arthur, et de lui conter ce qui m'est ici advenu. J'ai lieu de croire qu'il ne tardera guère. »

Elle prit alors sa mule et en diligence vint au roi Arthur, qui n'était qu'à une lieue de là. Quand elle l'eut mis au courant, le roi se fit donner un palefroi. Une fois à cheval, il invita seigneurs et dames à le suivre, que vînt qui voulait. On sella, brida les montures des reines et des princes. C'était à qui serait prêt le premier. Quand le roi fut rendu là où messire Gauvain et messire Gahériet se trouvaient, il les aperçut qui étaient assis au flanc d'un coteau. Il sauta à bas de son cheval. En approchant de messire Gahériet il eût voulu parler, mais n'y réussit point. Il défaillit de joie. Eux s'empressèrent auprès de lui et le requirent de bien vouloir se tranquilliser. Mais sachez bien que le roi fut fort joyeux, et qu'il se plaignit amèrement à messire Gahériet de ce qu'il avait fait, et pleura sans pouvoir s'arrêter, comme s'il eût été un enfant. Là-dessus arriva la mère de Gahériet, la reine Morcade. Lorsqu'elle vit son fils, là, sous ses yeux, elle ne put verser de larmes. Soudainement elle tomba évanouie et demeura longtemps en cet état, comme si elle était morte. Messire Gahériet réconforta sa mère, de telle sorte qu'elle se remit et retrouva la gaieté.

Lors le roi donna ordre que tous les chevaliers soumis à son autorité, quels qu'ils fussent, établissent leur logement en ce lieu même, par égard pour ses neveux. Ce qui fut fait, et toute sorte de victuaille fut fournie, si bien que nulle chair ne manqua d'animal domestique ou sauvage qu'or ou argent pût procurer. Puis, par le moyen de la

Demoiselle Malgracieuse, messire Gauvain et messire Gahériet furent guéris de leurs blessures. On séjourna là huit jours.

Le roi Arthur dit alors à la Demoiselle Malgracieuse : « Je m'étonne que votre sœur, dame Léone, ne vienne pas céans par devers moi, et surtout qu'elle ne rende point visite à son chevalier, messire Gahériet, mon neveu, qui s'est donné tant de peine pour gagner son amour. — Monseigneur, répondit la demoiselle Léonette, il vous faut en grâce l'excuser, car elle ne sait pas que monseigneur Gahériet se trouve ici. — Allez donc la chercher, que nous décidions ensemble de ce qu'il vaut mieux faire pour le contentement de mon neveu. — Sire, ce sera exécuté. » Et la demoiselle alla trouver sa sœur. Aussi diligemment qu'elle put, celle-ci se prépara. Le lendemain matin, elle était là, en compagnie de son frère, messire Guingamor, et de ses quarante chevaliers. Quand elle fut venue, elle eut le meilleur accueil qui pût lui être donné, tant de la part du roi Arthur que de maint autre roi ou reine.

CHAPITRE XXXIV

Comment messire Gahériet auprès du roi Arthur reconnut qu'ils s'aimaient, et de la date qui fut fixée pour leur mariage

PARMI TOUTES LES DAMES elle fut réputée la plus belle et sans égale. Lorsque messire Gauvain la vit, ce furent maint regard aimable et mainte parole gracieuse. Tous les hommes de mérite se réjouirent en les voyant ensemble. Lors vint le roi Arthur ainsi que maint autre roi, et dame Guenièvre, et la reine des Orcades. Le roi demanda à son neveu, messire Gahériet, s'il voulait faire de cette dame sa maîtresse ou son épouse.

« Monseigneur, sachez bien que je l'aime plus que toute autre dame au monde. — À présent, gente dame, dit le roi Arthur, qu'en pensez-vous ? — Très noble roi, répondit dame Léone, sachez bien qu'il est plus désirable pour moi d'avoir et garder pour époux monseigneur Gahériet que tout roi ou prince ayant reçu le baptême. Et si je ne puis l'obtenir, je vous promets de n'en avoir jamais aucun. Monseigneur Arthur, sachez bien, poursuivit dame Léone, qu'il est mon premier amour et qu'il sera le dernier. J'ajoute que, si vous souffrez qu'il choisisse selon ses vœux et librement, je crois que c'est moi qu'il prendra. — C'est vérité, dit messire Gahériet. Si ce n'est vous que je prends et garde pour épouse, jamais dame, quelle que soit sa naissance, ne pourra me réjouir. — Alors, mon neveu, dit le roi, est-ce là que nous en sommes ? Sachez que je perdrais ma couronne plutôt que d'être cause que vous repreniez les cœurs que vous avez l'un et l'autre donnés. L'amour que vous avez, soyez assurés qu'il ne sera jamais si grand que je n'y ajoute plutôt que je ne l'endommage. Outre, je puis vous promettre que vous aurez de moi affection et protection, autant que ce sera en mon pouvoir. » La mère de messire Gahériet leur parla de même manière.

Ensuite on fit des arrangements pour le jour du mariage. Selon le conseil du roi, il fut décidé que ce serait à la Saint-Michel à venir, à King Kenadown au bord de la mer, car c'était terre d'abondance. C'est ce qui fut crié en tous lieux et par tout le royaume. Lors messire Gahériet fit savoir à tous les chevaliers (et à leurs dames), dont il s'était auparavant acquis les services par les armes, qu'ils devaient se rendre, le jour de ses noces, à King Kenadown, au bord de la grève. Dame Léone, la demoiselle Léonette, messire Guingamor retournèrent chacun en leurs châteaux. Ce fut un anneau bel et précieux que dame Léone donna à messire Gahériet, et il lui en donna un autre de même sorte. Le roi Arthur aussi fit don à dame Léone d'une belle bague en or.

Adonc elle partit. Le roi et sa compagnie se mirent en route pour se rendre à King Kenadown. Messire Gahériet mit sa dame sur le bon chemin, puis il revint devers le roi et l'accompagna. Seigneur Dieu ! quel accueil messire Lancelot fit à messire Gahériet, et lui de même, car jamais messire Gahériet ne porta chevalier en son cœur davantage que messire Lancelot! La plupart du temps il ne le quitta point, car lorsqu'il se fut avisé de l'humeur de messire Gauvain, messire Gahériet se tint à l'écart de la compagnie de son frère. Celui-ci était porté à la vengeance. Lorsqu'il haïssait, il voulait se venger par le meurtre et cela, messire Gahériet l'avait en abomination.

CHAPITRE XXXV

Des grandes cérémonies lors des noces, de qui fut fait officier, et des joutes qui accompagnèrent le festin

ON ARRIVA BIENTÔT à la Saint-Michel. Vinrent dame Léone, la dame du Château Périlleux, et sa sœur, la demoiselle Léonette, en compagnie de messire Guingamor, son frère. C'est lui qui s'était chargé de les conduire. Le roi Arthur s'occupa de les loger. Le jour de la Saint-Michel, l'archevêque de Cantorbéry célébra le mariage de messire Gahériet et de dame Léone en grande pompe. Le roi Arthur fit épouser à Guerrehet la Demoisellc Malgracieuse, autrement dit la demoiselle Léonette. Et à messire Agravain il fit prendre pour épouse la nièce de dame Léone, une gente dame. Elle avait nom dame Laurel.

Après ces solennités entra le Chevalier Vert, messire Parthénopée, avec trente chevaliers. Il jura hommage et fidélité à messire Gahériet, ainsi que ses trente chevaliers. Ils firent serment d'être ses vassaux pour toujours. Messire Parthénopée ajouta : « Je vous demanderais à cette fête de bien vouloir faire de moi votre chambellan. — De bonne grâce, répondit messire Gahériet, s'il vous plaît de vous charger d'un office d'aussi peu d'importance. » Entra alors le Chevalier Rouge, avec soixante chevaliers. Il rendit hommage à messire Gahériet et jura de le servir fidèlement. Tous ses chevaliers aussi devaient tenir leurs terres de lui pour toujours. Lors ce messire Pergamon pria messire Gahériet de lui accorder d'être son principal échanson à cette grande fête. — Je veux bien, répondit messire Gahériet, que vous ayez cette charge et regrette qu'elle ne soit pas plus haute. »

Puis messire Persant de l'Inde entra à son tour. Cent chevaliers l'accompagnaient. Il promit foi et hommage. Tous ses chevaliers serviraient messire Gahériet et de lui à jamais tiendraient leurs domaines. Il sollicita d'être fait grand écuyer de bouche pour le servir au festin. « J'accepte que vous le soyez, dit messire Gahériet, et regrette que l'office ne soit que celui-là. » Après quoi arriva le duc de la Rose, avec une compagnie de cent chevaliers. Il fit serment d'hommage et de fidélité. Tous désormais seraient à jamais les vassaux de messire Gahériet. Le duc requit en grâce de son suzerain de lui servir le vin en ce jour de fête. « Je vous l'accorde, dit celui-ci, et déplore que ce ne soit rien de mieux. »

Entra alors le Chevalier Rouge de la Plaine Rouge, autrement dit Bras de Fer. Il amenait avec lui trois cents chevaliers. Il rendit hommage et jura fidélité. Tous ses chevaliers devaient pour toujours être les vassaux de messire Gahériet. Il demanda à celui-ci d'être son écuyer tranchant, coupant les viandes au festin. « Je veux bien, dit messire Gahériet, pourvu que cela vous plaise. » Puis arrivèrent à la cour trente dames. Elles paraissaient toutes être veuves. Ces trente dames étaient accompagnées de mainte gente et noble dame. Elles s'agenouillèrent ensemble devant le roi Arthur et messire Gahériet. Toutes ces dames racontèrent au roi comment messire Gahériet les avait délivrées de la Tour Douloureuse et sans merci tué le chevalier Brun : « Adonc nous et nos héritiers toujours rendrons hommage à messire Gahériet des Orcades. »

Rois et reines, princes, comtes, barons, ainsi que plus d'un hardi chevalier, passèrent à table. Vous pouvez être sûrs qu'il y avait là toutes sortes de victuailles, en abondance, toutes sortes de jeux et de réjouissances, et de la musique, de toute sorte, comme on en faisait en ce temps-là. Il y eut aussi de grandes joutes, trois jours durant. Le roi Arthur cependant ne toléra point que messire Gahériet joutât, à cause de sa nouvelle épousée. Le livre français nous le dit, dame Léone demanda au roi que nul de ceux qui venaient de se marier ne participât aux joutes de cette fête.

Le premier jour, messire Lamorat de Galles prit part à ces joutes. Il renversa trente chevaliers et accomplit des faits d'armes particulièrement étonnants. Lors le roi Arthur fit messire Persant et ses frères chevaliers de la Table Ronde, et ce jusqu'à la fin de leur vie. Il leur bailla aussi de grands domaines. Le deuxième jour, ce fut Tristan qui jouta le mieux. Il renversa quarante chevaliers et accomplit de merveilleux exploits. Lors le roi fit Bras de Fer, le Chevalier Rouge de la Plaine Rouge, chevalier de la Table Ronde sa vie durant et lui donna de vastes terres. Le troisième jour jouta messire Lancelot du Lac. Il mit à bas cinquante chevaliers et s'illustra en mainte action d'éclat, dont chacun s'ébahit. Le roi Arthur fit le duc de la Rose chevalier de la Table Ronde, tant qu'il vivrait, et pour sa dépense lui octroya de vastes fiefs. Cependant, ces joutes une fois terminées, messire Lamorat et messire Tristan partirent soudainement, sans en avertir personne. Le roi et toute la cour en conçurent un vif déplaisir.

Quarante jours durant, la cour fut ainsi assemblée en grande pompe. Ce messire Gahériet se montra noble chevalier, de conduite bien réglée et parlant gracieusement.

Ainsi s'achève ce récit de la vie de messire Gahériet des Orcades, qui épousa dame Léone du Château Périlleux. Messire Guerrehet épousa sa sœur, la demoiselle Léonette, qu'on appelait la Demoiselle Malgracieuse.

Messire Agravain, lui, épousa dame Laurel, une belle et grande dame. De vastes terres et de grandes richesses leur furent données en même temps par le roi Arthur, afin qu'il leur fût possible jusqu'à leur mort de vivre magnifiquement.

Suit maintenant le HUITIÈME LIVRE,
lequel est le premier de messire Tristan de Léonois.
On y dit qui étaient son père, sa mère, comment il naquit et fut élevé,
et comment il fut fait chevalier.

LIVRE HUITIÈME

Tristan et Yseut
Lamorat

CHAPITRE I

Comment naquit messire Tristan de Léonois, et comment sa mère mourut à sa naissance, ce pourquoi elle l'appela Tristan

Il y avait un roi du nom de Méliadus, qui avait autorité sur le pays de Léonois. Ce Méliadus était un chevalier de bonne mine, meilleure il n'en était point en son temps. Il advint qu'il épousa la sœur du roi Marc de Cornouailles. Elle s'appelait Héliabel et avait réputation d'être belle et sage.

À cette époque régnait le roi Arthur, et il régnait sans partage sur Angleterre, Galles, Écosse et maint autre royaume, nonobstant qu'il y eût beaucoup de rois, maîtres de beaucoup de pays, car tous tenaient leurs terres du roi Arthur. Ainsi au pays de Galles, il y avait deux rois, dans le Nord beaucoup de rois. En Irlande ils étaient deux ou trois. Mais tous, le roi Arthur les maintenait en son obéissance. Il en allait de même de celui de France et de celui de Bretagne, et de toutes les seigneuries jusqu'à Rome.

Ainsi donc, après quelque temps que le roi Méliadus eut vécu avec son épouse, celle-ci devint grosse. C'était une dame fort amène, elle aimait beaucoup son seigneur, il le lui rendait bien, aussi la vie leur était fort joyeuse. Cependant il y avait en ce pays une dame, qui depuis longtemps était éprise du roi Méliadus, mais jamais par nul moyen n'avait réussi à gagner son cœur. Elle prit donc des dispositions, un jour qu'il était à la chasse, car c'était un grand chasseur. Par enchantement elle lui fit poursuivre un cerf à l'écart de ses compagnons, jusqu'à ce qu'il arrivât devant un vieux château. Là, incontinent, il fut fait prisonnier par la dame qui brûlait d'amour pour lui.

Quand Héliabel, l'épouse du roi Méliadus, s'aperçut de l'absence de son seigneur, elle faillit en perdre la raison. Grosse comme elle était, elle se fit accompagner d'une dame et courut dans la forêt à la recherche de son époux. Une fois qu'elle s'y fut profondément avancée, elle ne put continuer, car elle se mit à ressentir les douleurs de l'enfantement. C'étaient des souffrances horribles et qui se répétaient sans cesse. Sa dame suivante l'aida du mieux qu'elle put, et miraculeusement, grâce à Notre-Dame, elle fut délivrée, au terme de beaucoup de tourment. Mais elle avait tant pris froid par manque d'assistance qu'elle se mit à ressentir les affres de la mort. Il lui fallait mourir et quitter ce monde. Il n'y avait nul remède. Lorsque cette reine Héliabel vit qu'il n'y avait plus rien à faire, elle s'affligea grandement. Elle dit à sa dame suivante : « Quand vous verrez mon seigneur, le roi Méliadus, recommandez-moi à lui, et dites-lui quelles peines j'endure céans par amour pour lui, et par défaut de bonne assistance. Qu'il sache que cela me coûte beaucoup de quitter ce monde et lui-même. Adonc priez-le de se montrer l'ami de mon âme. Maintenant faites-moi voir mon petit enfant, qui est cause que j'ai eu tout ce chagrin. »

L'ayant vu, elle dit : « Ah ! mon fils, mon petit, tu as tué ta mère, et conséquemment je suppose que toi qui, si jeune, es meurtrier seras sans doute, l'âge venu, homme viril et fort. Parce que je vais mourir de ce que tu es venu au monde, je vous charge, madame, de prier mon seigneur, le roi Méliadus, de donner à cet enfant quand on le baptisera le nom de Tristan, ce qui équivaut à dire que sa naissance fut cause de chagrin. » Là-dessus cette reine rendit l'esprit et mourut. La dame suivante l'étendit sous la ramure d'un grand arbre. Elle couvrit l'enfant du mieux qu'elle put pour le garder du froid. À cet instant survinrent les barons qui recherchaient la reine. Lorsqu'ils virent qu'elle était morte et présumèrent que le roi lui-même n'était plus…

CHAPITRE II

Comment la belle-mère de Tristan se procura du poison pour le faire mourir

... LORS certains voulurent tuer l'enfant, parce qu'ils eussent aimé régner sur le pays de Léonois. Mais la dame suivante, par de belles paroles et divers moyens dont elle s'avisa, obtint que la plupart des barons n'y consentissent point. On fit porter chez elle la reine morte, et elle fut beaucoup pleurée.

Cependant Merlin délivra le roi Méliadus de sa captivité le lendemain de la mort de son épouse. Lorsqu'il fut de retour en sa demeure, les barons pour la plupart se réjouirent grandement, mais le chagrin que le roi conçut de la perte de sa femme, nul ne peut le dire. Il la fit enterrer en grande cérémonie, puis baptiser l'enfant ainsi qu'elle l'avait voulu avant de mourir. Il lui donna le nom de Tristan, autrement dit l'enfant né dans la tristesse. Sept ans le roi Méliadus resta sans épouse, et pendant ce temps Tristan eut tous les soins requis.

Lors il advint que le roi Méliadus épousa la fille d'Hoël, roi de Bretagne, et que peu après, le mariage fut suivi de naissance d'enfants. La reine eut chagrin et dépit de savoir que ses enfants ne pourraient hériter du pays de Léonois. Elle fit mettre du poison dans un flacon d'argent en la chambre où Tristan et ses propres enfants étaient ensemble afin que, lorsque Tristan aurait soif, il bût du contenu de ce flacon. Mais il arriva qu'un jour le fils de la reine, alors qu'il était en cette chambre, aperçut le flacon qui contenait le poison. Il crut que c'était bon à boire. Parce qu'il avait soif, il prit la fiole empoisonnée et but tout son saoul. Aussitôt il s'affaissa et mourut.

Lorsque la reine de Méliadus apprit la mort de son fils, vous imaginez bien quelle fut sa douleur. Mais le roi, lui, ne se rendit pas compte de la trahison de son épouse. Nonobstant la reine n'en resta pas là. Elle fit faire d'autre poison et le plaça dans un autre flacon. Le hasard voulut que le roi Méliadus, son époux, trouvât le flacon de vin où était le poison. Il avait très soif. Il prit ce flacon pour étancher sa soif. Alors qu'il s'apprêtait à boire, la reine le vit. Elle courut à lui et, brusquement, lui ôta la bouteille des mains. Le roi en fut surpris. Il se souvint que son fils était mort empoisonné de manière soudaine. Il prit la reine par la main et lui dit : « Traîtresse, tu vas me dire ce qu'il y a dans ce flacon, ou je te tue. » Là-dessus il tira son épée et jura ses grands dieux qu'il la tuerait si elle ne lui disait la vérité. « Ah ! pitié, monseigneur, dit-elle, vous saurez tout. »

Lors elle lui avoua pourquoi elle avait cherché à faire mourir Tristan, afin que ses enfants eussent possession de ses terres. « Eh bien, dit le roi Méliadus, c'est le châtiment de la loi que vous aurez. » Avec l'assentiment des barons elle fut condamnée à être brûlée. On fit dresser un grand bûcher et, à l'instant où elle était amenée à ce bûcher pour y subir sa peine, le jeune Tristan s'agenouilla devant le roi Méliadus et le requit de lui accorder une faveur. « Je veux bien », répondit le roi. Lors le jeune Tristan lui dit : « Accordez-moi la vie de votre reine, ma belle-mère. — Ce n'est pas une demande bien fondée, répliqua le roi Méliadus, car tu as de bonnes raisons de la haïr. Elle t'aurait tué à l'aide de ce poison si son désir avait été satisfait. Et c'est surtout à cause de toi que je veux qu'elle meure. — Sire, dit Tristan, pour ce qui est de cela, je vous supplie de le lui pardonner, et pour ma part, que Dieu lui pardonne, moi je le fais. S'il plaît à Votre Altesse de m'accorder la faveur demandée, pour l'amour de Dieu je vous requiers de tenir votre promesse. — S'il en est ainsi, dit le roi, j'accepte que tu lui gardes la vie sauve. Je te la donne. Va à ce bûcher, prends-la et fais-en ce que tu voudras. »

Adonc messire Tristan alla jusqu'au bûcher et par ordre du roi la sauva de la mort. Le roi ne voulait plus avoir affaire à elle, tant au lit qu'à la table. Par l'entremise du jeune garçon ils se réconcilièrent. Nonobstant le roi ne put tolérer que Tristan demeurât plus longtemps à la cour.

CHAPITRE III

Comment messire Tristan fut envoyé en France, eut pour gouverneur un nommé Gouvernail, et comment il apprit à jouer de la harpe, à chasser au faucon et à courre

LORS il fit quérir un gentilhomme qui était fort docte et instruit. Son nom était Gouvernail. Puis il envoya le jeune Tristan en France en compagnie de Gouvernail pour y apprendre la langue, recevoir une éducation et s'exercer aux armes. Tristan y fut plus de sept ans. Lorsqu'il sut bien parler la langue et eut tout appris de ce qu'il pouvait apprendre en ce pays, il retourna chez son père, le roi Méliadus. Ainsi devint-il un joueur de harpe passant tout autre, si bien que nul en nul pays n'eut même réputation, et s'appliqua-t-il en sa jeunesse à la harpe et autres instruments de musique, afin d'en acquérir la connaissance. Par la suite, gagnant en force et vigueur, il ne cessa de s'appliquer à chasser à courre et au faucon, comme nul autre gentilhomme dont nous avons ouï parler. Et, nous dit le livre, il introduisit des choses nouvelles et bienvenues en matière de sonneries pour les bêtes qu'on chasse à courre, celles que l'on veut prendre, toutes celles que l'on veut détruire, et nous lui devons tous ces termes dont nous nous servons encore aujourd'hui concernant fauconnerie et vénerie. C'est la raison pour laquelle le livre de vénerie, fauconnerie, poursuite à cheval est appelé le livre de messire Tristan. Il s'ensuit, à ce qu'il me semble, que tous les gentilshommes portant armes devraient à bon droit honorer messire Tristan pour les mots gracieux qu'ils ont et dont ils font usage, et ce jusqu'au jour du

Jugement dernier. Par là, d'une certaine façon, tous les hommes de condition peuvent distinguer un gentilhomme d'un valet et un valet d'un vilain, car celui qui est noble de condition sera tenté par de nobles usages et de suivre les coutumes des gentilshommes de la noblesse.

Messire Tristan demeura ainsi en Cornouailles jusqu'à ce qu'il fût devenu grand et fort, à l'âge de dix-neuf ans. Lors le roi Méliadus se réjouit beaucoup de le revoir, de même que la reine, sa femme. Toujours dans la suite de son existence, pour ce que messire Tristan l'avait sauvée du bûcher, elle ne nourrit plus jamais de haine envers lui, mais ne cessa de l'aimer et lui fit beaucoup de beaux présents. Chacun l'aimait, de toute condition, et où qu'il allât.

CHAPITRE IV

Comment messire Marebaut vint d'Irlande demander tribut aux Cornouailles, sinon il livrerait combat

LORS il advint qu'Aguisant, roi d'Irlande, envoya une ambassade au roi Marc de Cornouailles pour lui demander le tribut dont ce pays s'acquittait depuis bien des années. Le roi Marc cependant avait sept années de retard dans le paiement de ce tribut. Le roi et ses barons en réponse dirent au messager de l'Irlande qu'ils ne paieraient rien du tout. « Retournez, répondirent-ils, auprès du roi Aguisant, et dites-lui que nous ne lui paierons nul tribut. S'il veut toujours en obtenir de nous, les Cornouailles, qu'il envoie ici un loyal chevalier de son pays. Il combattra pour son droit et nous, de notre côté, trouverons quelqu'un d'autre qui défendra notre droit à nous. »

Avec cette réponse les envoyés repartirent pour l'Irlande. Lorsque le roi Aguisant eut connaissance de la réponse qui leur avait été faite, il entra en courroux furieux. Il appela messire Marehaut, le valeureux chevalier, qui avait fait la preuve de son grand mérite et était chevalier de la Table Ronde. Ce Marehaut était frère de la reine d'Irlande. Le roi lui parla en ces termes : « Gentil frère, messire Marehaut, je vous prie de vous rendre en Cornouailles par amour pour moi et d'y livrer combat pour le tribut qu'en droit nous devrions recevoir. Quelle que soit votre dépense, vous aurez d'argent plus largement qu'à votre suffisance. — Sire, répondit Marehaut, sachez bien que je ne balancerai pas, pour votre droit et celui de votre royaume, à livrer combat au meilleur chevalier de la Table Ronde. Je les connais, pour la plupart, je sais ce qu'ils ont accompli. Et pour faire plus que je n'ai fait et accroître ma renommée, c'est très volontiers que j'entreprendrai ce voyage en défense de notre droit. »

Adonc en diligence on pourvut aux besoins de messire Marehaut, et il fut muni de tout ce qui lui était nécessaire. Il quitta l'Irlande et arriva en Cornouailles, tout près du château de Tintagel. Lorsque le roi Marc sut qu'il était venu là afin de combattre pour l'Irlande, il se désola grandement, sachant la valeur et noblesse du chevalier qu'était Marehaut. Ils ne connaissaient nul chevalier qui eût l'audace de se mesurer à lui. En ce temps il avait réputation d'être l'un des plus glorieux au monde et des plus en renom. Ainsi donc messire Marehaut demeura sur la mer, et chaque jour il faisait parvenir un message au roi Marc, lui disant de payer le tribut qui était dû depuis sept ans, sinon de combattre avec lui pour ce tribut. Cette sorte de message, journellement messire Marehaut le faisait parvenir au roi Marc.

Lors les gens de Cornouailles firent crier par tout le pays que le chevalier qui voudrait combattre pour épargner le paiement du tribut à leur pays serait récompensé de telle sorte qu'il s'en porterait mieux toute sa vie. Certains parmi les barons parlèrent au roi Marc pour lui conseiller d'envoyer à la cour du roi Arthur quérir messire Lancelot du Lac, qui était alors considéré comme le plus prodigieux chevalier qu'il y eût au monde. D'autres toutefois avisèrent le roi de n'en rien faire, que ce serait peine perdue, à cause que messire Marehaut était chevalier de la Table Ronde. « En conséquence, dirent-ils, nul de ses compagnons ne voudra le combattre, à moins que l'un d'eux n'y consente, à sa requête, sous un déguisement ne permettant point de le reconnaître. » En conclusion, le roi et tous ses barons tombèrent d'accord qu'il ne servirait à rien d'envoyer chercher un chevalier de la Table Ronde.

Ces paroles et ce bruit vinrent cependant aux oreilles du roi Méliadus, comment messire Marehaut attendait de se battre tout près de Tintagel, et comment le roi Marc ne pouvait trouver de chevalier qui combattît pour lui. Lorsque le jeune Tristan eut vent de tout ceci, il entra en courroux et eut grande honte que nul chevalier en Cornouailles n'osât se mesurer à messire Marehaut d'Irlande.

CHAPITRE V

Comment Tristan entreprit de combattre pour éviter aux Cornouailles de payer tribut, et comment il fut fait chevalier

LÀ-DESSUS Tristan alla trouver son père, le roi Méliadus, et lui demanda conseil sur le meilleur parti à prendre pour que les Cornouailles n'eussent plus à payer tribut. « Il me semble, dit messire Tristan, que ce serait indigne si messire Marehaut, frère de la reine d'Irlande, devait repartir sans qu'on l'ait combattu. — Pour ce qui est de cela, répliqua le roi Méliadus, il faut que vous sachiez, Tristan, mon fils, qu'on répute messire Marehaut pour l'un des meilleurs chevaliers qu'il y ait sur terre, et qu'il est de la Table Ronde. Je ne connais donc point de chevalier de ce pays qui soit en mesure de lui tenir tête. — Quel dommage, s'exclama messire Tristan, que je n'aie pas moi-même été fait chevalier ! Si messire Marehaut s'en retourne ainsi en Irlande, puissé-je jamais n'acquérir d'honneur ! Si j'étais armé chevalier, je me mesurerais à lui. Sire, poursuivit Tristan, je vous en prie, permettez-moi d'aller devers le roi Marc. Pourvu que vous n'en conceviez point de déplaisir contre lui, je veux être fait chevalier. — J'accepte, dit le roi Méliadus, que vous n'écoutiez que votre courage. » Lors messire Tristan remercia grandement son père. Puis il se prépara à se rendre en Cornouailles.

Cependant il vint un messager avec des lettres d'amour écrites par la fille du roi de France, Pharamond. C'étaient des lettres pleines de désolation, où la plainte qui revenait sans cesse était celle d'un cœur amoureux. Cependant messire Tristan n'eut pas de joie à recevoir ces lettres. Il ne portait nul intérêt à la princesse. Elle lui envoyait également une petite chienne, qui était fort belle. Lorsque cette princesse se rendit compte que messire Tristan ne voulait pas l'aimer, de chagrin, à ce que dit le livre, elle se laissa mourir. Le même écuyer qui apporta lettres et chien revint plus tard devers messire Tristan, comme vous le dira la suite du récit.

Adonc le jeune messire Tristan alla trouver son oncle, le roi Marc de Cornouailles. Une fois rendu, il eut occasion d'entendre que nul chevalier n'acceptait de combattre messire Marehaut. Il alla donc trouver son oncle et lui dit : « Sire, si vous me conférez l'ordre de chevalerie, je livrerai combat à messire Marehaut. — Qui êtes-vous, demanda le roi, et d'où venez-vous ? — Sire, je viens de chez le roi Méliadus, qui a épousé votre sœur, et je suis gentilhomme, sachez-le bien. » Le roi Marc regarda messire Tristan. Il vit qu'il était jeune encore, mais fort bien bâti et robuste. « Gentil sire, demanda le roi, quel est votre nom et où êtes-vous né ? — Sire, mon nom est Tristan, et c'est au pays de Léonois que je suis né. — C'est bien parlé. Si vous voulez livrer ce combat, je vous ferai chevalier. — C'est ce pour quoi je viens à vous, dit messire Tristan, et pour nulle autre cause. »

Sur-le-champ le roi Marc le fit chevalier. Là-dessus, sans attendre, aussitôt après l'adoubement, le roi envoya un messager à messire Marehaut, avec des lettres qui disaient qu'il avait trouvé un jeune chevalier prêt à livrer avec lui un combat à outrance. « Cela se peut, répondit messire Marehaut, mais dites au roi Marc que je ne combattrai avec nul qui n'est de sang royal, autrement dit fils de roi ou de reine, issu de prince ou de princesse. » Quand le roi Marc sut cela, il fit venir messire Tristan de Léonois et l'informa de la réponse de messire Marehaut. Messire Tristan lui repartit : « Puisque tel est son message, qu'il sache que tant du côté de mon père que de celui de ma mère je suis de sang aussi noble que le sien. Apprenez, Sire, à présent, que je suis le fils du roi Méliadus, né de votre propre sœur, dame Héliabel, qui mourut dans la forêt quand elle me donna naissance. — Seigneur Dieu ! s'exclama le roi Marc, gentil neveu, vous êtes ici le bienvenu. »

Lors en diligence le roi fit bailler à messire Tristan une monture. Il l'arma de la meilleure façon qu'or ou argent pouvaient permettre. Puis il informa par un messager messire Marehaut qu'un homme qui était mieux né qu'il ne l'était lui-même combattrait avec lui, et qu'il avait nom messire Tristan de Léonois, engendré par le roi Méliadus et né de la sœur du roi Marc. Messire Marehaut eut joie et contentement d'avoir à se battre avec un tel gentilhomme. Le roi Marc et lui donnèrent leur accord pour que le combat se déroulât dans une île, non loin des navires de messire Marehaut. Messire Tristan embarqua dans un vaisseau, lui et son cheval, et tout ce qui équipait l'un et l'autre. Rien ne lui manquait. Et quand le roi Marc et ses barons de Cornouailles regardèrent s'en aller le jeune Tristan avec un tel bagage, il n'y eut homme ou femme de condition qui ne pleurât de voir et comprendre qu'un aussi jeune chevalier risquait sa vie pour leur droit à tous.

CHAPITRE VI

Comment messire Tristan arriva dans l'île pour y livrer combat à messire Marehaut

ADONC, pour vous le faire court, lorsque messire Tristan fut arrivé dans l'île, il regarda vers la rive la plus éloignée et vit à l'ancre six navires près de la terre ferme. Et, à l'ombre que les navires projetaient sur le rivage, c'est là qu'attendait messire Marehaut d'Irlande, le noble chevalier. Lors messire Tristan donna ordre à son serviteur, Gouvernail, de débarquer son cheval et de préparer son armure, toutes les pièces. Quand ce fut fait, il enfourcha sa monture. Une fois en selle, bien équipé, l'écu ajusté à l'épaule, Tristan demanda à Gouvernail : « Où donc est ce chevalier que je vais combattre ? — Messire, répondit Gouvernail, ne le voyez-vous pas ? Je croyais que vous l'aviez vu. Il attend là-bas à l'ombre de ses navires, la lance à la main et l'écu à l'épaule. — C'est vrai, dit messire Tristan, le noble chevalier, maintenant je le vois bien. »

Puis il donna ordre à son serviteur Gouvernail de retourner à son vaisseau : « Recommande-moi à mon oncle, le roi Marc, et prie-le, si je meurs en ce combat, d'enterrer mon corps comme il jugera bon de le faire. Quant à moi, qu'il sache que la peur ne m'obligera jamais à me rendre. Si je perds la vie sans m'enfuir, certes ils continueront à payer tribut. Mais s'il advient que je fuie ou que je m'avoue vaincu, dis à mon oncle qu'il ne me donne en aucun cas de sépulture chrétienne. En outre, sur ta vie, dit messire Tristan à Gouvernail, n'approche pas de cette île aussi longtemps que tu ne me verras pas défait ou mort, ou avant que je l'emporte sur ce chevalier. » Sur ce, l'un et l'autre se quittèrent en pleurant à chaudes larmes.

CHAPITRE VII

Comment messire Tristan combattit messire Marehaut et gagna le combat, et comment messire Marehaut s'enfuit vers son navire

LORS messire Marehaut avisa messire Tristan et lui dit : « Messire Tristan, jeune chevalier, que fais-tu donc là ? J'ai grand regret de ton courage car, sache-le bien, ma valeur est éprouvée. Les meilleurs chevaliers de ce pays, mon bras les a mis à l'épreuve. Je me suis mesuré avec les plus grands chevaliers du monde. Mon conseil est donc que tu retournes à ton navire.
— Gentil chevalier à la valeur bien éprouvée, répondit messire Tristan, sache-le bien, il ne m'est pas possible de refuser le combat avec toi en cette querelle, car tu es la raison pour laquelle j'ai été armé chevalier. N'aie point de doute là-dessus, je suis fils de roi et engendré d'une reine. J'ai promis, à la demande de mon oncle et à ma requête propre, que je combattrai avec toi jusqu'à ce que mort s'ensuive et délivrerai les Cornouailles de leur ancien tribut. En outre, sire chevalier, dis-toi bien ceci : ce qui m'encourage le plus à engager ce combat avec toi, c'est qu'on te répute l'un des plus fameux chevaliers qu'il y ait au monde. C'est à cause de ce bruit et de cette renommée que tu me donnes le cœur de te rencontrer, car jamais jusqu'à ce jour je n'ai pu faire mes preuves avec un chevalier de valeur. Aujourd'hui même, on m'a conféré l'ordre de chevalerie, et c'est pourquoi je suis bien content de pouvoir me mesurer à quelqu'un d'aussi valeureux que toi. Sache-le bien à présent, sire chevalier, messire Marehaut, je suis résolu à acquérir de l'honneur à tes dépens. Et s'il est vrai que je n'ai pas fait mes preuves, je me fie en Dieu que ces preuves, je les ferai avec éclat grâce à toi et à jamais délivrerai le pays des Cornouailles de tout tribut que l'Irlande jamais lui demandera. »

Quand messire Marehaut l'eut ainsi entendu parler librement, il dit en réponse : « Gentil chevalier, puisque tu es résolu à acquérir de l'honneur à mes dépens, sache que tu n'en perdras nullement si tu résistes à trois de mes coups. Il faut que tu n'ignores point que pour mes hauts faits, vus et prouvés, le roi Arthur m'a fait chevalier de la Table Ronde. » Lors ils se mirent à coucher leurs lances, et ils se heurtèrent avec tant d'ardeur qu'ils se jetèrent au sol mutuellement, cheval et cavalier. Cependant messire Marehaut fit à messire Tristan une grande blessure au flanc avec sa lance. Là-dessus ils se dégagèrent de leurs montures, dégainèrent leurs épées et se couvrirent de leurs boucliers. Puis ils se ruèrent l'un contre l'autre en hommes pleins de rage et de bravoure. Quand ils se furent ainsi longuement frappés, ils cessèrent de s'estoquer et dirigèrent leurs coups sur la visière des heaumes. Après quoi, lorsqu'ils virent que cela ne servait de rien, alors ils se chargèrent sus tels des béliers, pour se faire tomber à la renverse. C'est ainsi qu'ils combattirent ensuite plus d'une demi-journée, chacun souffrant de graves blessures, et tant que le sang coulait en abondance sur la terre.

Lors messire Tristan se montra plus dispos que messire Marehaut. Il eut plus de souffle et de vigueur. Il lui porta un coup puissant sur le heaume, si rude que la lame traversa celui-ci, la calotte d'acier et le crâne. L'épée se planta si solidement dans le heaume et le crâne que messire Tristan dut s'y reprendre à trois fois pour tirer dessus, avant qu'il pût la dégager de la tête. Marehaut alors tomba à genoux, le tranchant de l'épée encore enfoncé dans le crâne. Puis tout à coup il se releva en courbant le dos. Il jeta épée et bouclier et courut vers ses navires, ne cherchant qu'à fuir, cependant que messire Tristan gardait l'écu et l'épée.

Lorsque messire Tristan vit messire Marehaut se retirer de la sorte, il lui cria : « Ah ! chevalier de la Table Ronde, pourquoi t'éloigner ? Tu te fais grande honte ainsi qu'à ta parenté, car je ne suis qu'un jeune chevalier. Avant ce jour je n'avais pas fait mes preuves. Mais moi, plutôt que de m'écarter de toi, j'aimerais mieux être mis en pièces. » Messire

Marehaut ne répondit rien. Il allait son chemin en poussant de lourds gémissements. « Eh bien, sire chevalier, ajouta messire Tristan, je te promets que ton épée et ton écu ne me quitteront point. Ton écu, je le porterai partout où je chevaucherai en mes aventures, ainsi qu'en présence du roi Arthur et de tous ceux de la Table Ronde. »

CHAPITRE VIII

Comment messire Marehaut, après qu'il fut arrivé en Irlande, mourut du coup que messire Tristan lui avait porté, et comment Tristan fut blessé

INCONTINENT messire Marehaut et sa compagnie repartirent pour l'Irlande. Dès qu'il fut chez le roi, son frère, il fit sonder ses plaies. Quand on sonda celle de sa tête, on y trouva un morceau de l'épée de Tristan. On ne put jamais l'en extraire, nul chirurgien n'y réussit, et ainsi il mourut de la dite épée. Ce morceau-là, la reine, sa sœur, le garda toujours par-devers elle, car elle envisageait de se venger si l'occasion lui en était offerte.

À présent, retournons à messire Tristan. Il était grièvement blessé. Il saignait tant que peu après, ayant pris froid, c'est à peine s'il put mouvoir bras et jambes. Il s'assit bien à l'aise sur une butte. Il perdait beaucoup de sang. Bientôt arriva Gouvernail, son serviteur, avec son vaisseau. Puis le roi et ses barons en cortège vinrent au-devant de lui. Quand il fut sur la terre ferme, le roi Marc le prit dans ses bras. Le roi et messire Dinas le sénéchal conduisirent messire Tristan dans le château de Tintagel. Là on sonda ses plaies, de la meilleure façon qui pût s'exécuter, et il fut mis au lit. Lorsque le roi Marc vit ses blessures, il pleura beaucoup, de même que tous ses barons. « Dieu m'en soit témoin, dit-il, pour toutes les terres que je possède je ne voudrais pas que mon neveu mourût. »

Messire Tristan resta couché en ce château un mois et plus. Il était sans cesse menacé de perdre la vie du premier coup que messire Marehaut lui avait porté de sa lance. Le livre français nous dit que le fer était empoisonné, de manière à ce que messire Tristan ne guérît point. Le roi Marc et tous ses barons en étaient fort affligés. Ils pensaient qu'il n'y avait nul remède, que messire Tristan ne s'en remettrait jamais. Le roi fit quérir toutes sortes de médecins et de chirurgiens, tant hommes que femmes. Nul ne lui promit que son malade survivrait. Lors il vint une dame qui était fort sage. Elle dit sans détour au roi, à ses barons, à messire Tristan qu'il ne fallait s'attendre à nulle guérison que si le patient se rendait dans le pays d'où venait le poison et y était secouru. Sinon il n'y avait rien à faire. C'est ce que la dame dit au roi.

Quand celui-ci l'eut entendue, il ordonna pour messire Tristan un beau navire, bien pourvu de vivres. On y mit le malade, ainsi que Gouvernail. Messire Tristan prit sa harpe. C'est ainsi qu'il fut poussé à la mer pour faire voile jusqu'en Irlande. Par chance il arriva en ce pays tout près d'un château où se trouvaient le roi et la reine. À son arrivée, il s'assit dans son lit et se mit à jouer de la harpe, un air joyeux, comme jamais auparavant ils n'en avaient entendu là-bas. Quand on rapporta au roi et à la reine l'existence de ce chevalier qui jouait si bien de la harpe, aussitôt le roi le fit venir. Il fit sonder ses plaies et lui demanda son nom.

Il répondit : « Je suis du pays de Léonois. Mon nom est Tantris. J'ai été ainsi blessé dans un combat que je livrais pour le droit d'une dame.
— Par Dieu, repartit le roi Aguisant, vous aurez en ce pays toute l'aide qu'il sera possible de vous apporter. Cependant il faut que vous sachiez qu'en Cornouailles j'ai subi la perte la plus lourde que roi ait jamais souffert. J'y ai perdu le meilleur chevalier du monde. Il s'appelait Marehaut. C'était un chevalier d'une grande noblesse, et il était de la

Table Ronde. » Là-dessus il conta à messire Tristan ce qui avait amené la mort de messire Marehaut. Messire Tristan fit semblant d'en être désolé, quoiqu'il sût mieux que le roi comment les choses s'étaient passées.

CHAPITRE IX

Comment messire Tristan fut confié aux soins de la Belle Yseut pour être guéri de sa blessure

LE ROI, par grande faveur, fit confier Tantris à la garde et aux soins de sa fille, parce qu'elle était savante en chirurgie. Quand elle eut sondé sa plaie au côté, elle découvrit qu'au fond il y avait du poison, et elle eut tôt fait de le guérir. Tantris en conçut beaucoup d'amour pour la Belle Yseut, car elle était alors la jeune fille la plus belle du monde. Il lui apprit à jouer de la harpe, et elle commença à nourrir beaucoup d'amour pour lui.

En ce temps, messire Palamède, le Sarrasin, séjournait en ce pays. Il était bien aimé du roi et de la reine. Chaque jour, il se rendait auprès de la Belle Yseut et lui offrait de nombreux présents, car il en était fort épris. Tout cela n'échappa point à Tantris. Il n'était pas sans savoir que messire Palamède était un noble chevalier et un homme plein de vigueur. Messire Tantris, sachez-le bien, avait beaucoup d'aigreur en pensant à messire Palamède, la Belle Yseut lui ayant dit que Palamède avait dessein de se faire baptiser par amour pour elle. Il y avait donc une grande jalousie entre Tantris et messire Palamède.

Lors il advint que le roi Aguisant fit crier de grandes joutes et un grand tournoi pour une dame qu'on appelait la Dame des Plaines. Elle était cousine germaine du roi. Qui gagnerait le prix trois jours après l'épouserait et posséderait toutes ses terres. Cela fut crié en Angleterre, Galles, Écosse, aussi en France et en Bretagne. Un jour, la Belle Yseut vint trouver messire Tantris et l'informa de ce tournoi. Il lui répondit : « Gente dame, je ne suis qu'un faible chevalier. Il y a peu, je serais mort sans la bonté que m'a témoignée Votre Altesse. Et que voudriez-vous, gente dame, me voir faire en la circonstance ? Vous savez bien, madame, que je ne puis jouter. — Ah ! Tantris, repartit la Belle Yseut, pourquoi ne voulez-vous pas combattre en ce tournoi ? Je suis assurée que messire Palamède y sera et qu'il fera de son mieux. Adonc, Tantris, je vous prie d'y prendre part, car sans cela messire Palamède a bien des chances de remporter le prix.

— Madame, dit Tantris, cela se peut. C'est un chevalier à la valeur éprouvée et moi, je ne suis qu'un jeune chevalier, adoubé depuis peu. Le premier combat que j'ai livré, j'ai eu la malchance d'y être grièvement blessé, comme vous pouvez le voir. Pourtant, si je pensais que vous consentiriez à être ma dame, je serais à ce tournoi, à la condition que vous gardiez le secret, que nul être vivant ne sût que je courusse à la joute, en dehors de vous-même et de ceux dont vous savez qu'ils ne trahiraient rien. Ma pauvre vie, je la hasarderai pour vous, afin que peut-être messire Palamède s'aperçoive de ma venue. — Faites de votre mieux, répondit-elle, pour qu'il en soit ainsi et moi, de mon côté, je pourvoirai cheval et harnois. — Qu'il en soit fait selon votre bon plaisir ! dit messire Tantris. Je suis à vos ordres. »

Adonc, le jour de l'ouverture des joutes, vint messire Palamède. Il avait un écu de couleur noire. Il renversa plus d'un chevalier, et chacun s'en émerveilla. En effet, il prit le dessus sur messires Gauvain, Guerrehet, Agravain, Bademagu, Keu, Dodinel le Sauvage, Sagremor le Desrée, Guivret le Petit et Girflet, fils de Do. Tous ceux-là, le premier jour, messire Palamède les jeta en terre. Dès lors, tous les chevaliers, quels qu'ils fussent, eurent peur de lui. On l'appelait le Chevalier au Bouclier Noir. Ce jour-là, donc, messire Palamède s'acquit beaucoup d'honneur.

Le roi Aguisant vint alors trouver Tantris et lui demanda pourquoi il ne voulait pas jouter. « Sire, lui répondit-il, j'ai été blessé il y a peu de temps, et je n'ose pas encore en prendre le risque. Sur ces entrefaites arriva le même écuyer qui avait été envoyé par la fille du roi de France à messire Tristan. Quand il se fut aperçu de la présence de celui-ci, il tomba à ses pieds, face contre terre. Tout ceci n'échappa point à la Belle Yseut, cette civilité que l'écuyer marquait à messire Tantris. Là-dessus soudainement messire Tantris courut à cet écuyer, qui avait nom Hébès le Renommé, et le pria instamment de ne dévoiler son nom sous aucun prétexte. « Messire, répondit Hébès, je ne découvrirai votre nom que si vous me le commandez. »

CHAPITRE X

Comment messire Tristan remporta le prix à un tournoi en Irlande et là fit en sorte que Palamède ne pût porter de harnois avant un an

LORS messire Tristan lui demanda ce qu'il faisait en ce pays. « Messire, lui répondit-il, je suis venu céans en la compagnie de messire Gauvain pour y être fait chevalier et, si vous le voulez bien, c'est de vos mains que je voudrais que ce fût fait. — Viens me voir secrètement demain matin, et sur le champ clos je te ferai chevalier. » Les soupçons de la Belle Yseut au sujet de Tantris en furent grandement accrus. Elle pensa que c'était quelqu'un dont le mérite était reconnu. Elle se réconforta de cette idée et conçut plus d'amour pour lui que jamais auparavant.

Le lendemain matin, messire Palamède s'apprêta à entrer dans la lice, ainsi qu'il l'avait fait le premier jour. Il y renversa le roi des Cent

Chevaliers, de même que le roi d'Écosse. Lors la Belle Yseut fit donner à messire Tristan cheval et armure. La monture était caparaçonnée de blanc, de même couleur que le harnois. C'est ainsi qu'elle les fit sortir par une poterne secrète, et quand Tristan entra en lice, on eût dit un ange resplendissant. Aussitôt messire Palamède le vit. Il coucha sa lance, et l'autre fit de même. Messire Tristan jeta son adversaire au sol. Cela fut cause de grand bruit parmi la foule. Tantôt l'on disait que messire Palamède était tombé, tantôt que le Chevalier au Bouclier Noir avait fait une chute. N'en doutez pas, la Belle Yseut s'en réjouissait fort.

Lorsque messire Palamède eut subi cette chute, ne vous y trompez pas, il en eut grande honte. Aussi discrètement que possible, il s'esquiva hors du champ. Tout cela, messire Tristan le vit. Promptement il courut après messire Palamède. Il le rejoignit. Il lui dit de faire demi-tour, désirant mieux savoir ce qu'il valait avant qu'il s'en allât. Messire Palamède fit volte-face. Chacun assaillit l'autre de son épée. Au premier coup d'épée, toutefois, messire Tristan fit choir Palamède. Il lui donna un tel coup sur la tête que celui-ci tomba en terre.

Tristan alors lui ordonna de se rendre et d'obéir à ses commandements, faute de quoi il le tuerait. Lorsque messire Palamède vit son visage, il redouta tant sa violence qu'il accorda tout ce qui lui était demandé. « C'est bien parlé, dit messire Tristan. Voici ce que vous ferez. Premièrement, sous peine de perdre la vie, vous renoncerez à ma dame, la Belle Yseut. En nulle façon vous ne l'approcherez. En outre, pendant douze mois et un jour, vous ne porterez point d'armes ni de harnois de guerre. À présent, promettez-le-moi. Sinon vous mourrez. — Hélas! fit Palamède, je suis déshonoré à jamais. » Puis il jura de faire ce que messire Tristan lui avait ordonné. De dépit et de colère, il tailla en pièces son harnois et le jeta.

Messire Tristan alors se dirigea vers le château où était la Belle Yseut. Chemin faisant, il fit rencontre d'une demoiselle, qui le questionna au sujet de messire Lancelot, lequel avec éclat avait conquis le château de la Douloureuse Garde. Elle voulait savoir qui était ce Lancelot. On lui avait rapporté que c'était lui qui avait renversé messire Palamède, lequel avait jeté au sol les dix chevaliers du roi Arthur. Puis la demoiselle pria messire Tristan de lui dire qui il était lui-même, et s'il était messire Lancelot du Lac, car elle pensait que nul chevalier au monde n'était capable de pareils exploits en dehors de Lancelot.

« Gente demoiselle, répondit messire Tristan, sachez bien que je ne suis pas messire Lancelot. Je n'ai jamais montré autant de vaillance que lui. Dieu seul peut faire de moi un chevalier aussi valeureux que le valeureux messire Lancelot. — À présent, gentil chevalier, dit-elle, haussez votre visière. » Quand elle eut contemplé son visage, elle pensa n'avoir jamais vu homme de meilleure mine ni chevalier plus avenant. Puis, une fois assurée qu'il ne s'agissait pas de messire Lancelot, elle prit congé et le quitta.

Lors messire Tristan secrètement se rendit à la poterne où l'attendait la Belle Yseut. Elle lui fit bon accueil et remercia Dieu de son aide. Peu de temps après, le roi et la reine surent que c'était Tantris qui avait renversé messire Palamède. Il eut droit à beaucoup de considération, davantage que jusque-là.

CHAPITRE XI

Comment la reine s'aperçut que de son épée messire Tristan avait tué son frère, messire Marehaut, et en quel péril Tristan se trouva

AINSI messire Tantris fut-il en ces lieux longtemps chéri du roi et de la reine, et surtout de la Belle Yseut. Il advint qu'un jour la reine et la Belle Yseut préparèrent un bain pour messire Tantris. Quand il fut en son bain, elles se mirent à aller et venir en sa chambre. Cependant que Gouvernail et Hébès s'occupaient de Tantris, elles remarquèrent l'épée de ce dernier, qui était posée sur son lit. Malencontreusement, la reine tira l'épée du fourreau. Elle la regarda longtemps. La reine et Yseut pensèrent qu'elle était fort belle. Toutefois, à un pied et demi de la pointe, il y avait une grande partie dont le tranchant manquait. Lorsque la reine vit ce défaut dans l'épée, elle se souvint d'un morceau de lame qu'on avait trouvé dans le crâne de messire Marehaut, le valeureux chevalier, son frère. « Las ! dit-elle à sa fille, la Belle Yseut, cet homme est le même chevalier perfide qui a tué mon frère, votre oncle. » Quand Yseut entendit ceci, elle en fut grandement consternée, car elle avait beaucoup d'amour pour Tantris et savait très bien jusqu'où pouvait aller la cruauté de sa mère, la reine.

Incontinent celle-ci se rendit à sa chambre. Elle chercha dans sa cassette et en retira le morceau d'épée qu'on avait ôté de la tête de messire Marehaut après sa mort. Avec ce bout de fer elle courut à l'épée posée sur le lit. Lorsqu'elle joignit ce morceau d'acier et de fer à la lame, tout s'assembla aussi bien que si la cassure venait de se faire. Lors la reine brutalement se saisit de l'épée. Aussi vite qu'elle put, elle courut droit à Tantris, à la baignoire où il se trouvait. Là, elle lui aurait fendu le corps si messire Hébès ne l'avait retenue en ses bras et ne lui avait arraché l'épée. Sans cela elle l'eût transpercé.

Lorsqu'elle eut été empêchée d'exécuter son méchant dessein, elle se hâta d'aller trouver le roi Aguisant, son époux. À genoux elle lui dit : « Oh ! monseigneur, céans, dans votre maison, vous avez le fourbe chevalier qui a tué votre frère, votre serviteur, ce noble chevalier qu'était messire Marehaut. — Qui est-ce ? dit le roi. Où est-il ? — Sire, c'est messire Tantris, le même chevalier que ma fille a guéri. — Las ! s'exclama le roi, j'en suis fort marri, car c'est un chevalier dont la noblesse égale tout ce que j'ai jamais vu dans une lice. Je vous ordonne, poursuivit-il en s'adressant à la reine, de ne pas vous mêler des affaires de ce chevalier, mais de me laisser le soin de m'occuper de lui. »

Le roi sur ces entrefaites se rendit à la chambre où était Tantris, mais il l'avait quittée pour la sienne. Là le roi Aguisant le trouva armé de pied en cap et prêt à monter à cheval. Il lui dit : « Certes, Tantris, il serait vain pour vous de chercher à me résister. Mais voici ce que je ferai pour mon honneur et pour l'affection que je vous porte. Puisque vous êtes en dedans de ma cour, ce serait pour moi manquer à l'honneur que de vous tuer. Je vous donne donc permission de quitter ma cour en toute sûreté, mais à une condition, c'est que vous me disiez qui était votre père, quel est votre nom, et si c'est vous qui avez occis messire Marehaut, mon frère. »

CHAPITRE XII

Comment messire Tristan quitta le roi, la Belle Yseut et sortit d'Irlande pour regagner les Cornouailles

« SIRE, répondit Tristan, à présent je vais vous dire toute la vérité. Mon père a nom Méliadus, roi de Léonois, et ma mère se nommait Héliabel. Elle était sœur du roi Marc de Cornouailles. Ma mère mourut dans la forêt en me donnant naissance, et pour cette raison elle commanda avant de mourir que lorsque je serais baptisé l'on me baptisât Tristan. Parce que je ne voulais pas qu'on me reconnût en ce pays, j'ai renversé mon nom et me suis fait appeler Tantris. Quant au combat que j'ai livré afin d'exempter les Cornouailles de leur tribut, ce fut pour servir mon oncle et pour le droit de ce pays, lequel bien des années a relevé de vous. Sachez-le bien, dit Tristan au roi, j'ai fait cela par affection pour mon oncle, le roi Marc, pour l'amour que je porte au pays de

Cornouailles et pour accroître ma réputation. En effet, le jour même où j'ai rencontré messire Marehaut, j'avais été adoubé. Jamais auparavant je ne m'étais battu avec un chevalier. Par ailleurs, quand il m'a quitté, messire Marehaut était vivant, et il a laissé son écu et son épée sur le terrain de la rencontre.

— Par Dieu, dit le roi, je ne peux pas dire que vous ayez fait autre chose que ce que l'on attend d'un chevalier. Il était de votre rôle de soutenir votre querelle et d'accroître votre renommée, comme le veut la chevalerie. Nonobstant je ne puis en honneur vous garder plus longtemps dans ce pays. J'offenserais mes barons, mon épouse et sa parenté. — Sire, repartit Tristan, je vous remercie de la protection que vous m'avez accordée céans, ainsi que de la grande bonté que madame votre fille m'a témoignée. Il peut advenir que vous ayez plus à gagner par ma vie que par ma mort, car il peut arriver qu'ici ou là en Angleterre je sois à même de vous rendre service en quelque occasion. Lors vous vous applaudirez de m'avoir jamais donné votre protection. En outre, je vous promets sur ma chevalerie qu'en tous lieux je serai de madame votre fille le chevalier servant, qu'elle ait tort ou raison, et ne manquerai jamais de faire pour elle tout ce qui est au pouvoir d'un chevalier. Je vous demande aussi en grâce de me permettre de prendre congé d'elle, ainsi que de tous vos barons et chevaliers. — Je veux bien », dit le roi.

Lors messire Tristan alla devers la Belle Yseut et prit congé d'elle. Il lui dit tout, qui il était, comment il avait changé son nom parce qu'il ne voulait pas qu'on le reconnût, et comment une dame lui avait déclaré qu'il ne guérirait point avant de venir au pays où le poison avait été fait. « Ma mort était proche sans Votre Altesse. — Oh ! gentil chevalier, s'exclama la Belle Yseut, j'ai grand-peine à vous voir partir. Jamais je n'avais vu un homme qui autant engageât ma bienveillance. » Là-dessus elle se mit à pleurer à chaudes larmes. « Madame, dit messire Tristan, sachez que je me nomme messire Tristan de Léonois, engendré du roi Méliadus et né de sa reine. Je vous promets sur ma foi d'être votre chevalier tous les jours de ma vie. — Grand merci, répondit la Belle Yseut.

Je vous fais promesse en retour de ne pas me marier les sept ans à venir sans votre assentiment. Celui auquel vous voudrez que je me marie, celui-là je le prendrai pour époux, et il m'aura si vous y consentez. »

Lors messire Tristan lui fit don d'une bague, et elle lui en donna une, elle aussi. Sur ce il la quitta, la laissant dans la douleur et les lamentations les plus vives. Il alla droit à la cour parmi tous les barons. Il prit congé du plus petit comme du plus grand et publiquement leur dit à eux tous : « Gentils seigneurs, maintenant il se trouve qu'il me faut partir. S'il y a ici un homme que j'ai offensé ou qui de moi a sujet d'être mécontent, qu'il se plaigne, céans, devant moi, avant que je parte, et je ferai de mon mieux pour y porter remède ! Et s'il y a quelqu'un qui veuille me faire du mal, ou de moi dire du mal, ou me faire honte derrière mon dos, qu'il parle, à présent ou jamais ! Je suis là en personne pour réparer mes torts, ce sera un contre un. » Mais nul ne bougea. Il n'y en eut aucun pour dire un seul mot. Pourtant il y avait là des chevaliers qui étaient du même sang que la reine et que messire Marehaut. Mais ils ne voulaient pas avoir affaire à lui.

CHAPITRE XIII

Comment messire Tristan et le roi Marc entrèrent en conflit pour l'amour qu'il portaient à la femme d'un chevalier

ADONC messire Tristan s'en alla. Il prit la mer et, porté par un vent favorable, il arriva à Tintagel en Cornouailles. Et, alors que le roi Marc jouissait d'une entière prospérité, il apprit que messire Tristan était venu, et qu'il était guéri de ses blessures. De quoi le roi se réjouit grandement, ainsi que tous ses barons. Dès que cela fut possible, Tristan alla retrouver son père, le roi Méliadus, et là fut festoyé autant que faire se pouvait par le roi et la reine. L'un et l'autre avec largesse se défirent de leurs terres et biens au profit de messire Tristan. Ensuite, permission lui fut donnée par le roi son père de retourner à la cour du roi Marc. Il y vécut longtemps en grande joie, jusqu'à ce qu'un jour enfin, entre le roi Marc et messire Tristan apparurent jalousie et malveillance, pour ce qu'ils étaient épris de la même dame. C'était l'épouse d'un comte, du nom de messire Ségurade. Cette dame était fort amoureuse de messire Tristan. Lui aussi l'aimait, car elle était fort belle. Cela n'échappa point à messire Tristan. Mais le roi Marc s'en rendit compte également et en conçut de la jalousie, car il était, de même que lui, entiché de cette femme.

Un jour elle envoya un nain à messire Tristan pour lui dire, s'il l'aimait, de passer la nuit suivante avec elle. « Elle vous demande en outre de ne venir que bien armé, car son ami est réputé bon chevalier. » Messire Tristan répondit au nain : « Recommande-moi à ma dame, et dis-lui que sans faute je serai avec elle à l'heure qu'elle m'a fixée. » Le nain partit avec cette réponse. Le roi Marc découvrit que le nain était chez messire Tristan avec un message de la femme de messire Ségurade. Il envoya chercher ce nain et, quand il fut venu, le contraignit à tout lui révéler, pourquoi et comment il avait été fait porteur de ce message.

« À présent, lui dit le roi Marc, va où bon te semble, mais sous peine de mort pas un mot sur notre conversation. » Adonc le nain quitta le roi, et la même nuit où la rencontre avait été fixée entre l'épouse de messire Ségurade et messire Tristan, le roi Marc s'arma, se prépara et emmena avec lui deux chevaliers de son conseil. Il prit les devants, afin de se poster sur le chemin de Tristan et de l'y attendre. Puis, lorsque celui-ci vint, la lance à la main, en route vers le lieu de sa rencontre, le roi Marc soudainement se précipita sur lui avec deux chevaliers. Tous trois le frappèrent de leurs lances. Le roi Marc lui infligea une grave blessure à la poitrine. Lors messire Tristan coucha sa lance et heurta son oncle, le roi

Marc, si rudement qu'il le fit tomber à terre. Le choc fut tel qu'il resta étendu sans connaissance et mit longtemps à reprendre ses esprits. Puis messire Tristan courut sus à l'un des chevaliers. Après quoi il chargea sus à l'autre. Il les fit choir tous les deux sur la froide terre, où ils demeurèrent sans mouvement. Ensuite il poursuivit son chemin, bien que gravement blessé, pour aller voir la dame et la trouva qui l'attendait à une poterne.

CHAPITRE XIV

Comment messire Tristan partagea la couche de la dame, et comment son mari combattit avec lui

ELLE LUI FIT bon accueil. Ils s'embrassèrent. Elle fit loger son cheval de la meilleure façon, puis elle lui ôta son armure. Ils prirent un petit souper. Ensuite ils s'en furent se coucher, pleins de joie et de plaisir. Si grand était son désir que messire Tristan ne prêta nulle attention à la blessure que le roi Marc venait de lui causer. C'est ainsi qu'il saigna, tant sur le drap du dessus que sur celui du dessous, sur les oreillers et les taies d'oreiller. Peu après se présenta quelqu'un, qui prévint la dame que son seigneur était tout près, à un jet d'arc. Elle fit lever Tristan. Il s'arma, prit sa monture et s'en alla.

Pendant ce temps Ségurade, le seigneur de la dame, était arrivé. Il trouva le lit où elle devait dormir en grand désordre et défait. Il s'approcha et le regarda à la lueur d'une bougie. Lors il vit que s'y était couché un chevalier blessé. « Ah ! fourbe traîtresse, s'exclama-t-il, pourquoi cette trahison ? » Là-dessus il tira vivement son épée et jeta : « Si tu ne me dis point qui est venu ici, ici même tu mourras. — Pitié !

seigneur », s'écria la dame. Elle joignit les mains : « Ne me tuez pas, et je ne vous cacherai rien de l'homme qui était céans. — Parle maintenant. Je veux toute la vérité. » Aussitôt, épouvantée, elle avoua : « C'était messire Tristan qui était avec moi, et sur le chemin, en venant ici, il a été gravement blessé. — Ah ! perfide traîtresse, et qu'est-il devenu ? — Messire, répondit-elle, il s'est armé et il est parti à cheval. Il n'a pu faire plus d'un quart de lieue. — C'est bien parlé », dit Ségurade.

Lors promptement il endossa son armure. Il prit sa monture et s'en alla à la poursuite de messire Tristan, qui se rendait tout droit à Tintagel. Peu après il le rejoignit. Il lui dit : « Fais demi-tour, chevalier traître et perfide ! » Incontinent messire Tristan fit volte-face et se présenta devant lui. Ségurade le frappa d'une lance qui complètement se brisa. Lors vite il dégaina son épée et aussitôt en porta un coup à messire Tristan. « Sire chevalier, dit celui-ci, je vous conseille de suspendre vos coups, même si, en raison des torts dont je me suis rendu coupable envers vous, je veux éviter de vous frapper, aussi longtemps que je le pourrai. — Non, répliqua Ségurade, ce n'est pas ainsi que les choses se passeront. L'un de nous mourra, toi ou moi. » Sur ce, messire Tristan tira son épée du fourreau. Furieusement, il chargea avec son cheval et perça le corps de messire Ségurade à hauteur de la taille. Celui-ci tomba en terre sans connaissance.

Messire Tristan partit en l'abandonnant à cet endroit. Il chevaucha jusqu'à Tintagel, où il gagna secrètement sa chambre, car il ne voulait pas que l'on sût qu'il était blessé. Les gens de messire Ségurade, qui suivaient leur maître, le trouvèrent gisant dans un champ, grièvement blessé. Ils le ramenèrent chez lui sur son bouclier, et là il demeura longtemps au lit couché avant de guérir. Mais finalement il se rétablit. Le roi Marc de son côté ne voulait pas qu'il fût découvert que messire Tristan et lui s'étaient battus cette nuit-là. Quant à Tristan, il ignorait que c'était le roi Marc qu'il avait eu en face de lui. Aussi le roi, sans rien laisser paraître, vint à messire Tristan pour le réconforter, alors qu'il était au lit malade.

Cependant, aussi longtemps qu'il vécut, jamais ensuite le roi Marc ne porta messire Tristan dans son cœur. Il eut droit à de belles paroles, mais jamais à de l'affection. Il s'écoula ainsi de nombreux jours et de nombreuses semaines. Tout était pardonné et oublié. Messire Ségurade n'osait pas entreprendre Tristan à cause de sa grande valeur aux armes, et aussi parce qu'il était le neveu du roi Marc. Il ne réagit donc pas. Celui qui souffre d'un outrage que lui seul connaît hésite à publier sa honte.

CHAPITRE XV

Comment messire Bliobéris demanda la plus belle dame en la cour du roi Marc, laquelle il emmena, et comment on le combattit

LORS il advint un jour que le bon chevalier Bliobéris de Gaunes, frère de Blanor de Gaunes et cousin germain du valeureux chevalier messire Lancelot du Lac, ce Bliobéris vint à la cour du roi Marc et là demanda au roi une faveur, de lui donner ce qu'il voudrait en sa cour. Quand le roi l'entendit faire cette requête, il s'en étonna mais, parce qu'il était chevalier de la Table Ronde et de grand renom, il lui accorda tout de ce qu'il demandait. « En ce cas, dit messire Bliobéris, je veux avoir en votre cour la plus belle dame dont il me plaira de faire choix. — Je ne puis m'y opposer, répondit le roi Marc. Choisissez à votre gré. » Messire Bliobéris choisit l'épouse de messire Ségurade. Il la prit par la main et partit avec elle. Il enfourcha son cheval, la fit monter en croupe derrière son écuyer et poursuivit sa route. Lorsque messire Ségurade ouït dire que sa dame s'en était allée avec un chevalier de la cour du roi Arthur, il s'arma et courut à la poursuite dudit chevalier pour la secourir.

Bliobéris parti avec elle, le roi Marc et toute la cour entrèrent en courroux de ce qu'elle avait été emmenée. Il y avait là certaines dames qui savaient tout l'amour que messire Tristan avait pour elle, et qu'elle l'aimait en retour plus que tout autre chevalier. L'une d'elles fit à messire Tristan les reproches les plus abominables, l'appelant chevalier couard, que c'était honte à sa chevalerie de permettre qu'une dame aussi indignement fût enlevée de la cour de son oncle. Elle donnait à entendre cependant que l'un et l'autre s'étaient aimés sans réserve aucune. Messire Tristan lui fit cette réponse : « Gente dame, il ne m'appartient pas de me mêler de ces choses, tandis que son mari et seigneur est là présent. S'il était advenu que son seigneur n'eût pas été ici en cette cour, alors pour l'honneur de cette cour peut-être me serais-je fait son champion. Cependant, si messire Ségurade n'a point de succès, il se peut que je dise un mot à ce chevalier avant qu'il quitte ce pays. »

Peu de temps après arriva l'un des écuyers de messire Ségurade. Il raconta que celui-ci avait été sévèrement défait et blessé à en perdre la vie. Alors qu'il voulait sauver son épouse, messire Bliobéris l'avait renversé et lui avait causé une grave blessure. Le roi Marc s'en affligea, de même que toute la cour. Quand messire Tristan entendit cela, il eut honte et fut fort attristé. Il eut tôt fait de s'armer et de monter à cheval, Gouvernail, son serviteur, portant son écu et sa lance.

Tandis qu'il chevauchait hâtivement, messire Tristan fit rencontre de messire Andret, son cousin. Le roi Marc lui avait donné mission de lui amener, s'il le pouvait, deux chevaliers de la cour d'Arthur qui couraient le pays à la recherche d'aventures. Quand messire Tristan vit messire Andret, il lui demanda de ses nouvelles. « Par Dieu, répondit messire Andret, rien n'a jamais été pire en ce qui me concerne. J'ai été envoyé céans par commandement du roi Marc pour quérir deux chevaliers de la cour du roi Arthur, et l'un d'eux m'a défait et blessé en refusant de prendre en compte mon message. — Gentil cousin, repartit messire Tristan, continuez votre route, et si je viens à les rencontrer, peut-être pourrai-je vous venger. » Ainsi messire Andret continua son chemin en Cornouailles, tandis que messire Tristan poursuivait les deux chevaliers. L'un s'appelait Sagremor le Desrée et l'autre Dodinel le Sauvage.

CHAPITRE XVI

Comment messire Tristan se battit avec deux chevaliers de la Table Ronde

PEU DE TEMPS APRÈS, messire Tristan les vit qui chevauchaient devant lui. C'étaient deux chevaliers de bonne mine. « Messire, dit Gouvernail à son maître, je vous conseillerais de ne pas engager le combat contre eux. Ce sont deux chevaliers de la cour d'Arthur à la valeur éprouvée. — Pour ce qui est de cela, répliqua messire Tristan, ne doute pas que j'aille les combattre afin d'accroître ma réputation, car il y a longtemps que je n'ai pas accompli de hauts faits d'armes. — Comme il vous plaira », dit Gouvernail.

Là-dessus, incontinent messire Tristan leur demanda d'où ils venaient, où ils allaient, et ce qu'ils faisaient en ces marches. Messire Sagremor jeta les yeux sur lui. Il n'eut que faire de ses paroles. Il lui demanda à son tour : « Gentil chevalier, êtes-vous des Cornouailles ? — Pourquoi me le demandez-vous ? — Pour ce qu'il est rarement vu que vous, chevaliers des Cornouailles, soyez des hommes d'armes courageux. Il y a moins de deux heures est venu à nous l'un de vos Cornouaillais. Il a fait usage de grands mots. Mais il n'a fallu que peu de force pour tout de suite le faire choir en la poussière. Je crois, ajouta-t-il, que vous aurez même étrenne. — Gentils seigneurs, repartit messire Tristan, il peut advenir que je vous résiste mieux que lui. Que vous le vouliez ou non, je vous combattrai, parce que c'est mon cousin que vous avez vaincu. En conséquence, faites maintenant du mieux que vous pourrez, et sachez bien que si vous ne montrez pas davantage sur le terrain que voici, un chevalier des Cornouailles suffira à vous vaincre tous les deux. »

Quand messire Dodinel le Sauvage entendit cela, il se saisit d'une lance et dit : « Sire chevalier, prenez bien garde à vous. » Lors ils prirent leur élan et se ruèrent l'un vers l'autre avec la rapidité de la foudre. La lance de messire Dodinel se brisa en morceaux. Messire Tristan, lui, frappa avec plus de force encore. Sa lance fit sauter son adversaire droit par-dessus la croupe de son cheval, si bien qu'il fut tout près de se rompre le cou. Lorsque messire Sagremor vit son compagnon souffrir d'une telle chute, il se demanda quel était ce chevalier. Il mit sa lance en arrêt, faisant appel à toutes ses forces. Messire Tristan lui fit face et ils se rencontrèrent à la vitesse de l'éclair. Tristan porta à Sagremor un coup si rude qu'il le jeta au sol, ainsi que sa monture. En tombant, Sagremor se brisa la cuisse.

Quand ce fut fait, messire Tristan leur demanda : « Gentils chevaliers, cela vous suffit-il ? N'y a-t-il point plus vigoureux que vous en la cour du roi Arthur ? Il est honteux pour vous de dire de nous, chevaliers des Cornouailles, des choses déshonorantes, car il peut advenir que l'un d'eux vous égale. — C'est vérité, répondit messire Sagremor, nous en avons fait l'expérience. Mais je vous demanderais de nous dire votre véritable nom, par la foi et la loyauté que vous devez au grand ordre de chevalerie. — Vous me le demandez au nom d'une chose sacrée, répondit messire Tristan. Puisqu'il vous plaît de l'apprendre, vous saurez que mon nom est messire Tristan de Léonois, fils du roi Méliadus et neveu du roi Marc. »

Lors furent les deux chevaliers heureux d'avoir rencontré Tristan. Ils le prièrent de demeurer en leur compagnie. « Non, répondit-il. Je dois en découdre avec l'un de vos compagnons. Son nom est messire Bliobéris de Gaunes. — Dieu vous aide ! » repartirent messires Sagremor et Dodinel. Messire Tristan les quitta et poursuivit sa route. C'est alors qu'il aperçut devant lui au creux d'un vallon messire Bliobéris, qui chevauchait en compagnie de la dame de messire Ségurade. Elle était montée en croupe sur un palefroi, derrière l'écuyer du chevalier.

CHAPITRE XVII

Comment, pour une dame, messire Tristan combattit messire Bliobéris, et comment on laissa à la dame le choix de celui avec lequel elle irait

MESSIRE TRISTAN chevaucha bon train, jusqu'à ce qu'il les eût rejoints. Lors il dit : « Arrête-toi, chevalier de la cour d'Arthur, et ramène cette dame ou remets-la moi. — Je ne ferai ni l'un ni l'autre, répliqua Bliobéris, car je ne crains point de chevalier cornouaillais suffisamment pour avoir envie de la rendre. — Et pourquoi un chevalier des Cornouailles ne pourrait-il faire aussi bien qu'un autre ? Aujourd'hui même deux chevaliers de ta cour m'ont rencontré à moins d'une lieue d'ici. Avant que nous nous séparions, ils ont trouvé qu'un chevalier des Cornouailles suffisait à venir à bout de l'un et de l'autre. — Quels étaient leurs noms ? — Ils m'ont dit que l'un se nommait messire Sagremor le Desrée et l'autre Dodinel le Sauvage. — Ah ! s'exclama messire Bliobéris, les as-tu rencontrés ? Par Dieu, ce sont deux chevaliers de grand renom. Si tu les as vaincus tous deux, tu dois être un bon chevalier. Et si tant est que tu as défait l'un et l'autre, je ne puis t'inspirer nulle crainte. Pourtant il te faudra me vaincre avant que tu aies cette dame. — En ce cas, mets-toi en garde », dit messire Tristan.

Adonc ils prirent leur élan et se chargèrent sus avec la rapidité de la foudre. Chacun culbuta l'autre et le jeta au sol, cheval et tout le reste. Lors ils se dégagèrent de leurs montures et s'assaillirent vivement à l'épée et vigoureusement, tantôt avançant, tantôt sautant de côté, à gauche, à droite, durant plus de deux heures. Une fois, ils se ruèrent l'un sur l'autre avec tant de force qu'ils se retrouvèrent tous deux face contre terre. Lors messire Bliobéris de Gaunes fit un bond en arrière et dit : « Allons, chevalier gentil et plein de mérite, arrête un instant et parlons. — Dis ce que tu voudras. Je te répondrai. — Messire, reprit Bliobéris, je voudrais savoir d'où vous êtes, qui vous envoie et quel est votre nom. — Par Dieu, dit messire Tristan, je ne crains pas de vous donner mon nom. Sachez bien que je suis fils du roi Méliadus. Ma mère est sœur du roi Marc, et je me nomme messire Tristan de Léonois. Le roi Marc est mon oncle. — À la vérité, dit Bliobéris, je suis bien heureux qu'il s'agisse de vous. Vous êtes celui qui a occis le chevalier Marehaut en combat singulier dans une île, pour mettre fin au tribut des Cornouailles. Vous avez aussi vaincu le valeureux messire Palamède au cours d'un tournoi dans une autre île, et vous avez défait messire Gauvain et ses neuf compagnons.

— Par Dieu, repartit messire Tristan, sachez bien que je suis ce chevalier-là. Et maintenant que je vous ai dit mon nom, de bonne grâce dites-moi le vôtre. — Sachez que je me nomme messire Bliobéris de Gaunes. Mon frère a nom messire Blanor de Gaunes. On le répute bon chevalier. Nous sommes les enfants de la sœur de monseigneur Lancelot du Lac, que nous tenons pour l'un des meilleurs chevaliers du monde. — C'est vérité, reconnut messire Tristan. De messire Lancelot on dit qu'il n'a pas son égal pour la courtoisie et la chevalerie. Par égard pour lui, poursuivit-il, de bon gré je ne veux plus me battre avec vous, pour la grande affection que je porte à messire Lancelot du Lac. — À la vérité, repartit Bliobéris, quant à moi je n'ai nulle envie d'en découdre avec vous. Mais puisque vous m'avez suivi jusqu'ici pour me prendre cette dame, c'est bienveillance, courtoisie et civilité que je vous propose ici même, sur ce terrain. Mettons cette dame entre nous deux. Celui auquel elle ira, qu'il l'ait sans violence ! — Je veux bien, répondit Tristan, car à mon sens, elle vous quittera pour venir à moi. — C'est ce que vous saurez bientôt », dit Bliobéris.

CHAPITRE XVIII

Comment la dame abandonna messire Tristan pour demeurer avec messire Bliobéris, et comment elle désira retourner auprès de son mari

QUAND ELLE FUT MISE entre les deux, elle dit ceci à messire Tristan : « Sachez bien, messire Tristan de Léonois, qu'il y a peu de temps encore, vous étiez l'homme au monde que j'aimais le plus et en qui j'avais le plus de confiance. Je croyais alors que vous m'aimiez, vous aussi, plus que toute autre dame. Pourtant, lorsque vous avez vu ce chevalier m'emmener, vous n'avez fait nul geste pour me secourir. Au contraire, vous avez toléré que mon seigneur, messire Ségurade, partît à ma poursuite. Jusqu'alors je pensais être aimée de vous. Maintenant je vous quitte et ne vous aimerai plus jamais. » Sur ce elle alla du côté de messire Bliobéris.

Quand messire Tristan la vit agir ainsi, il se courrouça grandement contre cette dame, et il eut honte de revenir à la cour. « Messire Tristan, lui dit messire Bliobéris, vous êtes en tort, car j'entends, aux paroles de cette dame, que jusqu'à ce jour elle se fiait à vous plus qu'à tout autre chevalier sur la terre et, à l'en croire, vous l'avez trompée. Sachez donc que nul ne peut retenir qui veut le quitter. Plutôt que vous soyez extrêmement fâché contre moi, j'aimerais mieux qu'elle vous revînt, à condition qu'elle voulût bien rester avec vous. — Non, dit la dame, par Dieu, jamais je n'irai avec lui. Je l'aimais plus que tout autre et croyais qu'il m'aimait aussi. Adonc, messire Tristan, poursuivit-elle, partez comme vous êtes venu, car si vous aviez vaincu ce chevalier, comme vous aviez toutes chances de le faire, jamais je ne vous aurais suivie. Et ce chevalier, je lui en ferai si gracieusement la requête, au nom de sa chevalerie, qu'avant qu'il quitte ce pays il me conduira à l'abbaye où est mon seigneur, messire Ségurade.

— Par Dieu, dit Bliobéris, sachez-le donc, messire Tristan, valeureux chevalier, parce que le roi Marc m'a laissé choisir en sa cour ce qu'il me plaisait de me voir donner, et que ce que j'aimais le mieux c'était cette dame, nonobstant qu'elle fût mariée et eût un seigneur, et parce que ma quête est achevée, cette dame sera envoyée à son époux, et cela surtout par égard pour vous, messire Tristan. Mais si elle avait voulu aller avec vous, j'eusse désiré qu'elle fût vôtre. — Je vous en remercie, repartit messire Tristan, mais à cause d'elle à l'avenir je prendrai garde à quelle femme je donne amour et confiance. Si son seigneur, messire Ségurade, avait été absent de la cour, j'eusse été le premier à vous poursuivre. Mais puisque vous, madame, vous m'avez refusé, foi de chevalier, il faudra désormais que je la connaisse bien, celle que j'aimerai et à qui je me fierai. »

C'est ainsi qu'ils prirent congé l'un de l'autre et se séparèrent. Messire Tristan chevaucha vers Tintagel et messire Bliobéris vers l'abbaye où se trouvait messire Ségurade, qui était gravement blessé. Là Bliobéris rendit sa liberté à la dame et partit en noble chevalier. Lorsque messire Ségurade vit sa dame, il en fut très réconforté. Elle lui raconta comment messire Tristan avait livré un grand combat à messire Bliobéris et fait en sorte que celui-ci l'avait ramenée. Ces paroles causèrent beaucoup de plaisir à messire Ségurade. Il fut content que messire Tristan en eût fait autant. Par la suite, cette dame fit au roi Marc le récit de tout le combat entre messire Tristan et messire Bliobéris.

CHAPITRE XIX

Comment le roi Marc envoya vers l'Irlande messire Tristan pour y quérir la Belle Yseut, et comment par hasard celui-ci arriva en Angleterre

APRÈS CELA le roi Marc chercha toujours en son cœur le moyen de se débarrasser de messire Tristan. C'est alors qu'il imagina de l'envoyer en Irlande y quérir la Belle Yseut. Messire Tristan avait tant fait l'éloge de sa beauté et de sa prudence que le roi Marc déclara qu'il voulait l'épouser. Là-dessus il pria messire Tristan d'aller pour lui en Irlande en ambassade. Tout ceci était conçu pour faire périr son neveu. Néanmoins messire Tristan ne voulut pas décliner l'ambassade, quel qu'en fût le risque ou le péril, afin d'obliger son oncle. Il se prépara donc à se rendre en Irlande, avec autant de faste qu'on en pouvait concevoir. Il se fit accompagner des plus gracieux chevaliers qu'il pût trouver à la cour, et ils furent habillés selon l'usage de ce temps, aussi magnifiquement que possible.

Adonc messire Tristan s'en alla. Il prit la mer avec toute sa compagnie. Aussitôt, alors qu'il était au large, une tempête se leva qui les surprit, lui et les siens, et les repoussa jusque sur la côte d'Angleterre. Ils abordèrent près de Camaalot et furent bien heureux de pouvoir mettre pied à terre. Lorsqu'ils eurent débarqué, messire Tristan dressa son pavillon sur le domaine de Camaalot et y suspendit son écu. Le même jour passèrent par là deux chevaliers du roi Arthur. L'un était messire Hector des Mares, l'autre messire Marganor. Ils frappèrent l'écu et demandèrent qu'on sortît du pavillon pour jouter, si l'on voulait jouter. « Vous aurez satisfaction, répondit messire Tristan, si vous voulez bien attendre un peu. »

En conséquence, il se prépara. D'abord il renversa messire Hector des Mares, puis messire Marganor, le tout d'une seule lance, et ils en furent bien meurtris. Lorsqu'ils se retrouvèrent au sol, ils demandèrent à messire Tristan qui il était et de quel pays il était chevalier. « Gentils seigneurs, répondit messire Tristan, sachez que je suis des Cornouailles. — Hélas ! s'exclama messire Hector, je connaîtrai désormais la honte d'avoir un jour été vaincu par un chevalier cornouaillais. » De dépit il ôta son harnois et alla son chemin à pied, refusant de monter à cheval.

CHAPITRE XX

Comment Aguisant, roi d'Irlande, fut mis en demeure de venir à la cour du roi Arthur pour y répondre d'une accusation de trahison

IL ADVINT ALORS que messire Bliobéris et messire Blanor de Gaunes, qui étaient deux frères, signifièrent au roi Aguisant d'Irlande d'avoir à venir à la cour d'Arthur, sous peine de perdre la bonne grâce de ce roi. S'il ne venait pas au jour dit et assigné, le roi d'Irlande perdrait ses terres. Or ce jour-là ni le roi Arthur ni messire Lancelot ne pouvaient être présents pour prononcer le jugement. Arthur était avec Lancelot au château de la Joyeuse Garde. Le roi Arthur désigna donc le roi Caradoc et le roi d'Écosse pour ce jour-là être les juges.

Quand ces deux rois furent arrivés à Camaalot, le roi Aguisant d'Irlande vint pour connaître ses accusateurs. Parut alors messire Blanor de Gaunes. Il accusa le roi Aguisant de trahison, pour avoir traîtreusement occis l'un de ses cousins en sa cour d'Irlande. Le roi Aguisant fut fort surpris de son accusation. Pourquoi cela ? C'est qu'il était venu en réponse à l'assignation du roi Arthur, et qu'avant son arrivée à Camaalot il ignorait la raison pour laquelle on l'avait mandé. Lorsqu'il entendit messire Blanor révéler son dessein, il comprit bien qu'il n'y avait d'autre remède que de lui répondre en bon chevalier. L'usage de ce temps, en effet, voulait que si l'on était accusé de trahison ou de meurtre, l'on devait combattre en combat singulier. Sinon il fallait trouver un autre chevalier qui se battît pour vous. Et toute espèce de meurtre alors était appelée trahison. Or donc, lorsque le roi Aguisant comprit ce dont on l'accusait, il en fut fort marri, car il connaissait messire Blanor de Gaunes pour un noble chevalier, issu d'une lignée de nobles chevaliers. Le roi était mal préparé pour lui faire face. Les juges laissèrent au roi Aguisant trois jours de délai pour donner sa réponse. Il se retira en son logis.

Cependant, devant le pavillon de messire Tristan il vint une dame qui se lamentait grandement. « Qu'avez-vous donc, lui dit messire Tristan, à vous lamenter ainsi ? — Ah ! gentil chevalier, repartit la dame, je suis couverte de honte si quelque valeureux chevalier ne vient à mon aide. Une dame de haut parage m'avait choisie pour faire parvenir à messire Lancelot du Lac un bouclier bel et riche. Non loin d'ici j'ai rencontré un chevalier. Il m'a jetée à bas de mon palefroi et a emmené le bouclier. — Eh bien, madame, dit messire Tristan, pour l'affection que je porte à messire Lancelot je ferai en sorte que ce bouclier vous soit rendu, ou bien je perdrai mon combat. » Adonc messire Tristan monta à cheval. Il demanda à la dame quel chemin le chevalier avait pris. Il partit à sa poursuite et peu de temps après le rejoignit. Lors il le requit de faire demi-tour et de rendre l'écu.

CHAPITRE XXI

Comment messire Tristan ôta un écu à un chevalier, et comment Gouvernail l'informa de ce qui concernait le roi Aguisant

LE CHEVALIER fit tourner son cheval et s'apprêta à combattre. Lors messire Tristan de son épée lui asséna un coup si rude qu'il se retrouva à terre. Sans insister, il se rendit. « Viens donc par ici, lui dit Tristan, et ramène le bouclier à la dame. » Le chevalier humblement prit sa monture et chevaucha aux côtés de Tristan. Chemin faisant, celui-ci lui demanda son nom. « Je me nomme Brun sans Pitié », répondit-il. Lorsqu'il eut remis l'écu à la dame, il dit : « Messire, pour ce qui est de l'écu, le tort est assurément réparé. » Messire Tristan alors lui permit de repartir, ce dont ensuite il eut grand regret, car ce Brun sans Pitié se montra l'ennemi résolu de plus d'un bon chevalier de la cour du roi Arthur.

Une fois que Tristan fut de retour en son pavillon, Gouvernail, son serviteur, vint à lui et lui rapporta comment le roi Aguisant d'Irlande était arrivé là et se trouvait fort embarrassé. Gouvernail conta comment le roi avait été appelé à comparaître et accusé de meurtre. « Par Dieu, s'exclama messire Tristan, ce sont les meilleures nouvelles qui m'aient été apportées de sept ans, car à présent le roi d'Irlande va avoir besoin de mon aide. Je crois bien, en effet, qu'il n'est pas en ce pays de chevalier, hormis ceux de la cour d'Arthur, qui ose engager le combat contre messire Blanor de Gaunes. Afin de gagner l'affection du roi d'Irlande, je me chargerai de l'affaire. Adonc, Gouvernail, conduis-moi à ce roi, je t'en donne l'ordre. »

Lors Gouvernail alla devers le roi Aguisant d'Irlande. Il le salua gracieusement. Le roi lui fit bon visage et lui demanda ce qu'il voulait. « Sire, répondit Gouvernail, il y a près d'ici un chevalier qui désire vous parler. Il m'a enjoint de vous dire qu'il se proposait de vous rendre service. — De quel chevalier s'agit-il ? — Sire, il s'agit de messire Tristan de Léonois qui, pour la faveur que vous lui avez montrée en votre royaume, veut vous témoigner sa reconnaissance en ce pays. — Viens avec moi, l'ami, tout de suite, et mène-moi à messire Tristan. »

Adonc le roi prit une petite haquenée, peu de gens avec lui, et ainsi arriva devant le pavillon de messire Tristan. Lorsque celui-ci le vit, il courut à lui et voulut lui tenir l'étrier. Mais prestement le roi sauta à bas de son cheval et ils s'embrassèrent. « Mon gracieux seigneur, dit messire Tristan, grand merci des grandes bontés que vous avez eues pour moi en vos marches et terres. Je vous avais promis de vous rendre service, si jamais j'en avais le pouvoir. — Et maintenant, gentil chevalier, dit le roi à messire Tristan, j'ai grand besoin de vous. Jamais je n'ai eu tant besoin de l'aide d'aucun chevalier. — Comment cela se fait-il ? — Je vais vous le dire. On m'a sommé en mon pays de venir céans et appelé à comparaître en raison de la mort d'un chevalier, qui était parent du valeureux messire Lancelot. C'est pourquoi messire Blanor de Gaunes, frère de messire Bliobéris, m'a défié en combat singulier, sinon je devrai trouver un chevalier qui combatte à ma place. Et je sais bien, ajouta le roi, que ces hommes de la lignée du roi Ban, comme messire Lancelot et ces deux autres-là, sont de haut mérite et des adversaires à ma connaissance parmi les plus difficiles à vaincre qui soient au monde.

— Sire, répondit messire Tristan, pour la protection que vous m'avez donnée et pour l'amour de votre fille, la Belle Yseut, je livrerai ce combat en vos lieu et place, à la condition que vous m'accordiez deux choses. La première, c'est que vous me juriez que vous êtes dans votre droit et n'avez jamais consenti à la mort de ce chevalier. La seconde, Sire, dit ensuite messire Tristan, c'est que, lorsque j'aurai livré ce combat, et si Dieu en sa grâce me permet de l'emporter, vous me récompensiez en m'accordant ce que je vous demanderai, pourvu que ce soit raisonnable. — Par Dieu, dit le roi, vous aurez tout ce que vous me demanderez. — C'est bien parlé », dit messire Tristan.

CHAPITRE XXII

Comment messire Tristan combattit pour le roi Aguisant et défit son adversaire, et comment celui-ci ne voulut à aucun prix se rendre

« À PRÉSENT, répondez que votre champion se tient prêt, car je mourrai dans votre querelle plutôt que de m'avouer vaincu. — Je n'ai nulle crainte à votre sujet, dit le roi, à moins que vous ne vous mesuriez à messire Lancelot du Lac. — Sire, repartit Tristan, pour ce qui est de messire Lancelot, on l'appelle le plus noble chevalier du monde, et sachez bien que les chevaliers de sa race sont pleins de noblesse et craignent l'humiliation. Quant à Bliobéris, le frère de messire Blanor, je l'ai déjà combattu. Vous avez donc ma parole qu'on peut sans excès le tenir pour valeureux. — On dit que Blanor est le plus brave des deux. — Sire, pour ce qui est de cela, je veux bien qu'il le soit. Je ne refuserai pas le combat, quand même il serait le meilleur chevalier à porter un écu ou tenir une lance. »

Adonc le roi Aguisant alla devers les rois qui alors faisaient office de juges. Il leur dit qu'il avait trouvé son champion et qu'il était prêt. Lors, par ordre des rois, on envoya chercher messire Blanor de Gaunes et messire Tristan, afin qu'ils pussent entendre ce qu'il leur incombait de faire. Quand ils furent venus devant les juges, il y eut maint roi et chevalier pour regarder messire Tristan. On parla beaucoup de lui, pour ce qu'il avait occis le valeureux messire Marehaut et qu'il était venu à bout à la joute de messire Palamède, de valeur lui aussi. Or donc, lorsqu'ils eurent entendu ce qu'ils avaient à faire, Blanor et Tristan se retirèrent pour se préparer au combat.

Messire Bliobéris dit à son frère, messire Blanor : « Mon gentil frère et bien-aimé, souvenez-vous de quelle race nous sommes issus et rappelez-vous quel homme est messire Lancelot du Lac. Nous ne sommes ni plus ni moins que cousins germains, et jamais nul de notre sang ne fut mis à honte en un combat. Souffrez d'avoir à mourir, mon frère, plutôt que d'être mis à honte. — Mon frère, repartit Blanor, ne craignez rien en ce qui me concerne. Je ne me montrerai jamais indigne d'aucune personne de mon sang. Bien qu'assuré que ce chevalier-là soit connu pour être fort bon, l'un des meilleurs de son temps, cependant jamais je ne me rendrai ni ne crierai grâce, mot abhorré. Il se peut fort bien qu'il me jette en terre, si grande est sa force aux armes, mais il me tuera plutôt que je ne m'avoue vaincu et me rende. — Dieu vous aide, dit messire Bliobéris, car vous découvrirez qu'il est le plus fort de tous les chevaliers que vous ayez jamais combattus. Je le connais. J'ai déjà eu affaire à lui. — Dieu me vienne en aide ! » conclut messire Blanor de Gaunes.

Là-dessus il enfourcha sa monture à une extrémité de la lice. Messire Tristan fit de même à l'autre. Ils mirent leurs lances en arrêt et se ruèrent l'un vers l'autre avec la rapidité de la foudre. En raison de sa grande vigueur, messire Tristan jeta au sol messire Blanor et son cheval. Lors incontinent messire Blanor se dégagea de sa monture. Il dégaina son épée, se couvrit de son écu et demanda à messire Tristan de mettre pied à terre : « Un cheval a pu me faillir, mais je me fie en Dieu que la terre, elle, ne me faillira point. »

Messire Tristan alors descendit de son cheval. Il se prépara à combattre à pied. Ils s'assaillirent avec ardeur, attaquant, avançant, frappant d'estoc, bien des coups pleins de force, au point que rois et chevaliers se demandèrent comment ils pouvaient encore tenir debout. Toujours ils se battaient avec rage, nul chevalier jamais n'y avait mis plus de violence. Messire Blanor montrait tant d'impatience qu'il refusait de prendre du repos. Chacun s'ébahissait qu'ils eussent assez de souffle encore pour ne pas tomber. Il y avait du sang partout, là où ils combattaient. Finalement, messire Tristan choqua messire Blanor si rudement sur le heaume qu'il s'affaissa sur le flanc. Messire Tristan le regarda, debout à côté de lui.

CHAPITRE XXIII

Comment messire Blanor demanda à messire Tristan de le tuer, comment celui-ci l'épargna, et comment ils en vinrent à un arrangement

LORSQUE MESSIRE BLANOR put parler, il dit ceci : « Messire Tristan de Léonois, je vous demande, vous qui êtes un noble chevalier et le meilleur que j'aie jamais trouvé, de me porter le coup fatal. Je ne voudrais pas vivre, quand même on me ferait seigneur de toute la terre, car j'aime mieux mourir dans l'honneur que vivre dans la honte. Il vous faudra bien, messire Tristan, m'occire, sinon vous ne serez jamais déclaré vainqueur, car je ne me rendrai point à votre merci, je ne dirai jamais le mot détestable de « grâce ! » Or donc, si vous en avez le courage, tuez-moi, je vous le demande.

Quand messire Tristan l'entendit parler de façon aussi chevaleresque, il ne sut pas ce qu'il lui fallait faire. Il avait en l'esprit le pour et le contre. D'un côté il se rappelait de quelle race messire Blanor était issu, et pour l'amour de messire Lancelot il eût regretté d'avoir à l'occire. De l'autre, il ne lui était pas permis de choisir. Ou bien messire Blanor devait être contraint de dire le mot détestable, ou bien il le tuait.

Lors messire Tristan s'éloigna. Il alla trouver les rois qui étaient juges. Il s'agenouilla devant eux et les requit instamment, pour leur honneur et pour l'amour du roi Arthur et de messire Lancelot, de décider de cela par eux-mêmes. « Gentils seigneurs, leur dit messire Tristan, ce serait honte et pitié que le noble chevalier qui est là, à terre, fût mis à mort. Vous l'avez entendu, il ne veut point souffrir d'ignominie, et je prie Dieu que je ne sois la cause ni de sa mort ni de son déshonneur. Pour ce qui est du roi pour lequel je combats, je lui demanderai, étant son loyal champion et fidèle chevalier en cette lice, de prendre à merci ce chevalier valeureux. — Par Dieu, repartit le roi Aguisant, pour vous être agréable, messire Tristan, je ferai ce que vous voulez, car je sais que vous m'êtes un loyal chevalier. Adonc je prie de bon cœur les rois qui sont ici de décider de l'issue de ce combat. »

Les rois qui étaient juges appelèrent à eux messire Bliobéris et lui demandèrent son avis. « Messeigneurs, dit Bliobéris, bien que mon frère soit vaincu et qu'il ait eu affaire à plus fort que lui, j'ose le dire, si messire Tristan a eu raison de son corps, il ne l'a pas eu de son cœur, et je remercie Dieu qu'il n'ait point connu la honte aujourd'hui. Mais plutôt qu'il la connaisse, je vous le demande, poursuivit Bliobéris, laissez messire Tristan lui porter le coup fatal. — Cela ne sera pas, déclarèrent les rois, car la partie adverse, tant le roi que son champion, a pitié de la chevalerie de messire Blanor. — Messeigneurs, dit alors Bliobéris, je veux bien qu'il en soit fait comme vous le souhaitez. »

Lors les rois appelèrent à eux le roi d'Irlande et le trouvèrent gracieux et traitable. Suivant leur conseil à tous deux, messire Tristan et messire Bliobéris relevèrent messire Blanor. Les deux frères s'accordèrent avec le roi Aguisant. Ils s'embrassèrent tous trois et se promirent une éternelle amitié. Puis messire Blanor et messire Tristan s'embrassèrent eux aussi. Les deux frères jurèrent que jamais aucun d'eux ne combattrait messire Tristan. Celui-ci fit le même serment. En raison de ce noble combat, toute la famille de messire Lancelot porta à jamais messire Tristan dans son cœur.

Ensuite le roi Aguisant et messire Tristan prirent congé. Ils firent voile jusqu'en Irlande dans l'allégresse et la magnificence. Lorsqu'ils furent rendus en Irlande, le roi fit publier par tout le pays comment et de quelle façon messire Tristan l'avait servi. La reine et tous ceux qui étaient là lui firent le meilleur accueil possible. Mais la joie que la Belle Yseut manifesta à messire Tristan, nulle langue ne peut la dire, car de tous les hommes de la terre, c'est lui qu'elle aimait le mieux.

CHAPITRE XXIV

Comment messire Tristan demanda la Belle Yseut pour le roi Marc, et comment Tristan et Yseut burent le philtre d'amour

LORS un jour le roi Aguisant demanda à messire Tristan pourquoi il ne demandait pas sa faveur, car n'importe ce qu'il demanderait, il lui avait promis que sans faute il l'obtiendrait. « Sire, dit messire Tristan, le moment est venu. Tout ce que je désire, c'est que vous me donniez la Belle Yseut, votre fille, non pour moi mais pour mon oncle, le roi Marc, qui l'épousera, car c'est ce que je lui ai promis. — Las ! s'exclama le roi, j'aurais donné toutes mes terres pour que vous l'épousiez vous-même. — Sire, si je le faisais, le déshonneur m'en accompagnerait à jamais en ce monde, et je manquerais à ma promesse. C'est pourquoi, poursuivit-il, je vous prie de tenir celle que vous m'avez faite. Tel est mon désir, que vous me donniez la Belle Yseut pour qu'elle me suive en Cornouailles, afin d'y être mariée au roi Marc, mon oncle. — Pour ce qui est de cela, dit le roi Aguisant, elle est à vous pour en faire ce qui vous plaira. Cela signifie que vous l'épouserez vous-même — ce qui me convient le mieux — ou la donnerez au roi Marc, votre oncle. Je vous laisse le choix. » Bref, on prit des arrangements pour que la Belle Yseut pût suivre messire Tristan, et dame Brangien l'accompagna pour être sa première dame suivante — il y en avait beaucoup d'autres.

Lors la reine, la mère d'Yseut, à dame Brangien, la dame de compagnie de sa fille, et à Gouvernail remit un philtre, et elle les chargea, le jour où le roi Marc se marierait, ce jour-là de le lui donner à boire. Le roi boirait à la santé de la Belle Yseut et « dès lors, dit la reine, je suis sûre qu'ils s'aimeront tous les jours de leur vie. » Le philtre fut confié aux soins de dame Brangien et de Gouvernail.

Peu après messire Tristan prit la mer avec la Belle Yseut. Lorsqu'ils furent dans la cabine, il leur arriva d'avoir soif. Ils avisèrent un petit flacon en or auprès d'eux. À la couleur et au goût il leur sembla que c'était du vin de qualité. Messire Tristan prit le flacon et dit : « Madame Yseut, ceci est la liqueur la plus délectable que vous ayez jamais bue, et dame Brangien votre servante, ainsi que Gouvernail, mon serviteur, la gardaient pour eux. » Ils se mirent à rire, à s'amuser. Ils burent sans retenue à la santé l'un de l'autre, et il leur parut que jamais breuvage de la sorte n'avait été aussi doux ni aussi bon. Mais, lorsque cette liqueur fut en leurs corps, ils s'aimèrent si fort que jamais ensuite leur amour ne les abandonna, tant dans les jours heureux que malheureux. C'est ainsi que l'amour naquit entre messire Tristan et la Belle Yseut, lequel demeura en eux tout le temps de la vie.

Ils firent voile jusqu'à ce que, par aventure, ils vinssent dans le voisinage d'un château, qui avait nom le Château des Pleurs. Ils s'y rendirent pour s'y reposer, pensant qu'ils seraient bien logés. Mais aussitôt que messire Tristan fut dedans, on les fit prisonniers. La coutume de ce château voulait en effet que quiconque chevauchait auprès et amenait une dame devait nécessairement combattre avec le seigneur, un homme du nom de Brunor. Et, s'il se trouvait que Brunor l'emportait, le chevalier étranger ainsi que sa dame étaient mis à mort, quels qu'ils fussent. Si au contraire l'étranger remportait la victoire, c'était Brunor qui devait mourir, de même que sa dame. La coutume avait été en usage de nombreuses années, ce qui avait valu au dit château le nom de Château des Pleurs.

CHAPITRE XXV

Comment messire Tristan et Yseut se retrouvèrent en prison, et comment Tristan combattit en défense de la beauté d'Yseut et trancha la tête à une autre dame

TANDIS QUE MESSIRE TRISTAN et la Belle Yseut étaient en prison, il arriva qu'un chevalier et une dame vinrent leur rendre visite là où ils se trouvaient, afin de les réconforter. « Je me demande, leur dit Tristan, pourquoi le seigneur de ce château nous retient prisonniers. Il n'a jamais été dans les usages d'aucune demeure honorable où je fus jamais, lorsqu'un chevalier et une dame requéraient asile, de les recevoir puis de les faire périr, eux qui étaient des hôtes. — Messire, répondit le chevalier, c'est là une vieille coutume de ce château. Lorsqu'un chevalier vient ici, il doit nécessairement combattre avec notre seigneur, et le plus faible doit perdre sa tête. Après quoi, si la dame qui l'accompagne est plus laide que celle de notre seigneur, elle aussi doit avoir la tête tranchée. Mais s'il est fait la preuve qu'elle est la plus belle, alors c'est la dame de ce château qui sera décapitée. — Par Dieu, repartit messire Tristan, c'est une ignoble coutume et indigne. J'y ai cependant un avantage. J'ai avec moi une dame dont la beauté suffit. Plus belle il ne m'a jamais été donné de voir, de toute ma vie, et je ne redoute point que par défaut de beauté elle perde sa tête. Quant à moi, avant de perdre la mienne, je combattrai pour la garder en combat loyal. En conséquence, sire chevalier, je vous prie de dire à votre seigneur que je me tiendrai prêt demain matin aux côtés de ma dame, pour me battre en ce qui me concerne, pourvu que j'aie mon cheval et mes armes. — Messire, répondit le chevalier, je m'engage à ce que votre désir soit satisfait en tout point. » Et il ajouta : « Prenez du repos, veillez à être debout de bonne heure et préparez-vous, votre dame et vous. Rien ne manquera de ce qu'il vous faut. »

Là-dessus il partit. Le lendemain, de bonne heure, ce même chevalier vint à messire Tristan. Il les fit sortir, sa dame et lui. Il lui amena le cheval et l'armure qui lui appartenaient et lui dit de se préparer à entrer dans le champ, car les gens de tous ordres et de toutes conditions de la contrée étaient là, prêts à assister aux combat et jugement. Lors se présenta messire Brunor, le seigneur de ce château, tenant par la main sa dame, au visage couvert. Il demanda à messire Tristan où était la sienne « car, si ta dame est plus belle que la mienne, de ton épée tu trancheras la tête de ma dame. Par contre, si c'est ma dame qui est la plus belle, de mon épée je couperai la tête de la tienne. En outre, si je puis te vaincre, ta dame m'appartiendra et tu seras décapité. — Messire, repartit Tristan, ceci est une ignoble et horrible coutume, et plutôt que ma dame ne perde sa tête, j'aimerais mieux y laisser la mienne. — Non, non, dit messire Brunor, on montrera d'abord les dames l'une à côté de l'autre, et une des deux aura sa sentence. — Je m'y refuse, répliqua messire Tristan. Nul ici ne peut décider en toute justice. Mais, poursuivit-il, je ne doute pas que ma dame ait plus de beauté que la tienne et cela, je le prouverai et l'établirai de mon bras. Quiconque soutiendra le contraire, je lui montrerai qu'il a tort en lui tranchant la tête. »

Là-dessus messire Tristan à tous les regards offrit la Belle Yseut et trois fois la fit tourner, cependant qu'il avait tiré son épée du fourreau. Quand messire Brunor vit cela, de même manière il fit tourner sa dame. Mais lorsqu'il eut contemplé la Belle Yseut, il pensa n'avoir jamais vu dame plus belle et craignit pour la vie de la sienne. Tous les gens alors qui étaient là prononcèrent que c'était la Belle Yseut la plus belle et la mieux faite. « Et maintenant, dit messire Tristan, il me semble que ce serait dommage que ma dame perdît sa tête. Mais puisque ta dame et toi aussi longtemps avez observé cette coutume infâme et qu'à cause de vous ont péri maint chevalier de mérite et mainte dame, pour cette raison ce ne serait pas un mal de vous ôter la vie à tous deux. — Par Dieu, repartit messire Brunor, à la vérité ta dame est plus belle que la mienne, et j'en ai grand regret. J'entends d'ailleurs chacun le murmurer tout bas, car parmi toutes les femmes je n'en ai jamais vu de plus belle. En conséquence, si tu veux tuer ma dame, je ne doute point que je te tuerai à mon tour et prendrai possession de la tienne. — Tu la paieras aussi cher, répliqua messire Tristan, que jamais chevalier a pu payer une dame. Et en raison de ton propre jugement, aussi pour ce que tu aurais fait à ma dame si elle avait été la plus laide, aussi à cause de ta coutume infâme, donne-moi donc ta dame. »

Là-dessus messire Tristan s'avança vers lui à grandes enjambées. Il lui prit sa dame et d'un coup de revers lui fit sauter la tête. « Eh bien, chevalier, dit messire Brunor, tu m'as fait là grand tort. »

CHAPITRE XXVI

Comment messire Tristan combattit avec messire Brunor et finalement lui trancha la tête

« À PRÉSENT, prends ton cheval. Puisque me voici sans dame, je vais te prendre la tienne si je le puis. » Sur ce ils enfourchèrent leurs montures et se précipitèrent à la rencontre l'un de l'autre avec la rapidité de la foudre. Messire Tristan de sa lance fit voler messire Brunor à bas de son cheval. Mais vite celui-ci se releva et, alors que messire Tristan s'approchait à nouveau de lui, estoqua son destrier au travers des deux épaules, si bien que celui-ci se mit à s'élancer dans tous les sens avant de tomber mort. Cependant messire Brunor courait toujours à la poursuite de messire Tristan afin de le tuer. Mais l'autre était preste et agile. Il fit vite à se dégager de sa monture. Pourtant, avant qu'il eût ajusté son bouclier et tiré son épée, il reçut trois ou quatre coups douloureux.

Lors ils se ruèrent l'un vers l'autre, tels deux sangliers, mais donnant les coups et les esquivant avec la force et la science de nobles chevaliers. En effet, ce messire Brunor était un chevalier éprouvé. Avant ce jour il avait causé la mort de plus d'un combattant valeureux, et il était dommage qu'il fût encore en vie. Ils se battirent ainsi près de deux heures, se jetant à l'attaque de toutes les façons, et chacun reçut de graves blessures. Finalement, messire Brunor se précipita sur messire Tristan. Il le serra entre ses bras, car il se fiait beaucoup à sa force. Mais on disait alors de messire Tristan qu'il était le plus vigoureux et le plus grand par la taille des chevaliers du monde. On le réputait plus fort que messire Lancelot, si messire Lancelot avait plus de souffle. Aussi incontinent messire Tristan jeta messire Brunor face contre terre. Il délaça son heaume et lui trancha la tête.

Lors tous ceux qui appartenaient au château vinrent à lui pour lui jurer hommage et fidélité, le priant de ne point partir de suite, afin d'abolir cette ignoble coutume. Messire Tristan y consentit. Cependant l'un des chevaliers du domaine alla devers messire Galehot, le haut prince, lequel était fils de messire Brunor et noble chevalier, et lui rapporta quelle mésaventure était survenue à son père et à sa mère.

CHAPITRE XXVII

Comment messire Galehot combattit messire Tristan, et comment celui-ci se rendit et promit de se faire compagnon de messire Lancelot

LORS vint messire Galehot. Le roi des Cent Chevaliers l'accompagnait. Ce messire Galehot proposa à messire Tristan de combattre en combat singulier. Adonc ils se préparèrent à livrer combat à cheval avec beaucoup d'ardeur. Messire Galehot et messire Tristan se heurtèrent avec tant de force que chacun culbuta l'autre à terre, le cheval et le reste. Lors ils se dégagèrent de leurs montures en nobles chevaliers, se couvrirent de leurs boucliers et dégainèrent l'épée avec hargne et rancœur. Ils se portèrent des coups en grand nombre, vifs et violents, tantôt choquant, tantôt frappant d'estoc, avançant et esquivant avec beaucoup de maîtrise. Ils combattirent ainsi longtemps, près d'une demi-journée, et l'un et l'autre subirent de graves blessures.

Finalement messire Tristan gagna en rapidité et en force. Il redoubla ses coups. Il repoussa messire Galehot d'un côté, de l'autre, si bien que celui-ci risquait d'y laisser la vie. Sur ce intervint le roi des Cent Chevaliers. Lui et ses compagnons assaillirent messire Tristan avec feu. Lorsque messire Tristan les vit tomber sur lui, il comprit qu'il ne pourrait leur résister. Lors, en chevalier rompu aux hasards des combats, il dit à messire Galehot, le haut prince : « Messire, vous ne montrez pas de noblesse à souffrir que tous vos gens m'assaillent en même temps. Et comme vous me semblez des meilleurs à manier les armes, c'est pour vous grande honte. — Par Dieu, répliqua messire Galehot, nulle issue ne vous est offerte. Il faut vous rendre à moi ou mourir. — Je préfère me rendre, mais vous le devez davantage à la force de vos gens qu'à celle de votre bras. » Là-dessus messire Tristan prit son épée par la pointe et en mit le pommeau dans la main de messire Galehot.

À ce moment arriva le roi des Cent Chevaliers. Il se mit à porter à messire Tristan de vives attaques. « Laissez cela, dit messire Galehot. N'ayez pas l'audace de le toucher. Je lui ai promis la vie sauve. — C'est une honte pour vous, répliqua le roi des Cent Chevaliers. N'a-t-il pas tué votre père et votre mère? — De cela, dit messire Galehot, je ne puis grandement le blâmer, car mon père l'avait mis en prison et contraint à se battre avec lui. Mon père observait une coutume qui était indigne. De tout chevalier qui venait lui demander asile la dame devait nécessairement mourir, si elle n'était plus belle que ma mère. Et si mon père gagnait le combat, son hôte n'avait plus qu'à mourir lui aussi. C'était là coutume et usage honteux, de réserver pareil accueil à un chevalier qui désirait être logé. À cause de cette coutume, je n'ai jamais voulu aller chez lui. — Par Dieu, dit le roi, c'était une coutume infâme.

— À la vérité, dit messire Galehot, c'est ce qui me semblait. J'ajoute qu'à mon sens il eût été grand dommage que ce chevalier fût occis, car je prétends qu'il est l'homme sur la terre le plus digne d'admiration, hormis messire Lancelot du Lac. À présent, gentil chevalier, je vous requiers de me dire votre nom, d'où vous êtes et où vous allez. — Messire, mon nom est messire Tristan de Léonois. Par le roi Marc de Cornouailles j'ai été envoyé en ambassade auprès du roi Aguisant d'Irlande, afin d'y quérir la fille de ce roi, pour qu'il en fît son épouse. Elle est ici, prête à me suivre en Cornouailles, et son nom est la Belle Yseut.

— Messire Tristan, dit messire Galehot, le haut prince, soyez le bienvenu en ces marches. Pourvu que vous me promettiez d'aller devers messire Lancelot du Lac et de l'accompagner, vous pouvez vous rendre où bon vous semblera, et votre gente dame avec vous. Je puis m'engager en outre à ce que de ma vie jamais plus des coutumes ne soient en usage en ce château semblables à celles qu'on y a observées. — Messire, repartit messire Tristan, maintenant je puis vous le dire : par Dieu, je croyais lorsque je vous ai d'abord vu que vous étiez messire Lancelot du Lac. Je ne vous en craignais que davantage. Je vous le promets, messire, aussitôt que je le pourrai, je verrai messire Lancelot et me ferai son compagnon, car entre celles de tous les chevaliers au monde, c'est sa compagnie que je désire le plus. »

CHAPITRE XXVIII

Comment messire Lancelot rencontra messire Caradoc qui emmenait messire Gauvain, et de la délivrance de celui-ci

MESSIRE TRISTAN prit congé quand vint le moment et s'embarqua. Cependant la nouvelle lui était parvenue, de même qu'à messire Lancelot, que messire Caradoc, qui avait la carrure d'un géant, avait combattu avec messire Gauvain et lui avait porté de tels coups que celui-ci avait perdu connaissance sur son cheval. Ensuite Caradoc l'avait saisi au collet et tiré hors de ses étriers. Puis il l'avait solidement attaché à l'arçon de sa selle et avait ainsi poursuivi son chemin en direction de son château. Au hasard de sa route, messire Lancelot fit rencontre de messire Caradoc. Aussitôt Lancelot reconnut messire Gauvain, qui était lié à l'arrière de la selle. « Ah ! dit messire Lancelot à messire Gauvain, comment vont vos affaires ? — On ne peut plus mal, lui fut-il répondu, car si vous ne me portez secours, par Dieu, je ne connais personne qui en soit capable. C'est soit vous, soit messire Tristan. »

Messire Lancelot fut fort marri des paroles de messire Gauvain. Il dit à messire Caradoc : « Posez là ce chevalier et combattez avec moi. — Vous n'êtes qu'un sot, repartit Caradoc, car je vous traiterai de même manière que lui. — Pour ce qui est de cela, ne m'épargnez pas, car je vous préviens que je ne vous épargnerai guère. » Sur ce Caradoc lia messire Gauvain pieds et poings, et ainsi garrotté le jeta à terre. Puis il demanda sa lance à son écuyer et s'écarta de messire Lancelot pour prendre son élan. Ils se heurtèrent et rompirent leurs lances de chaque côté à hauteur de la prise. Lors ils tirèrent leurs épées et s'assaillirent à cheval pendant plus d'une heure. Fin de compte, messire Lancelot asséna un coup si rude sur le heaume de Caradoc que la lame traversa le crâne. Messire Lancelot saisit alors messire Caradoc au collet et le fit tomber sous les pieds de son cheval. Après quoi il descendit du sien, arracha son heaume à Caradoc et lui trancha la tête. Puis il ôta ses liens à messire Gauvain. Tel fut le récit qui fut fait à messire Galehot et à messire Tristan. On leur dit : « Voyez quelle noblesse s'attache à messire Lancelot ! »

« Las ! s'exclama Tristan si je n'étais pas comme je le suis chargé d'une ambassade avec cette gente dame, à la vérité je n'aurais de cesse d'avoir trouvé messire Lancelot. » Après, messire Tristan et la Belle Yseut s'embarquèrent et arrivèrent en Cornouailles, où tous les barons vinrent au-devant d'eux.

CHAPITRE XXIX

Du mariage du roi Marc avec la Belle Yseut, de Brangien, la fille d'honneur de celle-ci, et de Palamède

LE MARIAGE se fit bientôt dans le faste et la magnificence. Cela n'empêcha pas — le livre français nous le dit — messire Tristan et la Belle Yseut de continuer à s'aimer. Il y eut de grandes joutes et un grand tournoi. Beaucoup de seigneurs et de dames vinrent au festin, et messire Tristan eut droit à plus d'éloges que tout autre. Les réjouissances durèrent longtemps. Lorsqu'elles furent finies, peu de temps après, deux dames qui accompagnaient la reine Yseut s'accordèrent et prirent des dispositions, par haine et envie, pour faire périr dame Brangien, qui était sa fille d'honneur. On l'envoya dans la forêt chercher des herbes. Là quelqu'un l'attendait, qui l'attacha à un arbre, pieds et poings. Elle demeura ainsi trois jours. Puis le hasard voulut que messire Palamède la découvrît, la sauvât de la mort et l'amenât dans un couvent de femmes non loin de là, pour s'y rétablir.

Lorsqu'Yseut, la reine, s'aperçut de l'absence de sa fille d'honneur, sachez bien qu'elle en fut fort marrie, jamais reine ne le fut davantage, car de toutes les femmes au monde c'est elle qu'elle aimait le mieux. La cause en était qu'elle l'avait suivie hors de son pays. Un jour, la reine Yseut s'en alla promener dans la forêt pour détourner son esprit de ces choses-là. Elle commença par aller seule jusqu'à une fontaine et là donna libre cours à sa douleur. Soudainement Palamède vint à elle. Il avait entendu toutes ses plaintes. Il lui dit : « Madame Yseut, si vous m'octroyez une grâce, je vous amènerai dame Brangien saine et sauve. » La reine fut si heureuse de son offre que brusquement, sans réfléchir, elle lui accorda tout ce qu'il demanderait. « Eh bien, madame, lui dit Palamède, je me fie à votre promesse. Restez ici une demi-heure et je vous l'amène. — Je vous attendrai », dit la Belle Yseut.

Messire Palamède chevaucha jusqu'au couvent et vite revint avec dame Brangien. De son plein gré elle ne serait pas revenue, parce que son affection pour la reine la mettait en danger de perdre la vie. Nonobstant, à moitié en dépit d'elle-même, elle suivit messire Palamède jusqu'à sa maîtresse. Quand la reine la vit, sa joie fut extrême. « Maintenant, madame, dit Palamède, souvenez-vous de votre promesse car moi, j'ai tenu la mienne. — Messire Palamède, dit la reine, j'ignore quel est votre désir, mais je veux que vous sachiez que, si ma promesse était large, je ne songeais pas à mal et vous préviens que mal ne ferai point. — Madame, repartit messire Palamède, pour l'instant vous ne connaîtrez pas ce qu'est mon désir. Mais, devant monseigneur votre époux, vous saurez que j'aurai la satisfaction que vous m'avez promise. »

Là-dessus la reine s'en alla. Elle se rendit chez elle, auprès du roi. Messire Palamède l'y suivit. Lorsqu'il fut en présence du roi Marc, il dit : « Sire le roi, je requiers de votre justice royale que vous me donniez mon droit. — Dites-moi quelle est votre cause, répondit le roi, et justice vous sera donnée. »

CHAPITRE XXX

*Comment Palamède demanda la reine Yseut,
comment Lambéguet courut après elle afin de la secourir,
et de la fuite d'Yseut*

« SIRE, repartit Palamède, j'ai promis à Yseut, votre reine, de lui ramener dame Brangien, qu'elle avait perdue, à la condition qu'elle m'octroierait la grâce que je lui demanderais et, sans réflexion ni hésitation aucune, elle y a consenti. — Qu'en dites-vous, madame ? interrogea le roi. — Il en est ainsi qu'il le dit, répondit la reine. Pour ne rien vous cacher, j'avais tant envie de revoir dame Brangien et m'en faisais une telle joie que je lui ai promis ce qu'il me demanderait. — Eh bien, madame, dit le roi, si hâtivement vous lui avez accordé toute grâce qu'il pût solliciter, j'accorde que vous soyez fidèle à votre promesse. — En ce cas, dit Palamède, il faut que vous le sachiez, ce que je veux c'est votre reine, pour la conduire et gouverner où il me plaira d'aller. »

À ces mots le roi se tint coi. Il songea à messire Tristan et jugea qu'il irait au secours de la reine. Sans plus attendre il répondit : « Prends-la, ainsi que les dangers qui t'en adviendront, car à ce que je crois tu n'auras pas le temps d'en avoir plaisir. — Pour ce qui est de cela, repartit Palamède, ce sont dangers que j'ose accepter de grand cœur. » Ainsi donc, pour être bref, messire Palamède prit la reine par la main et lui dit : « Madame, ne me suivez pas à contre-cœur, car je ne désire rien d'autre que ce que vous m'avez promis. — Je ne crains guère de vous suivre, repartit la reine, bien que tenue par le désavantage de ma promesse, car je ne doute pas d'être honorablement soustraite à vos mains. — Pour ce qui est de cela, dit Palamède, advienne que pourra. »

Or donc la reine Yseut fut mise en croupe derrière Palamède, et elle partit avec lui. Incontinent le roi envoya quérir messire Tristan, mais il n'y eut nul moyen de le trouver. Il était dans la forêt à chasser. Il entrait en effet dans ses habitudes, lorsqu'il n'était pas à s'exercer aux armes, de poursuivre les bêtes et de chasser à courre dans les forêts. « Hélas ! s'exclama le roi, me voici à jamais perdu d'honneur ! Par mon propre consentement, ma dame, ma reine, sera perdue. » Lors s'avança un chevalier du nom de Lambéguet. Il appartenait à messire Tristan. « Monseigneur, dit-il, puisque vous mettez votre confiance en mon maître, messire Tristan, sachez que par amour pour lui j'entends partir à la poursuite de votre reine et la secourir, à moins que je ne sois vaincu. — Grand merci, dit le roi, sur ma vie, messire Lambéguet. Je vous le revaudrai. »

Messire Lambéguet s'arma et entreprit la poursuite, aussi vite qu'il le put. Peu de temps après il rejoignit messire Palamède. Celui-ci laissa la reine. « Qui es-tu ? lui demanda-t-il. Es-tu Tristan ? — Non. Je suis son serviteur. Mon nom est messire Lambéguet. — Je le regrette, repartit Palamède. J'eusse préféré que tu fusses messire Tristan. — Je vous crois volontiers, dit Lambéguet, mais quand vous rencontrerez messire Tristan, vous aurez beaucoup de besogne sur les bras. » Lors ils se précipitèrent l'un contre l'autre et brisèrent net leurs lances. Ils dégainèrent leurs épées et taillèrent en heaumes et hauberts. Finalement messire Palamède infligea à messire Lambéguet une telle blessure qu'il tomba sur le sol comme s'il eût été mort.

Lors Palamède chercha des yeux la Belle Yseut, mais elle était partie, il ne savait où. Vous pouvez imaginer quel fut son chagrin. La reine avait couru dans la forêt. Là elle avait trouvé une source et songé à s'y noyer. Mais par chance survint un chevalier qui avait un château dans les parages. Il avait nom messire Adtherp. Quand il trouva la reine en cette pénible situation, il lui porta secours et la mena en son château. Lorsqu'il sut qui elle était, il endossa son armure, prit son cheval et dit qu'il tirerait vengeance de Palamède. Il chevaucha jusqu'à ce qu'il le rencontrât. Là messire Palamède le blessa gravement. Puis il le contraignit à lui avouer pourquoi il avait voulu se battre contre lui et comment il avait mené la reine en son château. « Maintenant conduis-moi à ta demeure, dit Palamède, ou tu mourras de ma main. — Messire, répondit messire Adtherp, ma blessure est telle que je ne puis vous suivre, mais prenez ce chemin et il vous conduira à mon château. La reine s'y trouve. »

Lors messire Palamède chevaucha sans s'arrêter jusqu'à ce qu'il fût devant le château. D'une fenêtre la Belle Yseut l'aperçut. Elle donna ordre qu'on fermât les portes bien assurément. Quand messire Palamède vit qu'il ne pouvait entrer, il enleva sa bride et sa selle et mit son cheval à paître. Puis il s'assit devant le portail, comme un homme qui a perdu l'esprit et ne se soucie point de ce qu'il fait.

CHAPITRE XXXI

Comment messire Tristan poursuivit Palamède, comment il le trouva et le combattit, et comment grâce à Yseut le combat cessa

À PRÉSENT, tournons-nous du côté de messire Tristan. Quand il fut de retour en sa demeure et sut que la Belle Yseut était partie en compagnie de messire Palamède, vous pensez bien que sa colère fut extrême. « Hélas ! s'exclama-t-il, je suis aujourd'hui mis à honte ! » Lors il cria à Gouvernail, son serviteur : « Hâte-toi, que je sois vite armé et à cheval, car je sais bien que Lambéguet n'est ni assez robuste ni assez vigoureux pour tenir tête à messire Palamède. Que n'eussé-je été à sa place ! »

Adonc, incontinent qu'il fut armé et à cheval, Gouvernail et lui entrèrent dans la forêt à la poursuite de Palamède. Peu après messire

Tristan découvrit son chevalier Lambéguet, qui était presque mortellement atteint. Il le porta à un forestier, avec charge de prendre bien soin de lui. Puis il continua sa route. Il rencontra alors messire Adtherp, gravement blessé lui aussi, qui lui dit comment la reine sans lui se fût noyée et comment à cause d'elle et par amour pour elle il avait entrepris de livrer combat à messire Palamède. « Où est ma dame? demanda messire Tristan. — Messire, répondit le chevalier, elle est suffisamment en sûreté dans mon château, si elle peut s'y tenir. — Grand merci, dit messire Tristan, pour ta grande bonté. »

Ainsi donc il chevaucha jusqu'à ce qu'il arrivât auprès de ce château. Il vit alors messire Palamède, qui était assis devant le portail et dormait, tandis que son cheval pâturait tout auprès. « À présent, Gouvernail, dit messire Tristan, va le trouver, dis-lui de s'éveiller et de se préparer. » Gouvernail alla donc à lui et dit : « Messire Palamède, levez-vous et prenez votre harnois. » Mais Palamède était tant rêveur qu'il ne put entendre ce que Gouvernail lui disait. Gouvernail revint donc et rapporta à messire Tristan que Palamède dormait, ou qu'il n'avait plus la tête à lui. « Retourne, lui dit messire Tristan, et dis-lui qu'il se lève car je suis là, son ennemi mortel. »

Or donc Gouvernail repartit à la charge. Il toucha Palamède du bois de sa lance et dit : « Messire, préparez-vous. Sachez que messire Tristan attend là-bas, et il m'envoie vous dire qu'il est votre ennemi mortel. » Là-dessus messire Palamède se leva sans bruit et sans un mot. Il prit sa monture, la sella, la brida. Agilement, il l'enfourcha. Il empoigna sa lance. Chacun mit la sienne en arrêt. Puis ils se ruèrent l'un vers l'autre. Tristan alors fit passer messire Palamède par-dessus la queue de son cheval. Promptement Palamède se couvrit de son bouclier et tira l'épée du fourreau. Sur ce commença un combat, farouche de part et d'autre, car ils combattaient tous les deux pour l'amour d'une dame, et elle ne quittait point les remparts. Elle les regardait se battre avec une ardeur démesurée. Ils se retrouvèrent atteints l'un et l'autre de blessures fort graves, Palamède étant le plus touché des deux.

Ils s'affrontèrent ainsi pendant plus de deux heures, attaquant, esquivant, tandis que de douleur et de chagrin la Belle Yseut était près de défaillir. « Las ! gémit-elle, il en est un que j'ai aimé et que j'aime encore. L'autre, je ne l'aime point, et pourtant ce serait grand dommage que sous mes yeux il perdît la vie. Je sais bien que lorsque viendra la fin, messire Palamède ne vaudra guère mieux que s'il était déjà mort. Mais il n'est pas baptisé. Je serais désolée qu'il mourût sarrasin. » Sur ce elle descendit et pria messire Tristan d'arrêter le combat. « Ah ! madame, lui dit-il, que voulez-vous donc que je fasse ? Voudriez-vous me voir déshonoré ? Vous savez bien que je m'en tiendrai à ce que vous m'ordonnerez. — Je ne veux pas votre déshonneur, répliqua la Belle Yseut. Mais pour l'amour de moi, je voudrais que vous épargniez ce malheureux Sarrasin, Palamède. — Madame, dit alors messire Tristan, pour vous être agréable, je vais dès à présent cesser de me battre. »

Lors elle s'adressa à messire Palamède. « Voici le commandement que je vous fais, à vous. Vous quitterez ce pays pour n'y point reparaître, aussi longtemps que j'y serai. — Je vous obéirai, répondit messire Palamède, bien que ce soit tout à fait à contre-cœur. — Partez donc, dit la Belle Yseut, pour vous rendre à la cour du roi Arthur. Là recommandez-moi à la reine Guenièvre, et dites-lui que je lui donne avis qu'il n'est en ce pays que quatre véritables amants, savoir messire Lancelot du Lac et la reine Guenièvre d'une part, et messire Tristan de Léonois et la reine Yseut de l'autre. »

CHAPITRE XXXII

Comment messire Tristan ramena chez elle la reine Yseut, et du débat qui opposa le roi Marc à messire Tristan

ADONC messire Palamède s'en alla fort marri. Messire Tristan prit soin de la reine et la ramena au roi Marc. De son retour à la cour on mena grande liesse. Pour messire Tristan ce furent mille marques d'affection. Lors celui-ci fit chercher messire Lambéguet, son chevalier, qui était dans la maison du forestier. Il s'écoula beaucoup de temps avant qu'il guérît, mais finalement il se rétablit. Ils vécurent ainsi dans les réjouissances et divertissements pendant longtemps.

Cependant messire Andret, lequel était cousin germain de messire Tristan, ne cessait de guetter et d'épier ce qui se passait entre ce dernier et la Belle Yseut, afin de les surprendre et noircir. Il arriva donc un jour que messire Tristan vint à s'entretenir avec la reine à une fenêtre. Messire Andret le vit et le rapporta au roi. Le roi se saisit d'une épée et vint à messire Tristan, l'appelant fourbe et traître, et faisant un geste pour le frapper. Mais messire Tristan était tout près. Il esquiva l'épée en passant promptement dessous et l'ôta de la main du roi. Lors celui-ci s'écria : « Où sont mes chevaliers et mes gens ? Je vous ordonne de tuer ce traître. » Mais nul alors ne voulut bouger malgré ces paroles.

Lorsque messire Tristan vit que personne ne tentait de s'opposer à lui, il brandit l'épée à la barbe du roi et fit semblant de s'apprêter à le frapper. Celui-ci s'enfuit. Messire Tristan le poursuivit. Il lui donna cinq ou six coups du plat de son épée sur le cou. Cela le fit choir sur le nez. Puis messire Tristan s'en alla. Il s'arma. Il prit son cheval, emmena son serviteur et entra dans la forêt. Là, un jour, il fit rencontre de deux frères, qui étaient chevaliers du roi Marc. Il trancha la tête de l'un et blessa l'autre mortellement. Il fit en outre porter à ce dernier la tête de son frère dans son heaume. Il blessa également trente autres des gens de son oncle. Lorsque le chevalier susdit arriva devant son seigneur pour lui donner son message, il expira en présence du roi et de la reine.

Lors le roi Marc assembla son conseil et demanda l'avis de ses barons sur la meilleure conduite à tenir avec messire Tristan. « Sire, répondirent les barons, en particulier messire Dinas le sénéchal, nous vous conseillons d'envoyer quérir messire Tristan, car il faut que vous le sachiez, beaucoup de gens se rangeront à ses côtés s'il est pressé par le danger. Et, Sire, poursuivit messire Dinas, il vous faut comprendre qu'on le répute hors de pair et au-dessus de tout chevalier en la chrétienté. De sa force et bravoure nous ne connaissons nul autre, hormis messire Lancelot du Lac. S'il quitte votre cour pour celle du roi Arthur, à coup sûr il s'y fera de tels amis qu'il n'aura cure du pouvoir que vous auriez de lui nuire. Nous vous conseillons donc de lui accorder votre pardon.

— Je consens, dit le roi, à ce qu'on l'envoie chercher, afin que nous soyons amis. » Lors les barons firent venir messire Tristan sous un sauf-conduit. Lorsqu'il se présenta devant le roi, il lui fut fait bon visage. On ne parla plus de rien. Il y eut des jeux et des divertissements. Le roi et la reine chassèrent à courre et Tristan avec eux.

CHAPITRE XXXIII

Comment messire Lamorat jouta avec trente chevaliers,
et comment messire Tristan, à la requête du roi Marc, renversa son cheval

LE ROI et la reine dressèrent leurs pavillons et tentes dans une forêt, à côté d'une rivière, et tous les jours il y eut chasse à courre aussi bien que joutes, car il y avait sans cesse trente chevaliers prêts à jouter avec tous ceux qui pour lors se présenteraient. Par hasard vinrent messire Lamorat de Galles et messire Driant. Messire Driant jouta fort bien, mais finalement tomba. Sur ce messire Lamorat s'offrit à jouter. Au commencement il fit si bien avec les trente chevaliers qu'il n'y en eut aucun à ne pas se retrouver à terre. Certains reçurent même de graves blessures. « Je me demande, dit le roi Marc, quel peut être ce chevalier qui accomplit de tels faits d'armes. — Sire, lui répondit Tristan, je le connais bien pour être un noble chevalier comme il y en a peu. Son nom est messire Lamorat de Galles. — Ce serait grande honte, dit le roi, qu'il nous quittât de la sorte, sans que certains parmi vous lui rendissent les choses plus difficiles. — Sire, il me semble qu'il n'y aurait nulle gloire pour un homme qui a de la noblesse à engager le combat avec lui. À l'heure qu'il est, il a fait beaucoup plus que n'en pourrait faire aucun chevalier de peu de mérite. Ce serait donc, à mon sens, indigne et bas de l'éprouver davantage maintenant. Son cheval est fourbu, et lui aussi est las. Les exploits qu'il nous a montrés aujourd'hui, à bien considérer, suffiraient à un Lancelot du Lac. — Cela étant, je vous requiers, dit le roi Marc, si vous m'aimez et aimez ma dame, la reine, la Belle Yseut, de revêtir vos armes et de jouter avec messire Lamorat de Galles. — Sire, vous me faites faire une chose qui est contre la chevalerie. Je puis bien penser que je vais le faire choir. Il n'est pas besoin d'être maître pour cela. Mon cheval et moi sommes l'un et l'autre frais et dispos. Il n'en va pas de même pour lui ni pour sa monture. Sachez-le bien, il le prendra fort mal, car un bon chevalier répugne toujours à mettre à profit le désavantage de l'autre. Mais, parce que je ne veux pas vous déplaire, comme vous me le demandez c'est ainsi qu'il sera fait. J'obéirai à vos ordres. »

Adonc messire Tristan s'arma. Il prit son cheval. Il s'avança. Messire Lamorat puissamment alla à sa rencontre. Tant par la force de sa propre lance que par celle de messire Tristan, son cheval tomba à terre, tandis que lui restait en selle. Incontinent, aussi vite qu'il le put, il se dégagea des arçons et de sa monture. Il se couvrit de son bouclier et dégaina son épée. Lors il dit à messire Tristan : « Chevalier, descends de ton cheval, si tu l'oses. — Non, répondit messire Tristan, je ne veux plus combattre avec toi. J'en ai trop fait déjà en ce combat qui ôte à mon honneur et ajoute à ta gloire. — De cela, repartit messire Lamorat, n'attends pas que je te remercie. Puisque tu l'as emporté sur moi à la joute à cheval, je te le demande et t'en prie, s'il est vrai que tu es messire Tristan, combats avec moi à pied. — Je n'en ferai rien. Oui, mon nom est bien messire Tristan de Léonois, et je n'ignore pas que tu es messire Lamorat de Galles. Ce que j'ai fait contre toi l'a été contre ma volonté. On m'a requis de le faire. Mais pour ce qui est de ce que tu m'invites à exécuter à présent, je ne veux plus me battre avec toi, car j'ai honte de ce que j'ai déjà accompli.

— La honte, qu'elle soit de ton côté ou du mien, souffre-la comme il te plaira, mais sache que si le fils d'une jument m'a manqué, le fils d'une reine ne te fera point défaut. Adonc, si tu es bien le chevalier que l'on dit, je t'en requiers, descends et bats-toi avec moi. — Messire Lamorat, dit alors messire Tristan, je sais que votre cœur est grand, et c'est pourquoi je vous parle sans détour. J'aurais peine à voir un chevalier bien ménager ses forces, puis en abattre un autre qui aurait trop usé des siennes. Nul chevalier, nul cheval n'ont jamais vécu de nature à toujours résister et endurer. Aussi, conclut messire Tristan, je ne veux plus vous combattre. J'ai déjà regret de ma conduite passée. — De ce refus vous me rendrez raison, dit messire Lamorat, dès que je jugerai le moment venu. »

CHAPITRE XXXIV

Comment messire Lamorat envoya une corne au roi Marc pour se venger de messire Tristan, et comment celui-ci fut contraint d'entrer dans une chapelle

ADONC messire Lamorat s'en alla, en compagnie de messire Driant. Chemin faisant, ils rencontrèrent un chevalier qui était envoyé au roi Arthur de la part de Morgane la Fée. Ce chevalier détenait une belle corne garnie d'or. La corne avait cette vertu que nulle dame, quelle que fût sa naissance, ne pouvait y boire que si elle était fidèle à son époux. Si elle était déloyale, elle renversait tout le contenu. Par contre, si elle était loyale envers son seigneur, elle pouvait boire en paix. À cause de la reine Guenièvre, et pour se venger de messire Lancelot, on envoyait cette corne au roi Arthur. Par la force, messire Lamorat obligea ce chevalier à lui révéler la raison pour laquelle il portait cette corne. « À présent, tu vas bien porter cette corne, dit Lamorat, mais ce sera au roi Marc. Sinon tu choisis de mourir. Je te le dis sans détour. Pour faire sentir à messire Tristan ma colère et répréhension, tu vas porter cette corne au roi Marc, son oncle, et tu lui diras que je la lui envoie pour mettre sa dame à l'épreuve. Si elle lui est fidèle, il le saura par ce moyen. »

Adonc le chevalier alla devers le roi Marc. Il lui apporta la corne de grand prix et lui dit que c'était messire Lamorat qui la lui envoyait. Il lui expliqua la vertu de cette corne. Lors le roi contraignit la reine Yseut à boire dans ladite corne, ainsi que cent dames, et il n'y en eut que quatre parmi toutes celles-là qui purent boire sans rien renverser. « Hélas! s'exclama le roi Marc, quel outrage! » Et il jura ses grands dieux que la reine serait brûlée, de même que les autres dames. Les barons alors s'assemblèrent. Ils dirent clairement qu'ils ne souffriraient point que ces dames fussent brûlées à cause d'une corne faite par sorcellerie et qui venait d'une sorcière et magicienne, dont la fourberie n'avait rien à envier à celle de quiconque. La corne en question n'avait jamais fait nul bien, mais au contraire avait été source de querelles et différends, et toujours dans sa vie ladite reine avait été l'ennemie de tous les amants loyaux. Or donc plus d'un chevalier fit serment que si jamais ils rencontraient Morgane la Fée, ils manqueraient à la courtoisie. Messire Tristan aussi s'emporta furieusement de ce que messire Lamorat eût envoyé cette corne au roi Marc, car il savait bien que cela avait été fait pour lui nuire. Il songea donc à se venger de messire Lamorat.

Messire Tristan alors rendait visite à la reine Yseut de jour et de nuit, lorsqu'il le pouvait. Cependant, toujours messire Andret, son cousin, le surveillait, nuit et jour, afin de le surprendre en compagnie de la Belle Yseut. Il advint donc qu'une nuit messire Andret sut l'heure précise à laquelle messire Tristan irait voir sa dame. Il se fit accompagner de douze chevaliers et à minuit, secrètement et soudainement, il assaillit messire Tristan. Celui-ci fut surpris avec la Belle Yseut nu et au lit. Il fut lié pieds et poings et maintenu ainsi jusqu'au matin.

Lors, avec l'assentiment du roi Marc, de messire Andret et de certains barons, messire Tristan fut mené dans une chapelle qui s'élevait sur les rochers au bord de la mer, afin d'y entendre sa sentence. Il y fut conduit garrotté, sous une escorte de quarante chevaliers. Lorsqu'il vit qu'il n'y avait nul remède et qu'assurément il lui faudrait mourir, il dit : « Gentils seigneurs, rappelez-vous ce que j'ai fait pour ce pays de Cornouailles et en quel péril je me suis mis pour votre bien à tous. Lorsque j'ai combattu, pour épargner leur tribut aux Cornouailles, avec messire Marehaut, le valeureux chevalier, on m'avait promis meilleure récompense. Vous tous, vous aviez refusé le combat. Or donc, si vous êtes de gentils et charitables seigneurs, ne souffrez point que je sois ainsi honteusement mis à mort, car c'est indignité pour toute la chevalerie que le spectacle de cette mort infâme — alors que, je le prétends, ajouta messire Tristan, je n'ai jamais rencontré nul chevalier sans montrer un mérite égal au sien, ou plus grand. — Fi donc ! s'écria messire Andret, fourbe et traître que tu es, avec toutes tes vantardises ! Malgré ces paroles de fier-à-bras, tu mourras aujourd'hui même. — Oh ! Andret,

Andret, dit messire Tristan, tu devrais te conduire avec moi en parent, et tu fais montre de beaucoup d'inimitié. Mais si nous étions seuls, toi et moi, tu ne me ferais point mourir. — Si fait ! » s'écria messire Andret. Là-dessus il dégaina son épée et s'apprêta à le tuer.

Lorsque messire Tristan vit messire Andret prendre un tel visage, il porta son regard sur ses propres mains, qui étaient solidement attachées aux bras de deux chevaliers. Tout à coup il les tira tous deux vers lui. Il rendit ses deux mains libres. Lors il bondit sur son cousin, messire Andret, et lui arracha son épée. Ensuite il le frappa. Messire Andret s'affaissa sur le sol. Puis Tristan combattit jusqu'à ce qu'il eût occis dix chevaliers. Pour lors il avait à lui la chapelle et la tenait efficacement. Le bruit s'en répandit, et des gens accoururent auprès de messire Andret, plus d'une centaine. Quand messire Tristan vit tout ce peuple accourir vers lui, il se rappela qu'il était sans armure. Il ferma bien la porte de la chapelle. Il brisa les barreaux d'une fenêtre, sauta dehors et tomba sur les rochers dans la mer. Ni messire Andret ni aucun de ses compagnons ne purent alors arriver jusqu'à lui.

CHAPITRE XXXV

Comment messire Tristan reçut le secours de ses gens, comment la reine Yseut fut mise dans un abri de lépreux, et comment Tristan fut blessé

ADONC, lorsqu'ils furent séparés, Gouvernail, messire Lambéguet et messire Nicorant le Pauvre, qui étaient gens de messire Tristan, se mirent à la recherche de leur maître. Quand ils entendirent qu'il s'était échappé, ils en furent fort satisfaits. Ils le trouvèrent sur les rochers et, en nouant des draps, ils le remontèrent. Messire Tristan leur demanda où était la Belle Yseut, car il pensait qu'on avait pu l'enlever au parti d'Andret. « Messire, dit Gouvernail, on l'a mise dans un abri de lépreux. — Hélas! s'exclama messire Tristan, c'est l'endroit le plus malséant qui soit pour une dame d'une aussi grande beauté et, si j'en ai le pouvoir, j'aurai tôt fait de la tirer de là. » Il s'entoura donc de ses gens et alla où était la Belle Yseut. Il la fit sortir, la mena dans une forêt à un beau manoir et y demeura avec elle. Le valeureux chevalier demanda alors à ses serviteurs de le quitter. « À l'heure qu'il est, leur dit-il, je ne puis vous être utile. » Ils partirent tous, à l'exception de Gouvernail.

Un jour que messire Tristan était allé dans la forêt pour se divertir, il lui arriva de céder au sommeil. Survint alors un homme dont auparavant messire Tristan avait occis le frère. Lorsque cet homme le vit, il lui transperça l'épaule d'une flèche. Messire Tristan se leva en sursaut et tua cet homme. Cependant on avait appris au roi Marc que messire Tristan et la Belle Yseut se trouvaient ensemble dans le manoir susdit. Aussitôt qu'il le put, le roi s'y rendit avec beaucoup de chevaliers pour en finir avec messire Tristan. À son arrivée, il ne le trouva point. Il emmena la Belle Yseut en sa demeure et l'y garda recluse, si bien qu'elle ne put rien savoir de Tristan ni lui envoyer de message, et lui non plus ne put rien faire. Lorsqu'il approcha du vieux manoir, il vit les traces qu'avaient laissées de nombreux chevaux et sut par là que sa dame était partie.

Lors messire Tristan en conçut un chagrin immense. Il souffrit aussi beaucoup et longtemps de la blessure causée par la flèche dont il avait été frappé, car elle était empoisonnée. Cependant la Belle Yseut s'avisa d'employer une dame, qui était cousine de dame Brangien. Cette dame vint à messire Tristan et lui dit qu'il ne pourrait guérir de nulle façon. « Votre dame, la Belle Yseut, n'est pas en mesure de vous porter aide. Elle vous demande donc d'aller en diligence en Bretagne chez le roi Hoël. Là vous trouverez sa fille, Yseut aux Blanches Mains. Elle vous aidera. »

Messire Tristan et Gouvernail se procurèrent un navire et firent voile jusqu'en Bretagne. Quand le roi Hoël sut que messire Tristan était à bord, il en fut très heureux. « Messire, lui dit Tristan, je suis venu dans ce pays pour y avoir le secours de votre fille, car on me dit que nul autre qu'elle n'a pouvoir de me guérir. » C'est ainsi que peu après elle le délivra de son mal.

CHAPITRE XXXVI

Comment messire Tristan servit à la guerre le roi Hoël de Bretagne et occit l'adversaire de celui-ci sur le champ de bataille

IL Y AVAIT un comte du nom d'Agripes. Ce comte menait une dure guerre contre le roi Hoël. Il eut le dessus et l'assiégea. Un jour, messire Cahédin, qui était fils du roi Hoël, en faisant une sortie fut gravement blessé. Il faillit en mourir. Lors Gouvernail alla devers le roi et lui dit : « Sire, je vous conseille de demander à mon seigneur, messire Tristan, de vous aider en votre besoin. — Je suivrai ton conseil », répondit le roi. Adonc il alla trouver messire Tristan et le pria de lui porter aide en ses combats. « Mon fils, messire Cahédin, n'est pas en état de se transporter sur le champ de bataille. — Sire, répondit Tristan, j'irai et ferai ce que je pourrai. »

Messire Tristan saillit alors de la ville avec autant de gens qu'il en put réunir, et il accomplit de tels exploits que toute la Bretagne parla de lui. Fin de compte, par la force et la puissance de son bras, lui-même il occit le comte Agripes et le même jour fit périr plus de cent chevaliers. Il fut reçu avec honneur par les habitants en cortège. Le roi Hoël le prit en ses bras et lui dit : « Messire Tristan, je vous abandonne la totalité de mon royaume. — Dieu me garde d'y souscrire, repartit messire Tristan, car je vous suis redevable pour ce qu'a fait votre fille. Je suis tenu de vous aider. »

Ensuite, grâce au roi Hoël et à Cahédin, son fils, qui y travaillèrent efficacement, firent des offres tentantes, Yseut aux Blanches Mains et messire Tristan en vinrent à s'aimer grandement. La dame était sage et belle, de sang noble et de grand renom. Messire Tristan eut tel accueil et tant de richesses, de même que toutes sortes de plaisirs, qu'il en oublia presque la Belle Yseut. Et c'est ainsi qu'un jour il accepta d'épouser Yseut aux Blanches Mains. À la fin finale ils se marièrent, et le mariage se fit en grande cérémonie.

Quand ils furent au lit tous deux, messire Tristan se ressouvint de sa dame de naguère, la Belle Yseut. L'idée le prit soudainement, et il en fut tout consterné. Il ne put faire d'autre accueil à son épouse que baisers et embrassements. Les autres appétits de la chair, il n'y songeait pas et ne chercha point à jouir d'elle. C'est ce qu'en dit le livre français. Il dit aussi que la dame crut qu'il n'était d'autre plaisir que de baisers et embrassements.

Cependant il y avait en Bretagne un chevalier du nom de Supinabel. Il franchit la mer et arriva en Angleterre. Il vint à la cour du roi Arthur et là fit rencontre de messire Lancelot du Lac. Il l'informa du mariage de messire Tristan. Messire Lancelot dit alors : « Fi donc ! comment un chevalier de la noblesse de messire Tristan peut-il se montrer aussi déloyal envers sa première dame, la Belle Yseut, la reine des Cornouailles ? Mais dites-lui bien ceci, ajouta messire Lancelot : de tous les chevaliers au monde, c'est lui que j'aimais le mieux. C'est lui qui me donnait le plus de joie, et tout cela à cause de ses nobles exploits. Qu'il sache que l'affection qu'il y avait entre lui et moi n'existe plus désormais et que de ce jour je lui donne à connaître qu'il est mon ennemi mortel ! »

CHAPITRE XXXVII

Comment messire Supinabel informa messire Tristan qu'il était perdu de réputation à la cour du roi Arthur, et de messire Lamorat

LORS messire Supinabel repartit pour la Bretagne. Là il alla trouver messire Tristan et lui apprit qu'il était allé à la cour du roi Arthur. Messire Tristan lui demanda : « Y parle-t-on de moi? — Par Dieu, répondit messire Supinabel, j'y ai entendu messire Lancelot dire de vous beaucoup de mal, que vous étiez un chevalier déloyal envers sa dame. Il m'a en outre requis de vous faire savoir qu'il sera pour vous un ennemi mortel, partout où il pourra vous rencontrer. — Je le déplore, dit Tristan, car c'était de tous les chevaliers celui aux côtés duquel j'avais le plus de plaisir à me trouver. » Adonc messire Tristan se désola grandement. Il eut honte que de nobles chevaliers allassent le décrier à cause de sa dame.

Cependant la Belle Yseut fit une lettre pour la reine Guenièvre, s'y plaignant de l'infidélité de messire Tristan et racontant comment il avait épousé la fille du roi de Bretagne. La reine Guenièvre lui envoya une lettre à son tour, lui disant de garder espoir, que la joie succéderait au chagrin. Messire Tristan, disait-elle, avait réputation d'être un chevalier d'une grande noblesse. Par artifices de sorcellerie, des dames faisaient en sorte de se faire épouser d'hommes aussi nobles que lui. Mais fin de compte, concluait-elle, les choses se passent de telle façon qu'il la détestera et vous aimera plus qu'il ne l'a jamais fait.

Laissons donc messire Tristan en Bretagne, et parlons de messire Lamorat de Galles. Tandis qu'il naviguait, son bateau rencontra un écueil. Tous périrent, hors lui et son écuyer. Lamorat nagea avec force jusqu'à la côte. Des pêcheurs de l'île du Servage le recueillirent. Son écuyer se noya. Les mariniers eurent beaucoup de peine à garder la vie sauve à messire Lamorat, en dépit de tous leurs soins.

Le seigneur de cette île était appelé messire Nabon le Noir. C'était un géant robuste et plein de vigueur. Ce messire Nabon avait en détestation tous les chevaliers du roi Arthur et de nulle manière ne voulait leur accorder de faveur. Lesdits pêcheurs mirent messire Lamorat au courant de toutes les façons de messire Nabon, disant que jamais ne venait en ces lieux un chevalier du roi Arthur sans qu'il le fît périr. Lors du dernier combat qu'il avait livré avait été tué messire Naimon le Petit, qu'il avait fait mourir d'une mort indigne en dépit du roi Arthur, car on l'avait écartelé. « Je déplore, dit messire Lamorat, la mort de ce chevalier, car il était mon cousin. Si j'étais en santé aussi bonne qu'il m'a été donné de l'être, j'en tirerais vengeance. — Paix ! dirent les pêcheurs. Tenez votre langue. N'oubliez pas qu'avant que vous partiez de cette île, il faudra bien que messire Nabon sache que vous êtes venu ici. Sinon nous mourrions à cause de vous. — Pourvu que je sois guéri, repartit messire Lamorat, du mal que j'ai pris en la mer, je veux que vous lui disiez que je suis chevalier du roi Arthur. La peur ne m'a jamais fait renier mon seigneur. »

CHAPITRE XXXVIII

Comment messire Tristan et son épouse arrivèrent en Galles, et comment il y rencontra messire Lamorat

À PRÉSENT, tournons-nous du côté de messire Tristan. Un jour, il prit une petite barque, en compagnie de son épouse, Yseut aux Blanches Mains, et de messire Cahédin, son frère, afin d'en tirer amusement le long des côtes. Lorsqu'ils furent éloignés de la terre, un vent se leva qui les poussa jusqu'à la côte de Galles, en cette même île du Servage où était messire Lamorat, et là leur barque se brisa contre les rochers. Dame Yseut fut blessée. Du mieux qu'ils purent, ils gagnèrent la forêt et là, près d'une fontaine, ils virent Ségurade et une demoiselle. On se salua. « Messire, dit Ségurade, je vous connais pour être messire Tristan de Léonois, l'homme au monde que j'ai le plus de raison de haïr, étant donné que vous avez mis fin à l'amour qu'il y avait entre mon épouse et moi. Cependant, pour ce qui est de cela, poursuivit-il, jamais je ne haïrai noble chevalier pour femme légère. Adonc, je vous prie, soyez mon ami et je serai le vôtre, autant que je pourrai. En effet, il faut que vous le sachiez, vous êtes dans ce val en grand danger, et nous aurons suffisamment à faire l'un et l'autre à nous porter assistance. »

Après quoi messire Ségurade conduisit messire Tristan à une dame qui était native des Cornouailles. Elle l'informa de tous les périls de cette vallée et que jamais chevalier n'y venait sans être fait prisonnier ou tué. « Sachez, gente dame, repartit messire Tristan, que j'ai occis messire Marehaut et délivré les Cornouailles du tribut qu'elles payaient à l'Irlande. C'est moi qui ai permis au roi d'Irlande d'échapper à messire Blanor de Gaunes, et c'est moi qui ai vaincu messire Palamède. Sachez que je suis messire Tristan de Léonois qui, par la grâce de Dieu, libérera cette infortunée île du Servage. » On fit donc bon accueil à messire Tristan. Puis quelqu'un lui dit qu'il y avait un chevalier du roi Arthur dont le bateau s'était brisé contre les rochers. « Quel est son nom ? demanda-t-il. — Nous n'en savons rien, répondirent les pêcheurs. Mais il ne fait pas mystère de ce qu'il est chevalier du roi Arthur, et du puissant seigneur de cette île il ne fait aucun cas. — Je vous en prie, dit messire Tristan, si vous le pouvez, amenez-le ici que je le voie, et s'il compte parmi les chevaliers du roi Arthur, je le reconnaîtrai. »

La dame alors pria les pêcheurs de conduire messire Tristan à la demeure de ce chevalier. Adonc, le lendemain matin, ils l'y menèrent, sous l'accoutrement d'un des leurs. Aussitôt que messire Tristan vit Lamorat, il sourit de le voir et le reconnut sans peine, mais lui ne le reconnut point. « Gentil seigneur, lui dit Tristan, il me semble à votre visage que vous étiez malade il y a peu de temps encore. Il me semble aussi que nous nous sommes déjà vus. — Il se peut, repartit messire Lamorat, que vous m'ayez vu et rencontré. — Gentil seigneur, dites-moi votre nom. — À une condition je vais vous le dire, c'est que vous me disiez si vous êtes ou non le seigneur de cette île, qu'on nomme Nabon le Noir. — Non, vraiment, je ne suis pas cet homme-là, ni ne tiens terre de lui. Je suis son ennemi, de même que vous l'êtes, et c'est ce qu'on verra avant que je quitte cette île. — Eh bien, puisque vous m'en avez tant dit, mon nom est messire Lamorat de Galles. Je suis fils du roi Pellinor. — Je vous crois, à vrai dire, volontiers, repartit messire Tristan, et si vous aviez dit autre chose, j'aurais su que ce n'était pas vrai. — Qui êtes-vous, demanda messire Lamorat, pour si bien me connaître ? — Je suis messire Tristan de Léonois.

— Ah ! messire, n'avez-vous pas gardé en mémoire la chute que vous m'avez fait subir autrefois, pour ensuite refuser de poursuivre le combat à pied ? — Ce ne fut pas parce que j'avais peur de vous, dit messire Tristan. Ce fut parce que j'eus honte alors de continuer à vous combattre. Il me paraissait que vous en aviez assez fait. Mais, messire Lamorat, en échange de ma bienveillance, il y eut plus d'une dame à connaître la honte, lorsque vous avez envoyé la corne de Morgane la Fée au roi Marc. — Eh bien, répondit-il, si c'était à refaire, je le referais, car j'aime mieux que discorde et querelle échoient à la cour du roi Marc plutôt qu'à celle d'Arthur. Les deux ne sont pas tenues en même estime. — Cela, dit Tristan, je le sais bien. Mais ce qui fut fait le fut afin de me nuire. Cependant toute votre méchanceté, Dieu soit loué, ne fit pas grandement souffrir. En conséquence, conclut-il, laissez là votre rancune, je ferai de même, et essayons d'acquérir de l'honneur, vous et moi, rien que nous, aux dépens de ce géant, messire Nabon le Noir, qui est seigneur de cette île, afin de le détruire. — Messire, lui dit Lamorat, à présent je vois bien ce qu'est votre chevalerie. Tout ce qu'on dit de vous ne saurait être mensonge. Par votre générosité, noblesse, honneur, vous êtes sans égal. En retour de votre courtoisie et civilité, j'ai été grossier envers vous. Maintenant je le regrette. »

CHAPITRE XXXIX

Comment messire Tristan combattit messire Nabon, eut la victoire et fit messire Ségurade seigneur de l'île

CEPENDANT on eut vent que messire Nabon avait fait crier que tous les habitants de cette île fussent à son château cinq jours plus tard. Au jour dit, le fils de Nabon devait être armé chevalier. Tous les chevaliers de cette vallée et des environs devaient être là pour les joutes, et tous ceux du royaume d'Angleterre pour jouter avec ceux de Norgalles. Il vint cinq cents chevaliers. Ceux du pays amenèrent messire Lamorat, messire Tristan, messire Cahédin et messire Ségurade, car ils n'osaient pas faire autrement. Messire Nabon prêta cheval et armure à messire Lamorat, à la demande de celui-ci. Messire Lamorat jouta et accomplit de telles prouesses que Nabon et tout le monde dirent que jamais ils n'avaient vu chevalier en accomplir de semblables. En effet, le livre français nous le raconte, il prit le meilleur à la joute sur la plupart des cinq cents chevaliers qui étaient là. Nul ne put lui résister et demeurer en selle.

Lors messire Nabon offrit de prendre part au même jeu que lui (« car, dit-il, je n'avais jamais vu chevalier tant faire en un seul jour »). « Je veux bien, répondit messire Lamorat, poursuivre le jeu comme je le pourrai, mais je suis las et bien meurtri. » Chacun se saisit d'une lance. Nabon ne chercha pas à rencontrer messire Lamorat. Il heurta son cheval au front et le tua. Messire Lamorat alors continua à pied. Il se couvrit de son bouclier et dégaina son épée. Ce fut le commencement d'un âpre combat sans les chevaux. Messire Lamorat cependant était si meurtri et essoufflé qu'il attaquait et esquivait tout en reculant quelque peu. « Gentil compagnon, lui dit messire Nabon, suspends tes coups et je te montrerai plus de courtoisie que jamais je n'en montrai à nul chevalier. J'ai vu aujourd'hui la noblesse de ta chevalerie. Tiens-toi à l'écart, et je vais voir s'il y a dans ton camp quelqu'un qui veut se mesurer à moi. »

Lorsque messire Tristan entendit cela, il s'avança et dit : « Nabon, prête-moi un cheval, une bonne armure, et je me battrai avec toi. — C'est bien, l'ami, lui repartit messire Nabon, va à ce pavillon là-bas, arme-toi de ce que tu pourras y trouver de meilleur, et je jouerai avec toi à un jeu qui te surprendra. » Lors messire Tristan : « Veille à bien jouer, sinon il se pourrait que je t'en apprenne un que tu ne connais pas. — C'est bien parlé, l'ami », lui dit messire Nabon. Adonc, lorsque messire Tristan fut armé à sa convenance, avec bon bouclier et bonne épée, il fit face à Nabon à pied. Il savait bien que messire Nabon ne supportait pas d'être heurté d'une lance et que pour cette raison il abattait toutes les montures des chevaliers. « À présent, gentil compagnon, dit messire Nabon, jouons. »

Or donc longuement ils combattirent à pied, un pas en avant, un pas de côté, attaquant et frappant d'estoc, et cela longtemps, sans prendre de repos. Finalement messire Nabon pria son adversaire de lui dire son nom. « Sire chevalier, sache que mon nom est messire Tristan de Léonois, chevalier de Cornouailles au service du roi Marc. — Tu es le bienvenu, car de tous les chevaliers, c'est toi que j'ai le plus désiré combattre, toi ou messire Lancelot. » Ils s'assaillirent alors avec ardeur. Messire Tristan tua messire Nabon. Aussitôt il bondit sur le fils de celui-ci et lui trancha la tête. Lors tous s'écrièrent qu'ils voulaient messire Tristan pour leur suzerain.

« Non, répondit-il, je m'y refuse. Voici un chevalier de haut mérite, messire Lamorat de Galles. C'est lui qui à ma place sera le seigneur de ce pays, car il accomplit céans de grands exploits. — Point du tout, dit messire Lamorat. Je ne veux pas être le seigneur ici. Je ne l'ai pas mérité autant que vous. Donnez cette seigneurie à qui vous voudrez. Moi, je n'en veux pas. — Eh bien, décida messire Tristan, puisque ni vous ni moi n'en voulons, donnons-la à quelqu'un d'autre qui n'y a point autant de titre. — Comme il vous plaira, dit Ségurade. C'est vous qui donnez. Mais je ne veux rien recevoir comme si j'y avais quelque droit. » On bailla donc la seigneurie à Ségurade, qui les en remercia. C'est ainsi qu'il devint seigneur de ces terres et les gouverna dans l'honneur.

Ségurade fit pour lors remettre en liberté tous les prisonniers et régner l'ordre en cette vallée. Puis il retourna en Cornouailles et conta au roi Marc et à la Belle Yseut comment messire Tristan l'avait élevé à la seigneurie de l'île du Servage. Il publia par tout le pays les aventures des deux chevaliers, Tristan et Lamorat, si bien que nul n'en ignora rien. Mais grande fut la douleur de la Belle Yseut quand elle entendit que messire Tristan était marié à Yseut aux Blanches Mains.

CHAPITRE XL

Comment messire Lamorat quitta messire Tristan,
et comment il fit rencontre de messire Frolles, puis de messire Lancelot

MAINTENANT tournons-nous du côté de messire Lamorat, qui chevauchait devers la cour d'Arthur. L'épouse de messire Tristan et Cahédin prirent un vaisseau et firent voile jusqu'en Bretagne, chez le roi Hoël, où on leur fit bon accueil. Quand le roi ouït parler de ces aventures, il s'ébahit de la noblesse de ces exploits. Mais passons à messire Lamorat. Lorsqu'il eut quitté messire Tristan, il sortit de la forêt et arriva à un ermitage. Quand l'ermite le vit, il lui demanda d'où il venait. « Messire, répondit-il, je viens de cette vallée. — Messire, je m'en étonne, car en vingt ans je n'ai jamais vu de chevalier passer par là sans y être tué, ou gravement blessé, ou encore retenu malheureux prisonnier. — Ces fâcheuses coutumes, dit messire Lamorat, ont pris fin. Messire Tristan a occis votre seigneur, messire Nabon, de même que son fils. » L'ermite s'en réjouit, ainsi que ceux de sa confrérie. Il dit que jamais il n'y avait eu semblable tyran parmi des chrétiens. « C'est pourquoi, ajouta-t-il, cette vallée et ce sanctuaire, nous les tiendrons désormais de messire Tristan. »

Adonc, le lendemain matin, messire Lamorat s'en alla. Chemin faisant, il vit quatre chevaliers aux prises avec un seul. Ce chevalier seul se défendait bien. Mais fin de compte les quatre autres le mirent à terre. Messire Lamorat s'interposa. Il leur demanda pourquoi ils voulaient tuer ce chevalier sans aide. Il dit que c'était indigne, quatre contre un. « Sache bien, repartirent les quatre chevaliers, qu'il est perfide. — C'est ce que vous dites, répliqua messire Lamorat. Quand je l'aurai entendu à son tour, il se peut que je sois de votre avis. »

Lors messire Lamorat : « Ah ! chevalier, ne vous est-il pas possible de vous innocenter ? On dit que vous êtes un perfide chevalier. — Messire, je puis m'innocenter, tant de ma langue que de mon bras. Je prouverai mon innocence aux dépens du meilleur d'entre eux, seul contre seul. » Lors tous d'un commun accord : « Nous n'allons pas mettre en péril notre vie à cause de toi. Sache bien pourtant que, même si le roi Arthur en personne était présent, il ne serait pas en son pouvoir de te sauver la vie. — C'est parler avec excès, repartit messire Lamorat, mais beaucoup sont plus bavards derrière le dos d'un homme qu'ils ne le sont à sa barbe. Vos paroles m'obligent à vous faire connaître qu'à la cour du roi Arthur je suis l'un des moindres. Pour l'honneur de mon seigneur, à présent faites de votre mieux, et en dépit de vous je sauverai cet homme. »

Lors tous ensemble ils assaillirent messire Lamorat. Mais deux coups d'épée lui suffirent incontinent pour en tuer deux. Les deux autres s'enfuirent. Messire Lamorat alors se tourna vers le chevalier qu'ils avaient voulu occire. Il lui demanda son nom. « Messire, répondit-il, mon nom est messire Frolles des Iles Lointaines. » Puis il chevaucha aux côtés de messire Lamorat et lui tint compagnie. Chemin faisant, ils virent un beau chevalier qui s'avançait au-devant d'eux. Il était de blanc vêtu. « Ah ! s'exclama Frolles, ce chevalier, il y a peu, a jouté avec moi et m'a renversé. Je vais jouter avec lui. — Vous n'en ferez rien, repartit messire Lamorat, si vous voulez mon avis, à moins que vous ne m'informiez de votre querelle et me disiez si ce fut à sa requête ou à la vôtre que vous avez jouté. — Ce fut à ma requête. — Messire, jugea alors messire Lamorat, mon conseil sera que vous ne cherchiez plus à avoir affaire à lui, car il me paraît à sa mine que c'est un noble chevalier, et non point un bouffon. Il pourrait bien être de la Table Ronde. — Raison de plus pour ne pas renoncer », dit messire Frolles. Il lança alors : « Sire chevalier, tenez-vous prêt à jouter. — Cela n'est point nécessaire, repartit le Chevalier Blanc. Je n'ai nulle envie de jouter avec vous. » Nonobstant ils couchèrent leurs lances. Le Chevalier Blanc renversa messire Frolles, puis il continua son chemin sans se presser.

Lors messire Lamorat courut après lui et le pria de lui dire son nom « car il me semble que vous êtes de la compagnie de la Table Ronde ». L'autre répondit : « À une condition je vous dirai mon nom, c'est que vous ne le découvriez point. Il faut aussi que vous me donniez le vôtre. — Je me nomme messire Lamorat de Galles. — Moi, messire Lancelot du Lac. » Ils remirent alors leurs épées au fourreau et s'embrassèrent de bon cœur. L'un et l'autre avaient grande joie de se revoir. « Messire, dit messire Lamorat, si vous le voulez bien, je vais me mettre à votre service. — Dieu garde, repartit messire Lancelot, qu'un homme d'un sang aussi noble que le vôtre se mette à mon service. » Puis il ajouta : « En outre, je suis engagé dans une quête qu'il me faut poursuivre seul. — Dieu vous aide ! » dit messire Lamorat. Là-dessus ils se séparèrent.

Après quoi messire Lamorat revint à messire Frolles et le remit en selle. « Quel chevalier est-ce donc ? demanda messire Frolles. — Messire, il ne vous appartient pas de le connaître, et on ne m'a pas chargé de vous le dire. — Vous n'en montrez que moins de courtoisie. Adonc je vous quitterai. — Faites comme bon vous semble, répondit messire Lamorat, et cependant à ma compagnie vous devez d'avoir sauvé ce qui vous est le plus cher. » Là-dessus ils s'en allèrent, chacun de son côté.

CHAPITRE XLI

Comment messire Lamorat occit messire Frolles, et du combat courtois qu'il livra à messire Bélinant, son frère

ENSUITE, avant deux ou trois jours, messire Lamorat trouva un chevalier endormi auprès d'une fontaine. Sa dame était assise à ses côtés. Elle s'éveilla. Survint alors messire Gauvain. Il prit la dame du chevalier et la mit en croupe derrière son écuyer. Messire Lamorat poursuivit messire Gauvain. Il lui dit : « Messire Gauvain, faites demi-tour. » Celui-ci lui répliqua : « Que me voulez-vous ? Je suis neveu du roi Arthur. — Messire, c'est pour cela que je vous épargnerai. Mais cette dame demeurera sous ma protection ou vous jouterez avec moi. » Messire Gauvain fit alors volte-face et courut sus au chevalier dont il avait pris la dame, la lance en arrêt. Mais celui-ci par sa seule force le renversa et reprit sa dame. Rien de tout cela n'échappa à messire Lamorat. Il se dit : « Si je ne venge pas mon compagnon, il médira de moi à la cour d'Arthur. » Il revint donc en arrière et offrit au chevalier vainqueur de jouter avec lui. « Messire, répondit celui-ci, je suis prêt. » Ils se heurtèrent de toutes leurs forces. Messire Lamorat transperça les deux flancs de son adversaire. Il tomba en terre raide mort.

Après quoi la dame alla trouver le frère de ce chevalier qui avait perdu la vie. Il s'appelait Bélinant l'Orgueilleux. Il habitait non loin de là.

Elle lui conta comment son frère avait été tué. « Hélas ! s'écria-t-il. Je me vengerai. » Il enfourcha son cheval et s'arma. Bientôt il rejoignit messire Lamorat. Il lui dit : « Demi-tour, et ne touche plus à cette dame. Toi et moi allons jouer à un jeu d'une autre sorte. Tu as tué mon frère, messire Frolles. Il était meilleur chevalier que tu n'as jamais été. — Cela se peut, repartit messire Lamorat, mais aujourd'hui sur le terrain de la rencontre, c'est moi qui suis apparu le meilleur. » Adonc ils se heurtèrent et se désarçonnèrent. Ils ajustèrent leurs écus, dégainèrent leurs épées et combattirent en nobles chevaliers au mérite éprouvé, l'espace de deux heures.

Lors messire Bélinant pria Lamorat de lui donner son nom. « Messire, répondit-il, mon nom est messire Lamorat de Galles. — Ah ! s'exclama messire Bélinant, tu es l'homme au monde que je déteste le plus. J'ai occis mes fils à cause de toi, je t'ai sauvé la vie, et maintenant tu viens de tuer mon frère, messire Frolles. Las ! comment pourrais-je jamais m'accorder avec toi ? Adonc en garde ! Tu vas mourir. Il n'y a point de remède. — Hélas ! gémit messire Lamorat. Je ne vois pas comment je pourrais ne pas vous reconnaître. Vous êtes l'homme qui a fait le plus pour moi. » Là-dessus il s'agenouilla et lui demanda merci. « Lève-toi, ordonna messire Bélinant. Sans quoi, tel que tu es, à genoux, je vais te tuer. — Cela ne sera point nécessaire. Je me rends à vous, non que je vous craigne, non à cause de votre force, mais votre bonté fait que je répugne fort à me battre avec vous. — Las ! s'écria Bélinant, cesse de te mettre à genoux, ou je vais t'occire sans merci. »

Adonc ils retournèrent se battre. Chacun blessa l'autre si bien que le sol était couvert de sang, partout où ils se battaient. Finalement Bélinant se retira à l'écart et s'en fut s'asseoir sur une petite butte. Il était si faible du sang qu'il avait perdu qu'il ne pouvait plus se tenir debout. Messire Lamorat rejeta son écu derrière son dos et lui demanda comment il allait. « Bien, répondit-il. — Ah ! messire, nonobstant je veux vous marquer de la faveur en votre détresse. — Chevalier, repartit messire Bélinant, tu n'es qu'un sot, car si je te tenais dans une situation comme la mienne, je te tuerais. Mais ta générosité est si haute et si grande qu'il me faut bien renoncer à ma rancune. »

Lors messire Lamorat s'agenouilla. Il délaça la visière du heaume de Bélinant, puis la sienne, et ils s'embrassèrent en versant des larmes. Messire Lamorat conduisit messire Bélinant dans une abbaye, non loin de là. Quand ils y furent, Lamorat refusa de quitter Bélinant avant qu'il fût guéri. Ils se jurèrent alors de ne plus jamais se combattre. Messire Lamorat partit pour se rendre à la cour du roi Arthur.

Ici nous abandonnons messire Lamorat et messire Tristan,
et commence l'histoire de la Cotte Mal Taillée.

LIVRE NEUVIÈME

La Cotte Mal Taillée
Tristan et Yseut

CHAPITRE I

Comment un jeune homme s'en vint à la cour du roi Arthur, et comment par mépris messire Keu l'appela la Cotte Mal Taillée

À LA COUR du roi Arthur il vint un jeune homme de large carrure et richement vêtu. Il désira du roi être fait chevalier. Cependant son vêtement de dessus, sa cotte d'armes, était sur lui de travers, nonobstant qu'elle fût de beau drap d'or. « Quel est votre nom ? demanda le roi Arthur. — Sire, mon nom est Brunor le Noir, et avant longtemps vous saurez que je suis de bonne lignée. — Cela se peut, dit messire Keu le sénéchal, mais pour se moquer on vous appellera la Cotte Mal Taillée. — Vous me demandez beaucoup, reprit le roi. Et comment se fait-il que vous portiez ce riche vêtement ? Dites-le-moi, car j'imagine que vous avez une bonne raison. — Sire, répondit-il, j'avais un père, un noble chevalier. Un jour qu'il était à la chasse, il lui advint de s'étendre à terre pour y dormir. Survint alors un autre chevalier, qui était depuis longtemps son ennemi. Lorsqu'il le vit qui dormait profondément, il lui tailla le corps en pièces. C'est ce même vêtement que portait alors mon père, et c'est cela qui fait qu'il me va si mal. Les coups qui ont été donnés s'y voient encore, tels que lorsque je le trouvai. Jamais je n'y changerai rien. C'est pour garder en mémoire la mort de mon père que je porte cette cotte, et je la garderai aussi longtemps que je ne me serai point vengé. Et c'est parce que l'on dit de vous que vous êtes le roi le plus noble du monde que je viens à vous pour que vous me fassiez chevalier.

— Sire, intervinrent messire Lamorat et messire Guerrehet, il serait

bon de l'adouber. Il semble à sa personne et à son visage qu'il fera un homme de mérite et un bon chevalier, vigoureux. Et, Sire, si vous vous en souvenez, c'était même allure qu'avait messire Lancelot du Lac quand il vint d'abord en cette cour, et fort peu d'entre nous savaient d'où il venait. Or maintenant il est celui qui s'est acquis le plus d'honneur au monde. Toute votre cour et toute votre Table Ronde doivent à messire Lancelot plus d'ornement et de réputation qu'à tout autre chevalier, quel qu'il soit.
— C'est vérité, dit le roi. Demain, à votre requête, je l'adouberai. »

Le lendemain, on trouva les traces d'un cerf. Le roi Arthur alla tuer le cerf avec une petite troupe de ses chevaliers. Le jeune homme que messire Keu avait appelé la Cotte Mal Taillée fut laissé en arrière dans la compagnie de la reine Guenièvre. Par aventure, soudainement, un horrible lion, que l'on gardait dans une forte tour de pierre, alors rompit ses liens et s'élança dedans la salle où se trouvaient la reine et ses chevaliers. Lorsque la reine vit le lion, elle se mit à crier et à fuir et adjura ses chevaliers de venir à son secours. Il n'y en eut que douze qui demeurèrent. Tous les autres prirent la fuite.

Lors s'écria la Cotte Mal Taillée : « À présent, je vois bien que tous les chevaliers poltrons ne sont pas morts. » Là-dessus il tira son épée et se plaça devant le lion. Le lion ouvrit la gueule toute grande et se dressa debout devant lui pour le tuer. La Cotte Mal Taillée alors lui porta un tel coup au mitan de la tête qu'il la fendit en deux et que le lion s'effondra sur le sol. On dit à la reine que le jeune homme que par mépris messire Keu avait appelé la Cotte Mal Taillée avait tué la bête. Sur ces entrefaites, le roi rentra chez lui. Lorsque la reine lui conta l'aventure, il en fut fort satisfait. Il dit : « Je mets ma tête à couper qu'il fera un homme plein de noblesse, ainsi qu'un chevalier loyal et fidèle à ses engagements. » Sur-le-champ il l'adouba.

« À présent, Sire, dit ce jeune chevalier, je vais vous requérir, ainsi que tous les chevaliers de votre cour, de ne me donner d'autre nom que la Cotte Mal Taillée. Puisque messire Keu m'a ainsi nommé, c'est ainsi que je veux qu'on me nomme. — J'y consens volontiers », dit le roi.

CHAPITRE II

Comment une demoiselle vint à la cour et désira qu'un chevalier se chargeât d'une quête, que la Cotte Mal Taillée entreprit

LE MÊME JOUR il vint à la cour une demoiselle. Elle avait avec elle un grand écu de couleur noire. Au mitan de l'écu une main tenait une épée. Il n'y avait en l'écu nulle autre représentation. Quand le roi Arthur vit cette demoiselle, il lui demanda d'où elle venait et ce qu'elle voulait. « Sire, répondit-elle, j'ai chevauché avec cet écu, longtemps et mainte journée, par toutes sortes de chemins. C'est lui qui m'amène à votre cour. Un valeureux chevalier possédait cet écu. Il avait entrepris d'accomplir une grande prouesse afin de le faire tout à fait sien. Or il eut la mauvaise fortune que tout soudain un autre chevalier, plein de force lui aussi, par aventure se heurtât à lui. Ils combattirent longuement. Ils se blessèrent l'un et l'autre fort gravement. Leur fatigue était telle qu'ils arrêtèrent le combat, sans avantage de part ou d'autre. Le chevalier qui possédait cet écu pensa qu'il ne pouvait échapper à la mort. Lors il m'ordonna de porter son bouclier à la cour du roi Arthur, sollicitant et priant quelque valeureux chevalier de le prendre et de mener à bien la quête qu'il poursuivait.

« Alors, que pensez-vous de cette quête? demanda le roi Arthur. Y a-t-il ici quelqu'un parmi vous pour se charger de cet écu? » Il n'y eut personne qui ouvrît la bouche. Lors messire Keu prit en main le bouclier. « Sire chevalier, dit la demoiselle, posez ce bouclier. Sachez bien qu'il n'est pas pour vous. Il doit être meilleur chevalier que vous ne l'êtes, celui qui aura cet écu. — Demoiselle, répliqua messire Keu, j'ai pris en main ce bouclier avec votre permission, soyez-en assurée, afin de mieux le voir mais non dans l'intention que vous dites. Cependant allez où bon vous semblera, je n'irai pas avec vous. »

Lors la demoiselle resta muette longtemps. Elle regarda plus d'un de ces chevaliers. Puis le chevalier qu'on appelait la Cotte Mal Taillée prit la parole : « Gente demoiselle, je veux me charger de cet écu et de cette aventure, s'il m'est permis de connaître par où mon voyage peut se faire. Ce jour même, j'ai été armé chevalier. C'est pourquoi l'aventure me tente. — Quel est votre nom, gentil jouvenceau ? — Mon nom est la Cotte Mal Taillée. — C'est à bon droit qu'on peut te le donner, dit la demoiselle. Mais si tu es assez hardi pour entreprendre de porter cet écu et de me suivre, il faut que tu saches que ta peau sera taillée d'aussi belle manière que ta cotte. — Pour ce qui est de cela, répliqua-t-il, lorsque je serai taillé de la sorte, je ne vous demanderai pas d'onguent pour me guérir. »

Là-dessus arrivèrent à la cour deux écuyers. À la Cotte Mal Taillée ils amenaient de grands destriers, son armure, ses lances. Bientôt il fut armé et prit congé. « Je ne voudrais point que vous vous sentiez tenu par moi de vous engager dans cette difficile aventure, lui dit le roi. — Sire, répondit-il, cette aventure est la mienne. C'est la première que j'aie jamais tentée et je ne l'abandonnerai point, quoi qu'il puisse m'arriver. » Lors la demoiselle partit. La Cotte Mal Taillée ne tarda pas à la suivre. Peu après il la rejoignit, et aussitôt elle l'accabla des propos les plus injurieux.

CHAPITRE III

Comment la Cotte Mal Taillée renversa messire Daguenet, le fou du roi, et des reproches que cela lui valut de la part de la demoiselle

LORS messire Keu commanda à messire Daguenet, le fou du roi, de se mettre à la poursuite de la Cotte Mal Taillée. Il lui fit remettre un cheval, une armure, lui donna ordre de suivre la Cotte Mal Taillée et de lui proposer de jouter. Ce qu'il fit. Lorsqu'il vit la Cotte Mal Taillée, il lui cria de se tenir prêt à jouter avec lui. Messire la Cotte Mal Taillée le fit passer par-dessus la croupe de sa monture. La demoiselle alors se moqua de son compagnon. Elle lui dit : « Fi donc! à présent tu es perdu d'honneur à la cour d'Arthur. Ils t'envoient un fou pour combattre avec toi, et cela à ta première joute. » Elle chevaucha ainsi longtemps en lui faisant des reproches.

Peu après survint messire Bliobéris, le valeureux chevalier. Il jouta avec la Cotte Mal Taillée. Messire Bliobéris lui porta de sa lance un coup si rude que le cheval et tout le reste tombèrent au sol. La Cotte Mal Taillée alors se releva bien vite. Il se couvrit de son bouclier. Il tira son épée du fourreau. Il voulut combattre à outrance, tant il était furieux. « Non, non, lui dit messire Bliobéris. Pour lors je ne veux point combattre à pied. »

La Demoiselle Médisante se répandit en paroles injurieuses. Elle lui dit : « Fais demi-tour, poltron. — Ah! demoiselle, par pitié plus d'invectives! Je souffre suffisamment pour que vous n'y ajoutiez rien. Je ne m'estime point plus mauvais chevalier lorsqu'une bête vient à me manquer et ne fais pas moins de cas de mes capacités quand c'est messire Bliobéris qui me met à terre. » Ils firent route ensemble de cette manière deux jours durant. Lors par aventure survint messire Palamède. Il rencontra la Cotte Mal Taillée et le traita de même façon que Bliobéris deux jours plus tôt. « Que fais-tu donc ici en ma compagnie? demanda la

Demoiselle Médisante. Tu ne peux résister à nul chevalier. Nul coup qui ne te renverse, à moins qu'il ne vienne de messire Daguenet. — Ah ! gente demoiselle, je ne vaux pas moins d'avoir été renversé par messire Palamède. Je n'ai pas jusqu'ici connu de grand déshonneur, car ni Bliobéris ni Palamède n'ont voulu me combattre à pied. — Pour ce qui est de cela, répliqua la demoiselle, sache qu'ils n'ont cure ni souci de descendre de leurs chevaux pour se mesurer à un béjaune de chevalier de ton espèce. »

Sur ces entrefaites vint messire Mordret, le frère de messire Gauvain. Il se mit à tenir compagnie à la Demoiselle Médisante. Ils arrivèrent devant le Château Orgueilleux. La coutume y était que nul chevalier ne pouvait passer par là sans jouter ou être retenu prisonnier. Il y perdait au moins son harnois et sa monture. Deux chevaliers sortirent du château pour les rencontrer. Messire Mordret jouta avec le premier, qui le fit tomber de son cheval. Puis la Cotte Mal Taillée jouta avec le second. Chacun mit l'autre à terre, cheval et tout le reste. Quand ils se furent dégagés de leurs montures, ils remontèrent en selle sur le destrier de l'adversaire. La Cotte Mal Taillée courut sus au chevalier qui avait jeté au sol messire Mordret et jouta avec lui. Il lui infligea alors une blessure des plus graves. Il le culbuta, et il resta étendu comme s'il eût été mort. Après quoi messire la Cotte Mal Taillée se tourna vers celui qu'il avait rencontré auparavant, mais celui-là prit la fuite en direction du château. La Cotte Mal Taillée le poursuivit jusque dans le Château Orgueilleux et là le tua.

CHAPITRE IV

Comment la Cotte Mal Taillée combattit cent chevaliers, et comment il s'échappa grâce à une dame

AUSSITÔT cent chevaliers entourèrent la Cotte Mal Taillée et l'assaillirent. Quand il vit que son cheval allait être tué, il bondit à terre. Il plaça la bride sous les pieds du cheval et le fit sortir par le portail. Après quoi il s'élança au milieu des chevaliers et s'adossa au mur de la chambre d'une dame, pensant à part soi qu'il aimait mieux mourir avec honneur que d'encourir les paroles offensantes de la Demoiselle Médisante. Cependant qu'il demeurait ainsi à se battre, la dame dont c'était la chambre secrètement sortit par sa poterne. Hors les portes, elle trouva le cheval de la Cotte Mal Taillée. Vite, elle le prit par la bride et l'attacha à la poterne. Puis, toujours en cachette, elle retourna à sa chambre pour voir comment ce chevalier combattait, seul contre cent. Quand elle l'eut longtemps regardé, elle alla à une fenêtre derrière son dos et lui dit : « Chevalier, tu combats à merveille, nonobstant à la fin il te faudra mourir. Pourtant, si tu le peux, par ta grande vaillance, gagne cette poterne là-bas. Ton cheval t'y attend, que j'y ai attaché. Cependant sache que tu dois penser à ton honneur et non à la mort, car tu ne pourras parvenir à cette poterne que si tu combats avec force et courage. »

Quand la Cotte Mal Taillée entendit ces paroles, il serra son épée en ses mains, mit son écu fièrement devant lui et au cœur de la mêlée se fraya un chemin. Parvenu à la poterne, il trouva quatre chevaliers à l'attendre. De deux coups d'épée il en occit deux. Les autres s'enfuirent. Il arriva ainsi jusqu'à sa monture et réussit à s'éloigner. Comme ce fut exécuté, ce fut narré à la cour du roi Arthur, comment il avait tué douze chevaliers dans le Château Orgueilleux. Ensuite, il continua son chemin.

Cependant la demoiselle dit à messire Mordret : « Je crois que mon sot de chevalier est mort ou prisonnier. » Ils le virent alors qui chevauchait devers eux. Quand il fut venu, il leur conta ce qu'il avait fait et comment il s'était sauvé en dépit d'eux tous : « Certains, et des meilleurs, ne pourront jamais rien en dire. — Ce sont faussetés que tu racontes, repartit la demoiselle, je vous le certifie. Fol et poltron, indigne de toute chevalerie, c'est ainsi qu'ils t'ont laissé passer. — Apportez-en la preuve », dit la Cotte Mal Taillée.

Sur ce elle envoya un courrier, qui ne la quittait jamais, s'enquérir de la vérité de ces actions. Il fit diligence et demanda comment et de quelle manière la Cotte Mal Taillée avait pu sortir du château. Lors tous les chevaliers le maudirent : « Était-ce un homme ou un démon ? Il a occis céans douze des nôtres. Jusqu'à ce jour nous pensions que la tâche eût été trop lourde pour un Lancelot du Lac ou un Tristan de Léonois. En dépit de nous tous, il nous a échappé, et nous n'y avons rien pu faire. » Avec cette réponse le courrier repartit et vint à Médisante, sa dame. Il lui rapporta sans rien omettre tout ce que la Cotte Mal Taillée avait accompli au Château Orgueilleux. Elle baissa la tête et se tint coite.

« Par ma foi, dit messire Mordret à la demoiselle, vous êtes grandement à blâmer de l'injurier comme vous faites. Je puis vous l'assurer, c'est un chevalier de mérite, et je ne doute point qu'il fasse preuve de noblesse. À l'heure qu'il est, il n'a pas encore en selle une solide assiette. Pour être bon cavalier, il faut de la pratique et de l'exercice. Mais, quand il lui faut frapper de son épée, alors il est brave et puissant. Cela, messire Bliobéris et messire Palamède l'ont bien vu. Ce sont, sachez-le bien, des hommes d'armes pleins de ruse. Quand ils voient un jeune chevalier, à la façon dont il monte à cheval, ils savent aussitôt s'ils vont pouvoir le faire tomber ou lui porter un coup décisif. Mais, la plupart du temps, ils ne mettent pas pied à terre devant de jeunes chevaliers, car ceux-là sont vaillants et leur bras est vigoureux.

« De même manière, quand messire Lancelot du Lac fut adoubé, au commencement il eut souvent le dessous dans les combats à cheval. Mais toujours, à pied, il recouvrait son renom et tuait ou mettait à mal maint chevalier de la Table Ronde. La honte que messire Lancelot fit subir à plus d'un a fait réfléchir les hommes de mérite. Souvent j'ai vu des chevaliers, dont la valeur était ancienne et éprouvée, connaître la défaite et mourir des mains de jeunes gens novices. » Ils devisaient ainsi en chevauchant tranquillement.

Ici nous abandonnons un instant ce récit pour parler de messire Lancelot du Lac.

CHAPITRE V

Comment messire Lancelot arriva à la cour pour y entendre parler de la Cotte Mal Taillée, comment il partit à sa poursuite, et comment la Cotte Mal Taillée fut fait prisonnier

QUAND IL FUT ARRIVÉ à la cour du roi Arthur, lors messire Lancelot entendit parler du jeune chevalier la Cotte Mal Taillée, comment il avait tué le lion, pris à son compte l'aventure de l'écu de couleur noire, laquelle était en ce temps considérée comme celle au monde qui requérait le plus de hardiessse. « Sur mon salut, dit messire Lancelot à beaucoup de ses compagnons, ce fut indigne de la part de tous les nobles chevaliers de souffrir qu'un chevalier aussi jeune se chargeât d'une pareille aventure, qui doit le mener à sa perte. Je veux en effet que vous sachiez que cette Demoiselle Médisante, cela fait bien longtemps qu'elle porte cet écu avec elle, à la recherche des chevaliers les plus éprouvés. Ce fut à elle que Brun sans Pitié ravit ce bouclier. Puis Tristan de Léonois l'enleva à Brun et le rendit à la demoiselle, peu de temps avant qu'il combattît mon neveu, messire Blanor de Gaunes, dans une querelle qu'il y avait entre le roi d'Irlande et lui. » Lors maint chevalier eut regret que messire la Cotte Mal

Taillée se fût engagé dans cette aventure. « Vraiment, dit messire Lancelot, je suis décidé à me mettre à sa poursuite. »

Il ne s'écoula pas une semaine avant que messire Lancelot rejoignît la Cotte Mal Taillée. Il le salua, de même que la Demoiselle Médisante. Lorsque messire Mordret aperçut messire Lancelot, il renonça à leur compagnie. Messire Lancelot resta avec eux un jour durant. Sans cesse la Demoiselle Médisante outrageait de ses propos la Cotte Mal Taillée. Messire Lancelot finit par répondre à sa place. Elle arrêta d'injurier l'un pour injurier l'autre.

Cependant messire Tristan par une demoiselle envoya à messire Lancelot une lettre, où il se justifiait d'avoir épousé Yseut aux Blanches Mains. Il protestait dans sa lettre, sur sa foi de chevalier, n'avoir jamais fait avec elle œuvre de chair. Fort courtoisement et gracieusement, il écrivait à messire Lancelot, le suppliant tout au long de demeurer son fidèle ami, ainsi que l'ami de la Belle Yseut de Cornouailles, et le priant de donner ses raisons à la dame si jamais il la voyait. Avant peu, par la grâce de Dieu, écrivait messire Tristan, il parlerait à la Belle Yseut, et avec messire Lancelot très bientôt.

Lors messire Lancelot quitta la Demoiselle Médisante et la Cotte Mal Taillée, afin de relire cette lettre et d'en écrire une autre à messire Tristan de Léonois. Cependant la Cotte Mal Taillée et la demoiselle chevauchèrent et arrivèrent à un château qu'on appelait Pendragon. Six chevaliers se tenaient devant. L'un d'eux offrit de jouter avec la Cotte Mal Taillée. Celui-ci le fit passer par-dessus la croupe de son cheval. Les cinq autres alors assaillirent la Cotte Mal Taillée tous ensemble avec leurs lances. Ils le jetèrent au sol, ainsi que sa monture. Puis promptement ils mirent pied à terre, tous se saisirent de lui et le firent prisonnier.

Le lendemain matin messire Lancelot se leva. À la demoiselle de Tristan il confia des lettres pour son seigneur, puis partit à la recherche de la Cotte Mal Taillée. Chemin faisant, sur un pont, un chevalier lui offrit de jouter. Messire Lancelot le renversa. Après quoi ils combattirent à pied. Ce fut un noble combat et puissant. Finalement messire Lancelot choqua son adversaire, qui tomba sur les genoux et les mains, face contre terre. Il se rendit, et gracieusement messire Lancelot le reçut à merci. « Messire, dit le chevalier, je vous requiers de me donner votre nom, car mon cœur incline pour vous. — Non, repartit messire Lancelot, maintenant je ne vous dirai pas mon nom, à moins que vous ne me donniez le vôtre. — À la vérité, mon nom est messire Néronéans, qui fut fait chevalier par monseigneur Lancelot du Lac. — Ah ! Néronéans de l'Isle ! s'exclama messire Lancelot, je suis bien content que vous ayez fait la preuve de votre valeur de chevalier. Sachez que mon nom à moi est messire Lancelot du Lac. — Las ! gémit messire Néronéans de l'Isle, qu'ai-je donc fait ? » Et là-dessus il tomba de tout son long aux pieds de Lancelot et eût voulu les baiser. Mais celui-ci refusa de le laisser faire. Ils eurent grande joie l'un et l'autre à se retrouver. Messire Néronéans dit à messire Lancelot de ne pas approcher du château de Pendragon : « Il y a là un seigneur au bras redoutable, entouré de beaucoup de chevaliers. Cette nuit, j'ai entendu dire qu'ils avaient fait prisonnier la veille un chevalier, qui allait en compagnie d'une demoiselle et, à les en croire, il est de la Table Ronde. »

CHAPITRE VI

Comment messire Lancelot combattit avec six chevaliers, puis avec messire Briant, et comment il délivra les prisonniers

« AH ! fit messire Lancelot, ce chevalier est de mes compagnons ! Adonc je le sauverai ou j'y perdrai la vie. » Sur ce il chevaucha bon train et arriva devant le château de Pendragon. Aussitôt parurent six chevaliers qui se préparèrent à tomber sur lui tous ensemble. Il mit sa lance en arrêt. Il heurta le premier, si bien qu'il lui rompit l'échine. Trois autres voulurent le frapper, mais ils y faillirent tous les trois. Messire Lancelot alors passa au milieu d'eux. Promptement il fit volte-face. Il transperça un chevalier de sa lance. Elle traversa la poitrine et sortit par le dos de plus d'une aune. La lance se brisa. Lors tout le reste, les quatre chevaliers, dégainèrent leurs épées et se ruèrent sur messire Lancelot. Celui-ci porta ses coups, chacun d'eux, si justement qu'à quatre coups portés les quatre vidèrent les arçons, fort gravement blessés. Puis, sans attendre, il se précipita dans le château.

Incontinent le seigneur de ce château, qui avait nom messire Briant des Isles, lequel était gentilhomme et ennemi juré du roi Arthur, vite s'arma et enfourcha son cheval. Ils couchèrent leurs lances et se coururent sus avec tant de force que les deux destriers furent jetés à terre. Lors ils se dégagèrent de leurs selles, se couvrirent de leurs écus, tirèrent leurs épées du fourreau et s'élancèrent furieusement l'un contre l'autre. En peu de temps il y eut nombre de coups distribués. Finalement messire Lancelot frappa messire Briant si rudement qu'il tomba à genoux. Lors messire Lancelot bondit sur lui et en usant de toute sa force lui arracha son heaume. Quand messire Briant vit qu'il allait être tué, il se rendit et s'en remit à la merci et grâce de son adversaire.

Lors messire Lancelot le contraignit à délivrer tous les prisonniers qu'il avait en son château. Messire Lancelot y trouva de chevaliers d'Arthur trente, et quarante dames. Il leur rendit la liberté. Puis il continua son chemin. Aussitôt que la Cotte Mal Taillée fut dehors, il retrouva son cheval, son harnois et sa Demoiselle Médisante. Cependant messire Néronéans, avec lequel messire Lancelot avait combattu auparavant près du pont, envoya une demoiselle après Lancelot pour connaître le succès qu'il avait eu au château de Pendragon. Ceux qui étaient dedans le château s'étaient bien demandé à qui ils avaient eu affaire, cependant que messire Briant et ses chevaliers délivraient tous ces prisonniers. « N'en ayez nul étonnement, leur dit la demoiselle. C'est le meilleur chevalier au monde qui est venu ici et a accompli cette besogne. Sachez-le bien, leur dit-elle, c'était messire Lancelot. »

Messire Briant se réjouit grandement, de même que sa dame, et tous les chevaliers qui lui appartenaient, de savoir que pareil homme les avait défaits. Et quand la Cotte Mal Taillée et sa demoiselle comprirent que c'était lui qui avait chevauché à leurs côtés, leur avait tenu compagnie, quand elle se souvint qu'elle l'avait injurié et appelé poltron, lors elle en fut fort marrie.

CHAPITRE VII

Comment messire Lancelot retrouva la Demoiselle Médisante et lui donna le nom de Demoiselle Bienveillante

ADONC ils prirent leurs montures et chevauchèrent bon train pour rejoindre messire Lancelot. Ce fut fait avant deux lieues. Ils le saluèrent, le remercièrent. La demoiselle lui demanda pardon de ses méchancetés, disant : « À présent, je sais que la fine fleur de la chevalerie, c'est messire Tristan et vous, autant l'un que l'autre. Dieu sait, poursuivit-elle, que je vous ai longtemps cherché, monseigneur, ainsi que messire Tristan, et maintenant je rends grâce à Dieu de vous avoir trouvé. Un jour, à Camaalot, j'ai fait rencontre de messire Tristan. C'est là qu'il a préservé cet écu de couleur noire, avec la main blanche tenant une épée nue, que messire Brun sans Pitié m'avait ravi.

— Mais, gente demoiselle, dit messire Lancelot, qui vous a révélé mon nom ? — Messire, il est venu une demoiselle de la part d'un chevalier avec lequel vous aviez combattu sur le pont. Elle m'a appris que vous

vous nommiez messire Lancelot du Lac. — Elle est donc à blâmer. Mais c'est son seigneur, messire Néronéans, qui a dû le lui dire. Maintenant, demoiselle, à une condition je veux bien vous accompagner, c'est que vous cessiez d'injurier ce chevalier, messire la Cotte Mal Taillée. Il a de la valeur, je ne doute point qu'il prouvera sa noblesse, et c'est pour l'aider et par compassion, afin de lui éviter la mort, que je l'ai suivi pour le secourir en ce grand péril. — Ah ! Seigneur ! je vous en remercie, dit la demoiselle. Il faut que je vous avoue en effet à présent, à l'un et à l'autre, que si je lui tenais des propos injurieux, ce n'était jamais pour ce que je l'aurais détesté en quelque manière que ce fût, mais pour la grande affection que je lui portais. Je le pensais toujours trop jeune et trop tendre pour se charger de ces aventures. En conséquence, j'aurais voulu l'en détourner, par la peur que j'avais qu'il y perdît la vie. Ce ne sont pas, croyez-moi, les actions d'un jeune chevalier qui pourront mener cette aventure à bonne fin. — Par Dieu, repartit messire Lancelot, voilà qui est bien dit, et au lieu de vous appeler la Demoiselle Médisante, désormais je vous saluerai comme la Demoiselle Bienveillante. »

Ils chevauchèrent ensuite longtemps avant d'en venir à la frontière du pays de Sorelois. Là ils trouvèrent un beau village avec un pont bien défendu, semblable à une forteresse.

Lorsque messire Lancelot et eux arrivèrent à ce pont surgirent devant eux nombre de gentilshommes et de gens du commun qui leur dirent : « Gentils seigneurs, vous ne pouvez franchir ce pont et cette défense, à cause de cet écu de couleur noire que je vois porter à l'un d'entre vous. En conséquence, il ne passera qu'un seul à la fois. Choisissez lequel le premier s'engagera sur ce pont. »

Messire Lancelot s'offrit à passer le premier. « Messire, lui dit la Cotte Mal Taillée, je vous prie instamment de me laisser d'abord pénétrer en cette forteresse. Si tout va bien pour moi, j'enverrai quelqu'un pour vous demander de me suivre. Et s'il advient que l'on me tue, eh bien, tant pis ! Supposons que je sois fait prisonnier, vous pourrez alors venir à mon secours. — J'hésite à vous laisser entreprendre de passer. — Messire, permettez-moi de risquer ma vie en cette aventure. — Allez, dit messire Lancelot, et Notre-Seigneur vous soit en aide ! »

Adonc dans la forteresse deux frères vinrent au-devant de lui. L'un s'appelait messire Plein de Force et l'autre messire Plein d'Amour. Incontinent ils rencontrèrent messire la Cotte Mal Taillée. D'abord celui-ci renversa Plein de Force, puis ce fut Plein d'Amour. Lors ils ajustèrent épées et boucliers et invitèrent la Cotte Mal Taillée à descendre de cheval. Ce qu'il fit. Là-dessus on s'assaillit, on frappa d'estoc. Ses adversaires se mirent à presser la Cotte Mal Taillée dangereusement. Ils lui firent beaucoup de graves blessures, à la tête, à la poitrine, aux épaules. Quand il le pouvait, de temps à autre, il rendait des coups douloureux. Lors les deux frères, en avançant et esquivant, parvinrent à se placer de chaque côté de lui. Mais lui, par sa belle vigueur et vaillance chevaleresque, les remit devant. Puis, quand il sentit le poids de toutes les plaies dont j'ai parlé, il redoubla ses coups et leur infligea tant de blessures qu'il les abattit et les eût tués s'ils ne s'étaient rendus.

Lors il prit la meilleure des montures qu'ils possédaient à eux trois et poursuivit son chemin jusqu'au deuxième pont fortifié. Là il rencontra le troisième des frères. Son nom était messire Plénorin. C'était un chevalier plein de noblesse. Ils joutèrent ensemble. Chacun renversa l'autre et le jeta au sol, l'homme aussi bien que le cheval. Ils se dégagèrent alors de leurs selles, se couvrirent de leurs écus, dégainèrent leurs épées et se portèrent nombre de rudes coups. Tantôt c'était un chevalier qui se tenait devant le pont, tantôt c'était l'autre. Ils combattirent ainsi deux heures et plus, sans jamais prendre de repos. Cependant messire Lancelot et la demoiselle ne les quittaient pas des yeux. « Las ! gémit-elle, mon chevalier combat trop âprement et trop longtemps. — À présent vous voyez bien, dit messire Lancelot, que c'est un noble chevalier, considérant que c'est son premier combat à pied et qu'il est gravement blessé. Pourtant, blessé comme il l'est, c'est merveille qu'il soutienne cette longue rencontre avec ce valeureux chevalier. »

CHAPITRE VIII

Comment la Cotte Mal Taillée fut retenu captif, puis sauvé par messire Lancelot, et comment celui-ci défit quatre frères

CEPENDANT messire la Cotte Mal Taillée s'effondra sur le sol. Ses blessures et le sang qu'il avait perdu ne lui permettaient plus de se tenir debout. L'autre chevalier eut pitié de lui. Il dit : « Jeune et gentil chevalier, ne perdez pas courage. Si vous aviez été frais et dispos à l'instant de notre rencontre, ainsi que je l'étais moi-même, je sais bien que je n'eusse pas tenu aussi longtemps que vous l'avez fait. Adonc, en raison de vos remarquables exploits, je vous montrerai autant de bienveillance et de courtoisie qu'il me sera possible. » Là-dessus ce noble chevalier, messire Plénorin, le prit en ses bras et le conduisit dans sa tour. Puis il fit venir du vin et donna ordre de sonder ses plaies et d'en étancher le sang.

« Messire, dit la Cotte Mal Taillée, laissez-moi et retournez en hâte au pont qui est là-bas. Vous vous y trouverez en présence d'un chevalier d'une valeur tout autre que jamais ne fut la mienne. — Comment ! s'écria Plénorin, y avait-il avec vous un chevalier, et d'une autre sorte, qui attendait pour intervenir ? — Oui, bien meilleur que je ne suis. — Quel est son nom ? — Ce n'est pas de moi que vous le saurez. — Eh bien, on le rencontrera, quel qu'il puisse être. »

Lors messire Plénorin entendit un chevalier l'appeler. Il disait : « Messire Plénorin, où êtes-vous ? Ou vous me remettez le prisonnier que vous avez mené en votre tour, ou vous venez vous battre avec moi. » Plénorin prit son cheval. La lance à la main, il se porta en galopant à la rencontre de messire Lancelot. Ils se mirent à coucher leurs lances et se heurtèrent avec la rapidité de la foudre. Le choc, de part et d'autre, fut si rude que les chevaux s'affaissèrent sous les cavaliers. Ensuite ceux-ci se dégagèrent de leurs selles, dégainèrent leurs épées et, tels deux taureaux, se coururent sus en portant de grandes estocades. Toujours messire Lancelot gagnait du terrain. Messire Plénorin cherchait à tourner autour de lui. Messire Lancelot ne voulait pas le laisser faire. Il le força sans cesse à reculer, si bien qu'il fut amené près du portail de la tour.

Messire Lancelot alors lui dit : « Je vous connais pour un bon chevalier. Mais votre vie et votre mort, sachez-le, dépendent entièrement de moi. Rendez-vous donc et remettez-moi votre prisonnier. » L'autre ne consentit aucune réponse. Il se contenta d'asséner un coup brutal sur le heaume de son adversaire. Ses yeux brillaient d'un feu ardent. Messire Lancelot redoubla ses coups. Ils se multiplièrent et se firent si violents que messire Plénorin en tomba à genoux. Sur ce messire Lancelot bondit sur lui et le traîna au sol. Il se retrouva face contre terre. Lors il se rendit, abandonnant aussi sa tour et tous ses prisonniers au bon vouloir de son vainqueur. Messire Lancelot le reçut à merci et accepta son engagement. Puis il chevaucha jusqu'au deuxième pont. Il y jouta avec trois autres frères de Plénorin. Le premier s'appelait Pilloune, le deuxième Pellogre et le troisième messire Pellandre. Messire Lancelot les renversa d'abord à cheval, puis les défit à pied et les obligea à se rendre. Ensuite il retourna vers messire Plénorin. En sa prison il trouva le roi Caradoc d'Écosse et maint autre chevalier. Il les délivra tous.

Lors messire la Cotte Mal Taillée vint à messire Lancelot. Celui-ci aurait voulu lui faire don de toutes ces forteresses, de tous ces ponts. « Non, dit la Cotte Mal Taillée, je ne veux point des biens de messire Plénorin. Moyennant qu'il vous accorde, monseigneur Lancelot, de se rendre à la cour du roi Arthur pour y devenir son chevalier, ainsi que tous ses frères, je vous en prie, monseigneur, laissez-lui ses possessions. — Je veux bien, répondit Lancelot, mais à la condition qu'il vienne à la cour du roi Arthur pour y être son homme lige, et que ses cinq frères en fassent autant. Pour vous plus particulièrement, messire Plénorin, ajouta-t-il, à la prochaine fête — si une place est vacante —, je m'y engage, vous serez chevalier de la Table Ronde. — Messire, repartit messire Plénorin, à la prochaine fête de Pentecôte, je serai à la cour d'Arthur, et je m'y laisserai guider et commander comme le roi et vous le jugerez bon. »

Après cela messire Lancelot et messire la Cotte Mal Taillée se reposèrent en ces lieux, jusqu'à ce que messire la Cotte Mal Taillée fût guéri de ses blessures. Ils firent bonne chère, purent se délasser, se divertir en de multiples amusements. Il y avait là aussi nombre de belles dames.

CHAPITRE IX

Comment messire Lancelot fit la Cotte Mal Taillée seigneur du château de Pendragon, et comment ensuite il fut fait chevalier de la Table Ronde

CEPENDANT survinrent messire Keu le sénéchal et messire Brandelis. Aussitôt ils leur tinrent compagnie. Puis, moins de dix jours plus tard, ces chevaliers de la cour d'Arthur partirent de ces forteresses. Passant près du château de Pendragon, messire Lancelot chassa messire Briant des Isles de ses terres, pour ce qu'il se refusait absolument à les tenir du roi Arthur. Tout ce château de Pendragon et toutes les terres en dépendant, il les donna à messire la Cotte Mal Taillée. Ensuite il envoya quérir messire Néronéans, qu'autrefois il avait armé chevalier, et prit des dispositions pour qu'il eût le gouvernement dudit château et du pays alentour, sous l'autorité de la Cotte Mal Taillée. Après quoi, de concert, ils se rendirent tous à la cour du roi Arthur.

À la Pentecôte qui suivit, messire Plénorin et messire la Cotte Mal Taillée, autrement connu sous le nom de messire Brunor le Noir, nom qu'il avait de plein droit, furent tous deux faits chevaliers de la Table Ronde. Le roi Arthur leur donna de vastes domaines, et Brunor le Noir épousa la Demoiselle Médisante. Ensuite on l'appela la Demoiselle Sachant Vivre, mais lui, après cela, la plupart du temps, ce fut la Cotte Mal Taillée. Il se montra chevalier d'une grande noblesse et plein de force. Ce fut plus d'une action d'éclat qu'il mit à son compte en sa vie. Messire Plénorin pour sa part se montra noble chevalier et d'une grande bravoure. Aussi longtemps qu'ils vécurent, le plus souvent, ils assistèrent messire Lancelot. Les frères de messire Plénorin toujours ensuite furent chevaliers du roi Arthur. En outre, le livre français en fait mention, messire la Cotte Mal Taillée vengea la mort de son père.

CHAPITRE X

Comment, par l'entremise de Brangien, sa fille d'honneur, la Belle Yseut envoya des lettres à messire Tristan, et de diverses aventures de celui-ci

À PRÉSENT, laissons là le chevalier la Cotte Mal Taillée et tournons-nous du côté de messire Tristan de Léonois. Il était en Bretagne. Quand la Belle Yseut sut qu'il était marié, elle lui fit parvenir par le moyen de Brangien, sa fille d'honneur, des lettres aussi tristes qu'on en peut écrire et concevoir. Elle terminait en demandant, si cela convenait à messire Tristan, qu'il voulût bien venir à sa cour, amenant avec lui Yseut aux Blanches Mains, pour y être aussi bien traités qu'elle-même. Messire Tristan appela messire Cahédin. Il l'interrogea pour savoir s'il accepterait de l'accompagner secrètement en Cornouailles. Messire Cahédin lui répondit qu'il se tenait prêt à le suivre quand il voudrait. Messire Tristan alors, sans s'en ouvrir à personne, se fit donner un petit vaisseau, et ils s'y embarquèrent tous, messire Tristan, Cahédin, dame Brangien et Gouvernail, l'écuyer de messire Tristan.

Lorsqu'ils furent en mer, un vent contraire les poussa sur les côtes de Norgalles, non loin du Château Périlleux. Messire Tristan dit alors à dame Brangien : « Vous resterez ici à m'attendre dix jours, en compagnie de Gouvernail, mon écuyer. S'il se trouve qu'au bout de ce temps je ne sois pas de retour, gagnez les Cornouailles par le chemin le plus proche. Cette forêt, à ce que l'on raconte, réserve bien des étranges aventures. J'ai l'intention d'en tenter quelques-unes avant de partir. Quand je le pourrai, je me hâterai de vous rejoindre. »

Messire Tristan et Cahédin prirent leurs chevaux et laissèrent là le reste de la compagnie. Ils pénétrèrent dans la forêt d'une demi-lieue et davantage. Enfin messire Tristan vit devant lui un chevalier de bonne mine, tout armé, qui était assis au bord d'une fontaine. Un destrier robuste et puissant était tout près de lui attaché à un chêne, tandis qu'un serviteur attendait non loin de là, à cheval, et menant un autre cheval chargé de lances. Le chevalier à la fontaine semblait, à son visage, accablé de tristesse. Messire Tristan s'approcha et lui dit : « Gentil chevalier, pourquoi cette mine alanguie ? À vos armes et à votre harnois vous me semblez être un chevalier errant. Préparez-vous plutôt à jouter avec l'un de nous deux, ou avec l'un et l'autre. »

Le chevalier ne dit mot. Il se saisit de son bouclier et le mit à son cou. Vite il prit son cheval et sauta en selle. Puis à son écuyer il emprunta une grande lance et se recula de deux cents pas. Messire Cahédin demanda à messire Tristan la permission de jouter le premier. « Faites de votre mieux », lui dit messire Tristan. Ils se heurtèrent. Messire Cahédin tomba et fut gravement blessé au sommet de la poitrine. Messire Tristan dit alors : « Chevalier, voilà qui est bien jouté. Maintenant préparez-vous à me rencontrer. — Je suis prêt », répliqua le chevalier.

Il prit alors une lance plus grande et rencontra messire Tristan. De par sa remarquable vigueur, le chevalier fit choir messire Tristan. Celui-ci fut jeté au sol. Il en eut grande honte. Vite il quitta son cheval. Il couvrit son épaule de son écu. Il dégaina son épée. Puis il requit le chevalier sur son honneur, de mettre pied à terre et de l'y combattre. « Je veux bien », répondit-il. Il mit pied à terre, quitta son cheval. Son bouclier, il le plaça devant son épaule, et il tira son épée du fourreau. Leur combat fut long. Il dura près de deux heures. Puis messire Tristan dit : « Gentil chevalier, suspendez vos coups et dites-moi d'où vous êtes et quel est votre nom. — Avant de le faire, répliqua le chevalier, permettez-moi d'hésiter. Cependant, si vous-même me dites votre nom, peut-être vous donnerai-je le mien. »

CHAPITRE XI

Comment messire Tristan rencontra messire Lamorat de Galles, comment ils combattirent et ensuite tombèrent d'accord pour ne plus jamais se combattre

« Or donc, gentil chevalier, dit messire Tristan, sachez que je me nomme messire Tristan de Léonois. — Messire, repartit l'autre, mon nom est messire Lamorat de Galles. — Ah ! messire Lamorat, heureux de vous rencontrer ! Souvenez-vous de l'outrage que vous m'avez fait en envoyant une corne à la cour du roi Marc, dans l'intention de faire périr ou de perdre d'honneur ma dame, la reine la Belle Yseut. Adonc, sachez-le bien, poursuivit messire Tristan, l'un de nous mourra avant que nous nous séparions. — Messire, repartit messire Lamorat, auriez-vous oublié que nous étions ensemble dans l'île du Servage et qu'alors vous m'avez promis une grande amitié? » Messire Tristan ne voulut pas tarder davantage. Il se rua sur messire Lamorat, et ils combattirent longuement, jusqu'à être fatigués l'un et l'autre.

Lors Tristan dit à Lamorat : « En toute ma vie je n'ai jamais rencontré chevalier qui fût aussi fort et eût autant de souffle que vous. En conséquence, ce serait dommage que l'un de nous deux se trouvât ici mis à mal. — Messire, pour votre renom et réputation, je veux que vous ayez l'honneur de la victoire. Je me rends donc à vous. » Là-dessus messire Lamorat prit son épée par la pointe et la tendit en signe de reddition. « Non, dit messire Tristan, vous n'en ferez rien. Je connais bien les présents que vous faites et suis trop instruit de votre noblesse d'âme pour aller penser que je vous inspire crainte ou épouvante. » Sur ce il lui tendit son épée à son tour, disant : « Messire Lamorat, en chevalier vaincu je me rends à vous, comme à l'homme au courage le plus noble que j'aie jamais rencontré. — Non, dit Lamorat, je veux vous montrer de la vraie noblesse. Je vous en requiers, jurons tous deux, à dater de ce jour, de ne plus jamais nous mesurer l'un à l'autre. » Là-dessus ils firent serment de ne jamais plus se combattre, quel que fût l'enjeu.

CHAPITRE XII

Comment messire Palamède poursuivit la Bête en Chasse, et d'une seule lance renversa messire Tristan et messire Lamorat

CEPENDANT survint messire Palamède, le valeureux chevalier. Il poursuivait la Bête en Chasse, qui de forme avait une tête semblable à celle d'un dragon, un corps comme celui d'un léopard, l'arrière-train d'un lion et les pieds d'un cerf. En son corps se faisait un bruit tel celui de trente couples de chiens courants, et ce bruit, la bête le répétait partout où elle allait. Cette bête, messire Palamède ne cessait de la pourchasser. C'était sa quête à lui. Alors même qu'il y était occupé, l'animal vint auprès de messire Tristan. Messire Palamède n'était pas loin derrière. Pour brièveté, il renversa messire Tristan et messire Lamorat, tous les deux d'une seule lance. Puis il repartit à la poursuite de la Bête Glatissant (c'était le nom qu'on donnait à la Bête en Chasse). Les deux chevaliers susdits entrèrent en grand courroux lorsque messire Palamède ensuite refusa de combattre à pied avec eux. Les hommes de mérite comprendront qu'il n'y eut jamais quelqu'un qui pût en toutes circonstances tenir bon, ne jamais avoir le dessous par quelque mauvaise fortune. Parfois il se fait que le moins capable de deux chevaliers contraint le meilleur à la défaite.

Messire Tristan et messire Lamorat à eux deux placèrent messire Cahédin sur un bouclier. Ils le conduisirent à la cabane d'un forestier. Ils l'y confièrent aux bons soins de celui-ci et ne partirent qu'au bout de trois jours. Lors ils prirent leurs chevaux et, à la croisée des chemins, se séparèrent. Messire Tristan dit à messire Lamorat : « Je vous demande, si jamais vous voyez messire Palamède, de l'informer qu'il me trouvera à cette fontaine où je l'ai rencontré. Là je ferai apparaître, moi, messire Tristan, s'il est vrai qu'il est meilleur chevalier que moi. »

Là-dessus on se sépara. Chacun suivit sa route. Messire Tristan se rendit près de l'endroit où était messire Cahédin. Messire Lamorat chevaucha jusqu'à une chapelle. Quand il y fut, il mit son cheval à paître. Peu après s'en vint messire Méléagant. Il était fils du roi Bademagu. Il mit aussi son cheval à paître, sans s'apercevoir de la présence de messire Lamorat. Puis ce chevalier, messire Méléagant, se prit à gémir de l'amour qu'il portait à la reine Guenièvre. Il se plaignait amèrement. Tout ceci, messire Lamorat l'entendit.

Le lendemain matin, messire Lamorat monta à cheval et entra dans la forêt. Il y fit rencontre de deux chevaliers qui attendaient sous d'épais branchages. « Gentils chevaliers, leur dit-il, que faites-vous ici à attendre et guetter ? Si vous êtes des chevaliers errants désireux de jouter, me voici prêt. — Non, sire chevalier, répondirent-ils, ce n'est pas cela. Nous n'attendons pas ici pour jouter avec vous. Nous sommes ici en attente d'un chevalier qui a tué notre frère. — Quel chevalier est-ce donc que vous voudriez rencontrer ? — Messire, c'est messire Lancelot. C'est lui qui a causé la mort de notre frère, et si jamais nous tombons sur lui, il ne nous échappera pas. Nous le tuerons. — Vous prenez sur vous une bien lourde charge. Messire Lancelot est un noble chevalier, et qui a fait ses preuves. — Peu importe, nous n'avons pas peur. L'un ou l'autre, nous sommes de taille à nous mesurer à lui. — Je n'en crois rien, dit messire Lamorat. Je n'ai de ma vie jamais ouï parler d'un chevalier capable de résister à messire Lancelot. »

CHAPITRE XIII

Comment messire Lamorat fit rencontre de messire Méléagant, et comment ils combattirent ensemble au sujet de la beauté de dame Guenièvre

ALORS QU'ILS DEVISAIENT AINSI, messire Lamorat s'aperçut que messire Lancelot venait droit vers eux. Messire Lamorat le salua. Il lui rendit son salut. Puis messire Lamorat lui demanda s'il y avait quelque chose qu'il pût faire pour lui en ces marches. « Non, répondit-il, pas maintenant, je vous remercie. » Ils se séparèrent. Messire Lamorat retourna là où il avait laissé les deux chevaliers. Il les trouva cachés sous la feuillée. « Fi donc ! leur dit-il, poltrons pleins de fourberie ! C'est honte et pitié que l'un de vous ait pu recevoir le grand ordre de chevalerie. »

Il les quitta et, peu après, fit rencontre de messire Méléagant. Il lui demanda pourquoi il aimait ainsi la reine Guenièvre : « Je n'étais pas loin de vous quand vous avez fait entendre vos plaintes près de la chapelle. — Vraiment ? Eh bien, je me tiens à ce que vous avez pu entendre. J'aime d'amour la reine Guenièvre. Qu'y trouvez-vous à redire ? Je suis prêt à prouver qu'elle est sans contredit la plus belle dame du monde et celle qui a le plus de grâce. — Cela, dit messire Lamorat, je le dénie. C'est la reine Morcade, la mère de messire Gauvain, qui est la plus belle de toutes les reines et dames sur la terre. — Ce n'est pas vrai, et je le prouverai de mon bras aux dépens de ta personne. — Le crois-tu ? Il n'est meilleure querelle pour me donner envie de me battre. »

Là-dessus ils se séparèrent, pleins de rage. Puis ils se coururent sus avec la rapidité de la foudre. Le choc fut si brutal de part et d'autre que les chevaux furent rejetés en arrière, avant de tomber sur le sol. Lors ils se dégagèrent de leurs selles, ajustèrent leurs écus, tirèrent leurs épées. Ils se chargèrent tels des sangliers et combattirent ainsi longuement. Méléagant était homme de valeur et pourvu d'une grande vigueur. Néanmoins messire Lamorat était beaucoup trop fort pour lui et ne cessait de le faire reculer. Cependant chacun avait infligé à l'autre de graves blessures.

Alors qu'ils étaient ainsi à combattre, le hasard voulut que messire Lancelot et messire Bliobéris vinssent à passer. Messire Lancelot s'interposa et leur demanda pourquoi ils se battaient de la sorte. « Dire que vous êtes l'un et l'autre chevaliers du roi Arthur ! — Messire, repartit Méléagant, je vais vous donner la raison de notre combat. J'ai fait l'éloge de ma dame, la reine Guenièvre, et soutenu qu'elle était la plus belle au monde. Messire Lamorat a dit que non. Il a prétendu que la reine Morcade était plus belle et gracieuse.

— Ah ! messire Lamorat, s'exclama messire Lancelot, pourquoi affirmer pareille chose ? Il ne vous sied point de rabaisser une princesse à laquelle vous devez obéissance, de même que nous tous. » Là-dessus messire Lancelot mit pied à terre et dit : « En cette querelle tiens-toi prêt. Je prouverai à tes dépens que la reine Guenièvre est la meilleure et la plus belle dame du monde. — Messire, repartit messire Lamorat, je ne voudrais point que ce différend nous amenât à nous battre. Chacun trouve que c'est sa dame qui a le plus de beauté. Si je loue celle que j'aime le mieux, il ne faut pas vous en courroucer. Madame la reine Guenièvre peut exceller à votre regard, mais sachez qu'au mien c'est la reine Morcade qui l'emporte. Sachez bien aussi, messire, que vous êtes l'homme au monde, exception faite de messire Tristan, que j'aurais le plus de regret à devoir combattre. Cependant, si vous êtes résolu à m'entreprendre, je vous résisterai aussi longtemps que je le pourrai. »

Messire Blioběris alors s'en mêla. Il dit : « Monseigneur Lancelot, je ne vous avais jamais connu aussi malavisé qu'à présent. Messire Lamorat parle avec bon sens et en bon chevalier. J'ai moi aussi une dame, je vous en avertis, et d'elle je pense qu'elle est la plus belle au monde. Serait-ce une raison suffisante pour vous courroucer, si je vous tenais à haute voix ce langage ? Vous savez bien que messire Lamorat est chevalier d'autant de noblesse qu'on en peut trouver. Il nous a toujours manifesté de la bienveillance. Soyez donc bons amis, je vous le demande. »

Lors messire Lancelot dit à messire Lamorat : « Je vous en prie, pardonnez-moi mes mauvais sentiments. Si j'ai été malavisé, j'y changerai quelque chose. — Messire, repartit messire Lamorat, le mal est vite réparé entre vous et moi. » Là-dessus messire Lancelot et messire Bliobéris s'en allèrent. Messire Méléagant et messire Lamorat prirent leurs chevaux, et chacun partit de son côté. Peu après survint le roi Arthur. Il rencontra messire Lamorat et jouta avec lui. Il le renversa et lui fit de sa lance une grave blessure. Puis il le quitta. Messire Lamorat entra en courroux de ce que son adversaire ne voulut point poursuivre le combat à pied. Il faut dire que messire Lamorat n'avait pas reconnu le roi.

CHAPITRE XIV

Comment messire Keu fit rencontre de messire Tristan,
de l'opprobre ensuite jeté sur les chevaliers des Cornouailles,
et de la manière dont ils joutèrent

LAISSONS LÀ maintenant ce récit et venons-en à messire Tristan. Chemin faisant, il rencontra messire Keu le sénéchal. Celui-ci lui demanda de quel pays il était. Il répondit qu'il était du pays de Cornouailles. « Cela se peut, dit messire Keu. Mais jamais jusqu'à ce jour je n'ai entendu parler d'un bon chevalier issu des Cornouailles. — C'est médire, répliqua messire Tristan. Cependant, s'il vous plaît, dites-moi votre nom, je vous le demande. — Mon nom, messire, sachez-le, c'est messire Keu le sénéchal. — Est-ce là votre nom ? En ce cas, apprenez que l'on vous connaît pour le chevalier dont le langage est le plus vil qui soit au monde. Vous avez nonobstant du mérite, mais on vous plaint pour la grande impertinence de vos propos. »

Ils chevauchèrent ainsi ensemble, puis arrivèrent à un pont. Là il y avait un chevalier qui refusa de les laisser passer si l'un d'eux ne joutait avec lui. Il jouta donc avec messire Keu et le fit tomber de cheval. C'était un chevalier du nom de messire Tor, le demi-frère de messire Lamorat. Ensuite ils gagnèrent leur logis. Une fois rendus, ils trouvèrent messire Brandelis. Messire Tor les rejoignit peu après. Quand ils furent tous les quatre à souper, trois se mirent à parler indignement des chevaliers cornouaillais. Messire Tristan entendit bien tout ce qu'ils disaient. Il ne répondit que par quelques mots. Il n'en pensait pas moins, mais pour lors ne voulait pas découvrir qui il était.

Le lendemain matin, messire Tristan prit sa monture et les attendit sur le chemin qu'ils devaient emprunter. Messire Brandelis offrit de jouter avec lui. Messire Tristan le culbuta. Homme et cheval se retrouvèrent au sol. Puis messire Tor rencontra messire Tristan. Celui-ci le renversa. Ensuite il poursuivit sa route. Messire Keu voulut l'accompagner, mais il s'y refusa. Messire Brandelis rejoignit messire Keu et lui dit : « J'aimerais bien connaître le nom de ce chevalier. — Venez avec moi, répondit l'autre, et nous le prierons de nous le donner. » Ils chevauchèrent ensemble jusqu'à ce qu'ils fussent près de lui. Ils s'aperçurent alors qu'il s'était assis au bord d'une fontaine et pour y boire avait ôté son heaume. Quand il les vit, sans tarder il le laça, prit son cheval et leur proposa de jouter. « Non, répondit messire Brandelis, pour ce qui est de jouter, nous venons de le faire. Nous n'avions pas cette intention. Notre propos est celui-ci : nous requérons de votre chevalerie de nous donner votre nom.

— Mes gentils seigneurs, si tel est votre désir et afin de vous plaire, sachez que mon nom est messire Tristan de Léonois. Je suis neveu du roi Marc de Cornouailles. — La rencontre est heureuse et vient à point nommé, repartit messire Brandelis. Soyez assuré que nous sommes fort satisfaits de vous trouver là. Notre troupe se réjouit beaucoup de votre présence au milieu de nous, car de tous les chevaliers au monde, vous êtes celui que la noble compagnie de la Table Ronde aimerait le mieux compter en son sein. — Dieu leur sache gré de leur grande bonté, repartit messire Tristan, mais je sens bien pour lors que je ne mérite pas d'être des leurs. Jamais encore je n'ai accompli d'actions d'éclat qui me permettraient de figurer dans une compagnie comme celle-là. — Ah ! fit messire Keu, si vous êtes bien messire Tristan de Léonois, vous êtes l'homme auquel on reconnaît le plus de bravoure, si l'on excepte messire Lancelot du Lac. Personne au monde, chrétien ou païen, ne peut faire valoir l'existence d'un chevalier de cette sorte, pour ce qui est du courage, de la force du bras, sans parler de la loyauté. À ce jour nul n'a pu dire de lui quoi que ce soit qui le déshonore et en apporter la preuve. »

Ils devisèrent ainsi longtemps, puis chacun partit de son côté, en suivant le chemin qui lui convenait le mieux.

CHAPITRE XV

Comment le roi Arthur fut amené en la Forêt Périlleuse, et comment messire Tristan lui sauva la vie

À PRÉSENT vous allez savoir comment le roi Arthur vint en la Forêt Périlleuse (laquelle était en Norgalles), à l'instigation d'une dame. Elle avait nom Annor. Elle alla trouver le roi Arthur à Cardiff. Par beaux engagements et belles promesses elle amena le roi à l'accompagner en la Forêt Périlleuse. Or c'était une grande sorcière. Depuis longtemps elle était éprise d'Arthur, et c'est parce qu'elle voulait lui faire partager sa couche qu'elle s'était rendue en ce pays. Adonc, lorsque le roi l'eut suivie, beaucoup de ses chevaliers se mirent à la recherche de leur prince, ne le voyant nulle part, tels messires Lancelot, Brandelis, et bien d'autres encore. Lorsqu'elle eut conduit le roi en sa tour, elle lui demanda de s'étendre à ses côtés. Il se souvint alors de sa dame. Il refusa de faire ce qu'elle disait. Elle eut beau y employer tous ses artifices. Chaque jour alors, elle fit en sorte qu'il chevauchât en cette forêt en compagnie de ses chevaliers à elle, afin qu'il y perdît la vie. En effet, quand cette dame Annor eut compris qu'elle ne pourrait pas lui imposer sa volonté, elle s'efforça, en usant de moyens perfides, de faire périr le roi Arthur.

Lors la Dame du Lac, qui fut toujours son amie, apprit par la magie de son art que le roi allait sans doute mourir. Cela fit que cette Dame du Lac, qui avait nom Viviane, vint en cette forêt y chercher messire Lancelot ou messire Tristan pour secourir le roi Arthur. Elle savait bien que ce jour-là il serait tué, s'il n'avait le secours de l'un ou de l'autre de ces deux chevaliers. Elle chevaucha donc, de-ci de-là, jusqu'à ce qu'elle rencontrât messire Tristan. Dès qu'elle le vit, elle le reconnut. « Ô monseigneur Tristan ! dit-elle, je suis heureuse de vous trouver là. Béni soit l'instant où j'ai croisé votre chemin ! Ce jour même, dans moins de deux heures, s'accomplira l'action la plus noire qui se soit jamais vue en ce pays. — Gente demoiselle, puissé-je l'empêcher ! — Suivez-moi, en toute diligence. Vous allez voir le plus digne des chevaliers de la terre dans un bien mauvais pas. » Lors messire Tristan : « Je suis prêt à venir en aide à un homme d'un tel mérite. — Ce n'est nul autre que le noble roi Arthur en personne. — Dieu garde, dit messire Tristan, qu'il connaisse jamais pareille difficulté ! »

Ils chevauchèrent ensemble bon train, avant d'arriver à une petite tourelle ou château. Sous les murs de ce château ils virent un chevalier qui à pied en combattait deux autres. Messire Tristan les regarda. Finalement l'un des deux qui étaient ensemble frappa celui qui était seul et le fit tomber à terre. Il délaça alors le heaume de son adversaire, afin de l'achever. La dame Annor se saisit à cet instant de l'épée du roi Arthur pour lui trancher la tête. Là-dessus messire Tristan accourut aussi vite qu'il put, criant : « Arrête, traîtresse ! » Incontinent il perça de son épée le corps de l'un des chevaliers. Celui-ci tomba mort. Puis il se précipita sur l'autre et lui fendit le dos. Cependant la Dame du Lac criait au roi Arthur : « Ne laissez pas s'enfuir cette hypocrite ! » Le roi la rejoignit et de la même épée lui fit sauter la tête. La Dame du Lac prit cette tête et la pendit par les cheveux à l'arçon de sa selle.

Messire Tristan aida le roi à remonter à cheval et partit avec lui, non sans avoir enjoint à la Dame du Lac de ne pas découvrir son nom à ce moment-là. Quand le roi Arthur fut sur son destrier, il remercia messire Tristan de grand cœur et désira savoir à qui il était redevable. Mais l'autre ne voulut rien dire, sinon qu'il était un pauvre chevalier en quête d'aventures. C'est ainsi qu'il tint compagnie au roi, jusqu'à ce que celui-ci rencontrât quelques-uns de ses propres chevaliers.

Peu de temps après, ils croisèrent sur leur chemin messire Hector des Mares. Messire Hector ne reconnut ni le roi Arthur ni messire

Tristan, et il leur demanda, à l'un ou à l'autre, de jouter avec lui. Messire Tristan courut sus à messire Hector et le fit tomber de cheval. Quand ce fut fait, il revint auprès du roi et lui dit : « Monseigneur, c'est là un de vos chevaliers. Il va pouvoir vous tenir compagnie. Un autre jour, ce que j'ai fait pour vous, je me fie en Dieu que vous comprendrez que je l'ai fait pour vous servir. — Las ! dit le roi, permettez-moi de connaître votre nom. — Pas maintenant », répondit messire Tristan. Sur ce il le quitta, laissant le roi Arthur et messire Hector ensemble.

CHAPITRE XVI

Comment messire Tristan vint à la Belle Yseut,
comment Cahédin s'éprit d'elle,
et d'une lettre que trouva Tristan

LORS, un jour fixé à l'avance, messire Tristan et messire Lamorat se retrouvèrent à la fontaine. Ils allèrent quérir Cahédin à la maison du forestier, puis chevauchèrent avec lui jusqu'au navire où ils avaient laissé dame Brangien et Gouvernail. Ensuite ils firent voile tous ensemble, et ils arrivèrent en Cornouailles. Grâce à l'entremise et aux renseignements de dame Brangien, lorsqu'ils eurent débarqué, ils parvinrent à rencontrer messire Dinas le sénéchal, un ami sûr de messire Tristan. Dame Brangien et messire Dinas se rendirent à la cour du roi Marc. Là ils informèrent la reine, la Belle Yseut, que messire Tristan était près d'elle, en son pays. De joie la Belle Yseut s'évanouit. Lorsqu'elle put parler, elle dit : « Gentil chevalier, sénéchal, aidez-moi à avoir un entretien avec lui. Sinon mon cœur va se rompre. » Lors messire Dinas et dame Brangien en secret amenèrent messire Tristan et Cahédin à la cour, dans une chambre que la Belle Yseut leur avait désignée. Dire les joies que connurent ensemble la Belle Yseut et messire Tristan, nulle langue ne pourrait le faire, nul cœur le concevoir, nulle plume l'écrire.

Comme le livre français l'indique, la première fois que messire Cahédin vit la Belle Yseut, il en fut tant féru qu'amour ne le quitta plus jamais. Finalement, comme vous l'apprendrez avant que ce livre se termine, messire Cahédin mourut de cet amour qu'il conçut pour la Belle Yseut. Sans que cela se sût, il écrivit pour elle une lettre et des ballades, parmi les plus belles qu'il y eût en ce temps-là. Quand la Belle Yseut prit connaissance de cette lettre, elle eut pitié de ses plaintes. Sans délibérer elle lui répondit par une autre lettre, afin de le réconforter. Messire Tristan, pendant tout ce temps, se tenait dans une tourelle, soumis aux ordres de la Belle Yseut. Quand cela lui était possible, elle allait le rejoindre.

Un jour, le roi Marc jouait aux échecs sous la fenêtre d'une chambre où messire Tristan et messire Cahédin étaient précisément. Par malheur, messire Tristan trouva la lettre que messire Cahédin avait envoyée à la Belle Yseut. Il trouva aussi celle qu'elle avait écrite en retour, et justement Yseut était là, dans cette même chambre. Messire Tristan vint à la Belle Yseut. Il lui dit : « Madame, voici une lettre qu'on vous a envoyée, et voici celle que vous avez envoyée à son auteur. Hélas ! madame, comme je vous aurai aimée ! Bien des domaines, bien des richesses, j'y ai renoncé par amour pour vous ! Et maintenant vous me trahissez. J'en ai grande douleur. Quant à toi, Cahédin, je t'ai amené de Bretagne en ce pays. Ton père, le roi Hoël, je lui ai conquis ses terres, s'il est vrai que j'ai épousé ta sœur, Yseut aux Blanches Mains, pour la bonté qu'elle m'avait montrée. Pourtant, foi de chevalier, pour moi elle est vierge et pucelle. Mais sache-le bien, Cahédin, cette fausseté, cette trahison dont je suis la victime, je te la ferai payer. »

Là-dessus messire Tristan tira son épée du fourreau. Il dit : « Cahédin, en garde ! » et la Belle Yseut tomba sans connaissance. Lorsque messire

Cahédin eut devant les yeux messire Tristan qui venait à sa rencontre, il ne vit d'autre issue que de sauter par une fenêtre cintrée qui se trouvait juste au-dessus de l'endroit où le roi Marc jouait aux échecs. Le roi aperçut un homme lui passer rapidement au-dessus de la tête. Il dit : « L'ami, qui es-tu et comment se fait-il que tu sautes par cette fenêtre ? — Sire le roi, répondit Cahédin, il m'est advenu de m'endormir à cette fenêtre là-haut. Ensuite je me suis à demi éveillé, et c'est en cet état que je suis tombé. » C'est ainsi que messire Cahédin s'excusa.

CHAPITRE XVII

Comment messire Tristan partit de Tintagel, et comment il se désola et demeura si longtemps dans une forêt qu'il en perdit l'esprit

LORS messire Tristan eut grand-peur que sa présence ne fût découverte au roi. Il se retira dans le donjon, qui était bien défendu, et là revêtit l'armure avec laquelle il se heurtait à qui voulait lui tenir tête. Puis, quand il vit que nul ne lui cherchait noise, il envoya Gouvernail lui quérir une lance et son cheval, et bravement, au vu de tous, il sortit du château, qui avait nom le château de Tintagel. Une fois à la porte, il rencontra messire Guinglain, le fils de messire Gauvain. Aussitôt messire Guinglain mit sa lance en arrêt. Il courut sus à messire Tristan, et il y rompit cette lance. Messire Tristan n'avait alors qu'une épée, mais il en donna un tel coup sur le heaume de Guinglain qu'il tomba de sa selle. L'épée glissa en frappant et fendit l'encolure du cheval.

Après quoi messire Tristan poursuivit sa route et entra dans la forêt. Tout cela n'échappa point au roi Marc. Il envoya un écuyer au chevalier blessé pour lui ordonner de venir le voir. Ce qu'il fit. Lorsque le roi connut qu'il s'agissait de messire Guinglain, il lui fit bon visage. Il lui bailla un cheval et lui demanda quel chevalier c'était qui l'avait rencontré. « Sire, répondit messire Guinglain, je ne sais pas quel chevalier c'était là, mais ce que je sais, c'est qu'il soupire et se désole grandement. »

Messire Tristan, au bout de quelque temps, fit rencontre de l'un de ses chevaliers, du nom de messire Fergus. Après l'avoir trouvé, il s'abandonna à la douleur, tant qu'il tomba de son cheval sans connaissance. Il resta inanimé trois jours et trois nuits. Enfin messire Tristan envoya messire Fergus à la cour pour y avoir des nouvelles. Chemin faisant, celui-ci rencontra une demoiselle. Elle venait de la part de messire Palamède, qui désirait savoir comment se portait messire Tristan. Messire Fergus lui dit qu'il avait presque perdu l'esprit. « Las ! s'affligea la demoiselle, mais où pourrai-je le voir ? » Messire Fergus la renseigna. À la cour, il trouva la reine Yseut malade, au lit couchée. Elle se désolait, plus que femme au monde ne fit jamais.

Lorsque la demoiselle parvint auprès de messire Tristan, sa peine fut grande, parce qu'elle ne put remédier à son mal. Plus elle lui montrait de l'intérêt, plus elle aggravait sa souffrance. Finalement messire Tristan prit son cheval et la quitta. Il fallut à la demoiselle trois jours pour le retrouver. Lors elle lui porta de quoi manger et boire, mais lui ne voulut rien prendre. Une autre fois, il réussit à la fuir et par hasard vint chevaucher près du château où messire Palamède et lui avaient combattu quand la Belle Yseut les avait séparés. Par hasard encore, la demoiselle l'y rejoignit. Il était en proie à la désolation la plus vive qu'être humain eût jamais ressentie. Elle alla devers la dame de ce château pour lui conter la mésaventure de messire Tristan. « Hélas ! soupira cette dame. Où donc est monseigneur Tristan ? — Ici, tout près de votre château. — Je me réjouis qu'il soit si près de moi. On lui servira à manger et à boire, ce qu'il y a de meilleur. J'ai là une harpe qui lui appartient. Il m'a appris à en jouer. Pour jouer gracieusement de la harpe, il n'a pas son pareil au monde. »

Adonc cette dame et cette demoiselle lui portèrent nourriture et boisson. Mais il ne mangea que peu. Une nuit il chassa son cheval, ôta son armure. Puis il voulut se retirer dans la solitude. Il brisait les arbres, les branches. À d'autres moments, ayant trouvé la harpe que la dame lui avait fait parvenir, il en jouait, et pleurait tout en jouant. Un jour que messire Tristan était dans le bois et que la dame ignorait où il se trouvait, elle s'assit et joua de cette harpe. Messire Tristan s'approcha, écouta, et il en vint à jouer lui-même. Il demeura en cet état et en ces lieux pendant trois mois. À la fin il s'enfuit. Elle ne put savoir ce qu'il était devenu. Il était sans vêtement. À maigrir il n'eut plus que peu de chair sur les os. Il tomba dans la compagnie des pâtres et des bergers. Tous les jours ils lui donnaient un peu de leur nourriture et de leur boisson. Quand il faisait quelque chose de mal, ils le battaient avec des verges. Ils le tondirent avec de gros ciseaux et le traitèrent en simple d'esprit.

CHAPITRE XVIII

Comment messire Tristan plongea Daguenet dans une fontaine, comment Palamède envoya une demoiselle à la recherche de Tristan, et comment le même Palamède rencontra le roi Marc

UN JOUR, Daguenet, le fou du roi Arthur, vint en Cornouailles accompagné de deux serviteurs. En traversant la forêt susdite, ils arrivèrent près d'une belle fontaine, où messire Tristan avait coutume de se tenir. Il faisait chaud. Ils mirent pied à terre pour boire à cette fontaine. Cependant leurs chevaux se détachèrent et se mirent à errer. Sur ces entrefaites messire Tristan survint. D'abord il plongea messire Daguenet dans l'eau de la fontaine, puis il fit de même avec ses serviteurs. Les bergers s'en amusèrent fort. Ceci fait, Tristan courut à la poursuite des chevaux et les ramena un à un. Puis, trempés comme ils l'étaient, il obligea les cavaliers à sauter en selle et à continuer leur route. Messire Tristan demeura là six mois en cet état. Il était nu et ne voulait visiter ni ville ni village.

Pendant ce temps la demoiselle envoyée par messire Palamède à la recherche de Tristan alla trouver son seigneur pour lui dire tout le tourment que messire Tristan endurait. « Hélas ! s'exclama messire Palamède, c'est grande pitié qu'un aussi noble chevalier puisse tant souffrir pour l'amour d'une dame ! Nonobstant je vais me mettre moi-même à sa recherche et le réconforterai du mieux que je pourrai. » Un peu avant cela, la Belle Yseut avait commandé à messire Cahédin de quitter le pays de Cornouailles. Messire Cahédin était donc parti, le cœur douloureux. Par hasard, il rencontra messire Palamède. Ils firent route ensemble. Chacun se plaignit à l'autre du brûlant amour que lui inspirait la Belle Yseut. « À présent, dit messire Palamède, mettons-nous en quête de messire Tristan. Il l'a aimée tout autant que nous. Cherchons si nous pouvons le retrouver. » Adonc ils entrèrent dans la forêt. Trois jours, trois nuits, ils ne prirent nul repos, mais toujours s'attachèrent à découvrir où était passé messire Tristan.

Par aventure ils firent rencontre du roi Marc. Il s'était en chevauchant éloigné de ses gens et se retrouvait seul. Quand ils le virent, messire Palamède le reconnut, mais non messire Cahédin. « Ah ! roi plein de fourberie, s'écria messire Palamède, il est dommage que tu sois encore vivant, car tu fais périr tous les chevaliers de mérite, et par ta méchanceté et vengeance as causé la perte du plus noble d'entre eux, messire Tristan de Léonois. Adonc en garde ! s'écria-t-il. Aujourd'hui tu mourras. — Ce serait indigne, repartit le roi Marc. Vous êtes armés tous les deux et moi, je suis sans armes. — Si ce n'est que cela, je vais y remédier. Un chevalier m'accompagne. Tu prendras son harnois. — Non, dit le roi Marc. Je ne veux pas me battre avec vous. Vous n'avez avec moi nul sujet de querelle. Tous les malheurs de messire Tristan viennent d'une lettre qu'il a trouvée. J'ai grand regret de sa mauvaise santé et maladie. » Quand le roi Marc se fut ainsi excusé, ils furent bons amis. Il aurait voulu les emmener à Tintagel. Messire Palamède s'y refusa. Il prit le chemin du royaume d'Angleterre, et messire Cahédin déclara vouloir regagner la Bretagne.

À présent, revenons-en à messire Daguenet. Quand ses gens et lui furent remontés à cheval, il jugea que les bergers leur avaient envoyé ce simplet pour les accommoder de la sorte parce qu'ils s'étaient moqués d'eux. Ils allèrent donc retrouver les gardiens de bétail et les battirent comme plâtre. Messire Tristan vit qu'on battait ceux qui avaient coutume de lui donner à manger et à boire. Il accourut. Il saisit messire Daguenet à la tête et le fit choir rudement à terre. Daguenet en fut meurtri au point de rester sans bouger. Puis messire Tristan lui arracha son épée. Ainsi armé, il se précipita sur l'un des serviteurs et lui trancha la tête. L'autre s'enfuit. Messire Tristan s'en fut alors, avec cette épée à la main, courant comme s'il eût été fou furieux.

Messire Daguenet s'en alla trouver le roi Marc et lui conta ce qui lui était advenu en cette forêt. « Adonc prenez garde, roi Marc, de ne pas vous aventurer près de cette fontaine en la forêt. Il y a un fou tout nu. Ce fou et moi, qui suis fou mais d'une autre sorte, nous avons combattu, et il a failli m'occire. — Ah ! s'écria le roi Marc, il s'agit de messire Mathan le Brun. Sa raison s'est égarée quand il a perdu sa dame. Messire Guerrehet l'a jeté au sol et la lui a prise. Depuis lors il n'a plus jamais été lui-même. C'est dommage. C'était un bon chevalier. »

CHAPITRE XIX

Comment le bruit courut que messire Tristan était mort,
et comment la Belle Yseut voulut se tuer

LORS messire Andret, qui était cousin de messire Tristan, fit dire et publier par une dame qui était sa maîtresse qu'elle avait assisté à la mort de ce dernier. Elle raconta à la cour du roi Marc qu'elle l'avait mis en terre auprès d'une fontaine et qu'avant de rendre le dernier soupir il avait instamment demandé au roi de faire son cousin, messire Andret, roi du pays de Léonois, dont messire Tristan était le seigneur. Tout ceci, messire Andret l'exécuta parce qu'il convoitait lesdites terres.

Quand le roi Marc entendit que messire Tristan n'était plus, il pleura et se lamenta grandement. Mais quand la nouvelle parvint à la reine Yseut, elle eut tant de douleur qu'elle faillit en perdre la raison. Un jour, elle fit le projet de se tuer, pour ne pas survivre à messire Tristan. En secret, elle se procura une épée et l'emporta dans son jardin. Là elle la planta dans le tronc d'un prunier, l'enfonçant jusqu'à la garde, de manière à ce qu'elle tînt solidement. Elle fit aussi en sorte que l'épée saillît à hauteur de sa poitrine. Alors qu'elle s'apprêtait à se jeter sur l'épée afin de se tuer, le roi Marc l'aperçut. Il vit qu'elle s'agenouillait et disait : « Mon doux Seigneur, ayez pitié de moi. Je ne puis vivre, maintenant que messire Tristan de Léonois est mort. Il fut mon premier amour, et il sera le dernier. » Le roi Marc arriva après qu'elle eut dit cela. Il la prit en ses bras. Puis il enleva l'épée et porta la reine Yseut dans une tour. Il ordonna qu'on y prît soin d'elle et veillât sur tous ses mouvements. Ensuite elle demeura longtemps au lit malade, et fut près de mourir.

Cependant messire Tristan courait nu dans la forêt, l'épée à la main. Il arriva devant un ermitage. Il s'y coucha et s'endormit. Tandis qu'il dormait, l'ermite lui prit subrepticement son épée et posa de la nourriture auprès de lui. On prit soin de lui dix jours de cette façon. Puis il s'en alla pour retourner près des pâtres.

Il y avait en cette contrée un géant du nom de Taulas. Par peur de messire Tristan, il n'avait guère osé aller et venir en toute liberté. La plupart du temps, il se tenait dans un château bien défendu qu'il avait. Adonc ce Taulas entendit parler de la mort de Tristan, suite à la rumeur en la cour du roi Marc. Pour lors, journellement, il sortit sans contrainte. Un jour, il arriva qu'il rencontra les pâtres qui erraient çà et là. Il s'assit au milieu d'eux pour se reposer.

Sur ces entrefaites passa un chevalier de Cornouailles. Il conduisait une dame. Son nom était messire Dinant. Quand le géant le vit, il quitta les pâtres pour aller se cacher sous un arbre. Le chevalier s'approcha de la fontaine. Il y mit pied à terre pour prendre du repos. Aussitôt qu'il fut descendu de cheval, ce géant Taulas vint se placer entre monture et cavalier. Il prit le cheval et bondit en selle. Puis incontinent il courut à messire Dinant, le saisit au collet, le tira pour le mettre devant lui sur son destrier et s'apprêta à lui trancher la tête. Les pâtres dirent à messire Tristan : « Aide ce chevalier. — Aidez-le vous-mêmes, répliqua Tristan. — Nous n'osons pas. » Lors messire Tristan aperçut l'épée du chevalier, qui gisait sur le sol. Il y courut, la prit et trancha la tête de messire Taulas. Puis il retourna près des pâtres.

CHAPITRE XX

Comment le roi Marc trouva messire Tristan nu, le fit porter chez lui à Tintagel, et comment on l'y reconnut grâce à une chienne

LORS le chevalier prit la tête du géant et la porta au roi Marc. Il lui conta l'aventure qui lui était survenue dans la forêt, comment un homme nu l'avait sauvé des mains du féroce géant Taulas. « Où avez-vous connu cette aventure ? demanda le roi Marc. — À la vérité, répondit messire Dinant, ce fut à la belle fontaine qui se trouve en votre forêt, où beaucoup de chevaliers aventureux se rencontrent. C'est là qu'on peut voir le fou. — Eh bien, dit le roi, je vais aller le voir, ce sauvage. »

Ainsi donc, avant un jour ou deux, le roi Marc ordonna à ses chevaliers et chasseurs de se tenir prêts le lendemain matin pour aller à la chasse. À l'heure dite, il se rendit en cette forêt. Quand il fut à la fontaine, il y trouva étendu auprès un bel homme nu, qui avait une épée à côté de lui. Le roi Marc sonna du cor pour appeler ses chevaliers. Ils accoururent. Il leur dit : « Emportez cet homme sans lui faire de mal, et conduisez-le en mon château. » Ce qu'ils firent, avec douceur et courtoisie. Ils jetèrent sur lui des manteaux et le menèrent à Tintagel. Là ils le baignèrent, le lavèrent, lui donnèrent du potage chaud, jusqu'à ce que la mémoire lui fût suffisamment revenue. Mais, pendant tout ce temps, nul ne reconnut messire Tristan ni ne s'avisa de qui il était.

Or il advint que la reine, la Belle Yseut, entendit parler de l'homme qui courait nu dans la forêt et que le roi avait ramené chez lui à la cour. Elle appela dame Brangien et lui dit : « Accompagnez-moi, nous allons voir cet homme que mon seigneur a ramené hier de la forêt. » Elles sortirent de chez elles pour s'enquérir du lieu où se tenait le malade. Un serviteur dit à la reine qu'il était au jardin à se reposer. Il se délassait au soleil. Lorsque la reine regarda messire Tristan, elle ne le reconnut pas. Mais elle dit à plusieurs reprises à dame Brangien : « Il me semble l'avoir déjà vu, et en beaucoup d'endroits. » Messire Tristan, lui, la reconnut parfaitement, aussitôt qu'il porta ses regards sur elle. Il détourna son visage et se mit à pleurer.

La reine avait toujours avec elle une petite chienne que Tristan lui avait donnée, la première fois qu'elle était venue en Cornouailles. Jamais cette chienne n'acceptait de la quitter, à moins que messire Tristan ne fût dans le voisinage. C'était la fille du roi de France qui avait envoyé cet animal en cadeau à Tristan, pour le grand amour qu'elle lui portait.

Aussitôt que cette petite chienne sentit l'odeur de son premier maître, elle bondit sur lui. Elle lui lécha les joues et les oreilles. Elle se mit à geindre et à chercher partout. Elle flaira ses pieds, ses mains, toutes les parties de son corps qu'elle put atteindre. « Ah ! madame, dit dame Brangien à la Belle Yseut, hélas ! hélas ! je vois bien que c'est là monseigneur Tristan ! » Là-dessus la Belle Yseut tomba évanouie, et elle ne reprit pas ses sens avant longtemps.

Lorsqu'elle put parler, elle dit : « Monseigneur, Dieu soit loué, vous êtes vivant ! Maintenant, je suis sûre que vous allez être trahi par cette petite chienne, car elle refusera de vous quitter désormais. Je suis certaine aussi que dès que mon seigneur, le roi Marc, saura qui vous êtes, il vous bannira du pays de Cornouailles, ou bien il vous fera périr. Pour l'amour de Dieu, seigneur mien, accordez au roi Marc ce qu'il désire. Gagnez la cour du roi Arthur. Là on vous aime et moi, dès que je le pourrai, je vous ferai signe. Quand vous le voudrez, vous pourrez venir à moi. À tout instant, jour et nuit, j'obéirai à vos ordres, pour mener la vie la plus misérable qu'ait jamais menée reine ou dame. — Ah ! madame, s'écria messire Tristan, écartez-vous de moi ! C'est bien de la fureur et bien du danger auxquels m'a exposé mon amour pour vous ! »

CHAPITRE XXI

Comment le roi Marc, suivant l'avis de ses conseillers, bannit messire Tristan des Cornouailles pour une durée de dix ans

La reine alors s'en alla, mais la chienne ne voulut point quitter Tristan. Sur ces entrefaites arriva le roi Marc. La chienne sauta sur lui et se mit à aboyer contre tous. Messire Andret prit la parole. Il dit : « Sire, cet homme est messire Tristan. Je le vois à la chienne. — Non, repartit le roi, je ne puis le supposer. » Il demanda alors à Tristan sur sa foi de révéler qui il était et quel était son nom. « Par Dieu, répondit-il, je me nomme messire Tristan de Léonois. Faites de moi maintenant ce que vous voudrez. — Ah ! s'exclama le roi Marc, j'ai regret de votre guérison. » Lors il appela ses barons pour le condamner à mort. Mais beaucoup d'entre eux n'y voulurent point donner leur assentiment, en particulier messire Dinas le sénéchal et messire Fergus. Aussi fut-il, selon l'avis de tous, banni du pays pour une durée de dix ans. Il jura sur un livre saint d'observer la sentence, en présence du roi et de ses barons. C'est ainsi qu'on l'obligea à sortir du pays de Cornouailles. Nombre de barons l'accompagnèrent jusqu'à son vaisseau, parmi lesquels certains étaient ses amis et d'autres ses ennemis.

Pendant ce temps il arriva un chevalier du roi Arthur. Il avait nom Dinadan. Il venait à la recherche de messire Tristan. On le lui montra où il était, armé de toutes pièces et s'apprêtant à embarquer. « Gentil chevalier, lui dit messire Dinadan, avant de quitter cette cour, je vous requiers de jouter avec moi. — Volontiers, pourvu que ces seigneurs m'en octroient la permission. » Les barons y consentirent. Ils se coururent sus, et messire Tristan fit tomber messire Dinadan. Il pria alors messire Tristan d'accepter qu'il lui tînt compagnie. « Vous serez tout à fait le bienvenu », lui fut-il répondu. Ils prirent donc leurs chevaux et de concert gagnèrent leurs navires.

Lorsque messire Tristan fut sur l'eau, il dit à ceux qui étaient restés à terre : « Saluez bien pour moi le roi Marc et tous mes ennemis, et dites-leur que je reviendrai quand je le pourrai. Me voilà bien récompensé pour avoir amené d'Irlande la reine Yseut et pour ce qu'il m'en a coûté, pour les dangers que j'ai courus pendant tout le voyage et, en arrivant ici, les risques pris pour faire sortir la reine du Château des Pleurs ! Beaux remerciements pour le combat livré à messire Bliobéris, afin de secourir l'épouse de messire Ségurade ! Belle gratitude pour avoir affronté messire Blanor de Gaunes en la place du père de la Belle Yseut, le roi Aguisant ! Belle reconnaissance pour avoir mis à terre messire Lamorat de Galles, le valeureux chevalier, à la requête du roi Marc ! Je suis bien payé de retour pour avoir entrepris le roi des Cent Chevaliers et celui de Norgalles, quand l'un et l'autre voulaient asservir ce royaume ! C'est moi qui les ai défaits. Et comme on sait bien reconnaître le service que j'ai rendu en tuant Taulas, le robuste géant ! J'ai fait pour le roi Marc bien d'autres choses encore. À présent, j'ai le salaire de mes peines. Dites-lui aussi que plus d'un chevalier de la Table Ronde a épargné les barons de ce pays par amour pour moi. Ne suis-je pas en outre honoré comme il convient pour m'être opposé à messire Palamède, ce bon chevalier, et lui avoir ôté la reine Yseut ? Ce jour-là, le roi Marc avait dit devant ses barons que j'aurais dû en avoir meilleure récompense. »

Puis, sans plus attendre, il prit la mer.

CHAPITRE XXII

Comment une demoiselle chercha de l'aide afin de secourir messire Lancelot contre trente chevaliers, et comment messire Tristan se battit avec eux

LORSQU'ILS DÉBARQUÈRENT ENSUITE, non loin du rivage messire Tristan et messire Dinadan recontrèrent messire Hector des Mares et messire Bohort de Gaunes. Messire Hector jouta avec messire Dinadan. Il fit tomber cavalier et monture. Messire Tristan aurait voulu se mesurer à messire Bohort, mais celui-ci dit qu'il refusait de jouter avec des chevaliers cornouaillais, car on ne les tenait pas pour hommes de mérite. Tout ceci se passa sur un pont. Là-dessus arrivèrent messire Bliobéris et messire Briant. Messire Bliobéris proposa de jouter avec messire Tristan, lequel le renversa. Lors dit messire Bohort de Gaunes : « Je ne pensais pas qu'un chevalier de Cornouailles pût atteindre à la valeur et vaillance de ce chevalier dont le cheval porte un harnois brodé de couronnes. »

Après quoi messire Tristan et messire Dinadan s'en allèrent de leur côté. Ils entrèrent dans une forêt. Ils y rencontrèrent une demoiselle. Par amour pour messire Lancelot, elle venait chercher, afin de le secourir, de nobles chevaliers de la cour du roi Arthur. Messire Lancelot était en ce besoin parce que la reine Morgane la Fée, par trahison, avait arrangé qu'il fût tué. À cet effet elle avait mis trente chevaliers à l'attendre. La demoiselle connaissait son projet. Pour cette raison elle venait quérir de nobles chevaliers, afin de porter aide à messire Lancelot. C'était cette nuit-là, ou le lendemain, qu'il devait arriver sur le lieu de l'embuscade. La demoiselle, donc, alla devers messire Bohort, messire Bliobéris, messire Hector et messire Driant. Elle les informa tous les quatre de la perfidie de Morgane la Fée. Ils lui promirent de se trouver près de l'endroit où messire Lancelot rencontrerait les trente chevaliers. « Et s'il advient qu'ils l'assaillent, nous lui apporterons tout notre secours. »

Adonc la demoiselle repartit, et le hasard voulut que son chemin croisât celui de messire Tristan et de messire Dinadan. Elle leur conta tous les projets perfides qui menaçaient messire Lancelot. « Gente demoiselle, lui dit messire Tristan, menez-moi à l'endroit même où ils l'attendent. » Messire Dinadan intervint : « Et que ferez-vous ? Nous ne pourrons combattre trente chevaliers. Sachez bien que je ne m'en mêlerai point. Pour un chevalier faire face à deux ou trois est chose possible, s'ils se conduisent en hommes de courage. Mais, quant à en entreprendre quinze, cela je ne m'y essaierai point. — Fi donc ! répliqua messire Tristan, contentez-vous de faire la part qui vous revient. — Non, je ne consens à en être que si vous me prêtez votre écu. Vous en portez un qui est des Cornouailles et, à cause de la couardise que l'on prête aux chevaliers cornouaillais, ces écus garantissent qu'on vous laisse de côté. — Je ne me départirai point de mon écu, par amour pour celle qui me l'a donné. Il est pourtant une chose que je te promets, Dinadan : si tu ne t'engages pas à demeurer à mes côtés, sur-le-champ je te tue. Je ne te demande pas davantage que de te charger de l'un d'eux. Et si le courage te manque, tiens-toi à l'écart, regarde-moi faire et regarde-les faire. — Messire, je puis vous promettre de regarder et de faire ce que je pourrai pour me sauver, mais je regrette de vous avoir rencontré en chemin. »

Peu de temps après, les trente chevaliers passèrent auprès des quatre dessusdits. Ils ne purent ne pas les voir et eux aussi, cela ne leur échappa point. Mais ces trente chevaliers les laissèrent passer, pour ce qu'ils ne voulaient pas les provoquer, en raison sans doute du combat qui les attendait contre messire Lancelot. Quant aux quatre, ils ne s'opposèrent pas au passage des trente, parce qu'ils voulaient voir et considérer ce qu'ils feraient contre Lancelot. Les trente donc continuèrent leur route et arrivèrent devant messire Tristan et messire Dinadan. Lors messire Tristan cria d'une voix forte : « Regardez par ici. Je suis un chevalier qui veut vous combattre, pour l'amour qu'il porte à messire Lancelot. »

Sur ce il en tua deux d'une seule lance et dix de son épée. Messire Dinadan là-dessus s'en mêla, et il se comporta fort bien. Des trente chevaliers dix seulement s'en tirèrent, et cela en s'enfuyant. Ce combat, messire Bohort de Gaunes et ses trois compagnons le virent d'un bout à l'autre. Ils se rendirent compte aussi qu'il s'agissait du même chevalier qui avait jouté avec eux sur le pont. Après quoi ils prirent leurs chevaux et coururent à messire Tristan. Ils le louèrent et le remercièrent de ses belles actions. Ils lui demandèrent tous de l'accompagner en leur logis. Il refusa, dit qu'il n'irait en logis aucun. Lors les quatre chevaliers tous quatre le prièrent de leur révéler son nom. « Gentils seigneurs, répondit messire Tristan, pour lors je ne vous le dirai point. »

CHAPITRE XXIII

Comment messire Tristan et messire Dinadan vinrent à un logis où il leur fallut jouter avec deux chevaliers

LORS messire Tristan et messire Dinadan poursuivirent leur route. Ils arrivèrent là où se trouvaient les bergers et les pâtres. Ils leur demandèrent s'ils connaissaient un logis ou un abri dans le voisinage. « En vérité, messires, répondirent les pâtres, non loin d'ici vous pourriez avoir bon gîte dans un château. Mais la coutume y veut que nul chevalier ne puisse y trouver asile, s'il ne joute avec deux autres. Vous y serez bientôt. Vous aurez donc à qui parler. — L'hospitalité laisse à désirer, repartit messire Dinadan. Logez où le cœur vous en dit, moi je n'irai pas. — Fi donc ! dit messire Tristan, n'êtes-vous pas de la Table Ronde ? Vous ne pouvez en honneur refuser un logement qu'on vous offre. — Ce n'est pas cela, dirent les pâtres. Si vous êtes vaincu et avez le dessous, vous n'aurez nul logement. Seulement si vous prenez le dessus, vous serez bien hébergés. — Ah ! dit messire Dinadan, ce sont deux chevaliers qui sont bien sûrs d'eux ! » Adonc il ne voulait y demander asile sous aucun prétexte. Il n'accepta que lorsque messire Tristan l'en requit de sa chevalerie. Ils se rendirent au château. Pour vous le faire court, messire Tristan et messire Dinadan renversèrent les deux chevaliers. Ils entrèrent et eurent aussi bon accueil qu'ils pouvaient l'espérer ou l'imaginer.

Quand ils eurent ôté leurs armures et purent songer aux réjouissances et au repos, franchirent les portes messire Palamède et messire Guerrehet, qui demandèrent le bénéfice de la coutume du château. « Que se passe-t-il encore ? demanda messire Dinadan. J'aimerais bien pouvoir me reposer. — Ce n'est pas possible, dit messire Tristan. À présent, il nous faut défendre la coutume que l'on observe ici. Nous avons pris le meilleur sur les seigneurs de ce château. Il vous faut donc vous préparer. — Maudit soit le jour, maugréa messire Dinadan, où je me suis fait votre compagnon. »

Adonc ils se préparèrent. Messire Guerrehet rencontra messire Tristan. Il fut mis à terre. Messire Palamède se heurta à messire Dinadan. Messire Dinadan tomba. Il y eut par conséquent une chute de chaque côté. Il leur fallut combattre à pied. Messire Dinadan n'en voulait rien faire, car il se sentait fort meurtri après avoir été jeté au sol par messire Palamède. Messire Tristan lui délaça son heaume et le pria de bien vouloir l'aider. « Non, répondit l'autre. Je souffre beaucoup des blessures que j'ai reçues des trente chevaliers avec lesquels nous avons eu affaire il n'y a que peu de temps. Mais vous, dit-il à Tristan, vous vous conduisez en dément, en homme qui n'a plus de sens et serait résolu à se perdre. Je puis bien maudire l'heure où je vous ai vu pour la première fois. Sur la terre entière il n'y a pas deux chevaliers qui soient aussi enragés que messire Lancelot et vous, messire Tristan. Il m'est arrivé de me faire le compagnon de messire Lancelot, comme je suis le vôtre à présent. Il m'assigna une besogne telle qu'ensuite, trois mois durant, je dus ne pas quitter mon lit. Dieu me garde, ajouta-t-il, de deux pareils chevaliers, mais surtout de votre compagnie ! — En ce cas, dit messire Tristan, je les combattrai tous les deux. »

Lors messire Tristan les invita l'un et l'autre à s'avancer, car il voulait se mesurer à eux. Messire Palamède et messire Guerrehet leur firent face et frappèrent tant sur l'un que sur l'autre. Dinadan porta un coup ou deux à messire Guerrehet, puis il se détourna. « Non, dit messire Palamède, pour nous qui sommes deux, ce serait trop indigne de nous en prendre à un seul. » Il enjoignit alors à messire Guerrehet de se tenir à l'écart avec le chevalier qui n'avait pas envie de se battre. Il rencontra donc messire Tristan. Ils combattirent longtemps. Finalement, en redoublant ses coups, messire Tristan contraignit messire Palamède à reculer de plus de trois pas. D'un commun accord, messire Guerrehet et messire Dinadan s'interposèrent alors et les séparèrent.

Messire Tristan aurait voulu qu'ils eussent tous même toit. Messire

Dinadan, lui, refusa de loger en ce château. Il maudit le jour où il était venu en leur compagnie. Il prit son cheval, son harnois et partit. Messire Tristan alors pria les seigneurs du château de lui prêter quelqu'un pour les conduire à un autre logis. Ce qu'ils firent. Ils rejoignirent messire Dinadan. Ils chevauchèrent une lieue jusqu'à un prieuré où vivait un homme de bien et là furent à leur aise. Cette même nuit, messire Bohort, messire Bliobéris, messire Hector et messire Driant demeurèrent sur les lieux où messire Tristan avait livré combat aux trente chevaliers. Ils y rencontrèrent alors messire Lancelot. Ils avaient promis, la même nuit encore, de loger chez messire Calogrenant.

CHAPITRE XXIV

Comment messire Tristan jouta avec messire Keu et messire Sagremor le Desrée, et comment messire Gauvain le fit échapper à Morgane la Fée

MAIS dès que messire Lancelot, le noble chevalier, entendit parler d'un écu de Cornouailles, il comprit que c'était messire Tristan qui avait combattu contre ses ennemis. Lors il se mit à louanger messire Tristan et à dire de lui qu'il était l'homme au monde dont le mérite était le plus grand.

Il y avait alors au prieuré un chevalier qui s'appelait Pélinier. Il aurait voulu connaître le nom de messire Tristan mais ne put y parvenir de nulle façon. Adonc messire Tristan s'en alla, laissant messire Dinadan derrière lui en l'abbaye, car il était si las et meurtri qu'il ne pouvait monter à cheval. Lors ce messire Pélinier dit à messire Dinadan : « Puisque vous refusez de me livrer le nom de ce chevalier, je vais me mettre à sa poursuite et le forcer à me le dire. Sinon il mourra. — Prenez garde, sire chevalier, répliqua messire Dinadan. Si vous le suivez, vous vous en repentirez. » Conséquemment ce messire Pélinier courut après messire Tristan et le requit de jouter avec lui. Messire Tristan le jeta au sol, lui transperçant l'épaule. Puis il passa son chemin.

Le lendemain, messire Tristan fit rencontre de hérauts. Ils lui annoncèrent qu'on faisait crier par tout le pays un tournoi entre d'une part le roi Caradoc d'Écosse et de l'autre le roi de Norgalles. Ils jouteraient au Château des Pucelles. Ces hérauts parcouraient tout le pays en quête de bons chevaliers. Le roi Caradoc, plus particulièrement, faisait rechercher messire Lancelot du Lac et le roi de Norgalles messire Tristan de Léonois. Messire Tristan pensa qu'il lui serait possible de prendre part aux joutes. Par hasard il rencontra messire Keu le sénéchal et messire Sagremor le Desrée. Messire Keu l'invita à jouter avec lui. Il dit non, tout net, parce qu'il craignait d'être blessé ou meurtri avant les grandes joutes qui devaient se tenir devant le Château des Pucelles et songeait en conséquence à se délasser et prendre du repos. Messire Keu le poursuivit de ses cris : « Chevalier de Cornouailles, joute avec moi, ou bien reconnais ta défaite et rends-toi à ma merci. » Quand messire Tristan entendit cela, il fit face. Messire Keu alors refusa le combat et lui tourna le dos. Messire Tristan lui lança : « Comme je vais te trouver, je vais te prendre. » Messire Keu, à contre-cœur, revint en arrière. Tristan le fit tomber au sol, puis passa outre. Messire Sagremor le Desrée le poursuivit alors et le contraignit à jouter. Messire Tristan le mit à son tour à bas de son cheval et continua son chemin.

Le même jour, Tristan fit rencontre d'une demoiselle qui lui dit qu'il acquerrait beaucoup d'honneur à s'attaquer à un dangereux chevalier qui faisait beaucoup de mal en cette contrée. Quand messire Tristan l'entendit, il fut heureux de pouvoir la suivre pour une glorieuse entreprise. Il lui tenait compagnie depuis plus de deux lieues quand il rencontra messire Gauvain. Celui-ci reconnut la demoiselle. Il savait qu'elle appartenait à la reine Morgane la Fée. Il comprit qu'elle conduisait ce chevalier vers quelque mauvais pas. « Gentil chevalier, demanda messire Gauvain, où allez-vous à présent avec cette demoiselle ? — Messire, je ne sais où je vais. Je la suis où elle me mènera. — Messire, ne la suivez pas. Sa dame et elle n'ont jamais fait de bien, seulement du mal. »

Lors messire Gauvain tira son épée du fourreau et dit : « Demoiselle, si vous ne me dites dès maintenant la raison pour laquelle vous emmenez ce chevalier, vous mourrez sur l'heure. Je connais toute la perfidie de votre dame, ainsi que la vôtre. — Grâce, messire Gauvain ! Si vous me gardez la vie sauve, je vous dirai tout. — Parlez et je vous épargnerai. — Messire, dit-elle, la reine Morgane la Fée, ma maîtresse, a commandé à trente dames de rechercher et découvrir ou bien messire Lancelot, ou bien messire Tristan. Qui rencontrera la première l'un ou l'autre de ces deux chevaliers doit, en usant de séduction, l'amener au château de la fée Morgane, sous couleur d'accomplir des actions d'éclat. Si l'un d'eux venait en ce château, il y a trente chevaliers aux aguets dans une tour qui sont prêts à l'assaillir. — Quelle honte ! s'exclama messire Gauvain. Dire que pareille traîtrise est l'œuvre et le recours d'une reine, d'une sœur de roi, et de la fille d'un roi et d'une reine ! »

CHAPITRE XXV

Comment messire Tristan et messire Gauvain allèrent au-devant des trente chevaliers pour les combattre, mais eux n'osèrent pas sortir

« MESSIRE, proposa Gauvain, accepterez-vous de vous tenir auprès de moi, et nous verrons jusqu'où ira la méchanceté de ces trente chevaliers ? — Messire, répondit Tristan, allez à eux si bon vous semble. Vous trouverez que je ne vous ferai point défaut. Il n'y a pas si longtemps qu'avec un compagnon nous avons fait face à trente chevaliers de cette reine. Que Dieu nous soit en aide et nous en tirerons de la gloire ! » Adonc l'un et l'autre partirent vers le château où se trouvait Morgane la Fée. Cependant messire Gauvain demeurait persuadé que c'était bien messire Tristan de Léonois qui chevauchait à ses côtés, ayant entendu parler de deux chevaliers qui en avaient occis et défait trente autres.

Lorsqu'ils furent devant le château, messire Gauvain à haute voix lança : « Reine Morgane la Fée, faites sortir vos chevaliers, que vous avez postés à guetter la venue de messire Lancelot ou celle de messire Tristan. Je connais à présent toute la perfidie de votre machination, et partout où j'irai on en sera informé. Maintenant, vous les trente chevaliers, faites voir à messire Gauvain si vous osez quitter votre château. »

Lors la reine parla à son tour, ainsi que les trente chevaliers d'une même voix : « Messire Gauvain, vous savez fort bien ce que vous faites et ce que vous dites. Par Dieu, nous vous connaissons suffisamment pour en être certains. Mais tout ce que vous dites et tout ce que vous faites vient de l'assurance que vous donne le valeureux chevalier qui est à côté de vous. D'aucuns parmi nous ont bonne connaissance de ce que peut faire le bras de ce chevalier-là, parfaite connaissance. Sachez, messire Gauvain, que c'est davantage à cause de lui qu'à cause de vous que nous ne sortirons pas de ce château. Sachez-le, messire Gauvain, ce chevalier qui porte les armes des Cornouailles, ni son nom ni ce qu'il est ne nous sont étrangers. »

Messire Gauvain et messire Tristan partirent et continuèrent leur chemin ensemble pendant un jour ou deux. C'est alors que par hasard ils firent rencontre de messire Keu et de messire Sagremor le Desrée. Ceux-ci furent fort joyeux de voir messire Gauvain, lui aussi fut joyeux de les voir. Cependant ils ignoraient le nom de l'homme qui portait sur son écu les armes des Cornouailles. Ils en étaient réduits aux suppositions. Ils chevauchèrent ainsi de concert durant un jour ou deux. Au bout de ce temps, ils aperçurent messire Brun sans Pitié, qui pourchassait une dame dans le dessein de la tuer, après avoir occis son amant. « Point de bruit, dit messire Gauvain à ses compagnons, et ne vous montrez pas ! Vous me verrez donner sa juste récompense à la fausseté de ce chevalier. S'il vous voyait, il a si bonne monture qu'il nous échapperait. »

Lors messire Gauvain courut se placer entre messire Brun et la dame. Puis il dit : « Fourbe chevalier, laisse là cette dame et mesure-toi à moi. » Messire Brun ne vit personne d'autre que messire Gauvain. Il coucha sa lance, son adversaire aussi. Messire Brun culbuta messire Gauvain, puis lui passa sur le corps avec son cheval, et ainsi vingt fois de suite, pour qu'il n'en réchappât point. Quand messire Tristan le vit se rendre coupable d'une action aussi basse, il se rua vers lui. Messire Brun vit l'écu des Cornouailles. Il sut qu'il s'agissait de messire Tristan et prit la fuite, avec messire Tristan sur ses talons. Messire Brun avait si bon coursier qu'il ne put être rejoint, mais messire Tristan le poursuivit longtemps. Il eût aimé assouvir sa vengeance. Cependant, après une longue chasse, apercevant une belle fontaine, il y alla se reposer et attacha son cheval à un arbre.

CHAPITRE XXVI

Comment dame Brangien trouva Tristan endormi près d'une fontaine, et comment elle lui remit des lettres de la part de la Belle Yseut

LORS il retira son heaume, se lava le visage et les mains, puis s'endormit. Sur ces entrefaites arriva une dame qui l'avait cherché par bien des chemins et durant bien des jours en cette contrée. Lorsqu'elle fut à la fontaine, elle le regarda. Le souvenir qu'elle avait gardé de lui ne lui permit pas de le reconnaître, mais à son cheval elle sut qui il était. Ce cheval avait nom Passebreuil et appartenait à messire Tristan depuis de nombreuses années. Quand son maître était dans la forêt, ayant perdu la raison, messire Fergus avait pris soin de lui. Adonc cette dame, dame Brangien, demeura là sans faire de bruit, aussi longtemps que messire Tristan ne fut pas réveillé. Quand il fut sorti de son sommeil, elle le salua. Il lui rendit son salut, car ils se connaissaient de longue date. Puis elle lui dit qu'elle l'avait cherché partout et qu'elle avait pour lui des lettres de la Belle Yseut.

Aussitôt il les lut. Vous devinez comme il s'en réjouit. Elles contenaient plus d'une plainte attendrissante. Il dit : « Dame Brangien, vous allez me tenir compagnie, jusqu'à ce que soit fini le tournoi du Château des Pucelles. Ensuite vous porterez des lettres et nouvelles. » Il prit son cheval et chercha un logis. Il advint qu'il rencontra un chevalier, homme d'âge et de mérite, qui le pria de loger chez lui. Gouvernail arriva sur ces entrefaites. Il prit plaisir à la présence de la dame.

Le nom de ce vieux chevalier était messire Poliner. Il parla du grand tournoi qui devait se tenir au Château des Pucelles. Messire Lancelot et trente-deux chevaliers de son sang voulaient y porter des écus des Cornouailles. Quelqu'un s'en vint alors trouver messire Poliner pour l'informer du retour de messire Perside le Bloi. Messire Poliner leva les bras au ciel et remercia Dieu qu'il fût revenu. Il dit à messire Tristan que depuis deux ans il n'avait pas revu son fils, messire Perside. « Messire, repartit messire Tristan, je connais bien votre fils pour un bon chevalier. »

Messire Tristan et messire Perside arrivèrent donc au logis tous deux en même temps. Ils ôtèrent leurs armures et mirent d'autres vêtements. Puis ils se souhaitèrent la bienvenue. Quand messire Perside comprit que messire Tristan était des Cornouailles, il dit qu'il était passé par là. « J'y ai jouté devant le roi Marc. Il m'est arrivé de renverser dix chevaliers. C'est alors que m'a rencontré messire Tristan de Léonois. Il m'a renversé à mon tour et m'a enlevé ma dame. Cela, je ne l'oublierai jamais. Je m'en souviendrai, en tout cas, lorsque l'occasion se présentera. — Ah ! s'exclama son compagnon, je vois bien maintenant que vous détestez messire Tristan ! Mais qu'allez-vous imaginer ? Croyez-vous qu'il ne soit pas homme à défier le mal que vous pourriez lui causer ? — Oui, je sais qu'il est noble chevalier et bien meilleur que je ne suis. Mais, quoi qu'il en soit, je lui garderai rancune. »

Tandis qu'ils devisaient ainsi à la fenêtre en tour ronde de ce château, ils virent nombre de chevaliers venant de côté et d'autre et se rendant sur le lieu du tournoi. Messire Tristan alors avisa l'un d'eux, qui était de bonne mine, chevauchant un grand cheval noir et portant un écu peint en noir. « Quel chevalier est-ce là ? demanda-t-il, avec le cheval noir et l'écu de même couleur ? Il a belle allure. — Je le connais bien, répondit messire Perside. C'est l'un des meilleurs qui soient au monde. — C'est donc messire Lancelot. — Non, c'est messire Palamède. Il n'est pas encore baptisé. »

CHAPITRE XXVII

Comment messire Tristan fut jeté au sol par messire Palamède, et comment Lancelot renversa deux chevaliers

LORS ils virent force gens de la contrée qui saluaient messire Palamède. Et, peu de temps après, il vint un serviteur du château informer messire Poliner, qui en était le seigneur, qu'un chevalier à l'écu de couleur noire avait mis à bas treize autres chevaliers. « Gentil frère, dit messire Tristan à messire Perside, mettons des manteaux et allons voir le divertissement. — Non, repartit messire Perside, n'y allons pas comme des laquais. Allons-y comme des hommes, de bons chevaliers, prêts à affronter nos ennemis. » Ils s'armèrent donc. Ils prirent leurs chevaux, de grandes lances et se rendirent là où beaucoup de chevaliers s'essayaient avant le tournoi.

Aussitôt messire Palamède eut son attention attirée par messire Perside. Il lui envoya un écuyer, après avoir dit à celui-ci : « Va trouver ce chevalier là-bas, dont l'écu est de sinople chargé d'un lion d'or, et dis-lui que je le requiers de jouter avec moi. Dis-lui aussi que je me nomme messire Palamède. » Lorsque messire Perside prit connaissance de cette requête, il se prépara. Sans tarder ils se rencontrèrent. Messire Perside fut désarçonné. Messire Tristan alors se prépara à son tour, afin de se venger de messire Palamède. Celui-ci le vit. Il était prêt, messire Tristan ne l'était pas. Il profita de cet avantage et le fit passer par-dessus la queue de son destrier, alors qu'il n'avait pas encore mis sa lance en arrêt.

Messire Tristan se releva d'un bond. Vite il remonta à cheval. Il était en courroux furieux et fort dépité de cette chute. Il envoya Gouvernail à messire Palamède, le priant à sa requête de jouter avec lui. « Non, répondit l'autre, à l'heure qu'il est je n'en ferai rien. Je connais cet homme mieux qu'il ne pense. S'il est en colère, l'occasion lui sera donnée d'amender cela demain matin au Château des Pucelles, où il pourra me trouver, de même que maint autre chevalier. »

Là-dessus arriva messire Dinadan. Quand il vit en quel courroux était messire Tristan, il n'eut pas envie de le moquer. « Voyez, dit-il, la preuve est faite qu'aussi valeureux que l'on soit, on peut connaître la chute. Le plus sage n'est pas à l'abri d'une faute. Il faut être bon cavalier pour ne jamais tomber. » Messire Tristan ne cessait point d'être fort en colère. Il dit à messire Perside et à messire Dinadan : « Je me vengerai. » Alors qu'ils étaient ainsi à parler vint à passer près de messire Tristan un chevalier de bonne mine, qui chevauchait d'un air très grave et austère. Il portait un écu de couleur noire. « Quel chevalier est-ce là ? demanda Tristan à messire Perside. — Je le connais bien, répondit messire Perside. Son nom est messire Briant de Norgalles. » L'homme continua son chemin pour se joindre à d'autres chevaliers du même pays.

On vit alors entrer dans le champ messire Lancelot du Lac. Il portait un écu aux armes des Cornouailles. Il envoya un écuyer à messire Briant, le requérant de jouter avec lui. « Soit ! répondit messire Briant. Puisque l'on m'en requiert, je ferai de mon mieux. » Messire Lancelot lui fit faire une culbute. Lors messire Tristan se demanda qui ce pouvait bien être qui portait un écu aux couleurs des Cornouailles. « Quel qu'il soit, lui répondit messire Dinadan, je puis vous garantir qu'il est du sang du roi Ban. Ce sont les chevaliers les plus braves qui soient au monde, à en juger d'après tous ceux que l'on connaît. »

Vinrent alors deux chevaliers de Norgalles. L'un se nommait Hue de la Montagne, l'autre messire Madoc de la Montagne. Ils défièrent messire Lancelot, avant qu'il eût pu se reposer. Celui-ci ne refusa point le combat. Il se prépara. D'une seule lance il les fit voler par-dessus la croupe de leurs montures. Puis il passa outre. « Seigneur ! s'exclama messire Tristan, c'est là un bon chevalier qui porte les armes des Cornouailles. Il se tient à cheval, à mon sens, mieux qu'aucun autre qu'il m'ait été donné de voir. »

Lors le roi de Norgalles alla trouver messire Palamède. Il le pria instamment, pour lui être agréable, de jouter avec le chevalier qui leur avait fait subir un affront. « Sire, répondit-il, j'hésite beaucoup à me mesurer à lui. La cause en est que demain a lieu le grand tournoi. Je veux donc me garder frais et dispos, autant que je le puis. — Non, décida le roi de Norgalles, je vous prie de le requérir de jouter. — Sire, dit messire Palamède, je jouterai pour vous satisfaire et demanderai à ce chevalier de jouter avec moi. Mais c'est souvent quc j'ai vu un homme tomber à sa propre requête. »

CHAPITRE XXVIII

Comment messire Lancelot jouta avec Palamède et le renversa, pour ensuite subir l'assaut de douze chevaliers

LORS messire Palamède envoya un écuyer à messire Lancelot, le requérant de jouter. « Mon ami, dit celui-ci, donne-moi le nom de ton seigneur. — Messire, il se nomme messire Palamède, le valeureux chevalier. — À la bonne heure. Je n'ai vu de sept ans chevalier que j'aurais plus de plaisir à combattre. » Adonc l'un et l'autre se préparèrent avec de grandes lances. « Mais oui, dit messire Dinadan, vous verrez que messire Palamède s'en tirera fort bien. — Cela se peut, répliqua messire Tristan, mais je prétends que le chevalier qui porte les couleurs des Cornouailles le fera choir. — Je n'en crois rien. » Les combattants alors donnèrent des éperons à leurs montures. Ils couchèrent leurs lances. Les deux armes touchèrent leur but. La lance de messire Palamède se brisa en frappant messire Lancelot. Celui-ci resta bien assis et ne bougea mie. En revanche, il heurta son adversaire d'un geste si prompt que la selle quitta le cheval. Le coup rompit le bouclier et la cuirasse, et si le cavalier n'était pas tombé, il serait mort. « Qu'en dites-vous maintenant? demanda messire Tristan. Je savais bien, à leur façon de se tenir à cheval à l'un et à l'autre, que messire Palamède serait jeté au sol. »

Messire Lancelot alors poursuivit sa route. Il chevaucha jusqu'à une fontaine, où il entendait boire et prendre du repos. Ceux de Norgalles épièrent là où il se rendait. Douze chevaliers l'y suivirent pour lui faire un mauvais parti. Ils voulaient l'empêcher le lendemain au Château des Pucelles de remporter la victoire. Ils l'assaillirent soudainement. Il eut à peine le temps de mettre son heaume et d'enfourcher son cheval qu'ils étaient déjà sur lui. Il se saisit de sa lance et se jeta au milieu d'eux. Il occit l'un de ses assaillants. La lance se brisa et lui resta dans le corps. Sur ce il dégaina son épée et frappa de droite et de gauche, si bien qu'en quelques coups il en tua trois autres. Ceux qui restaient, il leur fit de graves blessures. Aucun n'en sortit indemne.

C'est ainsi que messire Lancelot échappa à ses ennemis de Norgalles. Il continua son chemin pour gagner la maison d'un ami, qui l'hébergea jusqu'au matin suivant. Il ne voulait pas, en effet, prendre part au tournoi le premier jour, parce qu'il avait déjà fait beaucoup d'efforts. Le premier jour, il se mit aux côtés du roi Arthur, là où celui-ci se trouvait placé, en haut d'une tribune, pour juger de celui dont les actions auraient le plus d'éclat. Il était avec le roi Arthur et ne jouta point ce jour-là.

CHAPITRE XXIX

Comment messire Tristan se conduisit au premier jour du tournoi et pour lors remporta le prix

À PRÉSENT, passons à messire Tristan de Léonois. Il donna ordre à Gouvernail, son serviteur, de lui procurer un écu de couleur noire, sans autre signe par où le reconnaître. Puis messire Perside et lui quittèrent leur hôte, messire Poliner, et partirent de bonne heure pour le lieu du tournoi. Quand ils furent rendus, ils se rangèrent du côté du roi Caradoc d'Écosse. Incontinent des chevaliers commencèrent les combats, tant du parti du roi de Norgalles que de celui du roi Caradoc, et il y eut de grandes rencontres. On se précipita, on se jeta les uns contre les autres. Entrèrent dans le champ messire Perside et messire Tristan. Ils se comportèrent de telle sorte qu'ils obligèrent le roi de Norgalles à reculer. Puis ce fut le tour de messire Bliobéris de Gaunes et de messire Guerrehet de pénétrer sur le terrain avec ceux de Norgalles. Messire

Perside fut jeté au sol et faillit y laisser la vie. Plus de trente cavaliers lui passèrent sur le corps. Messire Bliobéris accomplit de hauts faits d'armes, et messire Guerrehet ne lui fit point défaut.

Lorsque messire Tristan les vit exécuter de telles prouesses, il se demanda bien qui ils pouvaient être. Il trouva par ailleurs indigne le traitement réservé à messire Perside. Il prit en main une grande lance et courut sus à messire Guerrehet. Il le heurta et le fit tomber de son cheval. Messire Bliobéris s'en courrouça. À son tour, il se saisit d'une lance et, plein de rage, fondit sur messire Tristan. Celui-ci s'apprêta à le rencontrer. Il le jeta à bas de sa monture. Le roi des Cent Chevaliers s'en irrita. Il remit en selle messire Bliobéris et messire Guerrehet, et commença pour lors une grande mêlée. Toujours messire Tristan serrait les autres de près, et toujours messire Bliobéris harcelait messire Tristan. Là-dessus messire Dinadan vint se mesurer à lui. Messire Tristan le choqua si rudement qu'il défaillit sur sa selle.

Peu après messire Dinadan vint à messire Tristan et lui dit : « Messire, je vous connais mieux que vous ne pensez. J'engage ici ma foi que jamais plus je ne me mesurerai à vous. Je vous promets que cette épée que vous avez en main jamais plus ne touchera mon heaume. » Sur ce arriva messire Bliobéris. Messire Tristan lui asséna un coup si puissant qu'il courba la tête. Puis il le saisit par le heaume, si violemment qu'il le traîna sous les pieds de son cheval.

Le roi Arthur alors fit sonner la fin des combats. Messire Tristan se retira en son pavillon. Messire Dinadan l'y suivit. Messire Perside et le roi Arthur, les princes aussi dans chacun des deux camps, se demandèrent qui était ce chevalier à l'écu de couleur noire. Beaucoup donnèrent leur avis. Certains savaient que c'était messire Tristan mais se tenaient cois et ne voulaient rien dire. Donc, ce premier jour, le roi Arthur et tous les rois et seigneurs qui étaient juges attribuèrent le prix à messire Tristan, en dépit du fait qu'ils ignoraient son nom. Ils en parlaient seulement comme du chevalier à l'écu de couleur noire.

CHAPITRE XXX

Comment messire Tristan se retourna contre le parti du roi Arthur, quand il vit que messire Palamède était de ce parti

LE LENDEMAIN MATIN, messire Palamède quitta le roi de Norgalles pour rejoindre le camp du roi Arthur, où se trouvaient déjà le roi Caradoc, le roi d'Irlande, les parents de messire Lancelot et ceux de messire Gauvain. Messire Palamède envoya à messire Tristan la demoiselle qu'il avait chargée de le retrouver quand dans la forêt il avait perdu l'esprit. Cette demoiselle lui demanda qui il était et quel était son nom. « Pour ce qui est de cela, répondit-il, dites à messire Palamède que vous n'en saurez rien, tant que je n'aurai pas rompu deux lances contre lui. Qu'il sache toutefois que je suis le même chevalier qu'il a mis à terre l'autre soir au tournoi. Et dites-lui tout crûment que s'il est d'un parti, je serai aussitôt de l'autre. — Messire, apprenez que messire Palamède se rangera du côté du roi Arthur, avec les plus nobles chevaliers qui soient au monde. — Par Dieu, repartit messire Tristan, en ce cas je me mettrai avec le roi de Norgalles, parce que messire Palamède sera de l'autre camp, et je ne m'y résoudrai qu'à cause de lui. »

Adonc, quand le roi Arthur arriva, on sonna le commencement des combats. Une grande bataille s'engagea. Le roi Caradoc jouta avec le roi des Cent Chevaliers et fut mis à terre. On se rua, on se précipita les uns sur les autres. Les chevaliers du roi Arthur entrèrent dans le champ. Ils firent reculer ceux du roi de Norgalles. Puis messire Tristan entra à son tour. Il montra tant de force et d'âpreté que nul ne put lui résister. Il demeura ainsi longtemps le meilleur. Finalement, il eut affaire à la compagnie du roi Ban. L'assaillirent messire Bohort de Gaunes, messire Hector des Mares, messire Blanor de Gaunes et beaucoup d'autres chevaliers. Lors il frappa de gauche et de droite, si bien que tous les seigneurs et toutes les dames parlèrent de ses nobles exploits. Pourtant il eût fini par avoir le dessous sans le soutien que lui apporta le roi des Cent Chevaliers. Il accourut alors avec ses compagnons et le sauva en l'arrachant aux chevaliers qui portaient les couleurs des Cornouailles.

Lors messire Tristan vit approcher une autre troupe. Ils étaient quarante en tout. Messire Keu le sénéchal était à leur tête. Messire Tristan se jeta au milieu d'eux. Il fit tomber messire Keu de son cheval. On eût dit au milieu de ces chevaliers un lévrier parmi des lapins de garenne. Messire Lancelot trouva l'un d'eux gravement blessé à la tête. « Messire, lui demanda-t-il, qui donc vous a fait cette cruelle blessure ? — C'est le chevalier, messire, qui porte un écu de couleur noire. Maudit soit le jour où je l'ai rencontré ! Ce n'est pas un homme mais le diable incarné. » Messire Lancelot quitta ce chevalier dans le dessein de se mesurer à messire Tristan. L'épée nue à la main, il courut à sa recherche. Il le vit alors qui se jetait tantôt ci, tantôt là, à chacun de ses coups ou presque abattant un chevalier. « Dieu du ciel ! s'exclama le roi Arthur, depuis que je porte des armes, jamais encore je n'avais vu chevalier accomplir des actions aussi prodigieuses ! » « Si je m'attaquais à lui, pensa messire Lancelot, je subirais un affront. » Et il remit son épée au fourreau.

Sur ces entrefaites, le roi des Cent Chevaliers et une centaine d'autres de Norgalles assaillirent les vingt de la parenté de messire Lancelot. Ces vingt se tenaient telle une harde de sangliers, sans jamais mutuellement se faillir. Quand messire Tristan fut témoin de la vaillance de ces vingt chevaliers, il s'ébahit de leurs exploits car il voyait bien, à leur conduite et à leur loi, qu'ils eussent préféré mourir plutôt que de battre en retraite. « Seigneur ! s'exclama messire Tristan, on peut bien être vaillant et brave quand on a pour parents d'aussi nobles chevaliers ! Et il y a bien des chances pour que soit plein de noblesse celui qui les mène et a autorité sur eux. » Il voulait signifier par là messire Lancelot du Lac.

Adonc, quand il les eut longtemps regardés, messire Tristan jugea indigne de voir deux cents hommes s'acharner après vingt. Il courut au roi des Cent Chevaliers et lui dit : « Sire, cessez de vous battre contre ces vingt hommes-là. Vous n'en tirez nulle gloire, vous êtes si nombreux et eux en si petit nombre. Soyez sûr qu'ils ne renonceront pas. Je le vois à leur air et physionomie. Nul honneur ne vous reviendra si vous les faites périr. Rompez donc le combat, car moi, de mon côté, pour accroître ma réputation, je vais aller à eux et les aider de toutes mes forces et de tout mon pouvoir. — Non, dit le roi, vous n'en ferez rien. À présent que je vois votre courage et votre courtoisie, pour vous être agréable je retirerai mes chevaliers. Toujours un bon chevalier aimera en soutenir un autre, et qui se ressemble s'assemble. »

CHAPITRE XXXI

Comment messire Tristan trouva Palamède auprès d'une fontaine et l'emmena en son logis

ADONC le roi retira ses chevaliers. Pendant tout ce temps (et longtemps auparavant) messire Lancelot avait regardé messire Tristan, dans l'intention bien arrêtée de s'associer à lui. Soudainement messire Tristan, messire Dinadan et Gouvernail allèrent dans la forêt, si bien que nul ne put connaître où ils étaient passés. Le roi Arthur fit sonner l'arrêt des combats et donna le prix au roi de Norgalles, pour ce que messire Tristan était de son parti. Messire Lancelot chercha partout, furieux comme un lion qui n'a pas apaisé sa faim de ne pas savoir où Tristan pouvait être. Puis il retourna auprès du roi Arthur. Lors sur tout le champ de bataille retentit une clameur que le vent porta jusqu'à une lieue. Seigneurs et dames criaient : « C'est le chevalier à l'écu de couleur noire qui l'a emporté! — Las! soupira le roi Arthur, qu'est-il donc devenu? C'est une honte pour tous ceux qui sont en cette lice de l'avoir laissé partir. En vous montrant gracieux et courtois, vous eussiez pu me l'amener au Château des Pucelles. »

Le noble roi Arthur s'en fut trouver ses chevaliers. Il les réconforta du mieux qu'il put. Il leur dit : « Gentils compagnons, ne cédez pas au découragement, bien que vous ayez aujourd'hui perdu la bataille. Beaucoup ont été blessés, et gravement. Beaucoup sont indemnes. Compagnons, gardez bon espoir. Demain je serai à vos côtés sur le terrain des rencontres et vous vengerai de vos ennemis. » Adonc, cette nuit-là, le roi Arthur et ses chevaliers prirent du repos.

La dame qui était venue trouver messire Tristan de la part de la Belle Yseut, pendant tout le temps que se faisait le tournoi se tint auprès de la reine Guenièvre. La reine sans cesse lui demandait ce qui l'avait amenée en ces parages. « Je ne suis venue, lui répondait-elle, qu'à la requête de ma dame, la Belle Yseut, afin de prendre des nouvelles de votre santé. » La raison pourquoi était qu'elle ne voulait en aucune façon faire savoir à la reine qu'elle venait à cause de messire Tristan.

Cette messagère, donc, dame Brangien, prit congé de la reine Guenièvre et se mit en devoir de suivre Tristan. En traversant la forêt, elle entendit de grands cris. Elle donna ordre à son serviteur d'aller sous le couvert voir d'où venaient ces cris. Il arriva devant une fontaine et là trouva un chevalier attaché à un arbre, qui criait comme un possédé, son cheval et sa cuirasse à côté de lui. Lorsqu'il vit le serviteur, il sursauta, se dégagea de ses liens, empoigna son épée et courut vers l'homme afin de le tuer. Ce que voyant, celui-ci prit son cheval et courut aussi vite qu'il le put devers dame Brangien pour lui conter son aventure.

Dame Brangien chevaucha jusqu'au pavillon de messire Tristan et lui fit part de ce qui s'était passé dans la forêt. « Las! s'écria-t-il, je gage que c'est un bon chevalier qui aura connu quelque infortune. » Il enfourcha sa monture, prit son épée et se rendit sur les lieux. Là il entendit l'homme gémir et dire : « Pauvre chevalier, malheureux Palamède, quelle mésaventure aujourd'hui t'échoit! Tu succombes à la fausseté et à la perfidie, à cause de messire Bohort et de messire Hector. Hélas! pourquoi vivre encore après cela? » Sur ce il se saisit de son épée. Il fit maint signe et geste mystérieux. Puis de rage il jeta l'épée dans la fontaine. Il pleura et se tordit les mains. Finalement dans son désarroi il courut dans l'eau, à en avoir au-dessus du ventre, afin de reprendre l'épée qu'il avait jetée.

Messire Tristan fut témoin de tout cela. Il courut à messire Palamède et le tint solidement en ses bras. « Qui es-tu? demanda Palamède, pour me retenir ainsi? — Je suis un habitant de cette forêt. Je ne te veux aucun mal. — Hélas! soupira messire Palamède, il m'est toujours refusé de me distinguer, là où se trouve messire Tristan. Partout où il paraît, si je suis là aussi, je ne puis rien faire qui me vaille de l'honneur. S'il n'y est point, la plupart du temps, c'est à moi qu'on donne le prix, à moins que messire Lancelot ne soit de la partie, ou messire Lamorat. » Puis il ajouta : « Un jour, en Irlande, messire Tristan m'a vaincu, une autre fois en Cornouailles, et ailleurs en ce pays. — Que feriez-vous, demanda Tristan, si vous l'aviez à portée de main? — Je me battrais avec lui pour le soulagement de mon cœur. Pourtant, à dire vrai, c'est le plus gracieux chevalier qui soit au monde. — Que comptez-vous donc faire? Voulez-vous que je vous accompagne jusqu'à votre logis? — Non. Je vais aller devers le roi des Cent Chevaliers. Il m'a sauvé de messire Bohort de Gaunes et de messire Hector. Sans lui ils m'auraient tué traîtreusement. »

Messire Tristan lui parla si doucement que messire Palamède le suivit en son logis. Gouvernail allait devant. Il fut chargé de dire à dame Brangien de regagner son logis sans se faire voir. « Et que messire Perside ne cherche point noise à ce chevalier! » Ils chevauchèrent ensemble jusqu'au pavillon de messire Tristan. Là messire Palamède eut aussi bonne chère qu'on put lui en offrir, toute la nuit durant. Cependant il n'eut jamais le moyen de savoir qui était son hôte. Après souper on alla se coucher. Messire Tristan était si fourbu qu'il dormit jusqu'à l'aube. Messire Palamède, lui, ne put trouver le sommeil. À la pointe du jour il prit secrètement son cheval et s'en fut rejoindre messire Guerrehet et messire Sagremor le Desrée là où ils étaient, en leurs pavillons. Ils avaient été du même parti que lui au commencement du tournoi. Le lendemain matin, le roi Arthur fit sonner l'ouverture des combats, en leur troisième jour.

CHAPITRE XXXII

Comment messire Tristan renversa messire Palamède, comment il jouta avec le roi Arthur, et d'autres hauts faits

ADONC le roi de Norgalles et celui des Cent Chevaliers, ces deux-là rencontrèrent le roi Caradoc et le roi d'Irlande. Le roi de Norgalles mit à terre celui d'Irlande. Là-dessus arriva messire Palamède. Lorsqu'il vint, il fit beaucoup de besogne. On le sut, car il était aisément reconnaissable à son écu endenté. Puis le roi Arthur entra dans le champ. Ensemble ils accomplirent des prouesses. Le roi de Norgalles et celui des Cent Chevaliers eurent le dessous. Sur ce parut messire Tristan avec son écu de couleur noire. Aussitôt il jouta avec messire Palamède. Sa force était si grande qu'il fit passer son adversaire par-dessus la croupe de son cheval. Le roi Arthur cria : « Chevalier à l'écu de couleur noire, prépare-toi à me rencontrer. » De même manière messire Tristan le culbuta. Grâce au secours de ses chevaliers, Arthur fut remis en selle, de même que messire Palamède. Le roi alors, le cœur plein d'ardeur et de générosité, se saisit d'une lance et, en l'attaquant sur le flanc, jeta messire Tristan à bas de sa monture.

Sans laisser à celui-ci un instant de répit, messire Palamède fondit sur lui, alors qu'il était démonté, dans le dessein de le mettre à mal. Messire Tristan le vit. Il l'évita en se baissant. Furieux, il le saisit par le bras et, en le tirant, le fit tomber de son cheval. Messire Palamède se releva sans attendre. Ils se ruèrent l'un contre l'autre, l'épée à la main. Maint roi et mainte reine, maint seigneur les regardaient sans bouger. Finalement messire Tristan asséna trois grands coups sur le heaume à messire Palamède. À chaque fois il dit : « Prends ceci à cause de messire Tristan. » Messire Palamède s'abattit face contre terre. Survint le roi des Cent Chevaliers. Il amenait un cheval à Tristan. C'est ainsi qu'il fut remis en selle.

Messire Palamède était déjà remonté à cheval. Fou de rage, il se précipita sur messire Tristan, la lance à l'arrêt, et lui lâcha un grand coup d'épée. Messire Tristan évita la lance. À deux mains il saisit son adversaire au col et le tira, l'arracha complètement à la selle. Il le traîna ainsi devant lui sur une longueur de dix lances, puis, là où chacun put bien le voir, il l'abandonna à son sort.

Messire Tristan alors aperçut le roi Arthur. Il avait l'épée nue à la main. Messire Tristan lui courut sus avec sa lance. Hardiment, Arthur l'attendit. De son épée il fendit la lance en deux, laissant Tristan abasourdi. Puis il lui donna trois ou quatre coups, avant qu'il eût pu dégainer son épée. Fin de compte, messire Tristan réussit à sortir son épée du fourreau et assaillit le roi très rudement.

Après quoi la grande foule se dispersa. Messire Tristan se porta tantôt ci, tantôt là, et fit de son mieux. Ce furent onze des bons chevaliers ayant même sang que le roi Ban que ce jour-là messire Tristan renversa. Les gens de toute condition s'ébahirent de ses exploits, et tous vantèrent le chevalier à l'écu de couleur noire.

CHAPITRE XXXIII

Comment messire Lancelot blessa messire Tristan,
et comment ensuite celui-ci mit à terre messire Palamède

LA CLAMEUR tant se répandit qu'elle vint aux oreilles de messire Lancelot. Il prit en main une grande lance et se rendit d'où venait le bruit. Lors il cria : « Chevalier à l'écu de couleur noire, prépare-toi à jouter avec moi. » Quand messire Tristan entendit ces mots, il se saisit de sa lance. Chacun des deux baissa la tête, et ils fondirent l'un sur l'autre avec la rapidité de la foudre. L'arme de messire Tristan se brisa en morceaux, tandis que par malchance messire Lancelot lui faisait au flanc une blessure profonde et presque mortelle. Pourtant messire Tristan demeura en selle, et la lance qui le frappait se rompit.

Là-dessus, quoique blessé, il dégaina son épée. Il se précipita sur messire Lancelot. Il le choqua sur le heaume, trois grands coups, si bien que des étincelles jaillirent. Messire Lancelot courba la tête bien bas vers l'arçon. Après quoi messire Tristan quitta le champ, car il se sentait si gravement atteint qu'il crut qu'il allait mourir. Messire Dinadan s'en aperçut et le suivit dans la forêt. Messire Lancelot demeura sur place et accomplit maint exploit prodigieux.

À l'orée de la forêt messire Tristan mit pied à terre. Il délaça son heaume et découvrit sa plaie. Messire Dinadan pensa en la voyant qu'il ne survivrait pas. « Non, non, lui dit messire Tristan, ne craignez rien. Mon cœur est indemne, et de cette blessure je serai bientôt guéri, avec l'aide de Dieu. » Messire Dinadan vit alors venir Palamède, qui chevauchait droit vers eux. Messire Tristan comprit qu'il avait pour dessein de le tuer. Son compagnon l'avertit et lui dit : « Messire Tristan, monseigneur, vous voici si grièvement blessé que vous êtes incapable de combattre avec lui. Je vais courir à sa rencontre et lui opposer toute la résistance que je pourrai. Si je meurs, priez pour mon âme. Pendant ce temps, vous pourrez vous éloigner, aller dans le château, ou dans la forêt, de manière à ce qu'il ne vous trouve point. »

Messire Tristan sourit et dit : « Je vous remercie, messire Dinadan, de votre bienveillance, mais sachez que je suis en mesure de m'occuper de lui. » Il se hâta de revêtir son armure. Il enfourcha son destrier. Il prit une grande lance. À messire Dinadan il dit seulement : « Adieu. » Puis, sans se presser, il s'avança au devant de messire Palamède.

Quand messire Palamède vit cela, il fit semblant de retenir son cheval, mais il n'agit de la sorte que pour attendre messire Guerrehet, qui venait derrière. Une fois que celui-ci l'eut rejoint, il courut vers messire Tristan. Messire Tristan lui fit savoir par un messager qu'il le requérait de jouter avec lui, que s'il le renversait il en resterait là, mais que s'il advenait que lui-même fût mis à terre, il lui enjoignait de combattre à outrance, jusqu'à ce que mort s'ensuivît. Ils s'accordèrent là-dessus. Lors ils se rencontrèrent. Messire Tristan heurta si violemment messire Palamède que sa chute fut rude. Il demeura sans mouvement, comme s'il eût perdu la vie. Ensuite messire Tristan chargea sus à messire Guerrehet. Celui-ci ne voulait pas jouter. Mais, qu'il le voulût ou non, messire Tristan le fit passer par-dessus la croupe de son cheval. Il resta étendu au sol, comme si c'en était fait de lui.

Messire Tristan continua son chemin. Il laissa l'écuyer de messire Perside dans les pavillons. Puis, en compagnie de messire Dinadan, il chevaucha jusqu'à la demeure d'un vieux chevalier pour y trouver un gîte. Ce vieux chevalier avait cinq fils au tournoi. Il priait Dieu de tout cœur qu'ils revinssent au foyer. Il arriva, s'il faut en croire le livre français, qu'ils revinrent bien, mais tous cinq après une sévère défaite.

Après le départ de messire Tristan dans la forêt, messire Lancelot continua le combat, tel un enragé qui ne se ménage point. Cependant sachez bien qu'il y eut maint chevalier de mérite pour lui faire face.

Lorsque le roi Arthur vit messire Lancelot accomplir d'aussi surprenantes prouesses, il endossa son armure, prit son cheval et entra dans le champ pour lui apporter son soutien. Beaucoup de chevaliers le suivirent. Pour abréger mon récit, le roi de Norgalles et celui des Cent Chevaliers furent défaits. Parce qu'il était demeuré le dernier, on donna le prix à messire Lancelot. Mais lui n'en voulut point, que ce fût l'avis de roi, de reine, ou de chevalier. Et de toutes parts on criait : « Messire Lancelot, c'est messire Lancelot qui aujourd'hui a remporté la victoire ! » Lui à l'opposé faisait courir un autre cri : « C'est messire Tristan qui a été le meilleur. Il a été le premier. Il est demeuré le dernier. Et il a fait cela les premier, deuxième et troisième jours. »

CHAPITRE XXXIV

Comment le prix du troisième jour fut attribué à messire Lancelot, et comment il le donna à messire Tristan

LORS les gens de toutes conditions, grands et petits, dirent de messire Lancelot beaucoup de bien en raison de l'honneur qu'il faisait à messire Tristan. Et cela lui valut alors plus de louange et de renom que s'il fût venu à bout de cinq cents chevaliers. Tous, et ce uniquement parce qu'ils étaient gagnés à sa courtoisie, d'abord les gentilshommes de haute et basse noblesse, puis le peuple s'écrièrent d'une seule voix : « Messire Lancelot a remporté la victoire, quoi qu'on dise. » Messire Lancelot en fut courroucé et honteux. Il alla trouver le roi Arthur. « Las ! dit le roi, nous sommes tous consternés de ce que messire Tristan nous ait ainsi quittés. Par Dieu, c'est l'un des plus nobles chevaliers qu'il m'ait été donné de voir, la lance ou l'épée à la main, et le plus courtois au combat. J'ai bien vu sa vigueur quand par trois fois il a frappé messire Palamède sur le heaume, enfonçant ce heaume de ses coups, et trois fois disant : "Celui-ci est pour messire Tristan", et trois fois il l'a répété. »

Le roi Arthur alors, messire Lancelot, messire Dodinel le Sauvage prirent leurs chevaux pour rechercher messire Tristan. Messire Perside avait dit au roi où il se trouvait en son pavillon. Mais là, plus personne, Tristan et Dinadan étaient partis. Le roi Arthur et messire Lancelot en furent marris. Ils s'en retournèrent au Château des Pucelles, en se désolant de la blessure de messire Tristan et de son départ soudain. « Dieu m'en soit témoin, dit le roi Arthur, j'ai plus de regret de ne pas le voir que de toutes les blessures dont mes chevaliers ont souffert en ce tournoi. » Sur ces entrefaites arriva messire Guerrehet. Il conta au roi comment messire Tristan avait renversé messire Palamède et que ç'avait été à la requête du vaincu. « Las ! s'exclama le roi Arthur, ce fut pour messire Palamède une grande indignité. Messire Tristan était gravement blessé. À présent nous pouvons tous, rois, chevaliers, hommes d'honneur, donner à messire Tristan le titre de noble chevalier. C'est l'un des meilleurs que j'aie pu voir en ma vie. Je veux que vous tous, rois et chevaliers, sachiez que jamais je n'avais vu personne accomplir les mêmes exploits que lui durant ces trois jours. Il fut le premier dans les combats et celui qui les soutint le plus longtemps, exception faite de la dernière journée. Je sais qu'il fut blessé, mais c'étaient deux nobles chevaliers aux prises dans une rencontre périlleuse entre hommes courageux. En pareil cas l'un doit avoir le dessous. C'est Dieu qui en décide.

— Quant à moi, dit messire Lancelot, pour toutes les terres que mon père m'a laissées je n'eusse voulu blesser messire Tristan, si j'avais su alors que c'était lui. Je l'ai fait parce que je n'avais pas vu son écu. Si j'avais reconnu son écu de couleur noire, je ne l'aurais pas entrepris, et ce pour bien des raisons. Il y a peu, il a fait pour moi plus que personne n'avait jamais fait. Il est bien connu qu'il lui a fallu combattre trente chevaliers sans autre aide que celle de messire Dinadan. Je vous promets cependant une chose : messire Palamède se repentira de la malignité de sa conduite, en poursuivant ce noble chevalier que malencontreusement j'avais blessé. » Messire Lancelot dit de messire Tristan tout le bien qu'on en pouvait dire. Ensuite le roi Arthur fit donner un grand banquet. Y venait qui voulait.

Laissons là le roi Arthur maintenant, et tournons-nous un moment du côté de messire Palamède. Après que messire Tristan l'eut mis à terre, il enragea à en perdre le sens de l'outrage qu'il avait subi. Il suivit messire Tristan sans trop savoir où il était passé. Il arriva devant une rivière et en sa folie voulut faire sauter son cheval par-dessus. Le cheval trébucha et tomba dans l'eau. Messire Palamède eut grand-peur de se noyer. Il se dégagea de la selle et nagea jusqu'à la terre ferme, tandis que le courant emportait sa monture.

CHAPITRE XXXV

Comment Palamède arriva au château où était messire Tristan, et de la quête qu'entreprirent messire Lancelot et dix chevaliers pour retrouver ce dernier

LORSQU'IL FUT sur la terre ferme, messire Palamède ôta son harnois et se mit à pousser des cris et des hurlements, comme l'on fait quand on a perdu l'esprit. Vint alors une demoiselle qui s'approcha de lui. Elle était envoyée par messire Gauvain et son frère à messire Mordret, qui était au lit malade dans la demeure même où logeait messire Tristan, chez le vieux chevalier. (En effet, le livre français nous dit que messire Perside avait fait cette blessure à messire Mordret dix jours plus tôt et que sans l'affection de messire Gauvain et de son frère, messire Perside eût tué messire Mordret.) Cette demoiselle, donc, s'approcha de messire Palamède. Elle et lui se parlèrent, mais sans se plaire, ni l'un ni l'autre. Adonc la demoiselle poursuivit sa route, jusqu'à ce qu'elle fût venue à l'habitation du vieux chevalier. Là elle lui conta comment elle avait fait rencontre par aventure du chevalier le plus fol qu'elle eût jamais vu. « Comment était son écu? demanda messire Tristan. – Il était endenté, les couleurs rouge et blanche. – Ah! fit messire Tristan, c'était messire Palamède, le valeureux chevalier. Je le connais pour l'un des meilleurs qui soient à présent en ce royaume. »

Le vieux chevalier prit alors une petite haquenée et s'en fut chercher messire Palamède. Il le conduisit en son manoir. Messire Tristan n'eut aucune peine à le reconnaître, mais il tint sa langue, car il recommençait seulement à marcher et ses blessures étaient en bonne voie de guérison. Chaque fois que messire Palamède portait ses regards sur lui, c'était avec beaucoup de perplexité. Il lui semblait toujours l'avoir déjà vu. Il disait à messire Dinadan : « Si jamais je rencontre messire Tristan, il ne m'échappera pas. – Je m'étonne, lui répliquait l'autre, que vous vous vantiez derrière son dos. Il n'y a pas bien longtemps, vous l'aviez sous la main. Vous aussi, il vous avait sous la main. Pourquoi ne pas l'avoir retenu, cependant que vous le pouviez? Par deux ou trois fois, j'en ai moi-même été le témoin, vos rencontres avec messire Tristan ne vous ont valu que peu d'honneur. » Messire Palamède en était fort embarrassé.

Laissons-les donc pour un instant dans le vieux château en compagnie du vieux chevalier, messire Darras, et parlons du roi Arthur. Il dit à messire Lancelot : « Sans vous nous n'aurions pas perdu messire Tristan. Il venait ici chaque jour, jusqu'à ce que vous le rencontriez. Ce fut à une heure funeste. – Monseigneur, repartit messire Lancelot, vous m'imputez la cause de son départ. Dieu sait que je ne l'ai pas voulu. Mais, lorsqu'on combat, on s'échauffe, et souvent on blesse ses amis autant que ses ennemis. Vous comprendrez, monseigneur, que messire Tristan est un homme auquel je serais fâché de nuire. Il a fait pour moi davantage que je n'ai jusqu'à présent fait pour lui. »

Lors messire Lancelot demanda qu'on apportât un livre saint. Puis il dit : « Nous sommes ici dix chevaliers qui prêtons serment sur ce livre de ne jamais pendant un an avoir une nuit de repos, tant que nous n'aurons pas retrouvé messire Tristan. Quant à moi, je prends l'engagement, sur ces mêmes écritures, que si je le rencontre, de gré ou de force je l'amènerai à cette cour, ou j'y laisserai la vie. » Les noms des dix chevaliers qui entreprirent cette quête étaient les suivants : d'abord messire Lancelot, puis messires Hector des Mares, Bohort de Gaunes, Bliobéris, Blanor de Gaunes, Lucan l'échanson, Yvain, Galinde, Lionel et Galeheudin. Ces dix nobles chevaliers quittèrent la cour du roi Arthur et chevauchèrent ensemble en leur quête jusqu'au croisement de quatre routes. Là ils se séparèrent en quatre compagnies pour rechercher messire Tristan.

Chemin faisant, par hasard messire Lancelot rencontra dame Brangien, qui avait été envoyée en cette contrée pour y retrouver messire Tristan. Elle fuyait de toute la rapidité de son palefroi. Messire Lancelot la rejoignit et lui demanda la raison de sa fuite. « Ah ! gentil chevalier, lui dit dame Brangien, je fuis parce que je crains pour ma vie. Messire Brun sans Pitié me poursuit dans le dessein de me tuer. — Tenez-vous près de moi ! » lui répondit messire Lancelot. Lorsqu'il aperçut messire Brun sans Pitié, il le héla et lui dit : « Fourbe chevalier qui es la ruine des dames et des demoiselles, ta dernière heure est venue. » Quand il vit l'écu de messire Lancelot, messire Brun le reconnut sans peine, car il ne portait pas cette fois les armes des Cornouailles mais les siennes propres. Messire Brun déguerpit. Il avait messire Lancelot à ses trousses, mais possédait si bonne monture que lorsqu'il lui plaisait de s'enfuir, il en avait les moyens. Il pouvait aussi faire face si cela lui convenait. Adonc messire Lancelot retourna vers dame Brangien, et elle le remercia de ses peines.

CHAPITRE XXXVI

Comment messire Tristan, messire Palamède et messire Dinadan furent faits prisonniers et mis dans une geôle

À PRÉSENT, parlons de messire Lucan l'échanson. Le hasard fit qu'il vint dans la même demeure où se trouvait déjà messire Tristan. Il entra, dans la seule intention de demander asile. Le portier le requit de lui donner son nom. « Dites à votre seigneur que mon nom est messire Lucan l'échanson, chevalier de la Table Ronde. » Le portier alla donc devers messire Darras, le seigneur de l'endroit. Il l'informa de qui était là et demandait asile. « Non, non, répondit messire Danain, qui était neveu de messire Darras, dites-lui qu'il n'aura pas ici de logement. Par contre, faites-lui savoir que moi, messire Danain, je vais le rencontrer tout de suite et qu'il lui faut se préparer. » Adonc messire Danain sortit à cheval. Ils se rencontrèrent. Messire Lucan jeta son adversaire au sol en le faisant passer par-dessus la croupe de son cheval. Messire Danain s'enfuit dans le château. Messire Lucan l'y poursuivit, lui demandant à maintes reprises de se montrer.

Messire Dinadan dit alors à messire Tristan : « Il est indigne pour nous d'accepter que soit vaincu un homme qui est proche parent du seigneur de ce lieu. — Ne faites rien, dit messire Tristan, je vais arranger cela. » Mais déjà messire Dinadan avait enfourché sa monture et joutait avec Lucan l'échanson. Messire Lucan de sa lance transperça Dinadan dans l'épaisseur de la cuisse, puis il continua son chemin. Messire Tristan se courrouça de la blessure de son compagnon et dans le dessein de le venger poursuivit messire Lucan. Peu de temps après il le rejoignit et lui intima l'ordre de faire demi-tour. Ils combattirent. Messire Tristan infligea une grave blessure à messire Lucan et le renversa.

Sur ces entrefaites arriva messire Yvain, un gentil chevalier. Lorsqu'il vit messire Lucan aussi gravement atteint, il appela messire Tristan pour jouter avec lui. « Gentil chevalier, lui dit messire Tristan, donnez-moi votre nom, je vous en requiers. — Messire, sachez que je me nomme messire Yvain, fils du roi Urien. — Ah ! s'exclama messire Tristan, de plein gré je voudrais n'avoir jamais à vous combattre. — Cela se peut, répliqua messire Yvain, mais nonobstant vous le ferez. » Messire Tristan ne vit alors nul remède. Il courut sus à ce chevalier. Il le mit à terre, le blessant au côté. Puis il rentra en son logis.

Lorsque messire Dinadan sut que son compagnon avait blessé messire Lucan, il voulut poursuivre celui-ci afin de le tuer. Messire Tristan ne le laissa pas faire. Messire Yvain fit venir une litière tirée par des chevaux et conduisit messire Lucan à l'abbaye de Gaunes. (Le château attenant avait nom le château de Gaunes. Messire Bliobéris en était le seigneur. C'est ce château que messire Lancelot avait choisi comme lieu de rencontre pour tous ceux qui prenaient part avec lui à la recherche de messire Tristan.)

Adonc, quand messire Tristan fut de retour en son logis, il vint une demoiselle qui dit à messire Darras que trois de ses fils avaient été tués lors du tournoi, et deux si gravement blessés qu'ils ne pourraient sans doute jamais s'en remettre. Tout ceci était l'œuvre d'un noble chevalier, portant un écu de couleur noire, et c'était lui qui avait obtenu le prix. Quelqu'un d'autre arriva sur ces entrefaites, qui dit à messire Darras que ce même chevalier était en sa maison, celui dont l'écu était peint en noir. Messire Darras se rendit à la chambre de messire Tristan. Il y trouva l'écu et le montra à la demoiselle. « Ah ! messire, s'exclama-t-elle, c'est bien l'homme qui a tué vos trois fils ! »

Aussitôt messire Darras mit Tristan, Palamède et Dinadan dans une prison sûre. Messire Tristan faillit y mourir d'une grave maladie. Chaque jour messire Palamède le faisait ressouvenir par ses reproches de la vieille haine qui les opposait. Mais toujours messire Tristan lui parlait courtoisement et se montrait avare de ses propos. Cependant, quand messire Palamède vit décliner la santé de messire Tristan, il en fut attristé et le réconforta du mieux qu'il put. Le livre français nous dit qu'il vint devers messire Darras quarante chevaliers qui étaient de ses parents. Ils voulaient mettre à mort messire Tristan et ses deux compagnons. Cependant messire Darras ne le permit pas. Il les maintint en prison, et ils eurent à manger et à boire.

C'est ainsi qu'en ce lieu messire Tristan souffrit de grands maux. Il était en proie à la maladie, et c'est la pire des choses qui peuvent survenir à un prisonnier. Tant que son corps reste en bon état, il peut tout endurer, en s'en remettant à la grâce de Dieu et en gardant l'espoir d'une heureuse délivrance. Mais, quand la maladie atteint le corps, il peut bien dire adieu à toute prospérité. Il a fondement à gémir et pleurer. C'est ce que fit messire Tristan quand la maladie le frappa. Sa désolation fut si grande qu'il envisagea de se détruire.

CHAPITRE XXXVII

Comment le roi Marc eut regret de la bonne renommée de messire Tristan, et comment certains des chevaliers du roi Arthur joutèrent avec d'autres des Cornouailles

À PRÉSENT parlons — laissant Tristan, Palamède et Dinadan en leur prison — des chevaliers qui recherchaient messire Tristan en divers endroits de ce pays. Certains poussèrent jusques en Cornouailles. Par aventure messire Guerrehet, qui était neveu du roi Arthur, vint au roi Marc et là fut bien reçu, admis à sa table et mangeant comme lui. Le roi Marc lui demanda quelles nouvelles il apportait du royaume d'Angleterre. « Sire, répondit-il, le roi y règne en noble chevalier. Il y a peu de temps se sont tenues des joutes, aussi un tournoi, comme jamais je n'en avais vus en ce royaume. Les plus grands des chevaliers étaient à ces joutes. Cependant l'un d'eux fit des merveilles les trois jours que cela dura. Il portait un écu de couleur noire. De tous ceux que j'ai vus, il s'est montré le meilleur. — Ce ne pouvait être, dit le roi Marc, que messire Lancelot ou messire Palamède, le païen. — Non point, car l'un et l'autre appartenaient au camp qui lui était opposé. — En ce cas, c'était messire Tristan. — Oui », dit Guerrehet. Le roi Marc se frappa la tête et craignit fort en son cœur que messire Tristan n'acquît tant de gloire au royaume d'Angleterre que lui-même ne fût plus en mesure de lui résister.

Adonc messire Guerrehet reçut du roi Marc un parfait accueil. Il fut aussi bien accueilli de la reine, la Belle Yseut, qui se réjouit de ses propos. Elle sut bien, aux actions et aux gestes dont ce chevalier parlait, qu'il s'agissait de messire Tristan. Ensuite le roi fit donner un royal festin. À ce festin vint messire Yvain, le fils du roi Urien, par d'aucuns appelé Yvain aux Blanches Mains. Ce messire Yvain défia tous les chevaliers des Cornouailles. Le roi entra en courroux furieux quand il vit que nul ne voulait relever le défi. Lors messire Andret, son neveu, bondit. Il s'avança et dit : « Je veux rencontrer messire Yvain. » Après quoi il partit chercher harnois et cheval de belle sorte. Messire Yvain jouta avec messire Andret. Il le mit à terre, si rudement que celui-ci défaillit.

Le roi Marc fut marri et courroucé, plus qu'on ne peut dire, de ne pas avoir de chevalier qui pût venger son neveu, messire Andret. Il appela messire Dinas le sénéchal et le pria, par égard pour lui, de jouter avec messire Yvain. « Sire, répondit messire Dinas, je répugne à me battre avec tout chevalier de la Table Ronde. — Cependant, répliqua le roi, par amour pour moi acceptez de le faire. » Messire Dinas se prépara. Aussitôt ils se heurtèrent, avec de grandes lances. Messire Dinas fut culbuté. Monture et cavalier tombèrent avec fracas. Quelle ne fut pas la colère du roi Marc ! « Hélas ! s'écria-t-il, n'ai-je donc nul chevalier qui veuille rencontrer celui-là ?

— Sire, dit messire Guerrehet, pour vous plaire je m'en charge. » Adonc il s'apprêta et, quand il fut armé, courut dans la lice. Mais, lorsque messire Yvain vit son écu, il alla vers lui et lui dit : « Messire, ceci n'est point votre affaire. Quand vous fûtes fait chevalier de la Table Ronde, vous avez juré de ne pas vous battre, en connaissance de cause, contre aucun de vos compagnons. Par Dieu, messire Guerrehet, à mon écu sûrement vous m'avez reconnu, comme je vous reconnais au vôtre. Trahissez votre serment si vous voulez. Moi, je reste fidèle au mien. Personne ici — et vous pas davantage qu'aucun autre — n'ira penser que j'ai craint de vous rencontrer. Je veux bien vous combattre, même en dépit du fait que nous sommes les fils de deux sœurs. » Messire Guerrehet eut honte. Là-dessus tous les chevaliers présents s'en allèrent, chacun de leur côté, et messire Yvain partit à travers le pays.

Le roi Marc alors endossa son armure. Il prit son cheval, sa lance, et se fit accompagner d'un écuyer. Il devança messire Yvain et soudainement, à une brèche, se lança contre lui, sans qu'il eût pu se rendre compte de rien. Il lui perça presque le corps et l'abandonna sur place. Peu après survint messire Keu. Il demanda à messire Yvain comment il avait été blessé. « Je n'en sais absolument rien, répondit-il. Je sais seulement que ce fut par trahison. Un chevalier tout à coup s'est jeté sur moi, avant que j'aie pu comprendre ce qui se passait, et tout soudain il me blessa. » C'est alors qu'arriva messire Andret. Il cherchait le roi Marc. « Traître, s'écria messire Keu, si j'étais sûr que c'est bien toi qui, perfidement, as blessé ce noble chevalier, tu ne m'échapperais pas. — Messire, répondit messire Andret, je ne l'ai point blessé. Il pourra vous le dire. — Fi donc, menteur ! Vous tous, les Cornouaillais, êtes des riennevaulx. »

Messire Keu fit porter messire Yvain à l'abbaye de la Croix Noire, et il y fut guéri. Messire Guerrehet prit congé du roi Marc mais, avant de partir, il lui dit : « Sire le roi, vous vous êtes indignement comporté, envers vous-même et envers votre cour, en bannissant messire Tristan de ce pays. Vous n'auriez eu, s'il avait été là, nulle raison de craindre nul chevalier, quel qu'il fût. » Sur ce il partit.

CHAPITRE XXXVIII

De la perfidie du roi Marc, et comment messire Guerrehet le mit à terre, ainsi qu'Andret, son neveu

LORS messire Keu le sénéchal s'en vint devers le roi Marc. On lui fit bon accueil, du moins à ce qu'il sembla. « Gentils seigneurs, dit le roi, voudriez-vous à présent tenter une aventure en la forêt de Morois? Je sais qu'en cette forêt s'en trouve une parmi les plus difficiles que je connaisse. — Sire, répondit messire Keu, je la tenterai. » Messire Guerrehet lui conseilla d'être prudent, car le roi Marc faisait toujours preuve de perfidie. Puis il s'en fut de son côté. Cependant il choisit de s'étendre pour se reposer sur le chemin même que prendrait messire Keu, et chargea son écuyer de guetter sa venue. « Préviens-moi lorsqu'il arrivera. »

Peu après, messire Keu parut. Messire Guerrehet prit son cheval et alla au-devant de lui. Il lui dit : « Messire Keu, vous n'agissez pas avec prudence en entreprenant ce voyage à la requête du roi Marc. Il se montre fourbe avec tous. » Messire Keu lui répondit : « Je vous en prie, tentons cette aventure. — Je ne vous faillirai point », repartit messire Guerrehet. Ils chevauchèrent donc jusqu'au bord d'un lac, connu alors sous le nom du Lac Périlleux, et ils y demeurèrent dans l'épaisseur du bois.

Pendant ce temps, le roi Marc au château de Tintagel congédia tous ses barons. Tous ceux qui n'étaient pas dans sa confidence durent quitter sa chambre. Puis il fit venir son neveu, messire Andret. Il lui ordonna de s'armer et de se munir d'un cheval sans attendre. Il était alors minuit. Le roi Marc était tout de noir vêtu. Ses armes, sa monture, tout était noir. Ils sortirent par une poterne secrète en compagnie de leurs serviteurs et chevauchèrent jusques au lac. Messire Keu fut le premier à les apercevoir. Il prit sa lance et offrit de jouter. Le roi Marc courut vers lui. Le choc fut des plus sévères, car la lune éclairait si bien qu'on se serait cru en plein jour. Lors de cette rencontre le cheval de messire Keu tomba. Il n'était pas aussi puissant que celui du roi. En tombant, il fut cause pour son cavalier de graves contusions.

Messire Guerrehet s'irrita de la chute de messire Keu. Il cria : « Chevalier, tiens-toi ferme sur ta selle. Je vais venger mon compagnon. » Le roi Marc prit peur à l'idée de se mesurer à messire Guerrehet. Plein de rage, il chargea sus à lui. L'autre lui porta un coup si rude qu'il le culbuta. Là-dessus Guerrehet courut à messire Andret. Il lui fit vider les arçons. Son heaume heurta le sol. Messire Andret faillit se rompre le cou. Puis messire Guerrehet mit pied à terre et releva messire Keu. Ils marchèrent sus à leurs adversaires, leur commandant de se rendre et de révéler leurs noms, faute de quoi ils mourraient.

Fort troublé, messire Andret parla le premier. Il dit : « Il y a là le roi Marc de Cornouailles. En conséquence, prenez garde à ce que vous ferez. Moi, je suis messire Andret, son neveu. — Honte à l'un comme à l'autre, repartit messire Guerrehet, traîtres que vous êtes ! Traîtreusement vous vous êtes conduits, lui et toi, sous couvert de bonne chère. Ce serait pitié que tu vécusses davantage. — Laissez-moi la vie sauve, dit le roi Marc, et je réparerai mes torts. N'oubliez pas que je suis roi et que ma personne est sacrée. — Il n'en serait que plus contraire à la dignité de te laisser vivre. Tu as reçu la consécration d'un roi et devrais conséquemment te conduire comme font tous les hommes d'honneur. Il s'ensuit que tu mérites la mort. »

Là-dessus messire Guerrehet se jeta sur le roi Marc. Celui-ci se couvrit de son bouclier et para les coups du mieux qu'il put. Messire Keu se rua sur messire Andret. Ce que voyant, le roi Marc se rendit à messire Guerrehet. Il mit un genou en terre et jura sur la croix de son épée que jamais plus il ne s'opposerait à des chevaliers errants. En outre, il fit serment de vivre en bonne amitié avec messire Tristan, si jamais il revenait en Cornouailles. Messire Andret pour lors était à terre, et messire Keu s'apprêtait à l'occire. « Laissez donc, dit messire Guerrehet, ne le tuez pas, je vous en prie. — Il serait dommage, repartit messire Keu, qu'il eût plus longue vie. Il est cousin germain de messire Tristan et cependant s'est toujours montré perfide à son égard. C'est lui qui l'a fait exiler des Cornouailles. Je vais donc le tuer. — Vous n'en ferez rien, dit messire Guerrehet. J'ai laissé la vie sauve au roi. Je vous le demande, faites de même avec cet homme-là. » Adonc messire Keu lui permit de s'en aller.

Ensuite messire Keu et messire Guerrehet partirent trouver Dinas le sénéchal, ayant ouï dire qu'il avait de l'amitié pour messire Tristan. Ils se reposèrent en sa demeure puis, dans les jours qui suivirent, s'en retournèrent au royaume d'Angleterre. Peu de temps après, ils firent rencontre de messire Lancelot, qui avait toujours dame Brangien avec lui, pensant par là accroître ses chances de parvenir à messire Tristan. Il demanda quelles nouvelles on pouvait lui donner des Cornouailles et s'ils avaient entendu parler ou non de l'objet de sa quête. On lui répondit qu'on ne savait rien de nouveau. Puis il fut informé par le menu de ce qui leur était arrivé. Il sourit et dit : « Chacun obéit à sa nature. On n'y peut rien changer. » Cela les amusa tous.

CHAPITRE XXXIX

Comment, après être demeurés longtemps captifs, messire Tristan, messire Palamède et messire Dinadan furent délivrés

À PRÉSENT, abandonnons ce récit et parlons de messire Dinas. Il avait une maîtresse en son château, qui aimait mieux que lui un autre chevalier.

Un jour qu'il était allé à la chasse, elle se laissa glisser dehors à l'aide d'un drap, emmenant deux chiennes avec elle. Puis elle rejoignit l'homme dont elle était éprise et qui était épris d'elle également. Lorsque messire Dinas fut de retour chez lui et découvrit l'absence de sa maîtresse et de ses chiennes, il fut davantage contrarié du départ des unes que de la fuite de l'autre. Il rattrapa le chevalier qui emportait la femme et lui commanda de faire demi-tour et de jouter avec lui. Messire Dinas le renversa, et dans sa chute l'homme se cassa un bras et une jambe. La dame alors implora la pitié du vainqueur. Elle lui dit qu'elle l'aimerait davantage qu'elle ne l'avait jamais fait jusqu'à présent. « Non, répondit-il, je ne me fie jamais plus à qui une fois m'a trahi. En conséquence, oubliez tout ce qui s'est passé entre nous. Je ne veux plus rien avoir à faire avec vous. » C'est ainsi qu'il partit, en emmenant ses chiennes, et retourna en son château.

Tournons-nous après cela du côté de messire Lancelot. Il était fort marri de ne point avoir la moindre nouvelle de messire Tristan, qui pendant tout ce temps était retenu prisonnier par messire Darras en compagnie de Palamède et de Dinadan. Dame Brangien prit congé pour se rendre en Cornouailles, tandis qu'avec messire Keu et messire Guerrehet messire Lancelot partait rechercher messire Tristan dans le pays de Sorelois.

Notre histoire alors revient à messire Tristan et à ses deux compagnons. Journellement messire Palamède tançait et querellait messire Tristan. « Je m'étonne de vous, messire Palamède, fit remarquer messire Dinadan. À supposer que vous ayez à votre merci le messire Tristan que vous voyez là, vous ne lui feriez aucun mal, car si le loup et l'agneau se trouvaient réunis dans une même geôle, le loup laisserait l'agneau en paix. Or sachez-le bien, cet agneau, vous n'avez qu'un mot à dire, et il redevient le véritable messire Tristan. Il vous faudrait alors user de toutes vos forces pour vous mesurer à lui. C'est à savoir si vous vous en sortiriez, en ne comptant que sur votre vigueur. » Messire Palamède perdit contenance et ne trouva pas grand-chose à répondre. « Messire

Palamède, dit messire Tristan, j'ai beaucoup entendu de reproches que vous aviez à me faire. Mais je ne veux pas m'occuper de vous à présent si je puis faire autrement, car je crains le seigneur de ce lieu qui nous tient en son pouvoir. Si je ne le redoutais point davantage que vous, l'affaire serait bientôt réglée. » Après quoi ils s'apaisèrent.

Sur ce il entra une demoiselle. Elle leur dit : « Chevaliers, prenez confiance, vous garderez sûrement la vie sauve. Je l'ai entendu de la bouche même de mon seigneur, messire Darras. » Ils s'en réjouirent tous les trois, car chaque jour ils se croyaient en danger d'être mis à mort. Peu de temps après, messire Tristan tomba malade, si gravement qu'il pensa ne pouvoir en réchapper. Messire Dinadan pleurait, messire Palamède également. Leur chagrin à tous deux était considérable. La demoiselle entra dans leur prison et les trouva l'un et l'autre en proie à la désolation. Elle alla devers messire Darras et lui dit que le puissant chevalier à l'écu de couleur noire risquait de perdre la vie. « Cela ne sera pas, dit-il, Dieu garde que, lorsque des chevaliers viennent me demander de l'aide, je les laisse mourir en ma prison ! Allez donc me chercher ce chevalier, de même que ses compagnons. » Incontinent messire Darras put voir messire Tristan, que l'on amena devant lui. Il déclara : « Sire chevalier, j'ai regret de votre maladie. Vous êtes réputé d'une grande noblesse, et votre aspect ne le dément pas. Sachez qu'il ne sera pas dit que messire Darras a fait périr en sa prison un chevalier de votre qualité, nonobstant que vous ayez tué trois de mes fils, ce qui m'a causé beaucoup de peine. À présent, vous allez pouvoir partir, vous et vos compagnons. Vos harnois et vos montures ont été maintenus propres et nets. Vous irez où bon vous semblera, à la condition, chevalier, que vous me promettiez de vivre en bonne amitié avec ceux de mes fils qui sont encore en vie et aussi de me dire votre nom.

— Messire, répondit messire Tristan, en ce qui me concerne, mon nom est messire Tristan de Léonois. C'est en Cornouailles que j'ai vu le jour, et je suis neveu du roi Marc. Pour ce qui est de la mort de vos fils, je n'ai pu l'empêcher. S'ils avaient été mes parents les plus proches, il ne m'eût pas été possible de faire autrement. Si ç'avait été par perfidie ou trahison que je les avais tués, alors j'aurais mérité la mort. — Tout ceci, j'en tiens compte, répliqua messire Darras. Vous n'avez agi qu'en chevalier plein de vigueur, et c'est la cause pourquoi je ne vous ai pas fait mourir. Mais puisque vous êtes messire Tristan, dont le mérite est connu, je vous prie de tout cœur de nous témoigner de l'amitié, à mes fils et à moi. — Messire, répondit Tristan, j'engage ici ma foi qu'aussi longtemps que je vivrai je vous servirai, car vous ne vous êtes conduit avec nous que comme doit le faire tout chevalier qui écoute parler son cœur. »

Lors messire Tristan se reposa au château, jusqu'à ce qu'il fût guéri de sa maladie. Quand il se sentit fort et vigoureux, ils prirent congé. Chacun des chevaliers enfourcha sa monture. Ils partirent et firent route ensemble jusqu'à un carrefour. « C'est là, compagnons, dit Tristan, que nos chemins se séparent. »

Parce que messire Dinadan fut le premier à connaître une aventure, je commencerai par lui.

CHAPITRE XL

Comment messire Dinadan sauva une dame des mains de messire Brun sans Pitié, et comment messire Tristan reçut un écu de Morgane la Fée

TANDIS QUE MESSIRE DINADAN passait auprès d'une fontaine, il découvrit une dame en proie à la désolation. « De quoi vous désolez-vous ? demanda-t-il. — Sire chevalier, répondit-elle, je suis la dame au monde la plus infortunée. Il n'y a pas quinze jours qu'est venu par ici un chevalier du nom de messire Brun sans Pitié. Il a tué mon frère et depuis m'a tenue en son pouvoir. Pourtant, de tous les hommes il est celui que je déteste le plus. Je vous requiers donc en votre chevalerie de me venger. Il ne tardera pas, mais sera bientôt là. — Qu'il vienne ! repartit messire Dinadan. Pour soutenir l'honneur de toutes les femmes, je ferai ce que je dois. »

Messire Brun arriva sur ces entrefaites. Lorsqu'il vit un chevalier en compagnie de sa dame, il fut pris de rage. Il dit : « Sire chevalier, en garde ! » Ils fondirent l'un sur l'autre avec la rapidité de la foudre. Chacun porta un coup des plus rudes. Toutefois messire Dinadan transperça l'épaule de messire Brun, lui causant une grave blessure. Avant que messire Dinadan eût pu se retourner, messire Brun était déjà loin. Lors la dame pria Dinadan de la conduire à un château non loin de là, à moins d'une lieue et demie. Il l'y mena. On fit bon accueil à la dame, car le seigneur de l'endroit était son oncle. Après cette aventure, messire Dinadan poursuivit son chemin.

À présent, tournons-nous du côté de messire Tristan. Le hasard voulut qu'il arrivât pour demander asile à un château où se trouvait la reine Morgane la Fée. Il y fut reçu. Toute la nuit on lui fit bonne chère. Le lendemain matin, alors qu'il s'apprêtait à partir, la reine lui dit : « Soyez assuré que vous ne partirez pas aussi facilement. Vous êtes ici mon prisonnier. — Dieu m'en garde ! s'écria messire Tristan. Prisonnier, je viens de l'être ! — Gentil chevalier, reprit la reine, vous ne me quitterez pas avant que je sache qui vous êtes et d'où vous venez. » Cependant, tandis que son amant était d'un côté d'elle, toujours elle maintenait Tristan de l'autre. Elle le dévorait des yeux. L'amant en conçut de l'ombrage. Il eut envie de se jeter sur Tristan l'épée à la main, mais il eut honte et n'en fit rien.

La reine dit alors à Tristan : « Donnez-moi votre nom, et je vous laisserai partir quand vous le voudrez. — À cette condition, apprenez que mon nom est messire Tristan de Léonois. — Ah ! s'écria la reine, si je l'avais su, vous n'en auriez pas été quitte à si bon compte. Mais puisque je vous ai fait cette promesse, je la tiendrai, pourvu que vous me promettiez à votre tour de porter un écu que je vous donnerai jusqu'au château de la Roche Dure. Le roi Arthur y a fait crier un grand tournoi. Je vous prie de vous y rendre et d'y accomplir pour moi autant d'actions d'éclat que vous le pourrez. Au Château des Pucelles, en effet, vous avez fait les prouesses les plus étonnantes que chevalier fît jamais, à ce que j'ai pu entendre. — Madame, dit Tristan, faites-moi voir l'écu que je devrai porter. »

On le lui présenta. Sur champ d'or étaient peints un roi et une reine. Au-dessus se tenait un chevalier, prenant appui d'une jambe sur la tête du roi et de l'autre sur celle de la reine. « Madame, dit messire Tristan, c'est là un bel écu. Il annonce de la puissance, mais que signifient ce roi, cette reine et le chevalier debout sur leurs têtes ? — Je vais vous le dire, répondit Morgane la Fée. L'écu représente le roi Arthur et la reine Guenièvre. Un chevalier les tient en sujétion et servitude. — Qui est ce chevalier ? — Il vous faudra attendre pour le savoir », repartit la reine.

Cependant, le livre français nous l'affirme, c'était messire Lancelot que préférait la reine Morgane. Toujours elle avait eu du désir pour lui, mais lui ne voulait point l'aimer, ni rien faire à sa requête. C'est pour cela qu'elle assemblait de nombreux chevaliers, pour s'emparer de sa personne par la force. Parce qu'elle croyait qu'il était l'amant de la reine Guenièvre, et elle sa maîtresse, elle avait commandé cet écu. Elle entendait ainsi causer sa perte, faire que le roi Arthur comprît l'amour qu'il y avait entre eux deux. Messire Tristan prit l'écu et lui promit de le porter au tournoi du château de la Roche Dure. Cependant il ignorait qu'il avait été conçu pour le malheur de messire Lancelot. Il ne le comprit que plus tard.

CHAPITRE XLI

Comment messire Tristan emporta l'écu,
et aussi comment il occit l'amant de Morgane la Fée

MESSIRE TRISTAN prit congé de la reine. Il emporta l'écu. Survint alors le chevalier qui était l'amant de la reine Morgane, il avait nom messire Huneson. Il se mit en devoir de suivre messire Tristan. « Mon ami, lui dit Morgane, ne suivez pas ce chevalier. Vous n'en tirerez nulle gloire. — Fi donc ! s'écria-t-il, c'est un couard ! Jamais, que je sache, nul bon chevalier n'est venu des Cornouailles, hors messire Tristan. — Et si c'était lui ? — Non, non, il est avec la Belle Yseut. Celui-ci n'est qu'un belître. — Las ! mon bel ami, vous lui trouverez plus de force qu'à aucun de ceux que vous avez jamais rencontrés. — Par amour pour vous, je le tuerai. — Ah ! mon ami, dit la reine, j'ai regret que vous le suiviez, car je crains fort que vous ne reveniez plus jamais. »

Sur ce le chevalier partit, furieux. Il courut après messire Tristan, aussi vite que s'il avait eu des ennemis à ses trousses. Lorsqu'il entendit qu'on le poursuivait, messire Tristan se retourna. Il vit un chevalier qui venait pour le rencontrer. Quand cet assaillant fut tout près, il cria bien haut : « Sire chevalier, en garde ! » Ils fondirent l'un sur l'autre à la vitesse de l'éclair. Messire Huneson brisa sa lance contre messire Tristan. La cuirasse était si bonne que le corps n'en subit nul dommage. Messire Tristan, lui, frappa plus fort. La lance transperça le cavalier, qui passa par-dessus la croupe de son cheval. Tristan fit demi-tour pour accomplir davantage de besogne à l'aide de son épée, mais il vit tant de sang couler qu'il lui parut que la mort était proche. Il s'éloigna donc et arriva devant un beau manoir, que possédait un vieux chevalier. C'est là qu'il se logea.

CHAPITRE XLII

Comment Morgane la Fée enterra son amant,
et comment messire Tristan fit l'éloge de messire Lancelot et de sa parenté

LAISSONS LÀ messire Tristan pour parler du chevalier qui était blessé à mort. Son serviteur mit pied à terre. Il lui ôta son heaume. Puis il demanda à son seigneur s'il y avait encore de la vie en son corps. « Il y en a, répondit le chevalier, mais il y en a peu. Saute en selle derrière moi, lorsque tu m'auras aidé à monter, et tiens-moi bien serré, que je ne tombe pas. Puis conduis-moi à la reine Morgane la Fée. Je sens au plus profond de moi la mort qui vient glacer mon cœur, si bien que j'aurai bientôt cessé de vivre, et je voudrais parler à la reine avant de mourir. Faute de quoi mon âme, si je meurs, sera en grand péril. » Avec beaucoup de difficulté, son serviteur le conduisit jusqu'au château. Lorsqu'il y fut, il tomba sans vie. Quand Morgane la Fée s'aperçut qu'il ne respirait plus, sa douleur ne connut plus de bornes. Elle le fit dépouiller de ses vêtements jusqu'à la chemise, et ainsi le fit mettre en son tombeau. Sur la tombe on écrivit : « Ci-gît messire Huneson, qui mourut des mains de messire Tristan de Léonois. »

Revenons-en maintenant à messire Tristan. Il s'enquit auprès de son hôte s'il avait dernièrement vu des chevaliers en quête d'aventures. « Messire, la nuit dernière, messire Hector des Mares a pris son logement chez moi. Il était accompagné d'une demoiselle. Elle m'a dit que c'était l'un des meilleurs chevaliers qui fussent au monde. — Il n'en est rien, répliqua messire Tristan. J'en connais quatre de son propre sang qui valent mieux que lui, et d'abord messire Lancelot du Lac. Il n'a pas son égal, sachez-le. Ensuite il y a messire Bohort de Gaunes, messire Bliobéris, messire Blanor de Gaunes et messire Guerrehet. — Cependant messire Gauvain vaut davantage que ce dernier. — Point du tout. J'ai rencontré l'un et l'autre et, à mon avis, messire Guerrehet était le meilleur des deux. Quant à messire Lamorat, je le répute aussi bon qu'eux tous, hormis messire Lancelot. — Pourquoi ne pas nommer messire Tristan? remarqua l'hôte. Je le tiens pour aussi valeureux qu'aucun de ces gens-là. — Je ne connais pas messire Tristan. »

Ils devisèrent ainsi et plaisantèrent tout leur content, puis allèrent se reposer. Le lendemain matin, messire Tristan partit. Il prit congé de son hôte et se mit en route vers la Roche Dure. Il n'eut pas d'autre aventure. Il ne prit nul repos avant d'arriver au château, où il vit cinq cents tentes dressées.

CHAPITRE XLIII

Comment, au tournoi, messire Tristan porta l'écu que Morgane la Fée lui avait remis

LE ROI D'ÉCOSSE et le roi d'Irlande firent face aux chevaliers du roi Arthur, et commença une grande mêlée. Messire Tristan entra dans le champ. Il exécuta de surprenants faits d'armes, renversant plus d'un chevalier. Et toujours il se présentait devant le roi Arthur avec l'écu dont j'ai parlé. Quand le roi vit cet écu, il se demanda bien en quelle intention il avait été fait. La reine Guenièvre, elle, comprit ce dont il s'agissait et s'en attrista. Dans une loge, auprès du roi Arthur, il y avait une demoiselle qui appartenait à la reine Morgane. Lorsqu'elle entendit le roi s'interroger sur l'écu, elle parla sans détour : « Sire le roi, sachez qu'il a été conçu à votre intention, afin que vous soyez averti de la honte et du déshonneur qui vous couvrent, ainsi que votre reine. » Après quoi la demoiselle se retira subrepticement. Nul ne sut ce qu'elle était devenue.

Le roi en fut marri et courroucé. Il demanda d'où venait cette demoiselle. Nul ne put le lui dire, ni où elle était passée. La reine Guenièvre envoya chercher messire Hector des Mares. Elle lui fit part de ses griefs. Elle lui dit : « Je sais bien que cet écu est l'œuvre de Morgane la Fée, et qu'il a été conçu afin de me nuire, ainsi qu'à messire Lancelot. J'ai grand-peur qu'il ne cause ma perte. » Cependant, toujours le roi regardait messire Tristan, lequel accomplissait de telles prouesses que le roi se demandait bien de quel chevalier il pouvait s'agir. Il savait assurément que ce n'était pas messire Lancelot. D'autre part, on lui avait dit que messire Tristan était en Bretagne, avec Yseut aux Blanches Mains, et il pensait que s'il avait été dans le royaume d'Angleterre, messire Lancelot ou d'aucuns de ses compagnons, qui le recherchaient, l'eussent maintenant trouvé. Il n'avait donc nulle idée du nom de ce chevalier. Son regard ne quittait pas le bouclier. La reine voyait tout cela et s'en épouvantait.

Continuellement messire Tristan jetait au sol des chevaliers, que c'était merveille. Il frappait de gauche et de droite. C'est à peine s'il s'en trouvait un pour lui résister. Le roi d'Écosse et celui d'Irlande commencèrent à se retirer. Quand Arthur vit cela, il jugea le moment venu et que le chevalier à l'écu étrange ne lui échapperait pas. Il appela messire Yvain aux Blanches Mains et lui ordonna de s'armer et s'apprêter. Bientôt le roi et messire Yvain firent face à messire Tristan, le requérant de leur dire la provenance de cet écu. « Messires, leur répondit-il, je le tiens de la reine Morgane la Fée, sœur du roi Arthur. »

Ici se clôt le récit de ce livre,
le deuxième de messire Tristan de Léonois.
Le troisième suit.

LIVRE DIXIÈME

Tristan et Yseut
Alexandre l'Orphelin

CHAPITRE I

Comment messire Tristan jouta et mit à terre le roi Arthur, parce que Tristan ne lui avait rien dit de la raison pour laquelle il portait l'écu

« SI VOUS POUVEZ éclaircir le sens de cet écu, alors seulement vous êtes en droit de le porter. — Là-dessus, repartit messire Tristan, je vais vous répondre. Cet écu m'a été donné, sans que je le désire, par la reine Morgane la Fée. Pour ma part, je ne puis vous en développer le sens. On ne m'a pas chargé de le faire. Cependant je me fie en Dieu que je le porterai avec honneur. — Assurément, dit le roi Arthur, vous ne devriez pas porter d'écu sans savoir ce qu'il représente. Mais, je vous en prie, votre nom? — Pourquoi cela? — Parce que je voudrais le connaître. — Messire, vous ne le saurez pas maintenant. — En ce cas, vous et moi allons nous battre ensemble, dit le roi Arthur. — Pourquoi vouloir vous battre avec moi si je ne vous donne mon nom? Un homme d'honneur n'a guère besoin de savoir ces choses-là. Vous m'avez vu aujourd'hui souffrir beaucoup de fatigues. C'est donc vilénie de votre part de me requérir de me battre avec vous, considérant cette grande peine. Cependant je ne vous faillirai point et, n'en doutez pas, je n'ai pas peur de vous. Vous pensez m'affronter fort opportunément, mais je me sens tout à fait en mesure de vous tenir tête. »

Là-dessus le roi Arthur se couvrit de son bouclier, coucha sa lance. Messire Tristan l'imita, et avec ardeur ils se coururent sus. La lance du roi vola en éclats en heurtant le bouclier de son adversaire. Messire Tristan, en frappant à son tour, fit choir cheval et cavalier. Le roi Arthur fut blessé au côté droit, une grande blessure et dangereuse. Quand messire Yvain vit son seigneur, Arthur, étendu sur le sol et gravement atteint, il en fut fort affligé. Il ajusta son écu et sa lance et cria d'une voix forte à l'adresse de messire Tristan : « Chevalier, prends garde à toi. » Ils se ruèrent l'un contre l'autre avec la rapidité de la foudre. La lance de messire Yvain fut mise en morceaux lorsqu'elle choqua le bouclier de son adversaire. Messire Tristan, lui, frappa mais avec plus de force et de violence. Si grande était sa puissance que le coup culbuta messire Yvain. Il vida les arçons et se retrouva au sol. Sur ce messire Tristan se retourna et dit : « Gentils chevaliers, je n'avais nul besoin de jouter avec vous. J'avais eu aujourd'hui suffisamment de besogne. »

Arthur se releva. Il alla vers messire Yvain et dit à messire Tristan : « Nous avons eu ce que nous méritions. Par orgueil nous vous avons mis en demeure de nous combattre. Pourtant nous ne connaissions pas votre nom. — Et cependant, par la sainte Croix, remarqua messire Yvain, nul chevalier au monde n'a selon moi plus de force que lui. » Lors messire Tristan s'en alla. Partout il s'enquérait de messire Lancelot et cherchait où le trouver. Mais jamais il ne pouvait savoir s'il était mort ou vivant. Ce pourquoi messire Tristan se désolait et s'affligeait grandement.

Adonc il chevaucha au travers d'une forêt et au sortir aperçut une belle tour. D'un côté de la tour s'étendait un marécage et de l'autre une aimable prairie. En la prairie dix chevaliers étaient aux prises. Plus il approchait, mieux il voyait qu'un seul des dix affrontait les neuf autres. Mais celui-là se conduisait si merveilleusement que messire Tristan s'étonna fort qu'on pût seul accomplir d'aussi belles actions. En peu de temps il eut tué la moitié des destriers, désarçonné les cavaliers. Les chevaux s'égarèrent dans les prés et dans la forêt.

Messire Tristan eut grand-pitié de ce chevalier solitaire, qui avait tant d'efforts à soutenir. Il ne cessait de penser qu'il s'agissait de messire Palamède, d'après son écu. Il courut donc jusqu'à ces chevaliers et leur cria d'arrêter leur combat, que c'était grande honte pour eux de s'en prendre à un homme seul, quand ils étaient si nombreux. Le maître des chevaliers lui fit réponse. Il s'appelait Brun sans Pitié. C'était alors le plus méchant qu'il y eût. Il parla en ces termes : « Sire chevalier, de quoi vous mêlez-vous ? Si vous avez du bon sens, allez-vous-en comme vous êtes venu. Cet homme ne nous échappera pas. — Ce serait dommage, répliqua messire Tristan, qu'un aussi valeureux chevalier fût tué de manière aussi lâche. En conséquence, je vous en préviens, je vais le secourir sans y épargner mes forces. »

CHAPITRE II

Comment messire Tristan sauva la vie de messire Palamède, et comment ils s'engagèrent à se combattre avant quinze jours

ADONC messire Tristan descendit de cheval, comme ils étaient à pied et qu'il craignait pour sa monture. Il ajusta son bouclier. Il empoigna son épée et choqua de droite et de gauche, sans retenue, si bien qu'à chacun des coups ou presque tombait un chevalier. Lorsqu'ils virent comment il frappait, ils déguerpirent tous en la tour avec Brun sans Pitié. Messire Tristan était sur leurs talons, l'épée à la main, mais ils se réfugièrent en dedans, et on lui ferma la porte au nez.

Voyant cela, messire Tristan s'en retourna auprès de messire Palamède. Il était sous un arbre, souffrant de graves blessures. « Ah ! gentil chevalier, lui dit messire Tristan, je suis heureux de vous voir. — Grand merci, répondit messire Palamède, de votre grande bonté. Vous m'avez gardé la vie sauve. C'était la mort qui me guettait. — Quel est votre nom ? demanda Tristan. — Mon nom est messire Palamède. — Ah ! Seigneur ! vous avez bien de la chance qu'aujourd'hui je sois venu à votre secours, car vous êtes l'homme au monde que je déteste le plus. Mais préparez-vous maintenant. Je vais me battre avec vous. — Comment vous nommez-vous ? demanda messire Palamède. — Messire Tristan, et je suis votre ennemi mortel. — Cela se peut. Mais vous avez tant fait pour moi aujourd'hui que je ne puis vous combattre. De votre côté, vous me sauvez la vie, et quel mérite y aurait-il ensuite à m'entreprendre, alors que vous êtes dispos et moi grièvement blessé ? Donc, si vous pensez qu'il vous faut absolument vous mesurer à moi, fixez un jour pour la rencontre et je viendrai, vous pouvez y compter. — C'est bien parlé, dit messire Tristan. À présent, je vous demande de me rencontrer dans le pré qui jouxte la rivière à Camaalot, là où Merlin mit la pierre. » Ils tombèrent d'accord là-dessus.

Lors messire Tristan demanda à messire Palamède la raison pourquoi les dix chevaliers se battaient contre lui. « Ce fut pour la raison que voici, répondit Palamède : tandis que je chevauchais en quête d'aventures dans une forêt près d'ici, j'aperçus un chevalier qui gisait mort et une demoiselle qui pleurait à ses côtés. La voyant se désoler pareillement, je la questionnai pour savoir qui avait occis son seigneur. "Messire, me répondit-elle, c'est le chevalier le plus fourbe qui soit à présent sur la terre, l'homme le plus vil dont on ait jamais ouï parler. Son nom est messire Brun sans Pitié." Pris de compassion, je dis à la demoiselle de remonter sur son palefroi, tout en lui promettant de la protéger et de l'aider à enterrer son seigneur. Soudainement, alors que je passe devant cette tour, il en sort messire Brun sans Pitié. Brutalement il me fait tomber de cheval et, avant que j'aie pu me ressaisir, il tue la demoiselle. Je remontai à cheval après cet affront, et c'est ainsi que commença la mêlée. Je vous ai donné la raison de cette bataille. — Eh bien, repartit messire Tristan, j'en comprends à présent les circonstances. Mais, de toute manière, gardez en mémoire la promesse que vous m'avez faite de me combattre dans les quinze jours. — Je ne vous faillirai point. — Pour aujourd'hui, reprit Tristan, vous pouvez compter sur moi, jusqu'à ce que vous n'ayez plus rien à redouter de vos ennemis. »

Ils enfourchèrent leurs montures et chevauchèrent ensemble jusqu'à la forêt. Là ils trouvèrent une belle fontaine, dont murmurait l'eau claire. « Gentil seigneur, dit messire Tristan, boire de cette eau me fait envie. » Ils mirent donc pied à terre. C'est alors qu'ils s'avisèrent de la présence non loin de là d'un grand cheval attaché à un arbre. Ce cheval ne cessait de hennir. Ils virent aussi un chevalier de bonne mine qui reposait sous un arbre. Il était armé de pied en cap. Aucune pièce ne manquait, à l'exception du heaume, sur lequel il avait posé la tête. « Seigneur Dieu ! s'exclama messire Tristan, voilà un beau chevalier ! Que vaut-il mieux faire ? — L'éveiller », dit messire Palamède.

Messire Tristan l'éveilla donc du bout de sa lance. Le chevalier se leva promptement. Il mit son heaume sur sa tête, monta à cheval et se saisit d'une grande lance. Puis, sans un mot, il se rua sur messire Tristan. Il lui fit vider les arçons et le jeta au sol, le blessant au côté gauche, si bien qu'il fut en grand danger de perdre la vie. Après quoi le chevalier s'éloigna au galop, prit de l'élan et se précipita sur messire Palamède. Le fer pénétra sous la cuirasse, et le cavalier désarçonné tomba. Ensuite, ce mystérieux chevalier les abandonna à leur sort et s'engagea dans la forêt.

Tant Palamède que Tristan se retrouvèrent à pied. Ils remontèrent à cheval et se consultèrent sur le meilleur parti à prendre. « Sur ma foi, dit messire Tristan, je veux poursuivre ce robuste chevalier qui nous a ainsi mis à honte. — Quant à moi, opina messire Palamède, j'entends me reposer dans les parages chez l'un de mes amis. — Prenez garde, dit Tristan, à ne pas me faire défaut le jour que nous avons retenu ensemble pour notre combat. Je crains que vous n'alliez manquer à votre engagement, car je suis beaucoup plus fort que vous. — Pour ce qui est de cette matière, repartit messire Palamède, on verra ce qu'il en adviendra. Vous ne me faites pas peur et, si je ne suis ni malade ni captif, je ne vous faillirai point. J'ai davantage lieu de croire que c'est vous qui ne serez pas fidèle à l'assignation, car je vous vois partir à la poursuite de ce vigoureux chevalier. Si vous le rencontrez, vous aurez bien du mal à en sortir vivant. » Messire Tristan et messire Palamède alors se séparèrent. Chacun s'en alla de son côté.

CHAPITRE III

Comment messire Tristan rechercha un robuste chevalier qui l'avait renversé, de même que beaucoup d'autres de la Table Ronde

MESSIRE TRISTAN chevaucha longtemps à la poursuite de ce robuste chevalier. Finalement il vint à un endroit où gisait une dame, étendue au travers du corps sans vie d'un chevalier. « Gente dame, dit-il, qui a tué votre seigneur ? — Messire, un chevalier est venu par ici, alors que mon seigneur et moi y prenions du repos. Il a demandé à mon seigneur d'où il était. Il lui fut répondu qu'il était de la cour d'Arthur. "S'il en est ainsi, lança ce robuste chevalier, je veux jouter avec toi. Je hais tous ceux de la cour d'Arthur." Mon seigneur, qui gît là sans vie, est monté sur son cheval. Ils se sont heurtés l'un à l'autre. De sa lance le chevalier lui a percé le corps et m'a causé tout ce malheur et dommage. — J'ai regret, dit Tristan, de tant de chagrin. S'il vous plaît, donnez-moi le nom de votre époux. — Messire, il s'appelait Galardon et promettait d'être un bon chevalier. » Adonc messire Tristan quitta cette dame affligée et n'eut que mauvais logement.

Le troisième jour, il fit rencontre de messire Gauvain et de messire Bliobéris. C'était dans une cabane en forêt. L'un et l'autre souffraient de graves blessures. Messire Tristan leur demanda s'ils avaient rencontré un certain chevalier, avec tel et tel signes par où le reconnaître, et un blason couvert. « Gentil seigneur, répondirent-ils, nos chemins se sont croisés avec un chevalier de cette sorte, et ce fut pour nous grand dommage. D'abord, dit messire Gauvain, il renversa mon compagnon, messire

Bliobéris, et le blessa sérieusement, sous le prétexte que mon ami m'avait recommandé de ne pas me battre avec lui parce qu'il était trop fort pour moi. Ce robuste chevalier traita ses paroles avec mépris et prétendit qu'il raillait. Ils se sont chargés sus, et c'est là que mon compagnon fut touché. Après quoi je ne pus en honneur que jouter avec lui. Au premier assaut il me renversa, de même que mon cheval. Il faillit me tuer. Puis il reprit son destrier et s'en alla. Maudit soit le jour où nous l'avons rencontré !

— Gentils chevaliers, repartit messire Tristan, j'ai connu le même sort, et il en a été de même pour un autre chevalier du nom de Palamède. D'une seule lance il nous a tous deux mis à terre, nous causant de graves blessures. — Ma foi, dit messire Gauvain, mon avis est que nous le laissions partir sans le rechercher davantage. À la prochaine fête de la Table Ronde, j'en donne ma tête à couper, nous le reverrons. — Sur mon honneur, répliqua messire Tristan, je n'aurai de repos que lorsque je l'aurai retrouvé. » Messire Gauvain alors lui demanda son nom. Il dit : « Mon nom est messire Tristan. » Chacun donna le sien. Tristan partit et continua son chemin.

Par hasard, dans une prairie, il fit rencontre de messire Keu le sénéchal et de messire Dinadan. « Quelles nouvelles, s'enquit messire Tristan, de votre côté, chevaliers ? — Nulles qui soient bonnes. — Comment cela ? Ayez l'obligeance de me les dire, car je cherche un chevalier. — À quels signes le reconnaître ? demanda messire Keu. — Il porte un écu dissimulé sous une étoffe. — Sur ma foi, reprit messire Keu, il s'agit de celui qui nous a rencontrés. La nuit dernière, nous étions hébergés dans la maison d'une veuve. Ce chevalier y avait pris son logement. Lorsqu'il sut que nous étions de la cour d'Arthur, il dit du roi les pires vilénies, et plus encore de la reine Guenièvre. Cela fit que, le lendemain matin, nous lui livrâmes combat. À la première rencontre, il me fit choir de mon cheval en me faisant de graves blessures. Quand mon compagnon, messire Dinadan, me vit connaître pareil sort, il ne chercha pas à me venger. Il prit la fuite, sans s'occuper de moi davantage. »

Lors messire Tristan s'enquit de leurs noms. Chacun se nomma. Messire Tristan quitta messire Keu et messire Dinadan. Il traversa une grande forêt pour parvenir à une plaine. Il y aperçut un prieuré et s'y reposa en compagnie d'un homme de bien, six jours durant.

CHAPITRE IV

Comment messire Tristan renversa messire Sagremor le Desrée et messire Dodinel le Sauvage

ENSUITE il envoya son serviteur, du nom de Gouvernail, dans une ville proche, avec pour mission de lui trouver une cuirasse neuve. Il y avait longtemps, en effet, qu'il n'avait pris de repos, et son harnois avait beaucoup souffert. Quand Gouvernail, son valet, fut de retour avec son armure, il prit congé de la veuve, monta sur son cheval et partit dans le petit matin. C'est alors que, par un hasard soudain, il rencontra messire Sagremor le Desrée et messire Dodinel le Sauvage. Ces deux chevaliers s'approchèrent et le défièrent, lui demandant de jouter avec eux. « Gentils chevaliers, répondit-il, c'est de bon cœur que je jouterais avec vous, mais j'ai promis, un jour que nous avons fixé et qui est proche, de combattre un chevalier plein de vigueur. C'est pourquoi je préfère ne pas me mesurer à vous. Si malencontreusement je me trouvais blessé, je ne pourrais livrer combat comme je m'y suis engagé. — Bon gré, mal gré, répliqua Sagremor, vous jouterez avant de passer votre chemin. — Eh bien, dit messire Tristan, si vous m'y contraignez, il me faudra faire de mon mieux. » Ils se couvrirent alors de leurs boucliers et se chargèrent sus avec violence. La grande force de messire Tristan lui permit de désarçonner messire Sagremor. Puis il poussa son destrier plus avant et dit à l'adresse de messire Dodinel : « Chevalier, en garde ! » Là encore, la vigueur de son bras fit que son adversaire vida les arçons. Quand il les vit tous deux étendus sur le sol, Tristan tint son cheval en bride et continua sa route en compagnie de son serviteur, Gouvernail.

Dès qu'il fut parti, messire Sagremor et messire Dodinel reprirent leurs montures. Ils se remirent promptement en selle et le suivirent. Lorsque messire Tristan les vit courir aussi vite après lui, il revint vers eux et leur demanda ce qu'ils voulaient. « Il n'y a pas si longtemps que je vous ai renversés, en réponse à votre requête et désir. J'aurais voulu passer mon chemin, mais vous ne m'avez pas laissé faire. Maintenant, ce me semble, vous souhaitez poursuivre le combat. — C'est vérité, dirent-ils. Nous voulons nous venger de l'outrage que vous nous avez fait subir.

— Gentils chevaliers, repartit messire Tristan, il n'est guère besoin de vengeance. Tout le tort que je vous ai causé, vous ne le devez qu'à vous-mêmes. Adonc, je le requiers de votre chevalerie, laissez-moi maintenant. Je suis sûr, si je me bats avec vous, de ne pas me tirer d'affaire sans de graves blessures. Vous, de votre côté, je pense, n'en sortirez pas sans dommage. C'est pour cela que j'ai si peu d'ardeur à vous entreprendre. Avant trois jours il me faudra livrer combat à un valeureux chevalier. Sa vaillance égale celle des meilleurs. Si je suis blessé, je ne pourrai le faire. — Quel est ce chevalier, dit messire Sagremor, avec lequel vous devez combattre ? — Messire, son mérite est grand, et son nom est messire Palamède. — Sur ma foi, vous avez lieu de le craindre, car vous lui trouverez beaucoup de valeur et de la bravoure. Puisque vous devez vous mesurer à lui, nous n'insisterons pas cette fois. Sinon, vous ne vous en seriez pas tiré à si bon compte. Mais, gentil chevalier, reprit messire Sagremor, dites-nous votre nom. — Messire, mon nom est messire Tristan de Léonois. — Ah ! s'exclamèrent-ils, nous sommes heureux de vous avoir rencontré. Nous avons entendu beaucoup de bien de vous. » Ils prirent alors congé et partirent, eux de leur côté, lui du sien.

CHAPITRE V

Comment messire Tristan fit rencontre de messire Lancelot,
là où se trouvait le bloc de marbre,
et comment ils combattirent sans se reconnaître

MESSIRE TRISTAN s'en alla droit à Camaalot, jusqu'à la pierre que Merlin avait fait mettre. C'était là où messire Lancer, qui était fils du roi d'Irlande, avait été occis de la main de Balain. Au même endroit Colombe, la belle dame, avait péri, qui était l'amante de messire Lancer. Après la mort de son ami, elle avait saisi son épée et s'en était percé le corps. Grâce à ses artifices, Merlin avait fait placer ce chevalier, Lancer, et sa dame, Colombe, sous une même pierre. Et il avait alors prophétisé qu'en ce même lieu combattraient ensemble les deux meilleurs chevaliers qu'il y eût au temps d'Arthur, et les amants les plus loyaux.

Adonc, lorsque messire Tristan arriva devant la tombe où étaient enterrés Lancer et sa dame, du regard à l'entour il chercha messire Palamède. Il vit alors venir à sa rencontre un beau chevalier entièrement vêtu de blanc, et dont l'écu était recouvert d'une étoffe. Quand il fut tout près, messire Tristan lui dit à voix haute : « Vous êtes le bienvenu, sire chevalier, vous avez bien fidèlement tenu votre promesse. » Ils ajustèrent alors lances et boucliers et se heurtèrent de toute la puissance de leurs destriers. Si rude fut le choc que cavaliers et chevaux tombèrent au sol. Mais, aussi vite qu'ils le purent, ils se dégagèrent de leurs selles. Ils se couvrirent de leurs écus. Ils se frappèrent de leurs brillantes épées, en hommes pleins de vigueur, et chacun blessa l'autre. Ce furent de bien cruelles blessures, et le sang coula sur l'herbe. Ils combattirent ainsi l'espace de quatre heures, sans jamais prononcer une parole, et de leurs harnois taillèrent mainte pièce.

« Seigneur ! s'écria Gouvernail, je m'étonne fort des coups que mon maître a donné au vôtre. — Ma foi, répliqua le serviteur de messire Lancelot, le vôtre n'en a pas tant donné qu'il en a reçu, peut-être en a-t-il reçu davantage. — Seigneur Jésus ! s'exclama Gouvernail, c'est plus que n'en pourrait supporter un messire Palamède ou un messire Lancelot ! Pitié ce serait pourtant que l'un de ces valeureux chevaliers ôtât la vie à l'autre ! » Ils se tenaient ainsi immobiles à pleurer et se désoler grandement, en voyant les claires épées rougies du sang de leurs maîtres.

Finalement messire Lancelot prit la parole. Il dit : « Chevalier, tu combats merveilleusement, comme jamais je n'ai vu personne le faire avant toi. Voudrais-tu donc me révéler ton nom ? — Messire, répondit Tristan, j'hésite toujours à le donner à quiconque. — Assurément, quand on me le demande, répliqua Lancelot, j'ai toujours été prêt à en faire l'aveu. — C'est bien parlé. Puis-je donc vous requérir de me le dévoiler ? — Gentil chevalier, mon nom est messire Lancelot du Lac. — Las ! s'écria Tristan, qu'ai-je fait ? Vous êtes l'homme au monde pour lequel j'ai le plus d'affection. — Gentil chevalier, votre nom ? — À la vérité, je me nomme messire Tristan de Léonois. — Seigneur ! s'exclama messire Lancelot, que m'est-il advenu ? »

Là-dessus il mit un genou en terre et remit son épée à messire Tristan. Celui-ci s'agenouilla aussitôt à son tour, et lui aussi abandonna son épée. Chacun reconnut la victoire de l'autre. Ensuite ils allèrent tous les deux à la pierre sans attendre. Ils s'assirent dessus. Ils enlevèrent leurs heaumes pour se rafraîchir et s'étreignirent cent fois. Après quoi ils remirent leurs heaumes et chevauchèrent jusqu'à Camaalot. Là ils rencontrèrent messire Gauvain et messire Guerrehet, qui avaient fait promesse de ne jamais revenir à la cour avant d'amener messire Tristan avec eux.

CHAPITRE VI

Comment messire Lancelot conduisit messire Tristan à la cour, et de la grande joie que manifestèrent le roi et d'autres à sa venue

« RETOURNEZ EN ARRIÈRE, leur dit messire Lancelot. Votre quête est finie. J'ai rencontré messire Tristan. Tenez, le voici en personne! » Messire Gauvain s'en réjouit. Il dit à messire Tristan : « Soyez le bienvenu. Vous avez ôté grandement à mes peines. Qu'est-ce donc qui vous a conduit à cette cour? — Gentil sire, je suis venu en ce pays à cause de messire Palamède. Lui et moi étions convenus en ce jour de nous combattre, là où se trouve la pierre qui recouvre la tombe. Je m'étonne d'ailleurs de ne pas avoir entendu parler de lui. C'est ainsi que, par aventure, monseigneur Lancelot et moi-même nous sommes rencontrés. »

Sur ces entrefaites arriva le roi Arthur. Quand il sut que messire Tristan était là, il courut à lui, le prit par la main et lui dit : « Messire Tristan, soyez le bienvenu céans, autant que chevalier le fut jamais qui vint à cette cour. » Ensuite, lorsqu'on lui apprit que messire Lancelot et messire Tristan s'étaient livré combat et qu'ils s'étaient blessés l'un l'autre fort gravement, le roi en fut tout à fait désolé. Tristan lui raconta comment il était venu dans le dessein de se battre avec messire Palamède. Puis il narra comment il avait sauvé celui-ci des neuf chevaliers et de Brun sans Pitié. « Je découvris un chevalier étendu auprès d'une fontaine. Il me renversa, ainsi que messire Palamède. Son écu était dissimulé sous une étoffe. Messire Palamède me quitta, tandis que moi, je poursuivais ce chevalier. En maint endroit je me rendis compte qu'il avait tué de ses adversaires et en avait vaincu d'autres à la joute. — Ma foi, dit messire Gauvain, c'est lui, c'est le même chevalier qui m'a jeté au sol, ainsi que messire Bliobéris. Il nous a infligé de sérieuses blessures, cet homme dont l'écu était dissimulé. — Ah! s'exclama messire Keu, moi, il m'a mis à terre, et je ne m'en suis pas tiré sans mal. J'aurais bien voulu savoir qui il était, mais je ne pus y parvenir. — Seigneur Dieu! s'exclama Arthur, quel pouvait être ce chevalier à l'écu mystérieux? — Je n'en sais rien », dit Tristan. Tous lui firent écho.

« Si nul n'en sait rien, reprit le roi Arthur, alors je crois le savoir. C'est messire Lancelot. » Tous les regards se portèrent dans sa direction. Ils dirent : « Vous nous avez leurrés avec cet écu dissimulé. — Ce n'est pas la première fois, dit le roi, qu'il agit de la sorte. — Monseigneur, avoua messire Lancelot, je reconnais que je suis bien le chevalier dont on ne voyait pas les armes. Parce que je ne voulais pas qu'on me sût de votre cour, je n'ai rien dit à la gloire de votre maison. — C'est vérité », dirent messire Gauvain, messire Keu, messire Bliobéris.

Après quoi le roi Arthur prit messire Tristan par la main et le conduisit à la Table Ronde. La reine Guenièvre parut, accompagnée de beaucoup de dames. Toutes s'écrièrent d'une même voix : « Bienvenue, messire Tristan! » « Bienvenue! » dirent les demoiselles. « Bienvenue! » s'exclamèrent les chevaliers. « Que soit ici bien accueilli, dit Arthur, l'un des meilleurs, et le plus noble, des chevaliers du monde, l'homme aussi qui s'est acquis le plus de gloire! C'est vous qui emportez la palme pour tout ce qui est de la chasse. On vous doit toutes les sonneries de cor. Vous êtes à l'origine de tous les termes de vénerie et de fauconnerie, le plus expert à tous les instruments de musique. Adonc, gentil chevalier, bienvenue en cette cour!

« Maintenant, je vous prie, accordez-moi une faveur. — Je suis à votre obéissance. — Eh bien, je désire que vous demeuriez à ma cour. — Sire, je ne puis guère accéder à ce vœu. J'ai affaire en bien des pays. — Non, dit Arthur, j'ai votre promesse. Vous ne pouvez vous soustraire. » Là-dessus le roi se dirigea vers les sièges autour de la Table Ronde. Il regarda, pour chacun d'eux, lesquels étaient vacants et n'étaient requis de personne. Quand il en vint à celui de Marehaut, il vit qu'était écrit :

« Ceci est le siège de messire Tristan, le noble chevalier. » Il fit donc messire Tristan chevalier de la Table Ronde, avec autant de pompe et de festivité qu'il s'en pouvait concevoir.

Messire Marehaut était mort auparavant dans une île, tué de la main de messire Tristan. L'histoire était alors bien connue à la cour du roi Arthur, car ce Marehaut avait été un digne chevalier. À cause de torts qui avaient été infligés par les siens au pays de Cornouailles, il avait combattu avec messire Tristan. Leur combat fut long. Avançant, esquivant, ils tombèrent tous les deux ensanglantés sur le sol. Leurs blessures étaient telles qu'ils ne pouvaient tenir debout. Ils perdaient trop de sang. Par bonheur, messire Tristan se rétablit, mais messire Marehaut mourut d'un coup qu'il reçut à la tête.

Laissons là maintenant messire Tristan pour parler du roi Marc.

CHAPITRE VII

Comment, par dépit des honneurs accordés à messire Tristan, le roi Marc vint en Angleterre, accompagné de deux chevaliers, et comment il occit l'un d'eux

Le roi Marc concevait beaucoup de dépit de la renommée de messire Tristan. C'est pourquoi il l'avait chassé des Cornouailles. Pourtant, c'était son neveu. Mais il entretenait de grands soupçons à son endroit à cause de sa reine, la Belle Yseut. Il lui semblait qu'ils s'aimaient trop. Lorsque messire Tristan quitta les Cornouailles pour l'Angleterre, le roi Marc ouït parler de ses prouesses en ce pays et s'en attrista fort. Il envoya de ses gens épier ce qu'il faisait. La reine aussi, de son côté, donna secrètement mission à des envoyés de s'informer de ses actions d'éclat, car il y avait entre eux beaucoup d'amour. Quand les messagers furent de retour, ils répétèrent ce qu'il avaient entendu dire, qu'il l'emportait sur tous les autres chevaliers, à l'exception de messire Lancelot. Le roi Marc fut consterné à l'annonce de ces nouvelles, tandis que la Belle Yseut s'en réjouissait tout autant.

Lors, au comble du dépit, il prit avec lui deux chevaliers, deux écuyers, et sous un déguisement se rendit en Angleterre dans le dessein de tuer messire Tristan. L'un de ses compagnons avait nom Bertelais et l'autre Armant. Chemin faisant, le roi Marc rencontra un chevalier et lui demanda où il pourrait trouver le roi Arthur. « À Camaalot », lui répondit-on. Lors il posa des questions sur Tristan. Parlait-on de lui à la cour? « Sachez, dit le chevalier, qu'on le traite avec autant d'honneur qu'on en pourrait témoigner aux plus grands de ce monde. Sa bravoure lui a valu de remporter le prix au tournoi du Château des Pucelles, près de la Roche Dure. Depuis ce jour, il a de son bras vaincu trente chevaliers dont on vantait les mérites. Le dernier combat qu'il a livré, ce fut avec messire Lancelot. La rencontre tint du prodige, et si messire Lancelot put l'amener à la cour, ce ne fut pas contraint et forcé. Le roi Arthur se réjouit grandement de le voir et le fit de la Table Ronde. Il y prend place là où se tenait messire Marehaut, le valeureux chevalier. »

Le roi Marc eut grand regret de ces honneurs accordés à messire Tristan. On se quitta. Le roi dit à ses deux chevaliers : « Je vais à présent vous faire part de mes intentions. Vous êtes les personnes en ce monde en qui je place le plus de confiance. Je veux que vous sachiez que si je suis venu ici, c'est afin de perpétrer la mort de messire Tristan, que ce soit par ruse ou par trahison. Et il lui sera bien difficile de nous échapper. — Hélas! s'écria messire Bertelais, qu'entendez-vous par là? Si vous vous êtes arrêté à cela, c'est un projet qui vous déshonore. Messire Tristan est de tous les chevaliers que nous connaissons celui qui a le plus de mérite. En conséquence, je vous en préviens sans détour : je ne consentirai jamais à le faire périr. J'abandonne votre service et renonce dorénavant à vous suivre. »

Quand le roi Marc entendit ces paroles, soudainement il tira son épée et dit : « Traître ! » Il choqua messire Bertelais sur la tête et l'épée fendit jusques aux dents. Armant, l'autre chevalier, le voyant ainsi se conduire en vilain, de même que ses écuyers dit que c'était indigne et malfaisant. « Conséquemment nous ne vous servirons plus maintenant et, sachez-le bien, devant Arthur vous accuserons de trahison. » Le roi Marc entra en courroux furieux. Il voulut tuer Armant. Mais celui-ci et les deux écuyers défièrent sa méchanceté. Quand il vit qu'il ne pouvait se venger d'eux, il dit à Armant, le chevalier : « Sache que si tu m'accuses de trahison, je m'en défendrai devant le roi Arthur. Je te requiers en tout cas de ne pas découvrir mon nom, que je suis le roi Marc, quoi qu'il puisse m'advenir.
— Là-dessus, répondit messire Armant, soyez sans crainte. Je ne dirai pas votre nom. » Sur ce ils se quittèrent. Armant et ses compagnons prirent le corps de Bertelais et l'enterrèrent.

CHAPITRE VIII

Comment le roi Marc s'en vint auprès d'une fontaine, où il trouva messire Lamorat gémissant à cause de l'amour qu'il avait pour l'épouse du roi Lot

ENSUITE le roi Marc chevaucha jusqu'à ce qu'il fût devant une fontaine. Là il se reposa, se demandant s'il allait se rendre à la cour d'Arthur ou bien retourner en son pays. Tandis qu'il prenait ainsi du repos survint un chevalier, bien armé. Il mit pied à terre, attacha son destrier à un arbre et s'assit au bord de la source. Puis il se mit à se désoler, à gémir, et fit entendre la plainte d'amour la plus triste qu'on eût jamais entendue. Cependant il ne s'apercevait point de la présence du roi Marc. Il criait, pleurait. Voici à peu près ce qu'il disait : « Ô belle reine des Orcades, épouse du roi Lot, mère de messire Gauvain, de messire Guerrehet, et d'autres encore, ton amour me cause bien du tourment. » Le roi Marc se leva. Il s'approcha et s'adressa à lui en ces termes : « Gentil chevalier, vos accents étaient tristes. — À la vérité, repartit l'autre, cent fois moins pitoyables que ce que je ressens en mon cœur. — Je vous le demande, dites-moi votre nom. — Messire, pour ce qui est de mon nom, je n'entends point le cacher à chevalier portant écu. Je me nomme messire Lamorat de Galles. »

Entendant le roi Marc, messire Lamorat comprit à sa façon de parler qu'il était chevalier cornouaillais. « Messire, reprit-il, à vous entendre je juge que vous êtes des Cornouailles. Y vit le roi le plus indigne qui soit maintenant en ce monde. Il est l'ennemi de tous les bons chevaliers. La preuve en est qu'il a chassé de son pays messire Tristan, dont le mérite n'est égalé de personne et dont chacun vante les qualités. Par jalousie, à cause de sa reine, il l'a banni de ses terres. Quel dommage qu'un couard et fourbe chevalier comme le roi Marc soit uni à une dame aussi belle et bonne que l'est la Belle Yseut ! Tout le monde dit du mal de lui et que nulle reine ne vaut mieux qu'elle. — Ce n'est pas mon affaire, repartit le roi Marc. Aussi n'en dirai-je rien. — Voilà qui est bien parlé. Messire, pouvez-vous me donner des nouvelles ? Pour ma part, je puis vous annoncer qu'il y aura bientôt un grand tournoi non loin de Camaalot, au Chastel du Géant. Le roi des Cent Chevaliers et le roi d'Irlande, à ce que j'imagine, donnent ce tournoi. »

Il vint alors un chevalier qui s'appelait messire Dinadan. Il les salua tous deux. Quand il sut qu'il y avait là un chevalier des Cornouailles, il le prit à partie à cause de son souverain, bien plus que ne l'avait fait messire Lamorat. Messire Lamorat offrit alors de jouter avec le roi Marc. Celui-ci en avait fort peu envie. Pourtant messire Dinadan le poussa tant à le faire qu'il finit par accepter. Messire Lamorat le heurta si rudement que du fer de sa lance il le fit passer par-dessus la queue de son cheval. Le roi Marc se releva et voulut poursuivre son adversaire. Messire Dinadan, pour sa part, se refusait à jouter avec messire Lamorat. Il dit au roi Marc qu'il s'agissait de messire Keu le sénéchal. « Ce n'est pas vrai, répliqua le roi Marc, cet homme est beaucoup plus fort que messire Keu. » Il poursuivit donc messire Lamorat, le rejoignit et lui intima l'ordre de ne plus bouger. « Que comptez-vous faire ? demanda celui-ci. — Messire, combattre à l'épée, puisque vous m'avez humilié avec votre lance. »

Sur ce ils s'attaquèrent avec leurs épées. Messire Lamorat usa de mesure et de générosité. Le roi Marc était fébrile et multipliait les assauts. Messire Lamorat vit qu'il ne renoncerait pas. Il s'échauffa quelque peu. Il redoubla ses coups, car c'était l'un des plus valeureux chevaliers qu'il y eût au monde. Il choqua l'autre si rudement sur le heaume qu'il dut courber la tête jusqu'à l'arçon de sa selle, ou peu s'en faut. Voyant sa détresse, messire Lamorat lui dit : « Sire chevalier, où en êtes-vous ? Il me semble que vous aurez bientôt combattu tout votre saoul. Il serait dommage de vous faire souffrir davantage. Vous n'êtes qu'un médiocre chevalier. Vous avez ma permission d'aller où bon vous semblera. — Grand merci, répondit le roi Marc. Vous et moi ne sommes pas de même force. »

Messire Dinadan se mit alors à railler le roi Marc. Il lui dit : « Vous n'êtes pas capable de vous mesurer à un bon chevalier. — Quant à cela, répliqua-t-il, à la première occasion j'ai jouté avec celui-ci, alors que vous ne vouliez pas en faire autant. — Et croyez-vous que ce soit pour moi une honte ? Non, messire, il est toujours honorable pour un chevalier de renoncer à ce qu'il ne peut espérer atteindre. Vous vous seriez conduit plus dignement en refusant le combat, comme je l'ai fait moi-même. Je vous le dis tout net : il est homme à en vaincre cinq comme vous et moi. Vous, les chevaliers cornouaillais, vous ne pouvez prétendre à la valeur des autres. Et parce que vous n'avez pas de mérite, vous détestez tous ceux qui en ont. Mais jamais votre pays n'a donné naissance au pareil de messire Tristan. »

CHAPITRE IX

Comment le roi Marc, messire Lamorat et messire Dinadan arrivèrent à un château, et comment le roi Marc y fut reconnu

Lors les trois chevauchèrent ensemble, le roi Marc, messire Lamorat, messire Dinadan, jusqu'à ce qu'ils fussent devant un pont. À l'extrémité de ce pont se dressait une belle tour. Un chevalier parut à ce moment. Il était bien armé, brandissait une lance, criait en offrant de jouter avec lui. « Ce sont là deux frères, dit messire Dinadan au roi Marc. L'un s'appelle Alain, l'autre Trian. Ils veulent jouter avec quiconque entreprend de passer par ici. Il vaut mieux que vous releviez le défi, car de toute façon vous serez mis à terre. » Le roi Marc fut piqué au vif. Il coucha sa lance et chargea sus à messire Trian. Les lances, de chaque côté, se brisèrent en morceaux. Chacun des cavaliers continua sa course. Messire Trian fit parvenir au roi Marc une autre lance pour jouter davantage. Mais il ne voulut à aucun prix reprendre le combat.

Puis les trois chevaliers arrivèrent au château. Ils demandèrent asile au seigneur de l'endroit. « Soyez les bienvenus, dirent les chevaliers du château, pour l'amour de notre maître, lequel se nomme messire Tor, fils d'Arès. » Ils passèrent dans une belle cour, en bon état. On leur fit fort bonne chère. Mais le lieutenant de ce château, un homme du nom de Berlet, épia le roi Marc de Cornouailles. Il lui dit : « Sire chevalier, je vous connais mieux que nous ne pensez. Vous êtes le roi Marc, qui a tué mon père sous mes yeux. Vous m'auriez tué moi aussi, si je ne m'étais enfui dans un bois. Sachez pourtant que, par égard pour le seigneur de ce château, je ne vous toucherai point ni ne vous ferai aucun mal, pas davantage qu'à aucun de vos compagnons. Cela n'empêche pas que, lorsque vous aurez franchi le seuil de ce logis, vous ne partirez pas sans dommage si c'est en mon pouvoir, car vous avez tué mon père traîtreusement. Auparavant, à cause de mon seigneur, messire Tor, et de messire Lamorat, le digne chevalier qui est ici logé, vous trouverez céans un gîte dont vous n'aurez pas lieu de vous plaindre. C'est pitié que vous soyez jamais en la compagnie d'hommes de valeur, car de tous les rois et chevaliers que l'on connaisse de par le monde vous êtes le plus vil et le plus infâme. Vous causez la mort des chevaliers de mérite, et tout ce que vous faites n'est que perfidie. »

CHAPITRE X

Comment messire Berlet rencontra le roi Marc,
et comment messire Dinadan prit le parti de ce dernier

LE ROI MARC fit piteuse mine et ne trouva que peu de chose à répondre. Lorsque messire Lamorat et messire Dinadan surent qui était leur compagnon, ils en éprouvèrent du regret. Après souper, ils allèrent se coucher. Le lendemain matin, ils se levèrent de bonne heure. Le roi et messire Dinadan chevauchaient à côté l'un de l'autre. À une lieue et demie de leur logis de la veille, ils rencontrèrent trois chevaliers. Messire Berlet était du nombre, les autres ses cousins. Quand il aperçut le roi Marc, Berlet lui cria d'une voix forte : « Traître, en garde! Sache que je me nomme Berlet! — Sire chevalier, lui dit messire Dinadan, mon conseil est que vous renonciez à vous battre pour le présent. Le roi Marc va devers le roi Arthur. J'ai promis de le conduire jusque-là. Il me faudra donc me ranger avec lui. Nonobstant je n'aime point les gens qui lui ressemblent et volontiers n'eusse point pris son parti. — C'est bien,

Dinadan, répondit messire Berlet, je regrette que vous vous mettiez de son côté. Et maintenant faites de votre mieux. »

Lors il chargea sus au roi Marc. Il frappa l'écu si vigoureusement qu'il désarçonna le cavalier et le fit tomber à terre. Messire Dinadan le vit. Il coucha sa lance, courut sus à l'un des compagnons de Berlet et lui fit vider les étriers. Puis il fit tourner sa monture et traita de même manière le troisième des chevaliers, qui se retrouva sur le sol. Messire Dinadan, en effet, était à cheval de première force. Ce fut le commencement d'une grande mêlée. Berlet et ses compagnons, à pied, se tenaient groupés pour opposer une résistance efficace. Cependant, bien appuyé par messire Dinadan, le roi Marc fit choir Berlet, et ses deux compagnons prirent la fuite. Le roi eût tué son adversaire si messire Dinadan n'était intervenu. Messire Dinadan sauva la vie de cet homme, car le roi Marc n'était qu'un meurtrier. Ils prirent donc leurs chevaux et s'en allèrent, laissant messire Berlet grièvement blessé.

Le roi et messire Dinadan chevauchèrent près de cinq lieues avant d'arriver à un pont. Un chevalier en armes y était arrêté, sur sa monture, prêt à jouter. « Regardez, dit messire Dinadan au roi Marc, voilà un chevalier qui désire jouter. Nul ne passera le pont sans se mesurer à lui. — C'est à point nommé, repartit le roi Marc, car c'est à votre tour de courir à la joute. » Messire Dinadan connaissait la valeur de ce chevalier. Il l'eût volontiers rencontré. Mais il aimait mieux que ce fût le roi Marc qui s'en chargeât. Celui-ci ne voulut pas en entendre parler. Messire Dinadan fut donc réduit à combattre. Chacun ajusta lance et bouclier. Ils se heurtèrent. Moins fort, messire Dinadan fut jeté au sol. Vite il se releva, remonta sur son cheval et requit le chevalier de poursuivre le combat à l'épée. Mais l'autre répondit : « Gentil chevalier, maintenant je ne puis davantage me mesurer à vous, car telle est la coutume de ce lieu de passage. »

Messire Dinadan enragea de ne pouvoir se venger de ce chevalier. Il partit, sans qu'il eût pu savoir son nom. Néanmoins à son écu il pensa bien reconnaître messire Tor.

CHAPITRE XI

Comment le roi Marc railla messire Dinadan,
et comment ils firent rencontre de six chevaliers de la Table Ronde

ADONC, chemin faisant, le roi Marc se mit à brocarder messire Dinadan. Il lui dit : « Je croyais que vous, les chevaliers de la Table Ronde, ne pouviez en aucune manière trouver de combattant qui fût de votre force. — Vous avez raison, repartit messire Dinadan. Quant à vous, je ne vous compte assurément pas au nombre des meilleurs. Mais, puisque vous avez contre moi tant d'aigreur, je vous propose de jouter afin d'éprouver ma vigueur. — Non, non, je ne veux nullement me mesurer à vous. Je ne vous demande qu'une chose : lorsque vous serez à la cour d'Arthur, ne dévoilez pas mon nom. On m'y déteste par trop. — Vous devriez avoir honte, répondit messire Dinadan, de vous conduire de manière aussi infâme. Je vois que vous êtes d'une extrême lâcheté. Vous commettez des meurtres, et c'est la pire indignité qui puisse s'attacher à la personne d'un chevalier. Jamais, s'il s'en rend coupable, il ne pourra prétendre à de la considération. Je me suis rendu compte que, si je ne vous en avais empêché par la force, vous auriez tué messire Berlet. Il est pourtant meilleur chevalier que vous ne l'êtes et ne le serez jamais. Il a aussi plus de courage. »

Ils chevauchèrent, tenant de tels propos, avant d'arriver à une belle demeure. Un chevalier était devant. Il les pria de venir loger chez lui. À sa requête, donc, c'est là qu'ils prirent du repos. Ils y furent bien à l'aise et eurent bonne chère. En effet, on y faisait bon accueil aux chevaliers errants, en particulier à ceux de la cour d'Arthur. Messire Dinadan s'enquit auprès de son hôte du nom du chevalier qui gardait le pont. « Pourquoi me le demandez-vous ? — Il n'y a pas longtemps de cela, il me mit à terre. — Ah ! gentil chevalier, n'en soyez pas surpris. Il a beaucoup de valeur. Son nom est messire Tor, le fils d'Arès le vacher. — C'était donc lui ! À la vérité, je l'ai toujours pensé. »

Alors qu'ils s'entretenaient de la sorte, ils virent sur la plaine venir dans leur direction six chevaliers de la cour du roi Arthur, bien armés de toutes pièces. À leurs écus messire Dinadan les reconnut sans difficulté. Le premier était le valeureux messire Yvain, fils du roi Urien, le second Brandelis, le noble chevalier. Venaient ensuite Osenain Cœur Hardi, Yvain l'Avoutre, puis messire Agravain et messire Mordret, le frère de messire Gauvain. Lorsqu'il vit venir ces six chevaliers, messire Dinadan songea qu'il pourrait peut-être, par quelque stratagème, amener le roi Marc à jouter avec l'un d'entre eux. Adonc le roi et lui prirent leurs chevaux sans attendre et suivirent le même chemin que ces cavaliers pendant plus d'une lieue.

Le roi Marc les aperçut alors. Ils étaient assis auprès d'une fontaine. Ils mangeaient et buvaient ce qu'ils avaient à leur disposition. Certains de leurs destriers étaient libres de vagabonder, d'autres non. Ils avaient suspendu leurs écus en divers endroits alentour. « Regardez, dit messire Dinadan, voilà des chevaliers errants qui accepteront bien de jouter avec nous. — Dieu garde ! s'exclama le roi Marc. Ils sont six. Nous ne sommes que deux. — Que cela ne nous retienne point ! s'écria messire Dinadan. Je prends le premier. » Sur ce il s'apprêta. Lorsque le roi Marc le vit agir ainsi, aussi vite que Dinadan alla au-devant d'eux, aussi vite il s'éloigna, en compagnie de tous ses serviteurs. Quand il fut assuré qu'il était seul, messire Dinadan ôta sa lance de l'arrêt. Il rejeta son bouclier sur son dos et chevaucha pour rejoindre ses compagnons de la Table Ronde. Messire Yvain eut tôt fait de le reconnaître. Il lui souhaita la bienvenue, de même que les cinq autres chevaliers.

CHAPITRE XII

Comment les six chevaliers envoyèrent messire Daguenet jouter avec le roi Marc, et comment celui-ci refusa le combat

APRÈS QUOI ils lui demandèrent de leur conter ses aventures et s'il avait vu messire Tristan ou messire Lancelot. « Par Dieu, répondit-il, je n'ai vu ni l'un ni l'autre depuis mon départ de Camaalot. — Quel chevalier est-ce donc, dit messire Brandelis, qui aussi brusquement s'est séparé de vous pour s'en aller courir dans ce champ là-bas ? — Messire, c'est un chevalier des Cornouailles et le plus affreux poltron qui soit jamais monté sur le dos d'un cheval. — Comment s'appelle-t-il ? demandèrent-ils tous. — Je n'en sais rien. » Quand ils eurent pris du repos et fini de s'entretenir, ils enfourchèrent leurs montures et chevauchèrent jusqu'à un château où habitait un vieux chevalier, qui faisait bon visage à tous les chevaliers errants. Alors qu'ils devisaient en cette demeure y entra messire Girflet, fils de Do. On lui souhaita la bienvenue, et on lui demanda s'il avait vu Tristan ou Lancelot. « Messires, répondit-il, ni l'un ni l'autre depuis qu'ils ont quitté Camaalot. »

Alors que messire Dinadan allait par le château au gré de sa curiosité, dans une chambre il aperçut le roi Marc. Il lui fit des remontrances. Pourquoi était-il parti de cette façon ? « Messire, répondit-il, je n'ai pas osé rester, parce qu'ils étaient en si grand nombre. Mais comment avez-vous fait pour leur échapper ? — Ils étaient mieux disposés que je ne le croyais. — Et qui commande à cette compagnie ? » Pour lui faire peur, messire Dinadan dit que c'était messire Lancelot. « Dieu tout puissant ! pourrai-je le reconnaître à son écu ? — Oui, répondit messire Dinadan, ses armes sont d'argent avec des bandes noires. » Il inventait tout cela pour effrayer le roi Marc, car messire Lancelot n'était pas parmi eux. « Je vous prierais, dit le roi, de bien vouloir faire route avec moi. — J'hésite à le faire, repartit Dinadan, depuis que vous m'avez faussé compagnie. »

Sur ce il laissa là le roi Marc et s'en fut retrouver ses amis. Ils enfourchèrent leurs montures et reprirent leur voyage, tout en parlant du chevalier cornouaillais, car Dinadan les avait informés qu'il était dans le même château où ils s'étaient logés. « Cela tombe à merveille, dit messire Girflet. J'ai justement amené messire Daguenet, le fou du roi Arthur, qui est le meilleur compagnon et le plus gai luron qui soit. — Savez-vous ce qu'il faut faire ? intervint messire Dinadan. J'ai fait croire au chevalier des Cornouailles que nous avions messire Lancelot parmi nous. Il m'a demandé quel écu il portait. Et pour ne rien vous cacher, je lui ai dit que c'était le même écu que porte messire Mordret. — Voulez-vous mon idée ? demanda celui-ci. Voilà : je suis blessé. Je laisse à messire Daguenet mon écu et mon armure, et c'est lui qui assaille le chevalier cornouaillais. — Sur ma foi, répondit messire Daguenet, ce sera fait. »

Adonc messire Daguenet fut bientôt revêtu du harnois de messire Mordret. Il prit son écu. Il fut monté sur un grand cheval. On lui mit en la main une lance. « À présent, s'écria-t-il, qu'on me le montre, et je gage que je le mets à terre. » Tous les chevaliers allèrent s'embusquer à la lisière d'un bois pour y attendre la venue du roi Marc. Quand il parut, ils firent sortir messire Daguenet. Il courut alors, de toute la vitesse de son cheval, droit au roi Marc. Lorsqu'il fut tout près, il se mit à hurler comme s'il eût perdu la raison : « En garde, chevalier des Cornouailles ! Je vais te tuer ! »

Aussitôt que le roi eut regardé son écu, il se dit : « C'est messire Lancelot. Hélas ! c'en est fait de moi ! » Et il donna des éperons à son cheval pour le faire courir aussi vite que possible, sans regarder aux obstacles. Cependant messire Daguenet ne cessait de le poursuivre, criant et grondant comme un dément, au travers d'une grande forêt. Lorsque messire Yvain et messire Brandelis virent Daguenet ainsi pourchasser le roi Marc, ils furent près de pâmer de rire. Puis ils montèrent à cheval et coururent voir ce qu'il pouvait advenir de messire Daguenet, car le roi Arthur en était féru et l'avait armé chevalier de ses propres mains. À chaque tournoi, c'est lui qui combattait le premier, pour divertir le roi. Ensuite tous les chevaliers se mirent à chevaucher dans tous les sens, poussant des cris, poursuivant le roi Marc, si bien que toute la forêt retentit de leurs clameurs.

CHAPITRE XIII

Comment, par aventure, messire Palamède rencontra le roi Marc en sa fuite, et comment il renversa messire Daguenet, ainsi que d'autres chevaliers

LE ROI MARC, par hasard, s'en vint auprès d'une fontaine, là où se tenait un chevalier errant sur sa monture, bien armé de toutes pièces, une grande lance à la main. Lorsqu'il vit le roi Marc qui fuyait de son côté, il lui dit : « Chevalier, fi donc ! Fais face, mets-toi près de moi et je te protégerai. — Ah ! gentil chevalier, repartit le roi, laissez-moi passer. Le meilleur chevalier du monde est à ma poursuite. Son écu a des bandes noires. Il arrive. Le voilà ! — Allons, allons ! ce n'est pas l'un des plus valeureux et, quand ce serait messire Lancelot ou messire Tristan, je me fais fort de tenir tête au meilleur des deux. »

Quand le roi Marc entendit ces paroles, il fit tourner son cheval et se tint aux côtés de son défenseur. Lors le robuste chevalier coucha sa lance et chargea sus à Daguenet, le heurtant si rudement qu'il le fit passer par-dessus la queue de sa monture et qu'il faillit se rompre le cou. Messire Brandelis venait sur ses talons. Quand il vit Daguenet choir de la sorte, il s'emporta et cria : « En garde, chevalier ! » Le chevalier, cependant, frappa si fort messire Brandelis que cavalier et cheval, tout fut jeté à terre. Messire Yvain suivait. Il vit tout ceci. « Seigneur ! se dit-il, voilà un chevalier plein de vigueur ! » Ils couchèrent leurs lances. Le chevalier mit tant d'ardeur à la rencontre qu'il culbuta messire Yvain. Puis vint Osenain Cœur Hardi. Lui aussi fut renversé.

« À présent, suggéra messire Girflet, je suis d'avis que nous envoyions un messager devers ce chevalier mystérieux, afin de savoir s'il est de la cour d'Arthur, car je pense qu'il s'agit de messire Lamorat de Galles. » On lui envoya donc quelqu'un, le priant de révéler son nom et de dire s'il était de cette cour. « Pour ce qui est de mon nom, ils n'en sauront rien, répondit-il. Mais rapporte-leur que je suis comme eux un chevalier errant, et que je n'appartiens pas au roi Arthur. » L'écuyer retourna d'où il était venu et leur porta la réponse. « Je vous jure, dit messire Agravain, qu'il est l'un des plus vigoureux que j'aie jamais rencontrés. Il a mis à terre trois nobles chevaliers, et il nous faut reprendre le combat si nous ne voulons pas être déshonorés. » Messire Agravain coucha donc sa lance. L'autre s'était préparé. Il le fit passer par-dessus sa monture, et messire Agravain tomba sur le sol. De même manière il frappa messire Yvain l'Avoutre et aussi messire Girflet. Il avait de la sorte réglé leur compte à tous, hormis messire Dinadan qui était en arrière, et messire Mordret qui n'avait pas d'armure, ayant donné la sienne à Daguenet.

Quand ce fut fait, ce robuste chevalier continua son chemin sans forcer l'allure, le roi Marc après lui, qui le louangeait beaucoup. Mais lui ne répondait rien. Il soupirait à fendre l'âme et gardait la tête basse, sans faire attention à ce qu'on lui disait. Ils chevauchèrent ainsi pendant plus d'une lieue, puis le chevalier appela un serviteur. « Va jusqu'à ce beau manoir là-bas, recommande-moi à la dame du lieu, et prie-la de m'envoyer de quoi me rendre des forces, à manger et à boire, de bonnes choses. Si elle te demande qui je suis, dis-lui que je suis le chevalier qui poursuit la Bête Glatissant (autrement dit en quête de gibier, car partout où elle allait, elle flairait, faisant entendre en son ventre un bruit semblable à celui de trente couples de chiens de chasse).

Le valet partit donc et se rendit au manoir. Il salua la dame et lui dit qui l'envoyait. Quand elle sut qu'il venait de la part du chevalier qui suivait la Bête en Chasse : « Oh ! mon doux Seigneur ! s'écria-t-elle, quand donc reverrai-je ce noble chevalier, mon cher fils Palamède ? Las ! pourquoi ne veut-il pas rester près de moi ? » Là-dessus elle défaillit, pleura, s'abandonna à la douleur. Puis, aussitôt qu'elle fut en mesure de le faire, elle donna au valet ce qu'il demandait. Le valet retourna auprès de messire Palamède (il était serviteur du roi Marc). À peine arrivé, il découvrit comment le chevalier se nommait. « Je suis satisfait de l'apprendre, lui repartit le roi, mais tiens-toi tranquille, ne dis rien. »

Ils mirent pied à terre et s'assirent pour se reposer un peu. Bientôt le roi Marc s'endormit. Lorsque messire Palamède vit qu'il dormait profondément, il prit son cheval et continua sa route, disant : « Je ne veux point demeurer dans la compagnie d'un chevalier qui dort. » Et il s'éloigna bien vite.

CHAPITRE XIV

Comment le roi Marc, ainsi que messire Dinadan, entendirent messire Palamède se lamenter et se désoler grandement à la pensée de la Belle Yseut

À PRÉSENT, tournons-nous du côté de messire Dinadan. Il trouva les sept chevaliers fort marris, et lorsqu'il sut ce qui leur était advenu, lui aussi fut fort en peine. « Monseigneur Yvain, dit-il, sur ma vie c'était là messire Lamorat de Galles. Je vous promets à tous de le retrouver, s'il est encore en cette contrée. » C'est ainsi qu'il partit à la poursuite du chevalier susdit. De son côté, le roi Marc en fit autant. Il le chercha dans toute la forêt. Tandis qu'il courait ainsi après messire Palamède, il entendit un bruit, celui d'un homme en proie à la désolation. Il s'approcha de l'endroit d'où venait ce bruit, autant qu'il le pouvait et autant qu'il l'osait. Il aperçut alors un chevalier qui était descendu de son cheval. Il avait ôté son heaume et il épanchait son cœur dans une émouvante et triste plainte d'amour.

Laissons cela maintenant et parlons de messire Dinadan. Il voulait retrouver messire Palamède. En pénétrant dans une forêt, il rencontra un chevalier qui pourchassait un cerf. « Auriez-vous vu, messire, lui demanda messire Dinadan, un chevalier dont les armes étaient d'argent avec des têtes de lion? — Oui, gentil chevalier, répondit l'autre. J'ai rencontré l'homme que vous dites il n'y a qu'un moment. Il allait par là, tout droit. — Grand merci. Si je parviens à trouver la trace du cheval, je ne manquerai pas d'arriver jusqu'au maître. »

Cheminant dans le crépuscule, il entendit des gémissements. On eût dit des gémissements humains. Il alla dans cette direction. Quand il fut à proximité d'où venait le bruit, il descendit de cheval pour continuer à pied. Il aperçut alors un chevalier, debout sous un arbre. Sa monture était à côté de lui, attachée. Il avait déposé son heaume. Et toujours il se plaignait de la Belle Yseut, la reine de Cornouailles. Il disait : « Ah! belle dame, pourquoi t'aimer? Tu es plus belle qu'aucune autre, c'est vrai, mais jamais ne me témoignes amour ni bonté. Hélas! il me faut t'aimer cependant. Je ne puis même t'en blâmer, belle dame. Ce sont mes yeux qui sont la cause de mon chagrin. Et pourtant, à t'aimer, je ne suis qu'un sot. Le meilleur chevalier du monde est amoureux de toi, et tu rends son amour à messire Tristan de Léonois. D'autre part, c'est le chevalier le plus fourbe qui soit que tu as pour époux. Le plus lâche, le plus perfide est ton seigneur, le roi Marc. Quelle tristesse! Se peut-il qu'aussi belle dame, sans égale sur toute la terre, soit ainsi liée au plus vil des chevaliers! »

Toutes ces paroles n'échappèrent point au roi de Cornouailles, tout ce que messire Palamède disait non loin de lui. Il eut peur, lorsqu'il aperçut messire Dinadan, qu'il eût été vu et que l'autre n'allât dire à messire Palamède qui il était. Il se retira donc. Il prit son cheval et rejoignit ses gens, là où il leur avait ordonné de l'attendre. Puis, aussi vite qu'il put, il gagna Camaalot.

Le jour même de son arrivée, il tomba sur Armant, qui auparavant l'avait accusé de trahison auprès du roi Arthur. Armant était prêt à se battre. Sans attendre, le roi les appela au combat. Le malheur voulut que la lance du roi Marc transperçât le corps de son accusateur. Pourtant la querelle d'Armant était juste. Aussitôt le roi Marc monta sur son cheval et quitta la cour, car il redoutait messire Dinadan. Il craignait que celui-ci n'allât dire à messire Tristan ou à messire Palamède qui il était vraiment. Il y avait en cette cour des jeunes filles que la Belle Yseut avait envoyées auprès de Tristan. Elles connaissaient bien messire Armant.

CHAPITRE XV

Comment il fut rapporté au roi Arthur que le roi Marc avait injustement occis messire Armant, et comment messire Lancelot se mit en quête du roi Marc pour le conduire au roi Arthur

ELLES EURENT PERMISSION du roi Arthur d'aller devers messire Armant pour recueillir ses paroles. Le tronçon de la lance lui était resté fiché dans le corps, mais il put parler : « Ah ! gentes demoiselles, dit-il, recommandez-moi à la Belle Yseut, et rapportez-lui que je meurs à cause d'elle et de messire Tristan. » Lors il confia aux demoiselles comment le roi Marc lui avait lâchement porté un coup mortel, de même qu'à messire Bertelais, son compagnon. « Pour ce dernier forfait, je l'ai accusé de trahison, et je meurs maintenant dans une juste querelle. Tout cela vient de ce que messire Bertelais et moi ne voulûmes point consentir à tuer messire Tristan, ce noble chevalier. »

Les deux jouvencelles alors se mirent à crier, assez fort pour que toute la cour pût les entendre. Elles dirent : « Oh ! Seigneur, toi qui connais le secret de toutes choses, pourquoi souffres-tu qu'un traître aussi perfide l'emporte sur un loyal chevalier et le tue, alors que la cause était juste pour laquelle il combattait ? » Incontinent cela fut rapporté au roi, à la reine, à tous les barons. On sut que c'était le roi Marc qui avait tué messire Armant, et messire Bertelais avant lui. On apprit la raison des combats. Le roi Arthur entra en courroux furieux, de même que les autres chevaliers. Mais quand messire Tristan fut informé de tout, sa tristesse, sa douleur ne connurent pas de bornes. Il pleura du chagrin que lui causait la perte de messire Bertelais et de messire Armant, de nobles chevaliers.

Lorsque messire Lancelot vit pleurer messire Tristan, hâtivement il s'en fut trouver le roi Arthur et lui dit : « Sire, je vous demanderais de me permettre de retourner auprès de ce fourbe roi et chevalier. — Je vous en prie, repartit le roi Arthur, ramenez-le moi, mais que ce soit sans le tuer, pour l'honneur de mon trône. » Adonc messire Lancelot s'arma fort diligemment. Il monta sur un grand cheval, prit une lance, et partit à la poursuite du roi Marc. À une lieue de là, il le rejoignit. Il lui cria : « Fais demi-tour, roi pleutre et chevalier sans courage ! Que tu le veuilles ou non, tu m'accompagneras à la cour du roi Arthur. » Le roi Marc fit volte-face et regarda messire Lancelot. Il dit : « Gentil seigneur, comment vous nommez-vous ? — Sache que mon nom est messire Lancelot. Et maintenant, en garde ! »

Lorsqu'il sut que ce cavalier était messire Lancelot, qui venait si vite à sa rencontre, une lance à la main, le roi Marc s'écria d'une voix forte : « Je me rends à vous, messire Lancelot, honorable chevalier. » Mais Lancelot ne voulait rien entendre. Il continuait à charger sus à lui, avec rapidité. Le roi Marc le vit. Il ne chercha pas à se défendre. Il se laissa choir de sa selle, comme aurait fait un sac, et une fois à terre il ne bougea plus. Il criait seulement grâce. « Debout, roi lâche et chevalier poltron ! — Je ne veux pas me battre. Partout où vous irez, je vous suivrai. — Hélas ! hélas ! gémit messire Lancelot, que ne puis-je t'asséner un bon coup pour l'amour de messire Tristan et de la Belle Yseut, et pour les deux chevaliers que tu as traîtreusement occis ! »

Adonc messire Lancelot monta sur son cheval et mena le roi Marc au roi Arthur. Le roi Marc, une fois rendu, descendit de sa monture. Il jeta son heaume sur le sol, ainsi que son épée, et tomba aux pieds du roi Arthur, face contre terre, s'en remettant à sa grâce et merci. « Par Dieu, dit Arthur, d'une certaine façon vous êtes le bienvenu, et d'une autre point du tout. Vous êtes le bienvenu parce que vous êtes ici à votre corps défendant, je suppose. — C'est vérité, repartit le roi Marc. Autrement je n'y serais point. Monseigneur Lancelot m'a conduit céans parce qu'il était le plus fort, et je me suis rendu à sa merci. — Eh bien, dit Arthur, vous savez que vous me devez service, hommage et fidélité. Jamais vous ne vous êtes conduit en féal serviteur. Vous n'avez cessé de vous opposer à moi et de causer la perte de mes chevaliers. À présent, qu'avez-vous à répondre ? — Sire, si Votre Seigneurie m'en requiert, dans la mesure de mes moyens je vous dédommagerai, et ce sera largement. » Il parlait bien, tout en déguisant. Lors, sur les instances de messire Tristan et pour les accorder tous deux, le roi Arthur ne prit nulle mesure contre le roi Marc ce jour-là, mais les réconcilia.

CHAPITRE XVI

Comment messire Dinadan informa messire Palamède du combat entre messire Lancelot et messire Tristan

MAINTENANT retournons à messire Palamède. Messire Dinadan le consola du mieux qu'il put de son grand chagrin. « Quel chevalier êtes-vous donc ? demanda messire Palamède. — Messire, je suis chevalier errant comme vous, et je vous ai longuement recherché, en me fondant sur votre écu. — Mon écu, le voici, et sachez que si vous me voulez quelque chose, il est là pour que je m'en défende. — Mais non, je ne vous veux que du bien. Et si vous le désirez, vous me trouverez prêt à vous assister sans attendre. Où comptez-vous vous rendre en prenant ce chemin ? — Ma foi, je n'en sais rien, où la fortune me mènera. Avez-vous entendu parler de messire Tristan ? L'avez-vous vu ? Par Dieu, pour ma part, je l'ai vu et entendu. Bien qu'en nos cœurs nous n'ayons guère d'affection l'un pour l'autre, pourtant il m'a tiré d'un mauvais pas, et je lui dois la vie. Malgré cela, avant de nous séparer, nous avons fixé un jour pour nous rencontrer devant le tombeau que Merlin fit placer près de Camaalot. Et là nous devions nous battre. J'ai été empêché de m'y rendre et n'ai pu être fidèle à l'assignation, ce qui me fâche beaucoup. J'ai cependant une bonne excuse. Un seigneur m'a retenu prisonnier en compagnie de beaucoup d'autres. Messire Tristan comprendra très aisément que si je n'ai pas tenu parole, ce ne fut point pleutrerie. »

Messire Palamède spécifia le jour où ils étaient convenus de se rencontrer. « Par Dieu, s'exclama messire Dinadan, ce même jour messire Lancelot et messire Tristan se sont combattus près de ce même tombeau. S'est livré alors le plus grand combat qu'on ait vu de mémoire d'homme en ce pays entre deux chevaliers. Il a duré plus de deux heures. Ils ont perdu tant de sang que chacun se demandait comment ils pouvaient encore tenir debout. À la fin, d'un commun accord ils se sont juré amitié et fraternité, à la vie à la mort. Et nul ne peut dire lequel s'est montré le meilleur. À présent messire Tristan a été fait chevalier de la Table Ronde, et il occupe le siège de messire Marehaut, le noble chevalier. — Sur ma foi, dit messire Palamède, messire Tristan est beaucoup plus fort que messire Lancelot, et plus brave. — Avez-vous essayé les forces de l'un et de l'autre ? — J'ai vu combattre messire Tristan, jamais messire Lancelot, si ma mémoire est bonne. Toutefois, à la fontaine où messire Lancelot s'était endormi, d'une seule lance il nous a renversés tous les deux, messire Tristan et moi. Il est vrai qu'alors ils ne s'étaient pas reconnus.

— Gentil chevalier, dit alors messire Dinadan, pour ce qui est de comparer messire Lancelot à messire Tristan, qu'il n'en soit plus question ! Le plus mauvais des deux aura de la peine à trouver son égal parmi tous les chevaliers qui sont en vie. — C'est vrai, grâce à Dieu, repartit messire Palamède. Mais si j'avais une querelle à soutenir contre le meilleur de ces deux-là, ce serait bien volontiers que je me mesurerais à lui, aussi volontiers qu'avec vous. Messire, reprit-il, je vous en requiers, dites-moi votre nom, et soyez alors assuré que je vous tiendrai compagnie jusqu'à ce que nous soyons arrivés à Camaalot. Vous pourrez acquérir beaucoup d'honneur au grand tournoi qui va s'y donner. Vous y verrez la reine Guenièvre, et la Belle Yseut de Cornouailles. Sachez bien, sire chevalier, que j'y serai à cause d'elle. Sinon je n'irais pas et ne combattrais pas à la cour du roi Arthur.

— Messire, repartit Dinadan, je vous accompagnerai et vous assisterai, pourvu que vous me disiez qui vous êtes. — Sachez que je me nomme messire Palamède, frère de Saphar, le valeureux et noble chevalier. Messire Ségurade et moi sommes sarrasins de naissance, tant de père que de mère. — Messire, je vous remercie beaucoup de m'avoir donné votre nom, et je vous promets sur ma foi que délibérément je ne vous ferai aucun tort. Au contraire, j'aiderai plutôt à vous promouvoir. Je n'y épargnerai rien de mes ressources, vous avez ma parole, n'en doutez aucunement. À coup sûr, vous obtiendrez beaucoup d'honneur à la cour du roi Arthur, je m'en porte garant, et vous y serez tout à fait le bienvenu. »

Ils mirent leurs heaumes, ajustèrent leurs écus, montèrent sur leurs chevaux et prirent le grand chemin qui menait à Camaalot. C'est alors qu'ils s'avisèrent d'un château magnifique et de belle apparence, en outre bien remparé. Il n'avait sous ce rapport rien à envier à nul autre.

CHAPITRE XVII

Comment messire Lamorat vint à jouter avec différents chevaliers du château où se trouvait Morgane la Fée

« MESSIRE PALAMÈDE, dit messire Dinadan, voici un château que je connais bien. La reine Morgane la Fée y demeure, la sœur du roi Arthur. C'est le roi qui le lui a donné. Il a eu mille fois sujet de le regretter, car depuis lors ils n'ont cessé de se disputer et quereller. Mais ce château, il n'a jamais pu le ravoir ni le reprendre, par quelque moyen que ce soit. Et toujours depuis, quand elle l'a pu, elle a fait la guerre au roi Arthur. Les chevaliers qu'il faut craindre, elle les prend tous à son service pour détruire ceux que le roi chérit. Nul d'entre nous ne peut passer par ici sans combattre, avec un, ou deux, ou trois. S'il advient qu'un chevalier d'Arthur soit défait, il perd sa monture, son harnois, tout ce qu'il possède. Heureux s'il en sort vivant, mais alors il sera retenu captif.

— Par Dieu, repartit Palamède, c'est là une coutume indigne. Une reine ne devrait pas s'abaisser à de pareils usages. Elle devrait surtout se refuser à mener ainsi une guerre contre son seigneur, dont on dit qu'il est la fleur de toute la chevalerie, chrétienne aussi bien que païenne. C'est de tout cœur que je voudrais anéantir cette honteuse façon de procéder. Je tiens à ce que tout le monde sache que je ne servirai point cette reine. Si elle envoie des chevaliers hors de ses murs, comme je suppose qu'elle va le faire, afin de jouter, ils auront de quoi les occuper. — Pour ma part, je ne vous faillirai point, dit messire Dinadan. Je ferai tout ce que je pourrai, je vous en réponds. »

Ils avaient arrêté leurs montures devant le château quand survint un chevalier. Il portait un écu de couleur vermeille, et il était suivi de deux écuyers. Il alla droit à messire Palamède, le valeureux chevalier, et lui dit : « Gentil et gracieux chevalier errant, je vous requiers pour l'amour de la chevalerie de ne pas livrer combat aux gens de ce château. » C'était messire Lamorat qui parlait ainsi. « Je suis venu ici tout exprès pour ce fait d'armes, c'est pourquoi telle est ma demande. En conséquence, laissez-moi agir seul, et si j'en sors vaincu, vengez-moi. — Par Dieu, repartit Palamède, voyons quel sera votre succès. Nous vous regarderons faire. »

Bientôt un chevalier sortit du château. Il offrit de jouter avec celui dont l'écu était de couleur vermeille. Ils se rencontrèrent sans tarder. Le combattant aux armes vermeilles heurta si rudement son adversaire qu'il le culbuta sur le sol. Aussitôt un autre chevalier quitta le château. Il fut si durement frappé qu'il vida les étriers. De suite il en vint un troisième, qui à son tour fut jeté à bas de sa monture. Messire Palamède s'avança, pour prier instamment le vainqueur de l'aider à jouter davantage. « Gentil chevalier, lui fut-il répondu, souffrez que maintenant j'en fasse à ma guise. Quand ils seraient vingt, je ne les craindrais pas. » Cependant il y avait sans cesse aux murs du château nombre de seigneurs et de dames qui faisaient entendre des cris : « C'est bien jouté, chevalier aux armes vermeilles. »

Quand ce chevalier avait mis à terre ceux qui lui étaient opposés, incontinent son écuyer emmenait leurs destriers. Il leur enlevait selles et brides et les lâchait dans la forêt. Quant aux cavaliers, il les retenait jusqu'à la fin des joutes. Le quatrième sortit alors de la demeure, plein d'ardeur. Il offrit de jouter avec le chevalier dont l'écu était de couleur vermeille. Celui-ci était prêt. Il heurta l'autre si fort qu'il se retrouva au sol avec sa monture. Il se rompit le dos en tombant, de même que le cou. « Seigneur! s'exclama messire Palamède, voilà un chevalier qui a bien du mérite. Je n'ai jamais vu meilleur à la joute. — Sur ma foi, ajouta messire Dinadan, jamais messire Lancelot ni messire Tristan n'ont fait mieux, et peu importe son nom. »

CHAPITRE XVIII

Comment messire Palamède eût voulu jouter à la place de messire Lamorat avec les chevaliers du château

SUR-LE-CHAMP on vit sortir du château un chevalier dont les armes avaient des bandes noires et des bandes blanches. L'homme à l'écu de couleur vermeille et lui se heurtèrent avec violence. Le bouclier aux bandes noires et blanches fut transpercé, de même que le corps de celui qui le portait, et son cheval eut l'échine rompue. « Gentil chevalier, insista messire Palamède auprès du vainqueur, vous avez trop d'affaires sur les bras. Je vous en prie, laissez-moi jouter à mon tour. Vous avez besoin de repos. — Vous paraît-il, répliqua le chevalier, que je me sois montré faible et chancelant? Il me semble, messire, que votre offre est malséante et outrageante, alors que je m'en tire assez bien. Quand ils seraient vingt, je les vaincrais tous, et si je suis défait ou bien occis, libre à vous alors de me venger. Cependant, au cas où vous penseriez que je suis fatigué et auriez de l'appétit pour jouter avec moi, je trouverais de quoi vous satisfaire. — Messire, repartit Palamède, je ne vous ai pas dit cela parce que je voulais en découdre avec vous, mais parce qu'il me semblait que vous aviez trop de besogne. — Si vous aviez eu de la courtoisie, vous ne m'auriez pas fait une offre déshonorante. Adonc je vous requiers de jouter avec moi. Vous verrez à vos dépens que je ne ressens pas de fatigue. — Puisque telle est votre requête, dit messire Palamède, prenez garde à vous. »

Les deux chevaliers se chargèrent sus de toute la vitesse de leurs montures. Son adversaire heurta si rudement messire Palamède sur le bouclier que la lance, en s'enfonçant dans le flanc, fit une plaie profonde et dangereuse. En outre, messire Palamède vida les étriers. Lors l'autre chevalier se tourna vers messire Dinadan. Quand celui-ci vit qui venait à sa rencontre, il cria d'une voix forte : « Messire, je ne veux point vous combattre. » Cela n'y changea rien. Il continua sa course droit sur lui. Pour éviter la honte, messire Dinadan coucha sa lance et la rompit tout net sur le chevalier. Celui-ci de son côté, frappa si fort qu'il arracha le cavalier à la selle. Cependant il ne permit point à ses serviteurs de toucher aux chevaux, vu qu'il venait de rencontrer deux chevaliers errants.

Après quoi il fit face à nouveau aux gens du château. Il jouta avec sept d'entre eux. Nul ne fut en mesure de lui résister. Il les jeta tous à terre. Sur les douze qu'il combattit au total, rien qu'à la joute il en tua quatre. Quant aux huit autres, il leur fit jurer sur la croix de l'épée qu'ils renonceraient à jamais aux infâmes coutumes du château. Lorsqu'ils eurent prêté serment, il les laissa partir. Et toujours sur les murs se tenaient les seigneurs et les dames, criant : « Chevalier aux armes vermeilles, vous avez accompli des prouesses. Nul n'a jamais fait mieux à notre connaissance. »

Là-dessus un chevalier sortit du manoir. Il était désarmé. Il dit : « Chevalier aux armes vermeilles, tu nous auras causé en ce jour beaucoup de dommage. Retourne donc où bon te semblera. Nul ne viendra plus se mesurer à toi. Nous avons bien du regret que tu aies jamais paru en ces lieux. À cause de toi, nous abrogeons l'ancienne coutume de ce château. » À ces mots, il rentra dans la demeure et en ferma les portes.

Lors le chevalier aux armes vermeilles fit demi-tour. Il appela ses serviteurs et continua sa route, en chevauchant bon train. Quand il eut disparu, messire Palamède alla trouver messire Dinadan. Il lui dit : « Jamais chevalier que j'ai combattu ne m'a fait subir pareil affront. J'ai donc résolu de courir à la poursuite de cet homme et de me venger de lui avec mon épée, car à cheval j'estime que je ne m'en tirerai pas avec honneur. — Messire Palamède, repartit Dinadan, si vous m'en croyez, tenez-vous à l'écart. Vous n'en sortirez pas à votre avantage. Vous avez vu comment aujourd'hui il en avait trop fait et pris trop de peine, et pourtant... — Par Dieu tout puissant, je n'aurai de cesse de l'avoir combattu. — Messire, je vous regarderai faire. — Eh bien, dit Palamède, vous verrez comment nous reprendrons l'avantage. »

Leurs serviteurs leur rendirent leurs chevaux, et ils partirent à la poursuite du chevalier aux armes vermeilles. Au creux d'un vallon, au bord d'une fontaine, ils le virent qui avait mis pied à terre pour se reposer. Il avait ôté son heaume pour boire à la source.

CHAPITRE XIX

Comment messire Lamorat jouta avec messire Palamède et le blessa grièvement

LORS Palamède courut à sa rencontre. Il dit : « Chevalier, rappelez-vous l'humiliation que vous m'avez fait subir tout à l'heure devant le château. En conséquence, préparez-vous, car je vais vous combattre. — Gentil chevalier, lui fit-il répondu, vous ne pourrez en me battant acquérir nul honneur. Vous avez vu qu'aujourd'hui je me suis donné beaucoup de mal. — Cela ne m'arrêtera pas. Je veux me venger de ma défaite. — Eh bien, dit le chevalier, peut-être pourrai-je vous tenir tête. »

Là-dessus il enfourcha sa monture. Il prit une grande lance et se tint prêt pour la joute. « Non, dit Palamède, je ne veux point jouter, car à cela je suis sûr de perdre. — Gentil chevalier, il sied à un chevalier de jouter et de combattre à cheval. — Vous allez voir ce que je vais faire. » Sur ce Palamède mit pied à terre. Il se couvrit de son bouclier et dégaina son épée. Le chevalier aux armes vermeilles mit alors pied à terre lui aussi, et de même façon se protégea de son écu et tira son épée du fourreau. Ils allèrent posément l'un vers l'autre, puis se mirent à distribuer force coups, que c'était merveille, une heure durant et sans reprendre haleine. Ils avancèrent, esquivèrent, devinrent furieux. Chacun menaça l'autre de mort. Tant ils taillèrent de leurs lames que les épées s'enfonçaient à demi sous les mailles et qu'en certains endroits la chair nue sortait du harnois. Quand messire Palamède voyait l'épée de son adversaire couverte de son propre sang, il s'en attristait grandement. Parfois ils frappaient d'estoc, parfois ils choquaient comme s'ils avaient perdu la raison.

Finalement messire Palamède faiblit, à cause de la première blessure qu'il avait reçue devant le château et qui le faisait beaucoup souffrir. « Gentil chevalier, dit-il alors, il me semble que nous avons largement éprouvé les forces l'un de l'autre. Si vous le voulez bien, dites-moi votre nom. Je le requiers de votre chevalerie. — Messire, j'hésite à vous satisfaire. Il était dommageable pour moi et indigne d'un chevalier de me provoquer au combat, après tout le mal que je m'étais donné. Mais si vous voulez bien me dire votre nom, je vous dirai le mien. — Messire, sachez que je me nomme Palamède. — Ah ! messire, apprenez que moi, je m'appelle messire Lamorat de Galles. Je suis fils et héritier d'un valeureux chevalier et d'un roi, le roi Pellinor, et messire Tor, valeureux chevalier lui aussi, est mon demi-frère. »

Lorsque messire Palamède entendit cela, il mit genou en terre et demanda merci. « C'est outrageusement que je me suis conduit avec vous en cette journée. Considérant les hauts faits d'armes que je vous avais vu accomplir, il était de ma part indigne et contraire aux lois de la chevalerie de vous demander de me livrer combat. — Ah ! messire

Palamède, s'écria messire Lamorat, vous en avez trop fait, vous m'en avez trop dit. » Là-dessus il le releva et s'exclama : « Palamède, digne chevalier, dans toute l'étendue de ce pays il n'est personne qui l'emporte sur toi ni qui ait plus de vaillance, et je regrette beaucoup que nous ayons combattu ensemble. — Il n'en va pas de même pour moi, repartit messire Palamède, et pourtant mes blessures sont plus sérieuses que les vôtres. Mais tant pis, je guérirai bientôt. À coup sûr, pour le plus beau château de ce royaume je ne voudrais pas ne pas vous avoir rencontré, car je vous aimerai tous les jours de ma vie, davantage que tous les autres chevaliers, hormis mon frère, messire Saphar. — Moi aussi, dit messire Lamorat, hors mon frère, messire Tor. »

Messire Dinadan vint alors. Il eut grande joie de retrouver messire Lamorat. Les écuyers remirent en état boucliers et harnois. Ils étanchèrent les plaies. Ensuite on se reposa toute la nuit dans un prieuré.

CHAPITRE XX

Comment il fut raconté à messire Lancelot que le roi Marc avait été pourchassé par Daguenet, puis que celui-ci avait été mis à terre, de même que six autres chevaliers

À PRÉSENT, tournons-nous d'un autre côté. Lorsque messire Yvain et messire Brandelis arrivèrent à la cour d'Arthur, ils contèrent au roi, à messire Lancelot et à messire Tristan comment Daguenet, le fou, avait pourchassé le roi Marc à travers la forêt et comment un robuste chevalier d'une seule lance avait abattu les sept qui venaient derrière. Il y eut force rires et force railleries, aux dépens du roi Marc et de messire

Daguenet. Mais nul ne put dire qui avait secouru le roi Marc, auquel on demanda alors s'il connaissait cet homme. Il répondit ceci : « Il s'est nommé comme le chevalier qui poursuit la Bête en Chasse. C'est le nom qu'il a donné à l'un de mes serviteurs, avant de l'envoyer dans une maison où se trouvait sa mère. Lorsqu'elle sut qui l'envoyait, elle se lamenta grandement et découvrit son véritable nom à mon valet en s'écriant : « Oh ! mon cher fils, messire Palamède, pourquoi ne pas venir me voir ? » Il vous faut donc comprendre, Sire, qu'il s'agit de messire Palamède, un noble chevalier. » Les sept furent heureux d'apprendre comment il se nommait.

Revenons-en à Lamorat, Palamède et Dinadan. Le lendemain matin, ils prirent leurs chevaux et chevauchèrent, accompagnés de leurs écuyers et valets, jusqu'à ce qu'ils fussent en vue d'un beau château. Il se dressait sur une montagne, bien remparé. Ils s'y rendirent. Ils y trouvèrent un chevalier du nom de Galehaud. Il était seigneur de ce château. Ils eurent bonne chère et furent bien traités. « Messire Dinadan, demanda messire Lamorat, que comptez-vous faire à présent ? — Oh ! messire, je vais demain aller à la cour du roi Arthur. — Ma foi, dit messire Palamède, pour ma part, je ne chevaucherai pas de trois jours. Je suis sérieusement blessé. J'ai perdu beaucoup de sang. Je vais donc me reposer céans. — Vous avez raison, reprit messire Lamorat, et je vais vous tenir compagnie. Ce n'est que lorsque vous monterez à cheval que j'en ferai autant, à moins que vous ne demeuriez ici trop longtemps. C'est pourquoi, je vous en prie, messire Dinadan, faites de même, restez, vous partirez avec nous. — Pour ne rien vous cacher, repartit messire Dinadan, je ne m'attarderai pas, car j'ai si grande envie de revoir messire Tristan que je ne puis demeurer longtemps éloigné de lui. — Ah ! Dinadan, s'exclama messire Palamède, je vois à présent que vous aimez mon ennemi mortel. Comment pourrais-je me fier à vous ? — Que voulez-vous, dit messire Dinadan, j'aime monseigneur Tristan plus qu'aucun homme au monde, et j'entends le servir et lui faire honneur. — Moi aussi, dit messire Lamorat, pour tout ce qui est en mon pouvoir. »

Adonc le lendemain matin, messire Dinadan se rendit à la cour du roi Arthur. Chemin faisant, il vit un chevalier errant, immobile, et qui se préparait à jouter. « Non, s'écria Dinadan, de jouter je n'ai nulle envie. — Vous jouterez, répliqua le chevalier, avant de passer par ici. — Pourquoi le demander ? Est-ce amitié ? Est-ce haine ? — C'est amitié, sachez-le bien, et non parce que je vous hais. — Cela se peut, repartit messire Dinadan, mais votre amitié est dure qui veut jouter avec une lance bien pointue. Cependant, gentil chevalier, si tel est votre désir, venez me trouver à la cour du roi Arthur. J'y jouterai avec vous. — Soit, dit le chevalier, mais puisque vous refusez de me combattre, je vous en prie, donnez-moi votre nom. — Sire chevalier, mon nom est messire Dinadan. — Ah ! fit l'autre, je vous connais pour un bon et gracieux chevalier. Sachez que j'ai pour vous une sincère affection. — En ce cas, conclut Dinadan, point de joute entre nous. » Et ils se séparèrent.

Le même jour, Dinadan était à Camaalot. Le roi Arthur y séjournait. Dinadan salua le roi et la reine, messire Lancelot, messire Tristan. Toute la cour se réjouit de le voir, car il était gracieux, sage, courtois et bon chevalier. Le vaillant messire Tristan, en particulier, l'avait en grande estime, plus que tout autre, à l'exception de messire Lancelot. Le roi lui demanda quelles aventures il avait connues. « Sire, répondit-il, j'ai connu bien des aventures. Le roi Marc n'ignore rien de certaines, mais non de toutes. » Le roi Arthur alors lui prêta une oreille attentive. Il lui raconta comment messire Palamède et lui s'étaient retrouvés devant le château de Morgane la Fée, comment messire Lamorat avait accepté la joute avant eux, comment il avait vaincu douze chevaliers, en tuant quatre, et comment ensuite il les avait mis à bas, Palamède et lui. « Je ne puis le croire, dit le roi. Messire Palamède est de première force. — On ne saurait le nier, repartit messire Dinadan, et pourtant il a eu le dessous, seul contre seul. »

Lors il narra le combat au roi sans rien omettre, comment messire Palamède avait été le plus faible, le plus touché, et celui qui avait perdu le plus de sang. « À n'en point douter, dit-il, si l'engagement avait duré davantage, Palamède eût été tué. — Seigneur ! s'exclama le roi Arthur, je m'étonne beaucoup de tout cela. — Sire, intervint messire Tristan, ne vous en étonnez nullement. À mon avis, il n'y a pas plus vaillant de par le monde. Je connais sa force. Je vous le dis, nul ne m'a jamais tant mis à l'épreuve, exception faite de messire Lancelot. Et j'ajoute qu'hormis ce même messire Lancelot, il n'existe aucun chevalier auquel je souhaite plus de succès qu'à messire Lamorat. — Par Dieu, dit le roi, je voudrais que ce messire Lamorat vînt à ma cour. — Sire, repartit Dinadan, il y sera sous peu, de même que messire Palamède. Cependant je crains que ce dernier ne soit pas encore en état de voyager. »

CHAPITRE XXI

Comment le roi Arthur fit crier des joutes, et comment messire Lamorat entra en lice et renversa messire Gauvain, puis bien d'autres

LORS, moins de trois jours plus tard, le roi fit crier des joutes à un prieuré. Beaucoup de chevaliers de la Table Ronde se préparèrent à y prendre part. Messire Gauvain et ses frères s'apprêtèrent à jouter. Tristan, Lancelot, Dinadan ne voulurent pas en être. Ils acceptèrent, par égard pour le roi Arthur, que messire Gauvain et scs frères eussent le prix du vainqueur, s'ils pouvaient y réussir. Le matin donc, ceux-là s'équipèrent pour la joute, messire Gauvain et ses quatre frères, et ils accomplirent de hauts faits d'armes. Messire Hector des Mares fit de fort belles choses, mais messire Gauvain éclipsa toute la compagnie, ce pour quoi le roi et toute sa chevalerie au commencement lui donnèrent la palme.

C'est alors que le roi Arthur aperçut un chevalier accompagné de deux écuyers et qui sortait d'une forêt. Son écu était recouvert de cuir. Il commença discrètement, chargeant de-ci de-là. Mais on eut tôt fait de voir que d'une seule lance il avait mis à terre deux chevaliers de la Table Ronde. Il advint alors qu'en chargeant il perdit l'enveloppe de son écu et le roi, de même que tous les autres, se rendit compte que ses armes étaient de couleur vermeille. « Seigneur ! s'exclama le roi Arthur, regardez-moi donc ce robuste chevalier, celui dont l'écu est de couleur vermeille ! » La rumeur grandit. On se mit à crier : « Prenez garde au chevalier dont les armes sont vermeilles ! » Il ne lui fallut que peu de temps pour renverser trois des frères de messire Gauvain. « Par Dieu, s'écria le roi Arthur, il me semble que voilà le meilleur jouteur que j'aie vu de ma vie ! »

Sur ce il put le voir qui rencontrait messire Gauvain lui-même. Il le heurta si rudement que le cheval en perdit sa selle. « Et maintenant, dit le roi, c'est messire Gauvain qui se retrouve à terre ! Je voudrais bien savoir quel est ce chevalier dont les armes sont vermeilles. — Je le connais bien, repartit messire Dinadan, mais pour lors je vous tairai son nom. — Ma foi, prononça messire Tristan, il a mieux jouté qu'un messire Palamède. Et si vous désirez savoir comment il se nomme, sachez qu'il s'agit de messire Lamorat de Galles. » Alors qu'ils devisaient de la sorte, messire Gauvain et le chevalier eurent une nouvelle rencontre. Cette fois encore, il fit tomber messire Gauvain de sa monture, lui occasionnant de sévères contusions. Ensuite, sous les yeux du roi Arthur, il renversa vingt hommes qui lui étaient opposés, outre Gauvain et ses frères. Sans débat, donc, on lui attribua le prix, comme à un chevalier hors de pair.

À ce moment, si secrètement que ce fut merveille, messire Lamorat parvint à se soustraire à toute la compagnie pour rentrer dans la forêt. Tout ceci ne put échapper aux regards du roi, car il ne le quittait pas des yeux. Adonc le roi lui-même, messire Lancelot, messire Tristan, messire Dinadan montèrent sur leurs haquenées et coururent aussitôt à la poursuite du valeureux chevalier, messire Lamorat de Galles. Ils réussirent à le retrouver. Le roi lui dit : « Gentil chevalier, je me réjouis de cette rencontre. » L'autre, quand il vit le roi, ôta son heaume et le salua. Puis, quand il aperçut messire Tristan, il mit pied à terre et courut pour le saisir aux cuisses et le porter en triomphe. Mais Tristan ne voulut point le laisser faire. Il descendit de cheval avant la venue de messire Lamorat. Ils s'embrassèrent et donnèrent libre cours à leur joie.

Cela fit plaisir au roi. Tous les compagnons de la Table Ronde s'en félicitèrent aussi, à l'exception de messire Gauvain et de ses frères. Quand ils surent qu'il s'agissait de messire Lamorat, ils conçurent beaucoup de dépit à son endroit et enragèrent de l'affront qu'il leur avait fait subir ce jour-là. Gauvain en secret réunit tous ses frères pour tenir conseil. Il leur parla en ces termes : « Mes gentils frères, vous pouvez bien voir que ceux que nous haïssons, Arthur les aime, et que ceux que nous aimons, il les hait. Il ne fait point de doute, mes gentils frères, que ce messire Lamorat ne nous portera jamais en son cœur. Nous avons occis son père, le roi Pellinor, parce que nous pensions qu'il avait occis notre père, le roi des Orcades. Pour venger l'outrage de Pellinor, messire Lamorat nous a mis à honte en se conduisant comme il l'a fait avec notre mère. Je réclame donc vengeance. — Messire, répondirent les frères de Gauvain, examinons comment vous voulez ou pouvez être vengé. Vous nous trouverez prêts à vous aider. — C'est bien, dit Gauvain. Tenez-vous cois, et nous attendrons notre heure. »

CHAPITRE XXII

Comment le roi Arthur réconcilia le roi Marc avec messire Tristan, et comment ils partirent pour les Cornouailles

LAISSONS LÀ cette matière, abandonnons messire Gauvain et parlons du roi Arthur. Un jour, il dit au roi Marc : « Sire, je vous en prie, accordez-moi la faveur que je vais vous demander. — Sire, je vous donnerai tout ce que vous désirerez, pourvu que ce soit en mon pouvoir. — Sire, grand merci. Je vais vous demander ceci : soyez envers messire Tristan un bon seigneur, car c'est un homme de grand mérite. Je veux aussi que vous l'emmeniez avec vous en Cornouailles, qu'il revoie ses amis et que par amour pour moi vous le chérissiez. — Sire, je vous le promets sur mon honneur. Sur la foi que je dois à Dieu et à vous-même, je le révérerai, à cause de vous, autant qu'il me sera possible de le faire. — Et moi, j'oublierai toute la colère que j'ai pu jamais concevoir contre vous, Sire, pourvu que vous prêtiez serment devant moi sur un livre saint. — Volontiers. » Adonc le roi Marc jura sur un livre saint, en présence du roi Arthur et de tous ses chevaliers. Là-dessus messire Tristan et lui se prirent les deux mains et les serrèrent fortement. En dépit de cela, la fourberie était dans les pensées du roi Marc. On le vit bien par la suite, quand il mit messire Tristan en prison et lâchement voulut le tuer.

Peu de temps après, le roi Marc prit congé pour partir en Cornouailles, et messire Tristan se mit en devoir de le suivre. La plupart des chevaliers de la Table Ronde en furent courroucés et marris, en particulier messire Lancelot, messire Lamorat et messire Dinadan, dont la colère excéda toute mesure. Ils savaient bien, en effet, qu'il entrait dans les intentions du roi Marc d'occire ou de causer la perte de messire Tristan. « Quel dommage, s'écria Dinadan, que monseigneur Tristan doive partir ! Sa peine était si grande qu'il avait les yeux égarés d'un homme qui n'a plus sa raison. — Hélas ! se plaignit messire Lancelot auprès du roi Arthur, qu'avez-vous fait là ? Vous perdez l'homme le plus digne qui soit jamais venu en votre cour. — J'ai seulement suivi son désir, répondit Arthur. Je ne pouvais l'empêcher. J'ai fait de mon mieux, et je les ai mis d'accord. — Mis d'accord ! s'exclama messire Lancelot, le bel accord que voilà ! Vous apprendrez qu'il aura tué messire Tristan, ou qu'il l'aura jeté en prison, car c'est le plus lâche et le plus vil de tous les rois et chevaliers du monde. »

Sur ce messire Lancelot partit. Il alla trouver le roi Marc et lui dit : « Sire le roi, le valeureux chevalier qu'est messire Tristan, sache-le bien, va t'accompagner. Garde-toi, je te le conseille, de toute perfidie. Si tu lui fais du tort par quelque fourberie ou traîtrise que ce se soit, je te le dis, par la foi que je dois à Dieu et à l'ordre de la chevalerie, je te tuerai de mes propres mains. — Messire Lancelot, repartit le roi Marc, vos paroles sont vaines. J'ai juré et protesté en abondance, devant le roi Arthur et quand tous ses chevaliers pouvaient m'entendre, que je ne tuerai point messire Tristan et ne machinerai point sa perte. Ce serait pour moi trop de honte de manquer à mon engagement. — C'est bien parlé, repartit messire Lancelot, mais on vous dit si fourbe et si perfide que nul ne peut vous croire. Assurément l'on sait bien pourquoi vous êtes venu en ce pays. Ce n'était dans nulle autre intention que de tuer messire Tristan. »

Adonc ce fut chargés de peine que le roi Marc et messire Tristan chevauchèrent ensemble. C'était bien messire Tristan qui avait voulu partir en cette compagnie et en avait conçu le moyen, tout cela dans le dessein de revoir la Belle Yseut, car hors de sa vue il ne pouvait survivre.

CHAPITRE XXIII

Comment messire Perceval fut fait chevalier du roi Arthur, et comment une jeune fille muette retrouva l'usage de la parole et amena le jeune homme à la Table Ronde

À PRÉSENT, tournons-nous vers messire Lamorat et parlons de ses frères. Messire Tor était le fils aîné du roi Pellinor, engendré de la femme du vacher Arès. C'était un bâtard. Messire Agloval fut le premier des fils de ce roi à être conçu en mariage. Messires Lamorat, Dorian et Perceval, ceux-là aussi furent ses fils conçus en mariage. Adonc, lorsque le roi Marc et messire Tristan eurent quitté la cour, on se désola et se lamenta grandement du départ de ce dernier. Pendant huit jours il ne fut plus question de réjouissances, tant du côté du roi que de celui de sa chevalerie. Au bout de ces huit jours s'en vint à la cour un chevalier. Un écuyer l'accompagnait, un jouvenceau. Lorsque ce chevalier eut enlevé son armure, il alla trouver le roi pour le requérir d'adouber le jeune écuyer. « De quelle lignée est-il ? demanda le roi Arthur. — Sire, il est fils du roi Pellinor, qui autrefois vous rendit de bons et loyaux services, et frère du valeureux messire Lamorat de Galles. — Bien, dit le roi, et pour quelle raison souhaitez-vous que je l'adoube ? — Monseigneur, il faut que vous sachiez que ce jeune écuyer est mon frère, de même qu'il est le frère de messire Lamorat. Mon nom est Agloval. — Messire Agloval, pour la place qu'en mon cœur tiennent messire Lamorat et son père, il sera fait chevalier dès demain. Mais, reprit Arthur, comment se nomme-t-il ? — Sire, il se nomme Perceval le Gallois. »

Adonc le lendemain matin, le roi arma Perceval chevalier à Camaalot. Cependant il pensait, de même que toute sa chevalerie, qu'il faudrait du temps à ce jeune homme pour montrer sa valeur. Au dîner, en conséquence, quand le roi fut assis à la table et que chacun eut trouvé place selon son mérite, Arthur ordonna qu'on mît Perceval au nombre des chevaliers de médiocre importance. On lui attribua donc un siège conformément à ces ordres-là.

Il y avait auprès de la reine une jeune fille de haute naissance, mais qui était muette. On n'en avait jamais tiré un mot. Lors elle entra résolument dans la grand-salle, alla vers messire Perceval, le prit par la main et dit à haute voix, si bien que le roi et tous les chevaliers purent entendre : « Levez-vous, messire Perceval, noble chevalier et chevalier de Dieu, et suivez-moi. » Ce qu'il fit. Elle le conduisit alors à la droite du Siège Périlleux et poursuivit : « Gentil chevalier, prenez ici votre place. Elle vous appartient, à vous et à nul autre. » Puis elle partit et demanda un prêtre. Lorsqu'elle fut confessée et absoute, elle rendit l'âme. Le roi et toute la cour firent bonne chère à messire Perceval.

CHAPITRE XXIV

Comment messire Lamorat visita l'épouse du roi Lot, et comment messire Guerrehet tua celle qui était sa propre mère

À PRÉSENT, tournons-nous vers messire Lamorat. Il avait droit à tous les éloges. Messire Gauvain et ses frères s'arrangèrent alors pour faire venir leur mère non loin de là, près d'un château dans les parages de Camaalot, tout cela dans le dessein de le tuer. La reine des Orcades n'y séjourna que peu, mais messire Lamorat sut qu'elle y était et en eut grande joie. Pour abréger mon propos, il lui envoya un messager et, par l'entremise d'un chevalier, il fut conclu qu'il se rendrait auprès d'elle. Messire Guerrehet le sut. Il devança messire Lamorat cette nuit-là et guetta son arrivée. Lors il le vit venir, armé de toutes pièces. Messire Lamorat descendit de son cheval, qu'il attacha près d'une poterne secrète. Il entra dans une salle basse où il se défit de son armure. Ensuite il gagna le lit de la reine. Elle fut fort contente de lui et lui fort content d'elle, car ils étaient très épris l'un de l'autre.

Quand messire Guerrehet pensa le moment venu, tout armé il se rendit à leur chevet, l'épée nue. Soudainement il saisit sa mère par les cheveux et lui trancha la tête. Lorsque messire Lamorat vit le sang encore chaud jaillir sur lui, ce sang qu'il aimait tant, jugez comme il fut accablé par toute la douleur que lui causait ce chevalier. Il sauta hors du lit en chemise, tout éperdu, et dit : « Ah ! Guerrehet, chevalier de la Table Ronde, quel abominable forfait et quelle honte pour vous ! Las ! pourquoi tuer la mère qui vous a porté en son sein ? Il eût été plus juste de me tuer, moi.

— Il est vrai que c'est toi qui as commis la faute, repartit Guerrehet.

L'homme est là pour proposer sa foi, mais il eût fallu prendre garde à qui tu avais affaire. Tu nous a outragés, mes frères et moi, et ton père a tué notre père. Que tu couches avec notre mère est trop de honte pour que nous le supportions. Pour ce qui est de ton père, le roi Pellinor, mon frère, messire Gauvain, et moi nous l'avons tué. — Le tort n'en a été que plus grand, répliqua messire Lamorat, car ce n'est pas mon père qui a tué le vôtre, c'est Balain le Sauvage. Et la mort de mon père n'est pas encore vengée. — Cesse de parler ainsi, dit messire Guerrehet. Si tes paroles sont celles d'un félon, je vais t'occire. Mais tu es nu. Je répugnerais à le faire. Je te le dis pourtant : dès que l'occasion m'en sera offerte, je te tuerai. Ma mère maintenant est délivrée de toi. Retire-toi, prends ton armure, et va-t'en. » Messire Lamorat vit qu'il n'y avait nul remède. Il revêtit son harnois sans tarder, prit son cheval et s'en fut, en proie à la désolation. Si grandes étaient sa douleur et sa honte qu'il ne voulut point retourner à la cour d'Arthur. Il préféra prendre un autre chemin.

Quand la nouvelle se répandit que Guerrehet avait tué sa mère, le roi s'indigna et lui intima l'ordre de quitter sa cour. Messire Gauvain, croyez-le bien, se mit en colère quand il sut que la reine Morcade avait perdu la vie et que son frère avait permis à messire Lamorat de s'échapper. Le roi était furieux de cette affaire, ainsi que maint autre chevalier. « Sire, dit messire Lancelot, c'est un grand forfait, c'est félonie, crime prémédité, que je vois dans le meurtre ignominieux de votre sœur. Je prétends que le coup fut porté par trahison. Je suppose également que vous allez perdre le valeureux chevalier qu'est messire Lamorat, ce qui est grand dommage. Je crois, je suis sûr que si messire Tristan savait cela, il ne viendrait plus jamais en votre cour, et vous-même et tous vos chevaliers en seraient encore affligés bien davantage. — Dieu garde, dit le noble roi Arthur, que j'aille perdre messire Lamorat ou messire Tristan ! Cela signifierait pour moi l'absence de deux des principaux chevaliers de ma Table Ronde. — Sire, reprit messire Lancelot, il ne fait pas de doute que vous perdiez messire Lamorat. Messire Gauvain et ses frères le tueront d'une manière ou d'une autre. Ils ont arrêté et juré de le faire, aussitôt que l'occasion s'en présentera. — Je l'empêcherai », dit Arthur.

CHAPITRE XXV

Comment messire Agravain et messire Mordret rencontrèrent un chevalier qui s'enfuyait, comment ils furent tous deux mis à terre, et de messire Dinadan

MAINTENANT laissons là messire Lamorat et parlons des frères de messire Gauvain, en particulier de messire Agravain et de messire Mordret. Alors qu'ils chevauchaient en quête d'aventures, ils rencontrèrent sur leur chemin un chevalier qui s'enfuyait. Il était grièvement blessé. Ils lui demandèrent ce qui se passait. « Gentils chevaliers, leur répondit-il, quelqu'un me poursuit qui veut me tuer. » Sur ce messire Dinadan par hasard se joignit à eux. Il refusa de s'engager à les aider. Messire Agravain et messire Mordret, eux, promirent leur secours.

Sur ces entrefaites, le chevalier qui poursuivait le fuyard vint droit à eux, et incontinent il offrit de jouter. Messire Mordret le vit. Il courut à sa rencontre, mais fut heurté de telle sorte qu'il vola par-dessus la queue de son cheval. Messire Agravain en fut témoin. Aussitôt il chargea sus au chevalier, mais de même manière qu'il avait agi avec Mordret, celui-ci agit avec son frère. Il leur dit : « Messires, apprenez tous deux que se nomme Brun sans Pitié l'homme qui vous a traités de la sorte. » Après quoi, de son cheval il piétina le corps d'Agravain cinq ou six fois.

Lorsque Dinadan vit ceci, il pensa que sans forfaire à l'honneur il ne pouvait ne pas jouter avec ce chevalier. Adonc ils se rencontrèrent. Plus fort, messire Dinadan fit passer l'autre par-dessus la queue de sa monture. Lors Brun sans Pitié se remit en selle et s'enfuit. On le laissa faire, car dans les combats à pied c'était l'un des plus valeureux qu'il y eût au temps d'Arthur, et il faisait de grands ravages parmi les bons chevaliers. Lors messire Dinadan s'en fut trouver messire Mordret et messire Agravain. « Sire chevalier, lui dirent-ils, vous avez bien combattu et nous avez bien vengés. Nous vous prions donc de nous donner votre nom. — Gentils sires, il est juste que vous sachiez mon nom. Je me nomme messire Dinadan. »

Quand ils surent qu'ils avaient affaire à Dinadan, leur dépit ne fit que croître, car ils le détestaient plus qu'on ne saurait dire à cause de messire Lamorat. Il était en effet dans les habitudes de Dinadan d'aimer tous les bons chevaliers qui se conduisaient dignement et d'avoir en abomination tous ceux qui avaient juré la perte des chevaliers de mérite. Nul en fait ne haïssait Dinadan que ceux qui avaient acquis la réputation de meurtriers.

Le chevalier blessé qu'avait poursuivi Brun sans Pitié prit alors la parole. Il s'appelait Dalan. Il dit : « S'il est vrai que tu te nommes Dinadan, c'est donc toi qui as tué mon père. — Cela se peut. Mais ce fut pour me défendre, et parce qu'il m'avait requis de combattre. — Sur ma foi, dit alors Dalan, tu en paieras le prix. » Il mit sa lance en arrêt, et il ajusta son écu. Abrégeons notre récit : messire Dinadan le fit tomber de son cheval, de telle sorte qu'il faillit se rompre le cou. Puis Dinadan en usa de même manière avec messire Mordret et messire Agravain. Ils furent renversés tous deux. Par la suite, durant la quête du Saint-Graal, lâchement et par traîtrise ils le tuèrent. Ce fut grand dommage, car il raillait fort plaisamment, et il était fort bon chevalier.

Adonc messire Dinadan se rendit à un château qu'on appelait Belvaliot. Il y trouva messire Palamède, qui n'était pas encore guéri de la blessure qu'il avait reçue de messire Lamorat. Il dit à Palamède tout ce qu'il avait vu et entendu de messire Tristan, qu'il était parti avec le roi Marc, dans l'assurance qu'il en obtiendrait ce qu'il voudrait et désirerait. Messire Palamède s'en irrita, car il était amoureux de la Belle Yseut. Et il savait bien que messire Tristan partageait sa couche.

CHAPITRE XXVI

Comment le roi Arthur, la reine et Lancelot reçurent des lettres de Cornouailles, et de la réponse qu'ils donnèrent

MAINTENANT laissons messire Palamède et messire Dinadan au château de Belvaliot et revenons-en au roi Arthur. Un chevalier arriva de Cornouailles, du nom de Fergus. Il était compagnon de la Table Ronde. Il apportait au roi et à messire Lancelot de bonnes nouvelles de Tristan. Allaient venir des lettres bien tournées. À son départ messire Tristan séjournait au château de Tintagel. La demoiselle vint ensuite qui apportait les lettres. Elle eut fort bon accueil de la part du roi, de la reine Guenièvre et de messire Lancelot. En réponse, à leur tour, ils écrivirent de belles lettres. Messire Lancelot ne cessait d'y mettre en garde messire Tristan contre le roi Marc. Il l'appelait le roi Renart, autrement dit celui qui ne connaît que ruses et perfidie. Ce pourquoi en son cœur messire Tristan remercia messire Lancelot.

Lors la demoiselle alla devers la Belle Yseut et lui porta les lettres du roi et de messire Lancelot, ce dont elle eut fort grande joie. « Gente demoiselle, lui demanda-t-elle, comment vont monseigneur Arthur, la reine Guenièvre et messire Lancelot, le noble chevalier ? » La demoiselle lui répondit à peu près ceci : « Ils sont bien plus heureux que vous ne l'êtes, messire Tristan et vous. — Que Dieu leur donne leur récompense ! dit la Belle Yseut. Messire Tristan souffre beaucoup à cause de moi, et moi à cause de lui. »

La demoiselle s'en fut porter des lettres au roi Marc. Lorsqu'il eut achevé de les lire et pris connaissance de leur contenu, il entra en courroux contre messire Tristan, pensant que c'était lui qui avait envoyé cette demoiselle auprès du roi Arthur. En effet, Arthur et Lancelot n'y étaient pas avares de menaces. À la lecture de ces lettres, le roi Marc estima messire Tristan coupable de trahison. « Demoiselle, dit-il, accepteriez-vous de porter de ma part des lettres au roi Arthur ? — Sire, répondit-elle, j'obéirai à vos ordres. Je partirai quand vous le voudrez. — C'est bien parlé. Revenez demain matin. Vous aurez vos lettres. »

Elle s'en alla confier à la Belle Yseut et à Tristan comment elle devait se remettre en route avec des lettres pour Arthur. « Lorsque vous les aurez reçues, dirent-ils, ayez l'obligeance de venir nous voir, afin que nous sachions ce qui est communiqué dedans en confidence. — Tout ce que je puis faire pour messire Tristan, madame, répondit-elle, vous savez que je le considère comme un devoir. Je suis depuis longtemps attachée à son service. »

Adonc le lendemain matin, la demoiselle alla trouver le roi Marc pour recevoir ses lettres et commencer son voyage. « Elles ne sont pas encore prêtes à être envoyées », dit le roi. Ce fut donc privément et secrètement qu'il les fit tenir au roi Arthur, à la reine Guenièvre et à messire Lancelot. Son serviteur se mit en route. Il trouva le roi et la reine au pays de Galles, à Carlion. Alors qu'ils entendaient la messe, il vint avec ses lettres. Après la messe, le roi et la reine les ouvrirent, quand ils furent assurés d'être seuls. Le commencement de ces lettres était plein de brusquerie. On y invitait le roi Arthur à se mêler de ses affaires et à s'occuper de sa propre femme et de ses propres chevaliers. Le roi Marc se disait fort capable de gouverner son épouse et de veiller sur elle.

Ce DIXIÈME LIVRE se poursuit dans le second volume du

ROMAN DU ROI ARTHUR
ET DE SES CHEVALIERS DE LA TABLE RONDE

Achevé d'imprimer
en octobre 1995
par l'Imprimerie Bussière
à Saint-Amand-Montrond (Cher)
pour le compte de la Librairie l'Atalante.

N° d'imprimeur : 2401
Dépôt légal : octobre 1994

LE ROMAN DU ROI ARTHUR
ET DE SES CHEVALIERS DE LA TABLE RONDE

THOMAS MALORY

LE ROMAN DU ROI ARTHUR
ET DE SES CHEVALIERS DE LA TABLE RONDE

(Le morte d'Arthur)

TRADUIT DE L'ANGLAIS PAR PIERRE GOUBERT
avec le concours du Centre national du livre

Préface de Claude Gauvin

TOME II

L'ATALANTE
Nantes

ISBN 2-905158-97-2 pour le second tome
ISBN 2-905158-98-0 pour l'ensemble des deux volumes

LIVRE DIXIÈME
(CONTINUATION)

Tristan et Yseut
Alexandre l'Orphelin

CHAPITRE XXVII

Comment messire Lancelot se courrouça d'une lettre qu'avait envoyée le roi Marc, et de Dinadan qui sur le roi fit une chanson

QUAND LE ROI ARTHUR eut pris connaissance de sa lettre, il devint songeur, se prenant à rêver aux paroles de sa sœur, la reine Morgane la Fée, et à ce qu'elle avait dit qui existait entre la reine Guenièvre et messire Lancelot. Cette pensée longtemps le retint. Puis il se rappela l'inimitié de sa sœur à son égard et qu'elle détestait la reine Guenièvre et messire Lancelot. Il bannit tout cela de son esprit. Il relut la lettre. La fin disait que le roi Marc considérait messire Tristan comme son ennemi mortel. Arthur en conclut que, sans aucun doute possible, il chercherait à se venger de Tristan. Il entra en courroux contre le roi Marc.

Lorsque, de son côté, la reine Guenièvre eut lu sa lettre et entendu son contenu, elle en fut grandement irritée, car on y dénonçait l'infamie de sa conduite avec messire Lancelot. En cachette, donc, elle fit parvenir la lettre à ce dernier. Quand messire Lancelot en eut pris connaissance, sa rage fut telle qu'il choisit de s'étendre sur son lit pour tâcher de dormir. Cela n'échappa point à messire Dinadan. Il était dans ses habitudes de vivre en familiarité avec tous les bons chevaliers. Tandis que messire Lancelot sommeillait, il lui prit la lettre des mains et la lut entièrement. Il se mit en colère et fut profondément ému.

Quand messire Lancelot s'éveilla, il alla vers une fenêtre pour y relire la lettre encore une fois, ce qui renouvela son courroux. « Messire, s'enquit Dinadan, pourquoi êtes-vous fâché ? Découvrez-moi votre cœur. Vous connaissez mon dévouement, nonobstant que je ne sois qu'un pauvre chevalier et serviteur seulement, de vous comme de tous les chevaliers de mérite. Je n'ai pas moi-même de renom, mais j'aime tous ceux qui en ont. — C'est vérité, repartit messire Lancelot, on peut se fier à vous, et ma confiance est si grande que je vais vous livrer mon secret. »

Quand Dinadan fut au courant de tout, il dit : « Voici mon conseil : ne faites aucun cas de ces menaces. Le roi Marc est si vil que par des paroles courtoises on n'obtiendra jamais rien de lui. Ce que je vais faire sera de lui composer une chanson et, quand elle sera prête, je m'arrangerai pour qu'un joueur de harpe la chante en sa présence. » Aussitôt il alla faire cette chanson et l'apprit à un joueur de harpe du nom d'Héliot, qui à son tour, lorsqu'il la sut, l'apprit à beaucoup d'autres. Ainsi donc, sur les ordres de messire Lancelot et d'Arthur, ces musiciens se rendirent au pays de Galles, puis en Cornouailles, afin d'y chanter la chanson que messire Dinadan avait composée sur le roi Marc. Ce fut la plus désagréable à entendre qu'on chanta jamais, que ce soit en s'accompagnant de la harpe ou de tout autre instrument.

CHAPITRE XXVIII

Comment messire Tristan fut blessé, et d'une guerre qui fut faite au roi Marc. Aussi de messire Tristan, comment il promit de le secourir

À PRÉSENT, revenons à messire Tristan et au roi Marc. Alors qu'il prenait part à des joutes et à un tournoi, il advint que messire Tristan fut gravement blessé, à la fois par une lance et par une épée. Afin de prendre du repos, il se rendit chez un valeureux chevalier qui résidait en Cornouailles, dans un château. Son nom était messire Dinas le sénéchal. Lors, par malheur, il arriva de Germanie un grand nombre d'hommes d'armes, avec une épouvantable troupe de menues gens. Leur capitaine se nommait Hélias, habile à la guerre. Lorsque le roi Marc sut que ses ennemis étaient entrés en ses terres, il se lamenta et se désola grandement, car de son plein gré en nulle façon il ne voulait envoyer quérir messire Tristan, auquel il vouait une haine mortelle.

Adonc, lorsque ses conseillers furent venus, beaucoup de périls furent envisagés et déduits de la force de leurs adversaires. Ils se mirent tous d'accord sur ce qu'il fallait faire. Ils dirent au roi Marc : « Sire, assurément il faut que vous envoyiez chercher messire Tristan, le valeureux chevalier. Sinon nous n'en viendrons jamais à bout. C'est messire Tristan qui doit les combattre, ou alors nous ramons contre le courant. — C'est bien, dit le roi Marc, je m'en tiendrai à votre conseil. » Il se rangeait à leur avis bien à contre-cœur. Mais nécessité faisait loi.

On dépêcha donc en toute hâte des messagers pour requérir messire Tristan de venir devers le roi Marc. Lorsqu'il connut cette demande, il monta sur une haquenée et au petit trot s'en fut trouver son souverain. À son arrivée, le roi lui dit : « Messire Tristan, mon gentil neveu, voici ce qu'il en est. Nos ennemis de Germanie sont venus. Ils sont là, tout près. Il faut sans attendre aller au-devant d'eux. Sinon ils vont mettre à sac notre pays. — Sire, repartit Tristan, sachez que vous pouvez disposer de mon bras. Mais, pendant huit jours encore, je ne pourrai porter d'armes, car mes blessures ne sont point guéries. Alors seulement je ferai tout mon possible. — C'est bien parlé, dit le roi Marc. Retournez vous reposer et reprendre des forces. J'irai à la rencontre des Saxons avec tous les hommes que je pourrai réunir. »

Le roi partit donc pour Tintagel, et messire Tristan alla se reposer. Le roi Marc assembla une grande armée. Il la divisa en trois. La première compagnie fut menée par messire Dinas le sénéchal. Messire Andret conduisit la deuxième, messire Argus la troisième. Ce dernier était du sang du roi Marc. Les Saxons avaient trois grandes compagnies et beaucoup de bons hommes d'armes. Suivant le conseil de ses chevaliers, le roi sortit du château de Tintagel et assaillit ses ennemis. Le valeureux Dinas allait devant. Il tua deux chevaliers de ses propres mains. Ce fut ainsi que les combats commencèrent. On rompit des lances, on donna de l'épée que ce fut merveille. Maint bon chevalier y perdit la vie. Toujours messire Dinas le sénéchal se montrait le meilleur du côté du roi Marc. La bataille dura longtemps, faisant beaucoup de morts. Finalement le roi et messire Dinas, bon gré mal gré, durent se résoudre à se retirer dedans le château de Tintagel, au milieu d'un grand massacre de gens. Les Saxons les serraient de près. Dix d'entre eux furent tués en deçà des portes, quatre occis sur le pont-levis.

Lors le roi Marc manda messire Tristan par un serviteur, qui lui fit part de toutes les pertes subies. Tristan le renvoya, avec mission de dire qu'il viendrait sitôt guéri, car avant cela il ne pouvait être d'aucun secours. Le roi eut ainsi sa réponse. Sur ces entrefaites, Hélias vint le trouver pour exiger qu'il livrât le château : « Vous ne pouvez, dit-il, le tenir plus longtemps. — Messire Hélias, répliqua le roi Marc, je vous le livrerai si je ne suis bientôt secouru. » Incontinent il dépêcha de nouveau un messager à Tristan pour lui demander son aide.

Messire Tristan était alors remis et s'était adjoint dix bons chevaliers d'Arthur. Il chevaucha avec eux jusques à Tintagel. Lorsqu'il vit en quel nombre était l'armée des Saxons, il s'en ébahit grandement. Il alla par bois et fossés, aussi secrètement qu'il le put, pour se rapprocher des portes du château. Un chevalier s'avança vers lui lorsqu'il vit qu'il voulait entrer. Tristan le frappa. Il tomba raide mort. Tristan fit subir le même sort à trois autres. Chacun de ses compagnons occit un homme d'armes. C'est ainsi que Tristan entra dans le château de Tintagel. Lorsque le roi Marc sut qu'il était venu, il s'en réjouit, de même que tous ses compagnons, et ils lui firent fort bonne chère.

CHAPITRE XXIX

Comment messire Tristan ordonna la bataille,
et comment Hélias demanda quelqu'un pour combattre en combat singulier

ADONC le lendemain matin s'en vint Hélias, le capitaine. Il enjoignit au roi Marc : « Sors et bats-toi. À présent que messire Tristan, le valeureux chevalier, est là, ce serait une indignité pour toi que de rester enfermé en tes murs. » Quand le roi entendit cela, il s'en irrita, mais sans mot dire. Il alla trouver messire Tristan pour lui demander conseil. « Sire, repartit Tristan, acceptez-vous que je lui donne sa réponse ? — Je veux bien », dit le roi Marc. Lors messire Tristan parla au messager en ces termes : « Fais savoir à ton seigneur, de la part du roi et de la mienne, que nous lui livrerons bataille demain matin en terrain découvert. — Quel est votre nom ? demanda le messager. — Sache que je me nomme messire Tristan de Léonois. » Là-dessus le messager partit et rapporta tout ce qu'il avait entendu à son seigneur, Hélias. « Sire, dit messire Tristan au roi Marc, accordez-moi de mener cette bataille à ma guise. — Faites-le, je vous en prie », répondit le roi Marc.

Lors messire Tristan conçut un plan pour la bataille. Il répartit ses troupes en six compagnies. Il ordonna que messire Dinas le sénéchal commandât à l'avant-garde et mit d'autres chevaliers à la tête du reste de l'armée. La même nuit, il fit brûler tous les vaisseaux des Saxons. Il n'en resta rien. Aussitôt qu'Hélias le sut, il attribua l'embrasement de sa flotte à messire Tristan : « Il a voulu que nous ne puissions nous sauver, tous autant que nous sommes. Adonc, gentils compagnons, demain combattez bravement et ne perdez jamais confiance. Un chevalier, quand même il serait le meilleur du monde, ne saurait nous affronter tous à la fois. »

Sur ce ils divisèrent leur armée en quatre. Cette armée était pourvue de tout l'équipement nécessaire et bien fournie en hommes d'armes.

Lors ceux qui étaient dedans les murs saillirent, et ceux qui étaient dehors les attaquèrent avec courage. Messire Dinas accomplit de hauts faits d'armes. Malgré cela, ses compagnons et lui eurent le dessous. Messire Tristan entra dans la mêlée. D'une lance il tua deux chevaliers. Ensuite il occit de droite et de gauche, tant qu'on se demandait comment il pouvait réussir de pareils exploits. Mais tantôt son armée, sous ses regards, était repoussée jusqu'à un jet d'arc du château de Tintagel, tantôt elle reculait jusqu'aux portes mêmes. Hélias, le capitaine, intervint alors. Il courut de côté et d'autre. Il asséna un tel coup sur le heaume du roi Marc que celui-ci vida les étriers. Messire Dinas le remit en selle. Hardi comme un lion survint messire Tristan. Il fit face à Hélias et le choqua si rudement sur le heaume qu'il tomba aux pieds de son cheval. On se battit ainsi jusqu'à la nuit. Quand le roi Marc fut rentré en son château de Tintagel, de ses chevaliers il en manquait cent. Ceux d'au-delà les murs en avaient perdu deux cents. Dans les deux camps, on sonda les blessures. Puis on se réunit pour délibérer. De part et d'autre, soyez-en sûrs, on n'avait plus envie de combattre davantage. Il suffisait que l'honneur fût sauf.

Quand Hélias, le capitaine, apprit la mort de tant de ses gens, il s'en désola grandement. Mais lorsqu'il sut que les siens ne voulaient pas retourner se battre, sa colère ne connut plus de bornes. Plein de dépit, il envoya un messager au roi Marc, pour lui demander s'il accepterait qu'un chevalier fût son champion en un combat singulier. Si lui, Hélias, parvenait à occire ce chevalier, tous les ans les Cornouailles lui paieraient tribut. Dans le cas contraire, il renoncerait à jamais à ses prétentions. Le messager partit devers le roi Marc. Il l'informa que son seigneur, Hélias, lui faisait savoir de se trouver un champion pour combattre avec lui, seul contre seul. Quand le roi Marc l'eut entendu, il lui dit d'attendre et qu'on lui donnerait une réponse. Il assembla tous ses barons pour choisir le meilleur parti à prendre. Ils furent tous d'accord : « Combattre sur le champ de bataille ne nous tente nullement. S'il n'y avait eu la bravoure de messire Tristan, sans doute n'en aurions-nous point réchappé. En conséquence, Sire, notre opinion est qu'il serait bon de trouver un chevalier pour se mesurer à Hélias, car son offre est courageuse. »

CHAPITRE XXX

Comment messire Tristan et messire Hélias combattirent ensemble au sujet du tribut, et comment en champ clos le premier tua le second

NONOBSTANT tout ce qui avait été avancé, ils ne purent trouver de chevalier pour combattre Hélias. « Sire le roi, dirent-ils tous, nul chevalier n'ose l'entreprendre. — Las! s'affligea le roi Marc, j'y perds l'honneur et la vie, à moins que mon neveu, messire Tristan, ne se charge de l'affaire. — Sachez, repartirent-ils tous, qu'hier sa besogne fut grande. Il est rompu du mal qu'il s'est donné. En outre, il est gravement blessé. — Où est-il? — Sire, il est au lit. Il se repose. — Las! sans le secours de mon neveu, messire Tristan, c'est ma fin, je ne m'en relèverai jamais. »

Quelqu'un s'en fut trouver messire Tristan, là où il était couché. On lui rapporta les paroles du roi Marc. Prestement, il se mit debout. Il revêtit une longue robe et se présenta devant le roi et tous les barons. Quand il vit le découragement dans lequel ils étaient tous tombés, il leur demanda quelles nouvelles ils avaient apprises. « Jamais elles n'ont été aussi mauvaises », répondit le roi. Sur ce il ne lui cacha rien. Il lui dit comment Hélias lui avait fait parvenir un message, qu'il lui fallait trouver un chevalier qui acceptât de combattre pour éviter aux Cornouailles de payer tribut, et qu'il ne disposait de personne. « Pour ce qui est de vous, dirent le roi et tous les barons, nous ne pouvons en honneur vous demander davantage. C'est à votre hardiesse d'hier que nous devons d'être encore en vie, tous autant que nous sommes. — Sire, répondit messire Tristan, à présent que je vois que vous voulez de mon aide, la raison me commande de faire tout ce qui est en mon pouvoir, à condition de ne sacrifier ni l'honneur ni la vie, et bien que je sois tout meurtri et sérieusement blessé. Puisque messire Hélias se montre aussi généreux dans son offre, j'accepte de le combattre. Ou bien je mourrai sur le terrain de notre rencontre, ou je délivrerai les Cornouailles d'un tribut auquel elles sont depuis trop longtemps soumises. En conséquence, vite appelez le messager, et il aura sa réponse. Mes blessures sont encore fraîches. Elles me feront souffrir davantage dans une semaine qu'à l'heure qu'il est. Faites donc réponse à messire Hélias que dès demain matin je lui livrerai combat. »

Le messager, qui les avait quittés, fut ramené devant le roi Marc. « Écoute bien, mon ami, lui dit messire Tristan. Tu vas en diligence aller trouver ton seigneur, et tu lui diras qu'il prenne de son côté toutes les dispositions requises dans cette affaire de tribut. Le roi ici présent fera de même du sien. Ensuite tu l'informeras que moi, messire Tristan, chevalier du roi Arthur et de la Table Ronde, je le rencontrerai demain matin à cheval, pour combattre aussi longtemps que la résistance de mon destrier me le permettra, puis pour l'engager dans un autre combat, à pied, jusqu'à ce que mort s'ensuive. » Le messager examina Tristan de la tête aux pieds. Après quoi il partit et alla trouver son seigneur. Il lui rapporta quelle réponse il avait eue de messire Tristan. Des garanties furent données de chaque côté, aussi sûres que faire se pouvait, pour qu'on en restât là, quel que fût le camp victorieux. Puis les deux armées s'assemblèrent, de part et d'autre du champ clos, devant le château de Tintagel, messire Tristan et messire Hélias étant les seuls à être armés.

Tous les arrangements pris, on se sépara. Les deux champions se heurtèrent de toute la vitesse de leurs chevaux. Chacun des deux chevaliers frappa si fort que montures et cavaliers tombèrent au sol. Nonobstant, vite ils se relevèrent. Ils ajustèrent leurs boucliers à l'épaule et, l'épée nue à la main, se précipitèrent l'un contre l'autre, de telle sorte qu'on les eût dit environnés de flammes. Ils marchèrent sus à l'ennemi, esquivèrent les coups, enfoncèrent les heaumes, taillèrent dans les hauberts, coupèrent dans les boucliers en maintes places. Chacun fit à son adversaire de graves blessures, si bien que le sang chaud se répandit généreusement sur la terre.

Ils avaient combattu l'espace d'une heure quand messire Tristan faiblit. Il avait perdu beaucoup de son sang et se mit à reculer dangereusement. Messire Hélias le vit. Il le poursuivit avec ardeur et lui infligea mainte blessure. Messire Tristan frappait, fuyait les assauts, s'écartait çà et là, se couvrait de son écu comme il le pouvait, mais sans force aucune, si bien que tous le voyaient déjà vaincu. Messire Hélias lui portait vingt coups quand il n'en rendait qu'un seul. Dans le camp des Saxons, on se mit à rire, tandis que dans celui du roi Marc, on se désola grandement. « Hélas ! gémit le roi, nous sommes tous perdus et faillis d'honneur à tout jamais. » On dit en effet dans le livre que messire Tristan ne trouva en nulle occasion à qui parler comme en ce jour-là, exception faite du combat contre messire Lancelot.

Alors que les deux camps étaient ainsi spectateurs, les uns riant, les autres pleurant, messire Tristan se rappela sa dame, la Belle Yseut, qui le regardait, et que peut-être il n'aurait jamais plus droit à sa présence. Il redressa son bouclier qui tombait bien bas. Puis il le mit face à Hélias et lui porta plus d'un coup douloureux, vingt coups donnés contre un reçu. Il rompit entièrement l'écu de son ennemi, ainsi que son haubert, si bien que le sang chaud coula jusque sur la terre. Le roi Marc alors se mit à rire, de même que tous les Cornouaillais, tandis que dans le camp opposé on commençait à verser des pleurs. Cependant messire Tristan ne cessait de presser messire Hélias : « Rendez-vous maintenant. » Puis, quand il le vit trébucher sur le sol, il lui dit : « Messire Hélias, j'ai vraiment du regret pour vous. Vous n'avez rien à envier, en fait de mérite, à nul chevalier au monde, hormis messire Lancelot. » Sur ces entrefaites, messire Hélias s'affaissa et mourut.

« Que faire à présent? dit messire Tristan au roi Marc. Ce combat est fini. » Les gens d'Hélias s'en furent, après que le roi eut retenu captifs beaucoup d'entre eux, en réparation des torts et dommages dont ils avaient été la cause. Les autres, il les renvoya dans leur pays pour y réunir la rançon de leurs compagnons. On sonda les plaies de messire Tristan, qui se rétablit complètement. Malgré cela, le roi Marc l'eût volontiers occis. Mais quoi qu'il pût voir du roi Marc ou entendre de sa part, messire Tristan ne se souciait point de sa perfidie. Il voulait seulement se trouver là où était la Belle Yseut.

CHAPITRE XXXI

Comment, à un grand festin que donnait le roi Marc,
vint un joueur de harpe qui chanta la chanson que Dinadan avait faite

CHANGEONS à présent de sujet, et parlons des joueurs de harpe que messire Lancelot et messire Dinadan avaient envoyés en Cornouailles. Lors du grand festin que donna le roi Marc pour célébrer le départ des Saxons de son pays, Héliot, le joueur de harpe, vint avec la chanson que Dinadan avait composée. Secrètement, il la porta à messire Tristan, lui disant comment Dinadan l'avait faite à propos du roi Marc. Quand il l'eut entendue, messire Tristan s'exclama : « Seigneur! comme Dinadan sait bien et mal faire! Nous n'y changerons rien. — Messire, oserai-je chanter cette chanson devant le roi Marc? — Oui, répondit messire Tristan, à mes risques et périls. Je serai ton garant. »

Lors, au repas, entra Héliot, le joueur de harpe, et parce qu'on était curieux de l'entendre, on l'écouta chanter cette chanson que Dinadan avait écrite, où l'on notait avec beaucoup d'infamie la perfidie du roi Marc, comme jamais jusque-là. Quand le joueur de harpe eut jusqu'au bout chanté sa chanson, le roi entra en courroux furieux. Il s'écria : « Joueur de harpe, comment as-tu pu aussi hardiment et inconsidérément chanter cela devant moi? — Sire, répondit Héliot, je ne suis qu'un ménestrel assurément, et je dois faire ce que m'ordonnent les seigneurs dont je porte les armes. Sachez, Sire, que c'est messire Dinadan, chevalier de la Table Ronde, qui a composé cette chanson et m'a enjoint de la chanter devant vous.

— Tu as raison, dit le roi Marc. Parce que tu n'es qu'un ménestrel tu seras quitte, mais je te somme de déguerpir hors de ma vue. » Le joueur de harpe s'en alla. Il s'en fut trouver messire Tristan et lui raconta ce qui s'était passé. Lors messire Tristan fit faire des lettres, aussi bien tournées que cela se pouvait, pour Lancelot et messire Dinadan. Puis il fit escorter le joueur de harpe, jusqu'à ce qu'il eût quitté le pays. Mais pour ce qui est d'être en rage, assurément le roi Marc l'était, car il pensait que la chanson que l'on avait chantée devant lui avait été écrite à l'instigation de messire Tristan, ce pourquoi il songeait à le tuer, de même que tous ceux qui dans son pays lui étaient favorables.

CHAPITRE XXXII

Comment, par traîtrise, le roi Marc tua son frère, Baudouin, en récompense de ses bons services

À PRÉSENT, passons à un autre sujet, regardant le roi Marc et son frère, qu'on appelait le bon prince Baudouin et dont tout le monde était féru en ce pays. Il advint qu'un jour débarquèrent en Cornouailles les mécréants Sarrasins, peu après le départ des Saxons. Apprenant ce débarquement, le bon prince Baudouin hâtivement et secrètement fit courir aux armes. Avant le jour il ordonna qu'on mît du feu grégeois en trois de ses propres vaisseaux. Soudainement il hissa la voile et, à l'aide du vent, poussa ces navires au milieu de la flotte des Sarrasins. Bref, ils boutèrent le feu à tous les autres, et nul ne fut épargné. À l'aube le bon prince Baudouin et toute sa compagnie tombèrent sur le dos des mécréants en poussant des cris et des hurlements. Ils en occirent jusqu'au nombre de quarante mille, n'en laissant aucun de vivant.

Quand le roi Marc entendit parler de cela, il enragea de voir son frère ainsi se couvrir de gloire. Parce que ce prince dans tout le pays était mieux aimé que lui, et aussi parce qu'il avait de l'amitié pour messire Tristan, il imagina de s'en défaire. En toute hâte et comme s'il eût perdu l'esprit, il fit venir le prince Baudouin et Angledis, son épouse, leur ordonnant d'amener avec eux leur jeune fils, afin qu'il pût le voir. Tout ceci, il le faisait dans le dessein de tuer l'enfant aussi bien que le pèrc, car il était le traître le plus sournois qu'il y eut jamais.

Hélas! sa bonté et ses belles actions valurent à ce gentil prince Baudouin de perdre la vie. Lorsqu'il vint, en compagnie de son épouse, Angledis, le roi Marc leur fit bon visage jusqu'à la fin du dîner. Mais, quand ils eurent dîné, il envoya quérir son frère et lui dit : « Mon frère, qu'avez-vous fait lorsque les mécréants sont arrivés chez vous? Il me semble que vous deviez me le faire connaître, pour qu'il me fût possible de prendre part à cet exploit, car la raison voulait que j'en eusse la gloire et non point vous. — Sire, répondit le prince, les choses étaient telles que si j'avais attendu votre venue, ces mécréants eussent tout détruit en mon pays. — Tu mens, traître, s'écria le roi Marc. Tu cherches toujours à gagner de la réputation à mes dépens et à me plonger dans le déshonneur. En outre, tu chéris ceux que je hais. » Là-dessus il lui enfonça un poignard dans le cœur, si bien qu'il ne put ensuite dire un seul mot.

Dame Angledis en eut grande douleur. Elle défaillit d'avoir vu son seigneur tué sous ses yeux. Il n'y avait plus rien d'autre à faire que de dépouiller le prince Baudouin de ses habits et de le mettre en terre. Secrètement, cependant, Angledis prit le pourpoint de son mari et sa chemise, pour les conserver à l'abri des regards. On se désola, on pleura beaucoup. Messire Tristan, messire Dinas, messire Fergus eurent une peine extrême, car ce prince était fort aimé. La Belle Yseut envoya un messager à Angledis, l'épouse du prince Baudouin, lui disant de s'éloigner en diligence, ou son jeune fils, Alexandre l'Orphelin, serait mis à mort. Quand elle entendit cela, Angledis prit son cheval et son enfant, puis elle partit, avec les pauvres gens qui osèrent l'accompagner.

CHAPITRE XXXIII

Comment Angledis, l'épouse de Baudouin, s'enfuit avec son jeune fils, Alexandre l'Orphelin, et vint au château d'Arundel

NONOBSTANT, quand le roi Marc eut accompli ce forfait, il envisagea de se venger encore. L'épée à la main, de chambre en chambre, il se mit à la recherche d'Angledis et de son jeune fils. Quand il vit qu'il ne pouvait les trouver, il fit venir un valeureux chevalier du nom de Sadoc et lui enjoignit, sous peine de mort, de ramener la princesse et l'enfant. Sadoc se mit en route et chevaucha à la poursuite d'Angledis. Elle n'avait pas fait quatre lieues quand il la rejoignit. Il lui intima l'ordre de faire demi-tour et de retourner avec lui chez le roi Marc. « Las ! gentil chevalier, lui dit-elle, que gagnerez-vous à ma mort ou à celle de mon fils ? Le tort que j'ai subi est déjà trop grand, et ma perte trop considérable. — Madame, repartit Sadoc, votre perte cause douleur et pitié. Si vous acceptez de quitter ce pays avec votre fils et de veiller sur lui jusqu'à ce qu'il soit un homme, afin qu'il puisse venger la mort de son père, je ne vous empêcherai pas de partir. Mais il faut me promettre de ne pas laisser impunie la mort du prince Baudouin. — Ah ! gentil chevalier, Dieu vous en sache gré ! Si jamais mon fils, Alexandre l'Orphelin, vit assez longtemps pour être chevalier lui-même, il aura le pourpoint de son père et sa chemise, avec les marques de son sang, et je lui donnerai telle charge qu'il n'aura garde de l'oublier, sa vie durant. » Là-dessus Sadoc la quitta, cependant que chacun des deux recommandait l'autre à Dieu. Lorsque Sadoc vint au roi Marc, il lui rapporta que fidèlement il avait noyé le jeune Alexandre, le fils de Baudouin. Le roi Marc en fut fort satisfait.

À présent, tournons-nous du côté d'Angledis. Elle chevaucha nuit et jour, jusqu'à ce que la chance lui permît de sortir des Cornouailles. Elle ne prit de repos que rarement et en peu d'endroits. Elle s'achemina sans cesse vers le sud. Finalement, par hasard, elle arriva devant un château qu'on appelait Magance (maintenant c'est Arundel, dans le Sussex). Le connétable de ce château lui fit bon accueil. Il lui dit qu'elle était chez elle. Angledis fut reçue avec honneur, car l'épouse du connétable était sa cousine germaine. Le nom de ce connétable était Bérengier. Il informa Angledis que le château lui revenait en droit par héritage. Elle y demeura de longues années, jusqu'à tant qu'Alexandre fût devenu grand et fort. Il n'y eut pas plus robuste que lui en la contrée, ni personne pour le surpasser lorsqu'on se disputait la palme, en quelque domaine que ce fût.

CHAPITRE XXXIV

Comment Angledis donna le pourpoint taché de sang à Alexandre, son fils, le jour où il fut fait chevalier, et sa charge en même temps

UN JOUR, Bérengier, le connétable, vint trouver Angledis et lui dit : « Madame, il serait temps que monseigneur Alexandre fût armé chevalier, car c'est un jeune homme d'une grande vigueur. — Messire, répondit-elle, je le voudrais bien. Mais il me faudra alors lui donner la charge la plus lourde que mère pécheresse ait jamais donnée à son enfant. — Faites comme bon vous semblera, et moi, je le préviendrai qu'il sera fait chevalier. Il serait séant que cela eût lieu le jour de Notre-Dame, pendant le carême. — Soit, dit Angledis. Je vous en prie, prenez les dispositions nécessaires. » Le connétable vint donc à Alexandre et l'informa du jour de son adoubement. « Dieu soit loué! s'exclama Alexandre, c'est la meilleure nouvelle que j'aie entendue de ma vie. » Puis le connétable donna ordre que vingt des fils les plus grands et les mieux nés parmi les nobles du pays fussent également armés chevaliers en même temps qu'Alexandre.

Adonc, le jour où Alexandre et ses vingt compagnons reçurent l'ordre de chevalerie, lors de l'offrande de la messe Angledis alla trouver son fils et lui dit : « Oh! mon gentil, mon doux fils, je t'enjoins, sous peine de perdre ma bénédiction et par cet ordre si élevé que tu reçois aujourd'hui, de bien faire attention à ce que je vais te dire et te donner mission d'accomplir. » Là-dessus elle lui présenta un pourpoint et une chemise couverte d'un sang depuis longtemps séché. À cette vue, Alexandre recula, pâlit et s'exclama : « Gente mère, que signifie ceci ? — Je vais te le dire, mon gentil fils. Ce que tu vois est le pourpoint et la chemise de ton propre père. Il les portait le jour où on l'a tué. » Lors elle lui donna tous les détails de l'affaire et lui conta comment, en récompense de ses bonnes actions, le roi Marc avait tué son père sous ses yeux. « En conséquence, voici quelle est la mission que je vais te confier. »

CHAPITRE XXXV

Comment on parla au roi Marc de messire Alexandre,
et comment le roi voulut tuer messire Sadoc pour avoir épargné l'enfant

« À PRÉSENT, je te requiers et te charge, sous peine de perdre ma bénédiction et de par le grand ordre de chevalerie, de tirer vengeance du roi Marc pour la mort de ton père. » Là-dessus elle perdit connaissance. Alexandre bondit vers sa mère. Il la prit en ses bras et dit : « Gente mère, vous m'avez confié une lourde charge. Je vous promets de me venger du roi Marc dès que je le pourrai. J'en fais la promesse à Dieu aussi bien qu'à vous. » C'est ainsi que la solennité s'acheva. Le connétable, selon l'avis d'Angledis, donna ordre qu'Alexandre eût bon cheval et belle armure. Il jouta ensuite avec ses vingt compagnons, qui avaient été faits chevaliers en même temps que lui. Abrégeons : il les renversa tous les vingt. Nul ne put résister à ses coups.

Lors un de ces nouveaux chevaliers s'en fut trouver le roi Marc. Il lui raconta tout, comment Alexandre avait été adoubé, la charge que sa mère lui avait donnée, sans en rien dissimuler, comme vous l'avez entendu. « Las ! quelle fourberie ! s'exclama le roi Marc, je croyais que ce jeune traître était mort. Malédiction ! à qui faire confiance ? » Sur ce il se saisit d'une épée et chercha messire Sadoc de chambre en chambre, afin de l'occire.

Lorsque messire Sadoc vit venir le roi Marc, l'épée à la main, il lui dit ceci : « Prends garde, roi Marc, ne m'approche pas. Sache que j'ai sauvé la vie d'Alexandre. Je n'en ai nul regret. Perfidement, lâchement, tu as tué son père, Baudouin, traîtreusement, à cause de ce qu'il avait fait de bien. Je prie Dieu tout-puissant qu'il donne à Alexandre force et vigueur pour tirer de toi vengeance. Garde-toi maintenant du jeune Alexandre, car il est chevalier. — Dire, s'écria le roi Marc, que j'aurai entendu un traître me parler de la sorte ! » Là-dessus quatre des chevaliers du roi dégainèrent leurs épées pour tuer messire Sadoc, mais incontinent c'est lui qui les tua tous, sous le regard du roi. Ensuite il gagna sa chambre, prit son cheval et son harnois et partit bon train, sans encombre. En effet, ni messire Tristan, ni messire Dinas, ni messire Fergus ne nourrissaient à son égard de mauvais sentiments. Le roi Marc se mit en rage. Il rêva de faire périr messire Alexandre, de même que messire Sadoc, qui lui avait sauvé la vie. Il craignait Alexandre et le détestait, plus que n'importe qui au monde.

Quand messire Tristan sut qu'Alexandre avait été fait chevalier, sans attendre il lui écrivit une lettre, où il le priait et lui enjoignait de se rendre à la cour du roi Arthur, ajoutant qu'il l'y mettait sous l'autorité et direction de messire Lancelot. Cette lettre, donc, fut envoyée à Alexandre par son cousin, messire Tristan. Le jeune prince pensa d'abord se conformer à cet ordre.

Lors le roi Marc appela le chevalier qui lui avait apporté des nouvelles d'Alexandre et lui commanda de demeurer dans son pays. « Sire, répondit-il, j'y suis bien obligé, car je n'ose pas retourner dans le mien. — C'est sans importance, dit le roi. Je te baillerai deux fois plus de terres que tu n'en as jamais eues. » Peu après, cependant, messire Sadoc rencontra ce fourbe chevalier et le tua. Le roi Marc en devint fou de rage. Il envoya des messagers à la reine Morgane la Fée, ainsi qu'à la reine de Norgalles, priant dans ses lettres ces deux sorcières de mettre tout le pays à feu et à sang, grâce à des dames enchanteresses et à des chevaliers dangereux, tels Malagrin, Brun sans Pitié. Il fallait qu'en nul cas Alexandre l'Orphelin ne pût s'échapper, qu'il fût retenu prisonnier ou bien mis à mort. Telles furent les dispositions que prit le roi Marc pour se défaire d'Alexandre.

CHAPITRE XXXVI

Comment messire Alexandre gagna le prix dans un tournoi, et de Morgane la Fée. Comment aussi il combattit avec messire Malagrin et l'occit

À PRÉSENT, tournons-nous du côté de messire Alexandre. En se séparant de sa mère, il emporta la chemise tachée du sang de son père. Elle ne le quitta plus jamais jusqu'au jour de sa mort, pour le faire se ressouvenir de ce meurtre. Il avait pour intention de chevaucher jusqu'à Londres, suivant en cela le conseil de messire Tristan, afin de rencontrer messire Lancelot. Mais le hasard fit qu'il choisit d'aller le long de la mer et se trompa de chemin. C'est alors qu'il remporta dans un tournoi le prix que le roi Caradoc avait mis en jeu. En cette occasion il renversa ledit roi et vingt de ses chevaliers, de même que le valeureux messire Saphar, le frère de messire Palamède, valeureux lui aussi. Tout ceci n'échappa point à une demoiselle. C'était le meilleur jouteur qu'elle eût jamais vu. Chaque fois qu'il mettait un adversaire à terre, il lui faisait jurer de ne plus porter de harnois de guerre avant un an et un jour. « Voilà qui est bien parlé, dit de son côté Morgane la Fée. C'est un chevalier comme je les aime. » Elle prit son palefroi, chevaucha longuement, puis alla se reposer en son pavillon.

Survinrent alors quatre chevaliers. Deux étaient armés, deux autres non. Ils se nommèrent auprès de Morgane la Fée. Le premier s'appelait Hélinan de Gomeret, le deuxième Car de Gomeret. Ces deux-là portaient des armes. Les deux autres venaient de Carmélide. Ils étaient cousins de la reine Guenièvre. L'un avait nom Gui, l'autre Corradin. Ils ne portaient pas d'armes. Ces quatre hommes dirent à Morgane la Fée comment, devant un château, un jeune chevalier les avait mis à terre. La demoiselle de ce château racontait qu'il était adoubé depuis peu, et jeune. « Mais, croyons-nous, mis à part messire Tristan, messire Lancelot ou le valeureux messire Lamorat, nous ne voyons point qui pourrait rester en selle quand il donne un bon coup de sa lance. — Eh bien, repartit Morgane la Fée, j'irai trouver ce chevalier avant qu'il soit longtemps, pourvu qu'il demeure encore en ce pays. »

Revenons-en à la demoiselle du château. Quand Alexandre l'Orphelin eut défait à la joute les quatre combattants susdits, elle l'appela et lui dit : « Sire chevalier, voudriez-vous pour m'être agréable jouter et combattre avec un chevalier, cela pour me servir, un homme de ce pays, qui se conduit avec moi en mauvais voisin et ce depuis longtemps ? Il a nom Malagrin et ne veut pas que je me marie. Il n'en démord point, quoi que je fasse, ou quoi que fasse aucun chevalier pour me venir en aide. — Demoiselle, répondit Alexandre, s'il se présente pendant que je serai ici, je le combattrai et pour vous plaire risquerai ma pauvre vie. » Aussitôt elle envoya chercher Malagrin, car il faisait ses quatre volontés.

Lorsqu'ils se virent, ces deux chevaliers s'apprêtèrent à jouter. Malagrin rompit sa lance sur Alexandre. Alexandre, lui, frappa si fort que Malagrin quitta sa selle et s'en alla voler jusqu'au sol. Mais ce Malagrin fit vite à se relever. Il ajusta son écu, tira son épée et enjoignit à son adversaire de descendre de sa monture, disant : « Tu as pris le meilleur sur moi à cheval, mais tu vas voir qu'à pied je puis tenir tête en bon chevalier. — C'est bien parlé », repartit Alexandre. Vite il mit pied à terre et confia son destrier à son valet. Puis ils se ruèrent l'un sur l'autre, tels deux sangliers, donnant sus heaume et bouclier fort longtemps, l'espace de trois heures, de telle sorte que nul ne pouvait dire quel était le meilleur des deux.

Cependant Morgane la Fée vint trouver la demoiselle du château, et elles regardèrent le combat. Ce Malagrin était un chevalier d'expérience, et on le réputait à pied l'un des plus dangereux qui fussent au monde. À cheval, beaucoup valaient mieux que lui. Toujours il guettait l'instant de porter à Alexandre le coup fatal. Il lui faisait de si graves blessures que c'était merveille qu'il pût tenir debout, tant il avait perdu de son sang. Alexandre combattait avec ardeur, mais non avec art. L'autre était plein de traîtrise. Il attendait son heure et frappait efficacement.

À un moment, ils se précipitèrent l'un contre l'autre avec leurs boucliers, tels deux sangliers ou deux béliers, et tombèrent tous deux face contre terre. « À présent, chevalier, dit Malagrin, arrête un peu ton bras et donne-moi ton nom. — Je n'en ferai rien, repartit Alexandre, à moins que cela ne me plaise. Mais toi d'abord, dis-moi ton nom et pourquoi tu défends l'accès de ce pays, sinon tu mourras de ma main. — Sache, reprit Malagrin, que par amour pour cette pucelle, j'ai malencontreusement tué dix chevaliers de mérite, tandis que par violence et orgueil j'en ai fait périr dix autres. — Par Dieu, s'écria Alexandre, ceci est l'aveu le plus infâme que j'aie jamais entendu faire à un chevalier, et je n'ai jamais ouï parler qu'un autre que toi ait reconnu pareille indignité. Ce serait grand dommage et pour moi grande honte de te laisser vivre plus longtemps. En conséquence, garde-toi du mieux que tu pourras car, foi de chevalier, ou tu me tueras, ou je vais te tuer, tu peux m'en croire. »

Là-dessus ils s'assaillirent avec furie. Finalement Alexandre d'un coup d'épée jeta Malagrin au sol. Il fit sauter son heaume et vite lui trancha la tête. Après quoi, le combat terminé, sans attendre il appela son valet, lequel lui amena son cheval. Se croyant assez robuste pour cela, il tenta de se mettre en selle, mais sans y parvenir. Adonc la demoiselle le fit placer dans une litière et conduire en son château, car il n'avait pas la force de mettre un pied devant l'autre. Il souffrait de seize graves blessures, dont l'une en particulier menaçait d'être mortelle.

CHAPITRE XXXVII

Comment la reine Morgane la Fée retint Alexandre en son château, et comment elle guérit ses blessures

LORS la reine Morgane la Fée sonda ses plaies, et elle y mit un onguent qui sembla devoir l'achever. Le lendemain matin, quand elle vint le voir, il gémissait affreusement. Elle appliqua d'autres onguents, et la douleur disparut. Sur ces entrefaites arriva la demoiselle du château. Elle dit à Morgane la Fée : « Ayez la bonté de m'aider, afin que ce chevalier me prenne pour femme, car il en a gagné le droit par ce qu'il a fait pour moi. — Vous verrez bien, lui dit Morgane, ce que je dirai. » Elle alla trouver Alexandre et lui enjoignit de refuser absolument, si la demoiselle émettait le vœu qu'il l'épousât, car elle n'était pas pour lui. La demoiselle vint et lui demanda le mariage. « Demoiselle, répondit l'Orphelin, je vous remercie, mais pour l'instant je n'ai pas l'intention de prendre femme en ce pays. — Messire, dit-elle, puisque vous ne voulez pas m'épouser, je vous prie, m'ayant obtenue, de me donner à un chevalier de la contrée, qui m'a marqué de l'amitié et m'aime depuis de longues années. — De tout mon cœur j'y consens. » On envoya quérir ce chevalier. Il avait nom Guérin le Gros. Sur-le-champ ils furent accordés, et on célébra les noces.

Ensuite la reine Morgane la Fée vint devers Alexandre. Elle lui dit de se lever et le fit placer dans une litière. Elle lui donna un breuvage qui fit que de trois jours et trois nuits il ne s'éveilla point mais dormit d'une traite. Ce fut ainsi qu'elle le conduisit en son château, qu'on appelait alors le château de Belle Garde. Une fois là, elle vint le voir et lui demanda s'il aimerait être guéri. « Qui choisirait d'être malade, répondit-il, qui pourrait être bien portant? — En ce cas, vous allez me donner votre parole de chevalier que pendant un an et un jour, à dater de ce jour-ci, vous ne franchirez pas les limites de ce château. Alors sans aucun doute vous retrouverez très vite la santé. — J'y consens », dit Alexandre. Il lui fit promesse et fut bientôt guéri. Quand il se sentit dispos, il regretta d'avoir engagé sa foi, car cela l'empêchait de se venger du roi Marc.

Sur ces entrefaites arriva une demoiselle, qui était cousine du comte du Pas, et aussi de Morgane la Fée. En droit et par héritage naturel, ce château de Belle Garde eût dû lui appartenir. Elle entra en la demeure, où se trouvait Alexandre, et le découvrit étendu sur son lit, en proie à la tristesse et à la consternation.

CHAPITRE XXXVIII

Comment Alexandre fut délivré de la reine Morgane la Fée par le moyen d'une demoiselle

« SIRE CHEVALIER, lui dit la demoiselle, si vous voulez vous égayer, je puis vous annoncer de bonnes nouvelles. — Je serais bien aise, lui repartit Alexandre, d'entendre des nouvelles qui fussent bonnes, car je suis à présent prisonnier sur parole. — Messire, sachez-le bien, prisonnier vous l'êtes, et votre captivité est pire que vous ne l'imaginez. Ma dame et cousine, la reine Morgane la Fée, vous garde céans dans nul autre dessein que de prendre avec vous du plaisir quand bon lui semblera. — Dieu me garde de pareil plaisir! J'aimerais mieux me couper les bourses que de le lui procurer. — Avec l'aide de Dieu, si vous consentez à m'aimer et à vous laisser guider par moi, je vous délivrerai, et votre honneur sera sauf. — Dites-moi par quels moyens, et je vous aimerai. — Gentil chevalier, ce château en droit devrait m'appartenir, et j'ai un oncle qui est un puissant comte. C'est le comte du Pas. Il déteste Morgane la Fée plus que n'importe qui au monde. Je vais lui envoyer un chevaucheur et le prier, par égard pour moi, de détruire ce château, à cause des infâmes coutumes que l'on y observe. Il viendra et boutera le feu partout dans la demeure. Je vous ferai sortir par une poterne secrète. Vous y trouverez votre cheval et votre harnois. — C'est bien parlé, demoiselle. » Puis elle reprit : « Vous pourriez alors garder la chambre où vous êtes pendant un an et un jour, sans faillir à votre serment. — Assurément, gente demoiselle, repartit Alexandre, vous avez raison. » Après quoi il embrassa la demoiselle et contenta ses désirs, en accord avec les vœux de l'un et de l'autre, et à leur aise et commodité.

Sans tarder, elle envoya un messager à son oncle, lui disant de venir détruire le château (le livre spécifie qu'il l'eût fait plus tôt si elle n'avait pas été là). Lorsque le comte eut pris connaissance de ses lettres, il lui fit réponse que tel jour il viendrait effectuer la besogne. Quand ce jour fut venu qui avait été dit, le comte du Pas arriva en compagnie de quatre cents chevaliers. Il mit le feu partout dans le château si bien que lorsqu'ils eurent fini, il ne restait plus pierre sur pierre. Tout le temps que le feu brûla dans la maison, Alexandre demeura dans le jardin. Quand l'incendie fut éteint, il fit crier qu'il garderait le lopin de terre où s'était dressé le château de Belle Garde pendant un an et un jour, contre tout chevalier qui voudrait s'y introduire, quel qu'il fût.

Or il advint qu'il y avait un duc du nom de Rancier, qui était de la famille de messire Lancelot. Ce chevalier était grand pèlerin. Tous les trois ans, il se rendait à Jérusalem. Parce que toute sa vie il était allé en pèlerinage, on l'avait appelé le duc Rancier le Pèlerin. Ce duc avait une fille du nom d'Ailies. Elle était d'une grande beauté. À cause de son père, on la connaissait sous le nom d'Ailies la Belle Pèlerine. Dès qu'elle sut qu'on faisait crier cela, elle chevaucha jusqu'à la cour d'Arthur et là, publiquement, alors que beaucoup de chevaliers pouvaient l'entendre, elle déclara que tout chevalier qui vaincrait celui qui gardait ce lopin de terre l'obtiendrait, ainsi que tous ses domaines.

Quand les chevaliers de la Table Ronde entendirent cela, beaucoup se réjouirent, car elle avait grande beauté et belles rentes. Elle le fit crier sans tarder, dans les villes et dans les châteaux, aussi vite qu'Alexandre l'avait fait. Après quoi elle planta son pavillon tout près du lopin de terre sur lequel il faisait bonne garde. Elle n'était pas plus tôt arrivée que se présenta un chevalier de la cour d'Arthur, qui s'appelait Sagremor le Desrée. Il offrit de jouter avec Alexandre. Ils se rencontrèrent. Sagremor rompit sa lance sur messire Alexandre, tandis que l'autre le heurtait si rudement qu'il vida les étriers.

Lorsque la Belle Ailies vit qu'Alexandre était si bon jouteur, elle se prit à penser qu'il avait à cheval fort belle allure. Vite elle sortit de son pavillon, saisit le destrier du jeune homme par la bride et dit : « Gentil chevalier, je le requiers de ta chevalerie, montre-moi ton visage. — Je ne vois pas pourquoi, répondit-il, je vous le cacherais. » Sur ce il enleva son heaume. Elle le regarda et dit : « Seigneur ! il me faut t'aimer, toi et nul autre. — Montrez-moi votre visage, vous aussi », dit-il.

CHAPITRE XXXIX

Comment Alexandre fit rencontre d'Ailies, la Belle Pèlerine, et comment il jouta avec deux chevaliers. Ensuite de lui, et de messire Mordret

ELLE DÉVOILA son visage. Quand il l'eut vue, il dit : « J'ai trouvé mon amour et ma dame. À la vérité, gente demoiselle, reprit-il, je vous promets d'être votre chevalier, et de nulle autre au monde. — À présent, gentil chevalier, votre nom ? — Mon nom est Alexandre l'Orphelin. Quel est le vôtre ? — Ailies la Belle Pèlerine. Quand nous serons plus à l'aise, vous et moi nous dirons de quel lignage nous sommes. » Il y eut beaucoup d'amour entre eux.

Tandis qu'ils devisaient de la sorte, il vint un chevalier qui se nommait Herlau le Barbu. Il demanda partie des lances de messire Alexandre. Adonc celui-ci accepta de combattre. À la première lance, Herlau passa par-dessus la croupe de son cheval. Vint alors un autre chevalier, du nom de messire Hugon. Messire Alexandre le renversa comme il avait fait du premier. Messire Hugon alors proposa de combattre à pied. Messire Alexandre en vint à bout en trois coups d'épée et l'eût occis s'il ne s'était rendu. Il fit jurer à ces deux chevaliers de ne pas porter harnois de guerre avant un an et un jour. Puis il descendit de son cheval et alla se reposer et délasser.

Lors la demoiselle qui l'avait aidé à sortir du château en plaisantant raconta à Ailies, sans rien omettre, comment il avait été retenu captif dans le château de Belle Garde, et aussi comment elle l'avait délivré de sa prison. « Messire, dit la Belle Pèlerine, il me semble que vous êtes grandement redevable à cette jeune fille. — C'est vérité », reconnut Alexandre. Puis Ailies lui dévoila quelle était sa race. « Sachez, messire, que je suis du sang du roi Ban, qui était père de messire Lancelot. — Sachez, vous aussi, repartit Alexandre, qu'à ce que m'a dit ma mère, mon père à moi était frère de roi, et que je suis cousin germain de messire Tristan. »

Sur ces entrefaites il arriva trois chevaliers. Le premier se nommait Henri le Petit, le deuxième Hervé des Marches, le troisième Périn de la Montagne. D'une seule lance, messire Alexandre les renversa tous les trois. Leurs chutes furent telles qu'ils n'eurent nulle envie de poursuivre le combat à pied. Il leur fit jurer de ne pas porter de harnois avant un an. Lorsqu'ils furent partis, il contempla sa dame, Ailies. Il était alors immobile sur sa monture, dans le pavillon de celle-ci. Il était entiché d'elle au point de ne plus savoir s'il était à pied ou à cheval. C'est alors que survint messire Mordret, le fourbe chevalier. Il comprit que messire Alexandre s'était assoté de sa dame. Il saisit le cheval de l'amoureux par la bride et le mena çà et là. Il songea même à conduire messire Alexandre dans un autre lieu, pour se moquer de lui.

Lorsque la demoiselle qui avait aidé Alexandre à sortir du château vit comment il était indignement mené par la bride, sans tarder elle revêtit une armure et ajusta un bouclier à son épaule. Puis elle monta sur son cheval, prit en main une épée nue et en frappa Alexandre de toute sa force. Elle lui porta un coup si violent qu'il en vit trente-six chandelles. Une fois qu'il eut ressenti ce coup, il regarda autour de lui et tira son épée. Voyant cela, elle s'enfuit. Mordret aussi prit la fuite. Il gagna la forêt. La demoiselle se réfugia dans le pavillon. Lorsqu'Alexandre comprit comment Mordret l'eût mis à honte sans le secours de la demoiselle, il se mit en colère contre lui-même d'avoir laissé échapper ce fourbe chevalier. Cependant Ailies et lui se divertirent de ce que la demoiselle avait fait, du coup sévère qu'elle lui avait donné sur le heaume.

Ensuite messire Alexandre jouta de même manière, jour après jour. À pied également, il livra de nombreux combats à maint chevalier de la cour du roi Arthur et à beaucoup d'étrangers. Raconter tous les combats serait trop long, car journellement, pendant un an, il eut affaire à un chevalier ou à un autre. Parfois il faisait face à trois ou quatre. Jamais il n'eut le dessous. Les douze mois écoulés, il partit en compagnie de sa dame, Ailies la Belle Pèlerine. La demoiselle se refusa toujours à les quitter. Ils allèrent en leur pays de Bénoïc et y vécurent heureux.

CHAPITRE XL

Comment messire Galehot fit crier des joutes en Sorelois, les chevaliers de la reine Guenièvre devant jouter contre quiconque se présenterait

CEPENDANT, le livre le dit bien, le roi Marc n'eut de cesse qu'il n'eût tué Alexandre par traîtrise. D'Ailies ce dernier eut un enfant, nommé Bélangère le Beuse. Par aventure il vint à la cour du roi Arthur, où il se révéla fort bon chevalier. Il vengea la mort de son père, car le roi Marc en sa perfidie occit tant messire Tristan qu'Alexandre, par traîtrise et félonie. Les choses se passèrent de telle sorte qu'Alexandre n'eut jamais la bonne fortune, quant à lui, d'aller à la cour d'Arthur. S'il avait pu connaître messire Lancelot, chacun s'accordait à dire qu'il eût été l'un des chevaliers les plus redoutables de ce temps-là. Il fut beaucoup regretté. Mais laissons là l'histoire d'Alexandre et passons à un autre récit.

Il advint donc que messire Galehot, le haut prince, eut autorité sur le pays de Sorelois, d'où était issu maint chevalier valeureux. Ce noble prince était expert aux armes et s'entoura toujours de remarquables compagnons. Il vint donc à la cour du roi Arthur et lui communiqua son intention. Il voulait crier des joutes dans le pays de Sorelois. Mais ce pays faisait partie des terres du roi Arthur, c'est pourquoi il lui en demandait permission. « Je vous accorde cette permission, répondit le roi, mais sachez-le bien, je ne pourrai être là. — Sire, intervint la reine Guenièvre, acceptez donc de me laisser y aller. — Bien volontiers, dit Arthur. Messire Galehot, le haut prince, prendra soin de vous. — Sire, repartit Galehot, mes désirs sont les vôtres. J'emmènerai donc la reine et ceux des chevaliers qui ont ma préférence. — Faites comme bon vous semblera », dit le roi.

Adonc incontinent la reine donna ordre à messire Lancelot de se préparer, avec les chevaliers qu'il voudrait emmener. Dans toutes les bonnes villes et châteaux de ce pays on fit crier qu'en Sorelois messire Galehot donnerait des joutes d'une durée de huit jours. Le haut prince, avec l'aide des chevaliers de la reine Guenièvre, jouterait contre quiconque se présenterait. Quand ce fut annoncé, rois et princes, ducs et comtes, barons et nobles chevaliers s'apprêtèrent à prendre part auxdites joutes. Le jour où elles eurent lieu, messire Dinadan y vint sous un déguisement et accomplit beaucoup de hauts faits d'armes.

CHAPITRE XLI

Comment messire Lancelot combattit dans le tournoi,
et comment messire Palamède fit des actions d'éclat pour une demoiselle

LORS, à la requête de la reine Guenièvre et du roi Bademagu, messire Lancelot entra dans le champ. Mais il était déguisé, ce qui fit que peu de gens le reconnurent. Messire Hector des Mares, son propre frère, le rencontra. Chacun rompit sa lance à hauteur de la poignée. Ils prirent donc d'autres lances, et messire Lancelot culbuta messire Hector, son propre frère. Messire Bliobéris le vit. Il choqua messire Lancelot si rudement sur le heaume que celui-ci ne sut plus très bien où il en était. Cela eut pour effet de le mettre en courroux. Il donna violemment sur le heaume de messire Bliobéris, dont la tête ploya sous le choc. Il frappa encore. Messire Bliobéris vida les arçons. Après quoi messire Lancelot passa outre et se rua au plus fort de la mêlée.

Quand le roi de Norgalles vit que messire Hector et messire Bliobéris gisaient sur le sol, il s'en irrita, car ils étaient de son parti contre ceux de Sorelois. Il courut donc sus à messire Lancelot et brisa une lance contre lui, qui fut mise en morceaux. Lors messire Lancelot se porta à la hauteur du roi de Norgalles. Il lui asséna de son épée sur le heaume un coup si brutal qu'il le fit tomber de son cheval. Mais vite le roi fut remis en selle. Les deux compagnies, celle du roi Bademagu et celle du roi de Norgalles, fondirent l'une sur l'autre. Ce fut le commencement d'une âpre mêlée, où cependant ceux de Norgalles se montrèrent les plus forts.

Lorsque messire Lancelot vit que son parti avait le dessous, il se précipita là où la bataille était la plus chaude, l'épée à la main. Il frappa de droite et de gauche, traînant à terre des chevaliers, arrachant leurs heaumes, si bien qu'on s'étonnait partout de voir un homme seul accomplir de pareils exploits. Quand messire Méléagant, le fils du roi Bademagu, vit faire messire Lancelot, il en fut stupéfait. Mais lorsqu'il sut de qui il s'agissait, il crut que c'était à cause de lui que messire Lancelot avait pris un déguisement. Il pria alors un chevalier de tuer le cheval de Lancelot, soit avec une épée, soit avec une lance.

Sur ce le roi Bademagu alla trouver un chevalier qui se nommait Samson. C'était un bon chevalier. Il lui dit : « À présent, gentil Samson, rencontre donc mon fils, Méléagant, et donne-lui plus que son dû. Je voudrais qu'il fût largement vaincu par toi, afin qu'il se retirât hors du champ. » Messire Samson rencontra messire Méléagant. Ils se renversèrent mutuellement. Ils poursuivirent le combat à pied et là, Samson aurait pris le dessus sans le secours qui fut apporté à son adversaire. Lors le haut prince fit sonner la fin de la journée. Chacun ôta son armure pour se rendre au grand banquet.

Sur ces entrefaites, une demoiselle s'en vint trouver messire Galehot. Elle se plaignit qu'un chevalier du nom de Gorois retenait toutes ses terres. Ce chevalier était là présent. Il jeta son gantelet à quiconque combattrait au nom de la demoiselle. Elle ramassa le gant fort dépitée, nul champion ne s'offrant à le relever pour elle. Lors un serviteur s'approcha, qui lui dit : « Demoiselle, voulez-vous suivre mon conseil? — Très volontiers. — Allez donc devers un chevalier que je vous dirai, qui est couché non loin d'ici dans un ermitage, et qui poursuit la Bête en Chasse. Requérez-le de se charger de ce combat. Vous verrez que tout de suite il acceptera. » Aussitôt elle prit son palefroi, et peu de temps après elle découvrit ce chevalier, qui était messire Palamède. Lorsqu'elle lui présenta sa requête, il s'arma, l'accompagna, puis l'envoya devers le haut prince demander à celui-ci l'autorisation de combattre. « Je veux bien », dit le haut prince.

Les chevaliers se tinrent prêts à jouter dans le champ sur leurs chevaux. Ils prirent chacun une lance et mirent tant d'ardeur à se rencontrer que les deux lances volèrent en éclats. Vite ils dégainèrent leurs épées. Messire Palamède, en le frappant, fit tomber messire Gorois. Puis il lui arracha son heaume et lui coupa la tête. Après quoi on alla souper. La demoiselle prit messire Palamède pour son amant — cependant, le livre nous dit qu'elle était de sa famille. Messire Palamède ensuite se dissimula ainsi : sur son écu il fit peindre la Bête en Chasse, de même que sur le caparaçon. Lorsqu'il fut prêt, il demanda à messire Galehot de le laisser jouter avec d'autres chevaliers. Mais il était craint de messire Lancelot. Messire Galehot lui fournit sa réponse : il était le bienvenu, nonobstant messire Lancelot ne jouterait pas avec lui. Puis le haut prince fit crier que le chevalier, quel qu'il fût, qui renverserait messire Palamède lui prendrait sa demoiselle.

CHAPITRE XLII

Comment messires Galehot et Palamède combattirent ensemble, et de messires Dinadan et Galehot

COMMENCE ALORS la deuxième journée. — Lorsque messire Palamède entra dans le champ, messire Galehot, le haut prince, s'y trouvait déjà. Il le rencontra, l'autre fit de même, avec de grandes lances. Ils se heurtèrent avec tant de force que leurs lances volèrent en éclats. Messire Galehot frappa si rudement qu'il fit reculer son adversaire sur son cheval, sans toutefois qu'il perdît ses étriers. Puis ils tirèrent leurs épées et se donnèrent maint coup douloureux. Beaucoup de chevaliers de mérite abandonnèrent leur ouvrage pour venir les regarder. Finalement messire Galehot, le haut prince, choqua Palamède sur le heaume avec une rare violence. Le heaume était si dur que la lame ne put y pénétrer. Elle glissa et trancha la tête du cheval.

Lorsque le haut prince vit que ce valeureux chevalier tombait sur le sol, il eut honte du coup qu'il lui avait porté. Il mit pied à terre et pria Palamède d'accepter sa propre monture, en lui demandant de pardonner ce qu'il avait fait. « Messire, repartit Palamède, je vous remercie de votre grande bonté. Jamais d'un homme d'honneur chevalier n'eut à craindre déshonneur. » Il enfourcha donc le cheval qu'on lui offrait, tandis qu'on en amenait un autre sans tarder à messire Galehot. « À présent, dit le haut prince, je vous abandonne cette pucelle. Vous l'avez méritée. — Ah ! s'exclama Palamède, cette demoiselle et moi obéissons à vos ordres. » Ce fut ainsi qu'ils se séparèrent, et messire Galehot accomplit de hauts faits d'armes.

Messire Dinadan survint alors. Il rencontra messire Galehot. L'un et l'autre se coururent sus avec tant d'ardeur que leurs lances se brisèrent à hauteur des poignées. Dinadan croyait messire Galehot moins dispos qu'il ne l'était vraiment. Il lui porta force coups, pleins de vigueur. Mais, quand il vit qu'il ne pourrait l'abattre, il lui dit : « Monseigneur, je vous en prie, laissez-moi et attaquez-vous à quelqu'un d'autre. » Le haut prince ne reconnut pas Dinadan et gracieusement le laissa, en raison de ses belles paroles. Ils se quittèrent. Mais peu après il vint un chevalier qui informa le prince qu'il s'agissait de Dinadan. « En vérité, dit-il alors, je regrette qu'il m'ait échappé. Railleries, brocards, désormais je n'en aurai jamais fini avec lui. » Galehot courut donc après Dinadan et lui cria : « Dinadan, arrêtez, pour l'amour du roi Arthur ! — Non, repartit l'autre, par Dieu tout-puissant nous ne nous combattrons plus aujourd'hui. »

Animé du courroux que cela lui avait causé, le haut prince affronta Méléagant. Il l'atteignit à la gorge et, s'il était tombé, il se fût rompu le col. De la même lance, le haut prince renversa encore un chevalier. Ceux de Norgalles et beaucoup d'étrangers entrèrent dans le champ. Ils furent sur le point de prendre le dessus sur ceux de Sorelois, car messire Galehot avait sans cesse de nombreuses affaires sur les bras. Le valeureux chevalier Esmont le Vaillant intervint alors, avec quarante compagnons. Galehot les repoussa tous. Ensuite la reine Guenièvre et messire Lancelot firent sonner la fin de la journée. Chacun ôta son armure et s'apprêta pour le banquet.

CHAPITRE XLIII

Comment messire Archade accusa messire Palamède de trahison, et comment celui-ci le tua

QUAND MESSIRE PALAMÈDE eut ôté son armure, il demanda un logement pour la demoiselle et pour lui. Aussitôt le haut prince donna ordre qu'il eût ce qu'il désirait. Messire Palamède n'était pas plus tôt en son logis que survint un chevalier du nom d'Archade. Il était frère de Gorois, qu'auparavant Palamède avait occis dans la querelle de la demoiselle. Ce chevalier, Archade, l'appela traître et l'accusa du meurtre de son frère, Gorois. « Si le haut prince me le permet, répondit Palamède, je relèverai ton défi. » Quand messire Galehot sut ce qui les opposait, il leur dit d'aller dîner. « Dès que vous aurez dîné, que chacun de vous se tienne prêt à combattre ! »

Adonc, après dîner, on les arma tous les deux. Ils prirent leurs chevaux. La reine, le prince, messire Lancelot s'assirent pour les regarder. Ils firent courir leurs destriers. Messire Palamède de sa lance fit passer son ennemi par-dessus la queue de sa monture. Après quoi il mit pied à terre, tira son épée, mais messire Archade ne put se relever. Messire Palamède lui arracha son heaume et lui trancha la tête. Ensuite le haut prince et la reine Guenièvre allèrent souper. Le roi Bademagu éloigna son fils, Méléagant, afin que messire Lancelot ne le rencontrât point. Méléagant détestait messire Lancelot, qui n'en savait rien.

CHAPITRE XLIV

De la troisième journée, et comment messire Palamède jouta avec messire Lamorat. D'autres choses aussi

MAINTENANT commence la troisième journée. — Ce jour-là, le roi Bademagu se prépara. Le roi Marsille s'offrit à le rencontrer. Ce roi avait reçu de messire Galehot une île, laquelle s'appelait Pometaine. Il advint donc que le roi Bademagu et le roi Marsille de Pometaine se rencontrèrent, la lance à la main. Le second fut frappé de telle sorte qu'il vola par-dessus la croupe de son cheval. Sur ce, un de ses chevaliers se présenta pour venger son seigneur. Le roi Bademagu le jeta au sol, lui aussi, monture et cavalier. Il vint alors un comte du nom d'Arous, et messire Brun, avec lui cent chevaliers de Pometaine, et le roi de Norgalles avec eux. Tous ceux-là voulaient en découdre avec ceux de Sorelois. Commença une grande bataille. Beaucoup de chevaliers furent piétinés par les chevaux. Ce fut le roi Bademagu qui se conduisit le mieux, car il fut le premier à l'ouvrage et ne se retira jamais. Guerrehet, le frère de Gauvain, ne cessait de vouloir le frapper au visage. Mais fin de compte le roi Bademagu le jeta au sol, monture et cavalier.

Il advint dans la suite que messire Palamède, le valeureux chevalier, rencontra messire Blanor de Gaunes, frère de messire Bliobéris. Ils se heurtèrent avec de grandes lances, et tant les chevaux que ceux qui les montaient se retrouvèrent au sol. Messire Blanor tomba de telle façon qu'il faillit se rompre le cou. Le sang jaillit par le nez, la bouche, les oreilles. Finalement il eut bonne guérison, grâce à de savants chirurgiens. Puis ce fut le tour du duc Achalain d'entrer dans le champ. Un de ses hommes liges se présenta, qui s'appelait Hélis le Noir. Le roi Bademagu l'entreprit. Il donna sus à ce chevalier et lui fit vider les arçons. Le duc Achalain accomplit de hauts faits d'armes. Bien qu'il fût venu tard dans la troisième journée, nul ne fit aussi bien, hors messire Palamède et le roi Bademagu, lequel reçut le prix pour ce jour-là. Après quoi on sonna l'arrêt des combats. Les chevaliers enlevèrent leurs armures et s'en furent au banquet. Sur ces entrefaites arriva Dinadan. Il se mit à plaisanter et railler avec le roi Bademagu, si bien que tout le monde rit. Dinadan était maître en raillerie et aimait tous les bons chevaliers.

Sitôt qu'on eut fini de dîner, il vint un serviteur portant quatre lances sur son dos. Il alla trouver Palamède et lui dit : « Un chevalier vous envoie ces quatre lances, afin que vous puissiez choisir. Il vous requiert, pour l'amour de votre dame, d'en prendre la moitié et de jouter avec lui dedans le champ. — Dites-lui, répondit Palamède, que je ne lui ferai point défaut. » Lorsque messire Galehot apprit cela, il donna ordre à Palamède de se préparer. La reine Guenièvre, le haut prince et messire Lancelot s'assirent en des tribunes pour juger duquel était le meilleur. Les chevaliers mirent tant d'ardeur à la rencontre que leurs lances se rompirent à hauteur des poignées. Aussitôt chacun se saisit d'une autre lance, bien longue. Elles aussi volèrent en éclats. Ils en prirent alors de plus grandes, et le chevalier jeta messire Palamède au sol, monture et cavalier. Tandis qu'il s'apprêtait à passer sur l'homme qui était à terre, le destrier de l'étranger trébucha et tomba sur Palamède. Lors les deux combattants dégainèrent leurs épées et s'assaillirent longuement, avec une vigueur non pareille. Le haut prince et messire Lancelot dirent que jamais ils n'avaient vu mieux faire à des chevaliers. Cependant l'étranger ne cessait de redoubler ses coups. Il fit reculer Palamède. Sur quoi le haut prince cria : « Arrêtez ! » Et l'on en resta là.

Lorsqu'ils eurent retiré leurs armures, on découvrit que l'étranger était le valeureux messire Lamorat. Quand messire Lancelot le sut, il lui fit beaucoup d'amitiés, car nul en son cœur n'avait plus de place, exception faite de messire Tristan. La reine Guenièvre le louangea. Tous les autres bons chevaliers lui témoignèrent beaucoup d'estime, hormis les frères de messire Gauvain. Puis la reine Guenièvre dit à messire Lancelot : « Messire, je vous requiers, si vous joutez encore, que ce ne soit avec nul homme parent de monseigneur Arthur. » Il promit qu'il en serait ainsi cette fois-là.

CHAPITRE XLV

De la quatrième journée, et de beaucoup de hauts faits d'armes

ICI COMMENCE la quatrième journée. — Entrèrent dans le champ le roi des Cent Chevaliers et tous ceux de Norgalles, le duc Achalain, le roi Marsille de Pometaine. Puis ce fut Saphar, le frère de Palamède, auquel il donna des nouvelles de sa mère. On l'appelait le Comte, comme celui qu'il avait accusé devant le roi Arthur : « Il a livré une guerre à mon père et à ma mère, et je l'ai occis en combat loyal. » Tous ces gens-là arrivèrent dans le champ. La demoiselle de Palamède les accompagnait.

Vinrent pour les rencontrer messire Bliobéris de Gaunes et messire Hector des Mares. Messire Palamède combattit messire Bliobéris. L'un et l'autre furent renversés. Messire Saphar et messire Hector s'affrontèrent à leur tour. Les quatre poursuivirent le combat à pied. Puis on vit paraître messire Lamorat. Il se heurta au roi des Cent Chevaliers et le fit voler par-dessus la queue de sa monture. Il en usa de même manière avec le roi de Norgalles et culbuta également le roi Marsille. Avant qu'il en eût fini, de sa lance et de son épée il mit à terre trente chevaliers.

Lorsque le duc Achalain vit Lamorat accomplir de pareils exploits, il voulut éviter d'avoir affaire à lui, de crainte d'être mis à honte. Il enjoignit à tous ses chevaliers sous peine de mort de ne pas le blesser, nul d'entre eux, car « ce serait, dit-il, indignité dont rougiraient tous les bons chevaliers si ce chevalier-là essuyait un affront. » Mais ensuite les deux rois se liguèrent ensemble, et de concert tous attaquèrent messire Lamorat. Il ne leur faillit point. Il courut tantôt ci, tantôt là, frappant de droite et de gauche, arrachant plus d'un heaume, si bien que le haut prince et la reine Guenièvre dirent qu'ils n'avaient jamais vu chevalier accomplir à cheval de semblables prouesses. « Las ! dit messire Lancelot au roi Bademagu, je vais mettre mon harnois et secourir messire Lamorat. — Je vous suis », dit le roi Bademagu.

Quand ils furent tous deux sur leurs montures, ils vinrent à messire Lamorat. Il se tenait au milieu de trente chevaliers. Il avait de la chance, celui qui parvenait à lui porter un coup sévère ! Et il rendait sans mesure tous ceux qu'il recevait. Messire Lancelot se porta au plus fort de la mêlée. D'une lance il abattit messire Mador de la Porte, et du tronçon de cette lance force chevaliers. Le roi Bademagu choquait de droite et de gauche, que c'était merveille. Les trois rois de l'autre parti prirent la fuite. Sur ce messire Galehot fit sonner l'arrêt des combats, et tous les hérauts donnèrent le prix à messire Lamorat. Cependant, à pied, Palamède, messire Bliobéris, messire Saphar, messire Hector continuaient à en découdre. Jamais quatre chevaliers n'avaient montré une valeur aussi égale. On les sépara. Ils retournèrent dans leur camp, ôtèrent leurs armures. Puis ils se rendirent au grand banquet.

Lorsque messire Lamorat fut venu en la cour, la reine Guenièvre le prit en ses bras et lui dit : « Messire, vous vous êtes bien conduit en cette journée. » Puis arriva le haut prince. Il l'accueillit avec beaucoup de joie, de même que Dinadan, à qui le contentement arrachait des larmes. Mais devant son ami les transports de messire Lancelot, nul ne peut les décrire. Après quoi on alla se reposer, et le lendemain matin le prince fit sonner le commencement des combats.

CHAPITRE XLVI

De la cinquième journée, et comment se comporta messire Lamorat

ICI COMMENCE le cinquième jour. — Il advint que messire Palamède arriva le matin et offrit de jouter là où se trouvait le roi Arthur, en un château non loin du Sorelois. Un duc, qui s'était acquis beaucoup de gloire, accepta de le combattre. Messire Palamède le fit passer par-dessus la croupe de son cheval. Ce duc était oncle du roi Arthur. Puis le fils de messire Hélis courut sus à Palamède, qui lui réserva le même sort. Quand messire Yvain vit cela, il s'en irrita. Il enfourcha son destrier et rencontra messire Palamède, lequel le heurta si rudement qu'il tomba, cavalier et monture. Pour abréger mon propos : il renversa trois des frères de messire Gauvain, savoir Mordret, Guerrehet et Agravain. « Seigneur ! s'exclama le roi Arthur, quel outrage de la part d'un Sarrasin de mettre ainsi à bas des hommes de mon sang ! » Il devint fou de rage et imagina de se préparer lui-même pour la joute.

Cela n'échappa point à messire Lamorat. Il vit qu'Arthur et ses parents étaient déconfits. En un rien de temps il fut prêt. Il demanda à Palamède s'il voulait jouter davantage. « Pourquoi pas ? » répondit-il. Ils se ruèrent l'un contre l'autre et rompirent leurs lances, qui volèrent en éclats. Le château tout entier retentit de leurs coups. Chacun alors se saisit d'une lance plus grande. Ils se rencontrèrent avec fureur. L'arme de Palamède se brisa net. Celle de Lamorat tint bon. Messire Palamède vida les étriers et se retrouva couché sur le dos de son cheval. Après quoi il se retira, emmenant sa demoiselle. Messire Saphar s'en alla lui aussi.

Palamède une fois parti, le roi Arthur s'en vint trouver messire Lamorat. Il le remercia de sa bonté et le pria de lui dire son nom. « Sire, répondit-il, sachez bien que mes services vous sont dus. Cependant je ne resterai pas ici, car j'aperçois beaucoup de mes ennemis alentour. — Hélas ! s'exclama le roi, je vois bien que vous êtes messire Lamorat de Galles. Ah ! Lamorat, ne me quittez point et, je vous en fais serment sur ma couronne, je vous appuierai toujours. Gauvain n'aura pas l'audace de vous faire du tort, pas davantage qu'aucun de ses frères. — Sire, repartit messire Lamorat, ils m'en ont déjà fait et ne vous ont pas épargné vous-même. — C'est vrai, dit le roi. Ils ont tué leur propre mère, laquelle était aussi ma sœur, et ma peine est grande. Il eût été plus honorable et mieux avenu que vous l'épousiez. Vous êtes fils de roi, tout comme eux.

— Seigneur ! gémit messire Lamorat, le noble chevalier, sa mort est une chose que je n'oublierai jamais. Je vous le promets, et j'en fais vœu au ciel : je vengerai son trépas, aussitôt que j'en aurai l'occasion. Et si ce n'était le respect que je dois à Votre Altesse, je me serais maintenant vengé de messire Gauvain et de ses frères. — Croyez-moi, repartit Arthur, je vous réconcilierai. — Sire, dit Lamorat, à l'heure qu'il est je ne puis demeurer près de vous. Il faut que je me rende aux joutes, où sont messire Lancelot et le haut prince, messire Galehot. »

Il y avait alors une demoiselle, qui était fille du roi Baudas. Il existait aussi un chevalier sarrasin du nom de Corsabrin. Il aimait la demoiselle et ne souffrait en nulle façon qu'elle se mariât. Il ne cessait de dire du mal d'elle, répandant le bruit qu'elle perdait la tête. C'est ainsi qu'il l'empêchait de prendre époux.

CHAPITRE XLVII

Comment messire Palamède combattit avec Corsabrin au sujet d'une demoiselle, et comment il le tua

LE HASARD FIT que cette demoiselle ouït parler que Palamède se mettait volontiers au service des demoiselles. Elle lui envoya une banderole, le priant de combattre messire Corsabrin par amour pour elle, et qu'il l'obtiendrait s'il avait la victoire, ainsi que les terres de son père qui viendraient à lui échoir. Après quoi la demoiselle fit parvenir un message à Corsabrin, lui disant d'aller devers messire Palamède, Sarrasin comme lui, et lui donnant avis qu'elle lui avait envoyé son pennon. Si lui, Corsabrin, pouvait vaincre Palamède, elle l'épouserait. Quand Corsabrin sut ce qu'elle avait fait, il entra en courroux furieux. Il courut jusqu'en Sorelois, là où était le haut prince. Il y trouva messire Palamède prêt à le rencontrer et qui avait le pennon. Adonc ils s'engagèrent à combattre pour la demoiselle en présence de Galehot. « En ce jour, dit le haut prince, de nobles chevaliers doivent jouter ensemble. Après le dîner, nous verrons ce que vous pouvez faire. »

On sonna le commencement des joutes. Dinadan fut le premier à entrer dans le champ. Il rencontra messire Guérin, un bon chevalier, qu'il fit voler par-dessus la croupe de sa monture. Puis il renversa quatre autres adversaires. Il accomplit des prouesses, car il avait de la valeur. Mais il était raillard et plaisant, joyeux compère comme nul autre parmi les chevaliers de ce temps. Il aimait tous ceux qui avaient du mérite, et eux le lui rendaient bien. Adonc, quand le haut prince vit que Dinadan avait tant de succès, il envoya un messager à messire Lancelot, lui disant de le mettre à terre. « Puis, quand ce sera fait, amenez-le moi, ainsi qu'à la noble reine Guenièvre. »

Messire Lancelot fit ce qu'on lui demandait. Messire Lamorat et lui renversèrent de nombreux chevaliers, arrachant des heaumes et faisant le vide autour d'eux. Ensuite messire Lancelot jeta au sol messire Dinadan. Il donna ordre à ses gens de lui ôter son armure et ainsi le conduisit à la reine et au prince. Ils se divertirent tant de lui qu'ils avaient peine à rester debout. « Eh bien, dit-il, je n'ai subi nul affront, car c'est ce vieux démon de Lancelot qui m'a mis à bas. » Sur ce on alla dîner, et toute la cour s'amusa beaucoup de Dinadan.

Quand on eut dîné, on fit sonner le commencement des combats, afin qu'on pût voir messire Palamède aux prises avec Corsabrin. Au milieu de la lice messire Palamède planta sa banderole. Puis ils se chargèrent sus avec leurs lances à la vitesse de l'éclair. L'un et l'autre furent jetés au sol. Sur ce ils dégainèrent leurs épées, se couvrirent de leurs écus et s'assaillirent rudement, en vigoureux chevaliers. Nulle pièce du harnois ne les arrêtait ou presque, car ce Corsabrin était rompu à toutes les finesses. « Corsabrin, dit Palamède, veux-tu m'abandonner cette demoiselle et son pennon? » La colère de Corsabrin ne connut plus de bornes. Il asséna un tel coup à Palamède que celui-ci dut mettre un genou en terre.

Mais Palamède fit vite à se relever. Il choqua l'autre sur le heaume, si durement qu'il s'affaissa. Aussitôt il lui arracha ce heaume et lui dit : « Corsabrin, rends-toi, ou tu mourras de ma main. — Fi donc! repartit Corsabrin, tu ne me fais pas peur. » Là-dessus Palamède lui trancha la tête. Une telle puanteur s'exhala de son corps quand l'âme s'envola que nul ne put en soutenir l'odeur. Le cadavre fut emporté, et on l'enterra dans un bois, parce que l'homme était païen. Puis on sonna l'arrêt des combats, et on ôta son armure à Palamède.

Quand ce fut fait, Palamède alla devers la reine Guenièvre, le haut prince et messire Lancelot. « Messire, lui dit le haut prince, vous avez assisté aujourd'hui à un grand miracle avec Corsabrin. Vous avez pu sentir quelle odeur s'est dégagée quand l'âme a quitté le corps. Nous vous requérons donc, messire, de recevoir le baptême, et je vous promets que tous les chevaliers ne vous en estimeront que davantage et n'en diront que plus de bien de vous. — Messire, repartit Palamède, je veux que vous sachiez tous que si je suis venu en ce pays, c'est pour y être baptisé. En mon cœur je le suis, et baptisé je le serai. Mais j'ai fait le vœu de ne pas l'être avant d'avoir livré sept combats par amour pour Notre-Seigneur. Alors seulement je recevrai le baptême. Et je me fie en Dieu qu'il saura mon dessein, car mes intentions sont pures. »

Ensuite messire Palamède pria la reine Guenièvre et le haut prince à souper avec lui. Ce qu'ils firent, de même que messire Lancelot et messire Lamorat, et maint autre chevalier de mérite. Le lendemain matin, on entendit la messe. On fit sonner le commencement des combats, et les chevaliers se préparèrent.

CHAPITRE XLVIII

De la sixième journée, et de ce que l'on y fit

ICI COMMENCE le sixième jour. — Messire Guerrehet entra dans le champ. Messire Anséis de Sorelois le rencontra. Messire Guerrehet le fit passer par-dessus la croupe de sa monture. Lors les deux compagnies s'affrontèrent. Il y eut mainte lance rompue et beaucoup de chevaliers jetés sous les pieds des chevaux. Messire Dorian et messire Agloval, qui étaient frères de messire Lamorat, vinrent à leur tour. Ils se heurtèrent à deux autres chevaliers. Ils frappèrent tous quatre de si bon cœur que tous quatre tombèrent, cavaliers et montures. Quand messire Lamorat vit ses deux frères au sol, grande fut sa colère. Il se saisit d'une longue lance et en renversa quatre adversaires. Sa lance se brisa. Lors il tira son épée du fourreau, frappa de droite et de gauche, arracha des heaumes, traîna au sol des chevaliers. Chacun s'ébahit de pareils exploits. Il fit si bien que souvent on s'enfuit à son approche. Quand il en eut fini, il remit ses frères en selle et leur dit : « Mes frères, vous devriez avoir honte de tomber de la sorte. Qu'est-ce qu'un chevalier sinon un homme à cheval? Je ne fais nul cas de celui qui est à pied. Tous les combats à pied sont querelles de brigands. Nul chevalier ne devrait s'y soumettre que lorsque la déloyauté l'y contraint, ou que la force l'y a réduit. Adonc, mes frères, ayez une bonne assiette sur vos destriers. Sinon nc combattez plus devant moi. »

Là-dessus entra dans le champ le duc Achalain. Le comte Ulban de Sorelois alla à sa rencontre. L'un et l'autre vidèrent les arçons. Les chevaliers des deux camps remontèrent leurs seigneurs, car messires Hector et Bliobéris à pied suivaient le duc Achalain, et le roi des Cent Chevaliers accompagnait le comte Ulban. Survint Guerrehet. Il assaillit le roi des Cent Chevaliers, lequel ne fut pas en reste. Le duc Achalain intervint et les sépara. On sonna la fin des combats. Les chevaliers enlevèrent leurs armures et s'en allèrent dîner.

Au milieu du dîner, Dinadan fit son entrée. Il se mit à railler. Il avisa le haut prince, qui paraissait perdre patience à cause de quelque manquement qu'il voyait. Il n'aimait pas le poisson et, parce qu'on lui en servait qu'il avait en abomination, il était de méchante humeur. Lorsque messire Dinadan eut remarqué ce que faisait messire Galehot, il découvrit quelque part un poisson avec une grosse tête. Il le plaça entre deux plats et servit cela au prince. Il eut ces paroles : « Messire Galehot, je puis bien vous comparer à un loup, car un loup ne mange jamais de poisson mais de la viande. » Le prince se mit à rire.

« Dites-moi donc, demanda Dinadan à Lancelot, que diable venez-vous faire en ce pays? Nul chevalier de médiocre valeur ne peut s'y montrer à son avantage à cause de vous. — Messire Dinadan, repartit Lancelot, je vous assure que je ne vous rencontrerai plus, ni vous ni votre grande lance, car je ne puis rester assis sur ma selle quand elle me touche. Pour demeurer en fortune, je prendrai garde à ce corps vigoureux que vous avez. Prenez garde à vous, toujours, vous aussi. Dieu fasse que nous n'ayons d'autre rencontre que devant un même plat de bonne viande! » Entendant cela, la reine et le haut prince rirent tant qu'ils ne purent demeurer à table. Ils s'éjouirent ainsi jusqu'à l'aube. Lors ils entendirent la messe, et l'on sonna la reprise des combats. La reine Guenièvre et toutes les personnes de haut rang prirent place, tandis que des juges, armés de pied en cap et nantis de leurs écus, maintenaient l'ordre et la loi.

CHAPITRE XLIX

De la septième bataille, et comment messire Lancelot, sous le déguisement d'une pucelle, renversa messire Dinadan

À PRÉSENT commence la septième bataille. — Le duc de Cambénic entra dans le champ. Messire Aristant le rencontra, lequel était réputé bon chevalier. Ils y mirent tant de force que chacun fut jeté au sol, avec sa monture. Le comte de Lamballe survint, qui aida le duc à se remettre en selle. Parut alors messire Anséis de Sorelois. Il fit tomber le comte de Lamballe de son destrier. Ce fut le commencement de belles actions. Mainte lance fut brisée. Plus d'un chevalier fut entraîné à terre. Le roi de Norgalles et le comte Ulban se heurtèrent, de telle sorte que tous les juges pensèrent que c'était pour se donner la mort.

Cependant la reine Guenièvre, le haut prince et messire Lancelot insistèrent pour que messire Dinadan se préparât à jouter. « Volontiers, repartit Dinadan, mais je gage que l'un de vous deux voudra me rencontrer. — Par Dieu, dit le haut prince, vous pouvez voir que nous sommes ici les juges, assis, avec nos écus blasonnés. Il vous est facile de savoir si nous avons ou non quitté nos places. » Adonc messire Dinadan partit. Il prit son cheval et rencontra de nombreux chevaliers. Il eut beaucoup de succès.

Une fois qu'il fut parti, messire Lancelot se déguisa. Par-dessus son armure il mit un vêtement de jeune fille aux couleurs gaies. Ensuite il requit messire Galehodin de le conduire à travers le champ, et chacun se demanda bien quelle pouvait être cette demoiselle. Lorsque messire Dinadan entra dedans le champ, messire Lancelot, sous cet accoutrement, prit la lance de Galehodin et chargea sus à lui. Messire Dinadan avait les yeux rivés sur l'endroit où devait se trouver messire Lancelot. Il y voyait quelqu'un d'assis à sa place, tout armé. Devant la supposée demoiselle, il craignit bien qu'il ne s'agît de messire Lancelot déguisé.

Mais celui-ci fit si vite à venir à lui qu'il le fit passer par-dessus la croupe de son cheval. En se raillant abondamment de lui, on porta Dinadan dans la forêt voisine. On le dépouilla jusqu'à la chemise. On lui passa un vêtement de femme et l'amena ainsi dans le champ. Puis on fit sonner la fin des combats. Chacun des chevaliers s'en fut ôter son armure.

Messire Dinadan fut conduit parmi eux tous. Quand la reine Guenièvre le vit venir ainsi affublé, elle rit aux éclats, tant qu'elle tomba par terre, et tous ceux qui étaient là présents s'éjouirent comme elle. « Eh bien, dit à Lancelot messire Dinadan, vous êtes si fourbe que je ne me méfie jamais assez de vous. » Après quoi on donna le prix à messire Lancelot d'un commun accord. En second venait messire Lamorat de Galles, puis messire Palamède, quatrième le roi Bademagu. Ces quatre chevaliers furent récompensés. Ce fut fait au milieu d'une grande allégresse et de beaucoup de cérémonie.

Le lendemain matin, la reine Guenièvre et messire Lancelot retournèrent auprès du roi Arthur. Messire Lamorat refusa de les accompagner, malgré toutes les prières qu'on lui en fit. « Je me porte garant, dit messire Lancelot, que si vous venez avec nous, le roi Arthur intimera l'ordre à messire Gauvain et à ses frères de ne pas vous faire le moindre mal. — Là-dessus, répondit-il, je ne me fie ni à messire Gauvain ni à aucun de ses frères. Sachez, messire Lancelot, que sans le roi Arthur, je n'hésiterais guère à les défier eux tous. Mais pour ce qui est de leur faire confiance, cela jamais. Je vous prierai donc de me recommander à monseigneur Arthur et à tous les seigneurs de la Table Ronde. Partout où je serai, je vous rendrai tous les services en mon pouvoir. Il y a peu de temps, d'ailleurs, il m'a été donné de vous venger, lorsque les parents de monseigneur Arthur furent vaincus par messire Palamède. » Sur ce messire Lancelot et lui se séparèrent, chacun les larmes aux yeux de la séparation.

CHAPITRE L

Comment, traîtreusement, messire Tristan fut amené à prendre part à un tournoi pour y être occis, et comment il fut mis en prison

MAINTENANT laissons là ce sujet et parlons de messire Tristan, dont c'est le livre pour l'essentiel. Abandonnons le roi, la reine, messire Lancelot et messire Lamorat. Ici commence la trahison du roi Marc, la machination qu'il conçut pour se défaire de messire Tristan. On fit crier sur les côtes de Cornouailles un grand tournoi et de grandes joutes. Tout cela avait été voulu par messire Galehot, le haut prince, et le roi Bademagu. Leur dessein était de tuer Lancelot, ou au moins de détruire sa réputation et de le mettre à honte, parce que c'était toujours lui qui avait la palme. Ce prince et ce roi, donc, donnaient ces joutes pour nuire à messire Lancelot. Leur projet fut dévoilé au roi Marc, qui s'en réjouissait grandement.

Le roi Marc imagina alors de faire intervenir messire Tristan dans ce tournoi sous un déguisement tel que nul ne pût le reconnaître. Le haut prince penserait qu'il s'agissait de messire Lancelot. Messire Tristan vint donc à ces joutes. Messire Lancelot n'y vint pas. Mais quand on vit un chevalier déguisé accomplir de pareils exploits, on pensa que c'était lui. Le roi Marc, en particulier, opina que c'était Lancelot, de toute évidence. Ils l'assaillirent donc, tant le roi Bademagu que le haut prince et leurs chevaliers, et ce fut merveille s'il put leur résister. Pourtant, malgré tous les efforts que cela lui coûta, messire Tristan eut le prix dans ce tournoi. Il y blessa plus d'un chevalier et en meurtrit plus d'un, cependant qu'eux de leur côté lui causaient de graves blessures et contusions.

À la fin de toutes les joutes, chacun put se rendre compte qu'il s'agissait de messire Tristan de Léonois. Tous ceux qui étaient du parti du roi Marc se réjouirent de ses plaies. Les autres en eurent du regret. Messire Tristan, en effet, n'était pas aussi haï que l'était messire Lancelot au royaume d'Angleterre. Le roi Marc vint trouver Tristan et lui dit : « Gentil neveu, je déplore que vous ayez été blessé. — Grand merci, monseigneur », répondit celui-ci. Le roi le fit placer dans une litière tirée par des chevaux pour lui marquer l'étendue de son affection. « Gentil neveu, ajouta-t-il, je serai votre médecin. » Il chevaucha avec lui et le conduisit à un château, pendant qu'il faisait encore jour. Puis il lui donna à manger. Ensuite il lui donna à boire. Dès qu'il eut tâté de ce breuvage, Tristan tomba endormi. La nuit venue, le roi le fit porter dans un autre château, où on le mit dans une prison bien gardée, un homme et une femme pour lui porter l'eau et la nourriture. Il y demeura longtemps.

Lors on s'avisa de son absence, et nul ne sut dire ce qu'il était devenu. Lorsqu'elle ouït parler qu'il était introuvable, secrètement la Belle Yseut s'en fut trouver messire Sadoc, le priant de se mettre à sa recherche. Quand messire Sadoc eut découvert peu après qu'il avait été emprisonné par le roi Marc et les traîtres de Magance, il se plaça en embuscade, armé, près du château de Tintagel. Par hasard survinrent à cheval le roi Marc et quatre de ses neveux, ainsi que certains des traîtres de Magance. Messire Sadoc les épia. Il quitta sa cachette et leur tomba dessus. Le roi Marc le vit. Il prit l'escampette. Messire Sadoc tua les quatre neveux. Aucun n'en réchappa. Les traîtres de Magance occirent l'un des cousins de Sadoc, en lui faisant au cou une profonde blessure. Mais Sadoc tua tous ces traîtres.

Après quoi il poursuivit sa route. Il atteignit un château, appelé le château de Léonois. Là il put se rendre compte de toute la perfidie et traîtrise du roi Marc. Ceux du château lui tinrent compagnie, jusqu'à ce qu'il arrivât à un autre, qu'on appelait l'Arbraie. Dans la ville voisine ils trouvèrent messire Dinas le sénéchal, un bon chevalier. Lorsque messire Sadoc l'eut informé de toute la machination du roi Marc, messire Dinas abjura son serment d'allégeance et dit qu'il renoncerait à ses terres plutôt que de les tenir d'un tel roi. Bien des chevaliers lui firent écho.

Puis, selon son conseil et celui de messire Sadoc, on garnit toutes les villes et châteaux du pays de Léonois et assembla autant de gens que faire se pouvait.

CHAPITRE LI

Comment le roi Marc fit faire des lettres qu'il donna pour être du pape, et comment messire Perceval délivra messire Tristan de sa prison

TOURNONS-NOUS du côté du roi Marc. Quand il eut échappé à messire Sadoc, il chevaucha jusqu'au château de Tintagel. Là il mit tout le monde en émoi, appelant à prendre les armes quiconque pouvait en porter. On chercha et découvrit les corps des quatre neveux du roi Marc et des traîtres de Magance. Le roi les fit enterrer dans une chapelle. Puis il fit crier par tout le pays qui dépendait de lui que l'on s'armât, car il voyait bien qu'une guerre était inévitable. Lorsqu'il ouït dire et comprit que messire Sadoc et messire Dinas s'étaient soulevés au pays de Léonois, ruses et machinations lui revinrent à l'esprit. Voici ce qu'il imagina : il fit faire de fausses lettres du pape, qu'un clerc étranger vint lui porter. Ces lettres spécifiaient que le roi Marc devait se préparer, sous peine d'excommunication, à venir avec son armée devers le pape, afin de l'aider à se rendre à Jérusalem combattre les Sarrasins. Le clerc venu, ainsi que le roi l'avait conçu, sans tarder le roi Marc envoya lesdites lettres à messire Tristan, avec le message suivant : s'il acceptait de guerroyer contre les mécréants, il serait tiré de sa prison et mis à la tête de l'armée royale.

Lorsque messire Tristan eut pris connaissance de ce message, voici ce qu'il dit au clerc : « Ah ! roi Marc, fourbe tu as toujours été et fourbe tu resteras toujours ! Mais, clerc, dis-lui ceci : puisque le souverain apostolique le réclame, qu'il y aille en personne ! Dis-lui, à ce roi hypocrite, que je n'obéirai point à son commandement, quel que soit le moyen qui me soit laissé pour sortir de prison, car je vois bien quelle récompense m'est donnée en échange de mes loyaux services. » Le clerc retourna auprès du roi Marc et lui rapporta la réponse que lui avait faite messire Tristan. « Bien, dit le roi, mais cela ne l'empêchera pas d'être joué. » Il se rendit à sa chambre, où étaient d'autres lettres contrefaites. Ces lettres disaient que le pape désirait la venue de messire Tristan en personne, afin de faire la guerre aux mécréants. Le clerc revint à messire Tristan avec ces lettres, lequel les regarda et n'eut aucune peine à découvrir la tromperie du roi Marc. « Ah ! s'exclama-t-il, tu as toujours été menteur, roi Marc, et menteur tu mourras. »

Le clerc quitta messire Tristan pour retourner chez le roi. Quatre chevaliers blessés étaient arrivés au château de Tintagel. L'un d'eux avait le col presque tranché. Un autre avait perdu un bras d'un coup d'épée. Le troisième avait été transpercé d'une lance. Le quatrième avait la mâchoire fracassée. Quand ils furent devant le roi Marc, ils s'écrièrent : « Roi, pourquoi ne t'enfuis-tu pas quand il est clair que tout le pays est en révolte contre toi ? » Le roi Marc se mit en rage. Pendant ce temps, messire Perceval le Gallois était venu dans le pays à la recherche de messire Tristan. Apprenant qu'il était en prison, il le tira de sa captivité par sa seule vaillance. Quand il retrouva ainsi la liberté, messire Tristan témoigna beaucoup de joie à messire Perceval, qui fut aussi heureux de le revoir. Tristan lui dit : « Si vous choisissez de demeurer en ces marches, je vous tiendrai compagnie. — Non, répondit Perceval, en ce pays je ne puis m'attarder. Il me faut retourner en Galles. »

Messire Perceval quitta donc messire Tristan. Il alla droit au roi Marc et lui dit comment il avait délivré son ami. Il lui dit également qu'il s'était couvert de honte en emprisonnant messire Tristan, car « il est aujourd'hui le chevalier au monde qui a le plus de renom. Sachez que ceux qui ont le plus de noblesse le portent dans leur cœur et que, s'il décide de vous faire la guerre, vous ne pourrez lui résister. — C'est vrai, répondit le roi, mais il m'est impossible de l'aimer parce qu'il aime mon épouse et ma reine, la Belle Yseut. — Fi donc ! s'exclama messire Perceval. Ne parlez plus de cela. N'êtes-vous pas l'oncle de messire Tristan ? N'est-il pas votre neveu ? Comment pouvez-vous penser qu'un aussi noble chevalier aille s'avilir pareillement en prenant la femme de son oncle ? Nonobstant, poursuivit-il, il peut aimer votre reine d'un amour non coupable. Ne dit-on pas qu'elle est l'une des plus belles dames qui soient ? »

Puis messire Perceval quitta le roi Marc. Quand il fut parti, le roi considéra d'autres perfidies, bien qu'il eût concédé à Perceval de ne jamais chercher à nuire à messire Tristan de quelque manière que ce fût. Sur l'heure il envoya un message à messire Dinas le sénéchal, lui disant de disperser tous les gens qu'il avait assemblés, car il faisait serment dans sa lettre d'aller en personne devers le pape à Rome pour guerroyer contre les mécréants. Et ajoutait-il, il y a plus d'honneur à faire ainsi la guerre qu'à soulever le peuple contre votre roi. Lorsqu'il sut que son prince voulait livrer bataille aux mécréants, messire Dinas hâtivement rendit leur liberté à toutes ses troupes. Quand chacun eut regagné son logis, le roi Marc épia où se trouvait messire Tristan avec la Belle Yseut. Et là, traîtreusement, il le fit saisir et mettre en prison, malgré la promesse qu'il avait faite à messire Perceval.

Lorsque la reine Yseut apprit que messire Tristan était prisonnier, jamais dame n'eut plus de chagrin, qu'elle fût de haute ou de basse naissance. Tristan lui envoya une lettre, la priant d'être sa bonne dame. Si elle voulait bien apprêter un vaisseau pour elle et pour lui, il l'accompagnerait au royaume de Logres (autrement dit, l'Angleterre). Lorsqu'elle eut la lettre de messire Tristan et comprit son intention, elle lui écrivit à son tour, lui disant de ne pas perdre courage. Le bateau serait prêt et fait tout le nécessaire. Elle envoya donc des messagers à messire Dinas ainsi qu'à Sadoc, les priant de s'assurer d'une manière ou d'une autre de la personne du roi Marc et de le retenir prisonnier jusqu'à ce que messire Tristan et elle fussent partis pour le royaume de Logres. Messire Dinas comprit la ruse du roi Marc. Il promit dans sa réponse que le roi serait emprisonné. Il en alla comme ils l'avaient conçu. Messire Tristan fut remis en liberté et, en toute hâte, la reine et lui prirent les mesures nécessaires avec ceux qu'ils voulaient emmener en partant.

CHAPITRE LII

Comment messire Tristan et la Belle Yseut vinrent en Angleterre, et comment messire Lancelot les conduisit au château de la Joyeuse Garde

LORS la Belle Yseut et messire Tristan prirent leur vaisseau, et par mer ils arrivèrent en ce pays. Ils n'y étaient pas depuis quatre jours que l'on cria des joutes et un tournoi donnés par le roi Arthur. Lorsque messire Tristan ouït parler de ce tournoi, il prit un déguisement, de même que la Belle Yseut, et s'y rendit. Quand il y fut, il vit force jouteurs et tournoyeurs. Il s'apprêta à entrer lui aussi dans le champ et, pour abréger, renversa quatorze chevaliers de la Table Ronde. Quand il eut assisté à toutes ces défaites, messire Lancelot se mit en devoir de combattre messire Tristan. L'arrivée de messire Lancelot dedans le champ n'échappa point à la Belle Yseut. Elle lui envoya un anneau et lui fit savoir que sous le déguisement était messire Tristan de Léonois. Messire Lancelot s'en réjouit grandement et refusa de jouter avec lui. Il le chercha des yeux et le rejoignit. Ce fut alors une grande allégresse, tant pour l'un que pour l'autre. Messire Lancelot conduisit messire Tristan et la Belle Yseut en la Joyeuse Garde, son propre château, qu'il avait acquis par ses exploits. Il leur demanda de le considérer comme leur appartenant. Et sachez que ce château était pourvu de tout ce qu'il fallait pour accueillir superbement un roi et une reine. Messire Lancelot donna ordre à tous ses gens d'honorer et aimer ses hôtes, ainsi qu'ils l'eussent fait pour lui.

Après quoi il retourna près du roi Arthur. Il informa la reine Guenièvre que le chevalier qui avait si bien jouté lors du dernier tournoi n'était autre que messire Tristan. Il lui dit que la Belle Yseut était venue avec lui, en dépit du roi Marc. La reine rapporta tout ceci au roi Arthur. Celui-ci, apprenant que messire Tristan avait pu échapper au roi Marc et se rendre en Angleterre, amenant avec lui la Belle Yseut, laissa éclater sa joie. En l'honneur de messire Tristan il fit crier que le premier jour de mai se tiendraient des joutes devant le château de Louvrezep. Ce château se situait près de la Joyeuse Garde. Arthur voulut que tous les chevaliers d'Angleterre, des Cornouailles et de Norgalles pussent jouter avec ceux d'Irlande, d'Écosse, du reste du pays de Galles, de Gorre, de Sorelois, de Listenois, du Northumberland, et tous les chevaliers qui tenaient de lui des terres de ce côté-ci de la mer.

Lorsque ceci eut été crié, beaucoup furent satisfaits, beaucoup d'autres non. « Sire, dit Lancelot à Arthur, en publiant ceci vous nous mettez, nous qui vous entourons, en grand péril, car on a souvent pour nous beaucoup d'envie. En conséquence, le jour où nous nous assemblerons pour les joutes, il nous sera bien difficile de nous tirer d'affaire.
— De cela, repartit Arthur, je ne me soucie point. On verra bien alors qui sera le plus fort. » Lorsqu'il sut pourquoi le roi donnait ces joutes, messire Lancelot prit des dispositions pour que la Belle Yseut pût les voir, en un lieu retiré mais qui convenait à son rang.

Revenons maintenant à messire Tristan, ainsi qu'à la Belle Yseut, à la manière dont ils passaient chacun de leurs jours ensemble, fort joyeusement, avec tous les divertissements auxquels ils pouvaient songer. Journellement messire Tristan se rendait à la chasse, car on le réputait en ce temps-là le meilleur chasseur du monde et le plus expert à sonner du cor pour toutes les fanfares. Les livres nous le rapportent, c'est à messire Tristan que nous devons tous les termes appropriés en matière de vénerie et de chasse à courre, et toute la musique à sonner en chassant. C'est lui qui est à l'origine de tous les mots à employer dans la fauconnerie, lui qui distingua entre les bêtes que l'on poursuit à cheval et celles qu'on chasse aux chiens courants, qui dit lesquelles sont vermine, et quels airs conviennent à quel gibier — pour le laisser-courre, la poursuite, le retour en forêt, la fuite, les abois, l'instant où l'on sert l'animal et beaucoup d'autres sonneries et termes propres, si bien que tous les gentilshommes jusqu'à la fin des temps ont lieu de faire l'éloge de messire Tristan et de prier pour le salut de son âme.

CHAPITRE LIII

Comment, sur les conseils de la Belle Yseut, messire Tristan s'arma pour chevaucher, et comment il fit rencontre de messire Palamède

UN JOUR, la Belle Yseut dit à messire Tristan : « Je m'étonne beaucoup que vous puissiez ne pas vous souvenir que vous êtes ici en pays étranger, où se trouvent beaucoup de chevaliers qu'il faut craindre. Vous savez bien que le roi Marc n'est que perfidie. Si vous chassez ainsi sans armure, vous risquez la mort. — Gente dame, mon amour, je vous en demande pardon, je ne le ferai plus. » À partir de ce jour, messire Tristan ne chassa plus journellement qu'avec son harnois, ses gens portant son écu et sa lance. Or il advint, un peu avant le mois de mai, qu'alors qu'il poursuivait un cerf avec beaucoup d'ardeur, celui-ci passa auprès d'une belle fontaine. Messire Tristan mit pied à terre. Il ôta son heaume pour boire de cette belle eau murmurante. Ce fut alors qu'il entendit et vit la Bête en Chasse s'approcher de la source. Lorsqu'il vit cette bête, messire Tristan remit son heaume, car il pensa qu'il allait bientôt entendre parler de messire Palamède, dont elle était la quête.

Il vit à cet instant venir un chevalier en armure sur un noble coursier. Il le salua. Ils parlèrent de choses et d'autres. Le nom de ce chevalier était Brun sans Pitié. Sur ces entrefaites s'avança vers eux le valeureux messire Palamède. Ce furent saluts et gracieuses paroles. « Gentils chevaliers, dit messire Palamède, je puis vous annoncer quelque chose. — Quoi donc ? — Messires, apprenez que le roi Marc a été mis en prison par ses propres chevaliers, et cela uniquement pour rendre service à messire Tristan. Le roi Marc par deux fois avait emprisonné messire Tristan. La première fois, messire Perceval délivra ce noble chevalier. La seconde, ce fut la reine, la Belle Yseut, qui obtint qu'il fût remis en liberté, et tout bonnement elle est partie avec lui pour venir en ce royaume. Cependant le roi Marc, ce traître, ce fourbe, est retenu captif. Maintenant faut-il y croire ? Si c'est vrai, nous ne tarderons pas à entendre parler de messire Tristan. Pour ce qui est de dire que j'aime d'amour la Belle Yseut, je mets au défi quiconque de soutenir le contraire. Je la sers, de préférence à toute autre dame, et la servirai jusqu'à la fin de mes jours. »

Alors qu'ils étaient ainsi à deviser, s'approcha d'eux un chevalier, armé de toutes pièces et monté sur un grand destrier. L'un de ses serviteurs portait son écu, l'autre sa lance. Aussitôt qu'il les aperçut, il prit son écu et sa lance et se prépara pour la joute. « Gentils compagnons, dit messire Tristan, voilà un chevalier qui désire jouter avec nous. Voyons lequel le rencontrera, car à n'en pas douter il est de la cour du roi Arthur. — Il ne s'écoulera pas longtemps avant qu'il trouve à qui parler, repartit messire Palamède. Je n'ai jamais sur mon chemin trouvé de chevalier, pendant que je poursuivais la Bête en Chasse, sans relever son défi s'il lui prenait envie de jouter avec moi. — Je puis tout aussi bien, remarqua Brun sans Pitié, suivre cette bête que vous. — Pour cela, vous vous battrez avec moi », dit Palamède.

Adonc messire Palamède d'abord fit face à l'autre chevalier, messire Bliobéris, qui était chevalier de grande noblesse et proche parent de messire Lancelot. Le choc fut si violent que messire Palamède tomba, cavalier et monture. Lors messire Bliobéris cria d'une voix forte : « Prépare-toi, fourbe et perfide chevalier, Brun sans Pitié. Sache bien que je vais te combattre jusqu'à ce que mort s'ensuive, en raison des nobles dames et chevaliers qui ont été les victimes de ta traîtrise. » Lorsque ce fourbe et perfide chevalier, Brun sans Pitié, entendit cela, il prit son cheval par la bride et s'enfuit, aussi vite que le permettait sa monture, car grande était sa peur. Quand il le vit déguerpir, messire Bliobéris courut à sa poursuite, en le serrant de près, quels que fussent les obstacles.

Par hasard, cependant qu'il fuyait, Brun aperçut justement devant lui trois chevaliers de la Table Ronde. Le premier s'appelait messire Hector des Mares, le deuxième messire Perceval le Gallois. Le troisième avait nom messire Érec, fils de Lac. C'était un bon chevalier, plein de bravoure. Quant à messire Perceval, on le disait alors un des meilleurs chevaliers qui fussent au monde, et l'un des plus sûrs de lui. Lorsqu'il vit ces trois hommes, Brun courut droit à eux. Il les appela pour leur demander du secours. « Quel est votre besoin? demanda messire Hector. — Ah! gentils chevaliers, s'écria messire Brun, je suis poursuivi par le plus perfide, le plus lâche, le plus vil chevalier qui soit. Son nom est Brun sans Pitié et s'il peut se saisir de moi, il me tuera sans merci ni compassion. — Restez avec nous, dit messire Perceval, et nous vous protégerons. »

Lors ils virent arriver messire Bliobéris, dont le cheval était à fond de train. Messire Hector s'avança pour jouter le premier. Quand messire Bliobéris vit qu'ils étaient quatre contre un seul, il se demanda s'il allait faire demi-tour ou continuer son chemin. Il se dit : « Je suis chevalier de la Table Ronde et, plutôt que de me montrer indigne de mon serment et de mon sang, je ferai face, quoi qu'il adviennne. » Là-dessus messire Hector coucha sa lance. Chacun des deux frappa très durement. Messire Hector tomba sur le sol.

Messire Perceval le vit. Il lança vers Bliobéris son cheval, le faisant courir aussi vite qu'il pouvait. Cependant messire Perceval reçut un tel choc que cavalier et monture se retrouvèrent à bas. Quand messire Érec eut ceci sous les yeux, il se dit : « Brun est incapable de pareille prouesse. » Il mit son cheval en place. Messire Bliobéris et lui se heurtèrent avec tant de force que les chevaux et ceux qui les montaient furent jetés à terre. Néanmoins le cheval de Bliobéris alla pour se relever.

Brun le vit. Il se précipita, frappa messire Bliobéris à maintes reprises et tenta de le tuer, alors qu'il gisait sur le sol. Messire Érec se mit debout promptement. Il prit le cheval de messire Brun par la bride et dit : « Fi donc ! il ne faut jamais frapper un chevalier à terre. Celui-ci a montré de la valeur en ses actions. Il se peut que maintenant il soit abattu, mais il s'est conduit avec honneur en prenant le dessus sur des chevaliers de grand mérite. — Je ne le tiendrai pas pour quitte, dit messire Brun. — Vous n'avez pas le choix, insista messire Érec, pour aujourd'hui. » Quand messire Brun vit qu'il n'y pouvait rien et n'aurait pas ce qu'il voulait, il changea de langage, et messire Érec le laissa faire.

Aussitôt il fit passer son coursier sur le corps de messire Bliobéris et le traîna par terre comme s'il voulait le tuer. Quand messire Érec le vit se conduire aussi indignement, il s'écria : « Traître, fi donc ! arrête ! » Il s'apprêtait à monter en selle pour le combattre quand messire Brun courut sus à lui, tandis qu'il n'était pas encore à cheval, et fit choir cavalier et monture. Il faillit tuer messire Érec, le valeureux chevalier. Messire Perceval le vit. Il s'écria : « Fourbe, que fais-tu là ? » Lorsque messire Perceval fut en selle, messire Brun éperonna son cheval et s'enfuit aussi vite qu'il le put. Messire Perceval et messire Érec le talonnèrent, mais plus ils le pourchassaient et plus ils perdaient sur lui. Ils firent donc demi-tour et revinrent auprès de messire Hector des Mares et de messire Bliobéris.

« Ah ! gentils sires, dit Bliobéris, pourquoi secourir ce fourbe et traître de chevalier ? — Mais, répliqua messire Érec, qui donc est-il ? Je vois bien qu'il est hypocrite, lâche et déloyal. — Messire, dit Bliobéris, c'est le plus lâche qui soit, la ruine des dames et la perte des bons chevaliers, en particulier de ceux d'Arthur. — Quel est votre nom ? demanda messire Hector. — Je me nomme messire Bliobéris de Gaunes. — Las ! gentil cousin, dit Hector, pardonnez-moi. Je suis messire Hector des Mares. » Sur ce messire Perceval et messire Érec manifestèrent une grande joie de cette rencontre avec Bliobéris, mais tous étaient fort marris de ce que messire Brun leur eût échappé, et ils donnèrent libre cours à leurs regrets.

CHAPITRE LIV

De messire Palamède, comment il rencontra messire Bliobéris et messire Hector, et de messire Perceval

TANDIS QU'ILS ÉTAIENT LÀ survint messire Palamède. Quand il vit l'écu de Bliobéris posé à terre, il dit : « Que celui auquel cet écu appartient se prépare à se mesurer à moi ! Il m'a renversé non loin d'ici, à une fontaine. Je le combattrai donc à pied. — Je suis prêt, repartit Bliobéris, à répondre à votre défi maintenant car, sachez-le bien, sire chevalier, il s'agit de moi, et mon nom est messire Bliobéris de Gaunes. — Je suis heureux de cette rencontre. Sachez que mon nom à moi est Palamède le Sarrasin. » Chacun des deux avait pour l'autre une haine mortelle.

« Messire Palamède, dit Hector, soyez assuré que ni vous ni aucun chevalier au monde n'occira quelqu'un de notre famille sans le payer de sa vie. En conséquence, si vous avez envie de vous battre, allez chercher messire Lancelot ou messire Tristan. Vous trouverez alors à qui parler. — Je les ai combattus, répliqua Palamède, mais jamais à mon honneur. — N'y a-t-il jamais eu d'autre chevalier, reprit messire Hector, qui fût à votre mesure ? — Si fait, dit Palamède. Il y a eu le troisième. Il était aussi valeureux que les deux dont nous venons de parler, et parmi ceux de son âge je n'ai jamais trouvé meilleur. S'il avait vécu pour devenir plus résistant, nul n'aurait pu l'égaler à présent. Il se nommait messire Lamorat de Galles. Joutant dans un tournoi, il me renversa, de même que trente autres chevaliers, et remporta le prix. En partant, il rencontra messire Gauvain et ses frères. Ils le tuèrent par traîtrise, et encore avec bien du mal. C'est une grande perte pour la chevalerie. »

Quand messire Perceval entendit que son frère était mort, messire Lamorat, il défaillit et tomba sur la crinière de son cheval. Ensuite il s'abandonna à la douleur la plus grande, comme jamais n'en connut nul chevalier. Quand il se redressa, il s'exclama : « Hélas ! mon valeureux, mon noble frère, messire Lamorat ! Désormais nous ne nous verrons plus. Je crois bien que dans le vaste monde on ne pourrait trouver de chevalier de sa valeur, à l'âge qui était le sien. C'est trop de peine. D'abord la mort de notre père, le roi Pellinor, et maintenant celle de notre valeureux frère, messire Lamorat ! »

Sur ces entrefaites il vint un valet de la cour du roi Arthur. Il leur fit part du grand tournoi qui aurait lieu à Louvrezep, et leur dit qu'à l'Angleterre, aux Cornouailles et à Norgalles serait opposé quiconque se présenterait.

CHAPITRE LV

Comment messire Tristan rencontra messire Dinadan, de leurs propos, et de ce qu'il dit aux frères de messire Gauvain

MAINTENANT revenons-en à messire Tristan. Tandis qu'il était à la chasse, il fit rencontre de messire Dinadan, qui venait en ce pays pour le trouver. Messire Dinadan dit à messire Tristan quel était son nom. Messire Tristan, lui, refusa de donner le sien, ce qui mit messire Dinadan en colère. « J'ai déjà vu un chevalier aussi insensé que vous, aujourd'hui même, il y a peu de temps. Il était couché auprès d'une fontaine, et on aurait pu croire qu'il rêvait en dormant. Il souriait sottement, ne répondant à personne. Son écu était posé près de lui, son cheval immobile à ses côtés. J'ai bien vu qu'il était amoureux. — Mais, gentil sire, n'êtes-vous pas amoureux vous-même ? — La peste soit de l'enchantement ! — Vous avez tort. Un chevalier ne peut accomplir de prouesses que s'il est féru de quelqu'un. — C'est bien vrai. Maintenant, dites-moi votre nom, puisque vous êtes amoureux. Sinon je me battrai avec vous. — Je ne vois pas pourquoi vous vous battriez avec moi parce que je refuse de vous dire mon nom. Mais vous n'en saurez rien aujourd'hui. — Fi donc ! un chevalier qui n'ose pas m'avouer comment il se nomme ! Je vais vous combattre. — Pour ce qui est de cela, dit messire Tristan, je veux y réfléchir. Je combats seulement lorsque j'en ai envie. Et puis, si je m'y mets, vous ne pourrez pas me tenir tête. — Fi donc, poltron ! » s'écria messire Dinadan.

Comme ils s'attardaient de la sorte, ils virent un chevalier venir à leur rencontre. « Mais voilà ! s'exclama messire Tristan. Un chevalier vient vers nous qui acceptera de jouter avec vous. » Dès qu'il put le reconnaître, messire Dinadan s'écria : « C'est le fou que j'ai découvert près de la fontaine et qui ne dormait ni ne veillait. — Je le connais bien, dit messire Tristan. Son écu est d'azur sous l'étoffe qui le recouvre. C'est le fils du roi du Northumberland. Il se nomme Espinogre. Nul n'est plus amoureux que lui à ma connaissance. Il aime la fille du roi de Galles, une fort belle demoiselle. Je suppose que si vous le lui demandez, il acceptera de vous combattre. Vous montrerez alors lequel est le meilleur chevalier, d'un amoureux ou bien de vous, qui vous refusez à vous éprendre d'une dame. — Eh bien, dit messire Dinadan, vous allez voir ce que je vais faire. »

Là-dessus Dinadan dit à haute voix : « Sire chevalier, préparez-vous à jouter avec moi, car c'est la coutume des chevaliers errants de jouter les uns avec les autres. — Messire, repartit Espinogre, vous faites-vous une règle, vous les chevaliers errants, de contraindre à jouter, qu'on le veuille ou non ? — Quoi qu'il en soit, tenez-vous prêt. Je le suis. » Sur ce ils donnèrent des éperons à leurs chevaux et se heurtèrent avec tant de force qu'Espinogre mit à terre messire Dinadan.

Messire Tristan courut vers lui et lui dit : « Qu'en pensez-vous ? Il me semble que l'amoureux a bien réussi. — Fi donc, poltron ! répliqua messire Dinadan. Si vous avez quelque mérite, vengez-moi. — Non, je ne veux pas jouter à présent. Prenez votre cheval et partons d'ici. — Dieu me garde, dit messire Dinadan, de votre compagnie ! Je n'ai rien fait de bon depuis que je vous ai rencontré. » Sur ce ils se séparèrent. « Peut-être, suggéra Tristan, suis-je à même de vous donner des nouvelles de messire Tristan. — Dieu me garde de vous avoir près de moi ! Messire Tristan aurait beaucoup à souffrir d'être votre compagnon. » On se quitta. « Il se peut, messire, dit Tristan, que je vous revoie en d'autres lieux. »

Lors messire Tristan chevaucha jusqu'à la Joyeuse Garde. Dans la ville il entendit beaucoup de cris et vociférations. « Que signifie ce bruit ? demanda-t-il. — Messire, lui répondit-on, un chevalier de ce château était des nôtres depuis longtemps. Et voilà qu'il a été tué par deux autres chevaliers, sans nulle autre raison que pour avoir soutenu que messire Lancelot avait plus de valeur que messire Gauvain. — Il y a peu de sens, jugea Tristan, à occire un bon chevalier pour ce qu'il dit du bien de son maître. — Cela ne nous réconforte guère, repartirent les gens de la ville. Si messire Lancelot avait été là, nous n'aurions pas tardé à être vengés de la fourberie de ces chevaliers. »

Quand messire Tristan entendit cela, il envoya quérir son écu et sa lance et prestement, peu de temps après, il rejoignit les meurtriers. Il leur commanda de faire demi-tour et de réparer le tort qu'ils avaient commis. « Quelle réparation voulez-vous? » demanda l'un. Là-dessus Tristan et lui prirent leur élan, et ils se heurtèrent si rudement que le premier fit passer le second par-dessus la queue de sa monture. L'autre chevalier se mit alors face à messire Tristan, qui lui fit subir le même sort. Ils se dégagèrent de leurs selles du mieux qu'ils purent, ajustèrent leurs boucliers et tirèrent leurs épées pour livrer un combat à outrance.

« Chevaliers, lança messire Tristan, vous allez me dire d'où vous êtes et quels sont vos noms, car il se pourrait que vous fussiez tels qu'il serait difficile pour moi de vous laisser partir. Il se peut d'ailleurs que ce que vous êtes et le pays auquel vous appartenez vous permettent d'être quittes malgré tous vos forfaits. — Sachez, sire chevalier, répondirent-ils, que nous ne craignons pas de vous donner nos noms. Nous sommes messire Agravain et messire Guerrehet, frères du valeureux messire Gauvain et neveux du roi Arthur. — Eh bien, dit Tristan, par respect pour le roi Arthur je vous laisserai partir pour cette fois. Mais c'est une honte, reprit-il, considérant votre haute lignée, que vous, les quatre frères, vous soyez acquis la réputation que vous avez. On dit de vous que vous êtes le fléau des valeureux chevaliers qui vivent à présent en ce royaume. Je viens d'entendre que messire Gauvain et vous avez à vous trois tué quelqu'un de beaucoup plus de mérite que vous n'en avez jamais eu, le noble chevalier messire Lamorat de Galles. Plût à Dieu que je me fusse trouvé à ses côtés à l'heure de sa mort! — Vous auriez connu le même sort, répliqua messire Guerrehet. — Gentil chevalier, repartit messire Tristan, il vous eût fallu être plus nombreux que vous n'êtes. »

Là-dessus il les quitta et s'éloigna en direction de la Joyeuse Garde. Quand il fut parti, ils prirent leurs chevaux et l'un des deux dit à l'autre : « Rejoignons-le, et nous nous vengerons de ses paroles outrageantes à propos de messire Lamorat. »

CHAPITRE LVI

Comment messire Tristan mit à terre messire Agravain et messire Guerrehet, et comment la Belle Yseut envoya chercher messire Dinadan

LORSQU'ILS EURENT REJOINT messire Tristan, messire Agravain lui dit : « Demi-tour, traître chevalier! — Voilà de méchantes paroles », repartit messire Tristan. Sur ce il dégaina son épée et en asséna un tel coup sur le heaume à messire Agravain que celui-ci perdit connaissance et roula du haut de son cheval. Sa blessure était profonde. Puis messire Tristan se tourna vers Guerrehet. Il frappa sur l'épée et le heaume tout ensemble avec tant de violence que Guerrehet tomba de sa selle. Ensuite messire Tristan chevaucha jusqu'à la Joyeuse Garde. Là il mit pied à terre et ôta son armure.

Après, il raconta toute son aventure à la Belle Yseut, telle que vous la connaissez déjà. Quand elle l'entendit qui parlait de messire Dinadan : « Messire, lui dit-elle, n'est-ce pas lui qui fit la chanson sur le roi Marc? — C'est lui-même. Il est expert en raillerie et bons mots, d'une grande habileté aux armes, et le meilleur garçon que je connaisse. Tous les bons chevaliers aiment sa compagnie. — Las! messire, pourquoi ne pas l'avoir ramené avec vous? — Ne vous faites pas de souci. Il court ce pays à ma recherche et n'en partira pas avant de m'avoir rencontré. » Sur ce messire Tristan dit à la Belle Yseut comment messire Dinadan condamnait tous les amoureux.

Lors il entra un serviteur qui informa messire Tristan de la venue en ville d'un chevalier errant, dont il donna les couleurs de l'écu. « C'est messire Dinadan, dit Tristan. Savez-vous ce que vous allez faire?

Envoyez-le quérir, madame. Je me tiendrai caché, et vous entendrez le plus divertissant des chevaliers avec lequel vous vous soyez jamais entretenue et le plus extravagant en ses propos. Je vous prie sincèrement de lui faire bon accueil. » Aussitôt la Belle Yseut dépêcha un messager en la ville, invitant messire Dinadan à venir au château s'y reposer en compagnie d'une dame. « Volontiers », répondit-il. Il monta sur son cheval et se rendit à la demeure. La Belle Yseut, sans tarder, vint à sa rencontre. Ils se saluèrent. Elle lui demanda d'où il était. « Madame, dit-il en réponse, je suis de la cour du roi Arthur et chevalier de la Table Ronde. Mon nom est messire Dinadan. — Que venez-vous faire en ce pays ? — Madame, je cherche messire Tristan, le valeureux chevalier. On m'a rapporté qu'il s'y trouvait. — Cela se peut, repartit la Belle Yseut, mais je ne l'y ai pas vu.

— Madame, je m'étonne de messire Tristan, ainsi que de beaucoup d'autres amoureux. Qu'ont-ils donc à s'enticher et s'assoter des femmes comme ils le font ? — Comment ! dit la Belle Yseut. Vous, un chevalier, vous n'aimez personne ? Honte à vous ! Vous ne pouvez être réputé bon chevalier que si vous combattez pour une dame. — À Dieu ne plaise ! Les joies de l'amour sont trop brèves, et ses peines, les chagrins qui en découlent, de trop longue durée. — Ah ! s'exclama la Belle Yseut, ne dites pas cela. Non loin d'ici vous aviez le valeureux chevalier messire Bliobéris. Il a combattu trois chevaliers à la fois par amour pour une demoiselle et l'a obtenue, devant le roi du Northumberland. — C'est vrai, dit messire Dinadan. Je le connais pour un bon chevalier, noble et issu de sang noble. Tous ont sa noblesse qui ont son lignage, celui de Lancelot du Lac.

— À présent, je vous en prie, poursuivit la Belle Yseut, dites-moi, voudriez-vous, par amour pour moi, combattre trois chevaliers dont j'ai à me plaindre ? Puisque vous êtes chevalier du roi Arthur, je vous requiers de livrer ce combat pour moi. » Messire Dinadan de répondre : « Je vous accorde que pour la beauté vous n'avez rien à envier à nulle dame que j'aie vue. Vous êtes beaucoup plus belle que madame la reine Guenièvre.

Mais, en un mot comme en cent, sachez-le bien, je ne me battrai pas pour vous contre trois chevaliers. Dieu m'en garde ! » Yseut se mit à rire et se divertit à ses dépens. Il eut le meilleur accueil qu'elle pût lui faire et se reposa là toute la nuit.

Le lendemain matin, de bonne heure messire Tristan endossa son armure. La Belle Yseut lui donna un heaume bien solide. Il lui promit qu'il se joindrait à messire Dinadan et qu'ensemble ils iraient à Louvrezep, où devait se dérouler le tournoi. « Je pourvoirai à une place d'où vous assisterez aux combats. » Puis il partit. Deux écuyers portaient son bouclier et ses lances, lesquelles étaient grandes et longues.

CHAPITRE LVII

Comment messire Dinadan rencontra messire Tristan et comment, alors que celui-ci joutait avec messire Palamède, Dinadan le reconnut

LORS messire Dinadan partit à son tour. Il chevaucha grand train, jusqu'à ce qu'il rejoignît messire Tristan. Lorsqu'il fut à sa hauteur, il crut voir tout aussitôt de qui il s'agissait, et que c'était quelqu'un dont la compagnie lui était plus déplaisante que celle de tout autre chevalier. « Ah ! s'écria-t-il, n'es-tu pas ce couard que j'ai rencontré hier ? En garde ! Tu jouteras avec moi, que tu le veuilles ou non. — Soit, repartit Tristan, mais je n'en ai nulle envie. » Ils firent courir leurs chevaux. Messire Tristan manqua son but à dessein. Contre lui messire Dinadan brisa sa lance. Là-dessus il voulut dégainer son épée. « Point de cela, dit Tristan. Pourquoi tant de courroux ? Pour ma part, je ne veux pas me battre. — Fi donc, poltron ! répliqua Dinadan. Tu es la honte de toute la chevalerie. — Je n'en ai cure. Je vais vous servir et me placer sous votre protection. Vous avez tant de valeur que vous pourrez me sauver. — Le diable me délivre de toi ! s'écria Dinadan. On croirait à te voir que tu n'as rien à envier à nul homme d'armes, et pourtant tu es le plus fieffé poltron que j'aie jamais rencontré. Qu'entends-tu faire de ces grandes lances que tu promènes avec toi ? — Je veux en faire don, quand je serai sur le lieu du tournoi, à quelque bon chevalier. Et si c'est vous qui vous montrez le meilleur, c'est à vous que je les donnerai. »

Chemin faisant, tandis qu'ils devisaient ainsi, ils virent venir à eux un chevalier errant qui se prépara à la joute. « Tenez, dit messire Tristan, voilà quelqu'un qui veut jouter. Faites-lui donc face. — Ah ! honte à toi ! s'écria Dinadan. — Mais non, dit Tristan, car ce chevalier m'a l'air bien dangereux. — En ce cas, je m'en charge », dit messire Dinadan. Ils ajustèrent leurs boucliers, couchèrent leurs lances et se heurtèrent avec tant de violence que l'autre chevalier fit tomber Dinadan de son cheval. « Voyez, dit Tristan, il eût mieux valu vous abstenir. — Fi donc, cœur de poule ! » s'exclama messire Dinadan. Il se releva, prit en main son épée et offrit de continuer le combat à pied. « Dans l'amitié ou la colère ? demanda l'autre chevalier. — Dans l'amitié. — Quel est votre nom ? Je vous en prie, dites-le-moi. — Sachez que c'est messire Dinadan. — Ah ! Dinadan, s'exclama le chevalier, le mien est Gahériet. Je suis le plus jeune des frères de messire Gauvain. » Chacun des deux alors ouvrit les bras, car ce Gahériet était le meilleur de tous les frères de Gauvain, et il fournit la preuve de son mérite.

Après quoi ils prirent leurs chevaux et parlèrent de leur compagnon (messire Tristan) et de la lâcheté qu'il montrait. Chaque mot, messire Tristan l'entendait et s'en amusait. Lors ils virent un chevalier venir par devers eux, lequel avait beau destrier et belle armure. Il se mit en devoir de jouter. « Gentils chevaliers, leur dit messire Tristan, décidez entre vous de qui entreprendra cet homme-là, car je vous en préviens, je ne veux pas avoir affaire à lui. — Ce sera moi », dit messire Gahériet. Ils se rencontrèrent. Le chevalier fit passer messire Gahériet par-dessus la croupe de sa monture. « Alors, dit Tristan à Dinadan, en place et vengez le valeureux messire Gahériet ! — Je n'en ferai rien. Il a renversé beaucoup plus fort que moi. — Ah ! messire Dinadan, je vois bien et sens bien que vous manquez de courage à présent. Je vais donc vous montrer ce que je sais faire. »

Il fondit sur le chevalier et lui fit faire la culbute. Quand messire Dinadan vit cela, il s'en ébahit grandement. Puis il pensa qu'il était en présence de messire Tristan. Le chevalier, qui était à pied, dégaina son épée pour continuer à se battre. « Quel est votre nom ? demanda Tristan. — Sachez que je me nomme messire Palamède. — Quel chevalier détestez-vous le plus ? — Sire chevalier, je hais mortellement messire Tristan. Si nous nous rencontrons, l'un de nous y laissera la vie. — C'est bien parlé. Sachez que je suis messire Tristan de Léonois. Et maintenant je vous attends de pied ferme. »

Quand messire Palamède entendit ceci, il fut stupéfait. Puis il eut ces mots : « Je vous en prie, messire Tristan, pardonnez ma rancœur. Si je vis, je vous rendrai service, de préférence à tous les chevaliers du monde. De ces mauvais sentiments à votre endroit j'ai grand regret. Je ne sais ce qui m'a pris. Vous me semblez plein de mérite, et nul chevalier qui prétend en avoir ne devrait vous haïr. En conséquence, je vous le demande, messire Tristan, n'ayez nul déplaisir de mes méchantes paroles. — Messire Palamède, répondit Tristan, c'est bien parlé. Je sais assurément que vous avez de la valeur, je vous ai vu à l'œuvre. Vous vous êtes engagé dans plus d'une grande entreprise et les avez menées à bonne fin. Si donc vous gardez pour moi quelque rancune, vous avez à présent l'occasion de la satisfaire. Je suis prêt quand vous le serez. — Non, monseigneur Tristan, je vous servirai en bon chevalier, en tout ce que vous me commanderez. — J'accepte », dit Tristan.

Ils poursuivirent leur route en parlant de mille choses. « Oh ! monseigneur Tristan, dit messire Dinadan, vous vous êtes bien moqué de moi. Dieu sait que je ne suis venu en ce pays que pour vous, suivant le conseil de monseigneur Lancelot ! Pourtant il n'a pas voulu m'instruire de manière certaine de l'endroit où je vous trouverais. — À dire vrai, repartit Tristan, messire Lancelot savait fort bien où j'étais, car je demeure en son propre château. »

CHAPITRE LVIII

Comment ils s'approchèrent du château de Louvrezep, et d'autres propos sur la mort de messire Lamorat

ILS CHEVAUCHÈRENT AINSI jusqu'à ce qu'ils fussent en vue du château de Louvrezep. Là ils aperçurent quatre cents tentes et pavillons, le tout magnifiquement disposé. « Par Dieu, s'écria messire Tristan, je n'ai jamais vu mieux ordonné ! — Messire, dit Palamède, il me semble que tout était aussi superbe au château des Pucelles, sur le rocher, là où vous avez gagné le prix. Je vous ai vu moi-même y défaire à la joute trente chevaliers. — Messire, ajouta Dinadan, en Sorelois aussi, à ce tournoi que donna Galehot de Iles Lointaines, lequel dura sept jours, autant de gens se trouvèrent assemblés, car il y avait là beaucoup de nations. — Qui s'y est montré le meilleur ? demanda Tristan. — Messire, ce furent messire Lancelot du Lac et le noble chevalier messire Lamorat de Galles. Messire Lancelot remporta la palme. — Je ne doute pas que ce fût lui, dit Tristan. Seul le nombre de ses adversaires pouvait l'empêcher de vaincre. La mort de messire Lamorat, reprit-il, ce fut plus que grande pitié. Il était, j'ose le dire, en pure force le meilleur de tous, et parmi ceux de son âge celui qui avait le plus de souffle. J'ai connu en lui le plus redoutable de tous ceux que j'ai rencontrés, si j'excepte messire Lancelot. Hélas ! que j'ai regret de sa mort ! Si ceux qui l'ont occis n'étaient neveux du roi Arthur, ils le paieraient de leur vie, de même que tous ceux qui ont consenti à ce qu'il mourût. Ces choses-là font que j'hésite à me rendre à la cour d'Arthur. Je veux que vous le sachiez, dit-il à Gahériet.

— Messire, je ne vous en blâme point, repartit Gahériet. Je comprends bien la vengeance de mes frères, messires Gauvain, Agravain, Guerrehet et Mordret. Pour ma part, je ne me mêle pas de leurs affaires. C'est pourquoi aucun d'eux ne m'aime. Parce que je sais qu'il ont sur la conscience la mort de bons chevaliers, j'ai cessé de les fréquenter. Plût à Dieu que j'eusse été là quand le noble messire Lamorat a été tué ! — Par Dieu, dit messire Tristan, voilà qui est bien dit ! À tout l'or du monde j'eusse préféré d'être là ! — Savez-vous bien que moi aussi ? dit Palamède. Et pourtant, à nulles joutes, à nul tournoi je n'ai pu gagner le prix quand il y prenait part. J'avais toujours le dessous, que ce fût à pied ou à cheval. Le jour où on l'a tué, je l'ai vu faire les plus beaux exploits que chevalier fit jamais sous mes yeux depuis que je suis au monde. Et puis, quand le trophée lui eut été remis par monseigneur Arthur, messire Gauvain et ses trois frères, Agravain, Guerrehet, messire Mordret, l'ont assailli dans un lieu retiré et ont abattu son cheval. Plus de trois heures durant, ils lui ont livré combat à pied, touchant parfois devant, parfois derrière. Ce fut messire Mordret qui lui porta le coup mortel, traîtreusement, dans son dos, lui fendant le corps. Un de ses écuyers me l'a raconté, qui en fut le témoin.

— Fi de cette trahison ! s'exclama messire Tristan. Cela me navre le cœur d'entendre ce récit. — Moi aussi, dit Gahériet. Ils ont beau être mes frères, jamais plus ils n'auront droit à mon affection, et jamais plus je ne les fréquenterai, à cause de ce forfait. — Parlons d'autre chose, dit Palamède. Qu'il ne soit plus question de lui ! Sa vie, nous ne pourrons la lui rendre. — Ce n'en est que plus regrettable, dit messire Dinadan. Messire Gauvain et ses frères, vous excepté, messire Gahériet, détestent pour la plupart tous les bons chevaliers de la Table Ronde. Je sais bien que s'ils le pouvaient, sournoisement... Ils exècrent monseigneur Lancelot et toute sa parenté. Grande est la rancune que secrètement ils lui gardent. Monseigneur Lancelot n'en ignore rien et pour cette raison s'entoure, dans ses allées et venues, de tous les bons chevaliers de son sang. »

CHAPITRE LIX

Comment ils arrivèrent sur les bords de la rivière Humber, et comment ils y trouvèrent un navire, où gisait le cadavre du roi Armant

« MESSIRE, dit Palamède, laissons là ce sujet et voyons ce que nous ferons à ce tournoi. Si vous voulez mon avis, mettons-nous tous les quatre ensemble contre quiconque se présentera. — Je ne partage pas votre avis, repartit messire Tristan. Je vois à leurs pavillons que les chevaliers seront au nombre de quatre cents. Ne soyez pas en doute, parmi eux il y aura beaucoup d'hommes de valeur. On peut avoir force et vaillance, on risque toujours de se trouver défait. C'est ce que j'ai vu advenir à d'aucuns en plus d'une occasion. Au moment même où ils croyaient s'illustrer, ils perdaient de leur réputation. Le courage ne vaut que joint à la sagesse. Pour ma part, il peut m'arriver aussi bien qu'à un autre de garder la tête froide. »

Ils chevauchèrent ainsi jusqu'à ce qu'ils fussent au bord de la rivière Humber. Là ils entendirent des cris et des plaintes. Lors ils virent venir dans le vent un riche vaisseau à la voilure de soie vermeille. Ce vaisseau toucha le rivage auprès d'eux. Messire Tristan mit pied à terre, de même que ses chevaliers. Il s'avança le premier et monta sur le pont. Quand il y fut, il vit un beau lit aux magnifiques garnitures. Sur le lit gisait le corps d'un chevalier. Il était de belle prestance, tout armé, hormis la tête, qui était ensanglantée. Des blessures mortelles lui avaient été faites. Ce chevalier semblait de grande dignité. « Comment a-t-il pu ainsi être tué ? » dit messire Tristan.

Il s'aperçut alors qu'il y avait une lettre dans la main du mort. « Maîtres mariniers, demanda-t-il, que signifie cette lettre? — Messire, répondirent-ils, en lisant cette lettre vous saurez comment cet homme a été occis et pour quelle raison. Vous apprendrez aussi son nom. Cependant, messire, ajoutèrent les mariniers, sachez que nul ne prendra cette lettre s'il n'est bon chevalier et ne promet fidèlement de venger son trépas. Autrement nul chevalier ne pourra l'ouvrir. — Assurément, repartit messire Tristan, quelques-uns d'entre nous sont aussi capables que d'autres de venger sa mort, s'il est vrai qu'ainsi que vous le dites, vous les marins, elle doit faire l'objet d'une vengeance. »

Là-dessus il saisit la lettre qui était dans la main du chevalier. Elle disait ceci : *Moi, Armant, roi et seigneur de la Cité Vermeille, j'envoie ce message à tous les chevaliers errants — me recommandant en particulier à vous, nobles chevaliers de la cour d'Arthur. Je les adjure de trouver quelqu'un parmi eux qui accepte de combattre pour moi avec deux frères. Je les avais sortis de rien. Ils m'ont tué, par traîtrise et félonie. C'est pourquoi instamment je demande à un valeureux chevalier de venger ma mort. Celui qui la vengera, je veux qu'il ait ma Cité Vermeille et tous mes châteaux.* « Messire, dirent les mariniers, sachez bien que le roi et chevalier qui repose ici sans vie fut un homme tenu en haute estime et d'une grande vaillance. Il nourrissait en son cœur beaucoup d'amitié pour tous les chevaliers errants, quels qu'ils fussent.

— Par Dieu, dit messire Tristan, c'est une pitoyable histoire. Bien volontiers je me chargerais de cette entreprise. Mais j'ai donné ma parole, il faut que je prenne part à ce grand tournoi. Sinon je suis déshonoré. Je n'ignore pas que c'est plus particulièrement pour moi que monseigneur Arthur a mis sur pied ces joutes et ce tournoi en cette contrée. Je sais que bien des gens illustres y viendront pour me voir. En conséquence je crains, si j'assume cette charge, de ne pas revenir à temps pour ces joutes. — Messire, repartit Palamède, je vous en prie, laissez-moi cette tâche. Vous verrez que je m'en acquitterai avec honneur. Sinon je mourrai en la querelle. — Soit, dit Tristan, je vous la confie, mais à une condition, c'est que vous soyez à mes côtés quand viendra le tournoi qui se déroulera dans sept jours à dater de celui-ci. — Messire, répondit Palamède, je vous promets que j'y serai au jour dit, à moins que d'ici là je ne sois mort ou estropié. »

CHAPITRE LX

Comment messire Tristan et ses compagnons eurent un hôte qui ensuite combattit Tristan, et d'autres sujets

LORS partirent messire Tristan, Gahériet, messire Dinadan, tandis que messire Palamède demeurait dans le vaisseau. Messire Tristan regarda les marins faire voile en remontant la rivière Humber. Lorsque messire Palamède eut disparu à leurs yeux, ils prirent leurs chevaux, et ils examinèrent les environs. Ils aperçurent alors un chevalier qui chevauchait à leur rencontre. Il était sans armes, n'avait rien d'autre qu'une épée. Quand il fut tout près, il les salua, et ils lui rendirent son salut. « Gentils chevaliers, leur dit-il, je vous prie, si vous êtes des chevaliers errants, de venir voir mon château et de vous accommoder de ce que vous y trouverez. Je vous le demande bien sincèrement. »

Ils l'accompagnèrent donc jusqu'à sa demeure et là furent conduits dans la grand-salle, qui était bien meublée. On leur ôta leurs armures et les plaça devant une table. Quand messire Tristan eut enlevé son heaume, le chevalier le reconnut. Il pâlit de rage en le regardant. Voyant son hôte prendre un tel visage, messire Tristan s'ébahit. Il lui dit : « Messire, mon hôte, pourquoi cette humeur chagrine? — Sachez, répondit-il, que c'est vous qui assombrissez mon humeur. Je vous connais, messire Tristan de Léonois. Vous avez tué mon frère. Je vous préviens donc que je vous tuerai, vous aussi, dès que je vous trouverai sur mon chemin. — Sire chevalier, je n'ai nulle souvenance d'avoir jamais fait périr un de vos frères. Maintenant, si vous m'affirmez le contraire, je réparerai selon mon pouvoir. — Je ne veux point de réparation. Que je ne vous rencontre nulle part ! »

Adonc, lorsqu'il eut dîné, messire Tristan demanda son armure et partit. Ils poursuivirent leur route. Peu après, messire Dinadan aperçut un chevalier qui venait vers eux. Il avait belles armes et belle monture, mais point d'écu. « Messire Tristan, dit messire Dinadan, prenez garde à vous. Je crois bien que voici venir notre hôte et qu'il veut se battre avec vous. — Qu'il vienne ! répondit Tristan. Je lui résisterai du mieux que je pourrai. »

Quand il fut près de messire Tristan, aussitôt le chevalier lui cria d'arrêter et de se défendre. Ils se chargèrent sus. Messire Tristan heurta l'autre si rudement qu'il le fit passer par-dessus la croupe de son cheval. Vite le chevalier se releva. Il reprit sa monture, courut avec fureur devers Tristan et lui asséna deux coups sur le heaume, pleins de violence. « Sire chevalier, dit Tristan, je vous en prie, laissez cela et ne me frappez plus. Je répugnerais à vous combattre si vous m'en laissiez le choix, car j'ai présentement en mon corps le pain et le vin que vous m'avez offerts. » Ces paroles furent sans effet. Messire Tristan alors choqua le chevalier si durement sur le heaume qu'il tomba de son cheval et que le sang jaillit par le ventail. On eût dit, à le voir étendu sans mouvement, qu'il n'y avait plus de vie en lui.

Messire Tristan dit : « Je regrette d'avoir frappé si fort, car je crois qu'il est mort. » Ils le laissèrent donc et continuèrent leur chemin. Ils ne chevauchaient pas depuis longtemps quand ils virent s'avancer vers eux deux chevaliers de fort belle prestance, bien armés, bien montés, entourés de robustes serviteurs. Le premier était Aguignier. On l'appelait le roi des Cent Chevaliers. Le second se nommait messire Ségurade.

C'étaient tous deux de nobles chevaliers en renom. Lorsqu'ils furent les uns à côté des autres, le roi regarda messire Dinadan. Il portait à ce moment-là, qui le coiffait jusqu'aux épaules, le heaume de messire Tristan. Ce heaume, le roi l'avait auparavant vu chez la reine de Norgalles, dont il était épris. La reine l'avait donné à la Belle Yseut, qui à son tour l'avait offert à messire Tristan. « Sire chevalier, demanda Aguignier, d'où tenez-vous ce heaume? — Que me voulez-vous? repartit Dinadan. — Ce que je veux, c'est vous combattre, pour l'amour de celle qui possédait ce heaume. Adonc mettez-vous en garde. »

Ils s'éloignèrent l'un de l'autre pour se rencontrer ensuite de toute la vitesse de leurs chevaux. Le roi des Cent Chevaliers jeta au sol messire Dinadan, cavalier aussi bien que monture. Puis il ordonna à son serviteur : « Va m'enlever ce heaume et garde-le. » Le valet partit le détacher. « Quel heaume? Que veux-tu faire? demanda messire Tristan. Laisse-le. — Dans quel but, sire chevalier, dit le roi, voulez-vous vous mêler de mon heaume? — Sachez, repartit Tristan, que ce heaume ne me quittera point sans être plus chèrement payé que cela. — En ce cas, tenez-vous prêt », lui dit Aguignier.

Ils se chargèrent sus. Messire Tristan fit voler son adversaire par-dessus la queue de son cheval. Lors le roi prestement se mit debout. Vite il remonta en selle. Puis il assaillit farouchement messire Tristan, lui portant de grands coups et nombreux. Messire Tristan, en retour, le choqua si rudement sur le heaume qu'il tomba de sa monture, fort abasourdi. « Voyez, remarqua Dinadan, comme ce heaume nous porte malheur à tous deux. Je lui dois une chute et maintenant, sire le roi, vous lui en devez une autre. »

Là-dessus Ségurade leur demanda : « Qui va jouter avec moi? — Je vous en prie, dit messire Gahériet à Dinadan, laissez-moi cette joute. — Messire, répondit messire Dinadan, faites donc, vous combattrez en mon nom. — Ce n'est pas raison, intervint Tristan. Cette joute vous revient. — En un mot comme en cent, répliqua Dinadan, je n'en veux pas. » Lors Gahériet se mit face à Ségurade, et messire Ségurade le jeta au sol, de même que sa monture. « À présent, dit messire Tristan à Dinadan, c'est à vous de jouter avec ce chevalier. — Je refuse. — En ce cas, je le ferai. » Messire Tristan courut sus à Ségurade et le mit à terre.

C'est ainsi qu'ils laissèrent à pied les deux chevaliers. Messire Tristan chevaucha jusqu'à la Joyeuse Garde. Par courtoisie messire Gahériet n'eût pas voulu entrer dans le château. Mais messire Tristan ne toléra point qu'il s'en allât. Ils mirent pied à terre, ôtèrent leurs armures et firent bonne chère. Lorsque Dinadan vint en présence de la Belle Yseut, il maudit l'heure où il avait posé sur sa tête le heaume de messire Tristan et raconta comment celui-ci s'était moqué de lui. On rit de messire Dinadan et on le plaisanta, jusqu'à ne plus savoir qu'en faire.

CHAPITRE LXI

Comment messire Palamède alla combattre deux frères en raison de la mort du roi Armant

LAISSONS-LES à leur humeur plaisante dedans le château de la Joyeuse Garde et parlons de messire Palamède. Il fit voile sans s'arrêter tout au long de la rivière Humber jusqu'aux rivages de la mer. Là se trouvait un beau château. Il était alors de bonne heure le matin, avant la pointe du jour. Les mariniers allèrent au chevet de messire Palamède, qui dormait profondément. « Sire chevalier, lui dirent-ils, il faut vous lever. Voici un château où vous devez entrer. — Je veux bien », répondit Palamède. Il vint devant le château. Il sonna du cor que les mariniers lui avaient donné. Quand les gens du château entendirent ce cor, il sortit beaucoup de chevaliers. Ils montèrent sur les remparts et dirent d'une même voix :

« Bienvenue en ce château. » Il faisait à présent tout à fait jour. Messire Palamède pénétra dedans la demeure. Peu après on lui servit des mets de toutes sortes.

Lors il entendit autour de lui beaucoup de pleurs et de lamentations. « Que cela peut-il vouloir dire ? demanda-t-il. Je n'aime pas entendre de pareilles plaintes et voudrais bien savoir de quoi il s'agit. » Quelqu'un s'avança vers lui. Il se nommait messire Hébel. Il eut ces mots : « Sire chevalier, apprenez que ces lamentations et gémissements recommencent ici chaque jour. En voici la cause. Nous avions un roi du nom d'Armant. Il régnait sur la Cité Vermeille. Ce roi qui était le seigneur de la ville était un noble chevalier, qui dépensait avec largesse et libéralité. Au monde il n'aimait rien tant que les chevaliers errants de la cour du roi Arthur, ainsi que joutes, chasse et tous les divertissements propres aux chevaliers. Jamais les pauvres gens n'eurent un maître aussi compatissant. C'est à cause de sa bonté et noblesse que nous le pleurons et le pleurerons toujours. Tous les princes, tous les grands peuvent trouver un avertissement dans ce qui est arrivé à notre seigneur, car il fut victime de sa faute. S'il avait chéri des gens de son sang, il vivrait encore dans l'opulence et la sérénité. Tous les hommes de haut rang peuvent apprendre à se méfier à cause de ce qui est survenu à notre roi. C'est pitié que sa mort soit une leçon pour tous.

— Dites-moi, repartit Palamède, comment votre seigneur a été tué et qui l'a fait. — Messire, lui répondit Hébel, notre roi prit soin dès l'enfance de deux hommes, qui sont devenus de dangereux chevaliers. Ces deux hommes-là, il avait pour eux tant d'affection que son cœur était fermé à ceux de son sang, leur refusant sa confiance, ainsi qu'à tous en son entourage. Ce sont eux qui gouvernaient notre roi. Ils avaient pleine autorité sur lui et ses terres. Jamais ils ne permettaient à quiconque parmi ses parents d'agir sur notre prince. Lui était si noble et généreux, et eux si menteurs et si fourbes, qu'ils faisaient de lui ce qu'ils voulaient. Les barons qui étaient de la parenté de notre roi, cela ne leur échappa point. Ils se retirèrent en leurs domaines.

« Lorsque ces deux félons s'aperçurent qu'ils avaient éloigné de lui tous les seigneurs de son sang, leur pouvoir ne leur suffit plus. Ils voulurent davantage. Comme le dit un vieux proverbe : donnez du pouvoir à un manant, il ne s'en contentera pas. Quiconque laisse gouverner un vilain de naissance, tandis que le possesseur des terres est né gentilhomme, verra ce vilain détruire tous les gentilshommes du voisinage. C'est pourquoi, seigneurs, personnes de haut rang, il faut prendre garde aux gens dont vous vous entourez. Et si vous êtes chevalier du roi Arthur, retenez cette histoire, car en voici venir la fin et conclusion.

« Mon seigneur et roi alla dans la forêt sur le conseil de ces traîtres. Là il chassa le cerf, armé de toutes pièces, comme il sied à un bon chevalier. Les efforts consentis lui firent la gorge sèche. Il mit pied à terre, pour boire l'eau d'une fontaine. Quand il fut descendu, ainsi que ces deux traîtres l'avaient concerté, celui qui s'appelait Hélain transperça le corps de notre prince de sa lance. Puis ils l'abandonnèrent en cet endroit. Après leur départ, par hasard je vins à cette fontaine. J'y trouvai mon seigneur et roi blessé mortellement. Lorsque je l'entendis se plaindre, je le fis amener jusqu'au bord de l'eau et, dans la même nef qui vous a conduit, je le fis mettre tandis qu'il vivait encore. Quand monseigneur Armant fut à bord de ce vaisseau, il me requit, par la foi et loyauté que je lui devais, d'écrire une lettre ainsi qu'il suit. »

CHAPITRE LXII

Copie de la lettre écrite pour venger la mort du roi, et comment messire Palamède dut combattre pour avoir cette vengeance

« Me recommandant au roi Arthur et à tous ses chevaliers errants, parce que moi, le roi Armant de la Cité Vermeille, je meurs par félonie et trahison, du fait de deux chevaliers miens, que j'avais nourris et armés, j'adjure tous les chevaliers errants susdits que l'un d'eux venge ma mort, compte tenu que j'ai toujours, dans la mesure de mes moyens, montré de la bienveillance à ceux de la cour d'Arthur. Quiconque risquera sa vie contre ces deux traîtres par amour pour moi dans une seule bataille, moi, le roi Armant de la Cité Vermeille, de plein gré je lui baille toutes les terres et rentes qui m'ont jamais été dévolues.

« Cette lettre, dit Hébel, je l'ai écrite sur ordre de mon seigneur. Après quoi il reçut la communion. En mourant il me commanda de placer la lettre bien fermement en sa main, avant qu'il fût gagné par le froid de la mort. Puis il me chargea de faire descendre à son vaisseau la rivière Humber. Je devais enjoindre aux mariniers de ne pas s'arrêter avant d'arriver en Angleterre, où tous les nobles chevaliers devaient alors s'assembler. "L'un d'eux, plein de mérite, aura pitié de mon sort et vengera mon trépas, car jamais roi ni seigneur ne fut occis avec plus de perfidie et traîtrise que je le suis dans la mort qui m'est donnée." Ainsi se plaignit notre roi Armant.

« À présent, reprit messire Hébel, que vous n'ignorez plus rien de la façon dont notre roi fut trahi, nous vous requérons pour l'amour de Dieu d'avoir compassion de son trépas et dans l'honneur de le venger. Alors vous entrerez, si vous le voulez, en possession de toutes ces terres. En effet, nous sommes tous assurés que, si vous pouvez tuer ces deux traîtres, la Cité Vermeille et tous ceux qui sont dedans vous reconnaîtront pour leur seigneur. — Véritablement, repartit messire Palamède, cela me navre le cœur de vous entendre me faire ce récit douloureux. Pour ne rien vous cacher, j'ai déjà vu la lettre dont vous parlez. L'un des meilleurs chevaliers qui soient au monde me l'a lue. C'est parce qu'il me l'a ordonné que je suis venu ici venger la mort de votre roi. En conséquence, laissons là ces paroles et faites-moi savoir où je pourrai trouver ces traîtres. Je n'aurai de repos en mon cœur que lorsque je serai aux prises avec eux.

— Messire, répondit Hébel, reprenez donc votre navire. Il vous conduira jusqu'à l'Ile Délectable, non loin de la Cité Vermeille. Nous, en ce château, nous prierons pour vous et attendrons votre retour. C'est un château qui, si vous réussissez dans votre entreprise, doit nécessairement vous revenir. Notre roi Armant l'avait fait bâtir tout exprès pour ces deux traîtres. Nous l'avons retenu par la force. Cela nous vaut d'être grandement menacés. — Savez-vous ce que vous allez faire? dit messire Palamède. Quoi qu'il puisse m'arriver, veillez à bien le garder. En effet, si j'ai le malheur de périr en cette quête, je suis certain que viendra l'un des meilleurs chevaliers du monde pour venger ma mort. Ce sera messire Tristan de Léonois, sinon messire Lancelot du Lac. »

Lors messire Palamède quitta ce château. Tandis qu'il approchait de la cité sortit d'un navire un chevalier en armure de belle prestance. Il vint à sa rencontre, l'écu ajusté à l'épaule et l'épée à la main. Dès qu'il fut tout près, il demanda à messire Palamède : « Sire chevalier, que venez-vous chercher céans? Laissez là cette quête. Elle m'appartient. Elle m'appartenait avant que vous vous en chargiez. En conséquence, je veux qu'elle soit mienne. — Sire chevalier, répliqua Palamède, il se peut fort bien qu'elle ait été vôtre avant d'être à moi. Mais, lorsque la lettre fut ôtée de la main du roi défunt, en toute vraisemblance nul chevalier n'avait encore entrepris de venger sa mort. J'ai donc promis à ce moment-là d'assumer cette vengeance et je le ferai, sans quoi je suis perdu d'honneur. — C'est bien parlé, répondit le chevalier. Mais sachez en ce cas que je me battrai avec vous. Celui qui sera le meilleur des deux, la bataille lui appartiendra. — J'y consens », dit messire Palamède.

Là-dessus ils ajustèrent leurs boucliers, dégainèrent leurs épées et se portèrent plus d'un coup douloureux, en hommes pleins de vigueur. Le combat dura plus d'une heure. Fin de compte, messire Palamède prit le meilleur. Il était plus en souffle. Il asséna à l'autre un coup si rude qu'il tomba à genoux. Le chevalier alors parla à voix haute. Il dit : « Gentil chevalier, suspendez vos coups. » Messire Palamède, courtoisement, arrêta là ses assauts. L'autre ajouta : « Assurément, chevalier, cette bataille, vous en êtes plus digne que je ne le suis. Je requiers de votre chevalerie de me donner votre nom. — Messire, mon nom est Palamède. Je suis chevalier du roi Arthur et de la Table Ronde, et je suis venu ici pour venger la mort du feu roi. »

CHAPITRE LXIII

De la préparation de messire Palamède et des deux frères qui devaient combattre avec lui

« JE SUIS HEUREUX de vous rencontrer, dit le chevalier à Palamède, car de tous les chevaliers vivants, excepté trois, c'est vous que je préfère. De ces trois, le premier est messire Lancelot du Lac, le deuxième messire Tristan de Léonois. Le troisième est mon cousin germain, messire Lamorat de Galles. Je suis le frère du roi Armant qui vient de mourir, et mon nom est messire Marin. — C'est bien parlé, repartit messire Palamède. Vous verrez quel sera mon succès. Si je meurs en cette querelle, allez trouver monseigneur Lancelot, ou encore monseigneur Tristan, et priez-les de venger ma mort, car pour ce qui est de messire Lamorat, vous ne le reverrez plus en ce monde. — Hélas ! gémit messire Marin.

Comment cela peut-il se faire ? — Il a été tué par messire Gauvain et ses frères. — Par Dieu, ce ne fut pas dans un combat seul à seul. — Vous avez raison. Ce furent quatre chevaliers dangereux qui l'occirent, messires Gauvain, Agravain, Guerrehet, Mordret. Messire Gahériet, le cinquième des frères, n'était pas là. Il est le meilleur d'eux tous. » C'est ainsi que messire Palamède raconta tout à Marin, comment, s'ils tuèrent messire Lamorat, ce ne fut que par traîtrise.

Adonc messire Palamède remonta sur son navire et parvint à l'Ile Délectable. Cependant messire Marin, le frère du roi, se rendit à la Cité Vermeille. Là il leur dit comment était arrivé un chevalier du roi Arthur pour venger la mort d'Armant. « Son nom est messire Palamède, le valeureux chevalier, qui la plupart du temps poursuit la Bête en Chasse. » Lors la cité tout entière mena grande liesse, car ils avaient beaucoup entendu parler de messire Palamède et de son noble courage. Ils choisirent donc un messager qu'ils envoyèrent aux deux frères, leur disant de se préparer, car un chevalier était venu qui combattrait avec l'un et l'autre. Le messager alla devers eux, là où ils étaient, dans un château à proximité. Et là il les informa qu'un chevalier était arrivé, de la cour du roi Arthur, pour se mesurer à eux en un même combat. « Il est le bienvenu, répondirent-ils. Mais, dites-nous, est-ce messire Lancelot ou quelqu'un de son sang ? — Il n'est pas de son sang. — Nous n'en avons que moins de souci, repartirent les deux frères. Ceux de la parenté de Lancelot, nous n'avons pas envie de les entreprendre. — Sachez qu'il se nomme messire Palamède. Il n'est pas encore baptisé. C'est un noble chevalier. — Eh bien, répliquèrent-ils, s'il n'est pas baptisé à cette heure, il ne le sera jamais. »

Il fut convenu qu'ils seraient dans la cité avant deux jours. Quand messire Palamède y arriva, on le reçut à très grande joie. On l'examina. On vit qu'il était bien fait, robuste et sans défaut, n'ayant point été estropié. Il n'était ni trop jeune ni trop vieux. Tout le peuple chanta ses louanges. Il n'avait pas encore reçu le baptême, mais on ne pouvait redire à sa foi. Il était parfaitement loyal et fidèle à ses engagements, d'un caractère au-dessus de tout soupçon. S'il n'était pas baptisé, c'était qu'il avait fait vœu de ne pas l'être tant qu'il ne serait pas venu à bout de la Bête en Chasse, laquelle était un animal prodigieux et dont la signification était grande (Merlin avait tiré beaucoup de prédictions de l'existence de cette bête). En outre, messire Palamède s'était engagé à ne pas devenir pleinement chrétien avant d'avoir pris part à sept combats dans une lice.

Or donc, avant le troisième jour, ces deux frères vinrent dans la cité. L'un se nommait Hélain, l'autre Hélac. C'étaient des hommes de grand courage. Ils avaient beau être fourbes et perfides à l'extrême et n'être que serfs de naissance, leur bras était celui de nobles chevaliers. Ils amenaient avec eux quarante autres chevaliers, pour ne pas avoir à craindre ceux de la Cité Vermeille. Ils arrivèrent pleins d'arrogance et de vantardise, d'avoir pillé et jeté la peur parmi les habitants. On les conduisit à la lice. Messire Palamède parut. Il dit : « Êtes-vous les deux frères, Hélain et Hélac, qui avez occis votre roi et seigneur, monseigneur Armant, par félonie et trahison, et qui avez fait que je suis venu ici venger cette mort ? — Assurément, répondirent-ils, nous sommes bien les chevaliers qui ont tué le roi Armant. Et sachez, messire Palamède, Sarrasin, que nous vous ferons subir avant que vous partiez un traitement tel que vous regretterez de ne pas avoir été baptisé. — Cela se peut, répliqua Palamède. Pourtant je ne voudrais pas mourir avant de l'avoir été. Quoi qu'il en soit, vous ne me faites pas peur, tous les deux, et je me fie en Dieu que je mourrai meilleur chrétien que l'un ou l'autre. Et ne soyez pas en doute, ajouta-t-il, c'est soit vous, soit moi. Quelqu'un laissera sa vie sur ce terrain. »

CHAPITRE LXIV

De la bataille entre messire Palamède et les deux frères, et comment ils furent occis

ADONC ils se séparèrent. Les deux frères chargèrent sus à messire Palamède et lui à eux, de toute la vitesse de leurs chevaux. La chance sourit à messire Palamède. Sa lance transperça l'écu d'Hélain et s'enfonça dans sa poitrine de plus d'une toise. Pendant ce temps, messire Hélac retint sa propre lance. L'orgueil et la suffisance l'empêchèrent de frapper. Cependant, quand il vit son frère étendu sur le sol, incapable de faire un mouvement, il dit à Palamède : « Défends-toi. » Là-dessus il se précipita sur lui, la lance en avant, et lui fit vider les arçons. Après quoi il lui passa sur le corps par deux ou trois fois. Messire Palamède eut honte. Il saisit le cheval de messire Hélac par la bride. Le cheval se cabra. Palamède y aidant, monture et cavalier tombèrent. Le cavalier fit vite à se relever. Il choqua rudement le heaume de messire Palamède, lequel mit un genou en terre.

Lors furent donnés bien des coups plein de force. Tantôt ils avançaient, tantôt esquivaient. Ils reculaient parfois, parfois faisaient un pas de côté. Dans une occasion, ils se ruèrent à l'assaut comme deux sangliers et se retrouvèrent face contre terre l'un et l'autre. Ils combattirent ainsi deux heures de rang, sans se reposer et sans reprendre haleine. Messire Palamède finit par faiblir et se fatiguer. La force de messire Hélac, elle, ne cessait de s'affirmer. Il redoubla ses coups. Il repoussa messire Palamède de-ci de-là, sur toute l'étendue du champ clos. Les gens de la cité, le voyant dans un tel embarras, se mirent à pleurer, à pousser des cris, à se lamenter, tandis que dans l'autre camp la joie était tout aussi grande. « Las ! gémissaient les gens de la ville, dire que ce noble chevalier va mourir d'avoir voulu venger notre roi ! »

Alors qu'ils étaient ainsi à pleurer et se plaindre, messire Palamède, qui avait reçu une centaine de coups d'épée (c'était merveille qu'il fût encore debout), à la fin de tout cela vit le menu peuple — autant que faire se pouvait —, comment ils versaient des larmes en le regardant. Il se dit à ce moment : « Ah ! fi donc, messire Palamède ! pourquoi baisser ainsi la tête ? » Il releva son bouclier, regarda messire Hélac droit dans les yeux et lui donna un grand coup sur le heaume, puis un autre, puis un autre encore. Après quoi il frappa messire Hélac avec tant de force que celui-ci s'affaissa face contre terre. Lors il lui arracha son heaume et le choqua si rudement qu'il sépara la tête du corps.

Les gens de la cité se mirent en joie, plus joyeux il n'y eut jamais. Ils le conduisirent à son logis en grande pompe et lui firent tous allégeance. Messire Palamède les pria de veiller sur chacun des domaines du roi Armant. « Gentils sires, je ne puis, sachez-le, demeurer avec vous. Je dois en toute hâte rejoindre monseigneur le roi Arthur au château de Louvrezep, comme j'en ai fait promesse. » Le peuple s'attrista beaucoup de son départ. La cité tout entière offrit à messire Palamède le tiers de ses biens pour qu'il ne partît point. Mais il n'y eut rien à faire alors pour qu'il restât.

Adonc il s'en alla, pour se rendre au château dont messire Hébel avait la lieutenance. Lorsque, dans ce château, on sut quel succès messire Palamède avait connu, chacun s'en réjouit. Messire Palamède les quitta pour continuer vers Louvrezep. Il apprit que messire Tristan n'y était pas. Lors il passa la rivière Humber et chevaucha jusqu'à la Joyeuse Garde, où se trouvaient messire Tristan et la Belle Yseut. Messire Tristan avait ordonné que, si un chevalier errant entrait dans la Joyeuse Garde, ou dans la ville, il en fût averti. Il vint donc un habitant de la ville qui le prévint de l'arrivée d'un chevalier de fort belle prestance. « Quelle sorte d'homme est-ce ? demanda messire Tristan, et quelles sont ses armes ? » On lui en détailla toutes les pièces. « Il s'agit de Palamède, dit messire Dinadan. — Cela se peut, dit messire Tristan. Allez voir. »

Dinadan s'en fut trouver messire Palamède. Chacun d'eux se réjouit fort de revoir l'autre. Ils partagèrent la même chambre cette nuit-là. Tôt le lendemain matin, messire Tristan et messire Gahériet les tirèrent de leurs lits. Ils se levèrent pour aller déjeuner.

CHAPITRE LXV

Comment messire Tristan et messire Palamède rencontrèrent Brun sans Pitié, et comment messire Tristan et la Belle Yseut se rendirent à Louvrezep

LORS messire Tristan désira de messire Palamède qu'il l'accompagnât dans une chevauchée à travers champs et bois. Puis ils convinrent de se délasser dans la forêt. Après s'être ébattus longuement, ils arrivèrent devant une belle fontaine. Bientôt ils virent un chevalier en armes venir à eux. On se salua. Lors ce chevalier en armure se mit à parler à Tristan. Il lui demanda quels étaient ces chevaliers qui étaient logés à la Joyeuse Garde. « Je ne sais pas qui ils sont, répondit Tristan. — Et vous, quelle sorte de chevaliers êtes-vous donc ? reprit l'homme. Il me semble que vous n'êtes point des chevaliers errants puisque vous ne chevauchez pas en armes. — Que nous soyons ceci ou cela, nous n'avons pas envie de dire qui nous sommes. — Vraiment ? Tu ne veux pas me dire ton nom ? Dans ce cas, en garde ! Tu mourras de ma main. » Là-dessus ce chevalier se saisit d'une lance et s'apprêta à en transpercer messire Tristan.

Messire Palamède le vit. Il heurta le destrier par le flanc, en plein milieu, si bien que cavalier et monture tombèrent au sol. Sur ce messire Palamède mit pied à terre et tira son épée pour tuer le chevalier. « Laissez cela, dit messire Tristan, ne le tuez pas. Ce n'est qu'un sot. Il serait indigne de le mettre à mort. Enlevez-lui seulement sa lance et qu'il prenne son cheval pour aller où il voudra. » L'autre se remit debout. Il geignait beaucoup de sa chute. Il prit son cheval et, quand il fut monté dessus, il le fit tourner pour requérir messire Tristan et messire

Palamède de lui dire quels chevaliers ils étaient. « Sache donc enfin, dit Tristan, que mon nom est messire Tristan de Léonois et celui de ce chevalier messire Palamède. » Quand il sut cela, le chevalier donna des éperons à sa monture pour ne pas qu'on lui demandât comment il se nommait, lui, et partit grand train sans souci des obstacles.

Lors vint à eux un autre chevalier, dont l'écu était blanc à fente d'azur au travers. Il s'appelait Espinogre. Il arriva au grand galop. « Où donc allez-vous ainsi ? lui demanda messire Tristan. — Gentils seigneurs, répondit-il, je donne la chasse au chevalier le plus fourbe qui soit au monde. Je désire donc que vous me disiez si vous l'avez vu. Il porte un écu de gueules couvert d'une étoffe. — Par Dieu, s'écria Tristan, un chevalier tel que vous nous le donnez nous a quittés il y a moins d'un quart d'heure. S'il vous plaît, son nom ? — Las ! gémit Espinogre, pourquoi l'avoir laissé s'enfuir ? Il est l'ennemi mortel de tous les chevaliers errants. Son nom est Brun sans Pitié. — Ah ! s'exclama messire Palamède, quel dommage ! quel regret de l'avoir laissé échapper ! C'est l'homme que j'exècre le plus au monde ! » Chacun des chevaliers confia son dépit aux autres. Espinogre partit et poursuivit la chasse.

Ensuite messire Tristan et ses trois compagnons allèrent à la Joyeuse Garde. Quand ils furent rendus, messire Tristan parla avec messire Palamède du combat qu'il avait livré, de la manière dont les choses s'étaient passées pour lui en la Cité Vermeille. Vous savez déjà la fin de tout cela. « Vraiment, dit messire Tristan, je suis heureux de votre succès. Vous vous êtes conduit avec beaucoup d'honneur. Eh bien, il nous faudra demain pousser plus avant. » Lors il envisagea comment on procéderait. Il projeta de faire transporter ses deux pavillons, afin qu'ils fussent installés près de la fontaine de Louvrezep. Dedans ces pavillons devait se tenir la Belle Yseut. « C'est bien parlé », repartit messire Dinadan. Quand messire Palamède entendit ce projet, son cœur en fut transporté d'aise. Nonobstant il se garda d'en dire trop.

En arrivant à la Joyeuse Garde, messire Palamède eut scrupule à entrer dans le château. Mais messire Tristan le prit par le doigt et le conduisit au-dedans. Lorsqu'il fut devant la Belle Yseut, messire Palamède en fut si ébloui qu'il eut de la peine à trouver ses mots. On se mit à table. Il ne put rien prendre. Pourtant on lui offrait de tout ce qui pouvait s'offrir. Le lendemain matin, ils furent pourvus de ce qu'il leur fallait pour se rendre à Louvrezep. Messire Tristan était accompagné de trois écuyers. La Belle Yseut avait trois dames d'honneur, toutes, tant la reine que les dames, vêtues de riches atours. Ils n'avaient pas avec eux d'autre escorte, seulement des valets pour porter lances et boucliers. C'est ainsi qu'ils se mirent en route.

Chemin faisant, ils virent devant eux une petite troupe de chevaliers. Il s'agissait de Galehodin, entouré de vingt compagnons. « Gentils compagnons, dit Galehodin, voici venir à nous quatre chevaliers. Une belle dame, superbement vêtue, est du voyage. Il me prend envie de leur ravir cette dame. — Ce n'est pas le meilleur parti à prendre, répondit l'un des vingt. Envoyez-leur un messager. Nous saurons ce qu'ils en penseront. » C'est ce qui fut fait. Un écuyer alla devers messire Tristan. Il leur demanda s'ils voulaient jouter, autrement ils y perdraient leur dame. « Point de cela, répondit messire Tristan. Dites à votre seigneur qu'il vienne, malgré le peu que nous sommes, qu'il la gagne et la prenne. — Messire, intervint Palamède, s'il vous plaît, laissez-moi me charger de cette affaire. J'en vois quatre devant. Je vais les entreprendre. — Je veux bien, dit messire Tristan, pourvu que cela vous convienne. Allez dire à votre seigneur, Galehodin, que ce chevalier le rencontrera, de même que ses compagnons. »

CHAPITRE LXVI

Comment messire Palamède jouta avec messire Galehodin, puis avec messire Gauvain, et les renversa tous deux

LORS cet écuyer s'en alla informer Galehodin. Celui-ci ajusta son bouclier, coucha sa lance. Messire Palamède mit en arrêt la sienne. Il heurta Galehodin si durement qu'il jeta au sol cavalier et monture. Le cavalier souffrit horriblement de sa chute. Vint alors un autre chevalier, qui fut traité de la même façon. Palamède en usa de même encore avec le troisième et le quatrième. Il les fit passer par-dessus la croupe de leurs chevaux. Cependant sa lance demeurait entière. S'avancèrent ensuite six autres chevaliers de Galehodin, dans l'intention de se venger de messire Palamède. « Laissez cela, dit Galehodin. Ne soyez pas si hardis. Que nul d'entre vous n'entreprenne ce chevalier! C'est un homme de grande valeur et de haut mérite. S'il le voulait, vous ne seriez pas de taille à soutenir le combat. » Adonc ils se tinrent cois. Cependant messire Palamède était, lui, toujours prêt à jouter. Mais quand il vit qu'eux en avaient assez, il retourna près de messire Tristan. « Vous vous êtes fort bien conduit, lui dit messire Tristan. Vous avez agi avec honneur, comme doit le faire un bon chevalier. » Ce Galehodin était proche cousin du haut prince, Galehot. Il était roi au pays de Sorelois.

Après quoi, tandis que messire Tristan, messire Palamède et la Belle Yseut chevauchaient ensemble, ils virent devant eux quatre chevaliers. Chacun avait en main sa lance. Le premier était messire Gauvain, le deuxième messire Yvain, le troisième messire Sagremor le Desrée et le quatrième Dodinel le Sauvage. Lorsque messire Palamède les eut examinés et se fut rendu compte qu'ils étaient prêts à jouter, il pria messire Tristan de lui permettre de combattre avec eux, aussi longtemps qu'il pourrait rester à dos de cheval. « Et si je suis mis à terre, je vous demanderais de me venger. — Soit, repartit messire Tristan. je veux bien ce que vous voulez. Si votre désir est d'acquérir de l'honneur, le mien sera que vous en acquerriez. »

Là-dessus messire Gauvain coucha sa lance et messire Palamède la sienne. Ils mirent tant d'ardeur à la rencontre que le second jeta le premier au sol avec sa monture. Messire Palamède fit subir le même sort à Yvain, à messire Dodinel, à Sagremor. Tous les quatre, il les renversa de différentes lances. Quand ce fut fait, messire Tristan partit pour Louvrezep. Après leur départ, Galehodin vint avec ses vingt chevaliers devers messire Gauvain. Il lui raconta quelle fortune il avait eu. « Je me demande, lui dit messire Gauvain, quels sont ces chevaliers qui sont ainsi vêtus de vert. — Celui qui montait le cheval blanc m'a renversé, repartit Galehodin, ainsi que mes trois compagnons. — Il en a fait de même avec moi, dit Gauvain. Je suis sûr que le cavalier au cheval blanc est messire Tristan, à moins que ce ne soit messire Palamède. Quant à la dame si bien parée, c'est la reine Yseut. »

Ils causèrent ainsi de choses et d'autres. Cependant messire Tristan continuait sa route. Il arriva devant la fontaine où étaient tendus ses deux pavillons. On mit pied à terre et vit beaucoup de pavillons et de grands préparatifs. Messire Tristan laissa là messire Palamède et messire Gahériet en compagnie de la Belle Yseut, tandis que messire Dinadan et lui chevauchaient jusqu'à Louvrezep, pour s'informer de ce qui se passait. Messire Tristan montait le destrier blanc de messire Palamède. Quand il arriva dans le château, messire Dinadan entendit sonner d'une grande trompe. Cette sonnerie rassembla beaucoup de chevaliers. Messire Tristan demanda à l'un d'eux : « Que signifie ce signal ? — Messire, lui fut-il répondu, il s'adresse à tous ceux qui seront opposés au roi Arthur lors de ce tournoi. Il y aura d'abord le roi d'Irlande. Il y aura aussi le roi de Sorelois, celui de Listenois, celui du Northumberland, celui de la plus grande partie du pays de Galles, sans parler de bien d'autres pays. Ils se réunissent en conseil, afin de savoir sous l'autorité de qui ils seront placés. »

Cependant le roi d'Irlande, qui se nommait Marehaut et était père du vaillant chevalier messire Marehaut que messire Tristan avait occis, fut le seul à parler, pour ce que Tristan put entendre. Il dit : « Seigneurs et compagnons, prenons bien garde à nous. Il faut que vous le sachiez, le roi Arthur peut compter sur plus d'un chevalier de mérite. Sans quoi, avec si peu d'hommes, il n'entreprendrait point de se mesurer à nous. En conséquence, mon avis est que chaque roi ait une bannière et signe de reconnaissance qui lui soit propre, de manière à ce que chacun des chevaliers puisse aller à son légitime seigneur, et que chaque roi et capitaine puisse aider ses chevaliers en cas de besoin. » Lorsque messire Tristan eut tout entendu de leur conseil, il alla au roi Arthur pour entendre ce qui se disait dans le sien.

CHAPITRE LXVII

Comment messire Tristan et ses compagnons commencèrent le tournoi de Louvrezep, de diverses joutes et de divers sujets

MESSIRE TRISTAN n'était pas plus tôt sur les lieux du tournoi que messire Gauvain et messire Galehodin allèrent trouver le roi Arthur pour lui dire : « Ce chevalier vert aux armes vertes, monté sur le cheval blanc, nous a tous deux mis à terre, et le même jour a renversé six de nos compagnons. — Vraiment ! » s'exclama le roi Arthur. Il appela messire Tristan et lui demanda son nom. « Sire, répondit-il, il faudra m'excuser pour cette fois, mais je ne vous en dirai rien. » Là-dessus il s'en retourna et poursuivit son chemin. « Je m'étonne, dit Arthur, que ce chevalier ne veuille point me donner son nom. Mais Girflet, fils de Do, allez le prier de venir me parler sans témoin. » Messire Girflet courut après Tristan. Il le rejoignit et l'informa que le roi Arthur le priait de venir lui parler secrètement et privément. « Je m'entretiendrai avec lui, décida messire Tristan, mais à une condition. Vous m'assurerez, si je fais demi-tour, que son désir n'est pas de connaître mon nom. — Je puis en prendre l'engagement, il n'insistera pas pour le savoir. » Lors ils allèrent ensemble devers le roi.

« Gentil seigneur, demanda le roi Arthur, pour quelle raison refusez-vous de me donner votre nom ? — Sire, répondit Tristan, si je le cache, ce n'est pas sans raison. — De quel côté vous tiendrez-vous ? — À dire vrai, monseigneur, je ne sais pas encore et ne le saurai point avant d'entrer dans le champ. Où inclinera mon cœur, c'est là que je me tiendrai. Demain, vous verrez par vous-même dans quel camp je me rangerai. » Sur ce messire Tristan s'en retourna en ses pavillons. Le lendemain matin, lui et ses compagnons s'armèrent tous en vert et pénétrèrent dans le champ. De jeunes chevaliers commencèrent à jouter et accomplirent plus d'une action d'éclat. Lors Gahériet s'adressa à messire Tristan, le priant de lui permettre de rompre une lance, car il jugeait indigne de repartir avec sa lance en un seul morceau. Quand messire Tristan entendit cela, il se mit à rire et lui dit : « Je vous en prie, faites de votre mieux. »

Messire Gahériet prit en main une lance, et il offrit de jouter. Un chevalier le vit, qui était neveu du roi des Cent Chevaliers. Il avait nom Célice. Il était habile à manier les armes. Ce chevalier Célice se mit face à messire Gahériet. Le choc fut si rude que tous deux, ils furent jetés à terre, monture et cavalier, et qu'ils se retrouvèrent tous deux meurtris et blessés. Ils ne purent se relever avant que le roi des Cent Chevaliers secourût Célice et que messire Tristan et messire Palamède vinssent aider Gahériet. Ils accompagnèrent celui-ci jusqu'à leurs pavillons, et on lui ôta son heaume.

Lorsque la Belle Yseut vit messire Gahériet meurtri au visage, elle lui demanda ce qui lui était arrivé. « Madame, répondit-il, j'ai reçu un grand choc. J'ai lieu de croire que j'ai été cause d'un autre. Mais aucun de mes compagnons, Dieu leur en sache gré, n'a hésité à me porter secours. — À la vérité dire, remarqua Palamède, il ne nous revenait pas aujourd'hui de prendre part aux joutes. Nul chevalier d'expérience n'en était, et c'est sans qu'il en fût besoin que vous avez voulu combattre. Quand l'autre camp a vu que vous proposiez de jouter, ils vous ont envoyé quelqu'un, fort bon chevalier pour son âge. Je le connais bien. Il se nomme Célice. Vous l'avez vaillamment combattu. Aucun des deux n'en sort amoindri en sa réputation. En conséquence, reposez-vous, afin d'être gaillard et dispos pour les joutes de demain. — Soyez sans crainte, repartit Gahériet, je ne vous faillirai point, pourvu que je puisse enfourcher mon cheval. »

CHAPITRE LXVIII

Comment joutèrent messire Tristan et ses compagnons,
et des hauts faits dont ils s'illustrèrent en ce tournoi

« Or çà, dit Tristan, de quel côté vaut-il mieux que nous soyons demain matin ? — Messire, répondit Palamède, mon avis sera que nous nous rangions contre le roi Arthur. En son camp il y aura messire Lancelot et beaucoup de bons cavaliers de sa parenté. Plus il y aura d'hommes de mérite parmi eux, plus grand sera le mérite à les vaincre. — Voilà qui est bien parlé et avec beaucoup de courage. Le conseil que vous me donnez, c'est à lui que nous nous tiendrons. — Par Dieu tout-puissant », dirent-ils tous.

Adonc cette nuit-là ils eurent le meilleur des logements. Le lendemain matin, quand le jour se leva, tous ils firent choix de caparaçons, écus et lances de couleur verte. La Belle Yseut était vêtue de même couleur, ainsi que ses trois dames suivantes. Les quatre chevaliers entrèrent dans le champ, qu'ils traversèrent de part en part. Ils conduisirent la Belle Yseut là où elle pourrait se tenir pour regarder toutes les joutes, à une fenêtre cintrée. Cependant elle devait garder son voile sans l'ôter jamais, de manière à ce que nul ne pût découvrir son visage. Puis les quatre chevaliers allèrent droit se mêler au parti du roi d'Écosse. Le roi Arthur vit tout ceci. Il demanda à messire Lancelot qui étaient ces chevaliers et cette reine. — Sire, répondit Lancelot, je ne puis en être certain, mais si messire Tristan est en cette contrée, et messire Palamède, ce sera certainement eux, avec la reine la Belle Yseut. »

Lors Arthur fit venir à lui messire Keu et lui dit : « Allez vite vous enquérir du nombre des chevaliers qui manquent ici de la Table Ronde. D'après les sièges, vous pourrez le savoir. » Messire Keu obtempéra. Aux inscriptions sur les sièges, il manquait neuf chevaliers. Voici les noms de ceux qui n'étaient pas là : messires Tristan, Palamède, Perceval, Guerrehet, Espinogre, Mordret, Dinadan, la Cotte Mal Taillée et le valeureux Pelléas. « Eh bien, dit Arthur, certains d'entre eux, je suppose, sont ici aujourd'hui contre nous. » Lors survinrent deux frères, cousins de messire Gauvain. L'un se nommait messire Édouart, l'autre messire Sadoc. C'étaient deux bons chevaliers. Ils demandèrent au roi Arthur permission d'avoir les premières joutes, pour ce qu'ils étaient des Orcades. « Avec plaisir », dit le roi.

Messire Édouart rencontra le roi d'Écosse, du parti duquel étaient messire Tristan et messire Palamède. Messire Édouart fit vider les arçons au roi d'Écosse. Messire Sadoc renversa le roi de Norgalles. Cette dernière chute étonna beaucoup. On poussa de grands cris dans le camp du roi Arthur. Messire Palamède en fut fort irrité. Il ajusta son écu, coucha sa lance. De toutes ses forces il se précipita contre messire Édouart des Orcades. Il le heurta si rudement que le cheval ne put rester debout. Cavalier et monture furent jetés au sol. Ensuite, de la même lance, il fit voler messire Sadoc par-dessus la croupe de son destrier.

« Seigneur Dieu ! s'exclama le roi Arthur, quel est donc ce chevalier tout vêtu de vert ? Il est puissant jouteur. — Sachez-le bien, dit messire Gauvain, c'est un valeureux chevalier. Pourtant vous le verrez jouter mieux encore avant qu'il s'en aille. Nonobstant il y a meilleur, un autre chevalier, sous la même couleur. Celui qui vient de mettre à terre mes deux cousins, il y a moins de deux jours m'a renversé, et il a fait de même pour trois hommes qui étaient avec moi. »

Alors qu'ils devisaient ainsi entra dans le champ messire Tristan, monté sur un cheval noir. Sans décesser et d'une seule lance il culbuta quatre bons chevaliers des Orcades, qui étaient de la parenté de messire Gauvain. Cependant messires Gahériet et Dinadan chacun renversèrent un bon chevalier. « Seigneur ! s'ébahit le roi Arthur, cet homme sur le cheval noir a bien de la force et fait merveille ! — Attendez, dit messire Gauvain. Il n'en est qu'au commencement. » Lors messire Tristan remit en selle les deux rois qu'Édouart et Sadoc avaient démontés lors des premières rencontres. Il tira son épée et courut au plus fort de la mêlée contre ceux des Orcades. Il asséna des coups, fit sauter des heaumes, arracha des écus et jeta au sol bien des adversaires. Il se conduisit si bien qu'Arthur et tous les chevaliers s'étonnaient grandement de voir de tels exploits accomplis par un seul homme. De son côté, messire Palamède ne lui cédait en rien. Il se comportait si merveilleusement que chacun en était stupéfait. Le roi Arthur comparait messire Tristan sur le cheval noir à un lion des forêts et messire Palamède à un léopard sauvage, messire Gahériet et messire Dinadan à des loups rapaces. L'usage, toutefois, voulait que les rois ne se prêtassent jamais assistance l'un à l'autre. Sous chaque bannière on se portait secours comme on pouvait. Messire Tristan accomplit cependant continûment de tels exploits que ceux des Orcades se lassèrent de le combattre et se retirèrent dans Louvrezep.

CHAPITRE LXIX

Comment messire Tristan fut démonté et mis à terre par messire Lancelot, et comment ensuite messire Tristan renversa le roi Arthur

POUR LORS ce ne fut qu'un cri parmi les hérauts et tout le menu peuple : « Le Chevalier Vert a fait merveille et vaincu tous ceux des Orcades. » Les hérauts firent le compte : messire Tristan, sur le cheval noir, avait de lances et d'épées mis à terre trente chevaliers. Quant à messire Palamède, il en avait renversé vingt, dont la plupart étaient de la maison du roi Arthur, à la valeur attestée. « Par Dieu, dit Arthur à messire Lancelot, c'est pour nous grande honte de voir quatre chevaliers venir à bout de tant des miens. Préparez-vous. Nous allons nous mesurer à eux. — Sire, répondit Lancelot, assurément il y a là deux chevaliers de grand mérite. Mais il n'y aurait pas beaucoup de gloire pour nous à les entreprendre, car en ce jour ils ont été mis à rude épreuve. — Il n'importe, je veux me venger. Prenez avec vous messire Bliobéris et messire Hector. Je serai le quatrième. — Sire, dit Lancelot, vous me trouverez prêt, de même que mon frère, messire Hector, et mon cousin, messire Bliobéris. »

Adonc, lorsqu'ils furent prêts et à cheval : « Choisissez, dit Arthur à Lancelot, celui que vous voulez rencontrer. — Sire, ce sera le chevalier vert sur le cheval noir (messire Tristan). Et mon cousin, messire Bliobéris, affrontera le chevalier vert sur le cheval blanc (messire Palamède). Quant à mon frère, messire Hector, il lui reviendra l'autre chevalier vert sur le cheval blanc (messire Gahériet). — En ce cas, dit monseigneur Arthur, je m'occuperai du chevalier vert au cheval gris (messire Dinadan). — À chacun le sien ! » dit messire Lancelot.

Ils s'avancèrent au trot, tous ensemble. Messire Lancelot rencontra messire Tristan. Il le heurta si fort sur son écu qu'il fit tomber le cheval et le cavalier. Messire Lancelot croyait qu'il s'agissait de messire Palamède.

Il ne s'arrêta donc pas. Messire Bliobéris fit face à Palamède. Il le frappa si durement sur le bouclier que l'homme et la monture s'affaissèrent dans un cliquetis d'armes. Ensuite messire Hector des Mares donna si âprement sus à messire Gahériet que celui-ci fut mis à terre. Le noble roi Arthur affronta messire Dinadan. Il lui fit vider les arçons. La rumeur prit un autre cours. On raconta que les chevaliers verts avaient été mis à bas.

Quand le roi de Norgalles vit que messire Tristan était tombé, il se rappela les grands exploits qu'il avait accomplis. Il fit se préparer beaucoup de chevaliers. En effet, la coutume alors voulait que celui qui, mis à terre, ne pouvait ni être remis en selle par ses compagnons ni remonter à cheval par ses propres moyens était pour la journée prisonnier du parti qui l'avait renversé. Adonc le roi de Norgalles entra dans le champ et courut droit à messire Tristan. Quand il fut près de lui, soudainement il mit pied à terre. Il lui bailla son destrier, avec ces mots : « Noble chevalier, je ne sais de quel pays tu es, mais pour les hauts faits d'armes que tu as accomplis en ce jour, prends mon cheval. Moi, je ferai ce que je pourrai. Par Dieu, tu es plus digne d'avoir ce cheval que je ne le suis. — Grand merci, dit messire Tristan, et si je le puis, je vous revaudrai cela. Veillez à ne pas vous éloigner par trop de nous, et je pense que je vous obtiendrai une autre monture. »

Sur ce il enfourcha son nouveau destrier et se heurta au roi Arthur. Il lui asséna sur le heaume un coup si rude que le roi n'eut pas le pouvoir de demeurer en selle. Après quoi il donna au roi de Norgalles le cheval du roi Arthur. On se pressa dès lors auprès de ce dernier pour le remonter. Mais Palamède refusa d'y consentir. Il frappa puissamment de droite et de gauche, en généreux chevalier. Cependant messire Tristan courait au plus fort de la mêlée, renversant des chevaliers, maintenant ici, maintenant là, arrachant des heaumes. Il gagna ainsi ses pavillons, laissant messire Palamède à pied. Il changea de cheval et prit un déguisement, entièrement rouge, monture et harnois.

CHAPITRE LXX

Comment messire Tristan changea de harnois (le nouveau était entièrement rouge), comment il se conduisit, et comment messire Palamède tua le cheval de Lancelot

LORSQUE LA REINE la Belle Yseut vit messire Tristan démonté, puis lorsqu'elle fut dans l'ignorance de ce qu'il était advenu de lui, elle versa beaucoup de larmes. Mais lui, quand il fut prêt, prestement revint dedans le champ, et lors elle le reconnut. Grandes furent ses prouesses. D'une lance qui était forte il renversa cinq chevaliers, sans prendre de repos. Messire Lancelot eut tôt fait de le remarquer. Il vit bien que c'était là messire Tristan et regretta de l'avoir mis à terre. Il se dégagea de la mêlée pour se reposer, puis il revint, plein d'ardeur.

Lorsque messire Tristan retourna dans cette mêlée, sa force supérieure lui permit de remettre en selle messire Palamède. Il fit de même avec messire Gahériet et messire Dinadan. Ils se mirent alors à accomplir les plus beaux exploits. Cependant ni messire Palamède ni aucun de ses deux compagnons ne savait qui les avait aidés à remonter sur leurs destriers. Messire Tristan était sans cesse à leurs côtés pour leur porter secours. Ils n'en faisaient pas autant pour lui, parce qu'il avait changé son armure verte contre une rouge. Pendant ce temps, messire Lancelot n'était pas là. La Belle Yseut reconnaissait bien messire Tristan sur son cheval. Elle riait et se réjouissait.

Sur ces entrefaites messire Palamède leva les yeux vers elle, là où elle était, à sa fenêtre. Il épia comment elle riait. Cela lui mit au cœur tant de joie qu'il abattit, maintenant de sa lance, maintenant de son épée, tous ceux qu'il trouva sur son chemin. La vue de la Belle Yseut aviva tant sa flamme qu'il lui parut que si messire Tristan et messire Lancelot s'étaient l'un et l'autre opposés à lui, ils ne s'en seraient pas tirés à leur honneur. En son cœur, nous dit le livre, messire Palamède eût désiré rencontrer glorieusement messire Tristan, de préférence à tout autre, à cause de la Belle Yseut. Ses forces se mirent à croître, jusqu'à doubler. Il se conduisit si prodigieusement que chacun s'en ébahit. Cependant il ne cessait de lever ses regards vers la Belle Yseut. Quand il voyait son visage s'éclairer pareillement, il se battait comme un lion, et nul ne pouvait lui résister.

Messire Tristan vit comment il courait ici et là. Il dit à messire Dinadan : « Par Dieu, messire Palamède est fort bon chevalier, et endurant. Semblables exploits, jamais je ne les lui vis accomplir, et jamais on ne m'a rapporté qu'il en ait fait autant en un seul jour. — C'en est un qui lui est favorable », répliqua Dinadan. Il ne voulut pas en dire plus à messire Tristan. Mais à part lui il pensa : « Si vous saviez pour l'amour de qui tous ces exploits sont accomplis, bientôt vous perdriez courage. » « Quel dommage, s'exclama messire Tristan, qu'il ne soit pas baptisé ! » Le roi Arthur le dit, lui aussi, de même que tous ceux qui regardaient faire messire Palamède. Ensuite tout le monde lui donna le prix, comme au meilleur chevalier de cette journée, surpassant messire Lancelot ou messire Tristan. « Eh bien, se dit messire Dinadan, pour tout cet honneur que Palamède s'est acquis aujourd'hui, il peut remercier la reine Yseut. Si elle n'avait pas été là en ce jour, il n'aurait pas eu la palme. »

Lors entra dans le champ messire Lancelot du Lac. Il vit, il entendit tout ce bruit et toute cette louange qui revenait à messire Palamède. Il se mit face à lui, avec une grande et puissante lance, et longue, dans l'intention de le renverser. Lorsqu'il vit messire Lancelot accourir vers lui avec tant de rapidité, messire Palamède s'élança l'épée nue à sa rencontre, aussi vite qu'il le pouvait. Comme Lancelot s'apprêtait à le frapper, il écarta sa lance et la fendit en deux de son épée. Après quoi il se rua sur lui, pour lui faire subir un affront. Toujours en se servant de son épée, il trancha le cou du cheval que montait messire Lancelot, ce qui fit que celui-ci tomba. La rumeur s'enfla pour grossir démesurément : « Voyez comment messire Palamède le Sarrasin a mis à bas le destrier de messire Lancelot. » Plus d'un chevalier se courrouça de cette action de messire Palamède. Beaucoup étaient d'opinion qu'il n'était pas conforme aux lois de la chevalerie de tuer un cheval délibérément, tout en reconnaissant que cela avait été fait en combat loyal, où l'on peut toujours rendre la pareille.

CHAPITRE LXXI

Ce que messire Lancelot dit à messire Palamède, et comment le prix de cette journée fut remis à ce dernier

QUAND MESSIRE HECTOR DES MARES vit messire Lancelot, son frère, connaître un tel outrage et se faire ainsi démonter, vite il se saisit d'une lance et courut sus à messire Palamède. Il le heurta si durement qu'il lui fit vider les arçons. Messire Tristan s'en aperçut, qui portait une armure de couleur rouge. À son tour, il fit vider les arçons à messire Hector des Mares. Lors messire Lancelot ajusta son bouclier à son épaule. L'épée nue à la main, farouchement, il alla droit à messire Palamède et lui dit : « Sache que tu m'as fait subir en ce jour le pire affront que jamais valeureux chevalier m'ait infligé en tournoi ou bien joute. Je vais donc me venger de toi. En garde ! — J'en appelle à ta merci, noble chevalier, repartit Palamède. Pardonne-moi mes mauvais gestes. Je n'ai ni le pouvoir ni la force de te résister. J'ai tant fait aujourd'hui que je sais bien n'avoir jamais fait davantage et ne pouvoir jamais mieux faire. Adonc, très noble chevalier, je t'en requiers, épargne-moi pour aujourd'hui, et je te promets que je serai dorénavant ton chevalier, aussi longtemps que je vivrai. Si maintenant tu me mets à honte, c'est la gloire la plus haute que j'aurai jamais acquise ou que j'acquerrai jamais dont tu me prives.

— Oui, dit messire Lancelot, je vois. C'est vrai, tu t'es conduit merveilleusement aujourd'hui. Je crois comprendre pour l'amour de qui tu as fait cela, et je sais que l'amour a beaucoup de pouvoir. Si ma dame était là (qui n'y est pas), sache que la palme ne te reviendrait point. Cependant garde-toi de découvrir ta passion. Si messire Tristan en était informé, tu t'en repentirais. Cette querelle n'est pas la mienne. Je te laisse les lauriers de la journée. Considérant toutes tes fatigues et tout le mal que tu t'es donné en ce jour, il serait indigne de ma part de t'en priver. » Sur ces mots, messire Lancelot accepta que messire Palamède s'en allât.

Après quoi, par sa seule force et puissance, messire Lancelot se pourvut d'une monture, en dépit de vingt chevaliers. Une fois à cheval, il fit bien des prouesses, messire Tristan aussi, et messire Palamède. Messire Lancelot d'une lance mit à terre messire Dinadan, le roi d'Écosse, le roi de Galles, celui du Northumberland et celui de Listenois. Ses compagnons et lui renversèrent près de quarante chevaliers. Entrèrent alors dans le champ le roi d'Irlande et celui de l'Étroite Marche. Ils venaient secourir messire Tristan et messire Palamède. Commença une grande mêlée. Maint chevalier fut jeté au sol, tant d'un côté que de l'autre. Cependant toujours messire Lancelot se gardait de rencontrer messire Tristan, et lui faisait de même.

Lors le roi Arthur envoya sur le terrain beaucoup de chevaliers de la Table Ronde. Messire Palamède demeurait au tout premier rang. Messire Tristan se conduisait si valeureusement que pour Arthur et tous les autres c'était ébahissement. Puis, par ordre du roi, on sonna la fin des combats. Parce qu'il avait été le premier à combattre et que jamais ensuite il n'était sorti du champ pour se reposer mais s'était conduit constamment avec beaucoup de mérite, tant à pied qu'à cheval, ce fut à messire Palamède que le roi Arthur et tous les autres rois attribuèrent l'honneur et récompense de la journée.

Quand ce fut fait, messire Tristan donna mission à messire Dinadan d'aller quérir la reine la Belle Yseut et de la conduire à ses deux pavillons, tendus près de la fontaine. Mais lorsque messire Palamède sut assurément que c'était messire Tristan qui avait combattu sous les armes rouges et sur un cheval rouge, vous devinez combien il fut content, de même que messire Gahériet et messire Dinadan. Ils croyaient qu'il avait été fait prisonnier. Chacun des chevaliers alors se retira en son hôtellerie. Le roi Arthur et tout le monde se mirent à parler des chevaliers qui s'étaient illustrés. Mais plus qu'à aucun autre on jugea que le prix revenait à messire Palamède, et tous ceux qui le connaissaient déjà s'émerveillèrent de ses actions.

« Sire, dit messire Lancelot au roi Arthur, si messire Palamède est bien le Chevalier Vert, je pense que pour cette journée c'est lui le plus digne de remporter la palme. Il n'a jamais pris de repos, n'a jamais changé d'habillement. C'est lui qui fut le premier à l'ouvrage et le dernier. Pourtant je suis assuré, reprit-il, qu'il y avait là meilleur chevalier que lui. On en aura la preuve avant que nous nous séparions, j'y gage ma tête. » Ce furent des propos semblables qui furent tenus dans un camp et dans l'autre. Messire Dinadan railla messire Tristan. Il lui dit : « De quoi diable souffriez-vous aujourd'hui ? La force de messire Palamède est toujours demeurée la même. Au contraire, il a fini deux fois plus fort. »

CHAPITRE LXXII

Comment messire Dinadan incita messire Tristan à bien faire

« QUANT À VOUS, messire Tristan, on aurait cru toute la journée que vous étiez endormi. C'est pourquoi je vous traite de couard. — Dites donc,

Dinadan, répliqua Tristan, je n'ai jamais été traité de couard jusque-là par aucun chevalier sur cette terre aucun jour de ma vie. Sachez, messire, que je ne me considère pas davantage comme un couard du fait que messire Lancelot m'ait mis à terre, car je ne le place point au même rang que les autres. Et n'en doutez pas, messire Dinadan, s'il croit avoir juste querelle, nul chevalier au monde n'est assez bon pour lui résister. Cependant, pour ce qui est de la tolérance, de la générosité, de la bonté, de la courtoisie, nul à mon sens ne l'approche. » Vous voyez que messire Tristan était quelque peu piqué par ce que lui avait dit messire Dinadan.

Mais toutes ces paroles, celui-ci les avait prononcées dans le dessein d'irriter messire Tristan. Il voulait ranimer son ardeur et lui faire perdre patience. Il savait bien que s'il était exaspéré, le lendemain messire Palamède n'aurait pas le prix. Telle était l'intention de messire Dinadan en raillant messire Tristan et en lui tenant ce langage. « À la vérité, dit messire Palamède, la noble chevalerie de messire Lancelot, sa courtoisie, sa bravoure, sa grandeur d'âme n'ont pas leurs pareilles, que je sache. Aujourd'hui, je me suis conduit fort discourtoisement envers lui et fort indignement pour un chevalier. C'est de manière très chevaleresque et courtoise qu'il s'est comporté en retour. S'il avait été aussi bas à mon égard que je l'avais été avec lui, en ce jour ne m'aurait été donné nul honneur. C'est pourquoi, ajouta-t-il, je serai le chevalier de messire Lancelot ma vie durant. »

On parlait de même façon dans les logis des rois. Cependant tous les rois, barons et chevaliers étaient d'avis que pour la parfaite chevalerie, la force pure, la bonté, la courtoisie, messire Lancelot et messire Tristan n'avaient pas leur égal parmi tous les chevaliers qu'il y eût jamais au temps d'Arthur. Et jamais en ce temps chevalier ne fit la moitié de ce qu'ils firent. Le livre nous l'assure : il n'y eut pas dix chevaliers pour accomplir la moitié de leurs exploits. Et jamais alors on ne requit l'un ou l'autre d'une quête sans que, à moins que leur honneur n'eût à en souffrir, le désir ne fût exaucé.

CHAPITRE LXXIII

Comment le roi Arthur et messire Lancelot vinrent voir la Belle Yseut, et comment messire Palamède renversa le roi Arthur

LE LENDEMAIN MATIN, messire Lancelot quitta son logis. Messire Tristan se prépara, de même que la Belle Yseut, messire Palamède, messire Gahériet. Ils chevauchèrent tous, en habillements verts aux couleurs éclatantes, en direction de la forêt. Messire Tristan laissa messire Dinadan dormir en son lit. Alors qu'ils chevauchaient ainsi, justement le roi Arthur et Lancelot se tenaient à une fenêtre. Ils virent passer messire Tristan et Yseut. « Sire, dit Lancelot, je vois passer là-bas sur son palefroi la plus belle dame du monde, si l'on excepte votre reine, dame Guenièvre. — Qui est-ce? demanda le roi Arthur. — Sire, c'est la reine Yseut, dont la beauté, exception faite de celle de madame votre reine, nulle n'égale. — Prenez votre cheval, dit Arthur, vêtez-vous en tout point comme je vais le faire, et je vous en donne ma parole, j'irai la voir. »

Sans perdre de temps ils s'armèrent et montèrent à cheval. Chacun prit une lance, et l'on gagna la forêt. « Sire, conseilla Lancelot, il vaut mieux que vous ne les approchiez pas de trop près. Il y a là deux chevaliers parmi les plus valeureux qui soient. Je vous en prie, Sire, ne soyez pas trop impatient. Il arrive que des chevaliers soient mécontents quand trop soudainement on les aborde. — Je la verrai, répliqua le roi, tant pis si cela fâche quelqu'un. — Sire, vous vous mettez en grand péril. — Nous prenons le risque. » Incontinent le roi s'avança jusqu'à la dame. Il la salua et dit : « Dieu vous garde! — Messire, répondit-elle, vous êtes le bienvenu. » Le roi la regarda et la trouva merveilleusement à son goût.

Sur ce messire Palamède vint vers lui : « Chevalier discourtois, lui lança-t-il, que cherches-tu donc ici ? C'est manquer aux usages que d'aborder une dame aussi brutalement. Retire-toi. »

Le roi Arthur ne prit nullement garde aux paroles de messire Palamède. Il continua de fixer ses regards sur la reine Yseut. Messire Palamède entra en courroux. Il prit une lance et se rua sur le roi, qu'il mit à terre de cette lance. Quand messire Lancelot vit l'outrage que messire Palamède venait de faire subir à son seigneur, il se dit : « Je répugne à combattre ce chevalier, non à cause de lui, mais de messire Tristan. Je suis certain d'une chose : si je renverse messire Palamède, il me faudra en découdre avec messire Tristan, et ce serait trop pour moi de faire face à l'un et à l'autre, car ce sont de nobles chevaliers. Nonobstant, que je vive ou que je périsse, il me faut venger mon seigneur. C'est ce que je vais faire, quoi qu'il puisse m'arriver. » Là-dessus il cria à l'adresse de messire Palamède : « En garde ! » Adonc messire Lancelot et messire Palamède fondirent l'un sur l'autre, la lance en arrêt. Lancelot heurta Palamède si rudement que celui-ci vida les arçons et tomba douloureusement.

Lorsque messire Tristan vit messire Palamède tomber de la sorte, il dit à messire Lancelot : « Sire chevalier, en garde ! je suis tenu de jouter avec vous. — Pour ce qui est de jouter avec moi, répliqua Lancelot, je ne vous ferai point défaut, car je n'ai pas peur de vous. Mais j'aimerais mieux ne pas vous combattre si le choix m'en était laissé. Je veux que vous le sachiez, il me fallait venger mon cher seigneur, qui a été mis à terre contre toute les lois de la guerre et de la chevalerie. En conséquence, si j'ai tiré vengeance de cette chute, ne vous en courroucez point. L'amitié qui nous lie fait que je ne puis le voir subir un affront. » Dès lors messire Tristan, à sa personne et à ses paroles chevaleresques, sut qu'il se trouvait en présence de messire Lancelot du Lac. Il jugea qu'assurément c'était le roi Arthur que messire Palamède avait fait choir. Il abandonna sa lance, remit Palamède en selle, tandis que messire Lancelot faisait de même avec le roi, et s'en alla.

« Par Dieu, dit messire Tristan à Palamède, vous n'avez pas agi de manière honorable lorsque vous avez renversé ce chevalier brutalement, comme vous l'avez fait. Sachez que vous vous êtes mis à grande honte, car ces chevaliers venaient civilement vers nous afin de voir une belle dame. Rien ne s'oppose à ce qu'un bon chevalier regarde une belle dame. Ce n'était pas l'occasion de vous livrer à de telles violences en présence de ma dame. Cela vous vaudra sûrement de la rancune, car celui que vous avez mis à terre était le roi Arthur et l'autre le valeureux messire Lancelot. Je ne suis pas près d'oublier les mots de ce dernier, disant de son compagnon qu'il était homme de haute dignité. C'est ainsi que je sus qu'il s'agissait du roi Arthur. Quant à messire Lancelot, s'il y avait eu sur le pré cinq cents chevaliers, il aurait relevé leur défi. Pourtant il n'a pas accepté le mien. Cela m'éclaira encore. J'appris qui il était, car toujours il évite de me combattre, où que ce soit, et me témoigne beaucoup d'amitié. Parmi tous les chevaliers, et je n'en excepte aucun, quoi qu'on dise, il est celui qui a le plus de mérite. Si l'on a bien excité sa colère et qu'il lui prenne envie de se battre à outrance, sans faire grâce à personne, je ne connais nul homme qui soit en mesure de lui résister, que ce soit à cheval ou à pied.

— Je n'arrive pas à croire, repartit Palamède, que le roi Arthur puisse chevaucher secrètement de cette manière, comme le ferait un pauvre chevalier errant. — Ah ! s'exclama Tristan, vous ne connaissez pas monseigneur Arthur ! Tout chevalier peut apprendre de lui ce qu'est la chevalerie. Il vous faut donc regretter votre conduite irréfléchie avec un roi aussi noble. — Ce qui est fait est fait », conclut Palamède.

Ensuite messire Tristan fit conduire la reine Yseut en son logement dans le prieuré, afin qu'elle ne pût rien manquer du tournoi.

CHAPITRE LXXIV

Comment, le deuxième jour, Palamède abandonna messire Tristan pour rejoindre le camp opposé

Lors on fit crier à l'adresse de tous les chevaliers que, lorsqu'ils entendraient sonner de la trompe, ils eussent à jouter comme ils l'avaient fait le premier jour. Et, de même que les deux frères, messire Édouart et messire Sadoc, avaient ouvert les joutes le premier jour, messire Yvain, le fils du roi Urien, et messire Lucan l'échanson commencèrent à jouter le deuxième. À la première rencontre, messire Yvain renversa le fils du roi d'Écosse. Messire Lucan, lui, courut sus au roi de Galles. L'un et l'autre rompirent leurs lances en menus morceaux. Ils apportèrent tant de violence à se charger sus qu'ils tombèrent tous les deux. Après quoi ceux des Orcades remirent en selle messire Lucan. Ensuite entra dans le champ messire Tristan de Léonois. Il mit à terre messire Yvain et messire Lucan. Quant à messire Palamède, il renversa deux autres chevaliers. Messire Gahériet lui aussi renversa deux autres chevaliers. Le roi Arthur dit à messire Lancelot : « Ces trois chevaliers-là s'en tirent fort bien, par espécial le premier qui a jouté. — Sire, repartit Lancelot, celui-là n'a pas encore vraiment commencé. Vous verrez qu'en ce jour il fera merveille. »

Lors dedans le champ arriva le fils du duc des Orcades, et ce fut le début de mainte action d'éclat. Quand messire Tristan vit comment cela tournait, il dit à Palamède : « Comment vous sentez-vous ? Pouvez-vous aujourd'hui faire aussi bien qu'hier ? — Non, répondit Palamède, je me sens si las et meurtri de mes combats d'hier que je ne serai pas en mesure de tenir comme auparavant. — Je le déplore. Vous me manquerez. » Messire Palamède insista : « Ne vous fiez pas à moi. Je n'ai plus la même force. » Tout cela, Palamède le disait pour abuser Tristan. « Messire, dit Tristan à Gahériet, il me faudra donc me reposer sur vous. Je vous en prie, ne vous éloignez pas de moi, afin de me porter secours.

— Si besoin est, répondit Gahériet, je ne vous faillirai point, en tout ce qui sera en mon pouvoir. »

Messire Palamède s'écarta de ses compagnons. Puis, sans égard pour messire Tristan, il courut se mêler aux combattants des Orcades, là où il y avait le plus de gens aux prises, et y accomplit des exploits si prodigieux que chacun s'en ébahit. Nul ne pouvait soutenir ses coups. Quand messire Tristan le vit se conduire de la sorte, il en fut surpris et se dit : « Il en a assez de ma compagnie. » Il le regarda faire longtemps sans entreprendre grand-chose. Le bruit et la rumeur étaient si amples et démesurés qu'il se demandait bien d'où venait la force que messire Palamède montrait dedans le champ.

« Messire, dit messire Gahériet à Tristan, ne vous souvenez-vous pas des mots dont messire Dinadan usa hier avec vous, lorsqu'il vous traita de couard ? À la vérité, messire, il ne l'a pas fait dans une mauvaise intention, car vous êtes au monde l'homme qu'il aime le plus. Toutes ses paroles avaient pour but d'aider à votre gloire. En conséquence, poursuivit-il, montrez-moi aujourd'hui ce que vous êtes, et ne vous ébahissez pas tant de messire Palamède. Il s'efforce pour vous enlever tout l'honneur et toute la réputation. — Je vous crois volontiers, repartit messire Tristan. Et puisque je m'aperçois de sa rancœur et jalousie, vous allez voir, si je m'évertue moi aussi, que le bruit qui l'entoure va bientôt s'arrêter. »

Sur ce il courut au plus fort de la mêlée et lors s'acquitta si prodigieusement de sa tâche et accomplit de telles prouesses que chacun dit qu'il faisait deux fois mieux que ce qu'avait fait auparavant messire Palamède. Les cris, dès l'instant, cessèrent d'accompagner ce dernier. Tous allèrent aux actions de messire Tristan. « Seigneur Dieu ! s'exclamait le menu peuple, voyez comment messire Tristan de sa lance abat force chevaliers ! » « Et voyez, dirent-ils tous, combien de chevaliers il jette au sol de son épée, de combien il arrache le heaume et l'écu ! » Ce fut ainsi qu'il vint à bout de tous ceux des Orcades qui se présentaient devant lui.

« Or çà, dit messire Lancelot au roi Arthur, je vous avais bien dit qu'aujourd'hui un chevalier tiendrait sa partie. Vous en voyez un là-bas qui se conduit avec vaillance, car il a de la vigueur et du souffle. — Par Dieu, lui repartit Arthur, vous avez raison. Je n'ai jamais vu meilleur. Il dépasse, et de loin, messire Palamède. — Sire, assurément, il ne saurait en être autrement. C'est lui, c'est le noble messire Tristan! — Je n'ai nulle peine à le croire », dit Arthur. Mais, lorsque messire Palamède entendit que le bruit et la rumeur ne s'attachaient plus à lui, il se retira et regarda Tristan. Et quand il le vit faire des prodiges, de dépit il pleura des larmes amères, sachant que ce jour-là nul honneur ne lui serait accordé. Il n'ignorait point que lorsque messire Tristan montrait sa force et son courage, il ne pouvait espérer acquérir beaucoup de réputation.

CHAPITRE LXXV

Comment messire Tristan quitta le champ, réveilla messire Dinadan et changea son habillement pour un noir

LORS vinrent le roi Arthur, le roi de Norgalles et messire Lancelot du Lac. Et messire Bliobéris, messire Bohort de Gaunes, messire Hector des Mares, ces trois chevaliers entrèrent dans le champ avec messire Lancelot. Celui-ci, en compagnie des trois chevaliers ses parents, fit de telles prouesses que tout le bruit se mit à suivre ses mouvements. Ils firent à eux trois reculer loin en arrière le roi de Galles et celui d'Écosse, tant qu'ils abandonnèrent la place. Cependant messire Tristan et messire Gahériet demeuraient dans le champ, tenant tête avec succès à tous ceux qui tentaient d'intervenir, au point que chacun s'émerveillait qu'un chevalier pût supporter tant de coups. Mais toujours messire Lancelot, et ses trois parents qui obéissaient à ses ordres, évitaient de s'opposer à messire Tristan.

Le roi Arthur dit : « Est-ce messire Palamède qui résiste si bien ? — Non, répondit Lancelot. C'est à n'en pas douter le valeureux messire Tristan, car vous voyez là-bas messire Palamède qui regarde et musarde et ne fait rien ou peu s'en faut. Et, Sire, il faut que vous sachiez qu'en ce jour messire Tristan compte tous nous faire abandonner le champ. Quant à moi, je ne veux point le vaincre, j'en laisse le soin à qui voudra s'en charger. Sire, reprit-il, s'adressant à Arthur, voyez là-bas comme Palamède attend. On croirait qu'il est dans un rêve. Assurément, il est fort marri de ces exploits de messire Tristan. — En ce cas, dit Arthur, il n'est qu'un sot. Messire Palamède jamais ne fut et jamais ne sera de la valeur d'un messire Tristan. S'il nourrit quelque envie contre lui et cependant se range à ses côtés, c'est un fourbe. »

Tandis qu'ils étaient ainsi à deviser, secrètement messire Tristan s'écarta de la mêlée, sans que nul le remarquât, hormis la Belle Yseut et messire Palamède, dont les regards ne le quittaient jamais. Lorsque Tristan vint à ses pavillons, il y trouva messire Dinadan, qui était au lit et dormait. « Réveillez-vous, lui dit-il, vous devriez avoir honte de dormir de la sorte, tandis que des chevaliers sont aux prises dans le champ. » Vite alors messire Dinadan se leva. Il dit : « Que voulez-vous que je fasse ? — Préparez-vous à me suivre. » Lorsqu'il fut armé, le regard de messire Dinadan se porta sur le heaume et l'écu de Tristan. Quand il vit la marque de tant de coups, il s'exclama : « C'est à propos que je dormais. Si j'avais été avec vous, il m'eût fallu en honneur vous accompagner — en honneur, davantage que pour le courage qui est en moi. Et je vois bien à ces bosses que j'aurais été moulu, ainsi que je le fus hier. — Assez de votre raillerie, repartit messire Tristan, et en route, que nous puissions retourner dans le champ ! — Comment ! s'écria Dinadan, êtes-vous à présent plein d'ardeur ? Hier on eût cru à vous voir faire que vous rêviez. »

Lors messire Tristan fit choix d'une armure noire. « Seigneur !

s'exclama Dinadan, quelle mouche vous pique aujourd'hui ? Il me semble que vous montrez une fureur que vous n'aviez point hier. » Tristan sourit et dit : « Soyez prêt à me porter secours. Si vous me voyez près de succomber, tenez-vous toujours derrière moi et, avec l'aide de Dieu, je vous ouvrirai le chemin. » Ils prirent donc leurs montures. Tout cela, messire Palamède le vit, tant leur départ que leur retour. La Belle Yseut aussi le vit, car elle reconnaissait messire Tristan parmi tous.

CHAPITRE LXXVI

Comment messire Palamède changea d'écu et d'armure pour nuire à messire Tristan, et ce que messire Lancelot fit à ce dernier

LORS voyant que messire Tristan avait pris un déguisement, messire Palamède songea qu'il pourrait lui faire subir un affront. Il courut à un chevalier qui, grièvement blessé, s'était assis loin du lieu du tournoi à la fraîcheur d'une fontaine. « Sire chevalier, lui dit Palamède, ayez l'obligeance de me prêter votre armure et votre bouclier. On connaît trop bien les miens en ce champ, et j'en ai beaucoup pâti. Je vous donnerai mon harnois et mon écu en échange. Ils sont aussi sûrs que les vôtres.
— Je veux bien, répondit le chevalier, si ce que j'ai peut vous être utile. » Messire Palamède s'arma donc à la hâte. Il prit l'armure et l'écu de ce chevalier, lesquels resplendissaient comme argent ou cristal, et ainsi équipé revint dedans le champ. Là ni messire Tristan, ni aucun du parti du roi Arthur ne le reconnut. Il fit son entrée pendant que Tristan renversait trois chevaliers, sous ses yeux.

Il courut alors sus à messire Tristan. Ils se heurtèrent avec de grandes lances, lesquelles se brisèrent à hauteur des poignées. Sur ce, avec ardeur, ils s'assaillirent à l'épée. Messire Tristan se demanda bien quel était ce chevalier qui le combattait avec tant de vaillance. Il s'emporta, car il le sentait plein de vigueur, au point de pouvoir l'empêcher de se mesurer aux autres. Ils se portèrent de nombreux assauts, se donnèrent force coups douloureux. Plus d'un chevalier en était stupéfait. Quel pouvait être cet homme qui rencontrait messire Tristan, le Chevalier Noir? La Belle Yseut, elle, savait fort bien que c'était Palamède qui était aux prises avec Tristan. Elle avait tout vu depuis la fenêtre où elle se tenait. Elle avait vu comment messire Palamède avait échangé son harnois contre celui du chevalier blessé. Elle se mit à pleurer si amèrement de la méchanceté de messire Palamède qu'elle en défaillit.

Lors entra dans le champ messire Lancelot, avec les chevaliers des Orcades. Quand le parti d'en face eut épié son arrivée, ils s'écrièrent : « Revenez, revenez, voici messire Lancelot du Lac! » Des chevaliers allèrent à Lancelot. Ils lui dirent : « Messire Lancelot, il vous faut nécessairement combattre ce chevalier aux armes noires (c'était messire Tristan), car il a presque défait le valeureux chevalier qui se mesure à lui, dont les armes sont d'argent (messire Palamède). » Messire Lancelot se mit entre les deux combattants. Il dit à Palamède : « Sire chevalier, laissez-moi ce combat. Vous avez besoin de repos. »

Messire Palamède reconnut messire Lancelot sans peine, messire Tristan également. Mais, pour ce que messire Lancelot était bien meilleur chevalier que lui-même, Palamède fut satisfait et accepta qu'il combattît Tristan. Il savait bien que Lancelot, lui, n'avait pas reconnu son adversaire et espérait qu'il le vaincrait ou lui ferait subir un affront, ce qui le réjouissait grandement. Adonc messire Lancelot porta plus d'un coup douloureux à Tristan, sans savoir qui il était, tandis que Tristan n'ignorait rien de l'homme qui lui était opposé. Ils combattirent ainsi longuement, la Belle Yseut se désolant cependant à en perdre le sens.

Lors messire Dinadan dit à messire Gahériet que le chevalier aux armes noires était messire Tristan. « Et c'est Lancelot qui se bat avec lui, lequel assurément finira par avoir le dessus, car messire Tristan aujourd'hui a fourni trop d'efforts. — En ce cas, allons mettre Lancelot à terre, repartit messire Gahériet. — Mieux vaut cela, jugea messire Dinadan, que de laisser messire Tristan connaître un affront. Je vois qu'attend là-bas le robuste chevalier à l'écu d'argent. Si besoin est, il va l'assaillir. » Incontinent messire Gahériet fondit sur messire Lancelot. Il lui asséna un grand coup sur le heaume, si rude qu'il en demeura abasourdi. Puis messire Dinadan vint avec une lance. Il choqua messire Lancelot si âprement que cavalier et monture, tout fut jeté à terre. « Oh ! mon Dieu ! s'écria messire Tristan à l'adresse de Gahériet et de Dinadan, pourquoi avez-vous mis à bas un si bon chevalier, et cela tandis que je me battais avec lui ? Vous vous êtes, ce faisant, couverts d'opprobre sans rien ôter à son mérite, car je soutenais assez bien ses assauts, quand même vous ne m'auriez pas secouru. »

Ce fut le moment que choisit messire Palamède pour intervenir, sous son déguisement. Il fit vider les arçons à messire Dinadan. Lors messire Lancelot, parce que Dinadan l'avait heurté auparavant, l'assaillit durement, mais celui-ci se défendit avec force. Cependant messire Tristan comprit bien qu'il ne pourrait résister à messire Lancelot, et il le regretta. Messire Palamède revint à la charge contre messire Tristan. Messire Tristan le vit. Il songea à s'en débarrasser sans tarder, car il voulait porter secours à messire Dinadan, qui se trouvait en grand péril à cause de messire Lancelot. Il se rua contre messire Palamède et le choqua vigoureusement. Puis il le saisit et le tira sous lui. Cela fit que lui tomba également. Mais d'un bond il se releva. Il laissa là Palamède et alla se mettre entre Lancelot et Dinadan. Ils commencèrent à se battre tous les trois.

Lors messire Dinadan prit le cheval de messire Tristan et dit, assez haut pour que messire Lancelot pût entendre : « Monseigneur Tristan, prenez votre cheval. » Quand messire Lancelot l'entendit nommer Tristan : « Seigneur ! s'exclama-t-il, qu'ai-je fait ? Je suis déshonoré. Ah ! monseigneur Tristan, pourquoi vous déguiser ? Vous vous êtes mis en grand péril aujourd'hui. Mais je vous prie, noble chevalier, de me pardonner. Si j'avais su qui vous étiez, nous n'aurions pas livré ce combat. — Messire, répondit Tristan, ce n'est pas la première fois que vous me marquez de l'amitié. » L'un et l'autre, ils se remirent en selle.

Là-dessus tous les gens qui étaient d'un côté donnèrent à messire Lancelot l'honneur et le prix, tandis que de l'autre on faisait de même avec messire Tristan, le noble chevalier. Mais messire Lancelot ne voulut rien entendre : « Je ne suis pas digne de recevoir cet honneur. J'en appelle à tous les chevaliers. Messire Tristan est demeuré dans le champ plus longtemps que moi. Il a en ce jour renversé plus de chevaliers. C'est pourquoi ma voix, mon appui vont à messire Tristan, et je vous prie, vous tous, mes seigneurs et compagnons, de faire comme moi. » Lors d'un commun accord, ducs et comtes, barons et chevaliers dirent qu'en cette journée messire Tristan s'était montré le meilleur.

CHAPITRE LXXVII

Comment messire Tristan partit avec la Belle Yseut, et comment Palamède le suivit et s'excusa

APRÈS QUOI on sonna la fin des combats, et la reine Yseut fut conduite en ses pavillons. Mais, n'en doutez pas, elle ne cessait d'être en colère contre messire Palamède, car elle avait été témoin de toute sa traîtrise, du commencement à la fin. Et, pendant ce temps, ni messire Tristan, ni messire Gahériet, ni Dinadan ne s'en étaient aperçus. Mais ensuite vous allez voir qu'éclata entre Tristan et Palamède la plus grande querelle que l'on puisse concevoir.

Or donc, quand le tournoi pour la journée fut fini, messires Tristan,

Gahériet et Dinadan chevauchèrent avec la Belle Yseut jusqu'auxdits pavillons. Cependant messire Palamède les accompagnait, en dépit de son déguisement. Mais, quand messire Tristan eut reconnu que c'était là le même chevalier à l'écu d'argent qui l'avait si âprement assailli ce jour-là : « Sire chevalier, lui dit-il, sachez bien que nul ici n'a besoin de votre fréquentation. Je vous prierai donc de nous quitter. » Messire Palamède lui répondit comme il eût fait à un étranger : « Sachez, sire chevalier, que je ne quitterai jamais la compagnie où je suis, car l'un des meilleurs chevaliers du monde m'a enjoint d'y demeurer. Jusqu'à ce qu'il renonce à mon service, je n'y renoncerai point. »

À ces mots, messire Tristan sut qu'il avait affaire à messire Palamède. « Ah ! messire Palamède, s'écria le noble messire Tristan, est-ce vous ? On vous a mal nommé, car longtemps on a dit de vous que vous étiez gentil chevalier, alors qu'en ce jour vous ne l'avez été nullement avec moi. Vous avez failli causer ma perte. Contre vous seul, je suppose que j'aurais pu me tirer d'embarras, mais en y ajoutant messire Lancelot, c'était trop. Je ne connais nul chevalier qui puisse tenir contre messire Lancelot, quand il est déterminé à donner toute sa mesure. — Las ! gémit messire Palamède, êtes-vous monseigneur Tristan ? — Oui, messire, et vous le savez fort bien. — Foi de chevalier, répliqua Palamède, jusqu'à maintenant je ne vous avais pas reconnu. Je croyais que vous étiez le roi d'Irlande, car j'étais certain que c'étaient là ses armes. — Je les portais, dit Tristan, et à bon droit, car je les ai gagnées un jour sur le terrain, d'un très noble chevalier qui avait nom messire Marehaut. Ce fut à grand-peine que je défis ce chevalier. Il n'y eut pour lui nul remède. Il mourut par la faute de fourbes médecins. Il n'accepta jamais de se rendre. — Messire, dit Palamède, j'ai cru que vous vous étiez rangé du parti de messire Lancelot. C'est pourquoi j'ai changé de camp. — C'est bon, dit messire Tristan, je vous comprends et vous pardonne. »

Ils gagnèrent leurs pavillons. Ils mirent pied à terre, puis ôtèrent leurs armures, se lavèrent le visage et les mains. Après quoi ils allèrent manger et prirent place à table. Quand Yseut vit Palamède, elle changea de couleur et de colère ne put dire un seul mot. Aussitôt messire Tristan remarqua sa physionomie. Il dit : « Madame, pourquoi cet air maussade ? Nous avons aujourd'hui connu bien des fatigues. — Monseigneur, repartit la Belle Yseut, pour l'amour de Dieu, ne vous fâchez point contre moi, je ne puis faire autrement. J'ai vu en ce jour comment vous avez été trahi et avez failli perdre la vie. Vraiment, messire, rien ne m'a échappé de tout ce qui se passait, ni en quelle manière. En conséquence, messire, comment pourrais-je supporter la présence devant vous d'un traître et félon tel que messire Palamède ? Je l'ai vu de mes yeux. J'ai vu comment il vous regardait quand vous avez quitté le champ. Il ne cessait d'attendre et d'attendre encore, et puis vous êtes parti. Alors, aussitôt, je l'ai vu courir jusqu'au chevalier blessé, changer de harnois avec lui. Puis, sans tarder, je l'ai vu pénétrer dedans le champ. Dès qu'il vous eut trouvé, il vous fit face, et c'est ainsi que délibérément il vous a combattu. Ce n'est pas que j'aie eu grand-peur à cause de lui, mais je m'épouvantais de Lancelot, qui ne savait pas qui vous étiez.

— Madame, repartit Palamède, vous pouvez dire ce que vous voudrez, je n'y contredirai pas, mais sur ma chevalerie, je n'avais pas reconnu messire Tristan. — Messire Palamède, conclut messire Tristan, j'accepte votre excuse. Je sais bien que vous ne m'avez guère épargné. Mais, en ce qui me concerne, tout est pardonné. » La Belle Yseut baissa la tête et pour lors se tint coite.

CHAPITRE LXXVIII

Comment le roi Arthur et messire Lancelot vinrent les voir en leurs pavillons, tandis qu'ils étaient à souper, et de messire Palamède

SUR CES ENTREFAITES deux chevaliers en armes vinrent à leurs pavillons. Ils mirent tous les deux pied à terre et entrèrent, armés comme ils l'étaient, de toutes pièces. « Gentils chevaliers, leur dit messire Tristan, vous êtes à blâmer de venir ainsi me trouver, armés de pied en cap, cependant que nous sommes à table. Si vous aviez désiré quelque chose pendant que nous étions dans le champ, vous auriez pu y soulager votre cœur. — Ce n'est pas ainsi qu'il faut le prendre, repartit l'un d'eux. Nous n'avons pas semblables intentions. Sachez bien, messire Tristan, que nous venons en amis. Pour ce qui me concerne, je suis venu, ajouta-t-il, afin de vous voir, et ce chevalier pour la Belle Yseut. » Messire Tristan dit alors : « Je vais vous requérir d'enlever vos heaumes, que je puisse vous voir moi aussi. — Nous le ferons, à votre requête. » Quand ils les eurent enlevés, messire Tristan eut le sentiment qu'il connaissait ces chevaliers. Lors messire Dinadan lui glissa à l'oreille : « Messire, c'est messire Lancelot du Lac qui vous a parlé en premier. L'autre est monseigneur le roi Arthur.

— En ce cas, dit messire Tristan à la Belle Yseut, levez-vous, madame, car voici monseigneur le roi Arthur. » Lors le roi et la reine s'embrassèrent, messire Lancelot et messire Tristan s'étreignirent. Ils donnèrent libre cours à leur joie. À la requête de la Belle Yseut, on ôta leurs armures au roi et à Lancelot. On se mit à deviser gaiement. « Madame, dit Arthur, il y a fort longtemps que je désirais vous voir, tant on m'a chanté vos louanges. Mais à présent je puis affirmer que vous êtes la plus belle que je vis jamais. Quant à messire Tristan, je ne connais ni plus gracieux ni plus valeureux chevalier. Il me paraît que vous allez bien ensemble. — Sire, Dieu vous en rende grâce, repartirent le noble messire Tristan et Yseut. Rien n'égale votre grande bonté et générosité. »

Ils parlèrent ainsi de choses et d'autres, et de toutes les joutes. « Quelle est donc la raison, demanda le roi, pour laquelle vous vous êtes rangé contre nous ? Vous êtes chevalier de la Table Ronde. À droit vous auriez dû être de notre parti. — Sire, répondit messire Tristan, ce sont Dinadan et messire Gahériet, votre propre neveu, qui en sont la cause. — Monseigneur Arthur, dit Gahériet, on peut m'en imputer l'idée, mais les actions sont celles de messire Tristan. — J'ai lieu de m'en repentir, dit pour sa part Dinadan. Ce maudit messire Tristan nous a fait venir à ce tournoi, et nous lui sommes redevables de plus d'une douloureuse secousse. » Le roi et Lancelot se mirent à rire, tant qu'ils eurent peine à demeurer assis sur leurs sièges. « Quel chevalier était-ce, demanda Arthur, qui vous pressait si vivement, celui qui avait un écu d'argent ? — Sire, répondit Tristan, il est là, assis à cette table. — Comment ! s'exclama Arthur, était-ce messire Palamède ? — Assurément, dit la Belle Yseut.

— Par Dieu, dit le roi Arthur, ce que vous avez fait était indigne, envers un si bon chevalier, vous dont plus d'un a devant moi salué la courtoisie. — Sire, répondit Palamède, je n'avais pas reconnu messire Tristan, tant il était bien déguisé. — Par Dieu, dit Lancelot, cela se peut, car moi-même je ne le reconnaissais pas. Mais je m'étonne que vous ayez rejoint notre camp. La cause en fut sans doute la même. » Messire Tristan intervint : « Je lui ai pardonné. Je serais désolé de me séparer de lui. J'aime beaucoup sa compagnie. » On laissa donc ce sujet, et l'on parla d'autre chose.

Le soir venu, le roi Arthur et messire Lancelot regagnèrent leur logis. Cependant, sachez-le bien, messire Palamède mourait de jalousie. De toute la nuit il ne put trouver le repos. Il gémit et pleura, sans pouvoir s'arrêter. Le lendemain matin, messires Tristan, Gahériet et Dinadan se levèrent de bonne heure. Ils allèrent à la chambre de messire Palamède. Il dormait profondément, car de la nuit entière il n'avait pas fermé l'œil, et l'on voyait aux traces laissées sur ses joues qu'il avait abondamment pleuré. « Point de bruit ! dit messire Tristan. Je suis sûr que lui sont venues colère et tristesse des reproches que je lui ai faits, et que lui a faits la Belle Yseut. »

CHAPITRE LXXIX

Comment messire Tristan et messire Palamède se comportèrent le lendemain, et comment le roi Arthur fut démonté

ENSUITE messire Tristan fit appeler messire Palamède. Il lui dit de s'apprêter, car l'heure était venue d'aller dans le champ. Quand ils furent prêts, on les arma et les habilla entièrement de rouge, tant Yseut qu'eux tous. Ils la conduisirent bon train au travers du champ jusqu'au prieuré où était son logement. Après quoi ils entendirent sonner trois fois de la trompe, et chaque roi, chaque chevalier se prépara pour les combats. Les premiers qui furent en mesure de jouter furent messire Palamède et messire Keu d'Estrans, chevalier de la Table Ronde. Ils se rencontrèrent. Messire Palamède heurta très fort messire Keu. Il le fit voler par-dessus la croupe de son cheval. Incessamment messire Palamède mit à bas un autre chevalier. Il y rompit sa lance. Lors il tira son épée et fit merveille. « Voyez, dit le roi Arthur, Palamède là-bas commence à tenir sa partie. Par Dieu, il est fort bon chevalier. »

Alors qu'ils parlaient ainsi, messire Tristan entra dans le champ avec la rapidité de la foudre. Il rencontra messire Keu le sénéchal et lui fit vider les arçons. De la même lance il jeta au sol trois autres chevaliers, puis dégaina son épée et fit des prodiges. Le bruit et la rumeur changèrent de camp, de messire Palamède passèrent à messire Tristan. Chacun se mit à crier : « Tristan ! Tristan ! » Il ne fut plus question de messire Palamède. « Or çà, dit Lancelot à Arthur, voilà un autre chevalier qui tient aussi sa partie. — Je me fie en Dieu, dit Arthur, que vous verrez en ce jour ces deux-là nous faire des prouesses. — Sire, dit Lancelot, l'un des deux est au service de l'autre et tâche par jalousie de surpasser son maître, le noble messire Tristan, lequel ignore l'envie secrète de messire Palamède à son égard. Tout ce qui est fait par le noble messire Tristan l'est par pure chevalerie. » Ensuite messires Gahériet et Dinadan accomplirent des actions d'éclat, dignes de grands chevaliers, si bien que le roi Arthur parla d'eux avec beaucoup d'estime et de considération. Les rois et chevaliers du parti de messire Tristan se conduisirent fort bien, en restant près les uns des autres.

Lors monseigneur Arthur et messire Lancelot prirent leurs destriers, se préparèrent et coururent au plus fort de la mêlée. Sans s'en rendre compte, messire Tristan mit à terre le roi Arthur. Messire Lancelot eût voulu le secourir, mais ils étaient si nombreux à l'attaquer lui-même qu'il fut tiré à bas de son cheval. Le roi d'Irlande et celui d'Écosse avec leurs chevaliers s'efforcèrent de les faire prisonniers l'un et l'autre. Quand messire Lancelot entendit leur dessein, on eût dit un lion affamé. Il se battit si bien que nul n'osa l'approcher.

Survint alors messire Hector des Mares. Il coucha sa lance contre messire Palamède et la rompit en le heurtant. Elle fut mise en morceaux. Messire Hector revint à la charge. Il porta de son épée un si grand coup à messire Palamède que celui-ci ploya sur l'arçon de sa selle. Aussitôt messire Hector saisit messire Palamède et le tira sous ses pieds. Après quoi il obtint une monture pour messire Lancelot. Il la lui amena et lui dit de l'enfourcher. Mais Palamède fut plus prompt. Il prit le cheval par la bride et bondit en selle. « Par Dieu, dit Lancelot, vous êtes plus digne que moi d'avoir ce destrier. » Messire Hector amena une autre monture à son frère. « Grand merci », lui dit Lancelot.

Quand il fut de nouveau à cheval, d'une lance messire Lancelot renversa quatre chevaliers. Puis il conduisit au roi Arthur l'un des meilleurs des quatre destriers. Après cela, avec le roi et quelques-uns de ses chevaliers, qui étaient de la parenté de Lancelot, celui-ci accomplit des actions prodigieuses. Pour lors, le livre nous le rapporte, il mit à terre d'une lance ou bien tira au sol trente adversaires. Nonobstant l'autre parti demeura si uni que le roi Arthur et ses chevaliers eurent le dessous. Lorsque messire Tristan vit cela, la peine que se donnaient le roi et ses compagnons et surtout les nobles exploits dont s'illustrait messire Lancelot, il s'ébahit grandement.

CHAPITRE LXXX

Comment messire Tristan se rangea du côté du roi Arthur, et comment Palamède s'y refusa

LORS messire Tristan appela messire Palamède, messire Gahériet, messire Dinadan. Il leur dit : « Gentils compagnons, sachez que je vais rejoindre le parti du roi Arthur. Je n'avais jamais vu aussi peu d'hommes faire aussi bien, et ce serait honte pour nous, chevaliers de la Table Ronde, de voir notre seigneur, le roi Arthur, et le noble messire Lancelot déshonorés. — Ce sera bien agir, repartirent messire Gahériet et messire Dinadan. — Faites de votre mieux, opina Palamède, mais pour ma part, je reste avec ceux aux côtés desquels j'ai commencé. — C'eût été par égard pour moi, dit messire Tristan. Que Dieu vous aide en votre journée ! » Sur ce messire Palamède les quitta.

Messire Tristan, Gahériet, Dinadan se rangèrent donc du côté de messire Lancelot. Celui-ci fit vider les arçons au roi d'Irlande. Puis il en usa de même avec celui d'Écosse et celui de Galles. Après quoi le roi Arthur chargea sus à messire Palamède et lui fit vider les arçons à son tour. Messire Tristan culbuta tous ceux qui s'opposèrent à lui. Messire Gahériet et messire Dinadan se conduisirent en nobles chevaliers. Les deux partis commencèrent à se disperser. « Las ! se lamenta Palamède, je voudrais n'avoir jamais vu ce jour ! J'ai perdu maintenant tout l'honneur que j'avais acquis. » Sur ce il partit en gémissant. Il s'éloigna pour arriver finalement à une fontaine, où il libéra son cheval et ôta son armure. Il pleurait et se désolait, comme s'il avait perdu l'esprit.

Lors beaucoup de chevaliers attribuèrent le prix à messire Tristan, beaucoup d'autres à messire Lancelot. « Gentils seigneurs, dit messire Tristan, je vous remercie de l'honneur que vous voulez me faire, mais je vous prie sincèrement de donner votre voix à messire Lancelot. Par ma foi, c'est à lui que je donnerai la mienne. » Messire Lancelot, lui, se refusa à ce choix. Le prix fut donc partagé entre eux deux. Ensuite chacun se retira en son logis. Messire Bliobéris et messire Hector accompagnèrent messire Tristan et la Belle Yseut en leurs pavillons.

Tandis que messire Palamède était à la fontaine, gémissant et pleurant, vinrent auprès de lui, galopant leurs chevaux, les rois de Galles et d'Écosse. Ils virent messire Palamède en ce violent dépit. « Las ! s'exclamèrent-ils, quel dommage qu'un homme d'une telle noblesse se trouve en cet état ! » Ces deux rois, alors, recouvrèrent le destrier de Palamède. Ils l'obligèrent à reprendre son armure et à remonter à cheval. Lui les suivit, en donnant libre cours à sa tristesse.

Quand il fut arrivé auprès des pavillons où se trouvaient messire Tristan et la Belle Yseut, il pria les deux rois de l'attendre pendant qu'il s'entretiendrait avec Tristan. Devant l'entrée des pavillons, il dit à voix haute : « Où êtes-vous, messire Tristan de Léonois ? — Messire, souffla Dinadan, c'est Palamède. — Comment ! messire Palamède, ne voulez-vous pas entrer ici avec nous ? — Fi donc ! traître, cria Palamède. Sache que s'il faisait jour au lieu qu'il fasse nuit, je te tuerais de mes propres mains. Et si jamais je te tiens, tu paieras de ta vie ce que tu as fait aujourd'hui. — Messire Palamède, vous me blâmez à tort, car si vous m'aviez imité, vous auriez acquis de l'honneur. Mais puisque vous me prévenez aussi généreusement, je me garderai soigneusement de vous. — Fi donc ! traître », s'écria Palamède. Et là-dessus il partit.

Le lendemain matin, messire Tristan, Bliobéris, messire Hector des Mares, Gahériet, Dinadan, maintenant par eau, maintenant par terre, conduisirent la Belle Yseut à la Joyeuse Garde. Ils s'y reposèrent durant sept nuits, se livrant à tous les jeux et divertissements qu'ils pouvaient concevoir. Le roi Arthur et ses chevaliers s'en retournèrent à Camaalot, tandis que messire Palamède accompagnait les deux rois. Cependant il ne cessait de se lamenter, autant qu'il vint jamais à l'esprit d'un homme de le faire. En effet, il n'était pas seulement affligé à l'idée de se séparer de la Belle Yseut. Il était presque aussi chagrin de renoncer à la compagnie de messire Tristan. Messire Tristan était si aimable et gracieux que lorsque messire Palamède se souvenait de lui, il lui était impossible de ne pas s'attrister.

CHAPITRE LXXXI

Comment messire Bliobéris et messire Hector dirent à la reine Guenièvre ce qu'ils savaient de la beauté de la Belle Yseut

ADONC, les sept nuits passées, messire Bliobéris et messire Hector prirent congé de messire Tristan et de la Belle Yseut. Ces deux vaillants chevaliers reçurent de beaux présents. Messire Gahériet et messire Dinadan demeurèrent auprès de messire Tristan. Lorsque messire Bliobéris et messire Hector furent rendus là où était la reine Guenièvre, dans un château au bord de la mer (par la grâce de Dieu, la reine s'était remise de la maladie qui l'avait frappée), elle demanda à ces deux chevaliers d'où ils venaient. Ils répondirent qu'ils venaient de chez messire Tristan et la Belle Yseut. « Comment se portent-ils ? demanda la reine. — À la vérité dire, lui se porte ainsi que peut le souhaiter un noble chevalier. Quant à la reine Yseut, elle n'a point d'égale parmi toutes les dames. Pour ce qui est de la beauté, de la générosité, de la gaieté, de la prudence, nous n'avons jamais vu sa pareille, aussi loin que nous avons voyagé. — Mon Dieu ! s'exclama la reine Guenièvre, c'est ce que disent tous ceux qui l'ont vue et lui ont parlé. Si seulement j'avais quelque chose de ses qualités ! Le malheur a voulu que je fusse malade pendant que durait ce tournoi. J'ai bien peur de ne jamais voir de ma vie une telle assemblée de chevaliers et de dames, comme celle que vous me contez là. »

Ensuite les deux chevaliers lui dirent comment le premier jour, fort valeureusement, Palamède avait remporté le prix, comment le deuxième il avait été donné à messire Tristan et le troisième à messire Lancelot. « Mais, demanda la reine, lequel s'est montré le meilleur sur les trois jours ? — Par Dieu, messire Lancelot et messire Tristan ont connu le moins de déboires. Et, à n'en pas douter, messire Palamède s'est fort bien conduit. Il a fait preuve de sa grande vigueur. Mais il a quitté le camp qui d'abord avait été le sien, et cela lui a valu de perdre beaucoup de l'estime qu'il s'était acquise. Il semble que messire Palamède soit quelqu'un de très envieux. — En ce cas, il ne se distinguera jamais, dit la reine Guenièvre. Un envieux une première fois peut se voir accorder de l'honneur. Mais son envie la deuxième lui vaudra de le perdre. C'est ce qui fait que tous les gens de mérite détestent les envieux et ne leur marquent nulle bienveillance, tandis que celui qui est courtois, aimable, gracieux est partout le bienvenu. »

CHAPITRE LXXXII

Comment Espinogre se lamenta auprès d'une fontaine, comment messire Palamède arriva et le découvrit, et de leur commune désolation

À PRÉSENT, abandonnons ce sujet et parlons de messire Palamède. Il chevauchait et se logeait en compagnie des deux rois, leur causant de la peine. Le roi d'Irlande lui envoya un de ses gens et lui fit don d'un grand coursier. Celui d'Écosse lui bailla de beaux présents. Ils auraient bien aimé qu'il restât avec eux, mais il n'y eut rien à faire pour le retenir. Il partit donc en se laissant guider par le hasard. Il était bientôt midi quand dans une forêt il aperçut auprès d'une fontaine un gentil chevalier, lequel était blessé. Son destrier était à l'attache tout à côté. Ce chevalier se désolait comme jamais personne avant lui. Il ne cessait de verser des pleurs et poussait des soupirs à fendre l'âme. Messire Palamède s'approcha. Il le salua bien courtoisement et lui dit : « Gentil chevalier, pourquoi gémir de la sorte? Accordez-moi de m'étendre et de gémir avec vous car, n'en doutez point, j'ai beaucoup plus de peine que vous n'en avez. Je prétends que mon chagrin est cent fois plus lourd que le vôtre. En conséquence, plaignons-nous l'un à l'autre.

— En premier lieu, repartit le chevalier blessé, je vais vous requérir de me donner votre nom, et si vous n'êtes pas l'un des nobles chevaliers de la Table Ronde, vous ne saurez jamais le mien, quoi qu'il puisse m'en coûter. — Gentil chevalier, tel que je suis, que ce soit tant mieux ou tant pis, sachez que je me nomme messire Palamède. Je suis fils et héritier du roi Esclabor. Messire Saphar et messire Ségurade sont mes deux frères. Sachez bien qu'en ce qui me concerne, je n'ai jamais reçu le baptême. Mes deux frères, eux, ont été baptisés selon les rites. — Ô noble chevalier, je suis heureux de vous avoir rencontré. Apprenez que mon nom à moi est Espinogre. Je suis fils du roi de Northumberland. À présent, asseyez-vous. Nous allons nous plaindre l'un à l'autre. »

Sur ce messire Palamède commença sa complainte. « Je vais vous dire quel mal est le mien. Je suis amoureux de la plus belle dame et reine qu'il y eût jamais. Je ne vous cacherai pas son nom. Elle se nomme la Belle Yseut. C'est l'épouse du roi Marc de Cornouailles. — C'est grande folie, repartit Espinogre, d'aimer la reine Yseut, car l'un des meilleurs chevaliers du monde en est épris, c'est messire Tristan de Léonois. — Tout cela est vrai, convint Palamède, et nul ne le sait mieux que moi, car ces trente derniers jours j'ai vécu dans la compagnie de messire Tristan, et aussi dans celle de la Belle Yseut. Hélas ! malheureux que je suis, voilà que la compagnie de messire Tristan, je dois y renoncer à jamais, à jamais aussi à l'amour de la Belle Yseut. Sans doute ne la reverrai-je jamais plus, et messire Tristan et moi l'un pour l'autre sommes des ennemis mortels.

— Mais, fit remarquer Espinogre, depuis que vous l'aimez, la Belle Yseut vous a-t-elle jamais donné à penser qu'elle vous rendait cet amour, par quelque signe que vous pouviez imaginer ou reconnaître ? Lui avez-vous jamais donné quelque plaisir ? — Non, foi de chevalier, dit Palamède. Je ne me suis jamais aperçu qu'elle me préférât au reste du monde, et je n'ai jamais eu de plaisir avec elle. Au contraire, le dernier jour où nous nous sommes vus, elle m'a fait les reproches les plus vifs que j'aie jamais essuyés. Ils resteront toujours gravés dans mon cœur. Et pourtant, ces reproches, je les avais bien mérités. Je ne m'étais pas conduit en bon chevalier. C'est pourquoi j'ai perdu sans remède ses bonnes grâces et celles de messire Tristan. Bien des fois, je me suis efforcé d'accomplir bien des actions d'éclat, pour plaire à la Belle Yseut. C'est elle qui m'a incité à me distinguer. Mais hélas ! maintenant c'en est fini de toute la gloire que j'ai pu acquérir, car jamais plus je n'aurai occasion des prouesses qui me furent offertes quand j'étais le compagnon de messire Tristan ! »

CHAPITRE LXXXIII

Comment messire Palamède amena sa dame à messire Espinogre, et comment il fut assailli, de même que messire Saphar

« MAIS NON, mais non, répliqua Espinogre. Vos peines n'existent point au regard des miennes. J'ai eu plaisir de ma dame, je l'ai gagnée à la force de mon bras, et cela pour la perdre à nouveau ! Hélas ! hélas ! Oui, j'ai commencé par l'obtenir. Ma dame était fille d'un comte. Tandis qu'avec deux chevaliers il revenait du tournoi de Louvrezep, à cause d'elle j'ai assailli ce comte et ses deux chevaliers, en sa présence. J'ai eu la chance d'occire le père et l'un de ses compagnons. L'autre a pris la fuite. C'est ainsi que cette nuit-là j'ai possédé ma dame. Mais le lendemain matin, alors qu'elle et moi nous reposions au bord de cette fontaine, il est venu un chevalier errant. Il s'appelait messire Héliot le Preux, un hardi chevalier. Ce messire Héliot me porta un défi. Le vainqueur du combat aurait ma dame. Nous avons combattu, d'abord à cheval, ensuite à pied. Finalement messire Héliot me blessa si gravement qu'il me laissa pour mort, et il emmena ma dame avec lui. Mon chagrin est donc plus lourd que le vôtre, car j'ai eu de la jouissance et vous non. — C'est vrai, admit Palamède. Mais puisque pour moi il n'est nul remède, je vous promets que si je rencontre messire Héliot, je vous rendrai votre dame, ou c'est qu'il m'aura vaincu. »

Ensuite messire Palamède fit reprendre son cheval à messire Espinogre. Ils se rendirent à un ermitage, où Espinogre se reposa. Cependant messire Palamède sortit sans en rien dire pour aller s'étendre à l'ombre des feuillages. Il vit alors venir un chevalier portant un écu qu'il avait auparavant vu porter à messire Hector des Mares. Il vint ensuite dix autres chevaliers qui, pour se garder de la chaleur, s'arrêtèrent sous la feuillée. Bientôt survint encore un chevalier, avec un écu de sinople à lion blanc. Il conduisait une dame montée sur un palefroi.

Lors ce chevalier dont l'écu était de sinople, et qui paraissait être le maître des dix précédents, le premier arrivé qui portait l'écu de messire Hector lui donna la chasse avec vigueur (c'était messire Héliot qu'il poursuivait, celui qui avait blessé messire Espinogre). Quand il arriva près de lui, il lui enjoignit de défendre sa dame. « Je le ferai, répondit Héliot, selon mon pouvoir. » Là-dessus ils se chargèrent sus avec tant de force que chacun fit tomber l'autre, cavalier et monture. Ils se remirent promptement sur leurs jambes, dégainèrent leurs épées, ajustèrent leurs boucliers et se livrèrent de rudes assauts pendant plus d'une heure.

Tout ceci, messire Palamède le vit et le regarda. À la fin, le chevalier qui portait l'écu de messire Hector parut prendre constamment le dessus. Fin de compte il culbuta messire Héliot et délaça son heaume pour lui trancher la tête. Lors ce dernier implora sa merci, le priant de lui laisser la vie sauve et de partir avec la dame. À cet instant, messire Palamède s'avança, car il savait bien que cette dame était celle d'Espinogre, et il avait promis de venir en aide à ce dernier. Il alla droit à elle, la prit par la main et lui demanda si elle connaissait un chevalier du nom d'Espinogre. « Las ! gémit-elle, plût au ciel qu'il ne m'eût jamais connue et que je ne l'eusse pas connu, lui ! Je lui dois la perte de mon honneur, et pourtant c'est la pensée de le perdre qui m'afflige le plus. — Nulle raison à cela, dit Palamède. Venez avec moi. Espinogre est ici, dans cet ermitage. — Ah ! quel bonheur s'il vit ! s'exclama la dame.

— Où vas-tu avec cette dame ? demanda le chevalier dont l'écu était celui de messire Hector. — Je ferai d'elle ce qui me plaira, répliqua Palamède. — Tu tiens assurément, dit le chevalier, des propos de vantard, encore que tu me paraisses avoir sur moi un avantage, car tu as vu que j'ai livré combat il y a peu de temps. Crois-tu, chevalier, pouvoir m'ôter cette dame aussi facilement ? Nenni, n'y pense donc plus. Quand tu serais de la valeur d'un Lancelot, ou d'un Tristan, ou d'un Palamède, tu l'aurais à un prix plus élevé que celui que j'ai payé pour l'avoir. »

Adonc ils se mirent à se battre à pied. Ils se portèrent plus d'un coup douloureux, s'infligèrent de très graves blessures et furent ainsi aux prises pendant plus d'une heure.

Messire Palamède finit par se demander quel chevalier cela pouvait être qui montrait tant de force et se révélait si endurant et bien en souffle. Il lui dit : « Chevalier, je t'en requiers, donne-moi ton nom. — Je n'ai, répondit-il, aucune raison de le cacher, pourvu que toi aussi, tu ne dissimules pas le tien. — Soit. — À la vérité, mon nom est Saphar. Je suis fils du roi Esclabor. Messire Palamède et messire Ségurade sont mes frères. — Sache que mon nom est justement messire Palamède. » Messire Saphar à ces mots se mit à genoux et pria son frère de lui pardonner. Ils délacèrent leurs heaumes et s'embrassèrent en pleurant. Pendant ce temps, messire Espinogre avait quitté son lit et, entendant les coups, s'était armé pour aider Palamède, si le besoin s'en faisait sentir.

CHAPITRE LXXXIV

Comment messire Palamède et messire Saphar conduisirent messire Espinogre en son château, et d'autres aventures

LORS messire Palamède prit la dame par la main et la conduisit à messire Espinogre. Leur joie fut grande, telle qu'ils défaillirent tous deux. Lorsqu'ils furent réunis : « Gentil chevalier et gente dame, dit messire Saphar, ce serait pitié de vous séparer. Que Dieu vous donne contentement l'un de l'autre ! — Grand merci, gentil chevalier, repartit Espinogre. Et que soit remercié plus encore monseigneur Palamède, dont la bravoure m'a permis de recouvrer ma dame ! » Puis messire Espinogre requit messire Palamède et messire Saphar, son frère, de l'accompagner jusqu'en son château, afin d'assurer sa sauvegarde. « Messire, lui répondit Palamède, vous nous trouverez prêts à vous escorter, parce que vous souffrez d'une grave blessure. » On aida Espinogre et sa dame à monter à cheval. La dame suivait Espinogre sur une haquenée. Après quoi ils chevauchèrent jusqu'au château, où ils eurent fort bon accueil et joyeux. Jamais messire Palamède et messire Saphar n'en eurent de meilleur durant toute leur vie.

Le lendemain matin, ils partirent à l'aventure et chevauchèrent ainsi jusqu'à l'après-midi. À la fin, ils entendirent beaucoup de pleurs et beaucoup de bruit venant d'un manoir. « Messire, proposa Saphar, assurons-nous de ce que signifie ce bruit-là. — Je veux bien », répondit Palamède. Ils s'avancèrent et arrivèrent au beau portail d'une demeure. Un vieillard y était assis, qui disait ses prières et son chapelet. Ils mirent pied à terre et, laissant là leurs chevaux, passèrent la porte. Ils virent alors beaucoup d'hommes, de bonne mine, qui versaient des larmes. « Gentils sires, leur demanda Palamède, pourquoi ces larmes et cette désolation ? » Aussitôt l'un des chevaliers du château le regarda et le reconnut. Il alla trouver ses compagnons et leur dit : « Mes amis, sachez tous que dans ce château nous avons celui-là même qui occit notre seigneur à Louvrezep. Je le connais bien. C'est messire Palamède. »

Lors ils endossèrent leurs armures, tous ceux qui pouvaient en porter, les uns à cheval, les autres à pied, jusqu'au nombre de trois fois vingt. Quand ils furent prêts, vivement ils attaquèrent messire Palamède et messire Saphar, au milieu d'une grande clameur, disant : « En garde, messire Palamède ! On vous connaît. Il est juste que vous mouriez, car vous avez fait mourir notre seigneur. Adonc défendez-vous ! »

Lors messire Palamède et messire Saphar se mirent dos à dos. Ils donnèrent nombre de grands coups et en reçurent tout autant. Ils combattirent ainsi contre vingt chevaliers et quarante gentilshommes et valets, près de deux heures. Fin de compte, malgré leur résistance, ils furent faits prisonniers et durent se rendre. On les mit dans une geôle sûre. Avant trois jours, douze chevaliers rendirent leur sentence. Ils jugèrent Palamède coupable et Saphar non coupable d'avoir tué leur seigneur. Lorsque messire Saphar fut sur le point de recouvrer la liberté, messire Palamède et lui se désolèrent grandement. Messire Saphar se plaignit longtemps et amèrement d'avoir à partir. Nul poète ne peut en donner la moindre idée.

« Gentil frère, lui dit Palamède, laissez là douleur et chagrin. S'il faut que je meure d'une mort infâme, j'accepte. Mais si j'avais su que j'y serais condamné, jamais je ne me serais rendu. » Adonc messire Saphar quitta son frère, en proie à la tristesse et à l'affliction les plus vives qu'eût jamais connues chevalier. Le lendemain matin, les gens du château décidèrent que douze hommes accompagneraient messire Palamède devers le père de celui qu'il avait occis. Ils lui lièrent les jambes et l'attachèrent sous le ventre d'un vieux cheval. Puis, avec Palamède, ils gagnèrent un château qui était au bord de la mer. On l'appelait le Chastel de Pylamis. C'était là que justice devait être faite. Ainsi en avaient-ils décidé.

Chevauchant de la sorte avec messire Palamède, ils passèrent tout près du château de la Joyeuse Garde. Or, tandis qu'ils passaient par là, sortit de ce château près d'eux quelqu'un qui connaissait messire Palamède. Quand ce chevalier le vit attaché à ce coursier tortu, il lui demanda pourquoi on le menait ainsi. « Ah ! gentil compagnon et chevalier, je vais à la mort, pour avoir occis un chevalier au tournoi de Louvrezep. Si je ne m'étais séparé de monseigneur Tristan, comme je ne devais pas le faire, à présent j'aurais pu être assuré d'avoir la vie sauve. Cependant je vous en prie, seigneur chevalier, recommandez-moi à monseigneur Tristan et à ma dame la reine Yseut. Et dites-leur que si j'ai pu les offenser, je leur en demande pardon. En outre, je vous en adjure, recommandez-moi à monseigneur le roi Arthur et à toute la compagnie de la Table Ronde, autant que vous le pourrez. »

Le chevalier se mit à pleurer de compassion pour messire Palamède. Il courut à la Joyeuse Garde, aussi vite que le permettait sa monture. Vite il descendit de cheval et alla trouver messire Tristan. Il lui raconta tout ce que vous avez entendu, pleurant tout au long du récit comme s'il avait perdu la raison.

CHAPITRE LXXXV

Comment messire Tristan se prépara à secourir messire Palamède, mais messire Lancelot le sauva avant qu'il vînt

LORSQUE MESSIRE TRISTAN sut que messire Palamède allait à la mort, il en fut désolé. Il dit : « J'ai beau être fâché contre lui, je ne tolérerai pas qu'il meure d'une mort aussi ignominieuse, car c'est un fort noble chevalier. » En diligence il s'arma, prit son cheval, deux écuyers avec lui et grand train courut vers le Chastel de Pylamis, où devait avoir lieu l'exécution de la sentence.

Or les douze chevaliers qui conduisaient messire Palamède passèrent près d'une fontaine où se trouvait messire Lancelot. Il avait mis là pied à terre, attaché sa monture à un arbre et ôté son heaume pour boire de cette eau. Quand il vit ces chevaliers, il remit son heaume et les laissa passer. C'est alors qu'il s'avisa de la présence de messire Palamède, qui était lié et avec ignominie mené à la mort. « Seigneur ! se dit-il, quelle mésaventure a-t-il pu lui arriver pour connaître pareil sort ? Vraiment, ce serait pour moi une honte de souffrir que ce noble chevalier pérît de cette façon, s'il est en mon pouvoir de lui venir en aide. Je vais donc aller le secourir, quoi qu'il puisse en advenir, et mourrai s'il le faut pour messire Palamède. »

Il monta sur son cheval, se saisit d'une lance et courut à la poursuite des douze hommes qui emmenaient Palamède. « Gentils chevaliers, leur dit-il, où menez-vous ce chevalier-là ? Il lui sied fort mal de voyager ainsi lié. » Les douze hommes alors soudainement firent tourner leurs montures. Ils répondirent à messire Lancelot : « Sire chevalier, nous vous conseillons de ne pas vous mêler de ce qui lui arrive. Il a mérité la mort, et c'est ce à quoi il a été jugé. — J'ai regret, répliqua Lancelot, de ne pouvoir le délivrer sans violence, mais il est trop bon chevalier pour mourir de façon aussi ignominieuse. Conséquemment, gentils chevaliers, gardez-vous du mieux que vous pourrez, car je vais le sauver, ou j'y laisserai ma vie. »

Ils commencèrent à coucher leurs lances. Messire Lancelot renversa le premier, cavalier et monture. Il en usa de même avec trois autres, et d'une seule lance. Elle se rompit alors. Du coup, messire Lancelot tira son épée et frappa de droite et de gauche. En peu de temps il ne resta aucun de ces douze chevaliers qu'il n'eût mis à terre, la plupart sérieusement blessés. Après, il prit le meilleur cheval qu'il pût trouver, détacha messire Palamède et le mit sur ce cheval.

Ils retournaient ainsi à la Joyeuse Garde quand Palamède vit messire Tristan qui venait vers eux. Dès que messire Lancelot l'aperçut, il le reconnut aisément. Messire Tristan, lui, ne le reconnut pas, à cause de l'écu d'or qu'il portait à son épaule. Messire Lancelot se mit en mesure de jouter avec Tristan, afin qu'il ne sût point qui il était. Mais Palamède à haute voix cria à l'adresse de Tristan : « Ô monseigneur, je vous requiers de ne point jouter avec ce chevalier, car sa vaillance m'a épargné la mort. » Quand messire Tristan entendit cela, il fit trotter lentement son cheval pour s'approcher d'eux. Puis messire Palamède lui dit : « Monseigneur Tristan, je vous suis grandement redevable de votre insigne bonté, qui met votre noble personne en danger pour me sauver, moi qui n'en mérite pas tant, car je vous ai beaucoup offensé. Nonobstant, reprit-il, nous avons rencontré céans ce généreux chevalier qui, glorieusement et courageusement, m'a ôté des mains de douze chevaliers et les a tous mis à terre en leur infligeant de graves blessures. »

CHAPITRE LXXXVI

Comment messire Tristan et Lancelot, en compagnie de Palamède, vinrent à la Joyeuse Garde, et de Palamède et messire Tristan

« GENTIL CHEVALIER, demanda messire Tristan à messire Lancelot, d'où êtes-vous ? — Je suis un chevalier errant, répondit-il, qui court le monde à la recherche d'aventures. — Quel est votre nom ? — Messire, pour lors je ne vous le dévoilerai pas. » Après quoi messire Lancelot dit à messire Tristan et à Palamède : « Maintenant que vous êtes réunis, je m'en vais vous quitter. — Non, repartit Tristan. Je requiers de votre chevalerie de bien vouloir m'accompagner en mon château. — Il faut que vous le sachiez, je ne puis vous suivre. J'ai beaucoup à faire en d'autres lieux. À présent, je ne puis demeurer avec vous. — Ah ! par Dieu tout-puissant, je vous le demande, si vous êtes loyal à l'ordre des chevaliers auquel vous appartenez, venez vous divertir avec moi cette nuit. » Lors messire Tristan eut l'accord de messire Lancelot. En effet, quand même Tristan n'eût rien demandé, Lancelot serait allé avec eux, ou peu après les eût rejoints, car il ne venait dans la contrée pour nul autre motif que pour voir messire Tristan.

Quand ils furent entrés en la Joyeuse Garde, ils mirent pied à terre. On mena leurs chevaux à l'écurie. Puis on leur ôta leurs armures. Sitôt qu'on eut enlevé son heaume à messire Lancelot, messire Tristan et messire Palamède le reconnurent. Lors Tristan embrassa Lancelot. La Belle Yseut fit de même. Palamède s'agenouilla devant lui et le remercia. Quand messire Lancelot vit Palamède se mettre à genoux, vite il le releva et dit : « Sachez, messire Palamède, que moi ou tout autre chevalier de ce pays, en honneur ou simplement en droit, nous sommes tenus de porter secours et assistance à un chevalier dont la noblesse est aussi établie et vantée que l'est la vôtre, qui est connue dans toute l'étendue de ce royaume, du nord au sud et du sud au nord. »

On mena grande liesse. Mais plus messire Palamède voyait la Belle Yseut, plus triste il devenait, jour après jour. Moins d'une semaine après, messire Lancelot partit, et avec lui messire Hector des Mares. Dinadan et messire Palamède restèrent avec messire Tristan deux mois et davantage. Cependant, toujours Palamède languissait et se désolait, tant que chacun s'étonnait de le voir ainsi dépérir. Un jour, à l'aube, il alla seul dans la forêt. Il y trouva une fontaine. Il regarda dans l'eau. Il y vit sa propre image, combien il était fâché et abattu, et loin de ce qu'il avait été. « Que cela signifie-t-il ? » se demanda Palamède. Il se dit : « Ah ! Palamède, Palamède, pourquoi cette mine défaite, toi qu'on réputait l'un des plus beaux chevaliers du monde ? Je ne veux plus de cette vie que je mène, car j'aime quelqu'un que je n'obtiendrai ni ne reprendrai jamais. »

Là-dessus il s'étendit près de la fontaine. Et il se mit à composer un poème sur la Belle Yseut et lui. Cependant, le même jour, messire Tristan était allé dans la forêt pour y chasser le cerf gras. Il ne chassait plus sans s'armer, à cause de messire Brun sans Pitié. Comme il parcourait la forêt en tous sens, il entendit chanter d'une voix retentissante. C'était messire Palamède qui était couché près de l'eau vive. Messire Tristan y alla sans bruit, pensant que c'était quelque chevalier errant qui s'était arrêté à la fontaine. Quand il fut près de Palamède, il descendit de son cheval, l'attacha solidement à un arbre et s'approcha plus encore à pied. Incontinent il vit Palamède étendu au bord de la source, qui chantait à voix haute et plaisante. Chacune de ses plaintes était due à cette noble reine, la Belle Yseut. C'était étonnamment et merveilleusement dit, en même temps que chanté avec beaucoup de tristesse et de douleur. Cette chanson, le noble messire Tristan l'entendit toute, du commencement à la fin, et cela le troubla et l'affligea profondément.

Mais à la fin finale, lorsqu'il eut tout entendu des lamentations de messire Palamède, il entra en courroux furieux et eut envie de le tuer, à terre, là où il était. Puis il se souvint que Palamède était sans armes, il se rappela son illustre nom et contint sa colère. Sans se presser il alla trouver Palamède et lui dit : « Messire Palamède, j'ai entendu vos plaintes, je suis averti de la perfidie que vous nourrissez contre moi depuis si longtemps. Sachez que cela vous coûtera la vie. Si ce n'était mon devoir de chevalier, vous ne m'échapperiez pas à présent, car votre félonie m'est maintenant bien connue. Dites-moi comment vous allez pouvoir vous justifier.

— Messire, répondit Palamède, voici comment je me justifierai. Pour ce qui est de la reine la Belle Yseut, apprenez que je l'aime plus qu'aucune autre dame au monde. Je sais fort bien ce qui m'adviendra de l'aimer, la même chose qui advint au noble messire Cahédin, qui mourut de son amour pour elle. Et maintenant, messire Tristan, je veux que vous ne l'ignoriez point, cela fait bien longtemps que je suis épris de la Belle Yseut. C'est elle qui est à l'origine de ma gloire. Sans elle je n'eusse été qu'un piètre chevalier, le plus modeste en ce monde. C'est grâce à elle et à cause d'elle que j'ai acquis la réputation que j'ai. Quand je me ressouvenais d'elle, à moi les honneurs, où que ce fût, la plupart du temps! Pourtant jamais de toute ma vie je n'ai eu d'elle récompense ou faveur. C'est sans rien en retour que j'ai été bon chevalier.

« En conséquence, messire Tristan, pour ce qui est de la mort, qu'elle soit ceci, qu'elle soit cela, je ne la crains point. J'aime autant mourir que vivre. Si j'étais armé comme vous l'êtes, volontiers je me battrais avec vous. — Vous avez bien parlé de votre trahison, dit Tristan. — Je ne vous ai point trahi, répliqua Palamède. J'ai aimé votre dame, c'est vrai. Mais c'est qu'elle est ma dame, aussi bien que la vôtre. Cependant j'ai tort, si tort il y a, car vous avez d'elle jouissance, elle comble vos désirs, ce qui n'a jamais été mon cas et ne le sera sans doute jamais. Nonobstant je l'aimerai, jusqu'au dernier jour de ma vie, et tout autant que vous. »

CHAPITRE LXXXVII

Comment il fut convenu d'un jour pour se battre entre messire Tristan et messire Palamède, et comment messire Tristan fut blessé

LORS messire Tristan dit : « Je vous combattrai jusqu'à la mort de l'un des deux. — Je vous l'accorde, répondit Palamède, car en meilleure querelle je ne souhaite point combattre, et si je meurs de votre main, de meilleur chevalier je ne pourrais être occis. Je vois bien que je ne posséderai jamais la Belle Yseut. Adonc j'aime autant mourir que vivre. — En ce cas, fixez un jour, que nous puissions nous battre. — Dans deux semaines, près d'ici je vous rencontrerai, dans le pré sous les murs de la Joyeuse Garde. — Fi donc! pourquoi attendre si longtemps? Battons-nous demain. — Non, dit Palamède, je suis maigre, il y a longtemps que me ronge l'amour que j'ai pour la Belle Yseut. Je veux me reposer pour retrouver mes forces. »

Messire Tristan et messire Palamède s'engagèrent donc à se rencontrer à la fontaine quinze jours plus tard. « Je me rappelle, dit Tristan à Palamède, que vous avez manqué à votre promesse lorsque je vous ai tiré des mains de Brun sans Pitié et de celles de neuf chevaliers. Vous m'aviez promis de me rejoindre près de la pierre et de la tombe à côté de Camaalot, et vous avez pour lors failli à votre engagement. — Il faut que vous sachiez, repartit Palamède, que j'étais en prison. Je ne pouvais tenir cet engagement. — Par Dieu, s'écria messire Tristan, si vous l'aviez tenu, cet ouvrage ne nous attendrait plus. »

Ils partirent, chacun de leur côté. Messire Palamède prit son cheval et son harnois et se rendit à la cour du roi Arthur. Là il se procura les services de quatre chevaliers et de quatre sergents d'armes, puis il revint à la Joyeuse Garde. Dans le même temps, messire Tristan chassait et pourchassait toutes sortes de gibiers. Environ trois jours avant celui fixé pour le combat, tandis qu'il poursuivait un cerf, un archer visa le cerf et malencontreusement atteignit messire Tristan dans l'épaisseur de la cuisse. La flèche tua le cheval et blessa le cavalier.

Quand messire Tristan fut ainsi blessé, il se désola grandement et saigna assurément beaucoup. Il prit un autre cheval et regagna la Joyeuse Garde, le cœur lourd, davantage de la promesse qu'il avait faite à messire Palamède de se battre avec lui trois jours plus tard que de la souffrance que lui causait sa cuisse. Il n'y eut homme ni femme qui pût le consoler d'aucune parole, pas même la Belle Yseut. Toujours lui revenait en l'esprit l'idée que c'était messire Palamède qui était derrière ce coup, pour qu'il ne pût lui livrer combat au jour convenu.

CHAPITRE LXXXVIII

Comment messire Palamède vint au jour dit pour combattre, mais comment messire Tristan ne put le rejoindre. Et d'autres choses

CEPENDANT nul chevalier autour de messire Tristan en nulle façon ne voulait croire que messire Palamède eût cherché à blesser messire Tristan, que ce fût de ses propres mains ou par le moyen d'un autre. Quand arriva le quinzième jour, messire Palamède vint à la fontaine avec quatre chevaliers de la cour d'Arthur et trois sergents d'armes. La raison pourquoi il les amenait était qu'il les voulait témoins du combat. Un sergent portait son heaume, un autre sa lance, le troisième son épée. Après quoi Palamède entra sur le terrain. Il y resta près de deux heures.

Puis il envoya un écuyer à messire Tristan, le priant de venir sur le champ de la rencontre afin de tenir sa promesse.

Quand l'écuyer fut rendu à la Joyeuse Garde, aussitôt messire Tristan, dès qu'il sut qu'il était là, ordonna qu'il vînt en sa présence, devant le lit même où il était couché. « Messire Tristan, dit l'écuyer de Palamède, mon seigneur, Palamède, vous attend dans le champ. Il voudrait savoir si vous désirez combattre ou non. — Ah ! mon ami, s'écria messire Tristan, sache que j'ai grande tristesse des nouvelles que je vais te donner. Dis à messire Palamède que si j'étais à mon aise, je ne serais pas ici couché et qu'il n'aurait nul besoin de m'envoyer quelqu'un pour savoir si je puis chevaucher et aller le rejoindre. Et tu ajouteras que je ne suis pas un menteur (messire Tristan lui montra la cuisse, où la blessure était profonde de six pouces). Maintenant que tu as vu ma blessure, rapporte à ton seigneur que ceci n'est pas feint et qu'à tout l'or du roi Arthur je préférerais une bonne santé. Dis à Palamède qu'aussitôt que je serai guéri, je battrai le pays en tous sens pour le retrouver, et cela, je m'y engage, foi de chevalier. Si jamais je le rencontre, il aura de moi combat, et tout son saoul. »

Avec cela l'écuyer repartit. Quand il apprit que Tristan était blessé, Palamède s'en réjouit. Il dit : « À présent, me voilà sûr de ne point subir d'affront. Je sais bien qu'il m'eût sévèrement malmené. Probablement, j'aurais eu le dessous sans y pouvoir rien changer, car c'est le chevalier le plus difficile à combattre au monde, exception faite de messire Lancelot. »

Ensuite messire Palamède s'en alla où la fortune le conduisit. Moins d'un mois plus tard, messire Tristan guérit de sa blessure. Il prit son cheval et passa de pays en pays, menant à bien toutes sortes d'aventures partout où il allait. Toujours il s'enquérait de messire Palamède. Mais pendant toute cette saison d'été il ne put jamais le rencontrer. Tandis qu'il le recherchait ainsi et s'informait de ce qu'il devenait, messire Tristan remporta plus d'un grand combat. Cela fit beaucoup de bruit. On cessa de parler de messire Lancelot. Les frères de celui-ci et ses parents songèrent à se débarrasser de messire Tristan, à cause de son renom. Mais lorsque messire Lancelot sut ce que ses parents avaient en l'esprit, il leur dit sans détour : « Sachez que si, en votre jalousie, vous tous, vous aviez l'audace de vous en prendre à monseigneur Tristan, de le blesser, de lui faire subir un affront, de l'attaquer lâchement, foi de chevalier je tuerais le meilleur d'entre vous de mes propres mains. Hélas ! quelle honte ! Dire que ses hauts faits lui valent que vous guettiez le moment de l'occire ! Dieu garde qu'aucun noble chevalier, tel que messire Tristan, périsse sous les coups de la trahison ! »

Après cela le bruit autour de Tristan et sa renommée gagnèrent les Cornouailles. On en parla en Léonois, où l'on s'en réjouit beaucoup et mena grande liesse. Les gens de ce pays lui envoyèrent des lettres pour le louanger, et beaucoup de riches présents, afin qu'il pût maintenir son rang. Cependant, entre ses voyages, messire Tristan revenait à la Joyeuse Garde où était la Belle Yseut, qui l'aimait plus que sa vie.

Ici se termine le DIXIÈME LIVRE, qui est de messire Tristan.
Et commence le ONZIÈME, qui est de messire Lancelot.

LIVRE ONZIÈME

Lancelot

CHAPITRE I

Comment messire Lancelot courut les aventures,
comment il aida une dame à se délivrer de ses tourments,
et comment il combattit contre un dragon

À PRÉSENT, laissons messire Tristan de Léonois et parlons de messire Lancelot du Lac, ainsi que de messire Galaad, le fils de messire Lancelot. Voyons comment ce fils fut engendré, en quelle manière, ainsi que le livre français nous le raconte.

Avant le temps où messire Galaad fut conçu et vint au monde, il arriva un ermite devers le roi Arthur le jour de la Pentecôte, alors que les chevaliers étaient assis à la Table Ronde. Quand cet ermite vit le Siège Périlleux, il demanda au roi et à tous les chevaliers la raison pourquoi ce siège était vide. Monseigneur Arthur et tous les chevaliers lui répondirent : « N'est destiné à occuper jamais ce siège-ci qu'un seul homme, encore faut-il qu'il ne meure point avant de s'y asseoir. » L'ermite dit : « Savez-vous qui il est? — Non, lui repartirent Arthur et tous les chevaliers, nous sommes dans l'ignorance de qui viendra prendre place ici. — Moi, reprit l'ermite, je le sais. Celui qui prendra place sur ce siège n'est pas encore né, ni même engendré. Cette année-ci, il sera engendré, celui qui s'assiéra sur le Siège Périlleux, et c'est lui qui réussira dans la quête du Saint-Graal. » Quand il eut fait mention de tout ceci, l'ermite quitta la cour du roi Arthur.

Après cette fête de la Pentecôte, messire Lancelot courut les aventures. Un jour, par hasard, il passa sur le pont de Corbénic. Là il vit la plus belle tour qu'il eût jamais vue, et sous cette tour il y avait une belle ville pleine de monde. Lors tout ce monde, hommes et femmes, s'écria d'une même voix : « Bienvenue, messire Lancelot du Lac, fleur de toute la chevalerie, car grâce à toi nous allons échapper au péril qui nous menace. — Que voulez-vous dire, répliqua messire Lancelot, et pourquoi m'interpeller ? — Ah ! gentil chevalier, répondirent-ils tous, céans, dans cette tour, il y a une dame qui souffre. Elle est dans les tourments depuis bien des jours et bien des années, car toujours elle se tient dans de l'eau bouillante. Il y a peu de temps encore, messire Gauvain est venu. Mais il ne put rien pour elle, et il partit en la laissant à ses tourments. — Il se peut, fit remarquer messire Lancelot, que moi aussi je la laisse à ses souffrances, comme avant moi messire Gauvain. — Non, nous savons bien que c'est messire Lancelot qui doit la délivrer. — En ce cas montrez-moi ce que je dois faire. »

Lors ils le conduisirent dedans la tour. Quand il fut devant la chambre où était cette dame s'ouvrirent les serrures des portes de fer et glissèrent les verrous. Messire Lancelot entra dans la chambre, où il faisait une chaleur d'étuve. Là il prit par la main la plus belle dame qu'il eût jamais vue. Elle était parfaitement nue. C'était par enchantement que la reine Morgane la Fée et la reine de Norgalles l'avaient mise en cette chambre et en ce tourment, pour ce qu'on disait d'elle qu'elle était la plus grande beauté du pays. Elle demeurait là depuis cinq ans et ne pouvait être délivrée de la souffrance extrême qu'elle endurait que lorsque le meilleur chevalier du monde l'aurait prise par la main. Lors les gens lui apportèrent ses vêtements. Et quand elle fut vêtue, messire Lancelot pensa qu'elle était la plus belle qu'il y eût sur la terre, après la reine Guenièvre.

Cette dame lui dit : « Messire, si cela vous convient, nous irons non loin d'ici dans une chapelle rendre grâce à Dieu et chanter sa louange. — Madame, repartit messire Lancelot, venez, je vous accompagne. »

Adonc en cette chapelle ils remercièrent le Tout-Puissant. Tous, clercs et rustres, dirent leur reconnaissance envers Dieu et envers lui, ajoutant : « Sire chevalier, puisque vous avez délivré cette dame, vous nous délivrerez bien aussi d'un dragon qui est ici, dans une tombe. » Messire Lancelot prit son écu et leur répondit : « Conduisez-moi jusque-là, et ce que je pourrai faire pour le plaisir de Dieu et le vôtre, je le ferai. »

Lorsqu'il fut arrivé, messire Lancelot vit écrit sur le tombeau en lettres d'or : *Ici viendra un léopard, issu du sang d'un roi. Il tuera ce dragon. Ce léopard engendrera un lion en cette Terre Foraine, lion qui surpassera tous les autres chevaliers.* Messire Lancelot ouvrit le tombeau. Il en sortit un dragon infernal et hideux, crachant le feu par la gueule. Messire Lancelot tira son épée. Longtemps il se battit contre lui. Finalement, après beaucoup d'efforts, il le tua.

Sur ce vint le roi Pellès, le sage et noble chevalier. Il salua messire Lancelot, qui lui rendit son salut. « Gentil chevalier, demanda le roi, quel est votre nom ? Je le requiers de votre chevalerie, donnez-le-moi. »

CHAPITRE II

Comment messire Lancelot vint à Pellès, du Saint-Graal, et d'Élaine, la fille du roi Pellès

« MESSIRE, répondit Lancelot, sachez que mon nom est messire Lancelot du Lac. — Le mien, dit le roi, est Pellès. Je suis roi de la Terre Foraine et cousin de Joseph d'Arimathie. » Après quoi ils se firent mille civilités et allèrent au château y prendre leur repas. Peu après il vint une colombe à une fenêtre. En son bec il paraissait y avoir un petit encensoir d'or. De là se dégageait une senteur. On eût cru que s'y trouvaient réunies toutes les épices de la terre. Et aussitôt il y eut sur la table tous les mets et toutes les boissons imaginables. Il entra une demoiselle, jeune et fort belle. En ses mains elle portait un vase d'or. Devant lui le roi s'agenouilla. Il dit ses prières, imité par tous les assistants. « Seigneur ! s'exclama messire Lancelot, que signifie ceci ? — Ceci, lui dit le roi, est l'objet le plus précieux qui soit en la possession d'un être humain. Quand il quittera ces lieux, ce sera la fin de la Table Ronde. Apprenez que c'est le Saint-Graal que vous venez de voir céans. »

Ce fut ainsi que le roi Pellès et messire Lancelot vécurent les moments les plus importants de cette journée. Le roi eût bien voulu trouver un moyen de faire partager à messire Lancelot la couche de sa fille Élaine. C'était dans le but que voici : Pellès savait bien que messire Lancelot devait de sa fille engendrer un enfant, lequel serait nommé messire Galaad, le valeureux chevalier. Grâce à lui, toute la Terre Foraine échapperait au péril qui la menaçait, et il atteindrait aux secrets du Saint-Graal.

Une dame alors s'avança, qui avait nom dame Brisane. Elle dit au roi : « Sire, sachez que messire Lancelot n'a d'amour au monde que pour la seule reine Guenièvre. Suivez donc mon conseil, et je lui ferai partager la couche de votre fille. Il croira qu'il s'agit de la reine Guenièvre. — Oh ! gente dame, dame Brisane, répondit le roi, espérez-vous y parvenir ? — Sire, laissez-moi faire. Que je meure si j'échoue ! » Cette dame Brisane était en réalité l'une des plus grandes enchanteresses qu'il y eût au monde en ce temps-là. Par artifice, aussitôt elle fit venir à messire Lancelot quelqu'un qu'il connaissait bien. Cet homme lui apportait une bague de la part de la reine Guenièvre, comme si c'était elle qui l'avait véritablement envoyée, et telle qu'elle en portait le plus souvent. Lorsque messire Lancelot vit le signe de reconnaissance qui lui était ainsi donné, jugez combien il fut heureux. « Où est ma dame ? demanda-t-il. — Dans le château de la Casse, répondit le messager, seulement à deux lieues d'ici. » Messire Lancelot pensa qu'il pouvait y être la nuit même. Alors cette Brisane, sur ordre du roi Pellès, fit conduire Élaine en ce château, le château de la Casse, avec vingt-cinq chevaliers pour escorte.

Messire Lancelot, avant la nuit, parvint à la demeure. Incontinent il y fut reçu avec honneur par des gens qui, à ce qu'il lui sembla, pouvaient secrètement accompagner la reine Guenièvre. Quand il eut mis pied à terre, il demanda où se trouvait la reine. Dame Brisane lui dit qu'elle était au lit. Les gens qui étaient là se retirèrent, et l'on conduisit messire Lancelot à sa chambre. Quand il y fut, dame Brisane lui apporta une coupe de vin. Quand il eut bu de ce vin, il fut si enivré et transporté que sans souffrir aucun délai il gagna le lit. Il crut que la pucelle Élaine était la reine Guenièvre. Vous devinez sa joie, et celle de cette dame Élaine qui le tenait embrassé. Elle savait en effet que cette nuit-là serait engendré d'elle Galaad, lequel se montrerait le meilleur chevalier du monde. Ils restèrent ainsi couchés ensemble jusqu'à neuf heures le lendemain matin. Toutes les fenêtres, toutes les fentes avaient été bouchées pour interdire la moindre lumière du jour. Mais à neuf heures messire Lancelot retrouva ses esprits. Il se leva et alla à la fenêtre.

CHAPITRE III

Comment messire Lancelot se mécontenta lorsqu'il sut qu'il avait partagé la couche de dame Élaine, et comment elle fut délivrée de Galaad

DÈS QU'IL EUT OUVERT cette fenêtre, l'enchantement cessa. Il connut alors qu'il avait mal agi. « Las ! gémit-il, pourquoi ai-je vécu jusqu'à ce jour ? Je suis déshonoré maintenant. » Il prit son épée et dit : « Traîtresse, qui es-tu, toi dont j'ai partagé la couche toute la nuit ? Tu vas mourir ici même, de mes mains. » Lors cette belle dame Élaine sauta du lit toute nue. Elle s'agenouilla devant messire Lancelot et lui dit : « Gentil et courtois chevalier, issu de sang royal, je vous requiers d'avoir de moi merci. On vous répute le plus noble chevalier qui soit au monde. Ne me tuez point. J'ai en mon sein de vous celui qui deviendra le plus excellemment noble de tous les chevaliers de la terre. — Ah ! perfide traîtresse, s'écria messire Lancelot, pourquoi m'as-tu trahi ? Dis-moi sur l'heure qui tu es. — Messire, je suis Élaine, la fille du roi Pellès. — Allons, dit Lancelot, je vous pardonne ce que vous avez fait. »

Là-dessus il la prit en ses bras. Il l'embrassa, car il n'était pas plus belle dame, plaisante, jeune, et sage aussi, qui vécût en ce temps-là. « Par Dieu, dit messire Lancelot, je ne vous blâme point. Mais celle qui m'a soumis à cet enchantement, si je la trouve, cette dame Brisane, elle perdra sa tête pour sorcellerie, car jamais chevalier ne fut plus abusé que je ne l'ai été cette nuit. » Il se vêtit, s'arma et avec douceur prit congé de cette dame, la jeune Élaine. Avant qu'il partît, elle lui dit : « Monseigneur Lancelot, je vous adjure de venir me voir aussitôt que vous le pourrez. J'ai obéi à la prophétie dont mon père m'a instruite. Selon son ordre, et pour qu'elle s'accomplît, j'ai donné le bien le plus précieux et la plus belle fleur qui fût mienne, je veux parler de ma virginité, laquelle jamais je ne retrouverai. En conséquence, gentil chevalier, accordez-moi votre bienveillance. »

Adonc messire Lancelot s'habilla, endossa son armure, et ce fut sans se fâcher davantage qu'il se sépara d'Élaine. Il partit et chevaucha jusqu'au château de Corbénic, où se trouvait le père de la jeune dame. Quand le temps en fut venu, elle fut délivrée d'un bel enfant. On le baptisa Galaad. Vous pensez comme il fut bien élevé, bien nourri. On le nomma ainsi parce que tel avait été le nom d'abord donné à messire Lancelot à la pierre de la fontaine. Ce fut ensuite que la Dame du Lac l'appela messire Lancelot du Lac.

Plus tard, après les couches et les relevailles, un chevalier vint voir Élaine. Il avait nom messire Brunor du Plessis. C'était un grand seigneur. Cela faisait longtemps qu'il était amoureux de la dame, et il avait toujours désiré l'épouser. Elle ne parvenait par nul moyen à s'en défaire, jusqu'à ce qu'un jour elle lui dît : « Sachez, sire chevalier, que je ne vous aimerai point, car mon cœur est acquis au meilleur chevalier du monde. — Qui est-ce ? — C'est messire Lancelot du Lac que j'aime, messire, lui et nul autre. Conséquemment, ne me faites plus la cour. — Voilà qui est clairement parlé, et puisque vous avez été si franche, je vous dirai que messire Lancelot ne vous rendra pas longtemps heureuse, car je le tuerai, en quelque lieu où il me sera donné de le rencontrer. — Messire, point de trahison avec lui ! — Je vous le dis, madame, vous avez ma parole que dans un an d'ici je me posterai à l'entrée du pont de Corbénic pour y attendre messire Lancelot. Et il ne pourra ni aller vers vous ni venir de chez vous sans se heurter à moi. »

CHAPITRE IV

Comment messire Bohort vint devers dame Élaine et vit Galaad, et comment il fut nourri du Saint-Graal

Lors il advint, par chance et hasard, que messire Bohort de Gaunes, qui était cousin de messire Lancelot, traversa ce pont. Messire Brunor et lui joutèrent. Messire Bohort choqua messire Brunor si rudement qu'il le fit passer par-dessus la croupe de son cheval. Sur ce messire Brunor, en hardi chevalier, tira son épée et se couvrit de son bouclier pour combattre à pied messire Bohort. Celui-ci descendit de sa monture et s'en écarta. Puis ils se portèrent force coups pleins d'âpreté. Ils se battirent ainsi longuement, jusqu'à ce qu'enfin messire Brunor fût jeté au sol, et messire Bohort commençât à délacer son heaume pour l'occire. Lors messire Brunor implora la merci de son adversaire et se rendit. « À une condition tu auras la vie sauve, lui fut-il reparti, c'est que tu ailles devers messire Lancelot le dimanche de la Pentecôte à venir et que tu t'en remettes entièrement à sa grâce. — Je le ferai », dit-il. Et il le jura sur la croix de son épée. C'est ainsi qu'on le laissa partir. Messire Bohort alla chez le roi Pellès, qui était au château de Corbénic.

Quand le roi et Élaine, sa fille, surent qu'il était cousin de messire Lancelot, ils lui firent très bonne chère. Dame Élaine lui dit : « Nous allons vous demander où messire Lancelot se trouve, car il n'est venu ici qu'une fois. — N'en soyez pas surpris, répondit messire Bohort. Depuis six mois il est retenu captif par la reine Morgane la Fée, la sœur du roi Arthur. — Las ! s'exclama dame Élaine, j'en ai bien du regret. » Cependant messire Bohort ne quittait pas des yeux l'enfant qu'elle avait en ses bras, et il lui semblait bien qu'il ressemblait fort à messire Lancelot. « À la vérité dire, lui avoua Élaine, sachez que cet enfant, c'est lui qui l'engendra de moi. » Lors messire Bohort se mit à pleurer de joie, et il pria Dieu qu'il se montrât aussi bon chevalier que l'était son père.

À ce moment entra une colombe blanche. En son bec elle portait un petit encensoir d'or. Il parut toutes sortes de mets et de boissons. Une jeune fille amena le Saint-Graal. Elle dit, de façon que chacun pût l'entendre : « Apprenez, messire Bohort, que cet enfant est Galaad. Il prendra place sur le Siège Périlleux et atteindra aux secrets du Saint-Graal. Il sera bien supérieur à ce que fut jamais messire Lancelot du Lac, savoir son père. » Ensuite ils se mirent à genoux et firent leurs dévotions. Il se répandit une douce odeur, telle qu'on eût cru que toutes les épices de la terre eussent été là. Puis la colombe prit son vol, et la jeune fille disparut avec le Saint-Graal, ainsi qu'elle était venue.

« Sire, dit messire Bohort au roi Pellès, on pourrait à bon droit nommer ce château le Château Aventureux, car il s'y passe beaucoup d'étranges choses. — C'est vérité, repartit le roi. On peut avec raison l'appeler demeure aventureuse, car peu de chevaliers y viennent qui en sortent à leur avantage. La force n'y suffit pas. On est ici mis à l'épreuve.

Il y a peu de temps encore, messire Gauvain, dont le mérite est connu, n'a de son passage tiré que peu de gloire. Il faut que vous le sachiez, reprit le roi Pellès, nul chevalier n'acquiert en ce château de l'honneur s'il n'est déjà homme d'honneur, de mœurs irréprochables, s'il n'aime Dieu et ne le craint. Sinon il ne peut espérer céans accroître sa réputation, quelle que soit sa bravoure.

— C'est là quelque chose d'étonnant, repartit messire Bohort. Les desseins que vous avez dans ce pays, je les ignore. Je vois qu'il s'y passe bien des étrangetés. Je vais donc cette nuit coucher en ce château. — Vous n'en ferez rien, dit Pellès, si vous voulez mon avis. Il serait difficile pour vous de vous sortir d'affaire sans subir un affront. — J'accepterai ce qui pourra m'échoir. — En ce cas, suggéra le roi, je vous conseillerai de confesser tous vos péchés. — Si ce n'est que cela, dit messire Bohort, c'est volontiers que je ferai ma confession. »

Adonc messire Bohort fut confessé (pour ce qui était des femmes, il était vierge, si l'on excepte une seule, la fille du roi Brangorre. D'elle il avait engendré un enfant, nommé Hélain. Celle-là mise à part, messire Bohort n'en avait connu absolument aucune). On l'emmena se coucher dans une belle et grande chambre. Tout autour, beaucoup de portes étaient closes. Quand il s'avisa de toutes ces portes, messire Bohort congédia tous ses gens, car il ne pouvait garder personne avec lui, mais en nulle façon il ne consentit à ôter son armure. Tout armé, il s'étendit sur le lit.

Incontinent il vit entrer une lumière. Il distingua sans peine une lance. Elle était grande et longue, et venait droit sur lui. Il lui parut que le fer de cette lance brûlait comme un cierge. Aussitôt, avant qu'il eût pu savoir de quoi il s'agissait, la lance le frappa à l'épaule. Elle y pénétra de la profondeur d'une main, et la blessure le fit cruellement souffrir. De douleur il ne put que se recoucher. Là-dessus vint un chevalier en armure. Il avait le bouclier ajusté à l'épaule et l'épée à la main. Il dit à messire Bohort : « Debout, sire chevalier, et combats avec moi ! — Je suis grièvement blessé, répondit-il, mais je ne te faillirai point. »

Sur ce il se leva d'un bond et se couvrit de son écu. Ils s'assaillirent avec force des heures durant. Finalement messire Bohort contraignit l'autre à reculer, jusqu'à ce qu'il fût à une porte donnant sur une chambre. Le chevalier entra dans cette chambre et s'y reposa longuement. Quand il eut pris du repos, il sortit tout revigoré, et avec force et détermination il engagea un nouveau combat.

CHAPITRE V

Comment messire Bohort obligea messire Baudoïer à se rendre, des étranges aventures qu'il connut, et de la manière dont il les mena à bien

LORS messire Bohort pensa que son adversaire ne devait plus aller en cette chambre pour s'y reposer. Il se mit entre le chevalier et la porte de la chambre. Il le fit tomber d'un coup d'épée, et le chevalier se rendit. « Quel est votre nom ? demanda messire Bohort. — Messire, répondit-il, mon nom est Baudoïer des Étroites Marches. » Messire Bohort lui fit jurer que le dimanche de la Pentecôte à venir, il irait à la cour du roi Arthur se constituer prisonnier, en tant que chevalier vaincu par messire Bohort. C'est ainsi que partit messire Baudoïer des Étroites Marches.

Après cela, messire Bohort s'étendit sur le lit pour se reposer. Il entendit alors un vacarme dans la chambre où il se trouvait. Il s'avisa au même instant qu'entrait, il ne savait si c'était par les portes ou par les fenêtres, une volée de flèches et de carreaux d'arbalète, si drue que c'était merveille. Beaucoup de ces traits tombaient sur lui et le blessaient aux endroits où sa peau était nue. Puis il s'aperçut qu'avait surgi un lion hideux. Messire Bohort se mit en devoir de se défendre. Aussitôt le lion lui arracha son écu. De son épée, messire Bohort lui fit sauter la tête.

Il vit alors de suite qu'était dans la cour à présent un dragon horrifique. On aurait cru des lettres d'or imprimées à son front. Messire Bohort imagina qu'elles se rapportaient au roi Arthur. Puis vint un léopard abominable, et vieux. Le dragon et lui se battirent ensemble longuement. Ce fut une grande bataille. Finalement le dragon cracha de sa gueule comme une centaine d'autres dragons. Vite tous les petits dragons se ruèrent sur le vieux dragon et le mirent en pièces. Là-dessus il entra un vieillard dans la grand-salle. Il prit place sur un magnifique siège. Deux serpents semblaient s'enrouler à son cou. Le vieillard avait avec lui une harpe. Il se mit à chanter une chanson d'autrefois. Il dit comment Joseph d'Arimathie était venu en ce pays. Quand il eut fini sa chanson, il enjoignit à messire Bohort de quitter ces lieux. « Céans vous n'aurez plus nulle aventure. Vous vous êtes conduit avec beaucoup d'honneur. Vous ferez mieux encore dans un temps à venir. »

À ce moment il sembla à messire Bohort que paraissait la plus blanche des colombes. Elle avait en son bec un petit encensoir d'or. La tempête alors aussitôt s'apaisa et prit fin, qui auparavant faisait un bruit prodigieux. La cour s'emplit toute de senteurs délicieuses. Messire Bohort aperçut quatre enfants. Ils portaient quatre beaux cierges. Un vieil homme était au milieu d'eux. Il avait dans une main un encensoir, dans l'autre une lance, et cette lance s'appelait la Lance Vengeresse.

CHAPITRE VI

Comment partit messire Bohort,
comment messire Lancelot subit les reproches de la reine Guenièvre,
et de l'excuse qu'il trouva

« À PRÉSENT, dit le vieil homme à messire Bohort, allez devers votre cousin, messire Lancelot, et contez-lui cette aventure, laquelle lui eût mieux convenu qu'à tout autre chevalier en ce monde. Mais en lui le péché est si vil qu'il ne lui est pas possible d'accomplir des actions comme celle-là, qui demandent tant de sainteté. Sans ses péchés il eût surpassé tous les chevaliers de son temps. Et dites à messire Lancelot que pour toutes les aventures liées aux choses du monde, en courage et vaillance il n'a pas son égal, mais que lorsqu'il s'agit des choses de l'esprit beaucoup de chevaliers sont destinés à faire mieux que lui. »

À ce moment, messire Bohort vit quatre nobles dames venir à lui, qui étaient chastement vêtues. Elles entrèrent dans une salle, où il y avait une grande lumière, comme une lumière d'été. Elles s'agenouillèrent devant un autel d'argent à quatre colonnes, et un évêque, à ce qu'il lui sembla, s'y mit à genoux lui aussi. En levant les yeux, Bohort aperçut une épée argentée, dont la lame était suspendue au-dessus de sa tête. Son éclat était tel, éblouissant son regard, qu'il en fut un instant aveuglé. Il entendit alors une voix qui lui dit : « Va-t-en, toi, messire Bohort. Tu n'es pas encore digne de demeurer ici. » Sur ce, à reculons, il regagna son lit, où il resta jusqu'à l'aube.

Le lendemain matin, le roi Pellès le festoya. Puis il partit pour Camaalot. Là il trouva messire Lancelot du Lac. Il lui conta les merveilles qu'il avait vues chez le roi Pellès à Corbénic. La nouvelle se répandit à la cour d'Arthur que Lancelot avait engendré un enfant d'Élaine, la fille de ce roi. La reine Guenièvre en fut courroucée et fit de nombreux reproches à messire Lancelot, l'appelant fourbe chevalier. Lors il lui dit tout, comment par enchantement on l'avait amené à partager la couche de la princesse, en lui donnant l'apparence de la reine. Celle-ci alors l'excusa.

Le livre nous le raconte, le roi Arthur était allé en France. Il y avait mené une guerre contre le puissant roi Claudas et conquis beaucoup de ses terres. Quand il fut de retour, il fit crier un grand festin. Tous les seigneurs d'Angleterre, accompagnés de leurs dames, devaient s'y assembler, hors ceux qui étaient en rebellion contre lui.

CHAPITRE VII

Comment dame Élaine, la mère de Galaad, vint à Camaalot en grande pompe, et comment messire Lancelot se conduisit avec elle

QUAND DAME ÉLAINE, la fille du roi Pellès, ouït parler de ce festin, elle alla trouver son père et le requit de lui donner permission de s'y rendre. Le roi lui répondit : « Je veux bien que vous y alliez. Mais, si vous m'aimez et désirez ma bénédiction, il faut que ce soit vêtue dans le plus grand apparat. Surtout ne rognez point à cause de la dépense. Demandez, et vous recevrez ce dont vous aurez besoin. » Lors, selon les conseils de dame Brisane, sa dame suivante, toutes choses lui furent apportées qui convenaient, si bien que jamais dame n'eut plus magnifiques atours. Elle chevaucha escortée de vingt chevaliers et accompagnée de dix dames et nobles dames. On comptait jusqu'à cent chevaux.

Lorsqu'elle fut à Camaalot, le roi Arthur et la reine Guenièvre dirent, et tous les chevaliers avec eux, que dame Élaine était la plus belle et la mieux parée qu'on eût jamais vue à la cour. Aussitôt que le roi sut qu'elle était venue, il alla au-devant d'elle et la salua. La plupart des chevaliers de la Table Ronde en firent autant, que ce fût messire Tristan, messire Bliobéris, messire Gauvain, ou bien d'autres que je laisse à nommer.

Mais quand messire Lancelot la vit, il fut si honteux, pour ce qu'il avait dégainé son épée le lendemain du jour où il avait partagé sa couche, qu'il ne voulut ni la saluer ni lui parler. Pourtant il pensa d'elle qu'elle passait en beauté toutes les femmes qu'il avait vues de sa vie. Quand elle s'aperçut qu'il ne voulait point lui parler, elle en fut si attristée qu'elle crut que son cœur allait se rompre car, croyez-le bien, elle l'aimait plus qu'on ne saurait dire. À sa dame suivante, dame Brisane, elle confia : « La dureté de cœur de messire Lancelot est près de me tuer. — Paix ! madame, repartit dame Brisane. Si vous voulez bien vous tenir coite, je vous garantis que cette nuit il sera en votre lit. — Ce me serait plus précieux que tout l'or qu'on peut voir sur cette terre. — Laissez-moi faire », lui dit dame Brisane.

Quand Élaine fut conduite à la reine Guenièvre, chacune fit à l'autre bon visage, mais le cœur n'y était pas. Hommes et femmes, tout le monde vantait la beauté de dame Élaine et l'étendue de ses richesses. La nuit venue, la reine ordonna qu'elle dormît dans une chambre jouxtant la sienne et sous le même toit que le sien. Il en fut fait comme elle l'avait ordonné. Puis la reine envoya chercher messire Lancelot, lui enjoignant de se rendre en sa chambre cette nuit-là « car sinon, j'en suis sûre, vous irez dans le lit de votre dame, dame Élaine, de laquelle vous avez engendré Galaad. — Ah ! madame, s'exclama messire Lancelot, ne dites point cela. Ce que j'ai fait, ce fut contre ma volonté. — En ce cas, veillez à venir me voir lorsque je le demanderai. — Madame, dit Lancelot, je ne vous faillirai pas. Je serai prêt quand vous le commanderez. »

Le marché fut tôt arrêté et conclu entre eux. Mais dame Brisane l'apprit, par le moyen de ses artifices, et en fit part à sa maîtresse, dame Élaine. « Las ! soupira dame Élaine, comment faire ? — Fiez-vous à moi. Par la main je le conduirai jusqu'à votre lit. Il croira que je suis la messagère de la reine Guenièvre. — J'en suis heureuse, dit dame Élaine, car le monde entier ne m'est pas plus cher que messire Lancelot. »

CHAPITRE VIII

Comment dame Brisane, par enchantement, mena messire Lancelot jusqu'au lit de dame Élaine, et des reproches que fit à celui-ci la reine Guenièvre

ADONC, quand vint l'heure où tout le monde était couché, dame Brisane arriva au chevet de messire Lancelot et lui dit : « Messire Lancelot du Lac, dormez-vous ? Ma dame, la reine Guenièvre, s'est mise au lit et vous attend. — Ô gente dame, répondit-il, je suis prêt à vous accompagner, là où vous le souhaiterez. » Il jeta sur lui une longue robe. Il n'oublia pas son épée. Lors dame Brisane le prit par le doigt et le conduisit jusqu'au lit de sa maîtresse, dame Élaine. Puis elle partit, les y laissant ensemble. Vous pensez comme la dame fut contente, Lancelot aussi, qui s'imaginait qu'une autre était entre ses bras.

Laissons-les à présent s'accoler et s'embrasser, comme il est naturel, et parlons de la reine Guenièvre. Elle envoya l'une de ses femmes au lit de messire Lancelot. Quand elle y fut, elle trouva le nid froid et l'oiseau envolé. Elle revint voir la reine et lui raconta tout. « Las ! gémit la reine, qu'est donc devenu ce fourbe chevalier ? » Sa fureur était grande. Elle était agitée de toutes les convulsions de la rage et ne put s'assoupir avant quatre ou cinq heures.

Messire Lancelot ordinairement avait cette particularité de parler durant son sommeil. Il arrivait souvent que ce fût de sa dame, la reine Guenièvre. Lorsqu'il eut veillé aussi longtemps qu'il lui plut, cela va de soi, il s'endormit et dame Élaine également. Tout en dormant il se mit à jaser et babiller comme geai, de l'amour qu'il y avait entre la reine Guenièvre et lui. Il parlait si haut que la reine l'entendit, alors qu'elle reposait en sa chambre. Quand elle l'ouït bavarder de la sorte, elle faillit en perdre la raison. De colère et de chagrin elle ne sut que faire. Elle toussa, si fort que messire Lancelot s'éveilla. Il reconnut ses « hem! hem! » Lors il ne put douter qu'il n'était pas couché à côté d'elle. Il sauta du lit incontinent, comme fou, en chemise. La reine le rencontra sur le palier. Elle lui dit : « Perfide, traître que tu es, ne reparais jamais plus à ma cour, évite ma chambre, n'aie pas la hardiesse, fourbe, Judas, de te présenter jamais devant mes yeux.

— Hélas! » s'exclama messire Lancelot. Il eut des paroles de la reine un chagrin si profond qu'il tomba sur le sol, évanoui. Sur ces entrefaites, dame Guenièvre s'en alla. Quand messire Lancelot sortit de son évanouissement, il sauta par une fenêtre cintrée dans un jardin. Les épines lui griffèrent un peu partout le visage et le corps. Il s'élança, sans savoir où il allait, en démence si jamais on le fut. Il erra de la sorte pendant deux ans, sans que jamais on pût avoir la chance de le reconnaître.

CHAPITRE IX

Comment dame Élaine reçut de la reine Guenièvre l'ordre d'avoir à quitter la cour, et comment messire Lancelot perdit la raison

MAINTENANT tournons-nous vers la reine Guenièvre et la belle dame Élaine. Lorsque celle-ci entendit la reine faire à messire Lancelot de pareils reproches, quand elle vit aussi comment il défaillait, puis sautait par une fenêtre, elle dit à la reine : « Madame, vous êtes grandement coupable à l'égard de messire Lancelot. À présent, vous l'avez perdu, car j'ai entendu, et vu à son visage, que sa folie est sans remède. Las ! madame, votre péché est grand, et vous vous déshonorez grandement, car vous avez un seigneur à vous, et il est de votre devoir de l'aimer. Nulle reine sur cette terre n'a même roi que celui-là. En outre, sans vous, je pourrais avoir l'amour de monseigneur Lancelot, lequel j'ai de bonnes raisons d'aimer. Il m'a connue vierge, et je lui ai porté un fils qui est bel enfant. Il a nom Galaad et, quand l'heure en sera venue, il sera le meilleur chevalier du monde.

— Dame Élaine, repartit la reine, quand il fera jour je vous enjoins et commande de quitter ma cour. Et, pour l'amour que vous portez à messire Lancelot, ne dites rien de ce qu'il projetait, car si vous le faisiez, ce serait son arrêt de mort. — Pour ce qui est de cela, répliqua dame Élaine, je crois pouvoir affirmer qu'il ne se rétablira jamais, et ce sera votre œuvre. Ni vous ni moi sans doute n'aurons plus jamais de lui jouissance, car lorsqu'il a sauté par cette fenêtre, il poussait les soupirs les plus pitoyables que j'eusse jamais entendus. Hélas ! fit dame Élaine — Hélas ! fit la reine Guenièvre, je sais bien que nous l'avons perdu pour toujours. »

Adonc, le lendemain matin dame Élaine prit congé. Elle ne voulait pas rester plus longtemps. Le roi Arthur la fit escorter sur la route qu'il lui fallait prendre par plus de cent chevaliers, au travers d'une forêt. Chemin faisant, elle fit confidence à messire Bohort de Gaunes de tout ce qui s'était passé la nuit d'avant. Elle lui raconta comment messire Lancelot avait sauté par une fenêtre, dans un transport de folie. « Las ! gémit messire Bohort, qu'est donc devenu monseigneur Lancelot ? — Messire, je n'en ai aucune idée. — Las ! à vous deux, vous avez détruit ce valeureux chevalier. — Quant à moi, repartit dame Élaine, je n'ai rien dit ni rien fait qui fût de nature à lui déplaire. Mais sous les reproches que lui a faits la reine Guenièvre, je l'ai vu perdre connaissance et tomber à terre. Quand il est sorti de son évanouissement, il a pris son épée, nu comme il était, avec seulement une chemise, et il a sauté par une fenêtre en poussant le soupir le plus déchirant que j'eusse jamais entendu.

— Adieu donc ! dame Élaine, dit messire Bohort. Leurrez monseigneur Arthur de l'histoire la plus longue que vous pourrez lui faire. Pour ma part, je vais retourner auprès de la reine Guenièvre, pour l'admonester. Cependant je vais vous requérir, si vous voulez pouvoir compter sur mes services, d'avoir l'œil et l'oreille et d'épier si jamais vous voyez monseigneur Lancelot. — Soyez sûr, repartit la belle Élaine, que je ferai tout ce qui sera en mon pouvoir. J'ai tout aussi envie de découvrir et savoir ce qu'il est devenu que vous, ou l'un quelconque de ses parents, ou que la reine Guenièvre. J'ai de bonnes raisons pour cela, qui valent bien celles des autres. Sachez-le, poursuivit-elle, je donnerais ma vie pour lui éviter de souffrir. Mais hélas ! je crois bien ne plus jamais le revoir. C'est surtout dame Guenièvre qu'il faut blâmer. — Madame, intervint dame Brisane, celle qui avait produit l'enchantement entre Lancelot et Élaine, je vous en prie instamment, laissez partir messire Bohort, qu'il fasse diligence autant qu'il le pourra pour rechercher messire Lancelot, car je vous en préviens, il a tout à fait perdu l'esprit. Seul un miracle pourrait lui venir en aide. »

Dame Élaine se mit à pleurer, messire Bohort de Gaunes également. Ils se séparèrent. Messire Bohort alla droit à la reine Guenièvre. Quand elle l'aperçut, elle répandit un flot de larmes. « Fi de vos pleurs ! lui jeta messire Bohort. Vous ne pleurez jamais que lorsqu'il n'y a plus de remède. Hélas ! plût au ciel que messire Lancelot ne vous eût jamais vue ! À présent, vous avez causé la perte du meilleur chevalier de notre famille, de celui qui était notre chef et soutien. Je prétends, et suis prêt à le soutenir, que nul roi, chrétien ou païen, ne saurait trouver de chevalier qui le vaille, si l'on considère sa noblesse d'âme, sa courtoisie, et puis il y a sa beauté, sa générosité. Hélas ! s'exclama-t-il, que ferons-nous, nous qui sommes de son sang ? — Hélas ! gémit messire Hector des Mares. — Hélas ! » soupira Lionel.

CHAPITRE X

Du chagrin qui frappa la reine Guenièvre à cause de messire Lancelot, et comment il fut recherché par des chevaliers de sa parenté

QUAND LA REINE les entendit, elle défaillit et tomba comme morte. Messire Bohort la releva et l'aspergea d'eau. Lorsqu'elle eut repris ses sens, elle s'agenouilla devant les trois chevaliers, joignit les mains et les supplia de partir à la recherche de messire Lancelot. « N'épargnez rien, leur dit-elle, pour le retrouver, car je sais qu'il n'a pas sa raison. » Messire Bohort, messire Hector, messire Lionel la quittèrent. De chagrin ils ne pouvaient demeurer en place. La reine leur fit envoyer assez d'or et d'argent pour suffire à leur dépense. Ils prirent chevaux et harnois et partirent. Ensuite ils allèrent de pays en pays, dans des forêts, des terres sauvages et désolées. Partout ils étaient attentifs, que ce fût aux bois ou aux hommes qu'ils pouvaient rencontrer. Ils écoutaient, interrogeaient : c'était un homme dépouillé de ses vêtements, en chemise, une épée à la main. Ils chevauchèrent ainsi près d'un quart de l'année, battant la campagne dans tous les sens, ici ou là, terres couvertes d'arbres, terres stériles. Souvent, à cause de messire Lancelot, c'est piètre logement qu'ils eurent. Mais, malgré tous leurs efforts et toutes leurs recherches, ils ne purent jamais entendre parler de lui. N'en doutez point, ces trois chevaliers en furent bien consternés.

Finalement, messire Bohort et ses compagnons firent rencontre d'un chevalier qui se nommait messire Merlin du Tertre. « Gentil chevalier, demanda messire Bohort, où allez-vous donc ? » (Ils se connaissaient.) « Messire, répondit Merlin, je vais à la cour du roi Arthur. — En ce cas, je vous en prie, dit messire Bohort, veuillez informer monseigneur Arthur et madame la reine Guenièvre, ainsi que toute la compagnie de la Table

Ronde, que nous ne pouvons en nulle façon parvenir à savoir quelque chose de ce que messire Lancelot est devenu. » Messire Merlin les quitta, les assurant qu'il en informerait le roi, la reine et tous les chevaliers de la Table Ronde, ainsi qu'ils l'avaient souhaité.

Adonc, quand ce Merlin vint à la cour du roi Arthur, il leur fit part de ce que messire Bohort avait dit au sujet de messire Lancelot. Lors messire Gauvain, messire Yvain, messire Sagremor le Desrée, messire Agloval et messire Perceval le Gallois entreprirent, sur les instances du roi, et surtout de la reine, de parcourir toute l'Angleterre, le pays de Galles, l'Écosse, à la recherche de messire Lancelot. Avec eux chevauchaient dix-huit autres chevaliers, pour leur tenir compagnie. Et, sachez-le bien, ils avaient tout ce qu'il leur fallait pour leur dépense. Cela faisait donc au total vingt-trois chevaliers.

Tandis que ces nobles chevaliers chevauchaient ainsi ensemble, ils tombèrent d'accord pour se séparer. Ils allèrent par deux, par trois, par quatre, par cinq, sans jamais omettre de fixer un lieu de rencontre. Ainsi, alors qu'ils étaient deux, messire Agloval et messire Perceval décidèrent de visiter leur mère, laquelle était reine en ce temps-là. Quand elle vit ses fils, la joie lui fit verser de douces larmes. Elle dit : « Ah ! mes chers enfants, quand votre père fut tué, il me laissa quatre fils, dont deux ont été tués à leur tour. La mort de mon noble fils, messire Lamorat, fait que mon cœur ne connaîtra plus jamais de contentement. » Après quoi elle s'agenouilla devant Agloval et messire Perceval et les adjura de rester au foyer avec elle.

« Ah ! ma tendre mère, lui repartit messire Perceval, cela ne se peut. Nous sommes d'un côté et de l'autre issus de sang royal. En conséquence, ma mère, il est dans notre nature de porter les armes et de rechercher les exploits. — Las ! mes chers enfants, soupira-t-elle, à cause de vous je ne pourrai goûter ni joie ni plaisir. Et je deviendrai incapable de résister aux rigueurs du temps. Songez que j'ai perdu votre père, le roi Pellinor, qui fut indignement occis de la main de messire Gauvain et de celle de son frère, messire Guerrehet. Ce ne fut point vaillamment mais traîtreusement fait. Ah! mes chers fils, ce m'est un sujet de plainte bien pitoyable que la mort de votre père, surtout quand j'y ajoute celle de messire Lamorat, qui pour la bravoure était difficile à égaler. Mes chers fils, gardez cela en mémoire. » Ensuite il n'y eut plus en sa maison que larmes et sanglots à l'approche du départ, et elle finit par tomber en pâmoison au milieu de la cour du château.

CHAPITRE XI

Comment fut occis un serviteur de messire Agloval, et quelle vengeance celui-ci et messire Perceval en tirèrent

QUAND ELLE REVINT À ELLE, elle envoya un écuyer après eux avec une grande somme d'argent. Lorsque cet écuyer les eut rejoints, ils ne voulurent point qu'il chevauchât en leur compagnie, mais le renvoyèrent au château pour y réconforter leur mère, la priant humblement de leur donner sa bénédiction. L'écuyer fut surpris par la nuit. Le malheur voulut qu'il arrivât devant un château où résidait un baron. Quand il fut entré, le baron lui demanda d'où il venait et quel était son maître. « Monseigneur, lui dit-il, je sers un vaillant chevalier, appelé messire Agloval. » Il le disait à son escient, pensant qu'il serait mieux accepté s'il donnait le nom de messire Agloval que s'il reconnaissait servir la reine, sa mère. « Eh bien, mon ami, lui répondit le seigneur de l'endroit, à cause de messire Agloval tu auras mauvais logement. Il a tué mon frère. Tu mourras pour payer une partie de sa dette. » Lors il donna ordre à ses gens de l'emmener et de l'occire. Ce qu'ils firent. Ils le tirèrent hors du château, et là le mirent à mort sans merci.

Le lendemain matin, messire Agloval et messire Perceval passèrent devant un cimetière. Des hommes et des femmes y portaient attention à quelque chose. Ils regardaient le corps de l'écuyer et songeaient à le mettre en terre. « Qu'est-ce donc, demanda messire Agloval, que vous regardez aussi attentivement? » Un brave homme s'avança. Il dit : « Gentil chevalier, il y a là un écuyer que l'on a ignominieusement tué la nuit dernière. — Comment a-t-on fait, l'ami? — Gentil sire, cette nuit le seigneur de ce château a ouvert sa porte à cet écuyer. Et pour ce qu'il a dit qu'il servait un valeureux chevalier qui est auprès du roi Arthur (son nom est messire Agloval), le seigneur a commandé qu'on le tuât. C'est pour cela qu'il est mort. — Grand merci, dit messire Agloval. Vous verrez que sa mort sera bientôt vengée. Je suis ce chevalier, à cause duquel on l'a fait périr. »

Lors messire Agloval appela messire Perceval et lui dit de mettre promptement pied à terre. Ce qu'ils firent tous deux. Ils confièrent leurs chevaux à leurs gens et marchèrent jusqu'au château. Ils entrèrent. Aussitôt qu'ils eurent passé la porte, messire Agloval héla le portier. « Va trouver ton seigneur et dis-lui que je suis messire Agloval, à cause de qui l'écuyer a été tué cette nuit. » Sans tarder le portier en informa son maître, qui avait nom Gaudoin. Celui-ci incontinent s'arma. Il vint dans la cour et dit : « Lequel d'entre vous est messire Agloval? — C'est moi, repartit Agloval. Pour quelle raison as-tu tué cette nuit l'écuyer de ma mère? — Je l'ai tué à cause de toi, parce que tu avais tué mon frère, messire Gaudelain. — Pour ce qui est de ton frère, je reconnais l'avoir occis. C'était un fourbe, la ruine des dames et des bons chevaliers. Quant à la mort de mon écuyer, tu la paieras de ta vie. — Je te défie », dit messire Gaudoin.

Là-dessus ils se jetèrent l'un contre l'autre avec autant d'ardeur que s'ils eussent été deux lions. Messire Perceval combattit tous ceux des autres qui voulurent s'en mêler. En peu de temps il eut tué quiconque tentait de s'opposer à lui. Ses coups étaient si rudes que nul n'eut assez de hardiesse pour faire face. Bientôt messire Agloval fit choir messire

Gaudoin. Il délaça son heaume et lui trancha la tête. Après quoi ils partirent et prirent leurs chevaux. Puis ils firent porter le corps de l'écuyer dans un prieuré, où il fut mis en terre.

CHAPITRE XII

Comment messire Perceval secrètement quitta son frère, comment il délivra un chevalier enchaîné, et d'autres actions

QUAND CE FUT FAIT, ils allèrent en maint pays, toujours s'enquérant de messire Lancelot, mais sans jamais entendre parler de lui. À la fin, ils arrivèrent à un château qu'on appelait le château de Carduel-en-Galles. Messire Perceval et messire Agloval y furent logés ensemble. À l'insu de tous, vers la minuit, messire Perceval vint trouver l'écuyer d'Agloval. Il lui dit : « Lève-toi et tiens-toi prêt. Toi et moi allons partir secrètement. — Messire, repartit l'écuyer, c'est bien volontiers que je vous accompagnerais là où vous voudriez me voir aller, mais si mon seigneur, votre frère, met la main sur moi, il va me tuer. — Ne t'en soucie pas. Je serai ton garant. »

Ainsi messire Perceval chevaucha jusqu'à l'après-midi. Lors il vint à passer sur un pont de pierre. Il y trouva un chevalier, lequel était lié par une chaîne, solidement passée autour de sa taille et fixée à un pilier de pierre. « Ô gentil chevalier, lui dit-il, je vous en requiers, délivrez-moi de mes liens. — Quel chevalier êtes-vous ? demanda messire Perceval, et pour quelle raison êtes-vous ainsi attaché ? — Messire, je vais vous le dire. Je suis chevalier de la Table Ronde, et mon nom est messire Perside le Gent. Je suis venu de ce côté par hasard. J'ai été hébergé dans ce château, au pied du pont. Il y habite une dame discourtoise. Parce qu'elle me proposait d'être ma maîtresse et que je l'éconduisais, au dépourvu, avant que j'eusse pu prendre une arme, elle m'a fait assaillir par ses gens. Ils m'ont enchaîné de la sorte, et je sais que je mourrai céans, à moins qu'un homme valeureux ne brise mes liens. — Gardez confiance, lui dit messire Perceval. Vous êtes chevalier de la Table Ronde et moi aussi. Je me fie en Dieu que je réussirai à briser vos liens. »

Sur ce messire Perceval tira son épée du fourreau. Il frappa sur la chaîne avec tant de force qu'il la fendit en deux. La lame traversa le haubert de messire Perside et le blessa quelque peu. « Seigneur Dieu ! s'exclama-t-il, je puis dire qu'entre tous ceux que j'ai reçus, ce coup-là avait de la puissance. Sans la chaîne, vous m'auriez tué. » Sur ces entrefaites, messire Perside vit un chevalier qui venait vers eux. Il sortait d'un château et faisait aussi vite qu'il pouvait. « Prenez garde, messire, dit Perside, voilà quelqu'un qui veut en découdre avec vous. — Qu'il vienne ! » répondit Perceval. Il se heurta au chevalier au milieu du pont, le choquant si rudement qu'il lui fit vider les arçons et qu'il passa par-dessus ce pont. S'il n'y avait pas eu dessous un petit vaisseau, il se fût noyé.

Ensuite messire Perceval prit la monture du chevalier et fit monter dessus messire Perside. Ils allèrent ainsi jusqu'au château, enjoignant à haute voix à la dame de délivrer les serviteurs de Perside. Sinon ils tueraient tous ceux qu'ils trouveraient dans le château. Par peur, elle rendit la liberté à tous ces serviteurs. C'est alors que messire Perceval s'avisa de la présence de la dame. Elle se tenait dans la tour. « Ah ! madame, s'exclama-t-il, quel est donc cet usage qui veut qu'une dame fasse périr les bons chevaliers, s'ils ne consentent point à devenir ses amants ? Vraiment, c'est chose indigne pour une dame, et si je n'avais pas une affaire plus haute dont il faut que je m'occupe, je mettrais un terme à ces mauvaises coutumes. »

Après cela, messire Perside conduisit messire Perceval en son château. Il lui fit grande chère pendant toute la nuit. Le lendemain matin, quand il eut entendu la messe et déjeuné, messire Perceval dit à son hôte d'aller devers le roi Arthur : « Rapportez-lui comment vous m'avez rencontré. Contez à mon frère, messire Agloval, la façon dont je vous ai sauvé. Et qu'il ne se mette pas à ma recherche, car je prends part à la quête de messire Lancelot du Lac. S'il veut me retrouver, il n'y parviendra pas. Dites aussi à messire Keu le sénéchal et à messire Mordret que je me fie en Dieu de valoir l'un ou l'autre, et que je n'oublierai jamais leurs moqueries et mépris le jour où je fus fait chevalier. Dites-leur aussi que je ne reviendrai pas à la cour avant qu'on parle de moi avec plus de considération qu'ils n'en ont eu tous deux. »

Lors messire Perside le Gent se sépara de messire Perceval. Il alla devers le roi Arthur pour lui parler de son ami. Mais quand messire Agloval entendit ce qu'il disait de son frère, il eut ces mots : « Il m'a quitté discourtoisement. »

CHAPITRE XIII

Comment messire Perceval fit rencontre de messire Hector, comment ils combattirent longuement, et comment chacun fut près de perdre la vie

« MESSIRE, répliqua Perside, je gage ma vie qu'il n'aura rien à envier pour la noblesse à nul chevalier qui soit. » Puis, lorsqu'il vit messire Keu et messire Mordret, il leur dit : « Mes gentils seigneurs, messire Perceval vous salue bien tous les deux. Il vous fait savoir par mon entremise qu'il se fie en Dieu qu'avant de revenir en cette cour, il aura acquis autant de dignité que vous en eûtes jamais l'un ou l'autre, et qu'on parlera de son mérite plus souvent qu'on n'a jamais parlé de vous. — Cela se peut, répondirent-ils, mais lorsqu'il fut armé chevalier, rien ne donnait à penser qu'il montrerait jamais de la valeur. — Pour ce qui est de cela, dit le roi Arthur, il apportera nécessairement les preuves de cette valeur, car son père et ses frères ont témoigné de grandes qualités. »

Revenons-en donc à messire Perceval. Il chevaucha longtemps. Dans une forêt, il fit rencontre d'un chevalier. Son écu était brisé, de même que son heaume. Sitôt qu'ils se virent, promptement ils s'apprêtèrent à jouter. Ils se heurtèrent de toute la puissance de leurs chevaux. Le choc fut si rude que messire Perceval fut jeté au sol. Il fit vite à se relever, ajusta son bouclier à son épaule, dégaina son épée et dit à l'autre chevalier : « Descendez de cheval et nous nous battrons à outrance. — En voulez-vous donc encore? » repartit son adversaire. Il mit pied à terre et éloigna son destrier. Ils allèrent l'un vers l'autre sans se hâter, puis s'assaillirent à l'aide de nobles épées. Maintenant ils frappaient de taille, maintenant d'estoc. Ils s'infligèrent beaucoup de graves blessures. Leur combat dura près d'une demi-journée. Ils ne prirent que fort peu de repos. Aucun des deux n'avait moins de quinze plaies. Ils perdaient tant de sang que c'était merveille s'ils tenaient encore debout.

Cependant le chevalier qui s'opposait à messire Perceval était homme d'expérience. Il avait acquis de l'habileté dans le maniement des armes. Messire Perceval, lui, était jeune et vigoureux, mais moins expert dans l'art du combat. Ce fut lui qui parla le premier. Il dit : « Sire chevalier, retenez vos coups un moment. Nous nous sommes battus pour un rien, et notre contestation n'a que trop duré. Adonc je vous requiers de me donner votre nom, car jusqu'à ce jour je n'avais pas rencontré mon égal. — Par Dieu, répliqua l'autre, jamais jusqu'ici on ne m'avait causé de blessures aussi graves que celles que vous m'avez faites, et pourtant j'ai pris part à mainte rencontre. Sachez donc que je suis chevalier de la Table Ronde et que mon nom est messire Hector des Mares, frère du valeureux chevalier qu'est messire Lancelot du Lac. — Las! soupira messire Perceval, mon nom à moi est messire Perceval le Gallois. J'ai fait ma quête de la recherche de messire Lancelot. À présent, je suis sûr de ne jamais mener à bien cette quête, car vous m'avez tué de votre bras. — Non, c'est moi qui meurs du vôtre. Je ne pourrai pas survivre. En conséquence, je vous le demande : il y a un prieuré non loin d'ici, courez-y et ramenez-moi un prêtre, que je puisse recevoir mon Sauveur, car vivre, non, je ne le pourrai pas. Et quand vous serez à la cour du roi Arthur, dissimulez à mon frère, messire Lancelot, que vous m'avez occis, car il serait alors votre ennemi mortel. Dites que j'ai perdu la vie au cours de ma quête, pendant que je le recherchais. — Las ! gémit Perceval, cela ne pourra jamais se faire. J'ai laissé tant de forces en perdant mon sang que j'ai peine à tenir sur mes jambes. Comment pourrais-je monter sur mon cheval ? »

CHAPITRE XIV

Comment, par miracle, ils furent tous les deux guéris, par la venue du Vaisseau Sacré du Saint-Graal

LORS ils s'abandonnèrent tous deux au désespoir. « Cela ne servira de rien », dit messire Perceval. Il se mit à genoux et dévotement fit sa prière à Dieu tout-puissant, car il était alors l'un des meilleurs chevaliers du monde, l'un de ceux qui avaient le plus de foi. Aussitôt vint le Vaisseau Sacré du Saint-Graal, dans un accompagnement de mille odeurs douces et plaisantes. Ils ne purent aisément voir qui portait ce vase, mais Perceval aperçut la lueur qui émanait de lui et la blancheur de la jeune fille qui le portait, laquelle était parfaitement pure. Et incessamment tous deux ils se retrouvèrent dans toutes les parties de leurs corps en aussi bonne santé que jamais depuis leur naissance. Alors, avec beaucoup d'humilité, ils rendirent grâce à Dieu.

« Seigneur, dit messire Perceval, que cela peut-il signifier ? Nous voici guéris, qui à l'instant étions sur le point de mourir. — Je sais fort bien, repartit messire Hector, ce dont il s'agit. C'est un vase sacré, porté par une vierge, et dedans se trouve le sacré sang de Notre-Seigneur Jésus-Christ, béni soit-il. Nul, cependant, ne peut voir ce vase, s'il n'atteint à la perfection. — Par Dieu, dit messire Perceval, à ce qu'il me semblait, j'ai vu une demoiselle, tout habillée de blanc, portant le vase en ses deux mains, et aussitôt je fus guéri. »

Adonc ils prirent chevaux et armures. Ils réparèrent du mieux qu'ils purent les dommages faits en leurs harnois. Puis ils se mirent en selle et partirent en devisant. Messire Hector des Mares raconta à messire Perceval comment il avait cherché son frère, messire Lancelot, fort longuement et sans jamais apprendre sur lui quoi que ce fût. « Cette quête m'a valu d'être mêlé à plus d'une étrange aventure. » Ils furent ainsi amenés à se faire mutuellement le récit de ce qui leur était advenu.

Ici se termine le ONZIÈME LIVRE, et suit le DOUZIÈME.

LIVRE DOUZIÈME

Lancelot
Tristan et Yseut

CHAPITRE I

Comment, en sa folie, messire Lancelot se saisit d'une épée, combattit un chevalier et sauta dans un lit

MAINTENANT abandonnons pour quelque temps messire Hector et messire Perceval et parlons de messire Lancelot. Il eut à subir et endurer plus d'une violente averse. Toujours il courait de place en place, en proie à une folie délirante. Il vivait de fruits et de ce qu'il parvenait à se procurer. Il but de l'eau pendant deux ans. En fait de vêtements, il n'avait pas grand-chose, sa chemise et son haut-de-chausses.

Tandis qu'il errait ainsi, de-ci, de-là, il vint dans une belle prairie où il trouva tendu un pavillon. À un arbre était suspendu un écu de couleur blanche. Deux épées étaient accrochées non loin de là, et deux lances appuyées à un autre arbre. Quand messire Lancelot vit ces épées, incontinent il bondit sur l'une. Il la prit et la dégaina. Puis il en frappa l'écu, tant que le pré tout entier retentit des coups qui étaient portés. Le bruit qu'il faisait était tel qu'on eût dit aux prises une dizaine de chevaliers.

Survint alors un nain. Il s'élança sur messire Lancelot et voulut lui ôter l'épée des mains. Celui-ci le saisit aux épaules et le jeta sur le sol. Le nain tomba sur le cou, qu'il faillit se rompre. Sur ce il appela au secours. Parut un chevalier de bonne mine. Il avait de beaux habillements d'écarlate fourrés de menu-vair. Dès qu'il vit messire Lancelot, il jugea qu'il n'avait pas sa raison. Il lui dit gracieusement : « Brave homme, posez là cette épée. Il me semble que vous avez davantage besoin de sommeil et de vêtements chauds que de manier une épée. — Pour ce qui est de cela, repartit messire Lancelot, n'approchez pas trop près. Si vous le faites, sachez-le, je vous tuerai. »

Là-dessus vivement le chevalier rentra en son pavillon. Le nain fit vite à l'armer. Dans l'intention de recouvrer son épée par la force, l'homme fit un pas au-dehors. Lancelot le vit qui venait à lui de cette manière, armé de toutes pièces, une autre épée à la main. Il courut à sa rencontre avec tant de vigueur et lui asséna sur le heaume un coup si violent qu'il en eut la cervelle troublée et que la lame se rompit en trois morceaux. Le sang jaillit de la bouche, du nez, des oreilles. Messire Lancelot alors se précipita dans le pavillon et, sans s'arrêter, dans le lit encore chaud. Il y avait dans ce lit une dame. Elle prit sa chemise et sortit en courant du pavillon. Quand elle vit son seigneur qui gisait sur le sol, apparemment sans vie, elle se mit à crier et sangloter comme folle.

Le bruit tira le chevalier de son évanouissement. Avec difficulté, il ouvrit les yeux et regarda. Puis il demanda à la dame où était passé le fou qui l'avait choqué si rudement. « Un coup comme celui-là, jamais homme ne m'en avait donné. — Messire, lui dit le nain, il n'y aurait nul honneur à lui faire du mal, car il a perdu l'esprit. N'en doutez point, il a dû être de grand mérite. Un chagrin cruel l'aura frappé, et il est devenu fou. Il me semble qu'il a beaucoup de messire Lancelot, que j'ai vù au grand tournoi près de Louvrezep. — Dieu garde, dit le chevalier, que le noble messire Lancelot soit en pareil état ! Mais, quel que puisse être cet homme, je ne lui ferai point de mal. »

Le nom de ce chevalier était Bliant. Il dit au nain : « Va vite à cheval trouver mon frère, messire Célinan, qui est au Château Blanc. Raconte-lui ce qui m'est arrivé et dis-lui d'amener une litière. Ensuite nous porterons ce chevalier en mon château. »

CHAPITRE II

Comment messire Lancelot fut transporté dans une litière, et comment il secourut messire Bliant, son hôte

ADONC le nain chevaucha bon train. Il revint avec messire Célinan, six hommes et une litière. Ils emmenèrent le lit de plumes avec messire Lancelot couché dessus et portèrent le tout au Château Blanc. Messire Lancelot ne s'éveilla que lorsqu'il fut dans les murs du château. Lors on lui lia les mains et les pieds. On lui présenta des mets appétissants et des boissons agréables, et on lui rendit sa force et sa bonne mine. Mais on ne put lui rendre son bon sens, ni lui faire prendre conscience de qui il était. Il demeura en cet état plus d'un an et demi, décemment vêtu et bien traité.

Il advint alors qu'un jour le seigneur de ce château, messire Bliant, endossa son armure, monta à cheval, prit une lance et se mit en quête d'aventures. En traversant une forêt, il rencontra deux chevaliers périlleux. L'un était Brun sans Pitié, l'autre son frère, messire Bertolet. Tous les deux, ils se précipitèrent sur lui et rompirent leurs lances sur sa cuirasse. Après quoi ils tirèrent leurs épées. Ce fut un âpre combat, qui dura longtemps. À la fin, messire Bliant reçut une grave blessure et se sentit faiblir. Il s'enfuit alors vers son château.

Ils arrivèrent à bride abattue sous les murs du château, cependant que messire Lancelot reposait à une fenêtre. Il vit comment deux chevaliers assaillaient messire Bliant de leurs épées. Quand il le vit, fou comme il était, il eut compassion pour son seigneur, messire Bliant. Il brisa les chaînes qui liaient ses jambes et ses bras et, ce faisant, se blessa douloureusement aux mains. Puis il sortit en courant par une poterne. Là il rencontra les deux chevaliers qui poursuivaient messire Bliant. De ses mains nues, il tira messire Bertolet à bas de son cheval et le fit choir à terre. En outre, il lui arracha son épée. Après quoi il bondit sur messire Brun et lui donna sur la tête avec tant de force que celui-ci tomba à la renverse par-dessus la croupe de sa monture. Quand messire Bertolet vit son frère culbuter de la sorte, il se saisit d'une lance et voulut en transpercer messire Lancelot. Messire Bliant s'en aperçut. Il lui trancha la main. Lors messire Brun et messire Bertolet prirent leurs chevaux et s'enfuirent.

Lorsque messire Célinan arriva et s'avisa de ce que messire Lancelot avait fait pour son frère, il rendit grâce à Dieu, son frère fit de même, pour le bien qu'ils avaient pu faire à ce chevalier. Mais quand messire Bliant vit les blessures que messire Lancelot s'était causées en brisant ses chaînes, il eut regret de l'avoir jamais attaché. « Ne l'attachez plus, dit messire Célinan. Il est débonnaire et gracieux. » Ils lui firent alors fête et renoncèrent à l'enchaîner. Il demeura ainsi au château six mois et davantage.

Et puis un matin, de bonne heure, il vit venir un grand sanglier, près de lui une meute de chiens. Ce sanglier était si fort que les chiens n'avaient pu le déchirer. Les chasseurs suivaient, sonnant du cor, certains à cheval, d'autres à pied. Messire Lancelot vit que l'un d'eux descendait de sa monture, l'attachait à un arbre et posait sa lance contre cet arbre.

CHAPITRE III

Comment messire Lancelot se battit contre un sanglier et le tua, et comment il fut blessé et conduit dans un ermitage

MESSIRE LANCELOT s'approcha. Le cheval était attaché à un arbre, une lance posée contre l'arbre et une épée liée à l'arçon de la selle. Lancelot bondit sur le cheval, prit en main la lance et courut après le sanglier. Il vit que la bête était acculée contre un arbre, auprès d'un ermitage. Il coucha sa lance et fondit sur elle. Là-dessus agilement le sanglier se tourna et fendit la poitrine et le cœur du cheval, si bien que Lancelot tomba au sol. Lors, avant qu'il eût pu se dégager des étriers, l'animal lui ouvrit le muscle de la cuisse jusqu'à la rotule. Messire Lancelot se mit en colère. Il se releva, tira son épée et d'un coup fit sauter la tête du sanglier.

L'ermite arriva sur ces entrefaites. Il vit quelle blessure avait reçue Lancelot. Il s'approcha de lui, le plaignit et voulut qu'il l'accompagnât en son ermitage. Mais, quand messire Lancelot l'entendit parler, il fut si furieux d'être ainsi blessé qu'il se jeta sur l'ermite dans le dessein de le tuer. Celui-ci prit la fuite. Messire Lancelot, voyant qu'il ne pourrait le rattraper, lança son épée après lui. Le sang qu'il perdait l'empêchait d'aller plus loin. L'ermite alors fit demi-tour et lui demanda si sa blessure était grave. « Compère, répondit-il, ce sanglier m'a déchiré profondément. — Venez donc avec moi, dit l'ermite, et je vous guérirai. — Allez-vous-en, cria messire Lancelot, et laissez-moi tranquille. »

L'ermite alors partit en courant. Il rencontra un bon chevalier, accompagné de beaucoup de gens. « Messire, lui dit l'ermite, par ici, près de ma demeure, se trouve le plus bel homme que j'aie jamais vu. Il a été grièvement blessé par un sanglier. Pourtant il l'a tué. Je vois bien que si personne ne lui vient en aide, cet homme de bonne mine mourra de sa blessure, et ce serait grand dommage. » Le chevalier, à la requête de l'ermite, se procura une charrette. Dedans il mit le sanglier et messire Lancelot, car celui-ci était si faible qu'ils pouvaient fort aisément s'occuper de lui. Il fut ainsi amené dans l'ermitage et là guéri de sa blessure par les soins de l'ermite. Cependant ce dernier ne put trouver de quoi bien le nourrir. Sa santé s'altéra. Il s'affaiblit, le corps souffrant aussi bien que la tête. Par défaut de nourriture, il devint plus fou qu'il n'était auparavant.

Un jour il courut dans la forêt. Par aventure, il arriva dans la cité de Corbénic, où habitait dame Élaine, qui avait porté Galaad, son fils.

Quand il fut entré dans la ville, il la traversa, toujours courant, et gagna le château. Tous les jeunes gens le poursuivirent en lui jetant des mottes de terre et en lui portant force coups douloureux. Chaque fois qu'il pouvait en attraper un, il le jetait à bas avec tant de vigueur que l'autre ne se mêlait plus d'avoir affaire à lui. À certains il rompit bras et jambes. C'est ainsi qu'il put gagner le château.

Lors des chevaliers et des écuyers en sortirent, qui le secoururent. En le regardant, en voyant comme il était fait, ils pensèrent n'avoir jamais eu devant eux homme de meilleure mine. Aux nombreuses blessures dont il gardait les traces, ils jugèrent tous qu'il avait eu beaucoup de mérite. Ils lui firent donner de quoi le vêtir, de la paille pour se coucher et une petite cabane. Chaque jour, ils lui jetaient de quoi se nourrir, lui portaient à boire, mais il n'y en avait que peu qui se hasardaient à mettre de la nourriture en ses mains.

CHAPITRE IV

Comment messire Lancelot fut reconnu par dame Élaine, transporté dans une chambre et ensuite guéri par le Saint-Graal

Or il se trouva que le roi Pellès avait un neveu, du nom de Castor. Il demanda au roi d'être fait chevalier, et c'est ainsi qu'à la requête de ce Castor, le roi l'arma chevalier à la fête de la Chandeleur. À son adoubement, le jour même il fit don de mainte robe. Il envoya quérir le fou — à savoir messire Lancelot. Lorsque messire Lancelot fut devant messire Castor, celui-ci lui bailla une robe écarlate et tout ce qui allait avec la robe. Quand messire Lancelot eut ainsi sur lui tout l'habillement qui convenait à un chevalier, il n'y eut personne à la cour de mieux vêtu — ni de mieux fait.

Quand l'occasion s'en présenta, il sortit dans le jardin, se coucha près d'un puits et s'y endormit. L'après-midi, dame Élaine et ses filles d'honneur allèrent en ce jardin pour s'y divertir. Tandis qu'elles le parcouraient en tous sens, l'une des filles remarqua un homme de bonne mine, qui dormait près du puits. Elle le montra tout de suite à sa maîtresse. « Silence ! fit dame Élaine, pas un mot ! » On l'amena où l'homme était couché. Quand elle le vit, aussitôt elle se ressouvint de lui et sut qu'il s'agissait sans doute aucun de messire Lancelot. Du coup, elle se mit à pleurer, avec tant de violence qu'elle en tomba à terre.

Quand elle eut pleuré ainsi longtemps, elle se releva. Elle appela ses filles suivantes et leur dit qu'elle était incommodée. Elle sortit du jardin et alla trouver son père tout aussitôt. Elle le prit à part et lui dit : « Oh ! père, à présent j'ai besoin de votre aide, et si vous ne m'aidez je puis dire adieu à jamais à mes beaux jours. — Que se passe-t-il, ma fille ? demanda le roi Pellès. — Sire, répondit-elle, voici : je suis allée en votre jardin pour m'y divertir et là, près du puits, j'ai trouvé messire Lancelot du Lac, qui dormait. — Je ne puis vous croire. — Sire, à la vérité, c'est bien lui, et il me semble qu'il n'a pas sa raison. — En ce cas, dit le roi, tenez-vous coite et laissez-moi faire. »

Lors le roi fit venir à lui ceux en qui il plaçait le plus de confiance — ils étaient quatre. Il se fit accompagner aussi de dame Élaine, sa fille. Quand ils arrivèrent au puits et regardèrent messire Lancelot, incontinent dame Brisane le reconnut. « Sire, dit-elle, nous devons prendre garde à la façon dont nous allons nous occuper de lui. Ce chevalier a perdu l'esprit. Si nous l'éveillons brutalement, nous ne savons pas, aucun de nous, comment il réagira. Mais attendez, je vais jeter sur lui un tel charme qu'il n'ouvrira pas les yeux avant une heure. » Ce qu'elle fit. Puis, peu après, le roi donna ordre que chacun quittât ces lieux. Il ne voulait personne sur le chemin qu'il allait prendre.

Ensuite ces quatre hommes et ces dames se saisirent de messire

Lancelot et le portèrent dans une tour, puis de là dans une chambre, où était le Vaisseau Sacré du Saint-Graal. Par force, on le coucha auprès. Il vint alors un saint homme, qui ôta le couvercle du Saint-Graal et, par le miracle et la vertu du Vaisseau Sacré, messire Lancelot fut guéri et se rétablit. Quand il eut ouvert les yeux, il gémit, soupira, et se plaignit d'être fort endolori.

CHAPITRE V

Comment messire Lancelot eut honte, une fois guéri et en possession de sa raison, et comment Élaine voulut qu'on lui donnât un château

LORSQUE MESSIRE LANCELOT vit le roi Pellès et Élaine, il fut pris de honte et dit : « Mon Dieu ! comment suis-je venu ici ? Pour l'amour de Dieu, monseigneur, faites-moi savoir comment je suis venu. — Messire, répondit dame Élaine, en ce pays vous êtes venu sous l'apparence d'un fou, d'un homme qui aurait entièrement perdu l'esprit, et céans vous avez été gardé comme fou, pour divertir. Nul ici ne savait qui vous étiez vraiment, jusqu'à ce que par hasard l'une de mes filles d'honneur me conduisît là où vous étiez, endormi près d'un puits. Dès que je portai mes regards sur vous, je vous reconnus. J'en fis part aussitôt à mon père. On vous mena devant ce Vaisseau Sacré, et sa vertu vous guérit. — Que Notre-Seigneur en soit loué ! dit messire Lancelot. Si telle est la vérité, combien sont-ils à avoir connu ma folie ? — Par Dieu, répondit Élaine, seulement mon père, moi, et dame Brisane. — Pour l'amour du Christ, dit messire Lancelot, gardez le secret, car j'ai grande honte de tels égarements. Je suis à jamais banni du pays de Logres (ce qui vaut à dire le pays d'Angleterre). »

Messire Lancelot demeura ainsi couché plus de deux semaines avant de pouvoir bouger, tant il était endolori. Puis un jour, il dit ceci à dame Élaine : « À cause de vous, dame Élaine, j'ai connu beaucoup de peines, de soucis et d'angoisses. Il ne servirait à rien d'en parler, vous savez comment cela s'est fait. Nonobstant je sais bien que je me suis mal conduit avec vous, lorsque j'ai dégainé mon épée dans le dessein de vous tuer, après avoir partagé votre couche. Cela venait de ce que dame Brisane et vous-même vous étiez arrangées pour me mettre en votre lit en dépit de moi. C'est ainsi, vous l'affirmez, que cette nuit-là fut conçu votre fils, Galaad. — C'est vérité, dit dame Élaine.

— Maintenant, voudriez-vous, par amour pour moi, demanda messire Lancelot, aller trouver votre père et obtenir de lui une demeure où je puisse habiter ? À la cour du roi Arthur je ne pourrai plus jamais aller. — Messire, répondit dame Élaine, je vivrai et mourrai avec vous, et seulement pour vous être agréable. Si ma vie ne vous était d'aucun secours, tandis que ma mort vous était utile, sachez que je mourrais pour vous. Je vais aller trouver mon père, et je suis sûre qu'il n'est rien que je lui demande qu'il me refusera. Et où que vous soyez, monseigneur, ne doutez pas que je sois à vos côtés, pour vous rendre tous les services qui seront en mon pouvoir. »

Incontinent elle alla trouver son père et lui dit : « Sire, mon seigneur, messire Lancelot, désirerait rester ici, près de vous, dans l'un de vos châteaux. — Eh bien, ma fille, répondit le roi, si son désir est de demeurer en ces marches, il habitera le château de Bliaut. Vous y serez avec lui, ainsi que vingt des plus gentes dames qui soient en ce pays. Toutes seront de haute naissance, et vous aurez vingt chevaliers en votre compagnie. Je veux en effet que vous sachiez, ma fille, que nous sommes tous honorés du sang de messire Lancelot. »

CHAPITRE VI

Comment messire Lancelot vint en l'Ile de Joie, et là se nomma « le Chevalier qui Mal Fit »

LORS dame Élaine revint à messire Lancelot et lui rapporta tout ce que son père avait projeté pour lui et pour elle. Sur ces entrefaites arriva messire Castor, le chevalier qui était neveu du roi Pellès. Il demanda son nom à messire Lancelot. « Messire, lui répondit-il, mon nom est le Chevalier qui Mal Fit. — Cela se peut, messire, répliqua messire Castor, mais il me semble cependant que ce devrait être messire Lancelot du Lac, car je vous ai déjà vu. — Messire, ce que vous dites n'est point d'un gentil chevalier. À supposer que je me nomme véritablement messire Lancelot, et qu'il ne me plaise point de dévoiler mon nom, quel mal voyez-vous à ne pas trahir mon secret, si c'est un secret qui ne vous lèse point ? Sachez, en revanche, que si l'occasion m'en est offerte, je me vengerai. Et cela, je vous le promets sur ma foi. » Lors messire Castor mit un genou en terre et implora la merci de messire Lancelot : « Je ne dirai point qui vous êtes, tant que vous ne quitterez pas cette contrée. » Sur ce Lancelot lui pardonna.

Ensuite le roi Pellès, avec dix chevaliers, dame Élaine et vingt dames suivantes, chevaucha jusqu'au château de Bliaut. Il était situé dans une île. L'eau à l'entour était vaste et profonde. Quand ils y furent, messire Lancelot fit appeler cette île l'Ile de Joie. Et lui-même n'y fut pas connu sous un autre nom que le Chevalier qui Mal Fit. Puis il commanda pour lui un écu, de sable entièrement. Une reine couronnée s'y voyait au mitan, d'argent toute. Un chevalier armé de pied en cap s'agenouillait devant elle. Chaque jour, une fois, quels que fussent les efforts des dames pour l'amuser, messire Lancelot portait ses regards vers le royaume d'Angleterre, où se trouvaient le roi Arthur et la reine

Guenièvre. Et lors il se mettait à pleurer, tant qu'on eût dit que son cœur allait se rompre.

Il advint un jour qu'il entendit parler de joutes qui seraient données non loin de son château, à moins de trois lieues. Il appela un nain et lui ordonna d'assister à ces joutes. « Et avant que les chevaliers se quittent, n'oublie pas de faire crier, de manière à ce qu'ils puissent tous entendre, qu'il y a un chevalier dans l'Ile de Joie, autrement dit le château de Bliaut, un chevalier dont le nom est le Chevalier qui Mal Fit. Il joutera contre tous ceux qui se présenteront. Et qui prendra le dessus sur ce chevalier aura une belle pucelle et un gerfaut. »

CHAPITRE VII

D'un grand tournoi en l'Ile de Joie,
comment y vinrent messire Perceval et messire Hector,
et comment messire Perceval combattit messire Lancelot

ADONC, lorsque ceci fut publié, à l'Ile de Joie vinrent des chevaliers jusqu'au nombre de cinq cents. Et soyez assurés qu'on ne vit jamais au temps d'Arthur accomplir autant de prouesses qu'en fit là messire Lancelot trois jours durant. Le livre le rapporte fidèlement, il prit le dessus sur chacun des cinq cents chevaliers, et cela sans en tuer un seul. Après, il leur offrit à tous un grand festin.

Sur ces entrefaites messire Perceval le Gallois et messire Hector des Mares vinrent sous les murs de ce château qu'on appelait l'Ile de Joie. Ils le regardèrent, et cela leur donna l'envie d'entrer. Mais ils ne purent y réussir, car l'eau s'étendait largement à l'entour et de pont, ils n'en trouvèrent aucun. Ils avisèrent alors de l'autre côté de l'eau une dame qui tenait un épervier en sa main. Messire Perceval la héla et lui demanda qui était la dame qui demeurait en ce château. « Gentils chevaliers, répondit-elle, ici en ce château demeure la plus belle dame du pays. Elle a nom Élaine. Nous avons aussi en cette maison le plus courtois des chevaliers et l'homme le plus vigoureux qui soit, j'ose le dire. Il se fait appeler le Chevalier qui Mal Fit. — Et comment est-il venu en ces marches ? demanda messire Perceval. — À la vérité, il y est venu sous l'apparence d'un fou. Chiens et garnements le pourchassaient à travers la cité de Corbénic. Ce fut le Vaisseau Sacré du Saint-Graal qui le ramena à la raison. Il refuse de se battre contre des chevaliers, à moins que ce ne soit le matin ou à midi. Si vous désirez entrer dans le château, reprit la dame, il vous faut aller de l'autre côté de l'île. Vous y trouverez un bateau qui vous conduira, vous et votre cheval. »

Là-dessus ils partirent et allèrent jusqu'au bateau. Messire Perceval mit pied à terre. Il dit à messire Hector des Mares : « Attendez-moi ici, jusqu'à ce que je sache de quel chevalier il s'agit. Ce serait indigne de notre part, s'il est seul, d'être deux à lui livrer combat. — Faites comme bon vous semble, repartit messire Hector. Je vous attendrai ici, tant que je n'aurais pas de vos nouvelles. » Messire Perceval passa de l'autre côté de l'eau. Quand il fut devant le château, il dit au portier : « Va devers le valeureux chevalier qui est en ce château, et informe-le qu'il est venu un chevalier errant pour jouter avec lui. — Messire, répondit le portier, entrez. Il y a un lieu tout exprès pour la joute, afin que les seigneurs et les dames puissent vous regarder. »

Sitôt que messire Lancelot fut prévenu, il mit peu de temps à s'apprêter. Messire Perceval et lui se heurtèrent avec tant de force, et leurs lances étaient si pesantes que montures et cavaliers tombèrent en terre. Lors ils se dégagèrent de leurs arçons, dégainèrent de nobles épées, taillèrent dans les écus, se jetèrent l'un contre l'autre tels deux sangliers, sous le couvert de leurs boucliers, et se firent mutuellement de graves blessures.

Finalement ce fut messire Perceval qui parla le premier, au bout d'un engagement de plus de deux heures. « Gentil chevalier, dit-il, je vous requiers de me donner votre nom, car jamais jusqu'à présent je n'avais rencontré votre égal. — Messire, repartit Lancelot, mon nom est le Chevalier qui Mal Fit. Maintenant, donnez-moi le vôtre, je vous en requiers, gentil chevalier. — À la vérité, mon nom est messire Perceval le Gallois. J'ai eu pour frère le valeureux messire Lamorat de Galles. Le roi Pellinor était notre père. Messire Agloval est mon frère. — Las ! gémit messire Lancelot, comment ai-je pu vous combattre, vous qui êtes chevalier de la Table Ronde, alors que naguère je comptai parmi vos compagnons ? »

CHAPITRE VIII

Comment chacun reconnut l'autre, de leur grande courtoisie, comment le frère de messire Lancelot, messire Hector, vint à lui, et de leur joie

SUR CE messire Lancelot s'agenouilla. Il jeta au loin son écu et son épée. Lorsque messire Perceval le vit faire, il se demanda ce qu'il entendait par là. Puis il dit : « Sire chevalier, qui que vous soyez, je vous en requiers au nom du grand ordre de chevalerie, donnez-moi votre véritable nom. » L'autre alors répondit : « Ainsi Dieu me soit en aide, je me nomme messire Lancelot du Lac, fils du roi Ban de Bénoïc. — Las ! s'exclama messire Perceval, qu'ai-je donc fait ? J'ai été envoyé par la reine à votre recherche. Cette quête, je l'ai menée pendant près de deux ans. Là-bas se trouve messire Hector des Mares, votre frère. Il m'attend de l'autre côté de l'eau. Pour l'amour de Dieu, pardonnez-moi les offenses que j'ai commises envers vous. — Ce sera tôt pardonné », dit messire Lancelot.

Lors messire Perceval fit venir messire Hector des Mares. Aussitôt qu'il le vit, messire Lancelot courut à lui et le prit en ses bras. Puis messire Hector mit un genou en terre, et chacun pleura les malheurs de l'autre, tant que tous eurent compassion à les voir. Dame Élaine arriva. Elle leur fit aussi bon accueil qu'il était en son pouvoir. Elle raconta à messire Hector et à messire Perceval comment et de quelle façon messire Lancelot était venu en ce pays, et comment il avait été guéri. On apprit combien de temps il était resté avec messire Bliant et messire Célinan, comment il les avait rencontrés, et comment il les avait quittés à cause d'un sanglier, comment aussi l'ermite l'avait guéri de sa grande blessure, et comment il était venu à Corbénic.

CHAPITRE IX

Comment messire Bohort et messire Lionel vinrent chez le roi Brangorre, comment messire Bohort emmena son fils, Hélain le Blanc, et de messire Lancelot

LAISSONS MAINTENANT messire Lancelot en l'Ile de Joie avec dame Élaine, et aussi messire Perceval et messire Hector, qui prenaient part à leurs divertissements, et tournons-nous du côté de messire Bohort de Gaunes et de messire Lionel. Ils avaient recherché messire Lancelot pendant près de deux ans sans jamais entendre parler de lui. Chemin faisant, par hasard, ils arrivèrent à la demeure de Brangorre. Messire Bohort y était bien connu, car il y avait engendré un enfant de la fille de ce roi quinze ans plus tôt. Le nom de cet enfant était Hélain le Blanc. Lorsque messire Bohort le vit, il lui plut beaucoup.

Adonc ces chevaliers eurent bonne chère du roi Brangorre. Le lendemain matin, messire Bohort se présenta devant le roi et lui dit : « Voici mon fils, Hélain le Blanc, ou du moins me dit-on qu'il est mon fils. Puisqu'il en est ainsi, je veux que vous sachiez que mon désir est de l'emmener avec moi à la cour du roi Arthur. — Messire, répondit le roi, libre à vous de le faire, mais il est d'un âge trop tendre. — Peu importe, repartit messire Bohort, je l'emmène et l'introduirai à la cour la plus glorieuse du monde. »

Quand vint l'heure du départ, le chagrin fut grand de voir partir Hélain le Blanc, et l'on versa beaucoup de larmes. Cependant messire Bohort et messire Lionel s'en allèrent. Peu de temps après, ils arrivèrent à Camaalot, où se trouvait le roi Arthur. Quand il sut qu'Hélain le Blanc était fils de messire Bohort et petit-fils du roi Brangorre, le roi Arthur le fit faire chevalier de la Table Ronde. Il se révéla bon chevalier, et aventureux.

Maintenant revenons-en à messire Lancelot. Il advint qu'un jour messire Hector et messire Perceval vinrent le trouver et lui demandèrent ce qu'il comptait faire, et s'il voulait aller avec eux à la cour du roi Arthur ou non. « Non, répondit-il, cela ne peut s'exécuter en aucune façon, car j'ai été en cette cour traité de telle sorte que j'ai résolu de ne plus y retourner. — Messire, repartit messire Hector, je suis votre frère, et vous êtes l'homme au monde que j'aime le mieux. Si je pensais que c'était un déshonneur pour vous, vous comprenez bien que je ne vous conseillerais jamais de faire ce choix. Mais le roi Arthur, tous ses chevaliers, et en particulier la reine Guenièvre, ont laissé paraître tant de chagrin et de douleur que c'était merveille à voir et entendre. Il faut en outre garder à l'esprit en quelle estime et réputation vous êtes tenu, comment on a parlé de vous plus que de tout autre chevalier vivant. Nul n'atteint aujourd'hui à pareil renom que messire Tristan et vous. En conséquence, mon frère, reprit messire Hector, apprêtez-vous à nous accompagner à la cour, et je prétends que nul chevalier n'y aura jamais été mieux reçu que vous ne le serez. Je sais fort bien, et puis le prouver, qu'il en a coûté à madame la reine vingt mille livres pour vous rechercher. — C'est bien, mon frère, dit messire Lancelot, je suivrai votre conseil et vous accompagnerai. »

Adonc ils firent seller leurs chevaux, se préparèrent et prirent congé du roi Pellès et de dame Élaine. Quand messire Lancelot fut sur le point de partir, dame Élaine s'attrista beaucoup. « Monseigneur, dit-elle, à la prochaine fête de Pentecôte, pour votre fils et le mien, Galaad, ce sera l'adoubement. Il a maintenant ses quinze ans révolus. — Faites comme bon vous semble, repartit messire Lancelot. Dieu lui donne la grâce de se montrer bon chevalier ! — Quant à cela, je suis sûre qu'il se montrera le meilleur de sa race, à l'exception d'un seul. — En ce cas, sa valeur ne sera pas à négliger », conclut Lancelot.

CHAPITRE X

Comment messire Lancelot, en compagnie de messire Perceval et de messire Hector, vint à la cour, et de sa grande joie

ILS PARTIRENT. Il leur fallut moins de cinq jours pour gagner Camaalot (en anglais, Winchester). Lorsque messire Lancelot fut revenu parmi eux, le roi et tous les chevaliers l'accueillirent dans une grande allégresse. Messire Perceval le Gallois et messire Hector des Mares firent un entier récit de ses aventures. Ils dirent comment il avait perdu l'esprit tout le temps de son absence, comment il s'était fait appeler le Chevalier qui Mal Fit, et en trois jours avait renversé cinq cents chevaliers. Cependant que messire Hector et messire Perceval contaient ceci de messire Lancelot, la reine Guenièvre ne cessait de pleurer. On eût dit que son cœur allait se rompre. Ensuite elle se réconforta grandement. « Seigneur !

s'exclama le roi Arthur, je me demande pourquoi vous, messire Lancelot, avez pu perdre ainsi l'esprit. Mon opinion, et celle de beaucoup d'autres, est que ce fut par amour pour la belle Élaine, la fille du roi Pellès, dont on raconte que vous avez engendré un enfant, du nom de Galaad. On dit qu'il fera des merveilles. — Monseigneur, repartit messire Lancelot, si j'ai fait quelque folie, j'ai eu la récompense que je méritais. »

Là-dessus le roi se tut. Mais tous les parents de messire Lancelot savaient bien à cause de qui son esprit s'était égaré. On donna ensuite de grands festins et mena grande liesse. Maint noble seigneur, mainte noble dame, en entendant que messire Lancelot était revenu à la cour, en furent fort réjouis.

CHAPITRE XI

Comment la Belle Yseut conseilla à messire Tristan d'aller à la cour pour la grande fête de Pentecôte

Laissons là ce sujet et parlons de messire Tristan et de messire Palamède, le Sarrasin qui n'était pas baptisé. Quand Tristan fut de retour de ses aventures en la Joyeuse Garde, il se passa deux ans et plus, alors que messire Lancelot avait disparu, où ce fut lui, messire Tristan, qui eut le plus de renommée à travers tout le royaume d'Angleterre. Il lui arriva bien des aventures étonnantes, et il les mena à bonne fin, avec courage et glorieusement. Une fois qu'il fut revenu chez lui, la Belle Yseut lui parla de la grande fête qui allait se tenir à la Pentecôte. Elle lui raconta comment pendant deux ans on n'avait pas su où messire Lancelot était passé, comment tout ce temps il n'avait plus sa raison, et comment il avait été secouru par le Vaisseau Sacré du Saint-Graal. « Las ! gémit messire Tristan, la cause en fut encore quelque dispute entre la reine Guenièvre et lui. — Messire, repartit dame Yseut, je suis au courant de tout. La reine m'a envoyé une lettre, dans laquelle elle m'a écrit comment tout s'était passé. Elle voulait que vous partiez à la recherche de messire Lancelot. Maintenant, Dieu soit loué, il est en bonne santé et de retour à la cour.

— J'en suis heureux, dit messire Tristan, et à présent nous allons, vous et moi, nous apprêter, car vous et moi serons à cette fête. — Messire, s'il vous plaît, je n'irai point. Par ma faute, vous vous faites remarquer de plus d'un vaillant chevalier, et déjà je vous ai valu beaucoup plus d'affaires sur les bras qu'il n'était nécessaire. — En ce cas, je n'irai pas non plus, si vous n'y allez pas. — À Dieu ne plaise ! dit la Belle Yseut. On dirait alors du mal de moi parmi toutes les reines et dames de haut rang. Vous qui êtes réputé l'un des plus nobles chevaliers qui soient, qui êtes de la Table Ronde, comment votre absence serait-elle reçue à cette fête ? Que ne dirait-on dans toute la chevalerie ? "Voyez comment messire Tristan chasse à courre, au faucon, se tient caché dans un château en compagnie de sa dame et renonce à acquérir de l'honneur. — Hélas ! murmureront certains, quel dommage qu'il ait jamais été armé chevalier, ou qu'il ait jamais eu l'amour d'une dame !" Et les reines, et les grandes dames, que diraient-elles de moi ? Que c'est pitié que je sois en vie, si j'empêche un chevalier de votre noblesse de s'illustrer.

— Par Dieu, répondit messire Tristan à la Belle Yseut, voilà qui est fort bien parlé et généreusement avisé. Il ne fait nul doute à présent que vous m'aimez vraiment. Et je suivrai le conseil que vous m'avez donné. Cependant je ne me ferai accompagner ni d'un homme fait ni d'un jeune valet. J'irai seul. Je partirai mardi prochain, sans autre équipement pour le combat que ma lance et mon épée. »

CHAPITRE XII

Comment messire Tristan partit sans son armure et rencontra messire Palamède, comment ils se frappèrent l'un l'autre, et comment Palamède renonça à poursuivre le combat

QUAND CE JOUR FUT VENU, messire Tristan prit congé de la Belle Yseut. Elle lui dépêcha quatre chevaliers, qu'il renvoya après moins d'un quart de lieue. Plus loin, à moins d'une demi-lieue, messire Tristan vit devant lui messire Palamède, qui avait jeté au sol un chevalier d'un coup d'épée et lui avait infligé une blessure presque mortelle. Tristan eut regret de ne pas avoir endossé son armure et resta un moment hésitant. Là-dessus messire Palamède le reconnut. Il lui cria d'une voix forte : « Messire Tristan, nous voici ensemble. Avant de nous quitter, nous allons vider nos vieilles querelles. — Pour ce qui est de cela, repartit messire Tristan, jamais chrétien n'a pu encore se vanter que je me fusse enfui en sa présence. Sachez, messire Palamède, vous qui êtes sarrasin, que vous non plus ne pourrez jamais prétendre m'avoir fait fuir. » Sur ce il fit courir sa monture et de toute sa force chargea sus à messire Palamède. Sa lance sur la cuirasse se brisa en menus morceaux. Aussitôt il dégaina son épée. Puis il fit tourner son cheval et asséna sur le heaume six coups violents à Palamède. Celui-ci ne bougea mie. Il regarda messire Tristan, s'ébahissant de son extravagance et folie.

Après quoi il se dit : « Si messire Tristan avait son armure, il me serait difficile de mettre un terme à ce combat. D'autre part, si je lui fais face et le tue, je suis perdu d'honneur, où que j'aille. » Lors Tristan prit la parole et dit : « Chevalier poltron, à quoi te résous-tu ? Pourquoi ne veux-tu pas combattre avec moi ? Ne doute pas que je résiste à tout ce que tu pourras trouver pour me nuire. — Ah! messire Tristan, répondit Palamède, vous savez fort bien qu'en honneur je ne puis vous combattre. Vous êtes sans armes et moi, je suis armé. Si je vous tue, je suis déshonoré. Cependant vous savez aussi fort bien, reprit-il, que je n'ignore rien de votre force et courage lorsqu'il s'agit de vous défendre contre un valeureux chevalier. — Tout cela est vrai, dit Tristan, ce sont les paroles d'un homme brave.

— Voilà qui est bien parlé. Maintenant, je vous en requiers, répondez à une question que je m'en vais vous poser. — Posez-la et j'y répondrai franchement, Dieu m'en soit témoin. — À supposer que vous fussiez armé de toutes pièces comme je le suis, et moi désarmé comme vous l'êtes, comment agiriez-vous avec moi, foi de chevalier? — Ah! fit messire Tristan, à présent je vous comprends bien, messire Palamède. Je dois vous donner ma façon de voir les choses. Mais, par Dieu, ce que je vais vous dire ne devra rien à aucune crainte que j'aurais de vous. En peu de mots : sachez, messire Palamède, que dans la situation que vous dites, je vous laisserais partir. Je ne chercherais pas à me battre avec vous. — Je ne le chercherai pas non plus, dit Palamède. En conséquence, poursuivez votre chemin. — C'est à moi d'en décider, répliqua messire Tristan. Je puis partir ou bien rester. Néanmoins, messire Palamède, reprit-il, je m'étonne d'une chose. Vous qui êtes un chevalier de si grand mérite, pourquoi ne pas vouloir vous faire baptiser? Votre frère, messire Saphar, est baptisé depuis longtemps. »

CHAPITRE XIII

Comment messire Tristan prit le harnois d'un chevalier qui était blessé, et comment il renversa messire Palamède

« Pour ce qui est de cela, dit messire Palamède, je ne puis encore être baptisé, à cause d'un vœu que j'ai fait il y a bien des années. Nonobstant, en mon cœur, j'ai foi en Jésus-Christ et en sa douce mère, Marie. Mais il me reste un combat à livrer. Après quoi de bon gré je recevrai le baptême. — Sur ma foi, repartit Tristan, ce combat-là, il n'y a plus à le chercher. Dieu garde que par ma faute vous continuiez à vivre plus longtemps en Sarrasin ! Je vois là-bas un chevalier, messire Palamède, que vous avez blessé et mis à terre. Aidez-moi à endosser son armure, et j'aurai tôt fait d'exaucer vos vœux. — Qu'il en soit fait selon vos désirs ! » dit Palamède.

Ils allèrent tous les deux trouver ce chevalier, qui était assis sur un talus. Messire Tristan le salua. Il lui rendit son salut avec peine. « Sire chevalier, dit messire Tristan, je vous requiers de me donner votre véritable nom. — Messire, mon nom est messire Galeron de Galvoie, et je suis chevalier de la Table Ronde. — Par Dieu, lui repartit messire Tristan, je suis bien fâché de vos blessures. Mais, ceci dit, je dois vous prier de me prêter toute votre armure. Vous voyez que je n'ai pas la mienne, et il me faut livrer combat à ce chevalier. — Messire, je vous la laisse volontiers. Mais prenez garde, cet homme a de la vigueur. Messire, poursuivit-il, ayez l'obligeance de me donner votre nom, ainsi que celui de ce chevalier qui m'a vaincu. — Messire, pour ce qui est de mon nom, c'est messire Tristan de Léonois. Quant à celui du chevalier qui vous a blessé, c'est messire Palamède, frère du valeureux messire Saphar. Messire Palamède n'est pas encore baptisé. — Las ! s'exclama Galeron, quel dommage qu'un aussi bon chevalier et un homme d'armes aussi remarquable n'ait pas encore reçu le baptême ! — Par Dieu, dit messire Tristan, ou bien il me tuera, ou moi, je le tuerai, mais il le recevra avant que nous nous séparions. — Monseigneur Tristan, conclut messire Galeron, vous êtes de renommée et gloire bien connues en plus d'un royaume. Dieu vous épargne en ce jour le reproche et la honte ! »

Lors messire Tristan ôta son armure à Galeron, lequel était un noble chevalier, qui avait accompli beaucoup de hauts faits d'armes, et gros et grand de sa personne. Quand il fut sans son harnois, il resta debout, car une lance l'avait choqué dans le dos. Comme il put, il arma messire Tristan. Puis celui-ci monta sur son propre cheval, dans la main la lance de messire Galeron. Messire Palamède se tint prêt. Ils se précipitèrent l'un contre l'autre et se frappèrent au mitan de l'écu. La lance de Palamède se rompit, et Tristan fit tomber sa monture. Messire Palamède, dès qu'il fut en mesure de le faire, se dégagea des arçons, se couvrit de son bouclier et tira son épée du fourreau. Messire Tristan le vit. Il mit pied à terre et attacha son cheval à un arbre.

CHAPITRE XIV

Comment messire Tristan et messire Palamède combattirent longtemps ensemble puis s'accordèrent, et comment Tristan fit baptiser Palamède

LORS ils se heurtèrent comme deux sangliers sauvages, se ruant l'un contre l'autre. Ils s'assaillirent et esquivèrent en nobles hommes d'armes rompus à l'art des combats. Cependant messire Palamède redoutait la puissance de messire Tristan. C'est pourquoi toujours il prenait le temps de souffler. Ils combattirent ainsi pendant plus de deux heures. Souvent messire Tristan assénait de tels coups à messire Palamède qu'il devait mettre un genou en terre. Messire Palamède, de son côté, rompit l'écu de messire Tristan et en tailla beaucoup de morceaux. Puis il blessa son adversaire, car il était combattant à ne pas dédaigner. Messire Tristan entra en courroux furieux. Il se précipita sur messire Palamède, avec tant de force que celui-ci tomba face contre terre. Vite il se releva, mais messire Tristan lui transperça l'épaule, lui causant une grave blessure. Toujours messire Tristan maintenait ses assauts avec la même âpreté. Messire Palamède, lui, ne faiblissait point. Finalement Tristan redoubla ses coups. Par chance, il fit tomber l'épée de la main de Palamède. Si ce dernier s'était penché pour la ramasser, il eût été tué.

Mais il resta sans mouvement, regardant son épée avec tristesse. « Or çà, lui lança Tristan, maintenant c'est moi qui ai l'avantage, comme vous auparavant en ce jour. Mais il ne sera jamais dit en nulle cour, ni parmi les bons chevaliers, que messire Tristan a tué un chevalier désarmé. En conséquence, reprenez votre épée et terminons-en avec ce combat. — Pour ce qui est de ce combat, repartit Palamède, ce n'est pas que je n'aie point le courage de le finir, mais je n'ai guère envie de le poursuivre. La raison, la voici : l'offense que j'ai commise envers vous n'est pas si grave que nous ne puissions être amis. Tout mon tort, c'est et c'était d'aimer la Belle Yseut. Quant à elle, je prétends qu'elle est sans égale parmi toutes les dames, mais je n'ai jamais offert de la déshonorer. C'est à elle que je dois l'essentiel de ma réputation, mais pour autant je ne me suis jamais permis d'attenter à sa vertu. Si outrage il y a eu, c'est vous qui en avez été la victime, et pour vous en dédommager vous m'avez aujourd'hui infligé plus d'une cruelle blessure — je vous ai parfois rendu la pareille. Maintenant je puis dire que jamais je n'avais trouvé devant moi un homme de votre vigueur, ni possédant autant de souffle, à l'exception de messire Lancelot du Lac. C'est pourquoi je vous en requiers, monseigneur, pardonnez-moi toutes mes offenses envers vous. Et, ce même jour, menez-moi en la prochaine église, afin que j'y sois d'abord dûment confessé, puis vous vous assurerez que j'ai bien sur l'heure été baptisé comme il convient. Après quoi nous irons tous ensemble à la cour d'Arthur prendre part au grand festin.

— Reprenez donc votre monture, répondit messire Tristan, et qu'il en soit fait comme vous venez de le dire ! Tous vos sentiments coupables, que Dieu vous les pardonne ! Pour moi, c'est fait. À moins d'une demi-lieue d'ici, l'évêque de Carlisle vous donnera le sacrement du baptême. » Sur ce ils montèrent à cheval. Messire Galeron les accompagnait. Quand ils furent devant l'évêque, messire Tristan lui fit part de leur souhait. Lors l'évêque fit emplir de grands fonts puis, quand il en eut consacré l'eau, dûment il confessa messire Palamède. Messire Tristan et messire Galeron furent ses parrains.

Peu après ils se mirent en chemin, en direction de Camaalot, où se trouvaient le roi Arthur, la reine Guenièvre et, pour la plupart, les chevaliers de la Table Ronde. Le roi et toute la cour se réjouirent du baptême de messire Palamède. Lors du même festin entra Galaad, qui prit place sur le Siège Périlleux. Là-dessus se séparèrent et partirent chacun de son côté tous ceux de la Table Ronde. Messire Tristan s'en retourna à la Joyeuse Garde, et messire Palamède poursuivit la Bête en Chasse.

Ici se termine le deuxième livre de messire Tristan, qui a été traduit du français en anglais. Ce qui suit n'est pas le troisième livre reproduit, mais la digne histoire du Saint-Graal, appelé le Vaisseau Sacré. On y trouve également la signification du sang béni de Notre-Seigneur Jésus-Christ, béni soit ce sang, lequel fut apporté en ce pays par Joseph, fils de Joseph d'Arimathie. Adonc que de toutes les âmes pécheresses, Seigneur, tu aies merci !

Fin du LIVRE XII. Commencement du LIVRE XIII.

LIVRE TREIZIÈME

La quête du Saint-Graal
Galaad
Lancelot

CHAPITRE I

Comment, lors de la vigile de la fête de Pentecôte, entra dans la grand-salle en présence du roi Arthur une demoiselle, qui demanda à messire Lancelot de venir adouber un chevalier, et comment il la suivit

À LA VIGILE DE PENTECÔTE, alors que tous les compagnons de la Table Ronde étaient venus à Camaalot et là assistaient à l'office, tandis que les tables avaient été apprêtées pour le repas, il entra dans la grand-salle à cheval une fort belle demoiselle de haut parage. Elle avait chevauché très rapidement, car sa monture était couverte de sueur. Elle mit pied à terre, s'avança vers le roi et le salua. Il lui dit : « Demoiselle, Dieu vous bénisse ! — Sire, demanda-t-elle, pour l'amour de Dieu, dites-moi où est messire Lancelot. — Il est là-bas, vous pouvez le voir », répondit le roi.

Elle alla trouver Lancelot et lui dit : « Je vous salue de la part du roi Pellès et vous requiers de m'accompagner dans une forêt non loin d'ici. » Messire Lancelot alors lui demanda chez qui elle demeurait. « Je demeure, répondit-elle, chez le roi Pellès. — Que me voulez-vous ? — Vous le saurez quand vous serez là-bas. — Soit, je vous suis volontiers. » Messire Lancelot donna ordre à son écuyer de seller son cheval et de lui amener ses armes. Lors la reine vint à lui et lui dit : « Nous quitterez-vous en cette grande fête ? — Madame, intervint la noble demoiselle, je puis vous assurer qu'il sera des vôtres dès demain, à l'heure du dîner. — Si je savais qu'il ne serait pas avec nous demain, répliqua la reine, je ne le laisserais pas partir avec vous de bonne grâce. »

Adonc messire Lancelot accompagna la demoiselle. Ils arrivèrent dans une forêt, puis dans une grande vallée, où ils virent un couvent de femmes. Un serviteur était là, qui leur ouvrit les portes. Ils entrèrent et descendirent de cheval. Il vint alors une belle compagnie, qui entoura messire Lancelot, lui souhaita la bienvenue et manifesta beaucoup de joie de le voir. On le conduisit dans la chambre de l'abbesse, et on lui ôta son armure. Il y vit, couchés dans deux lits, deux de ses cousins, messire Bohort et messire Lionel. Il les réveilla. « Messire, lui demanda messire Bohort, quelle aventure vous a conduit céans ? Nous pensions vous trouver demain matin à Camaalot. — Dieu m'en soit témoin, répondit messire Lancelot, une demoiselle m'a fait venir ici, mais j'en ignore la raison. »

Cependant qu'ils étaient ainsi à deviser arrivèrent douze nonnes, amenant avec elles Galaad. Il était fort beau et bien fait, tant qu'il eût été difficile de trouver son égal en ce monde. Toutes les nonnes se mirent à pleurer. « Messire, dirent-elles toutes, nous vous amenons ici cet enfant, dont nous avons pris soin, et vous demandons de l'armer chevalier, car d'homme plus digne d'estime il ne peut recevoir l'ordre de chevalerie. » Messire Lancelot regarda le jeune écuyer. Il vit qu'il était beau, modeste comme une jeune fille, que la grâce était en chacun de ses traits, au point qu'il eut le sentiment de n'avoir encore jamais vu jouvenceau de son âge dont l'aspect fût plus avenant. Il demanda : « Est-ce lui qui le désire ? » À quoi lui-même et tous les autres répondirent que oui. « En ce cas, dit-il, il recevra le grand ordre de chevalerie demain matin, eu égard à la grande fête de Pentecôte. »

Cette nuit-là, on fit à messire Lancelot fort bonne chère. Le lendemain matin, à la première heure, selon le vœu de Galaad, messire Lancelot l'arma chevalier, lui disant : « Dieu vous donne la prudence, car pour la beauté vous n'avez rien à envier à quiconque. »

CHAPITRE II

Comment furent découvertes les lettres inscrites sur le Siège Périlleux, et de la prodigieuse aventure de l'épée fichée dans une pierre

« À PRÉSENT, gentil sire, lui demanda messire Lancelot, voulez-vous m'accompagner à la cour du roi Arthur? — Non, répondit-il, je ne vous suivrai pas maintenant. » Sur ce messire Lancelot partit, emmenant avec lui ses deux cousins. Ils n'arrivèrent à Camaalot qu'à neuf heures du matin le dimanche de Pentecôte. À cette heure, le roi et la reine étaient à l'église cathédrale, où ils s'étaient rendus pour assister à l'office. Ils furent très heureux de la venue de messire Bohort et de messire Lionel, de même que tous ceux qui étaient là présents. Lorsque le roi et tous les chevaliers furent de retour après l'office, les barons s'aperçurent que tout autour de la Table Ronde était inscrit en lettres d'or : ici c'est tel homme qui doit prendre place, ici tel autre. Ils firent le tour de la table jusqu'au Siège Périlleux, où ils trouvèrent nouvellement inscrit en lettres d'or : *Quatre cent cinquante-quatre années après la Passion de Notre-Seigneur Jésus-Christ, ce siège doit recevoir son occupant.*

Lors ils dirent tous : « C'est là un prodige et une aventure singulière. — La volonté de Dieu soit faite! » dit messire Lancelot. Alors il calcula le temps dont l'inscription faisait état, en partant de la Passion de Notre-Seigneur, jusqu'au jour présent. « Il me semble, conclut-il, que c'est aujourd'hui que ce siège devrait être occupé, car ceci est la fête de Pentecôte après les quatre cent cinquante-quatre ans. Si personne ne s'y oppose, j'aimerais qu'on ne vît rien de ces lettres encore, jusqu'à ce que vienne celui qui doit mener à bien cette aventure. » On fit alors mettre une étoffe de soie sur les lettres du Siège Périlleux.

Le roi voulait qu'on se hatât de dîner. « Sire, remarqua messire Keu le sénéchal, si vous commencez à manger maintenant, vous allez déroger à l'ancienne coutume de votre cour. Vous ne devez pas vous mettre à table aujourd'hui avant d'avoir été le témoin de quelque étrangeté. — Vous dites vrai, repartit le roi. Mais j'avais si grande joie de messire Lancelot et de ses cousins, qui sont arrivés à la cour sains et saufs, que je ne pensais plus à ce que j'ai toujours eu accoutumé de faire. » Alors qu'ils étaient ainsi debout à s'entretenir, il vint un écuyer qui dit au roi : « Sire, sur la rivière en dessous il y a une grosse pierre. Je l'ai aperçue qui flottait sur l'eau, et dedans est plantée une épée. » Le roi dit : « Je vais aller voir cette merveille. »

Adonc tous les chevaliers l'accompagnèrent. Quand ils furent au bord de la rivière, ils y trouvèrent une pierre qui flottait sur l'eau. On eût dit du marbre rouge. Dans la pierre était fichée une belle et riche épée. Dans le pommeau de cette épée, il y avait des pierres précieuses gravées de fines lettres d'or. Les barons lurent ce que disaient ces lettres : *Jamais homme ne m'ôtera d'ici que celui au côté duquel je dois pendre, et ce sera le meilleur chevalier du monde.* Lorsque le roi eut vu cette inscription, il dit à messire Lancelot : « Gentil seigneur, cette épée doit vous revenir, car je suis certain que vous êtes le meilleur chevalier du monde. » À quoi messire Lancelot répondit très modestement : « Sire, à coup sûr, ceci n'est pas mon épée. Sachez que je n'aurai pas la hardiesse d'y mettre la main. Elle ne doit pas pendre à mon côté. J'ajoute que celui qui tentera de la prendre et n'y réussira point, celui-là en recevra une blessure telle qu'il sera bien long à s'en remettre. Je veux aussi que vous le sachiez : à partir d'aujourd'hui commenceront les aventures du Saint-Graal, qu'on nomme également le Vaisseau Sacré. »

CHAPITRE III

Comment messire Gauvain essaya de retirer l'épée, et comment un vieillard amena Galaad

« À PRÉSENT, gentil neveu, dit le roi à messire Gauvain, essayez, par amour pour moi. — Sire, répondit-il, si vous me le permettez, je n'en ferai rien. — Messire, tentez de prendre cette épée. Je vous l'ordonne. — Sire, si c'est un ordre, j'obéis. » Là-dessus il prit l'épée par les poignées, mais sans pouvoir la bouger. « Je vous remercie, lui dit le roi. — Monseigneur Gauvain, lui dit messire Lancelot, sachez maintenant que cette épée vous fera tant de mal que pour n'y avoir jamais touché vous donneriez le meilleur château en ce royaume. — Messire, repartit Gauvain, je ne pouvais m'opposer à la volonté et au commandement de mon oncle. »

Quand le roi entendit cela, il regretta beaucoup ce qu'il avait fait. Mais ensuite il demanda à messire Perceval de faire l'essai à son tour, par amour pour lui. « Volontiers, répondit-il, pour tenir compagnie à messire Gauvain. » Sur ce il posa la main sur l'épée et tira avec force, mais sans parvenir à la bouger. Après quoi il s'en trouva d'autres pour avoir l'audace d'y toucher. « À présent, vous pouvez aller dîner, dit au roi messire Keu, car vous avez été le témoin de quelque chose de prodigieux. » Adonc le roi et tous les autres retournèrent à la cour. Chacun des chevaliers savait où il devait s'asseoir et y prit place. Des jeunes gens, chevaliers eux aussi, les servirent.

Quand ils furent servis et tous les sièges occupés, à l'exception du Siège Périlleux, il se produisit aussitôt quelque chose d'étonnant. Toutes les portes et toutes les fenêtres du palais se fermèrent d'elles-mêmes. Cependant la salle n'en fut pas grandement obscurcie. Chacun s'étonna. Le roi Arthur parla le premier. Il dit : « Par Dieu, gentils compagnons et seigneurs, nous avons vu en ce jour des merveilles, mais avant la nuit je crois que nous verrons plus merveilleux encore. »

Sur ces entrefaites entra un bon vieillard, vénérable, entièrement vêtu de blanc. Nul ne savait d'où il venait. Avec lui il amenait un jeune chevalier. Tous deux étaient à pied. Le jeune chevalier avait des armes vermeilles, ni épée ni écu, seulement un fourreau qui lui pendait au côté. Le vieillard dit : « La paix soit avec vous, gentils seigneurs ! » Puis il s'adressa à Arthur : « Sire, je vous amène ici un jeune chevalier, lequel est de lignée royale, et de la parenté de Joseph d'Arimathie. C'est grâce à lui que s'accompliront tous les prodiges de cette cour, et aussi ceux de royaumes étrangers. »

CHAPITRE IV

Comment le vieillard conduisit Galaad au Siège Périlleux et l'y plaça, et comment tous les chevaliers s'ébahirent

LE ROI se réjouit fort de ses paroles. Il dit à ce bon vieillard : « Messire, vous êtes tout à fait le bienvenu, de même que ce jeune chevalier. » Lors le vieillard aida le jeune homme à se défaire de son armure. Il parut dans une cotte de soie rouge. Son compagnon avait sur son épaule un manteau fourré d'hermine. Il l'en revêtit. Après quoi le vieillard lui dit : « Messire, suivez-moi. » Et il le mena au Siège Périlleux, auprès duquel était assis messire Lancelot. Il souleva l'étoffe et trouva l'inscription suivante : *Ceci est le siège de Galaad.* « Messire, dit le vieux chevalier, assurément cette place est la vôtre. » Sur ce Galaad s'assit commodément à cette place. Il dit au vieillard : « Messire, à présent vous pouvez partir, car vous vous êtes bien acquitté de votre tâche. Recommandez-moi à mon grand-père, le roi Pellès, à mon aïeul, le Roi Pêcheur, et dites-leur de ma part que j'irai les voir aussitôt que je le pourrai. » Là-dessus le bon vieillard partit. Vingt nobles écuyers se joignirent à lui. Ils prirent leurs chevaux et s'en allèrent.

Tous les chevaliers de la Table Ronde s'ébahirent grandement de messire Galaad, qui avait osé prendre place sur le Siège Périlleux, nonobstant qu'il fût d'un âge aussi tendre. Ils ignoraient d'où il venait, n'y voyaient que l'œuvre de Dieu. Ils dirent : « C'est celui qui pourra atteindre aux secrets du Saint-Graal, car nul ne s'est jamais assis à cette place sans en pâtir. » Messire Lancelot regardait son fils avec une grande joie. Bohort affirma à ses compagnons : « Je gage ma tête que ce jeune chevalier connaîtra beaucoup de gloire. »

Cela fit tant de bruit dans toute la cour que la reine en fut avertie. Elle se demanda quel chevalier ce pouvait être qui osait se risquer à s'asseoir sur le Siège Périlleux. Beaucoup lui racontèrent qu'il ressemblait fort à messire Lancelot. « J'imagine, dit-elle, que messire Lancelot l'a engendré de la fille du roi Pellès, dont par enchantement on lui fit partager la couche, et que son nom est Galaad. J'aimerais bien le voir, reprit-elle, car il doit être plein de noblesse, de même que le père qui l'engendra. Je me rapporte là-dessus à tous ceux de la Table Ronde. »

À la fin du repas, quand le roi et les autres se furent levés, le roi alla au Siège Périlleux. Il souleva l'étoffe et découvrit le nom de Galaad. Il montra cela à messire Gauvain, lui disant : « Gentil neveu, nous avons maintenant parmi nous messire Galaad, le valeureux chevalier qui nous vaudra de l'honneur à tous. Je gage ma vie qu'il parviendra à atteindre aux secrets du Saint-Graal, ainsi que messire Lancelot nous l'a fait comprendre. » Puis il vint à Galaad. « Messire, vous êtes le bienvenu, car vous inciterez maint vaillant chevalier à prendre part à la quête du Saint-Graal, et vous mènerez à bonne fin ce que d'autres ne sauraient accomplir. » Ensuite le roi le prit par la main et du palais descendit vers la rivière pour lui montrer les aventures de la pierre.

CHAPITRE V

Comment le roi Arthur montra la pierre qui flottait sur l'eau à Galaad, et comment celui-ci en retira l'épée

CELA VINT aux oreilles de la reine. Elle les suivit, en compagnie de mainte dame, leur montrant l'épée qui flottait sur l'eau. « Messire, dit le roi à messire Galaad, voici une grande merveille, qui égale toutes celles que j'ai pu voir. De fort bons chevaliers ont tenté de retirer cette épée, et ils ont échoué. — Sire, repartit Galaad, il n'y a pas lieu d'en être surpris, car cette aventure n'est pas la leur mais la mienne. J'étais si assuré d'obtenir cette épée que je n'en ai pris aucune. Voyez, le fourreau est ici, qui pend à mon côté. » Sans attendre il posa la main sur l'épée. Il la dégagea sans peine de la pierre, la mit dans le fourreau et dit au roi : « Me voici mieux équipé que tout à l'heure. — Messire, lui dit le roi, quant à l'écu, Dieu y pourvoiera. — Je suis maintenant en possession, reprit Galaad, de l'épée qui jadis fut celle du bon chevalier Balain le Sauvage. Son bras était fort redoutable. De cette même épée il tua son frère Balan. Ce fut grand dommage, car Balan aussi était un chevalier de mérite. Ils se tuèrent l'un l'autre, à cause d'un coup douloureux que Balain avait porté à mon aïeul, le Roi Pêcheur, lequel n'est pas encore guéri et ne le sera pas, tant que je ne l'aurai pas délivré de son mal. »

Là-dessus le roi et tous les assistants virent qui chevauchait le long de la rivière et venait vers eux une demoiselle montée sur un palefroi blanc. Elle salua le roi et la reine et demanda si messire Lancelot était présent. Il répondit lui-même : « Je suis ici, gente demoiselle. » Elle lui dit alors tout en pleurant : « Comme vos prouesses apparaissent différentes depuis ce matin ! — Demoiselle, pourquoi cela ? — Je ne vous dis que la vérité. Ce matin, vous étiez encore le meilleur chevalier du monde. Maintenant, celui qui l'affirmerait serait un menteur. Il y a désormais meilleur que vous, et cela est bien établi par l'aventure de l'épée, que vous n'avez pas même osé toucher. Vous n'avez plus droit à ce titre, il faut y renoncer. C'est pourquoi je vous en fais souvenir, afin que désormais vous n'alliez plus penser que vous êtes le meilleur chevalier du monde. — Pour ce qui est de cela, répliqua Lancelot, je sais bien que je ne l'ai jamais été. — Mais si, insista la demoiselle, vous l'étiez et le demeurez, mais seulement le meilleur parmi tous les pécheurs qui sont en ce monde. Quant à vous, sire le roi, Nascien l'ermite vous fait dire qu'il vous adviendra le plus grand honneur qu'ait jamais connu un roi en Grande-Bretagne. Voici pourquoi : aujourd'hui, le Saint-Graal apparaîtra dans votre maison, et c'est lui qui vous nourrira, de même que tous vos compagnons de la Table Ronde. »

Après quoi elle partit, en prenant le même chemin par où elle était venue.

CHAPITRE VI

Comment le roi Arthur assembla tous les chevaliers non loin de Camaalot, afin de jouter avant leur départ

« À PRÉSENT, dit le roi, je suis sûr qu'en cette quête du Saint-Graal vous allez partir, vous tous de la Table Ronde, et que jamais plus je ne vous reverrai ensemble. C'est pourquoi je veux vous voir tous, tant que vous êtes, dans le pré de Camaalot pour joutes et tournoi, afin qu'après votre mort on puisse dire que tels valeureux chevaliers tel jour se trouvaient tous réunis. » À ces projet et requête du roi ils consentirent tous et endossèrent le harnois qui convenait à la joute. Cependant ce que proposait le roi Arthur n'avait qu'un but, celui de voir Galaad à l'épreuve. Il pensait en effet qu'il ne reviendrait pas de sitôt à la cour après son départ.

Adonc ils s'assemblèrent dans la prairie, du plus médiocre au meilleur. Messire Galaad, le roi et la reine l'en ayant prié, revêtit une noble cuirasse. Il mit aussi son heaume, mais d'écu il n'en voulut point, malgré toutes les instances du roi. Messire Gauvain et d'autres chevaliers le prièrent de prendre une lance. Ce qu'il fit. La reine était dans une tour avec toutes ses dames d'honneur pour regarder le tournoi. Lors messire Galaad s'apprêta au milieu de la prairie et commença à rompre des lances que c'était merveille et que chacun en restait ébahi. Il surpassa tous les autres. En peu de temps, il eut mis à terre beaucoup des bons chevaliers de la Table Ronde sauf deux, à savoir messire Lancelot et messire Perceval.

CHAPITRE VII

Comment la reine souhaita voir Galaad,
comment ensuite tous les chevaliers furent nourris du Saint-Graal,
et comment ils firent vœu d'en mener la quête

LORS le roi, à la demande de la reine, fit descendre Galaad de son cheval et lui fit délacer son heaume, afin que la reine pût contempler son visage. Quand elle l'eut vu, elle dit : « En vérité, je n'ai nulle peine à croire que c'est messire Lancelot qui l'a engendré, car jamais deux hommes ne se ressemblèrent davantage. Il n'est donc pas étonnant qu'il montre de la valeur. » Une dame qui se tenait auprès de la reine lui dit : « Madame, pour l'amour de Dieu, était-il inévitable qu'il fût aussi bon chevalier ? — Oui, certes, répondit la reine, car d'un côté et de l'autre il est issu des meilleurs chevaliers du monde et du plus haut lignage. Au huitième degré seulement messire Lancelot est de même souche que Notre-Seigneur Jésus-Christ, messire Galaad au neuvième degré. C'est pourquoi je prétends que ce sont les gentilshommes les plus nobles qui soient au monde. » Après quoi le roi et les gens de toute condition s'en retournèrent à Camaalot. Ensuite ils se rendirent à vêpres dans la grande cathédrale, puis ils allèrent souper, chacun des chevaliers s'asseyant à la place qu'il avait auparavant occupée.

Aussitôt ils entendirent les grondements et craquements du tonnerre, à croire que toute la maison allait s'effondrer. Au milieu de cet orage pénétra un rayon de soleil sept fois plus brillant que tout éclat du jour qui eût frappé leurs regards, et tous, ils furent illuminés par la grâce du Saint-Esprit. Chacun des chevaliers se mit à considérer les autres, et chacun vit autrui plus beau qu'il ne l'avait jamais vu jusque-là. Longtemps nul ne put prononcer un seul mot. Ils regardaient comme s'ils eussent été privés de la parole. Lors entra le Saint-Graal. Il était recouvert d'une étoffe de soie et d'or. Nul ne pouvait le voir, ni voir qui le portait. Toute la salle fut alors emplie de senteurs merveilleuses, et chacun des chevaliers se vit offrir les mets et les boissons qu'il aimait le mieux au monde. Quand le Saint-Graal eut été porté par toute la salle, lors il disparut soudainement. Ils ne surent pas ce qu'il était devenu. Tous à ce moment retrouvèrent assez de souffle pour pouvoir parler.

Le roi alors rendit grâce à Dieu de la faveur qu'Il leur avait marquée. « Certes, dit-il, nous sommes grandement redevables à Notre-Seigneur Jésus pour ce qu'il nous a montré en ce jour, à l'occasion de la grande fête de Pentecôte. — On nous a servi aujourd'hui, remarqua messire Gauvain, en mets et boissons tout ce qui nous venait à l'esprit. Cependant une chose nous aura déçus. Nous n'avons pu voir le Saint-Graal, tant il était parfaitement recouvert. C'est pourquoi je fais ici le vœu que dès demain, sans plus attendre, j'œuvrerai à la quête du Saint-Graal. Cela me tiendra dehors un an et un jour, davantage si nécessaire, et je ne reviendrai plus à la cour avant de l'avoir vu plus distinctement qu'on ne l'a vu céans. Si je ne puis y réussir, je reviendrai en homme qui ne peut s'opposer à la volonté de Notre-Seigneur Jésus-Christ. » Quand ceux de la Table Ronde ouïrent messire Gauvain parler de la sorte, ils se levèrent pour la plupart et firent le même vœu que lui. Dès que le roi Arthur les eut entendus, il en fut fort marri, car il savait bien qu'ils ne pourraient renoncer à leur vœu. « Las ! se plaignit le roi à messire Gauvain, vous avez causé ma mort ou presque, avec les vœu et promesse que vous avez faits. Par ce moyen, vous m'avez privé de la plus belle compagnie, à la chevalerie la plus pure, qu'on eût jamais vue assemblée en aucun royaume de la terre. Ils vont quitter ces lieux pour, j'en suis assuré, ne plus jamais ensuite se retrouver ensemble en ce monde, car beaucoup mourront en cette quête. Je ne puis m'empêcher d'en avoir du regret. Je les ai aimés autant que ma vie. C'est pourquoi cela me désole aussi profondément, le départ de cette compagnie. C'était devenu pour moi une vieille habitude de les avoir à mes côtés. »

CHAPITRE VIII

Comment se lamentèrent grandement le roi, la reine et les dames quand partirent les chevaliers, et comment ils partirent

SES YEUX s'emplirent de larmes. Puis il dit : « Oh ! Gauvain, Gauvain, vous m'avez plongé dans un grand chagrin, car je crains fort que mes loyaux compagnons ne se revoient jamais plus ici. — Ah ! s'exclama messire Lancelot, ne perdez pas courage. Ce sera pour nous un grand honneur, bien plus que si la mort nous attendait en aucune autre circonstance. Et rien n'est aussi assuré que la mort. — Ah ! Lancelot, repartit le roi, c'est la grande affection qui m'a toujours attaché à vous tous les jours de ma vie, c'est elle qui me fait tenir des propos aussi tristes. Jamais roi chrétien n'aura eu à sa table autant d'hommes estimables que je n'en ai eu ce jour à ma Table Ronde, et c'est cela qui cause mon grand désarroi. » Lorsque la reine, les dames et nobles dames entendirent la nouvelle, elles en eurent tant de chagrin et tant de peine que nul ne saurait l'exprimer. Ces chevaliers les avaient aimées dans l'honneur. Plus que toute autre, la reine Guenièvre donna libre cours à la tristesse. « Je me demande, disait-elle, comment mon seigneur a pu accepter de se séparer d'eux. »

Ainsi toute la cour fut en peine pour l'amour qu'elle portait à ces chevaliers qui allaient partir. Beaucoup de dames qui étaient amoureuses de certains eussent voulu s'en aller avec eux. Elles l'auraient fait, si un vénérable chevalier n'était venu parmi eux en habit de moine. Il parla haut et dit : « Gentils seigneurs, qui vous êtes engagés par serment dans la quête du Saint-Graal, Nascien l'ermite vous fait savoir que nul en cette quête ne doit emmener avec lui de dame ou de noble dame. Cela n'a pas lieu d'être quand on sert une cause aussi haute que celle à laquelle vous consacrerez vos efforts. Je vous en préviens sans fard : celui qui n'est pas purifié de ses péchés, celui-là ne verra pas les mystères de Notre-Seigneur Jésus-Christ. » Cela fit qu'ils s'abstinrent d'emmener ces dames de haute et de basse naissance.

Ensuite la reine vint à Galaad et lui demanda d'où il était et de quel pays. Il le lui dit. « Et vous êtes le fils de Lancelot ? » lui demanda-t-elle. À cela il ne répondit ni oui ni non. « Par Dieu, reprit-elle, de votre père il n'est nulle raison d'avoir honte. Il est le plus avenant de tous les chevaliers. Il est issu des meilleurs qu'il y ait eu en ce monde, et tant d'un côté que de l'autre, d'une lignée de rois. C'est pourquoi on doit s'attendre à ce qu'en vos actions vous montriez beaucoup de mérite. À coup sûr, ajouta-t-elle, vous lui ressemblez fort. » Messire Galaad fut quelque peu embarrassé. Il repartit : « Madame, si vous êtes assurée de ces choses-là, pourquoi me les demander? Qui est mon père sera publiquement avoué, et cela sous peu. »

Après quoi ils allèrent prendre du repos. En honneur de la dignité de Galaad, il fut conduit dans la chambre du roi Arthur et là se reposa dans son propre lit. Aussitôt qu'il fit jour, le roi se leva, car de chagrin toute la nuit il n'avait pu trouver le sommeil. Il alla devers Gauvain et messire Lancelot qui étaient déjà debout, car ils voulaient entendre la messe. Il dit à nouveau : « Ah! Gauvain, Gauvain, vous m'avez trahi. Jamais ma cour n'aura plus de vous honneur, et cependant jamais vous n'aurez pour moi plus de regret que je n'en ai pour vous. » Sur ce les larmes commencèrent à couler sur son visage, et il dit : « Ah! chevalier, messire Lancelot, je vous en requiers, conseillez-moi. Je voudrais qu'on renonçât à cette quête si cela était possible. — Sire, repartit messire Lancelot, vous avez vu hier tous ces dignes chevaliers s'engager par serment. Il ne leur est pas loisible d'abandonner en aucune façon. — Je le sais, dit le roi, mais j'aurai le cœur si lourd quand ils partiront qu'il n'y aura, je le vois bien, nulle joie capable d'y porter remède. »

Puis le roi et la reine se rendirent à la cathédrale. Sans attendre Lancelot et Gauvain commandèrent à leurs serviteurs de leur apporter leurs armes. Quand ils furent tout armés, hormis l'écu et le heaume, ils allèrent trouver leurs compagnons, qui eux aussi étaient parfaitement prêts de même manière, afin d'assister à l'office en la cathédrale. À la fin de l'office, le roi voulut savoir combien avaient entrepris la quête du Saint-Graal. Il les pria de se compter. Ils comptèrent qu'ils étaient au nombre de cent cinquante, tous chevaliers de la Table Ronde. Ensuite ils mirent leurs heaumes et partirent, en se recommandant de tout cœur à la reine. Il y eut des larmes et de grandes lamentations. La reine se retira en sa chambre, afin que nul ne vît l'étendue de sa tristesse.

Messire Lancelot s'aperçut qu'elle n'était pas là. Il alla à sa chambre. Quand elle le vit, elle s'écria : « Oh! messire Lancelot, vous m'avez trahie et tuée d'ainsi quitter mon seigneur. — Ah ! madame, dit messire Lancelot, je vous en prie, n'en soyez pas fâchée. Je reviendrai aussitôt qu'en honneur cela me sera possible. — Hélas ! fit-elle, je voudrais ne jamais vous avoir rencontré. Mais que Celui qui souffrit la mort sur la Croix pour toute l'humanité soit votre guide et votre sauvegarde, ainsi qu'à tous ceux qui partent avec vous ! » Là-dessus messire Lancelot s'en alla. Il trouva ses compagnons qui attendaient sa venue. Ils se mirent en selle et parcoururent les rues de Camaalot. Riches et pauvres, tous pleuraient. Le roi tourna la tête. Les larmes l'empêchaient de dire un seul mot.

Peu après, ils arrivèrent devant une cité et un château du nom de Vagan. Ils entrèrent en ce château. Son seigneur était un vieillard, qui s'appelait aussi Vagan. C'était un homme dont la vie était sans tache. Il leur ouvrit les portes et leur fit le meilleur accueil. Le lendemain, ils tombèrent d'accord pour prendre chacun une route différente. Ils se séparèrent en pleurant et montrant des signes d'affliction. Chacun des chevaliers prit le chemin qui lui parut être le meilleur.

CHAPITRE IX

Comment Galaad se procura un écu,
et quel était le sort de ceux qui avaient l'audace de se saisir de cet écu

MESSIRE GALAAD n'avait toujours point d'écu. Il chevaucha quatre jours sans aventure aucune. Le quatrième, après vêpres, il arriva devant une abbaye de moines blancs. Il y fut reçu avec beaucoup de respect, conduit à une salle, et là on lui ôta son armure. Il s'aperçut alors de la présence de deux chevaliers de la Table Ronde. L'un était le roi Bademagu, l'autre messire Yvain l'Avoutre. Quand ils le virent, ils vinrent à lui et le fêtèrent.

Puis on alla souper. « Messires, leur demanda Galaad, par quel hasard êtes-vous ici ? — Messire, répondirent-ils, on nous a rapporté qu'en ce lieu se trouvait un écu que nul ne pouvait pendre à son cou sans être avant trois jours soit blessé, soit tué, ou encore à jamais estropié. — Ah ! messire, s'exclama le roi Bademagu, je le porterai demain à mon cou pour tenter cette étrange aventure. — La volonté de Dieu soit faite ! dit Galaad. — Messire, reprit Bademagu, si je ne puis réussir en cette aventure de l'écu, tentez-la vous-même. Je suis certain que vous n'échouerez point. — Sire, dit Galaad, j'accepte volontiers, car je n'ai point d'écu. »

Adonc le lendemain matin ils se levèrent et entendirent la messe. Puis le roi Bademagu s'enquit de l'endroit où se trouvait l'Écu Périlleux. Incontinent un moine le conduisit derrière un autel. L'écu y était suspendu, blanc comme la neige, mais au mitan une croix vermeille. « Sire, dit le moine, cet écu ne doit être passé au cou de nul chevalier s'il n'est le plus digne en ce monde. Je vous conseillerai donc, chevaliers, d'être bien avisés. — Certes, répondit le roi Bademagu, je sais que je ne suis pas le meilleur chevalier du monde. Pourtant je vais tenter de le mettre à mon cou. » Il le porta donc hors du monastère. Puis il dit à messire Galaad : « Si vous le voulez bien, je vous demanderai de m'attendre ici jusqu'à ce que vous sachiez ce qui m'est advenu. — Je vous attendrai céans », répondit Galaad.

Lors le roi Bademagu emmena avec lui un écuyer, afin de donner à messire Galaad la nouvelle de ce qui se serait passé. Quand ils eurent chevauché un peu moins d'une lieue et furent entrés dans un beau vallon devant un ermitage, ils virent un chevalier de bonne mine qui sortait de par là. Ses armes étaient blanches, le cheval aussi caparaçonné de blanc, et blanc tout le reste. Le chevalier galopait de toute la vitesse de sa monture, la lance en arrêt. Le roi Bademagu coucha sa propre lance pour le rencontrer et la rompit en heurtant le Chevalier Blanc. Mais l'autre le choqua si rudement qu'il brisa les mailles de sa cuirasse et lui transperça l'épaule droite, laquelle n'était pas alors couverte par le bouclier. C'est ainsi qu'il le fit tomber de son cheval.

Après quoi le chevalier mit pied à terre et ôta au roi Bademagu l'écu de couleur blanche, disant : « Chevalier, tu pâtis de ta grande folie. Cet écu ne doit être porté que par celui qui n'aura pas son égal en ce monde. » Ensuite il vint à l'écuyer du roi et lui dit : « Porte ce bouclier au valeureux messire Galaad, que tu as laissé à l'abbaye, en le saluant bien de ma part. — Messire, repartit l'écuyer, quel est votre nom ? — Ne te soucie point de mon nom. Il ne te regarde pas, ni toi, ni aucun homme sur cette terre.

— À présent, gentil seigneur, dit l'écuyer, au nom du respect que nous devons à Notre-Seigneur Jésus-Christ, expliquez-moi pourquoi on ne peut porter cet écu sans en souffrir en son corps. — Puisque tu m'en pries instamment, répondit le chevalier, voici : cet écu ne convient qu'au seul Galaad. » L'écuyer alors alla devers Bademagu et lui demanda s'il était sérieusement blessé ou non. « Blessé, oui, vraiment, je le suis, dit-il, j'aurai peine à rester en vie. » Sur ce l'écuyer s'en fut chercher le cheval du roi et, avec beaucoup de difficulté, conduisit Bademagu dans une abbaye. Délicatement, on le fit descendre, on lui ôta son armure, on le coucha, et l'on soigna ses plaies. Le livre nous le raconte, il demeura longtemps en cette abbaye et n'en réchappa que difficilement.

CHAPITRE X

Comment Galaad partit avec l'écu,
et comment le roi Évalac l'avait reçu de Joseph d'Arimathie

« Messire Galaad, dit l'écuyer, le chevalier qui a blessé Bademagu vous envoie ses salutations et veut que vous portiez cet écu, qui sera à l'origine de grandes aventures. — Dieu soit loué, ainsi que ma bonne fortune ! » répondit Galaad. Après quoi il demanda son armure, monta sur son cheval, pendit le bouclier blanc à son cou et se recommanda à Dieu. Messire Yvain l'Avoutre lui proposa de lui tenir compagnie, si cela lui était agréable. « Messire, dit Galaad, cela n'est pas possible. Je dois aller seul, avec pour toute compagnie celle de cet écuyer. » Sur ce Yvain partit de son côté.

Peu après, Galaad arriva là où l'attendait le Chevalier Blanc, auprès de l'ermitage. Ils se saluèrent courtoisement. « Messire, demanda Galaad, beaucoup de choses étonnantes sont-elles survenues du fait de ce bouclier ? — Il advint, messire, répondit le chevalier, trente-deux ans après la Passion de Notre-Seigneur Jésus-Christ, que Joseph d'Arimathie, le noble chevalier, lequel descendit Notre-Seigneur de la sainte Croix, lors quitta Jérusalem avec la plus grande partie de sa famille. Il chemina ainsi jusqu'à ce qu'il fût devant une cité du nom de Sarras. Lorsque Joseph vint à Sarras, il y avait là un roi nommé Évalac, qui menait une dure guerre contre les Sarrasins, en particulier contre l'un d'eux qui était son cousin. Ce cousin était un monarque riche et puissant, dont les marches avoisinaient les siennes. Il s'appelait Tholomer. Un jour, ces deux hommes se rencontrèrent pour se livrer combat.

« Ce fut alors que Joseph, fils de Joseph d'Arimathie, alla trouver le roi Évalac. Il lui dit qu'il serait déconfit et tué, à moins d'abjurer sa foi en la loi ancienne et de croire en la nouvelle loi. Il lui montra la doctrine véritable de la sainte Trinité, à laquelle de tout cœur Évalac donna son assentiment. Et dans ces conditions fut fait ce bouclier pour le roi Évalac, au nom de Celui qui mourut sur la Croix. Grâce à sa juste croyance, Évalac l'emporta sur le roi Tholomer. Lorsqu'Évalac était sur le champ de bataille, un morceau d'étoffe était placé devant l'écu. S'il courait un grand danger, le roi faisait enlever l'étoffe, et les ennemis voyaient paraître la forme d'un homme sur la Croix, ce qui entraînait leur perte à tous.

« Il advint que l'un des gens du roi Évalac eut la main coupée. Il portait cette main coupée dans l'autre main. Joseph l'appela et lui dit d'aller dévotement toucher la croix de l'écu. Aussitôt qu'il eut de sa main coupée touché ladite croix, cette main devint aussi bonne qu'auparavant. Une autre grande merveille se produisit peu après. La croix de l'écu, un beau jour, disparut. Nul ne sut ce qu'elle était devenue. Puis le roi Évalac fut baptisé (il prit au baptême le nom de Mordrain), et pour la plupart le furent aussi les habitants de la cité.

« Peu de temps après, Joseph songea à partir. Le hasard fit qu'il vint en ce pays, qu'on appelait déjà la Grande-Bretagne. Il y trouva un grand traître païen qui le mit en prison. Par chance la nouvelle en parvint au digne Mordrain. Il assembla tous ses gens. Il vint en cette terre de Grande-Bretagne. Il déposa le traître païen et le fit brûler vif. Puis il tira Joseph de sa prison. Ensuite tout le peuple embrassa la foi chrétienne. »

CHAPITRE XI

Comment Joseph de son sang dessina une croix sur le bouclier blanc, et comment Galaad fut conduit par un moine à une tombe

« Ce ne fut pas longtemps après que Joseph se mit au lit pour ne plus se relever. Quand le roi Mordrain le vit, son chagrin fut extrême. Il lui dit : "Par amour pour vous, j'ai abandonné mon pays. Puisque vous quittez ce monde, laissez-moi quelque objet qui me permette de penser à vous." Joseph lui répondit : "Ce sera bien volontiers. Apportez-moi donc votre écu, que je vous ai donné lorsque vous avez engagé la bataille contre le roi Tholomer." Lors Joseph se mit à saigner du nez, tant qu'il ne put par nul moyen étancher le sang. Sur l'écu il dessina une croix à l'aide de ce sang. "À présent, vous aurez un gage de mon affection, dit-il.

Vous ne verrez jamais cet écu sans penser à moi, et sa couleur restera toujours aussi fraîche que maintenant. Jamais homme ne mettra cet écu à son cou sans avoir à le regretter, jusqu'au jour où Galaad, le valeureux chevalier, le portera à son tour. Dernier de ma lignée, il s'en couvrira et accomplira mainte action extraordinaire. — Mais, dit le roi Mordrain, où déposerai-je cet écu, afin que le digne chevalier dont vous parlez puisse entrer en sa possession? — Vous le laisserez là où Nascien l'ermite reposera après sa mort. Le valeureux chevalier dont je vous ai parlé y viendra le quinzième jour après qu'il aura reçu l'ordre de chevalerie." Ainsi donc, le jour qu'ils fixèrent est celui-là même où fut donné l'écu à qui devait le recevoir, et l'abbaye est bien celle où fut enterré Nascien l'ermite. » Sur ces mots le Chevalier Blanc disparut.

Aussitôt que l'écuyer eut entendu cela, il descendit de sa haquenée et s'agenouilla aux pieds de Galaad, le priant de lui permettre de l'accompagner jusqu'à ce qu'il eût été fait chevalier par ses soins. « Si je voulais avoir de la compagnie, je ne refuserais pas la vôtre. — Et accepteriez-vous maintenant de m'armer chevalier? L'ordre de chevalerie, par la grâce de Dieu, je saurai lui faire honneur. » Messire Galaad lui accorda ce qu'il demandait. Il retourna à l'abbaye d'où ils venaient. Là il fut reçu à grande joie. Puis, dès qu'il eut mis pied à terre, un moine le mena vers une tombe en un cimetière. Le bruit qui s'en dégageait était tel que celui qui l'entendait était près de perdre la raison ou de perdre ses forces. « Messire, lui dirent-ils, nous pensons qu'il s'agit d'un démon. »

CHAPITRE XII

De la merveille que messire Galaad vit et entendit dans la tombe, et comment il fit Mélian chevalier

« CONDUISEZ-MOI », dit Galaad. Ce qu'ils firent. Il était armé de toutes pièces, hormis le heaume. « Maintenant, dit l'homme de bien, allez à la tombe et soulevez la pierre. » Galaad s'approcha. Il y eut un grand bruit. Une voix pitoyable dit, de façon que chacun pût entendre : « Messire Galaad, serviteur de Jésus-Christ, ne m'approchez point. Vous m'obligeriez à retourner là où je suis demeuré si longtemps. » Mais Galaad n'eut aucune crainte. Il souleva la pierre. Il en sortit une exécrable fumée, puis il vit que sautait hors du trou ce qu'il avait jamais vu de plus hideux en matière de forme humaine. Il se signa et sut bien qu'il s'agissait d'un démon.

Il entendit alors une voix qui disait : « Je vois que t'entourent des anges en si grand nombre que mon pouvoir n'ose te défier. » Sur ce il aperçut dedans la tombe un corps entièrement armé, et à côté de lui une épée. « Maintenant, gentil frère, dit Galaad, enlevons ce corps. Il n'est pas digne de reposer en ce cimetière. C'est celui d'un mauvais chrétien. » Là-dessus ils partirent tous et retournèrent à l'abbaye. Sitôt que Galaad eut ôté son armure, un homme de bien vint s'asseoir à côté de lui et lui dit : « Messire, je vais vous dévoiler ce que signifie tout ce que vous avez vu en la tombe. Ce corps habillé représente l'affliction du monde et le grand péché dans lequel Notre-Seigneur l'a trouvé. Le malheur était tel que le père n'aimait plus le fils, ni le fils le père. Ce fut l'une des raisons pourquoi Notre-Seigneur revêtit un corps charnel dans le sein d'une pure vierge. Nos péchés étaient alors si grands que tout ou presque était vilénie. — En vérité, dit Galaad, je n'ai pas de peine à le croire. »

Adonc messire Galaad se reposa là cette nuit. Le lendemain matin, il arma chevalier l'écuyer. Il lui demanda son nom et de quelle famille il était issu. « Messire, lui répondit-il, on m'appelle Mélian de l'Ile, et je suis fils du roi du Danemark. — Maintenant, gentil sire, lui dit Galaad, puisque vous descendez de rois et de reines, tâchez de faire honneur à la chevalerie. Vous devrez être le modèle de tous les chevaliers. — Messire, répondit Mélian, vous dites vrai. Mais puisque vous avez fait de moi un chevalier, il est de règle que vous exauciez le premier de mes souhaits, pourvu qu'il soit raisonnable. — C'est bien parlé. — Mon souhait, reprit Mélian, est que vous acceptiez que je vous accompagne en cette quête du Saint-Graal, jusqu'à ce que le hasard vienne à nous séparer. — Je vous l'accorde, messire. »

Lors à messire Mélian on amena son armure, sa lance, son cheval. Messire Galaad et lui chevauchèrent la semaine entière sans rien rencontrer de remarquable. Puis, un lundi matin, alors qu'ils venaient de quitter une abbaye, ils arrivèrent devant une croix à la séparation de deux chemins. Sur cette croix des lettres étaient gravées qui disaient ceci : *Chevalier errant, voici deux routes qui s'offrent au chevalier en quête d'aventures. Il en est une qu'il ne faut pas prendre. On ne peut aller au bout que si l'on est homme vertueux et digne chevalier. En outre, si tu choisis ce chemin de gauche, il ne te sera pas facile d'accomplir des exploits, car tu y seras tôt mis à l'épreuve.* « Messire, demanda Mélian à Galaad, s'il vous agrée de me laisser prendre le chemin de gauche, dites-le-moi, car je pourrai aisément y prouver ma force. — Il vaudrait mieux, repartit Galaad, que vous ne choisissiez pas d'aller par là. Je suis d'avis que ce faisant j'aurais plus de chances que vous d'en réchapper. — Non, monseigneur, je vous en prie, laissez-moi cette aventure. — Elle est à vous, si Dieu le veut », répondit Galaad.

CHAPITRE XIII

De l'aventure que connut Mélian, comment Galaad le vengea, et comment Mélian fut transporté dans une abbaye

LORS Mélian pénétra dans une antique forêt et là chevaucha bien deux jours et davantage. Puis il arriva dans une belle prairie, où il y avait une belle hutte de branchages. En cette hutte il aperçut un siège, et sur le siège une couronne d'or, délicatement ouvragée. Il y avait aussi des nappes étendues sur le sol et force mets délicieux disposés dessus. Messire Mélian regarda ces étranges choses, les trouva merveilleuses, mais il n'avait pas faim. Cependant la couronne d'or retint toute son attention. Il se pencha, la prit et partit avec elle.

Incontinent il vit un chevalier courir après lui, qui lui dit : « Chevalier, pose cette couronne. Elle ne t'appartient pas et donc mets-toi en garde. » Messire Mélian se signa et dit : « Père céleste, venez au secours de votre chevalier nouvellement adoubé. » Ils firent galoper leurs chevaux aussi vite que cela se pouvait. La lance de l'autre perça le corps de messire Mélian d'outre en outre, passant au travers du haubert et du flanc gauche, si bien qu'il tomba sur le sol presque sans vie. Après quoi le chevalier prit la couronne et s'en alla. Messire Mélian resta au sol étendu, sans pouvoir bouger.

Sur ces entrefaites par bonheur survint messire Galaad, qui trouva messire Mélian en danger de perdre la vie. Il lui dit : « Ah! Mélian, qui donc vous a blessé? Vous voyez bien qu'il eût mieux valu choisir l'autre route. » Quand messire Mélian l'entendit : « Messire, répondit-il, pour l'amour de Dieu ne me laissez pas mourir en cette forêt, mais portez-moi à l'abbaye qui est là tout près, que je puisse y être confessé et recevoir les derniers sacrements. — Ce sera fait, dit Galaad, mais où est celui qui vous a causé cette blessure? » À cet instant messire Galaad entendit sous la feuillée une voix qui lui criait : « Chevalier, défends-toi. » « Ah! messire, lui dit Mélian, prenez garde. C'est l'homme qui m'a tué. » Messire Galaad répondit à la voix : « Sire chevalier, venez donc, au péril de votre vie. »

Lors chacun des deux se mit en place, et ils se heurtèrent de toute la vitesse de leurs chevaux. Galaad frappa son adversaire de telle sorte que la lance lui traversa l'épaule et lui fit vider les arçons. Au cours de la chute, cette lance se brisa. Là-dessus un autre chevalier sortit de dessous la feuillée et rompit une lance sur Galaad, avant même que celui-ci eût pu se retourner. Galaad dégaina son épée et trancha le bras gauche de cet autre chevalier. Le bras tomba sur le sol. Sur ce le deuxième assaillant s'enfuit, messire Galaad le serrant de près.

Ensuite messire Galaad revint à messire Mélian. Il mit pied à terre. Puis il plaça délicatement son compagnon devant lui sur son propre cheval, car le tronçon de la lance était demeuré fiché en son corps. Il sauta en selle derrière lui. Il le tint serré en ses bras et ainsi le conduisit à l'abbaye. Là il lui ôta son armure et le mena en sa chambre. Lors messire Mélian demanda son Sauveur. Quand il l'eut reçu, il dit à messire Galaad : « Messire, que la mort vienne quand bon lui semblera ! »

À ce moment, messire Galaad retira du corps de messire Mélian le tronçon de la lance. Messire Mélian s'évanouit. Survint un vénérable moine qui autrefois avait été chevalier. Il regarda Mélian. Il examina sa plaie sans tarder. Puis il dit à messire Galaad : « Je le guérirai de sa blessure, avec l'aide de Dieu, d'ici à sept semaines. » Galaad s'en réjouit. Il ôta son harnois et déclara qu'il ne bougerait pas de là avant trois jours. Puis il demanda à messire Mélian comment il se portait. Celui-ci lui répondit que la guérison était en cours, Dieu soit loué.

CHAPITRE XIV

Comment messire Galaad partit, et comment il lui fut ordonné de se rendre au château des Pucelles pour en abolir l'infâme coutume

« À PRÉSENT, je vais m'en aller, dit Galaad, car j'ai beaucoup d'ouvrage qui m'attend. Maint chevalier s'y consacre pleinement. Ce chevalier et moi-même menions la même quête, celle du Saint-Graal. — Messire, repartit l'homme de bien, c'est à cause de ses péchés que votre compagnon a été ainsi blessé. Je m'étonne (s'adressant à Mélian) que vous ayez osé accepter quelque chose d'aussi éminent que le grand ordre de chevalerie sans d'abord vous confesser de tous vos péchés. C'est la raison pourquoi vous avez eu cette cruelle blessure. La route de droite représentait le grand chemin de Notre-Seigneur Jésus-Christ, et c'est celui que suit l'homme vertueux dont la vie est véritablement sans tache. L'autre route était celle des pécheurs et des mécréants. Le Malin fut témoin de votre orgueil et présomption à entreprendre la quête du Saint-Graal. C'est pour cela que vous fûtes mis à bas, car cette quête ne peut être menée à bonne fin que par une vie sans péché.

« En outre, l'inscription sur la croix concernait les actions célestes, et d'autres de chevalerie au service de Dieu, non les actions chevaleresques où l'on œuvre pour le monde. L'orgueil est le plus grand de tous les péchés capitaux. C'est lui qui a fait que vous avez quitté Galaad. Quand vous vous êtes saisi de la couronne d'or, vous avez péché par convoitise et vol. Rien de tout cela n'était action de vrai chevalier. Quant à ce saint chevalier, Galaad, il a combattu deux hommes, lesquels représentaient les deux péchés mortels qui étaient bel et bien en vous, Mélian. (S'adressant à Galaad) : Ces combattants n'ont pu vous résister, parce que vous êtes sans péché mortel. »

Lors Galaad partit en les recommandant tous à Dieu. Messire Mélian lui dit : « Monseigneur Galaad, aussitôt que je pourrai monter sur un cheval, je me mettrai à votre recherche. — Dieu vous donne la santé ! » repartit Galaad. Il prit sa monture et s'en alla. De nombreux jours il chevaucha, de-ci, de-là, au gré du hasard. Finalement il vint à quitter une maison — ou un château — que possédait un petit vassal. Il n'avait pu y entendre la messe, ce qu'il faisait toujours avant de quitter maison ou château. C'était son habitude. Il parvint à une montagne. Il y trouva une chapelle. Personne au-dedans, tout était désert. Il s'agenouilla devant l'autel et à Dieu demanda de sages conseils. Tandis qu'il priait, il entendit une voix qui disait : « Va maintenant, chevalier aventureux, au Château des Pucelles, et détruis-en la coutume infâme. »

CHAPITRE XV

Comment messire Galaad combattit les chevaliers de ce château et abolit son infâme coutume

LORSQUE MESSIRE GALAAD eut entendu ceci, il rendit grâce à Dieu et prit son cheval. Il n'avait pas parcouru un quart de lieue qu'il vit au creux d'un vallon devant lui un château bien remparé, entouré de douves profondes. Coulait auprès de ce château une plaisante rivière, qu'on appelait la Severn. Là il rencontra un homme d'un grand âge. Ils se saluèrent. Galaad lui demanda le nom du château. « Gentil seigneur, lui répondit-il, c'est le Château des Pucelles. — C'est un château maudit, repartit Galaad, de même que sont maudits tous ceux qui le fréquentent, car la pitié n'y est pas admise mais s'y trouvent toutes sortes d'impudence et ignominie. — Je vous conseillerai donc, sire chevalier, de faire demi-tour. — Messire, dit Galaad, soyez assuré que je ne repartirai point. »

Lors messire Galaad examina ses armes. Rien ne lui faisait défaut. Il se couvrit de son bouclier. Tout aussitôt sept gracieuses jeunes filles vinrent à sa rencontre, lui disant : « Sire chevalier, c'est folie pour vous d'avancer de la sorte. Il vous faudrait franchir l'eau. — Pourquoi ne la franchirais-je pas? » demanda Galaad. Il s'éloigna d'elles. Un écuyer s'approcha. « Chevalier, lui dit-il, les chevaliers de ce château vous défient et vous interdisent d'aller plus avant, tant qu'ils ne sauront pas ce que vous voulez. — Gentil sire, je viens abolir l'infâme coutume de ce château. — Messire, si c'est là votre objet, vous aurez beaucoup à faire. — Va maintenant, repartit Galaad, et aide-moi à faire vite. »

L'écuyer rentra dans le château. En sortirent bientôt sept chevaliers, qui étaient tous frères. Quand ils virent Galaad, ils lui crièrent : « Chevalier, en garde! Tu n'as rien à attendre de nous que la mort. — Comment! s'écria Galaad, comptez-vous vous battre tous à la fois contre moi? — Oui, tu peux en être sûr. » Lors Galaad coucha sa lance et jeta le premier à terre, qui faillit se rompre le col. Le deuxième donna de grands coups sur son écu. Leurs deux lances se brisèrent. Lors messire Galaad tira son épée du fourreau et les assaillit tous, si âprement que c'était merveille de le voir. Sa grande force leur fit abandonner le terrain. Il les poursuivit. Ils entrèrent par une porte du château et ressortirent par une autre.

Messire Galaad vit alors venir à lui un vieillard en habit de moine qui lui dit : « Messire, voici les clefs de ce château. » Galaad ouvrit les portes. Il y avait tant de gens dans les rues qu'il ne pouvait les compter. Ils dirent tous : « Messire, vous êtes le bienvenu, car cela fait longtemps que nous attendions d'être délivrés. » Une noble dame s'approcha, qui lui fit remarquer : « Ces chevaliers se sont enfuis, mais ils reviendront cette nuit, pour recommencer ici leurs détestables pratiques. — Que voulez-vous que je fasse? demanda Galaad. — Messire, que vous envoyiez quérir tous les chevaliers qui tiennent leurs terres de ce château et leur fassiez jurer d'en revenir aux usages qui avaient cours auparavant. — Je veux bien », dit Galaad. Elle lui apporta un cor d'ivoire à filets d'or et dit :

« Messire, sonnez de ce cor. On l'entendra à une lieue. » Quand messire Galaad eut sonné du cor, il s'assit sur un lit.

Lors un prêtre vint à lui, qui lui dit : « Messire, cela fait plus de sept ans que ces sept frères sont venus en ce château et y furent hébergés par le seigneur du lieu. Il avait nom le duc Lenoir et tenait tout le pays en son obéissance. Quand ils virent la fille de ce duc, laquelle était femme d'une grande beauté, leurs fourbes desseins les firent se quereller. Le duc en sa bonté voulut les séparer, mais ils le tuèrent, de même que son fils aîné. Puis ils se saisirent de sa fille et du trésor du château. Ensuite, par la force, ils contraignirent tous les chevaliers de ce château, contre leur gré, à reconnaître leur autorité, exigeant d'eux de grands services et de lourds tributs, pillant et dépouillant le pauvre menu peuple de tout ce qu'il possédait.

« Il advint un jour que la fille de ce duc leur dit : "Vous m'avez fait grand tort en tuant mon père, mon frère et en retenant nos terres à votre profit. Nonobstant vous ne resterez pas longtemps maîtres de ce château. Un chevalier vous vaincra." Ce fut ce qu'elle prophétisa, il y a sept ans de cela. "Eh bien, repartirent les sept chevaliers, puisque vous le dites, désormais nulle dame et nul chevalier ne passeront auprès de cette maison sans y demeurer malgré eux ou périr, jusqu'à ce que vienne celui par qui nous la perdrons." Telle est la raison pourquoi on l'appelle le Château des Pucelles, car ils ont causé la mort de mainte jeune vierge.

— Maintenant, demanda Galaad, est-elle encore ici, celle qui fut à l'origine de la perte de ce château ? — Non, messire, répondit le prêtre, elle n'est plus. Elle mourut trois jours après qu'elle eut été forcée. Mais depuis, ils ont gardé sa sœur cadette, qui a souffert le martyre, de même que d'autres dames. » Cependant les chevaliers de la contrée étaient venus. Galaad leur fit jurer hommage et fidélité à la fille du duc Lenoir et rétablit la paix dans les cœurs. Le lendemain matin, quelqu'un vint trouver messire Galaad et lui rapporta que Gauvain, Gahériet et Yvain avaient occis les sept frères. « Je pense que tout va bien à présent », dit-il. Il prit son armure, son cheval et les recommanda tous à Dieu.

CHAPITRE XVI

Comment messire Gauvain arriva à l'abbaye pour suivre Galaad, et comment il fut confessé par un ermite

L'HISTOIRE le raconte : après que messire Gauvain eut quitté ses compagnons, il chevaucha de nombreux jours, tantôt par-ci, tantôt par-là. Finalement il vint à l'abbaye où messire Galaad était entré en possession du bouclier blanc. Là on lui dit quel chemin prendre pour retrouver Galaad. Il se rendit à l'autre abbaye, celle où Mélian était au lit malade. Messire Mélian lui narra les étranges aventures survenues à son ami. « Certes, dit messire Gauvain, je regrette de ne pas avoir pris la même route que lui, et si je le rencontre, je ne le quitterai pas inconsidérément, vu toutes les aventures merveilleuses que messire Galaad a menées à bonne fin. — Messire, intervint l'un des moines, il ne voudra pas de votre compagnie. — Pourquoi donc ? — Messire, pour ce que vous êtes dépravé et vivez dans le péché, tandis que lui est béni. »

Ils étaient ainsi à deviser quand survint messire Gahériet. Gauvain et lui se réjouirent de se revoir. Le lendemain matin, ils entendirent la messe et partirent. Chemin faisant, ils firent rencontre de messire Yvain l'Avoutre. Celui-ci dit à messire Gauvain qu'il n'avait connu nulle aventure depuis son départ de la cour. « Nous non plus », repartit messire Gauvain. Ils s'engagèrent alors tous les trois à ne pas se séparer, aussi longtemps qu'ils mèneraient cette quête, à moins que le hasard ne le voulût autrement.

Adonc ils partirent et chevauchèrent sans but, jusqu'à ce qu'ils vinssent à passer près du Château des Pucelles. Là les sept frères épièrent les trois chevaliers. Ils se dirent : « Puisque l'un d'eux nous a fait fuir de ce château, nous allons faire périr tous les chevaliers du roi Arthur qu'il nous sera possible de vaincre, à cause de messire Galaad. » Sur ce les sept frères assaillirent les trois chevaliers. Par chance, messire Gauvain tua l'un des sept. Chacun de ses compagnons en occit un à son tour, et ainsi de suite. Nul n'en réchappa.

Après quoi ils choisirent de prendre le chemin qui passait sous les murs du château et de cette manière perdirent la trace de messire Galaad. Chacun des trois se trouva séparé des autres. Messire Gauvain alla jusqu'à un ermitage. Il y trouva l'homme de bien célébrant l'office du soir de Notre-Dame. Messire Gauvain lui demanda asile par charité. L'ermite avec plaisir accéda à sa demande. Puis il désira savoir qui il était. « Messire, répondit Gauvain, je suis chevalier du roi Arthur et mène la quête du Saint-Graal. Mon nom est messire Gauvain. — J'aimerais connaître, messire, où en sont les choses entre Dieu et vous. — C'est volontiers que je vous découvrirai ce qu'est ma vie, si cela peut vous satisfaire. »

Là-dessus il rapporta à l'ermite comment un moine, dans une abbaye, l'avait appelé « chevalier dépravé ». « Il avait de bonnes raisons pour cela, repartit l'ermite. Quand vous fûtes armé chevalier, vous auriez dû vous consacrer à des actions chevaleresques et à une conduite vertueuse. Vous avez fait le contraire. Bien des années, vous avez mal vécu. Messire Galaad est vierge. Il n'a jamais péché. C'est la raison pour laquelle il accomplira, où il ira, ce que ni vous ni aucun des vôtres ne sera jamais en mesure d'accomplir, parce que vous avez mené la vie la plus corrompue qu'à ma connaissance vécut jamais aucun chevalier. Assurément, si vous n'aviez pas été aussi dépravé que vous l'êtes, jamais les sept frères ne seraient tombés sous vos coups et ceux de vos compagnons. Messire Galaad à lui seul les avait la veille défaits tous les sept. Mais sa vie est si pure que jamais il n'ôtera la vie à un homme inconsidérément.

« Je puis aussi vous dire que le Château des Pucelles représente les âmes vertueuses qui étaient emprisonnées avant l'Incarnation de Jésus-Christ. Également, les sept frères sont symboles des sept péchés mortels qui règnaient dans le monde en ce temps-là. Je puis, en outre, comparer le valeureux Galaad au Fils du Très-Haut, cette lumière dans le sein d'une vierge, qui par la Rédemption a libéré toutes les âmes de leur servitude. Ainsi messire Galaad a délivré toutes les vierges captives du funeste château. À présent, messire Gauvain, reprit l'homme de bien, il vous faut faire pénitence pour vos péchés. — Messire, quelle pénitence ferai-je ? — Celle que je vous dirai. — Non, cela ne se peut, car nous, chevaliers aventureux, devons souvent endurer beaucoup de tourment et de peine. — Soit », repartit l'homme de bien. Et il se tint coi.

Le lendemain matin, messire Gauvain quitta l'ermite et le recommanda à Dieu. Par hasard, il rencontra messire Agloval et messire Girflet, deux chevaliers de la Table Ronde. Ils chevauchèrent quatre jours sans connaître aucune aventure. Le cinquième, ils se séparèrent. Chacun eut son lot de difficultés. Ici s'arrête l'histoire de messire Gauvain et de ses compagnons. Parlons maintenant de messire Galaad.

CHAPITRE XVII

Comment messire Galaad rencontra messire Lancelot et messire Perceval, les renversa et les quitta

ADONC, quand messire Galaad eut laissé derrière lui le Château des Pucelles, il chevaucha pour arriver à la Forêt Gaste (la Forêt Dévastée). Là il rencontra messire Lancelot et messire Perceval, mais eux ne le reconnurent pas, car ils n'avaient pas encore eu l'occasion de voir ses armes. Messire Lancelot, son père, coucha sa lance et la rompit en le heurtant. De son côté, il frappa messire Lancelot de telle sorte qu'il jeta au sol monture et cavalier. Puis il dégaina son épée, se mit face à messire Perceval et le choqua sur le heaume. La lame fendit jusqu'à la coiffe de mailles autour de la tête. Si l'épée n'avait pas tourné dans la main de Galaad, messire Perceval eût été tué. Le coup le fit tomber de sa selle.

Ces joutes eurent lieu devant l'ermitage où vivait une recluse. Quand elle vit messire Galaad sur son cheval, elle lui dit : « Dieu vous accompagne, meilleur chevalier du monde ! Ah ! certes, poursuivit-elle d'une voix forte, de façon que Lancelot et Perceval pussent l'entendre, si ces deux chevaliers avaient su aussi bien que moi qui vous étiez, ils ne vous auraient pas combattu. » Lorsque messire Galaad entendit ces paroles, il craignit d'être reconnu. Aussitôt il donna des éperons à son cheval et partit au galop.

Lors messire Lancelot et messire Perceval virent bien tous les deux qu'il s'agissait de Galaad. Ils sautèrent sur leurs destriers et vite coururent à sa poursuite. Mais en peu de temps il échappa à leurs regards. Ils firent demi-tour. Le dépit se lisait sur leurs visages. « Essayons, dit Perceval, d'avoir des nouvelles par cette recluse. — Comme il vous plaira », dit messire Lancelot. Quand messire Perceval vint trouver la recluse, elle n'eut pas de peine à le reconnaître, de même qu'elle avait reconnu Lancelot.

Messire Lancelot choisit de parcourir en tous sens une forêt sauvage, sans se tenir à nul sentier, entièrement au gré du hasard. À la fin, il arriva à une croix de pierre, qui séparait deux chemins au milieu d'une terre désolée. Près de la croix se trouvait un bloc de marbre, mais il faisait si noir que messire Lancelot ne put savoir ce que c'était. Il jeta les yeux alentour et vit une vieille chapelle. Il pensa pouvoir y rencontrer quelqu'un. Il attacha son cheval à un arbre, ôta son écu et le suspendit à une branche. Puis il avança jusqu'à la porte de la chapelle. Cette chapelle était toute ruinée. Au-dedans il découvrit un bel autel, superbement paré d'une étoffe de belle soie. On avait mis dessus un magnifique candélabre, portant six cierges allumés. Le candélabre était d'argent. Quand messire Lancelot vit cette lumière, il eut grande envie d'entrer dans la chapelle, mais il ne put trouver par où pénétrer. Il en fut fort triste et découragé. Il retourna sur ses pas et revint à son cheval. Il lui ôta selle et bride et le laissa paître. Il délaça son heaume, déceignit son épée et s'étendit à terre pour y dormir, la tête sur son écu, devant la croix.

CHAPITRE XVIII

Comment messire Lancelot, entre le sommeil et la veille, vit venir un malade porté dans une litière, et comment ce malade fut guéri par le Saint-Graal

C'EST AINSI qu'il s'assoupit. À mi-chemin entre le sommeil et la veille, il vit passer deux palefrois. Ils étaient blancs, fort beaux, et tiraient une litière où était couché un chevalier malade. Arrivés près de la croix, les chevaux s'arrêtèrent. Tout ceci, messire Lancelot le vit et le regarda, car il ne dormait pas vraiment. Il entendit le chevalier dire : « Mon doux Seigneur, quand ce chagrin finira-t-il ? Quand viendra le Vaisseau Sacré, par lequel je serai guéri ? J'ai longtemps souffert, et ma faute était de peu de gravité. » Le chevalier se plaignit ainsi fort longuement, cependant que messire Lancelot ne cessait d'entendre.

Là-dessus il vit le candélabre aux six cierges venir devant la croix, sans pouvoir distinguer personne qui le portât. Vint aussi une table d'argent, avec le Vaisseau Sacré du Saint-Graal, que Lancelot avait vu jadis chez le Roi Pêcheur. Le chevalier malade se dressa sur son séant. Il leva les mains au ciel et dit : « Mon doux Seigneur qui es ici dans ce Vaisseau Sacré, prends soin de moi, que je guérisse de cette maladie. » Sur ce, en se traînant, il approcha si près du vase qu'il le toucha et le baisa, et aussitôt il fut guéri. Puis il dit : « Seigneur, je te remercie, car je suis délivré de ce mal. »

Lorsque le Vaisseau Sacré fut demeuré longtemps, il passa dans la chapelle avec le candélabre et la lumière, de sorte que Lancelot ne sut pas ce qu'il en était advenu. Ses péchés l'accablèrent, si bien qu'il n'eut pas la faculté de faire surgir à nouveau le Vaisseau Sacré. Ce fut la raison pourquoi ensuite beaucoup de gens dirent du mal de lui, mais plus tard il se repentit.

Adonc le chevalier malade se leva et alla baiser la croix. Son écuyer tout aussitôt lui apporta son armure et lui demanda comment il se portait. « Assurément, répondit-il, je rends grâce à Dieu de tout cœur. Le Vaisseau Sacré m'a guéri. Cependant je m'étonne de ce chevalier qui dormait et ne réussit point à s'éveiller quand il me fut apporté. — Il se pourrait fort bien, repartit l'écuyer, qu'il demeurât sous la commission de quelque péché mortel, dont il n'ait jamais été confessé. — Sur ma foi, reprit le chevalier, quoi qu'il en soit, il est à plaindre, car je le crois de la compagnie de la Table Ronde, laquelle a entrepris la quête du Saint-Graal. — Messire, dit l'écuyer, je vous ai ici apporté toutes vous armes, hormis votre heaume et votre épée. Si vous voulez mon avis, vous pouvez prendre maintenant le heaume de ce chevalier et son épée. » Ce qu'il fit. Quand il fut armé de pied en cap, il prit le cheval de messire Lancelot, pour ce qu'il était meilleur que le sien. C'est ainsi qu'ils quittèrent la croix.

CHAPITRE XIX

Comment une voix s'adressa à messire Lancelot,
comment il s'aperçut que son cheval et son heaume avaient disparu,
et comment ensuite il continua son chemin à pied

PEU APRÈS, messire Lancelot s'éveilla. Il se mit sur son séant et se rappela ce qu'il avait vu, se demandant s'il avait rêvé ou non. Au même instant, il entendit une voix qui disait : « Lancelot, plus dur que la pierre, plus aigre que le bois, plus nu et dépouillé que la feuille du figuier, quitte donc cet endroit, retire-toi de ce lieu sacré. » Quand messire Lancelot entendit cela, il en fut fort affligé et ne sut que faire. Il partit en pleurant beaucoup et maudit le jour de sa naissance, pensant que jamais plus il ne serait tenu en honneur. Ces paroles lui touchèrent le cœur, dans l'ignorance où il était encore de la raison pour laquelle on lui parlait en ces termes.

Puis il alla jusqu'à la croix et découvrit que son heaume, son épée et son cheval lui avaient été pris. Il se traita alors de dernier des misérables, se trouva le plus infortuné de tous les chevaliers. Il se dit : « Mes péchés et ma dépravation m'ont valu beaucoup d'ignominie. Lorsque je recherchais des aventures du siècle pour assouvir des désirs mondains, toujours je menais ces aventures à bonne fin. Je prenais toujours le dessus. Jamais, en nulle querelle, je n'étais déconfit, qu'elle fût bonne ou mauvaise. À présent, je m'engage dans des entreprises qui servent Dieu, et je vois et comprends que mes anciens péchés m'entravent et me couvrent de honte. C'en est au point que je n'ai pas le pouvoir de bouger ni de parler quand le sang du Christ paraît à mes yeux. » Il se lamenta de la sorte jusqu'à l'aube. Il entendit alors les oiseaux chanter et reprit espoir quelque peu. Mais lorsqu'il vit que lui manquaient son cheval et son harnois, il sut bien que Dieu n'était pas content de lui.

À pied, il quitta la croix pour entrer dans une forêt. Au lever du jour, il arriva sur une haute colline et y trouva un ermitage, ainsi qu'un ermite au-dedans, qui se préparait à dire la messe. Lancelot se mit à genoux et implora la merci de Notre-Seigneur pour ses méchantes actions. Quand la messe fut dite, il appela l'ermite et lui demanda en charité d'entendre ce qu'était sa vie. « Volontiers, répondit l'homme de bien. Messire, ne seriez-vous pas de la cour du roi Arthur et de la compagnie de la Table Ronde ? — Si fait. Je me nomme messire Lancelot du Lac. On a souvent fait mon éloge, mais à présent ma fortune n'est plus la même. Je suis la personne la plus misérable du monde. »

L'ermite le considéra et s'étonna de pareil découragement. « Messire, lui dit-il, vous devriez rendre grâce à Dieu plus que tout autre chevalier sur la terre. Il a voulu que vous ayez plus de gloire séculière qu'ils n'en ont acquis. Ce fut votre présomption à oser paraître en sa présence en état de péché mortel, là où se trouvaient sa chair et son sang, qui a fait que nous n'avez pas pu le voir avec les yeux du monde. Il ne paraît point là où sont de tels pécheurs, sinon c'est à leur grand dam et grande honte. Nul chevalier vivant ne doit être aussi reconnaissant à Dieu que vous. Il vous a donné en partage la beauté, la grâce, une force plus grande que celle d'aucun autre. Vous lui êtes donc plus redevable que quiconque et devez l'aimer et le craindre, car votre force et votre courage vous seront de peu de profit si Dieu est contre vous. »

CHAPITRE XX

Comment messire Lancelot fut entendu en confession, du chagrin qui fut le sien, et des bons exemples qui lui furent montrés

LORS messire Lancelot se mit à pleurer. Son visage était défait. Il dit : « Je vois bien à présent que vous êtes dans le vrai. — Messire, repartit le vieillard, ne me cachez rien de vos péchés. — À la vérité dire, reprit messire Lancelot, il me serait fort pénible de vous les dévoiler. Il y a quatorze ans que je n'ai rien fait connaître de ma conduite, et j'y vois maintenant l'origine de mes déconvenues et mésaventures. » Là-dessus il ne dissimula rien à l'homme de bien de ce qu'avait été sa vie. Il lui dit que déraisonnablement il aimait une reine, et cela depuis plus longtemps que de raison. « Tous les grands exploits que j'ai accomplis, la plupart, ce fut pour lui être agréable, et pour elle je livrerais combat dans une juste ou injuste querelle. Je n'ai jamais combattu pour Dieu seul, mais pour acquérir de la gloire et pour être davantage aimé de cette reine. Je n'en ai rendu grâce à Dieu que rarement ou pas du tout. » Puis il ajouta : « Je vous en prie, conseillez-moi. — Je le ferai, répondit l'ermite, mais il faut m'assurer que vous ne serez plus jamais dans la compagnie de cette reine que lorsque vous ne pourrez faire autrement. » Messire Lancelot promit qu'il ne rechercherait plus cette compagnie. Il engagea sa parole. « Faites en sorte que votre cœur et votre langue soient accordés, dit l'homme de bien, et je vous assure que vous aurez plus d'honneur que jamais jusque-là.

— Mon père, confia messire Lancelot, je m'étonne de cette voix qui a eu les mots mystérieux dont je vous ai parlé. — N'en soyez pas surpris, repartit le sage, car il semble bien que Dieu vous aime. En effet, on peut comprendre qu'une pierre est dure de par sa nature, et plus particulièrement que l'une est plus dure que l'autre. Ce qu'il vous faut entendre par là, messire Lancelot, c'est que vous persistez dans vos péchés, malgré toute la faveur que Dieu vous a marquée. En conséquence, vous êtes pire qu'aucune pierre. Il n'y a nul moyen de vous attendrir, ni par l'eau ni par le feu, si bien que la chaleur du Saint-Esprit ne peut pénétrer en vous. Or, prenez garde : dans le monde entier vous ne trouverez pas un seul chevalier auquel Notre-Seigneur aura octroyé autant de grâce qu'à vous. Il vous a donné un air aimable et une belle apparence. Il vous a donné une vive intelligence, capable de distinguer le bien du mal. Il vous a donné courage et hardiesse, et tant de capacité pour votre ouvrage que tous les jours de votre vie vous avez pris le dessus partout où vous êtes allé. À présent, Notre-Seigneur ne tolère plus que vous l'ignoriez, que vous le vouliez ou non.

« Maintenant, quant à la raison pour laquelle la voix vous a dit que vous étiez plus aigre que le bois, c'est que là où réside trop de péché, il ne peut y avoir que peu de douceur. C'est pourquoi on vous compare à un vieil arbre pourri. Je vous ai donc montré pourquoi vous êtes plus dur que la pierre et plus aigre que l'arbre. J'en viens à vous expliquer pour quelle cause vous êtes plus nu et dépouillé que le figuier. Il advint que Notre-Seigneur le dimanche des Rameaux prêcha à Jérusalem. Il lui fut donné de voir toute la dureté qui était au cœur des gens. Dans toute la ville il n'y eut personne pour le recevoir. Il sortit alors de la cité et trouva au milieu du chemin un figuier, lequel était fort beau et bien garni de feuilles, mais sans fruit aucun. Lors Notre-Seigneur maudit l'arbre qui ne portait pas de fruit. Le figuier ainsi représente Jérusalem, qui n'avait ni feuilles ni fruits. Vous, messire Lancelot, lorsque le Saint-Graal fut amené devant vous, Notre-Seigneur ne trouva en vous ni fruit, ni vertueuse pensée, ni bonne intention mais vit que vous étiez souillé par la luxure.

— Certes, repartit messire Lancelot, tout ce que vous m'avez dit est vrai. Désormais j'ai résolu, avec la grâce de Dieu, de ne plus être aussi corrompu que par le passé mais d'être fidèle à la chevalerie et d'accomplir de hauts faits d'armes. » Lors l'homme de bien imposa à messire Lancelot une pénitence, telle qu'il pût s'y soumettre et continuer néanmoins à être chevalier. Il lui donna l'absolution et le pria de demeurer à ses côtés tout le jour. « Je veux bien, dit Lancelot, car je n'ai ni heaume, ni cheval, ni épée. — Pour ce qui est de cela, repartit l'homme sage et bon, je vous ferai tenir avant demain soir une monture et tout ce qui est nécessaire. » Messire Lancelot se repentit grandement de ses fautes.

Ici se termine l'histoire de messire Lancelot,
et commence celle de messire Perceval,
laquelle constitue le QUATORZIÈME LIVRE.

LIVRE QUATORZIÈME

La quête du Saint-Graal
Perceval

CHAPITRE I

Comment messire Perceval vint à une recluse, lui demanda conseil, et comment elle lui dit qu'elle était sa tante

QUAND, nous raconte l'histoire, messire Lancelot se fut mis à la poursuite de messire Galaad et connut toutes les aventures susdites, messire Perceval, lui, revint à la recluse, dans l'espoir d'avoir des nouvelles du chevalier que poursuivait Lancelot. Il s'agenouilla devant la fenêtre. La dame l'ouvrit et lui demanda ce qu'il désirait. « Madame, lui dit-il, je suis un chevalier de la cour du roi Arthur et me nomme messire Perceval le Gallois. » Lorsqu'elle entendit son nom, elle en fut fort contente, car elle l'avait aimé plus que tout autre chevalier. On pouvait s'y attendre : elle était sa tante. Elle ordonna qu'on ouvrît les portes, et Perceval eut aussi bon accueil qu'elle pouvait lui faire. Tout ce dont elle disposait fut mis à son service.

Le lendemain matin, messire Perceval alla trouver cette recluse et lui demanda si elle connaissait le chevalier à l'écu de couleur blanche. « Messire, répondit-elle, pourquoi voudriez-vous le savoir ? — À la vérité, madame, je n'aurai pas de repos tant que je ne saurai point de quelle compagnie il est, afin que je le combatte. Je ne puis renoncer aussi facilement à le rencontrer. L'affront qu'il m'a fait subir demeure. — Ah ! Perceval, tenez-vous vraiment à entreprendre ce chevalier ? Je vois bien que vous avez grande envie de mourir comme mourut votre père, de folle imprudence. — Madame, on croirait à vous entendre que vous me connaissez. — Oui, dit-elle, je ne vois pas comment je ne vous connaîtrais pas, car je suis votre tante, si vous me trouvez dans un couvent. Certains jadis m'appelaient la reine de la Terre Gaste, et l'on disait de moi que j'étais la souveraine au monde qui possédait le plus de richesses. Pourtant mes richesses ne m'ont jamais plu autant que me plaît ma pauvreté. »

De pure compassion messire Perceval se mit à pleurer, quand il sut qu'elle était sa tante. « Ah ! mon gentil neveu, lui dit-elle, quand avez-vous eu pour la dernière fois des nouvelles de votre mère ? — Pour ne rien vous cacher, je n'en ai aucune. Mais il m'arrive souvent dans mon sommeil de rêver d'elle. Je ne sais donc pas si elle est vivante ou morte. — Assurément, mon gentil neveu, votre mère est morte. Après votre départ, son chagrin fut tel qu'aussitôt confessée elle rendit l'esprit. — Dieu ait pitié de son âme ! J'en ai bien du regret. Mais, tous, il nous faut abandonner la vie. Et maintenant, ma tante, dites-moi, quel est ce chevalier ? Je pense que c'est lui dont les couleurs étaient vermeilles le dimanche de la Pentecôte. — Assurément, répondit-elle, c'est bien lui. Il n'a pas d'autre choix que de porter ces armes-là. Ce chevalier n'a pas son égal, car il n'agit que par prodiges, et jamais homme sur cette terre ne réussira à le vaincre. »

CHAPITRE II

Comment Merlin compara la Table Ronde au monde entier, et comment les chevaliers qui devaient atteindre aux secrets du Saint-Graal devaient être reconnus

« MERLIN, poursuivit-elle, fit la Table Ronde à l'image du monde, rond lui aussi. On peut, en effet, justement dire qu'elle représente le monde, car du monde entier chrétiens et païens viennent à la Table Ronde. S'ils sont choisis pour en être les compagnons, ils s'estiment plus fortunés et honorés que si la moitié de la terre leur appartenait. Vous avez pu voir qu'ils quittent père, mère et toute leur famille, femme et enfants, pour le bonheur d'être de votre compagnie. Vous vous en êtes aperçu vous-même : depuis que vous vous êtes séparé de votre mère, jamais vous n'avez cherché à la revoir, tant vous aimiez la fraternité en la Table Ronde.

« Lorsque Merlin eut institué la Table Ronde, il déclara que par ceux qui en seraient les compagnons la vérité sur le Saint-Graal apparaîtrait bien clairement à tous. On lui demanda comment on connaîtrait ceux qui feraient le plus afin d'atteindre à ses secrets. Il répondit que ce seraient trois taureaux blancs qui réussiraient dans l'entreprise. Deux seraient vierges, le troisième chaste seulement. L'un des trois surpasserait le père qui l'avait enfanté, autant que le lion le léopard, tant par la force que par la hardiesse.

« Ceux qui entendirent Merlin s'exprimer de la sorte lui dirent : "Puisqu'il doit y avoir un tel chevalier, par tes artifices tu devrais mettre autour de la table un siège où nul ne devrait prendre place, hors celui qui doit surpasser tous les autres." Merlin répondit que c'est ce qu'il ferait. En conséquence, il installa le Siège Périlleux, où s'assit Galaad à son repas lors du dernier dimanche de Pentecôte. — À présent, madame, déclara messire Perceval, après tout ce que j'ai entendu de vous, de plein

gré je ne chercherai jamais à combattre messire Galaad, à moins que ce ne soit dans l'amitié. Pour l'amour de Dieu, chère tante, pouvez-vous m'indiquer où je puis le trouver ? J'aimerais tant lui tenir compagnie.
— Gentil neveu, dit-elle, il vous faut aller à un château du nom de Got, où il a son cousin germain. Vous pourrez y loger cette nuit. Selon ce que ce cousin vous dira, courez à la poursuite de Galaad aussi diligemment que possible. Et si ce cousin ne peut rien vous apprendre à son sujet, continuez jusqu'au château de Corbénic, là où Pellehan, le Roi Méhaignié, est alité. Là vous aurez de lui des nouvelles sûres. »

CHAPITRE III

Comment messire Perceval entra dans un monastère, où il trouva le roi Mordrain, devenu un vieillard

LORS messire Perceval quitta sa tante, chacun d'eux désolé de la séparation. Il chevaucha jusqu'à l'heure des vêpres. Il entendit alors sonner une cloche. Apercevant une abbaye, bien enclose de murs et de douves profondes, il frappa au portail. On le fit entrer. Il mit pied à terre. On le conduisit dans une salle, où sans tarder on lui ôta son armure. Toute la nuit il eut fort bonne chère. Le lendemain matin, il voulut entendre la messe. Dans le monastère il trouva un prêtre à l'autel, prêt à faire son office. À droite de l'autel il vit un banc entouré d'une grille et, derrière, un lit beau et somptueux, tendu d'une étoffe qu'on eût dite de soie et d'or.

Puis il remarqua sur ce lit quelqu'un. Était-ce un homme ou une femme ? Le visage était dissimulé. Il cessa donc de regarder et prêta attention à la cérémonie. Quand on en vint à la consécration, la personne qui se trouvait derrière la grille couchée se leva sur son séant et ôta ce qui couvrait son visage. Il sembla alors à Perceval qu'il s'agissait d'un homme très âgé. Il avait sur la tête une couronne d'or. Les épaules étaient nues, le reste du corps aussi, dénudé jusqu'au nombril. Messire Perceval s'aperçut que l'homme était couvert de grandes plaies, tant sur les épaules que sur les bras et la face. Toujours il levait les mains au ciel devant le corps de Notre-Seigneur, criant : « Jésus, mon doux et gracieux Seigneur, ne m'oubliez pas. » Après quoi il se recoucha mais sans quitter prières et oraisons. On lui eût donné trois cents ans. La messe une fois dite, le prêtre prit le corps de Notre-Seigneur et le porta au roi malade. Après l'avoir reçu, celui-ci ôta sa couronne et ordonna qu'elle fût déposée sur l'autel.

Messire Perceval alors demanda à l'un des frères qui était ce roi. « Messire, répondit l'homme de bien, vous avez entendu parler de Joseph, fils de Joseph d'Arimathie, comment il fut envoyé par Jésus-Christ en ce pays pour y enseigner et prêcher la sainte foi chrétienne. Il eut à endurer à cause de cela mainte persécution, qui lui fut infligée par les ennemis du Christ. Dans la cité de Sarras, il avait converti un roi du nom d'Évalac. Ce roi suivit Joseph en notre pays. Il cherchait sans cesse à se tenir auprès du Saint-Graal. Un jour, il l'approcha de si près que cela déplut à Notre-Seigneur. Mais Évalac (devenu Mordrain après le baptême) l'approcha de plus près encore, tant qu'enfin Dieu le frappa d'une cécité presque totale. Le roi Mordrain alors implora sa miséricorde, disant : « Gracieux Seigneur, faites que je ne meure point avant que vienne le bon chevalier de ma lignée, mon parent au neuvième degré, que je le voie de mes yeux lorsqu'il atteindra aux secrets du Saint-Graal et que je puisse l'embrasser. »

CHAPITRE IV

Comment messire Perceval vit de nombreux hommes d'armes portant le corps d'un chevalier, et comment il les combattit

« QUAND LE ROI eut ainsi fait ses prières, il entendit une voix qui lui disait : "Tes prières ont été entendues. Tu ne mourras point avant qu'il t'ait embrassé. Lorsque ce chevalier viendra, la clarté de ton regard reviendra elle aussi. Tu verras distinctement. Tes plaies seront guéries. Jusque-là elles ne se refermeront pas." Voilà ce qui advint au roi Mordrain. Ce roi a trois cents ans vécu cette vie sainte, et l'on rapporte qu'est à la cour le chevalier qui doit le guérir. Messire, ajouta l'homme de bien, je vous en requiers, dites-moi quel chevalier vous êtes, et si vous appartenez à la cour d'Arthur et à la Table Ronde. — Oui, vraiment. Mon nom est messire Perceval le Gallois. » Lorsqu'il sut son nom, le moine fut tout heureux de sa venue.

Ensuite messire Perceval partit et chevaucha jusqu'à l'heure de midi. Dans un vallon, il rencontra près de vingt hommes d'armes, qui portaient sur une civière un chevalier qui venait d'être occis. Quand ils virent messire Perceval, ils lui demandèrent d'où il était. Il répondit : « De la cour du roi Arthur. » Lors ils s'écrièrent d'une seule voix : « À mort ! » Perceval jeta le premier au sol. Son cheval tomba sur lui. Ce que voyant, sept des chevaliers frappèrent ensemble sur son écu. Les autres tuèrent son destrier, si bien qu'il se retrouva à terre. Ils l'eussent occis ou bien fait prisonnier si le valeureux messire Galaad, aux armes vermeilles, ne fut par hasard passé par là. Quand il aperçut tous ces hommes ligués contre un seul, il s'écria : « Épargnez la vie de ce chevalier ! » Puis il courut sus aux vingt assaillants, aussi vite que le permettait sa monture, la lance en arrêt, et mit à bas le premier qui s'offrit à lui, cavalier et cheval. Sa lance une fois rompue, il mit la main à son épée et frappa de gauche et de droite que c'était merveille de le voir. À chaque coup porté, il renversait un de ses adversaires ou l'emportait sur lui, si bien qu'ils en perdirent l'envie de se battre et s'enfuirent dans les profondeurs d'une forêt. Il les y poursuivit.

Quand messire Perceval le vit les pourchasser de la sorte, il regretta vivement la perte de sa monture. Il savait bien que ce chevalier était messire Galaad. Il lui cria d'une voix forte : « Ah ! gentil chevalier, demeurez et souffrez que je vous remercie. Vous avez fait beaucoup pour moi. » Mais messire Galaad ne ralentit point son allure et finit par disparaître à ses yeux. Cependant, aussi vite qu'il le pouvait, messire Perceval le suivait à pied, en continuant de l'appeler.

Sur ces entrefaites, il rencontra un serviteur, monté sur une haquenée, qui conduisait par la bride un grand cheval de bataille, plus noir que Maure. « Mon ami, lui dit messire Perceval, je t'assure que je te le revaudrai et m'engage à te servir en chevalier au premier lieu que tu me désigneras, si tu consens à me prêter ce destrier noir, afin que je puisse rejoindre un homme qui chevauche devant. — Sire chevalier, repartit le valet, je vous prie de m'en excuser. Vous le bailler n'est pas en mon pouvoir. Sachez que ce cheval appartient à quelqu'un. Si je vous le prêtais, à vous ou à un autre, j'y perdrais la vie. — Hélas ! s'exclama messire Perceval, jamais je n'aurai eu de regret comme celui que me cause le départ de ce chevalier. — Messire, j'en suis bien fâché pour vous. Une belle monture vous siérait à merveille. Mais je n'ose vous remettre celle-ci, à moins que vous ne me la preniez par la force. — Je m'y refuse », dit Perceval. Sur ce ils se séparèrent. Messire Perceval s'assit sous un arbre pour s'y abandonner à la désolation.

Tandis qu'il était là survint un chevalier, monté sur le cheval que menait le valet. Il était armé de pied en cap.

CHAPITRE V

Comment un serviteur demanda à Perceval de reprendre un destrier volé, comment la haquenée de Perceval fut tuée, et comment il obtint une monture

INCONTINENT le serviteur fut de retour. Il chevauchait aussi vite qu'il le pouvait. Il demanda à messire Perceval s'il avait vu passer un chevalier monté sur son destrier noir. « Si fait, répondit Perceval. Mais pourquoi me le demandes-tu ? — Ah ! messire, c'est que ce destrier, il me l'a enlevé par la force. Mon seigneur me tuera pour cela, en quelque endroit qu'il me trouve. — Eh bien, que veux-tu donc que je fasse ? Tu vois que je suis à pied. Si j'avais un bon cheval, j'aurais tôt fait de te ramener ton destrier. — Messire, prenez ma haquenée et faites de votre mieux. Je vous suivrai à pied, pour savoir quel succès vous avez. » Adonc messire Perceval monta sur cette haquenée. Il chevaucha bride abattue. Finalement, il aperçut le chevalier. Il lui cria : « Chevalier, fais demi-tour. » Il fit bien demi-tour, mais coucha sa lance face à messire Perceval et choqua la haquenée au mitan de la poitrine, si bien qu'elle tomba morte. Perceval fut culbuté. L'autre poursuivit sa route.

Messire Perceval entra en courroux furieux. Il cria : « Arrête, méchant chevalier ! Chevalier poltron au cœur perfide, fais demi-tour et combats à pied avec moi ! » Mais le chevalier ne répondit rien. Il continua son chemin. Quand Perceval vit qu'il refusait de revenir en arrière, il jeta son heaume et son épée, disant : « Maintenant, je suis vraiment misérable, maudit et infortuné, plus que tout autre chevalier. » Il demeura ainsi plongé dans sa douleur tout le jour, jusqu'au crépuscule. Puis il se sentit las. Il s'étendit et dormit jusqu'à minuit. À ce moment, il ouvrit les yeux et vit devant lui une femme qui lui jeta d'une voix terrible : « Messire Perceval, que faites-vous céans ? — Si je ne fais pas de bien, du moins ne fais-je pas grand mal. — Si vous pouvez m'assurer que vous vous soumettrez à ma volonté lorsque je vous appellerai, je vous prêterai mon cheval. Il vous portera où vous voudrez. » Messire Perceval fut heureux de son offre et promit de combler ses souhaits. « En ce cas, attendez-moi ici. Je vais vous chercher une monture. »

Elle revint sans tarder, lui amenant un destrier qui était entièrement noir. Quand Perceval le regarda, il s'ébahit de le voir si grand et si bien équipé. Il n'en fut pas moins hardi. Il l'enfourcha d'un bond, sans prendre garde à ce qui pouvait lui advenir. Dès qu'il fut en selle, il éperonna sa monture. Il chevaucha ainsi au travers d'une forêt. La lune était claire. En moins d'une heure, son destrier le mena au bout d'un voyage qui demandait quatre jours de route. Il arriva devant une rivière agitée. L'eau grondait. Le cheval eût voulu le faire entrer dedans.

CHAPITRE VI

Du grand danger que courut messire Perceval à cause de sa monture, et comment il vit un dragon aux prises avec un lion

LORSQUE MESSIRE PERCEVAL fut au bord de la rivière et vit le courant si rapide, il craignit de traverser. Il fit sur son front le signe de la croix. Quand le démon sentit ce poids sur lui, il se débarrassa de son cavalier et entra dans l'eau, hurlant, vociférant, donnant tous les signes d'une grande détresse. Il parut à messire Perceval que la rivière était tout embrasée. Il se rendit compte alors qu'il avait eu affaire à un démon, qui l'eût emmené à sa perte. Il se recommanda à Dieu, priant Notre-Seigneur de le garder de toute tentation de cette nature. Il pria toute la nuit jusqu'à l'aube du lendemain.

Lors il vit qu'il se trouvait sur une montagne déserte. Elle était de toutes parts ou presque entourée des eaux de la mer, si bien qu'il ne pouvait distinguer nulle terre à l'entour d'où pût lui venir aide ou réconfort, seulement des bêtes sauvages. Il descendit au fond d'une vallée. Là il vit un jeune dragon qui avait saisi au cou un jeune lion et ainsi le portait et s'approchait. Sur ce arriva un grand lion. Il criait et rugissait à l'adresse du dragon. Dès que messire Perceval vit cela, il s'ébahit et se hâta vers eux. Mais déjà le grand lion avait rejoint le dragon et commencé à se battre avec lui.

Perceval choisit d'aider le lion, parce qu'il était l'animal le plus noble des deux. Il tira son épée, se couvrit de son écu et asséna au dragon un coup si rude qu'il fut mortellement atteint. Quand le lion le vit, il ne chercha pas à attaquer Perceval, mais au contraire lui manifesta autant d'amitié qu'il est possible à un animal d'en manifester à un homme. Perceval s'en aperçut. Il jeta son bouclier, qui était brisé. Puis il ôta son heaume pour mieux reprendre haleine, car avec le dragon il avait eu très chaud. Cependant le lion continuait à l'entourer, le flattant tel un épagneul. À son tour il lui caressa le cou et les épaules. Puis il rendit grâce à Dieu de la compagnie de cette bête. Vers midi, le lion prit son lionceau, l'enleva et le porta d'où il venait.

Perceval se retrouva seul. L'histoire nous le dit, c'était en ce temps-là un des hommes qui avaient le plus de foi en Notre-Seigneur Jésus-Christ, car il n'y avait alors que peu de gens pour croire parfaitement en Dieu. Le fils ne traitait pas le père avec plus d'attention que s'il eût été un étranger. Or donc, messire Perceval prit courage à la pensée de Notre-Seigneur Jésus. Il demanda à Dieu d'écarter de lui toute tentation qui pût l'empêcher de le servir et de lui permettre de demeurer son fidèle champion. Quand il eut prié, il vit le lion revenir vers lui et se coucher à ses pieds. Toute la nuit le lion et lui dormirent à côté l'un de l'autre.

Pendant son sommeil, messire Perceval fit un rêve merveilleux. Deux dames venaient à sa rencontre. L'une était assise sur un lion, l'autre sur un dragon. La première était jeune, l'autre vieille. Il lui sembla que la plus jeune lui disait : « Perceval, mon seigneur te salue bien et te fait savoir qu'il faut que tu t'habilles et t'apprêtes, car demain il te faudra combattre le champion le plus fort qui soit au monde. Si tu es vaincu, tu n'en seras pas quitte pour la perte d'un de tes membres. Tu seras perdu d'honneur à jamais, jusqu'au jour du Jugement Dernier. » Il lui demanda qui était son seigneur. Elle lui dit que c'était le plus grand de l'univers. Puis elle partit soudainement, sans qu'il pût savoir où elle était passée.

CHAPITRE VII

De la vision qu'eut messire Perceval, comment elle fut expliquée, et de son lion

LORS s'avança l'autre dame, celle qui chevauchait le dragon. Elle dit : « Messire Perceval, j'ai à me plaindre de vous, pour ce que vous m'avez fait, alors que vous n'aviez rien à me reprocher. — Certes, madame, ni à vous ni à nulle autre dame je n'ai jamais fait aucun tort. — Si, et je vais vous en donner la raison. J'ai nourri en ce lieu, et cela longtemps, un dragon, qui m'a longtemps servie. Hier, vous l'avez tué, pendant qu'il s'emparait de sa proie. Dites-moi donc pourquoi vous l'avez fait périr. Le lion ne vous appartenait pas. — Madame, répondit messire Perceval, je sais bien que le lion n'était pas à moi. J'ai agi de la sorte, parce qu'un lion est de nature plus noble qu'un dragon. C'est pour cela que j'ai tué le dragon. Il me semble que je n'ai pas mal agi envers vous. Dites-moi, madame, que voudriez-vous que j'eusse fait ? — Ce que je voudrais en récompense de la perte de mon animal, c'est que vous fussiez mon vassal. » Il répondit alors : « Cela, je ne vous l'accorderai point. — Il est vrai, dit-elle, que jamais plus vous n'avez été à mon service depuis que vous avez rendu hommage à Notre-Seigneur Jésus-Christ. En conséquence, je vous assure que désormais, où que ce soit que je vous trouve, ne vous tenant pas sur vos gardes, je vous reprends comme m'ayant autrefois appartenu. » Sur ce elle quitta Perceval, le laissant à son sommeil, qui fut fort troublé de cette vision.

Le lendemain matin, il se leva, se signa. Il se sentait fort las. Il regarda du côté de la mer et vit un navire qui faisait voile vers lui. Il monta à bord. Le navire était, tant au-dedans qu'au-dehors, tendu de soie à fils d'or. Dessus se trouvait un vieillard, vêtu d'un surplis à la manière des prêtres. « Messire, lui dit Perceval, vous êtes le bienvenu. — Dieu vous garde! repartit l'homme de bien. D'où êtes-vous, messire? — Je suis de la cour du roi Arthur et chevalier de la Table Ronde. Je prends part à la quête du Saint-Graal. Je suis ici dans une grande détresse, et je vois mal comment je vais pouvoir échapper à ce désert. — Ne craignez rien. Si vous êtes véritablement le chevalier que requiert l'ordre de chevalerie, et de cœur ce que vous devez être, il n'y a pas lieu pour vous de redouter qu'un ennemi vous fasse périr. — Qui êtes-vous? — Messire, repartit le vieillard, je viens d'un pays étranger, et je suis ici pour vous réconforter.

— Messire, que signifie le rêve que j'ai fait cette nuit? » Le vieillard lui en donna l'entière signification. « La femme qui chevauchait le lion représente la Nouvelle Loi de la Sainte Église, savoir la foi, l'espérance, la ferme croyance et le baptême. Qu'elle vous ait paru plus jeune que l'autre n'a rien de surprenant, car elle est née avec la Passion et la Résurrection de Notre-Seigneur Jésus-Christ. C'est à cause de la vive affection qu'elle vous porte qu'elle est venue à vous, pour vous prévenir du grand combat qui vous attend. — À qui devrai-je me mesurer? — Au champion le plus redoutable qui soit au monde. Et si, comme l'a dit la dame, vous ne satisfaites pas à votre tâche, vous n'en serez pas quitte pour la perte d'un bras ou d'une jambe. Votre déshonneur vous suivra jusqu'à la fin du monde.

« Quant à la femme qui chevauchait le dragon, elle représente la Loi Ancienne, et le dragon lui-même est symbole d'un démon. Qu'elle vous ait reproché d'avoir tué son serviteur n'a de sens que si le dragon que vous avez occis figure le Diable, que vous avez chevauché jusqu'au rocher. Quand vous avez fait le signe de la croix, alors vous avez causé sa mort et anéanti son pouvoir. Lorsque cette femme vous demanda en réparation de devenir son homme lige, et que vous répondîtes que vous refusiez, ce fut pour vous faire croire en elle et renoncer à votre baptême. »

Lors il commanda à messire Perceval de le quitter. Perceval sauta pardessus bord, et le navire avec tout ce qu'il contenait disparut mystérieusement. Ensuite Perceval gravit le rocher. Il trouva le lion, qui continua à lui tenir compagnie. Il lui caressa le dos et se réjouit beaucoup de sa présence.

CHAPITRE VIII

Comment messire Perceval vit venir à lui une nef,
et comment la dame en cette nef l'informa qu'on lui refusait son héritage

MESSIRE PERCEVAL demeura là jusqu'à midi. Il aperçut alors que venait à lui sur la mer une nef, qui faisait voile comme si elle eût été poussée par tous les vents de la terre. Ce fut ainsi qu'elle aborda sous le rocher. Quand messire Perceval vit ceci, il se hâta de se rendre sur le rivage. Il y trouva le navire, tendu d'une soie plus noire que Maure. Dedans il y avait une grande dame d'une rare beauté. Elle était richement vêtue, plus richement ne peut se concevoir. Quand elle vit messire Perceval, elle lui dit : « Qui vous a conduit en ce lieu sauvage, d'où vous n'avez nulle chance de jamais sortir ? Vous allez mourir ici de faim et de tourments.

— Demoiselle, répondit-il, je sers le meilleur homme qui soit au monde, et à son service Il ne tolérera point que je meure, car qui frappe, on lui ouvrira, qui demande on lui donnera, et à qui Le cherche Il ne se cachera point. »

Elle lui dit alors : « Messire Perceval, savez-vous d'où je viens ? — Mais qui vous a donné mon nom ? — Je vous connais mieux que vous ne pensez. Je viens de la Forêt Gaste, où j'ai trouvé le Chevalier Rouge au Bouclier Blanc. — Ah ! demoiselle, ce chevalier, j'ai tant envie de le voir ! — Sire chevalier, si vous me promettez, par la foi que vous devez à la chevalerie, de vous soumettre à ma volonté lorsque je vous appellerai, je vous conduirai à lui. — Soit, je m'engage à satisfaire votre désir. — Eh bien, maintenant je vais vous instruire. Je l'ai vu dans la forêt qui donnait la chasse à deux chevaliers jusqu'à une rivière, laquelle a nom Marcoise. Ils s'enfoncèrent dans l'eau par crainte de mourir. Ces deux chevaliers passèrent, le Chevalier Rouge à leur suite. Son destrier se noya, mais lui, grâce à sa grande force, réussit à gagner la terre ferme. » Telles furent ses paroles, et messire Perceval eut beaucoup de joie à les entendre.

Ensuite elle lui demanda s'il avait dernièrement pris de la nourriture. « Non, madame, à la vérité cela fait près de trois jours que je n'ai rien mangé. Mais dernièrement, céans je me suis entretenu avec un homme de bien, qui m'a nourri de ses sages propos empreints de sainteté, lesquels m'ont redonné des forces. — Ah ! sire chevalier, cet homme est un enchanteur, qui n'est pas avare de ses mots. Si vous ajoutez foi à ce qu'il vous a dit, l'infamie vous est promise. Vous mourrez sur ce rocher de malefaim et serez dévoré par les bêtes sauvages. Vous êtes jeune et de bonne mine. Je vous aiderai si vous y consentez.

— Qui êtes-vous donc pour me vouloir tant de bien ? — Je suis une noble demoiselle qui a perdu son héritage. Je fus naguère la plus riche du monde. — Demoiselle, qui vous a déshéritée ? J'ai grand-pitié de vous. — Messire, je demeurais chez l'homme le plus puissant qui fût. Il m'avait faite d'une beauté si pure que nulle ne pouvait l'approcher. De cette remarquable beauté j'eus un peu plus de fierté qu'en raison j'eusse dû en concevoir. Je dis quelque chose qui lui déplut. Lors il ne consentit point à ce que je fusse plus longtemps en sa compagnie. Il me chassa de mes domaines. Il me déshérita. Jamais il n'eut compassion, ni de moi, ni d'aucun de mon conseil, ni d'aucune personne de ma cour. Adonc, sire chevalier, puisque tel était mon destin, moi et les miens nous lui avons pris beaucoup de ses vassaux et en avons fait les nôtres. Ils ne me demandent jamais rien que je ne leur donne, et bien davantage. C'est ainsi qu'avec tous mes bons serviteurs je me suis opposée à lui nuit et jour. En conséquence, il n'y a maintenant bon chevalier ni homme de bien de ma connaissance que je ne gagne à mon parti, si je le puis. Je vous connais pour un bon chevalier. C'est pourquoi je vous adjure de m'aider. Vous êtes compagnon de la Table Ronde. Il vous faut donc ne pas faillir à une noble demoiselle privée de son héritage, si elle vous demande votre secours. »

CHAPITRE IX

Comment messire Perceval lui promit son aide,
comment il requit d'elle son amour,
et comment il fut sauvé du démon

LORS messire Perceval lui promit toute l'assistance qui serait en son pouvoir. Elle le remercia. Il faisait chaud. Elle appela une dame et lui dit de faire apporter un pavillon. Cette dame obéit. Elle fit tendre ce pavillon sur la grève. « Messire, dit la demoiselle déshéritée, à présent vous pouvez vous reposer pendant la grande chaleur du jour. » Il lui témoigna sa reconnaissance. Elle lui ôta son heaume et son bouclier. Il dormit longtemps. Puis il se réveilla et lui demanda si elle avait quelque chose à manger. Elle dit : « Oui, vous aurez à manger à votre suffisance. » On disposa des mets sur la table, tant qu'il s'en ébahit, car il y avait là tout ce à quoi il pouvait songer. Il but également le vin le plus fort qu'il eût jamais goûté, à ce qu'il lui sembla. Il en fut quelque peu échauffé, plus que de raison. Son regard se porta sur la demoiselle. Il pensa qu'elle était la plus belle créature qu'il eût jamais vue.

Il lui offrit de l'aimer et la pria de lui appartenir. Elle refusa, mesurément, lorsqu'il en fit la demande, afin de rendre ses désirs plus ardents. Il persista à solliciter son amour. Quand elle le vit suffisamment rempli d'ardeur, elle lui dit : « Messire Perceval, sachez-le bien, je ne vous accorderai ce que vous désirez que si vous me jurez d'être dorénavant mon fidèle serviteur et de ne rien faire que ce que je vous commanderai. Me le promettez-vous sur votre foi de chevalier ? — Oui, belle demoiselle, vous avez ma parole. — Eh bien, dit-elle, maintenant vous allez faire de moi ce que vous voudrez. Apprenez-le : vous êtes au monde le chevalier pour lequel j'ai le plus de désir. »

Lors deux serviteurs reçurent l'ordre de préparer un lit au milieu du pavillon. Promptement elle se dévêtit et s'y coucha. Messire Perceval, nu également, s'étendit à ses côtés. Le hasard et la grâce firent qu'il vit alors sur le sol son épée sortie du fourreau. Au pommeau il y avait une croix vermeille et l'image du crucifix. Il lui revint en mémoire sa chevalerie et la promesse faite auparavant à l'homme de bien. Sur son front il fit le signe de la croix. Aussitôt le pavillon s'écroula. Puis il se changea en fumée et nuage noir. Perceval s'épouvanta. Il cria à voix haute :

CHAPITRE X

Comment, par pénitence, messire Perceval se fendit la cuisse, et comment la femme fut connue pour être le Diable

« MON DOUX ET GRACIEUX SEIGNEUR, Jésus-Christ, épargnez-moi la honte. J'eusse été perdu sans le secours de votre bonté. » Puis il porta ses regards sur la nef. Il vit la femme qui montait à bord. Elle dit : « Messire Perceval, vous m'avez trahie. » Après quoi elle partit dans le vent, qui hurlait et mugissait, et l'on eût cru que toute l'eau brûlait par où elle était passée. Messire Perceval s'affligea grandement. Il tira son épée et dit : « Puisque ma chair veut me dominer, je la châtierai. » Là-dessus il se fendit la cuisse, si bien que le sang jaillit autour de lui. Il reprit : « Ô Seigneur, acceptez ceci en réparation du tort que j'ai eu envers Vous. » Il se rhabilla, s'arma et se traita de misérable : « Comme ma ruine était proche ! J'aurais perdu ce que je n'aurais jamais pu recouvrer, savoir ma virginité. C'est chose qui une fois perdue n'est jamais retrouvée. » Puis il arrêta le sang de la plaie avec un pan de sa chemise.

Cependant qu'il gémissait ainsi, il vit revenir du côté de l'orient le même navire où la veille était le sage. Le noble chevalier eut honte de lui-même et défaillit. Quand il rouvrit les yeux, il alla devers l'homme de bien en chancelant et le salua. Celui-ci alors lui demanda : « Qu'avez-vous fait depuis mon départ ? — Messire, répondit-il, il est venu ici une dame, qui m'a incité à commettre un péché mortel. » Sur ce il lui raconta tout. « Ne connaissiez-vous point cette fille ? demanda l'homme de bien. — Non, messire, mais je suis sûr que c'est le Diable qui l'a envoyée pour me mettre à honte. — Ô valeureux chevalier, tu n'es qu'un sot. Cette noble demoiselle était le maître des démons de l'enfer, celui qui a pouvoir sur tous les autres. C'était la même vieille femme qui dans ta vision t'était apparue chevauchant le dragon. » Lors il conta à messire Perceval comment Notre-Seigneur Jésus-Christ l'avait chassé du ciel pour ses péchés alors qu'il y était le plus resplendissant des anges, et comment en conséquence il avait perdu ce qui était son domaine. « C'était là aussi le champion que tu devais rencontrer. Il t'eût défait sans la grâce divine. À présent, prends garde, Perceval, et que cela te serve de leçon ! » Sur ce le bon vieillard disparut. Messire Perceval prit son armure, monta sur le navire et quitta ces lieux.

Ici se termine le QUATORZIÈME LIVRE, qui est de messire Perceval, et suit le livre de messire Lancelot, qui est le QUINZIÈME.

LIVRE QUINZIÈME

La quête du Saint-Graal
Lancelot

CHAPITRE I

Comment messire Lancelot vint à une chapelle, où il trouva mort, vêtu d'une chemise blanche, un religieux de cent ans

APRÈS QUE L'ERMITE eut gardé messire Lancelot avec lui trois jours durant, il lui procura un cheval, un heaume et une épée. Puis vers midi Lancelot s'en alla. Ensuite il aperçut une petite maison. En approchant il vit une chapelle, et près de la chapelle un homme d'âge, entièrement et magnifiquement vêtu de blanc. Il lui dit : « Dieu vous aide ! — Dieu vous garde, répondit l'homme de bien, et fasse de vous un bon chevalier ! » Messire Lancelot alors mit pied à terre. Il entra dans la chapelle, et là il aperçut le cadavre d'un vieillard. Il avait une chemise blanche faite d'une étoffe particulièrement fine. « Messire, dit l'homme de bien, l'homme que voici et qui est mort n'aurait pas dû porter le vêtement dans lequel vous le voyez. Ce faisant, il a manqué aux vœux de son ordre, car depuis cent années il était religieux. »

Puis l'homme de bien et messire Lancelot avancèrent dans la chapelle. Le sage mit une étole à son cou. Il prit un livre et invoqua les esprits à l'aide de ce livre. Sur ce ils virent apparaître une forme hideuse et épouvantable. Nul n'aurait pu ne pas s'en effrayer, quel que fût son calme ou son courage. Le démon dit alors : « Tu m'as beaucoup tourmenté. Maintenant que veux-tu de moi ? — Je veux, répondit l'homme de bien, que tu m'apprennes comment mon compagnon est mort, et s'il est sauvé ou damné. » Le démon prit une voix terrifiante : « Il n'est pas perdu mais sauvé. — Comment cela peut-il être ? Il me semblait qu'il ne vivait pas comme il le fallait. Il a enfreint la règle en portant une chemise de lin, alors qu'il n'en devait point porter, et celui qui déroge à notre règle n'agit pas bien. — Il n'en est pas ainsi, révéla le démon. L'homme qui est ici sans vie est issu de noble lignage. Il y a un seigneur qui se nomme le comte du Val. Il livra une âpre guerre au neveu de cet homme, lequel s'appelle Agaran. Cet Agaran s'aperçut que le comte était plus puissant que lui. Il alla prendre conseil de son oncle, que vous voyez ici mort à présent. Celui-ci demanda qu'on lui permît de s'absenter. Il quitta son ermitage pour venir en aide à son neveu contre le puissant comte. Et il advint que cet homme qui est là sans vie fit tant par sa prudence et sa bravoure que le comte fut pris, ainsi que trois de ses barons, et cela grâce à la force de cet homme défunt. »

CHAPITRE II

D'un mort, comment on eût voulu le tuer à coups d'épée, comment cela ne put se faire, et comment messire Lancelot prit la haire du trépassé

« APRÈS QUOI la paix fut conclue entre le comte et cet Agaran. Des gages importants furent donnés pour garantir que le comte ne lui ferait plus jamais la guerre. Ce religieux que vous voyez mort retourna en son ermitage. Lors le comte obtint que deux de ses neveux se vengeraient de l'ermite. Un jour, ils vinrent et le trouvèrent qui disait la messe, à l'instant de la consécration. Ils attendirent la fin de l'office. Puis ils l'assaillirent. Ils dégainèrent leurs épées pour l'occire. Mais nulle lame ne put pénétrer en la chair, pas davantage que dans une barre d'acier, car le Seigneur qu'il servait le sauva. Lors ils allumèrent un grand feu. Ils lui ôtèrent tous ses vêtements, et jusqu'à la chemise de crin qu'il avait sur le dos. Cet ermite qui est mort maintenant leur dit : « Pensez-vous pouvoir me brûler? Cela vous sera impossible, comme il vous serait impossible de toucher à un fil sur mon corps, si fil il y avait. — Non? dit l'un d'eux. Cela peut toujours s'essayer. »

Après l'avoir dépouillé de tous ses vêtements, ils lui passèrent cette chemise et le jetèrent dedans le feu. Toute la nuit il y demeura, jusqu'à la pointe du jour, et cela sans rendre le dernier soupir. Au matin, je vins et le trouvai mort. Mais il n'y avait fil ni peau qui eussent souffert. Je le tirai du feu, non sans épouvante, et le portai où vous pouvez le voir. À présent, laissez-moi partir, car je vous ai dit la vérité. » Sur ce il s'en alla, au milieu d'une grande tempête.

L'homme de bien et messire Lancelot furent très heureux de ce qui leur avait été rapporté. Cette nuit-là, Lancelot logea chez le religieux. « Messire, lui demanda-t-il, n'êtes-vous pas messire Lancelot du Lac? — Oui. — Que cherchez-vous en cette contrée? — Messire, je cherche les aventures du Saint-Graal. — Eh bien, pour ce qui est de chercher, cela certes vous le pouvez, mais quand même le Saint-Graal serait ici, vous ne pourriez le voir davantage qu'un aveugle une épée resplendissante. Vous devez cela à vos péchés, sinon vous seriez plus à même de réussir que tout autre homme sur la terre. » Messire Lancelot se mit à pleurer. L'homme de bien lui demanda : « Vous êtes-vous confessé depuis que vous avez entrepris la quête du Saint-Graal? — Oui, messire », répondit Lancelot.

Le lendemain matin, après que son hôte eut chanté la messe, ils enterrèrent le mort. Messire Lancelot dit alors : « Mon père, que dois-je faire? — Maintenant, je vous en requiers, prenez cette haire, qui était celle de ce saint homme, et portez-la à même la peau. Vous en tirerez un grand bénéfice. — Je le ferai, messire. — Je vous enjoins aussi de ne pas manger de viande, aussi longtemps que vous mènerez la quête du Saint-Graal. Vous ne boirez pas de vin non plus et entendrez la messe tous les jours, si vous le pouvez. »

Adonc messire Lancelot prit la chemise de crin, s'en vêtit et partit à l'heure des vêpres. Il entra dans une forêt. Là il fit rencontre d'une noble demoiselle montée sur un palefroi blanc. Elle lui demanda : « Sire chevalier, où donc allez-vous ? — Assurément, demoiselle, je ne sais où je vais, sinon où le hasard me mène. — Ah ! messire Lancelot, dit-elle, je n'ignore pas l'aventure que vous recherchez. Vous étiez naguère plus proche d'y parvenir que vous ne l'êtes à présent. Pourtant tout va vous paraître plus clair que jamais par le passé et cela, vous vous en rendrez compte avant longtemps. » Lors il lui demanda où il pourrait trouver un logement pour la nuit. « Vous ne trouverez rien, ni aujourd'hui, ni la nuit prochaine, mais demain matin vous aurez un bon gîte, et les craintes qui vous assaillent seront levées. » Là-dessus il la recommanda à Dieu. Puis il chevaucha jusqu'à ce qu'il arrivât devant une croix. Il fit de ce lieu son gîte pour la nuit.

CHAPITRE III

D'une vision qui advint à messire Lancelot,
comment il la raconta à un ermite et désira ses conseils

ADONC il mit son cheval à paître. Il ôta son heaume et son écu et fit ses prières devant la croix, demandant par grâce de ne plus jamais tomber en état de péché mortel. Puis il s'étendit à terre pour y dormir. Aussitôt qu'il fut endormi, il eut une vision. Un homme s'offrit à son regard, tout environné d'étoiles. Cet homme sur la tête portait une couronne d'or. L'accompagnaient sept rois et deux chevaliers. Tous ils adoraient la Croix, à genoux, les mains levées au ciel. Et tous ils disaient : « Notre Père qui êtes aux cieux, venez nous visiter et récompenser chacun de nous selon ses mérites. » Lors Lancelot regarda le ciel, et il lui sembla que les nuées s'entr'ouvraient. Un vieillard en descendit, avec une troupe d'anges. Il posa le pied au milieu d'eux. Il donna à chacun sa bénédiction, les appelant ses serviteurs, ses bons et loyaux chevaliers. Après avoir prononcé ces paroles, il s'avança vers l'un des chevaliers et lui dit : « J'ai perdu tout ce que je t'avais confié. En te conduisant en guerrier, tu t'es fait mon ennemi. Tu as mené des guerres injustes pour une vaine gloire, davantage pour des plaisirs mondains que pour me plaire. Tu vas donc périr, à moins que tu ne me donnes le trésor qui m'est dû. »

Toute cette vision survint à messire Lancelot au pied de la croix. Le lendemain matin, il prit son cheval et chevaucha jusqu'à midi. Alors le hasard fit qu'il rencontra le chevalier qui lui avait enlevé son cheval, son heaume et son épée pendant son sommeil, tandis que le Saint-Graal paraissait devant une croix. Quand messire Lancelot le vit, il n'eut point pour lui de salut gracieux. Il lui cria, d'une voix forte : « Chevalier, mets-toi en garde, car tu m'as fait grand tort. » Ils couchèrent leurs lances. Lancelot fondit sur son adversaire, avec tant de violence qu'il le jeta au sol ainsi que sa monture. Dans la chute le chevalier faillit se rompre le cou. Après quoi messire Lancelot lui prit son destrier, lequel lui avait auparavant appartenu. Il descendit du cheval sur lequel il était assis, monta sur le sien propre et attacha celui qu'il destinait au chevalier à un arbre, afin qu'il pût le trouver quand il se relèverait.

Ensuite il chevaucha jusqu'à la tombée de la nuit. Par aventure, il rencontra un ermite. Ils se saluèrent. Lancelot se reposa chez cet homme de bien jusqu'au matin, donnant à son cheval ce qu'il put se procurer pour lui. L'ermite lui demanda : « D'où êtes-vous ? — Messire, répondit-il, je suis de la cour d'Arthur, et mon nom est messire Lancelot du Lac. Je prends part à la quête du Saint-Graal. Je vous prie donc de me donner votre avis au sujet d'une vision que j'ai eue au pied d'une croix. » C'est ainsi qu'il lui raconta tout.

CHAPITRE IV

Comment l'ermite interpréta pour lui la vision de messire Lancelot et lui dit que messire Galaad était son fils

« AH ! messire Lancelot, s'écria l'homme de bien, il vous fut là donné de comprendre le haut lignage dont vous êtes issu et que figure votre vision. Pour ce qui est des sept rois et des deux chevaliers, ils descendaient tous du roi Mordrain, avec la couronne d'or, qui fut un pilier de la foi. Le premier roi eut nom Narpus. Ce fut un saint homme. Le second s'appelait Nascien, en souvenir de son aïeul. En lui vivait Notre-Seigneur Jésus-Christ. Le troisième se nommait Élian le Gros, le quatrième Isaïe, le cinquième Jonas. Il quitta son pays pour le pays de Gaule. Là il prit pour femme la fille de Mérovée. Il acquit ainsi la Gaule et vint habiter ce royaume-là. De lui naquit le roi Lancelot, votre grand-père, qui épousa la fille du roi d'Irlande. Son mérite égalait le vôtre. Il engendra le roi Ban, votre père, lequel fut le dernier des sept rois.

« En ce qui concerne les deux chevaliers : par le premier, messire Lancelot, il vous faut comprendre que les anges ont signifié que vous n'étiez digne d'accompagner aucun des sept rois. Quant au second, ce chevalier était messire Galaad, que vous avez engendré de la fille du roi Pellès. Vous devriez rendre grâce à Dieu, plus que tout autre, car parmi les pécheurs de ce monde vous n'avez pas d'égal pour la chevalerie et n'en aurez jamais. Mais nous n'avez guère témoigné à votre Créateur de reconnaissance pour toutes les grandes vertus qu'Il vous a prêtées.

— Messire, repartit Lancelot, vous dites que ce Bon Chevalier est mon fils. — Vous devriez le savoir mieux que quiconque, car vous avez connu charnellement la fille du roi Pellès. D'elle vous avez engendré Galaad. Ce fut lui qui, à la fête de la Pentecôte, vint s'asseoir sur le Siège Périlleux. En conséquence, publiez qu'il est bien votre enfant, conçu par la fille du roi Pellès. Cela contribuera à votre honneur et à votre gloire, de même qu'à ceux de toute votre parenté. Et je vous conseille de ne jamais insister pour le rencontrer en combat singulier. — Il me semble, dit Lancelot, que ce Bon Chevalier devrait prier pour moi Notre-Père, pour que je ne retombe pas dans le péché. — Soyez-en assuré, répondit l'homme de bien, sa prière vous est d'un grand secours. Mais le fils n'aura pas à souffrir de l'iniquité du père, ni le père de celle du fils. Chacun portera son propre fardeau. Conséquemment ne cherchez que Dieu, et Il vous aidera toujours dans votre besoin. »

Là-dessus messire Lancelot et lui allèrent souper, puis s'étendirent pour prendre du repos. Le crin de sa haire enflammait la peau de Lancelot, tant qu'il en était fort tourmenté. Mais il acceptait cela avec humilité et sans se plaindre. Le lendemain matin, il entendit la messe, endossa son armure et prit congé.

CHAPITRE V

Comment messire Lancelot jouta avec de nombreux chevaliers, et comment il fut fait prisonnier

Puis messire Lancelot enfourcha sa monture. Il entra dans une forêt, se tenant à l'écart des grands chemins. En regardant devant lui, il vit une belle clairière, à côté un beau château, et devant le château beaucoup de pavillons de soie de diverses couleurs. Il lui parut qu'il y avait là cinq cents chevaliers sur leurs montures. Ils étaient divisés en deux camps. Ceux du château montaient tous des destriers noirs caparaçonnés de noir, et ceux du dehors des destriers blancs caparaçonnés de blanc. Chacun avait son adversaire et fondait sur lui que c'était merveille. À la fin, messire Lancelot eut le sentiment que ceux du château avaient le dessous.

Il songea donc à soutenir le parti le plus faible, pour en acquérir de l'honneur. Il se jeta au milieu des chevaliers du château et mit à terre un de leurs adversaires, cavalier et monture. Après quoi il sortit son épée et fit tomber au sol plus d'un combattant, si bien que tous ceux qui le regardaient s'ébahirent qu'un seul chevalier pût accomplir de pareils faits d'armes. Cependant les chevaliers blancs ne cessaient de le serrer de près, afin de le fatiguer et de lui faire perdre haleine. Fin de compte, comme un homme ne peut tenir éternellement, messire Lancelot devint si las de tant d'efforts et de tant combattre, ses prouesses lui ôtèrent tant de forces, qu'il ne put même lever le bras pour frapper. Ce fut à ce point qu'il lui sembla qu'il ne pourrait plus jamais porter ses armes. On se saisit de lui. On l'emmena dans une forêt, et là on le contraignit à descendre de cheval et à prendre du repos. Toute la troupe du château, cependant, fut défaite en son absence.

Sur ce les chevaliers blancs dirent tous : « Dieu soit loué, vous êtes maintenant de notre côté, car nous vous retenons prisonnier. »

Quelques mots encore, et ils le quittèrent. Messire Lancelot alors se désola grandement. « Jusqu'à présent jamais je ne fus à joute ou bien tournoi sans prendre le dessus, et voici que je suis mis à honte. » Puis : « Je suis sûr d'être maintenant plus grand pécheur que jamais. » Il chevaucha ainsi dans la tristesse. Une demi-journée durant, il céda au désespoir. Puis il entra dans une vallée profonde. Quand il vit qu'il n'aurait pas le temps de gravir la montagne, il mit pied à terre sous un pommier. Il ôta son heaume et son écu et laissa paître son cheval. Après quoi il s'étendit à terre pour y dormir.

Il lui parut alors que venait à lui un vieillard, qui lui disait : « Ah ! Lancelot, homme de peu de foi et de pauvre croyance, pourquoi ta volonté a-t-elle si tôt fait d'incliner du côté de ton péché mortel ? » Sur ces paroles le vieillard disparut. Lancelot ne sut pas où il était passé. Il prit son cheval, s'arma. Il partait quand il vit une chapelle au bord de la route. Il entra. Habitait là une recluse. Par une fenêtre elle pouvait voir jusqu'à l'autel. Elle appela Lancelot à haute voix, car il lui semblait être un chevalier errant. Il approcha. Elle lui demanda qui il était, de quel pays il venait et où le menait sa quête.

CHAPITRE VI

Comment messire Lancelot raconta sa vision à une femme, et comment elle la lui expliqua

Lors il lui raconta, sans rien omettre, la vérité de ce qui lui était advenu le jour du tournoi. Ensuite il lui fit part de la vision qu'il avait eue la nuit d'après pendant son sommeil, la priant de lui révéler quel pouvait en être le sens, parce qu'il n'en était pas satisfait. « Ah ! Lancelot, lui dit-elle, tant que vous étiez chevalier de la chevalerie terrestre, vous étiez en ce monde l'homme le plus étonnant et le plus redoutable. À présent que vous comptez au nombre des chevaliers dont les aventures sont célestes, si l'entreprise tourne mal comme ce fut le cas en ce tournoi, n'en soyez pas surpris. Ce tournoi d'hier ne fut qu'un signe donné par Notre-Seigneur. Cependant ce fut sans le secours d'enchantement. Les combattants y étaient des chevaliers de ce monde. Le tournoi était là pour décider duquel aurait le plus de chevaliers, d'Éliézel, le fils du roi Pellès, ou d'Arguste, le fils du roi Harlan. Mais Éliézel était tout habillé de blanc, tandis qu'Arguste était vêtu de noir, afin de les distinguer.

« Ce que tout cela signifie, je vais vous le dire. Le jour de la Pentecôte, quand le roi Arthur tint sa cour, il advint que des rois et chevaliers terrestres s'engagèrent ensemble en un tournoi, savoir la quête du Saint-Graal. Les chevaliers terrestres, vous les avez vus, entièrement vêtus de noir. Leurs vêtements représentaient les péchés dont ils ne s'étaient pas confessés. Ceux que vous avez vus habillés de blanc figuraient la virginité et le choix de la chasteté. C'est ainsi qu'avec eux commença la quête. Vous avez regardé pécheurs et hommes de bien. Quand vous vous êtes aperçu que les pécheurs avaient le dessous, vous avez penché en leur faveur, par orgueil et vanité de ce monde et tout ce à quoi en cette quête il faut renoncer, car en cette quête vous aurez beaucoup d'égaux et meilleur que vous. Mais, par manque de foi et de ferme croyance, vous êtes faible, au point que l'on a pu vous prendre et vous conduire en la forêt.

« Sans tarder, le Saint-Graal est apparu aux chevaliers blancs. Mais vous font tant défaut la foi et la ferme croyance que vous n'avez pas su l'attendre, en dépit de tout ce que vous avait enseigné l'homme pieux. D'emblée, vous avez choisi le camp des pécheurs. C'est la cause de votre mésaventure, qui vous est survenue afin que vous sachiez reconnaître le bien du mal et de la vaine gloire du monde, laquelle ne vaut pas un denier. C'est à l'étendue de votre orgueil que vous devez la consternation qui vous a saisi de ne pas avoir vaincu tous les chevaliers blancs, dont la blancheur du vêtement représentait la virginité et la chasteté. Conséquemment Dieu fut en colère contre vous, car Il n'aime pas que de pareilles actions troublent cette quête. Quant à votre vision, elle signifie que vous êtes de peu de foi et de pauvre croyance, ce qui vous fera tomber dans le puits profond de l'enfer si vous n'y prenez garde.

« À présent, je vous ai prévenu contre votre vanité et votre orgueil, qui vous ont maintes fois induit en erreur et fait pécher contre votre Créateur. Prenez garde aux tourments éternels. Entre tous les chevaliers terrestres, c'est de vous que j'ai le plus de compassion, car je sais bien que vous n'avez pas d'égal parmi tous les pécheurs de la terre. » Ensuite elle le pria de partager son dîner. Le dîner achevé, il prit sa monture et la recommanda à Dieu.

Après cela, il entra dans une vallée profonde et vit une rivière et une haute montagne. On ne pouvait éviter de traverser cette rivière. Pourtant elle était hideuse à voir. Mais, parce qu'il se fiait en Dieu, il la passa volontiers. Une fois de l'autre côté, il aperçut un chevalier en armes. Cheval et cavalier étaient noirs comme Maure. Sans un mot, le chevalier abattit le destrier de messire Lancelot. Puis il continua son chemin. Lancelot ne sut point ce qu'il était devenu. Il prit alors son heaume et son écu et rendit grâce à Dieu d'avoir échappé au danger.

Ici se termine l'histoire de messire Lancelot.
Nous parlons maintenant de messire Gauvain,
ce qui constitue le SEIZIÈME LIVRE.

LIVRE SEIZIÈME

La quête du Saint-Graal

Gauvain
Hector des Mares
Bohort de Gaunes
Perceval

CHAPITRE I

Comment messire Gauvain faillit se lasser de la quête du Saint-Graal, et de son rêve merveilleux

LORSQUE MESSIRE GAUVAIN eut quitté ses compagnons, il chevaucha longtemps sans aventure aucune. Il ne lui en échut pas le dixième de ce qu'il connaissait d'ordinaire. Il chevaucha de la Pentecôte à la Saint-Michel sans en trouver une à sa convenance. Or donc, un jour, il lui advint de rencontrer sur son chemin messire Hector des Mares. Chacun en fut tout heureux, plus qu'on ne saurait dire. Ils se racontèrent tout, en se plaignant beaucoup de leur mauvaise fortune. « À la vérité, confia messire Gauvain à messire Hector, je suis bientôt las de cette quête, et j'hésite à la poursuivre davantage en pays étrangers. — Une chose m'étonne, repartit messire Hector, j'ai rencontré vingt chevaliers, mes compagnons, et tous partagent mes griefs. — Je me demande, dit Gauvain, où est passé messire Lancelot, votre frère. — Pour ne rien vous cacher, répondit Hector, je ne sais rien de lui, ni de messire Galaad, ni de Perceval, ni de messire Bohort. — Ne vous faites nul souci pour eux. Ces quatre-là n'ont pas d'égaux. Et sans une imperfection chez messire Lancelot, il n'aurait pas son pareil sur la terre. Mais il est comme nous sommes, à défaut de s'efforcer. Pourtant, si les quatre chevaliers en question se trouvent être ensemble, ils n'auront guère envie qu'on se joigne à eux, car si eux échouent dans la quête du Saint-Graal, c'est en pure perte que tous les autres chercheront à réussir. »

Hector et Gauvain chevauchèrent ainsi pendant plus de huit jours. Un samedi, ils trouvèrent une vieille chapelle, laquelle était en ruines. Selon toute apparence, nul ne la fréquentait plus. Ils mirent pied à terre, laissèrent leurs lances à la porte, puis entrèrent, firent leurs oraisons longuement et s'assirent sur les sièges. Cependant qu'ils s'entretenaient de choses et d'autres, de fatigue ils s'assoupirent, et lors leur advinrent à tous deux de merveilleuses aventures. À messire Gauvain il parut qu'il entrait dans une prairie garnie de belle herbe et de fleurs. Il y vit à un râtelier des taureaux, au nombre de cent cinquante. Ils étaient pleins de superbe, tous noirs, hormis trois qui étaient blancs. De ces trois l'un avait une tache noire, mais les deux autres paraissaient d'un blanc si pur qu'on ne pouvait rêver plus éclatant. Ces trois taureaux avaient été liés par deux cordes solides.

Les autres disaient entre eux : « Partons d'ici pour chercher meilleur pâturage. » D'aucuns partaient, d'aucuns revenaient, si maigres qu'ils ne pouvaient tenir debout. Parmi les taureaux d'une blancheur parfaite, un seul revint, pas davantage. Mais quand celui-là fut de retour, parmi le reste du troupeau s'éleva un grand cri, parce qu'ils en perdaient le souffle. Adonc ils se dispersèrent, l'un ici, l'autre ailleurs. Telle fut la vision que Gauvain eut cette nuit-là.

CHAPITRE II

De la vision de messire Hector,
et comment Gauvain jouta avec messire Yvain l'Avoutre,
auquel il était lié par serment de fraternité

Mais à Hector des Mares il échut une vision toute différente. Il lui sembla que son frère, messire Lancelot, et lui quittaient un trône pour sauter sur des chevaux. L'un des deux chevaliers disait à l'autre : « Allons chercher ce que nous ne trouverons point. » Puis messire Hector crut qu'un homme battait messire Lancelot, le dépouillait de ses vêtements, l'habillait d'autre façon, d'habits qui étaient pleins de feuilles de houx. Ensuite il l'installait sur un âne, et c'est ainsi que messire Lancelot chevauchait, jusqu'à la plus belle fontaine qu'il eût jamais vue. Là il mettait pied à terre et cherchait à boire. Mais quand il se baissait pour boire de cette eau, elle le fuyait. Voyant cela, il retournait d'où il venait. Là-dessus messire Hector imagina qu'il chevauchait lui-même jusqu'à la maison d'un homme riche. Dans cette maison, il y avait une noce. Messire Hector vit un roi qui lui dit : « Sire chevalier, il n'y a pas de place ici pour vous. » Sur ce il retourna sur le trône où il était premièrement assis.

Au bout de peu de temps, Gauvain et lui se réveillèrent. Ils se racontèrent leurs visions, qui les étonnèrent grandement. « Assurément, dit Hector, je ne pourrai jamais plus me réjouir avant d'avoir des nouvelles de mon frère Lancelot. » Cependant, alors qu'ils devisaient ainsi, ils virent une main. On distinguait le bras jusques au coude, et il était couvert de belle soie vermeille. De la main pendait une bride, qui n'était pas bien bonne. Le poing serrait un grand cierge répandant une vive clarté. La main passa devant eux, entra dans la chapelle, puis disparut sans qu'on pût savoir où elle était passée. Aussitôt une voix s'éleva, venant des cieux, qui disait : « Chevaliers de fort peu de foi et de pauvre croyance, vous venez de voir trois choses qui vous font défaut et, pour cette raison, vous ne pouvez accéder aux aventures du Saint-Graal. »

Gauvain parla le premier. « Hector, avez-vous entendu ces paroles? — Oui, vraiment, répondit messire Hector, j'ai tout entendu. Maintenant, partons. Allons trouver un ermite qui nous expliquera ce que nous avons vu, car il me semble que nous nous efforçons en pure perte. » Adonc ils s'en allèrent et entrèrent dans une vallée. Là ils firent rencontre d'un écuyer, monté sur une haquenée. Ils le saluèrent gracieusement. « Messire, demanda Gauvain, pouvez-vous nous dire où trouver un ermite? — Il y en a un sur une petite montagne. Mais le chemin est si rude que nul cheval ne peut passer par là. Il vous faut y aller à pied. Vous verrez une pauvre demeure. C'est là qu'habite Nascien l'ermite, le plus saint homme en cette contrée. » Sur ce l'on se quitta.

Ensuite, dans un vallon, ils rencontrèrent un chevalier armé de pied en cap. Il leur proposa de jouter, d'aussi loin qu'il les vit. « Dieu m'en soit témoin, dit messire Gauvain, depuis que je suis parti de Camaalot, nul ne m'avait offert de courir à la joute qu'une seule fois. — Pour lors, messire, requit messire Hector, laissez-moi jouter avec lui. — Non, répondit Gauvain, seulement si je suis vaincu. Je n'aurai nul regret en ce cas, si vous prenez ma suite. » Chacun des deux combattants mit sa lance en arrêt. Ils se heurtèrent de toute la vitesse de leurs chevaux. Leurs écus se brisèrent, de même que les mailles de leurs cottes. L'un des deux eut plus à souffrir que l'autre. Gauvain fut blessé au flanc gauche, tandis que son adversaire eut la poitrine transpercée. La lance ressortit de l'autre côté. Tous deux, ils tombèrent de leurs selles et en tombant rompirent leurs lances. Aussitôt Gauvain se releva. Il mit la main à son épée et se couvrit de son bouclier. Mais cela ne servit de rien, car le chevalier d'en face n'eut pas la force de se redresser et de s'opposer à lui.

Lors Gauvain lui dit : « Vous devez vous rendre en vous avouant vaincu, sinon je suis en droit de vous occire. — Ah! sire chevalier, répondit-il, je suis un homme mort. Pour l'amour de Dieu et en votre courtoisie, conduisez-moi à une abbaye près d'ici, afin que j'y reçoive mon Créateur. — Messire, je ne connais pas de maison de religieux en ces parages. — Placez-moi sur un cheval devant vous et je vous guiderai. » Gauvain le mit en selle et sauta derrière lui pour le soutenir. Ils arrivèrent ainsi à une abbaye, où ils furent bien accueillis. Incontinent on ôta son armure au blessé, et il reçut son Créateur. Puis le chevalier pria Gauvain de retirer de son corps le tronçon de la lance. Gauvain lui demanda son nom. « Je suis, répondit-il, de la cour du roi Arthur. J'étais compagnon de la Table Ronde. Nous avions juré d'être frères l'un pour l'autre, et voilà qu'à présent, messire Gauvain, vous m'avez tué. Mon nom est messire Yvain l'Avoutre. Je fus le fils du roi Urien. Je prenais part à la quête du Saint-Graal. Que Dieu vous pardonne, car on dira toujours dorénavant que de deux hommes qui avaient fait serment d'être frères, l'un a tué l'autre ! »

CHAPITRE III

Comment messire Gauvain et messire Hector vinrent à un ermitage pour s'y confesser, et comment ils racontèrent leurs visions à l'ermite

« HÉLAS ! gémit Gauvain. Faut-il que j'aie connu cette mésaventure ! — Peu importe ! repartit Yvain. Je ne puis échapper à la mort, et de la main d'un homme plus valeureux il ne m'était pas possible de mourir. Mais quand vous serez à la cour, recommandez-moi à mon seigneur, le roi Arthur, ainsi qu'à tous ceux qui seront restés en vie. Et puis, au nom de la fraternité d'antan, pensez à moi. » Lors Gauvain se mit à pleurer, de même qu'Hector. Yvain lui-même, aidé par messire Gauvain, ôta le tronçon de la lance, et aussitôt l'âme quitta le corps. Messire Gauvain et messire Hector lui firent donner la sépulture qui convenait au fils d'un roi. On grava son nom et celui de qui l'avait tué.

Quand ce fut fait, Gauvain et Hector partirent, attristés autant qu'il se pouvait de leur mésaventure. Ils chevauchèrent jusqu'à l'âpre montagne. Là ils attachèrent leurs destriers et à pied gagnèrent l'ermitage. Au sommet, ils virent une pauvre demeure et, à côté de la chapelle, un petit jardin où Nascien l'ermite cueillait des orties. Il n'avait pas connu d'autre nourriture depuis longtemps. Quand il aperçut les chevaliers errants, il alla au-devant d'eux et les salua. Ils lui rendirent son salut. « Gentils seigneurs, quelle aventure vous amène en ces lieux ? — Messire, répondit Gauvain, nous venons vous parler pour être entendus en confession. — Messire, je suis prêt. »

Ils lui en dirent alors assez pour qu'il sût sans se tromper à qui il avait affaire. Il voulut les conseiller, dans la mesure de ses moyens. Gauvain fut le premier à prendre la parole. Il lui raconta la vision qu'il avait eue dans la chapelle. Hector lui fit un récit complet, semblable à ce qu'on a auparavant rapporté. « Messire, dit l'ermite à Gauvain, la belle prairie et le râtelier au-dedans doivent être compris comme signifiant la Table Ronde. Par le pré il faut entendre humilité et patience. Ces choses-là gardent toujours verdeur et vie. Parce qu'on ne peut jamais venir à bout de l'humilité ni de la patience fut fondée la Table Ronde. La chevalerie qu'on y pouvait trouver fut telle en toutes occasions, grâce à la fraternité qu'on y rencontrait, que cette compagnie ne pouvait être vaincue. On disait, en effet, que ses fondements étaient patience et humilité.

« Au râtelier mangeaient cent cinquante taureaux. Ils ne mangeaient pas dans la prairie, car leurs cœurs en auraient été acquis à l'humilité et à la patience, et ils étaient fiers et noirs, à l'exception seulement de trois. Par ces taureaux il faut entendre les compagnons de la Table Ronde qui, en raison de leurs péchés et dépravité, sont noirs. Cette noirceur veut dire qu'ils n'ont rien fait de bon ni de vertueux. Quant aux trois taureaux qui étaient blancs, sauf un qui avait une tache : les deux blancs figurent messire Galaad et messire Perceval, car ils sont parfaitement vierges et sans tache. Le troisième, avec une tache, c'est messire Bohort de Gaunes. Il a failli une fois à la virginité, mais depuis s'en est tenu si bien à la chasteté que tout lui est pardonné, tous ses méfaits. La raison pourquoi ces trois-là étaient attachés par le cou est que ce sont trois chevaliers vierges et chastes. Ils ne vont pas redresser la tête. Il n'y a en eux nul orgueil à châtier. Pour les taureaux noirs qui dirent : « Partons d'ici », c'étaient ceux qui, à la Pentecôte, lors de la grande fête, choisirent de partir pour la quête du Saint-Graal sans se confesser. Ils ne pouvaient accéder à la prairie d'humilité et patience. Ils partirent donc pour des pays déserts, ce qui signifie la mort, car beaucoup mourront. Ils s'entretueront, à cause de leurs péchés, et ceux qui en réchapperont reviendront si maigres que ce sera merveille de les voir. Quant aux trois taureaux sans tache, un seul reviendra, les deux autres non, jamais. »

CHAPITRE IV

Comment l'ermite interpréta la vision de messire Hector

LORS Nascien s'adressa à Hector : « Il est vrai que Lancelot et vous êtes descendus d'un trône. Il représente l'autorité et le respect que vous avez connus à la Table Ronde. Vous deux, chevaliers, êtes à la recherche de ce que vous ne trouverez jamais, savoir le Saint-Graal, car c'est le bien secret de Notre-Seigneur Jésus-Christ. Voici ce que signifie la chute de cheval de messire Lancelot : il a renoncé à l'orgueil et s'est voué à l'humilité. Il avait à haute voix crié merci pour ses péchés. Il s'était repenti amèrement, et Notre-Seigneur l'a habillé d'un vêtement qui est comme hérissé de feuilles de houx, la haire qu'il porte chaque jour. L'âne qu'il chevauchait est un animal plein d'humilité. Jésus se refusait à monter sur un destrier ou un palefroi. C'est parce qu'un âne est symbole de douceur que vous avez vu messire Lancelot monter sur l'un d'eux durant votre sommeil. Quant à la fontaine où l'eau reculait devant lui quand il voulait en boire et où, lorsqu'il vit qu'il ne pourrait avoir de cette eau, il décida de retourner en arrière, elle signifie la haute grâce de Dieu. Plus on la savoure en la possédant, plus s'augmente le désir qu'on en a.

« Adonc, lorsqu'il fut devant le Saint-Graal, il eut l'humilité de croire qu'il n'était pas digne d'approcher de si près le Vaisseau Sacré, ayant été souillé par des péchés mortels l'espace de tant d'années. Cependant, quand il s'agenouilla pour boire à la fontaine, il reconnut la Providence qui accompagne le Saint-Graal. Parce qu'il a si longtemps été le serviteur du Malin, il connaîtra un châtiment de vingt-quatre jours, son service ayant duré vingt-quatre années. Puis, peu de temps après, il quittera cette contrée pour retourner à Camaalot et y racontera partie de ce qu'il aura trouvé.

« Maintenant je vais vous dire ce que signifie la main tenant le cierge et la bride. Il faut par là entendre le Saint-Esprit, où la charité est toujours présente, la bride figurant l'abstinence, laquelle, quand elle bride au cœur du chrétien, le tient si serré qu'il ne tombe pas en péché mortel. Le cierge, qui est symbole de lumière et de vision, représente le vrai chemin de Jésus-Christ. C'est lui-même qui vous quitta et dit : "Chevaliers de peu de foi et de mauvaise croyance, ces trois choses vous ont fait défaut : charité, abstinence et vérité. Donc vous ne pourrez avoir accès à la grande aventure du Saint-Graal." »

CHAPITRE V

Des bons conseils que l'ermite donna à messire Gauvain

« CERTES, dit Gauvain, ce que vous avez dit est vrai. Je le vois clairement. À présent, je vous en prie, homme de bien et saint père, dites-moi pourquoi nous n'avons pas rencontré autant d'aventures que de coutume, aventures où ordinairement nous prenons le meilleur. — Je vous répondrai volontiers. L'aventure du Saint-Graal, dont vous et beaucoup d'autres avez entrepris la quête sans succès, si vous n'en avez rien vu, c'est que le Saint-Graal n'apparaît point aux pécheurs. Ne vous étonnez donc pas si vous échouez, ainsi que bien d'autres. Vous êtes un chevalier déloyal, un grand meurtrier. Pour un homme de bien compte autre chose que le meurtre. Je vous assure que, malgré tous les péchés qu'a pu commettre messire Lancelot, depuis qu'il mène la quête du Saint-Graal il n'a jamais occis qui que ce soit, et n'en fera rien, jusqu'à ce qu'il revienne à Camaalot, car il a choisi de renoncer au péché. Et s'il n'était instable, si ses pensées ne l'amenaient pas à revenir facilement en arrière, il serait le plus capable de réussir après Galaad, son fils. Mais Dieu connaît ses pensées et son caractère changeant. Cependant il mourra en parfaite sainteté, et il est certain qu'il n'a pas son égal parmi tous les pécheurs de la terre. — Messire, repartit Gauvain, il me semble à vous entendre qu'en raison de nos péchés, il ne nous servira de rien de voyager en cette quête. — À la vérité, dit l'homme de bien, il existe cent personnes de votre sorte qui n'aboutiront jamais à rien, qu'au déshonneur. »

Après avoir entendu ces paroles, ils le recommandèrent à Dieu. Puis l'homme sage rappela Gauvain et lui déclara : « Il y a longtemps que vous avez été armé chevalier et depuis, jamais vous n'avez servi votre Créateur. À présent, vous êtes comme un arbre si vieux qu'il ne porte plus ni feuille ni fruit. En conséquence, songez à rendre à Notre-Seigneur au moins l'écorce, puisque le Diable a eu la feuille et le fruit. — Messire, si j'en avais le loisir, je m'entretiendrais volontiers avec vous. Mais mon compagnon, messire Hector, est parti et m'attend là-bas au pied de la colline. — C'est dommage, dit l'ermite, il eût mieux valu pour vous recevoir des conseils. » Sur ce Gauvain s'en alla. Il rejoignit Hector. Ils prirent leurs chevaux et ne s'arrêtèrent qu'à la cabane d'un forestier, qui les reçut fort bien. Le lendemain matin, ils quittèrent leur hôte et chevauchèrent longtemps avant de rencontrer une quelconque aventure.

CHAPITRE VI

Comment messire Bohort fit rencontre d'un ermite,
comment il se confessa à lui,
et de la pénitence que l'ermite lui infligea

QUAND BOHORT quitta Camaalot, il rencontra un homme en habit de religieux, qui était monté sur un âne. Messire Bohort le salua. Aussitôt l'homme de bien le reconnut pour l'un des chevaliers errants qui avaient entrepris la quête du Saint-Graal. « Qui êtes-vous ? lui demanda-t-il. — Messire, répondit Bohort, je suis un chevalier qui volontiers entendrait des conseils concernant la quête du Saint-Graal, car il aura beaucoup d'honneur sur la terre, celui qui mènera cette quête à bonne fin. — Certes, dit l'homme pieux, ceci est vérité. Ce sera le meilleur chevalier du monde et le plus pur de toute la compagnie. Sachez que nul n'y réussira que par la pureté, à savoir une totale confession. » Adonc ils chevauchèrent ainsi jusqu'à un ermitage. Là l'ermite pria Bohort de demeurer toute la nuit chez lui. Bohort mit pied à terre. Il ôta son armure et sollicita son hôte de bien vouloir le confesser. Ils passèrent dans la chapelle, et là Bohort fit confession entière. Ensemble ils mangèrent le pain et burent l'eau.

« Maintenant, dit l'homme de bien, je vous prie de ne plus rien manger d'autre avant de vous asseoir à la table où sera le Saint-Graal. — Messire, j'y consens, mais comment savez-vous que j'y prendrai place ? — Je le sais. Cependant il y aura à vos côtés peu de vos compagnons. — Tout est le bienvenu de ce que Dieu m'envoie. — En outre, au lieu d'une chemise, en guise de pénitence, vous porterez une tunique blanche. Je vous prierai donc d'ôter tous vos habits, de même que votre chemise. » Ce qu'il fit. Lors Bohort revêtit une tunique blanche, pour lui servir de chemise, et par-dessus il mit un vêtement écarlate, à garder jusqu'à ce qu'il eût réussi dans la quête du Saint-Graal. Par ailleurs, l'homme de bien trouva que sa vie était si juste et bien ordonnée qu'il s'en émerveilla. Il s'aperçut que Bohort n'avait été dépravé par l'aiguillon de la chair qu'une seule fois, lorsqu'il avait engendré Hélain le Blanc. Après quoi messire Bohort s'arma, prit congé et partit.

Un peu plus tard, levant les yeux, son regard se porta sur un arbre. Il y vit un oiseau de belle taille. L'arbre était vieux, fort sec et dépourvu de toute feuille. L'oiseau était perché là-haut. Il avait des petits, mais ils étaient morts de faim. Il se frappait de son bec, lequel était grand et pointu. Ce fut ainsi qu'il saigna jusqu'à en mourir, au milieu des oisillons. Les petits reprirent vie par le moyen du sang du grand oiseau. Lorsque Bohort vit ceci, il sut bien qu'il s'agissait d'un signe d'importance. Quand il se rendit compte que le grand oiseau ne se relevait point, il prit son cheval et partit. À l'heure des vêpres, par hasard il arriva devant une tour bien défendue, et haute. Là on l'hébergea volontiers.

CHAPITRE VII

Comment messire Bohort fut hébergé par une dame, et comment il décida de combattre un champion pour garder ses terres à cette dame

QUAND ON LUI EUT ÔTÉ son armure, on le conduisit dans une haute tour. Là se trouvait une dame. Elle était jeune, avenante et belle. Elle le reçut à grande joie et le fit asseoir à ses côtés. On lui donna à souper de la viande et force mets friands. Quand messire Bohort vit cela, il se rappela sa pénitence et demanda à un serviteur de lui apporter de l'eau. Ce qui fut fait. Il y trempa du pain et ainsi le mangea. « Ah ! s'exclama la dame, je crois que vous n'aimez guère ce qui vous a été servi. — Si, vraiment, repartit messire Bohort, Dieu vous en rende grâce, madame, mais je ne puis rien manger d'autre aujourd'hui. » Elle ne répondit rien, car elle ne voulait pas lui déplaire.

Après souper, ils parlèrent de choses et d'autres. Sur ce il arriva un écuyer qui dit : « Madame, il vous faut avant demain vous pourvoir d'un champion, sinon votre sœur prendra possession de ce château, ainsi que de vos terres. Le seul moyen de l'empêcher est de trouver un chevalier qui accepte demain de combattre en votre querelle contre Priadan le Noir. » La dame se mit alors à se lamenter, disant : « Ah ! Seigneur, pourquoi m'avoir permis de tenir des terres dont je suis à présent dépouillée sans raison ni justice ? »

Quand messire Bohort entendit ces paroles, il lui repartit : « Je vous réconforterai. — Messire, lui dit-elle, sachez-le, il vivait ici un roi du nom d'Amant. Il avait le gouvernement de toutes ces terres. Il advint qu'il aima une noble dame, beaucoup plus âgée que moi. Il lui donna toutes ces terres à gouverner et mit tous ses vassaux en son obéissance. Elle instaura nombre de mauvaises coutumes, d'où vint qu'elle causa la mort d'une grande partie de la parenté du roi Amant. Lorsqu'il vit cela, il la fit chasser de ces domaines et me les confia. Toutes ces terres devinrent ma propriété.

« Mais, dès que ce digne roi fut mort, la dame se mit à me faire la guerre. Elle a fait périr beaucoup de mes vassaux. Elle en a tourné contre moi, si bien que je n'en ai presque plus. Il ne me reste que cette haute tour, qu'elle m'a laissée. Nonobstant elle m'a juré qu'elle l'aurait aussi, à moins que je ne puisse trouver un chevalier qui combatte son champion. — Dites-moi donc, intervint messire Bohort, qui est ce Priadan le Noir ? — Messire, c'est l'homme le plus redouté en ce pays. — À présent, vous pouvez faire savoir à votre sœur que vous avez trouvé le chevalier qui se mesurera à ce Priadan le Noir en la querelle de Dieu et la vôtre. »

La dame n'en fut pas que modérément contente. Elle envoya dire qu'elle avait ce qu'il lui fallait. Cette nuit-là, messire Bohort eut bonne chère. Cependant en nul lit il n'accepta de s'étendre. Il se coucha à même le sol. Il refusa toujours de faire autrement, tant qu'il n'aurait pas réussi dans la quête du Saint-Graal.

CHAPITRE VIII

D'une vision que messire Bohort eut cette nuit-là,
et comment il combattit et défit son adversaire

AUSSITÔT QU'IL FUT ENDORMI, il eut une vision. Il vint à lui deux oiseaux. L'un était blanc comme cygne, l'autre d'un noir merveilleux. Cependant il était moins grand que le premier. Il ressemblait à un corbeau. L'oiseau blanc s'approcha de messire Bohort, disant : « Si tu consens à me nourrir et servir, je te donnerai toutes les richesses du monde et te rendrai aussi blanc et beau que je le suis. » Là-dessus il s'envola et l'oiseau noir vint à lui, disant : « Si tu le veux bien, sers-moi dès demain et ne m'aie pas à mépris parce que je suis noir. Sache que ma noirceur vaut davantage que la blancheur de l'autre. » Sur ce il partit.

Après quoi messire Bohort eut une seconde vision. Il lui sembla qu'il arrivait devant une grande maison, pareille à une chapelle. Là il trouvait un trône, placé du côté gauche, qui était chancelant et vermoulu. À droite, il y avait deux fleurs, qui ressemblaient à des lys. L'une eût voulu détruire la blancheur de l'autre, mais un homme de bien les séparait, de sorte que la première ne pouvait toucher la seconde. Lors de chaque fleur naissaient beaucoup de nouvelles fleurs et des fruits en abondance. Il lui parut alors que le religieux lui disait : « Ne serait-ce point une grande sottise de laisser ces deux fleurs dépérir pour sauver l'arbre pourri, afin qu'il ne tombât pas sur le sol ? — Messire, répondit-il, il me semble que ce bois ne servirait à rien. — Maintenant, conclut l'homme de bien, prends bien garde à ce que pareille aventure ne t'arrive jamais. » Sur ce messire Bohort se réveilla et fit le signe de la croix au milieu de son front. Puis il se leva et s'habilla.

Sur ces entrefaites arriva la dame du château. Elle le salua, il fit de même, et ils se rendirent à la chapelle pour y entendre l'office. Une troupe de chevaliers vint, que la dame avait fait chercher, pour mener messire Bohort sur le champ de bataille. Il demanda son armure. Quand il fut armé, elle le pria de prendre un léger repas. « Non, madame, répondit-il, pas avant que j'aie fini de me battre, par la grâce de Dieu. » Il sauta sur son cheval et partit avec tous les chevaliers et les gens qui devaient l'accompagner. Aussitôt que les deux dames se rencontrèrent, celle pour laquelle Bohort devait combattre se plaignit. Elle dit : « Madame, vous me fîtes tort en me privant de mes terres, que le roi Amant m'avait baillées, et je regrette beaucoup qu'il doive y avoir un combat. — Vous n'avez pas le choix, répliqua l'autre dame, à moins que votre chevalier ne se retire. »

On fit alors publier à voix haute que celui qui l'emporterait de ces deux chevaliers, la dame de son parti prendrait possession de toutes les terres. Les deux combattants se séparèrent, l'un s'en fut ici, l'autre là.

Puis ils se ruèrent l'un sur l'autre avec tant d'ardeur qu'ils transpercèrent écus et hauberts, que les lances volèrent en éclats. Ils eurent beaucoup à en souffrir. Sous la violence du choc, ils tombèrent tous les deux, leurs destriers entre les jambes. Vite ils se relevèrent, mirent la main à leurs épées et se choquèrent sur la tête de telle façon qu'ils se causèrent de graves blessures, et profondes, et que le sang jaillit de leurs plaies. En le chevalier, son adversaire, messire Bohort trouva plus de résistance qu'il n'en attendait. Ce Priadan, en effet, était fort bon. Il blessa messire Bohort très dangereusement, si messire Bohort ne fut pas en reste. Mais toujours ce Priadan soutenait le combat avec une même vigueur.

Messire Bohort s'en aperçut. Il le laissa venir, jusqu'à ce qu'il fût recru de fatigue. Lors il l'assaillit de plus en plus, et l'autre se mit à reculer, par peur d'être occis. En se portant en arrière, il tomba de tout son long. Messire Bohort tira si fort sur son heaume qu'il le lui arracha de la tête. Il lui donna alors de grands coups sur le visage du plat de son épée, en lui disant de se rendre, ou bien il le tuerait. Sur ce Priadan lui cria merci, disant : « Gentil chevalier, pour l'amour de Dieu, ne me tuez point, et je vous assure que je ne ferai jamais plus la guerre à votre dame, mais me rangerai toujours à ses côtés. » Là-dessus Bohort le laissa partir, et la vieille dame s'enfuit avec tous ses chevaliers.

CHAPITRE IX

Comment la jeune dame fut remise en possession de ses terres grâce au combat de messire Bohort, du départ de celui-ci, comment il rencontra messire Lionel fait prisonnier et battu d'épines, et aussi d'une jeune fille qui risquait d'être déshonorée

ENSUITE messire Bohort s'en vint à tous ceux qui tenaient leurs terres de sa dame et leur dit qu'il les ferait périr s'ils n'offraient à cette dame les services auxquels ils étaient contraints de par leur vasselage. Ils lui rendirent donc hommage. Ceux qui s'y refusèrent furent chassés de leurs domaines. C'est ainsi que la jeune dame put être rétablie dans sa dignité, grâce au courage de messire Bohort de Gaunes. Quand toute la contrée eut retrouvé une paix durable, celui-ci prit congé et s'en alla. La dame lui fit de grands remerciements et eût voulu lui donner de grandes richesses. Mais il refusa. Après quoi il chevaucha toute la journée, jusqu'à la nuit. Il trouva asile chez une dame, qui le reconnut aisément et se réjouit beaucoup de le voir.

Le lendemain matin, sur la fine pointe du jour, Bohort quitta ces lieux. Il entra dans une forêt, qu'il parcourut jusqu'à l'heure de midi. Ce fut alors que lui arriva une étrange aventure. Au croisement de deux chemins, il fit rencontre de deux chevaliers qui conduisaient Lionel, son frère, entièrement nu, attaché sur un robuste cheval de charge, les bras liés sur la poitrine. Chacun d'eux tenait en ses mains des épines, dont ils le battaient chemin faisant, tant que le sang coulait sur tout le corps par plus de cent coupures. Il était tout ensanglanté, tant derrière que devant, mais ne prononçait pas une parole. Tel Celui qui fut grand de cœur, il supportait tout ce qu'ils pouvaient lui infliger comme s'il n'avait connu nulle angoisse.

Incontinent messire Bohort se prépara à porter secours à l'homme qui était son frère. C'est alors qu'il jeta les yeux de l'autre côté et vit un chevalier. Il avait avec lui une belle et noble demoiselle et s'apprêtait à l'emmener au plus profond de la forêt pour échapper plus sûrement à ceux qui la recherchaient. La demoiselle, qui n'était point du tout rassurée, criait à voix haute : « Sainte Marie, secourez votre enfant. » Sur ce elle épia la venue de messire Bohort. Quand elle fut près de lui, elle jugea qu'il était de la Table Ronde et en conçut l'espoir de quelque réconfort. Elle le supplia : « Par la foi que vous devez à Celui au service duquel vous vous êtes mis, par votre fidélité au grand ordre de chevalerie et par égard pour le noble roi Arthur, dont je suppose qu'il vous adouba, aidez-moi et ne souffrez pas que je sois mise à honte par ce chevalier. »

Quand Bohort entendit ceci, il en fut si affligé qu'il ne sut plus ce qu'il devait faire. « Si je laisse mon frère à son péril, sa mort est certaine, et cela je ne le voudrais point pour toutes les richesses de la terre. D'un autre côté, si je ne me porte pas au secours de cette jeune fille, son déshonneur est assuré à jamais. Elle perdra sa virginité, laquelle perdue l'est pour toujours. » Il leva les yeux au ciel et s'écria en pleurant : « Doux et gracieux Seigneur, dont je suis l'homme lige, gardez Lionel, mon frère, que ces chevaliers ne le tuent point et, par pitié pour vous et pour Marie, j'irai au secours de cette jeune fille. »

CHAPITRE X

Comment messire Bohort renonça à secourir son frère pour aider la demoiselle, et comment on lui dit que Lionel était mort

Lors il courut sus au chevalier qui emmenait la noble demoiselle et lui cria : « Sire chevalier, laissez là cette jeune fille ou vous êtes un homme mort. » Le chevalier mit à terre la jouvencelle. Il était armé de toutes pièces, sinon qu'il lui manquait sa lance. Il ajusta son écu, tira son épée du fourreau. De sa lance Bohort lui porta un coup si violent que le fer passa au travers de l'écu et du corselet pour venir percer l'épaule gauche. Par de multiples assauts pleins de vigueur Bohort fit choir son adversaire qui, lorsqu'il lui arracha la lance du corps, s'évanouit.

Bohort alla trouver la jeune fille. Il lui dit : « Comment allez-vous ? Vous voici délivrée de ce chevalier. — À présent, messire, répondit-elle, je vous prie de me conduire là où il m'avait enlevée. — Je le ferai volontiers. » Bohort prit la monture du chevalier blessé. Il installa dessus la demoiselle et la mena où elle le demandait. « Messire, lui dit-elle, vous avez agi mieux encore que vous ne pensez, car si j'avais perdu ma virginité, il s'en serait suivi la mort de cinq cents chevaliers. — Qui était-ce donc qui vous emmenait dans la forêt ? — Sur ma foi, c'était mon cousin. Je ne sais de quel moyen le Diable se servit pour enflammer son désir, mais hier soir il m'enleva secrètement à mon père. Ni moi ni aucun des gens de mon père n'avions de lui méfiance. S'il avait eu ma virginité, il aurait payé ce péché de sa vie. Il eût à jamais été indigne et déshonoré. »

Tandis qu'elle était ainsi à lui parler, il vint douze chevaliers, qui s'étaient mis à sa recherche. Incontinent elle leur dit à tous comment Bohort l'avait délivrée. Ils s'en réjouirent grandement et le prièrent instamment de venir chez son père, qui était grand seigneur et lui ferait fort bon accueil. « À la vérité, dit Bohort, cela n'est pas possible maintenant. Une grande aventure m'attend en ce pays. » Il les recommanda à Dieu et partit.

Lors messire Bohort courut à la poursuite de Lionel, son frère. Il suivit la trace des chevaux et chercha ainsi longtemps. Il se porta enfin à la hauteur d'un homme vêtu d'un habit de religieux. Sa monture était robuste et noire, plus noire que Maure. Ce religieux lui demanda : « Sire chevalier, que cherchez-vous ? — Messire, je cherche mon frère, que j'ai vu il y a peu battu par deux chevaliers. — Ah ! Bohort, ne perdez pas courage, ne désespérez pas. Je vais vous dire les choses telles qu'elles sont. Pour ne rien vous cacher, il est mort. » Sur ce il lui montra le cadavre d'un homme que l'on venait d'occire, et il parut à Bohort que c'était bien celui de Lionel. Messire Bohort laissa alors éclater sa douleur, tant qu'il tomba en pâmoison et demeura ainsi longtemps.

Lorsqu'il revint à lui, il s'écria : « Mon gentil frère, puisque vous et moi devons être séparés, jamais plus je n'aurai de joie en mon cœur. Maintenant, que Celui que j'ai pris pour maître soit mon secours! » Quand il eut dit ceci, sans difficulté il saisit le corps entre ses bras et le mit sur l'arçon de sa selle. Après quoi il demanda au religieux : « Pouvez-vous m'indiquer une chapelle où je pourrai donner une sépulture à ce corps? — Continuez par ici et vous en trouverez une tout près. » Ils chevauchèrent jusque-là et virent une belle tour. Devant, on eût dit une vieille chapelle délabrée. ils mirent pied à terre et placèrent le corps sous un tombeau de marbre.

CHAPITRE XI

Comment messire Bohort raconta à un prêtre le rêve qu'il avait fait, et du conseil que celui-ci lui donna

« À PRÉSENT, dit l'homme de bien, laissons-le ici et allons en notre asile jusqu'à demain. Nous reviendrons pour l'office que nous célébrerons pour lui. — Êtes-vous un prêtre, messire? — Oui, certes. — En ce cas, je vous prierai de m'éclaircir un rêve que j'ai fait la nuit dernière. — Je vous écoute. » Lors messire Bohort se mit à lui parler du grand oiseau dans la forêt. Puis il fit mention de ses autres oiseaux, l'un blanc, l'autre noir, de l'arbre pourri et des fleurs blanches. — Messire, je vais vous expliquer une partie de cela dès à présent et garderai l'autre pour demain.

« L'oiseau blanc figure une noble dame, belle et riche, qui vous aime d'amour, et ce depuis longtemps. Si vous refusez cet amour, elle mourra sous peu, si vous n'avez pitié d'elle. C'est là qu'intervient l'oiseau noir. Il veut que vous la repoussiez. Maintenant, malgré toutes vos craintes, malgré la terreur que Dieu vous inspire, vous ne la repousserez pas. Vous n'allez pas faire cela seulement afin que l'on vous tienne pour chaste, pour conquérir la bonne renommée et les vaines louanges de ce monde. Sachez que si vous ne voulez pas d'elle, il adviendra que Lancelot, le valeureux chevalier votre cousin, perdra la vie. On dira alors que vous êtes le meurtrier, tant de votre cousin, messire Lancelot, que de votre frère, messire Lionel, que vous auriez pu sauver et secourir aisément, si vous n'aviez jugé bon d'aller au secours d'une jeune fille qui ne vous était rien. Posez-vous la question de savoir s'il eût résulté un plus grand mal de la mort de votre frère ou d'avoir permis que la demoiselle perdît sa virginité. »

Puis il lui demanda : « Avez-vous entendu ce que je vous ai dit sur le sens de votre rêve ? — Oui, certes, répondit messire Bohort, tout ce que vous avez expliqué et éclairci en mon rêve, je l'ai bien entendu et compris. » Lors l'homme en habit noir dit : « Ce sera par votre faute si messire Lancelot, votre cousin, vient à mourir. — Messire, cela m'affligerait. Sachez-le bien, il n'est rien au monde que je ne ferai pour éviter de voir monseigneur Lancelot du Lac mourir à cause de moi. — Il vous faut choisir maintenant, dit l'homme de bien. C'est l'un ou l'autre. »

Ensuite il conduisit messire Bohort dans une haute tour. Là il trouva des seigneurs et des dames. Les dames lui dirent qu'il était le bienvenu. Elles lui ôtèrent son armure. Quand il fut en son pourpoint, on lui apporta un manteau fourré d'hermine, et on le lui mit sur les épaules. Puis on lui fit si bonne chère qu'il en oublia chagrin et angoisse pour ne s'attacher qu'à ces plaisirs et délices. Il ne pensa plus à son frère, messire Lionel, ni à messire Lancelot du Lac, son cousin.

Il sortit alors d'une chambre et vint à lui la plus belle dame qu'il eût jamais vue, plus magnifiquement parée que jamais il n'avait vu la reine Guenièvre ou toute autre grande dame. « Voici, lui dit-on, messire Bohort, la dame à laquelle tous nos services sont dus. Elle est, pensons-nous, la plus riche et la plus belle au monde et vous aime plus que tout autre chevalier. Elle n'en veut point d'autre que vous. » Quand il entendit ce langage, Bohort fut abasourdi. Quoi qu'il en fût, elle le salua, il fit de même, elle s'assit à côté de lui. Ils parlèrent de toutes sortes de choses. Elle lui dit qu'elle l'adjurait d'être son ami, car elle l'aimait plus que tout homme au monde et le rendrait plus riche que jamais aucun à son âge.

À ce discours, Bohort se sentit mal à l'aise. Il était résolu à ne pas manquer à la chasteté. Aussi ne savait-il quelle réponse lui faire.

CHAPITRE XII

Comment un démon sous l'apparence d'une femme eût voulu tenter messire Bohort, et comment par la grâce de Dieu il échappa à la tentation

« LAS ! gémit-elle, Bohort, ne me céderez-vous pas ? — Madame, répondit-il, il n'est pas de dame au monde dont je contenterais le désir en cette chose-ci. Mon frère est mort. On vient de le tuer. — Ah ! Bohort, je vous aime de longue date, pour cette grande beauté que je vois en vous, pour les hardis exploits que j'ai entendu qu'on vous prête. Il faut que vous partagiez ma couche cette nuit même. Je vous en prie, accordez-le moi. — À la vérité, je n'en ferai rien, il n'y a pas à débattre. » Elle manifesta tant de douleur qu'on eût cru qu'elle allait rendre l'âme. « Eh bien, Bohort, dit-elle, vous m'aurez menée jusque-là, jusqu'au bord de la tombe. » Là-dessus elle le prit par la main et lui enjoignit de la regarder. « Vous verrez ainsi comment l'on meurt d'amour pour vous. — Ah non ! dit-il, je ne verrai jamais cela. »

Sur ce elle partit. Elle monta jusqu'aux créneaux de la haute tour, emmenant avec elle douze nobles dames. Quand elles furent au sommet, l'une des dames s'écria : « Ah ! messire Bohort, gentil chevalier, ayez pitié de nous toutes ! Souffrez que ma dame soit satisfaite ! Sinon nous devrons connaître la mort, de même que notre dame, en tombant du haut de cette tour. Si vous tolérez que nous perdions la vie pour si peu de chose, toutes les dames et nobles dames diront du mal de vous. »

Il leva les yeux. Elles semblaient toutes de haut parage, bien vêtues et richement. Il eut grand-pitié d'elles. Néanmoins il demeura certain qu'il valait mieux qu'elles perdissent toutes leur âme plutôt que lui la sienne. À ce moment, elles tombèrent ensemble sur le sol. Quand il vit cela, il fut frappé de stupeur et s'ébahit grandement. Il se signa, tant sur le corps que le visage. Il entendit alors un grand tumulte et un grand cri, comme si tous les démons de l'enfer eussent été réunis autour de lui. Il n'y eut plus ni tour, ni filles d'honneur, ni nobles dames, ni chapelle où il avait porté son frère. Il leva les mains au ciel, disant : « Gracieux Seigneur, grand était mon péril ! » Il prit ses armes, son cheval et continua sa route.

Une cloche à sa droite sonna. Il vint à une abbaye. Elle était à sa droite, close de hauts murs. On le fit entrer. Supposant qu'il prenait part à la quête du Saint-Graal, on le mena dans une salle où on le désarma. « Messires, dit-il, s'il y a un saint homme en cette maison, je vous en prie, faites-moi lui parler. » L'un des religieux le conduisit à l'abbé, qui était dans une chapelle. Messire Bohort le salua. Il lui rendit son salut. « Messire, dit Bohort, je suis un chevalier errant. » Et il lui raconta toute l'aventure dont il avait été le témoin. « Sire chevalier, lui repartit l'abbé, je ne sais qui vous êtes. Je n'aurais jamais pensé qu'un chevalier de votre âge pût avoir tant de force en la grâce de Notre-Seigneur Jésus-Christ. Maintenant vous irez vous reposer, car je ne vous donnerai nul conseil aujourd'hui. Il est trop tard. Demain, je vous conseillerai de mon mieux. »

CHAPITRE XIII

Du pieux entretien d'un abbé avec messire Bohort,
et des conseils qu'il lui donna

CE SOIR-LÀ, messire Bohort fut magnifiquement reçu et servi. Tôt le lendemain, il entendit la messe. L'abbé vint le voir. Il lui souhaita le bonjour et Bohort fit de même. Puis Bohort l'informa qu'il prenait part à la quête du Saint-Graal et que le saint homme dont nous avons parlé lui avait enjoint de ne manger que du pain et de l'eau. L'abbé lui dit : « Notre-Seigneur Jésus-Christ vous est apparu sous la forme d'une âme souffrant pour nous de grands tourments, parce qu'il fut mis sur la croix et que son cœur saigna pour le genre humain. C'est ainsi qu'il faut comprendre le Saint-Graal qui fut offert à vos yeux, car le sang venu des entrailles du grand oiseau ramena les oisillons de la mort à la vie. Par l'arbre dépouillé sur lequel était cet oiseau, il faut entendre le monde, qui est nu et stérile, si ses fruits ne viennent de Notre-Seigneur.

« Quant à la dame pour laquelle vous avez combattu et au roi Amant qui était auparavant le seigneur en ces lieux, ils figurent Jésus-Christ, qui est roi de ce monde. Le combat que vous avez livré au champion en faveur de cette dame, voici ce qu'il signifie : quand vous avez soutenu la cause de la jeune dame, elle représentait la Nouvelle Loi de Jésus-Christ et de la sainte Église. Par l'autre dame, vous devez entendre la Loi Ancienne et le Diable, qui tout le jour guerroie contre la sainte Église. En conséquence, vous avez eu raison de combattre. Vous êtes les chevaliers de Jésus-Christ, adonc vous devez être les défenseurs de notre sainte

Église. Et en l'oiseau noir vous pouvez voir la même sainte Église qui dit : « Je suis noire » mais qui est belle. L'oiseau blanc, en revanche, peut signifier le Malin. Je puis vous l'expliquer. Le cygne est blanc au-dehors, mais noir au-dedans. C'est l'hypocrite, qui a le teint jaune et pâle. On dirait apparemment un serviteur de Jésus-Christ. Mais l'hypocrite au-dedans est abominable par la souillure et le péché, et il abuse le monde de manière infâme.

« Venons-en au démon qui vous est apparu en semblance d'un bon homme de religion et vous a reproché d'avoir abandonné votre frère pour une demoiselle, vous a conduit où il paraissait que votre frère avait été tué, alors qu'il est toujours vivant. Tout cela était fait pour vous induire en erreur, vous pousser au désespoir et inciter à la luxure. Le Diable savait que vous aviez le cœur tendre, et le but poursuivi était que vous n'aboutissiez point dans l'aventure bénie du Saint-Graal. Le troisième des oiseaux, l'oiseau blanc, présente le dur combat à mener contre les belles dames, qui toutes étaient des démons.

Quant à l'arbre désséché et au lys blanc : l'arbre désséché représente votre frère Lionel, qui n'a point de sève, parce qu'il est sans vertu. En conséquence, beaucoup de gens pourraient parler de lui comme d'un arbre pourri, vermoulu, car c'est un meurtrier et il agit contrairement aux lois de l'ordre de chevalerie. Les deux fleurs blanches sont deux êtres vierges, la première un chevalier qui fut blessé l'autre jour et la seconde la noble demoiselle que vous avez secourue. La raison pourquoi une fleur s'approcha de l'autre, c'est que ce chevalier voulait souiller la demoiselle, tout en se souillant lui-même. Messire Bohort, vous auriez été bien fol et en grand danger si vous aviez laissé ces fleurs périr pour sauver l'arbre pourri. S'ils avaient commis le péché ensemble, ils auraient été damnés. Et parce que vous les avez secourus l'un et l'autre, on peut vous appeler véritable chevalier et serviteur de Jésus-Christ. »

CHAPITRE XIV

Comment messire Bohort fit rencontre de son frère, messire Lionel, et comment celui-ci voulut le tuer

Lors messire Bohort quitta ces lieux en recommandant l'abbé aux soins du Seigneur. Il chevaucha toute la journée et trouva un logement chez une vieille dame. Le lendemain matin, il reprit sa chevauchée, pour parvenir à un château, dans une vallée. Là il rencontra un serviteur, qui hâtivement allait vers une forêt. « Dis-moi, lui demanda Bohort, as-tu connaissance par ici de quelque aventure ? — Messire, répondit-il, il y aura sous les murs de ce château un grand et merveilleux tournoi. — Entre qui ? — Le comte des Plains sera dans un camp et le neveu de la dame du château dans l'autre. » Bohort envisagea de prendre part à ce tournoi. Peut-être pourrait-il y rencontrer son frère, messire Lionel, ou quelque autre de ses compagnons en quête du Saint-Graal. Il se rendit à un ermitage, qui était en bordure de la forêt.

Quand il y fut, il y trouva messire Lionel, son frère. Il était assis devant la porte de la chapelle. Il s'était logé là dans l'attente du tournoi du lendemain. Lorsque Bohort le vit, grande fut sa joie, si grande qu'on ne saurait le dire. Il descendit de son cheval. « Mon doux frère, mon gentil frère, quand êtes-vous arrivé ici ? » Aussitôt que Lionel l'aperçut, il lui lança : « Ah ! Bohort, point de belles paroles ! S'il n'en avait tenu qu'à vous, je pouvais bien être tué. Quand vous vîtes deux chevaliers qui m'emmenaient en me battant, vous m'avez abandonné pour secourir une noble demoiselle, me laissant en danger de mort. Jamais frère ne s'était montré aussi perfide avec son frère. En raison de ce méfait, vous mourrez, je vous le garantis. Vous l'avez bien mérité. En conséquence, gardez-vous de moi désormais. Vous le découvrirez à vos dépens, aussitôt que j'aurai mes armes. »

Quand Bohort vit la colère de son frère, il mit un genou en terre et implora sa merci, levant les mains au ciel et priant Lionel de lui pardonner ses torts. « Non, répondit celui-ci, je n'en ferai rien. Si je prends le dessus, j'en fais serment à Dieu, tu le paieras de ta vie, car ce serait pitié que tu vécusses davantage. » Sur ce il entra dans la chapelle, prit son harnois, monta sur son cheval, s'avança jusqu'à Bohort et lui dit : « Bohort, garde-toi de moi, car je vais agir envers toi comme envers traître ou félon. Chevalier plus perfide ne naquit jamais d'une aussi noble maison comme était celle du roi Bohort de Gaunes, notre père. Adonc saute sur ton cheval pour mettre le plus de chances de ton côté. Cependant, si tu veux, je vais t'assaillir là où tu es, à pied. Le déshonneur sera pour moi et le dommage pour toi, mais de cette honte je n'ai cure. »

Quand messire Bohort vit qu'il lui faudrait combatttre son frère ou mourir, il ne sut quel parti prendre. Son cœur l'avisa de s'abstenir, considéré que Lionel était né avant lui, et qu'il lui devait donc le respect. Il se mit à genoux aux pieds du cheval de Lionel, disant : « Mon gentil frère, mon doux frère, ayez de moi merci et ne me tuez point. Souvenez-vous du grand amour qui doit régner entre nous. »

Ce que messire Bohort dit à Lionel, celui-ci n'en fit nul cas. Le Diable lui avait mis en tête le dessein arrêté de l'occire. Quand il vit que son frère ne voulait rien faire d'autre, qu'il refusait de se lever pour lui livrer combat, il bondit sur lui, de telle sorte que son cheval le renversa. La blessure fut si vive que Bohort s'évanouit de douleur à la pensée qu'il allait mourir sans confession.

Quand Lionel s'en aperçut, il mit pied à terre pour lui trancher la tête. Il le saisit par le heaume et s'apprêta à le lui arracher. Lors l'ermite arriva en courant. C'était un homme de bien et d'un grand âge. Il avait entendu toutes les paroles qui avaient été échangées. Il se laissa tomber sur messire Bohort.

CHAPITRE XV

Comment messire Calogrenant combattit messire Lionel afin de sauver Bohort, et comment l'ermite fut tué

LORS il dit à Lionel : « Ah ! gentil chevalier, épargne-moi, épargne ton frère. Si tu l'occis, c'est un péché mortel. C'est aussi grand dommage, car c'est l'un des plus dignes chevaliers qui soient au monde et dont les vertus sont les plus assurées. — Par Dieu, repartit Lionel, sire prêtre, si vous ne le laissez, je vous tuerai, et il n'en sera nullement quitte pour autant. — Certes, dit l'homme de bien, j'aimerais mieux que ce fût moi la victime que lui. Ma mort ne sera guère préjudiciable, pas autant que la sienne, loin s'en faut. — Eh bien, jeta Lionel, j'en suis d'accord. » Là-dessus il mit la main à son épée et frappa le prêtre si violemment que la tête recula. Cela n'empêcha pas Lionel de donner libre cours à son emportement. Il prit son frère par son heaume, qu'il délaça, afin de lui trancher la tête à lui aussi.

Il y eût certainement réussi, mais il advint que Calogrenant, un compagnon de la Table Ronde, survint en cet instant, comme Notre-Seigneur l'avait voulu. Quand il vit le corps inanimé de l'homme de bien, il s'étonna, se demandant ce qui avait pu se passer. Lors il vit Lionel qui s'apprêtait à tuer son frère. Il reconnut messire Bohort, qu'il aimait beaucoup. Il sauta de son cheval et prit Lionel par les épaules. Avec force il le tira en arrière pour le détacher de Bohort. « Lionel, dit-il, voulez-vous donc tuer votre frère, le plus digne chevalier qui soit au monde ? Nul ne saurait le supporter qui a de la vertu. — Mais, s'écria Lionel, allez-vous me lâcher ? Si vous vous mêlez de cette querelle, je vous tuerai, et lui ensuite. — Est-ce donc vrai que vous voulez le tuer ? — Mais oui, je le veux, même si l'on prétend m'en empêcher. Il a tant fait contre moi qu'il l'a bien mérité. » Là-dessus il se rua sur Bohort et lui eût certainement fendu la tête si messire Calogrenant n'était accouru se mettre entre les deux, disant : « Si vous avez l'audace de persister, nous aurons affaire l'un à l'autre. »

Quand Lionel entendit cela, il se couvrit de son écu et demanda à Calogrenant qui il était. Il le lui dit, qu'il était Calogrenant, l'un de ses compagnons. Lors Lionel lui porta un défi et lui donna un grand coup d'épée. La lame traversa le heaume. Sur ce Calogrenant dégaina sa propre épée, car il était fort bon chevalier, et il se défendit fort vaillamment. Si long fut le combat que Bohort finit par se redresser, tout meurtri. Il vit le valeureux Calogrenant se battre avec Lionel dans une querelle qui le concernait. Il en eut beaucoup de douleur et de regret, pensant que si Calogrenant tuait un homme qui était son frère, il n'aurait jamais plus le cœur à se réjouir, mais que si son frère tuait Calogrenant, le reproche en serait pour lui à tout jamais. Il eût voulu se relever pour les séparer, mais il n'avait pas assez de force pour tenir sur ses jambes. Il demeura donc où il était, assez longtemps pour voir Lionel prendre le dessus, car il était plein de prouesse et d'audace. Ses coups avaient rompu le haubert et le heaume de Calogrenant. Il ne restait plus à celui-ci qu'à mourir. Il avait perdu tant de sang que c'était merveille qu'il pût rester debout.

Il jeta les yeux sur messire Bohort, qui était sur son séant et faisait des efforts pour se lever. Il lui cria : « Ah ! Bohort, pourquoi ne venez-vous pas me tirer du péril où je me trouve ? Je me suis mis en danger de perdre la vie afin de vous secourir, vous qui, il y a peu, étiez sur le point de périr vous-même. — Certes, dit Lionel, tout cela est inutile. Aucun des deux ne portera secours à l'autre. Vous mourrez tous les deux de ma main. » Quand Bohort entendit ces paroles, il fit tant qu'il se releva et mit son heaume. Lors, pour la première fois, il vit que le prêtre ermite était mort et s'en désola extrêmement.

CHAPITRE XVI

Comment messire Lionel occit messire Calogrenant, et comment ensuite il eût voulu tuer messire Bohort

SUR CE Calogrenant se mit à crier à maintes reprises à l'adresse de messire Bohort : « Pourquoi me laisser mourir ici, alors que je combats pour vous ? Cependant, s'il vous agrée que je meure de cette façon, j'en tirerai la satisfaction d'avoir voulu sauver la vie d'un homme de mérite. » Lors messire Lionel fit sauter le heaume qui lui couvrait la tête. Calogrenant comprit qu'il n'y avait plus rien à faire. Il dit : « Doux Jésus, je sais que j'ai fait le mal, mais prenez pitié de mon âme. Que ce qu'endure mon cœur dans une juste cause et que l'action que je me proposais allègent la pénitence nécessaire au salut de mon âme ! » À ces mots, Lionel lui asséna un coup si rude qu'il tomba.

Quand il eut tué Calogrenant, Lionel courut sus à son frère, comme s'il eût été possédé du démon, et le choqua si durement que son corps en fléchit. Mais Bohort, qui était plein d'humilité, pria Lionel pour l'amour de Dieu de cesser le combat. « S'il m'advenait, mon gentil frère, de vous tuer, ou si vous causiez ma mort, nous serions en état de péché mortel. Que Dieu ne me secoure que si j'ai de vous merci, au cas où je prendrais le dessus ! » Lors il tira son épée, tout en pleurs, et ajouta : « Mon gentil frère, Dieu connaît mes desseins. Ah ! gentil frère, vous avez bien mal agi aujourd'hui en tuant un prêtre de cette sainteté, qui n'avait jamais transgressé la loi. En outre, vous avez occis un noble chevalier, l'un de nos compagnons. Vous savez bien que je n'ai pas grand-peur de vous. Mais je crains la colère de Dieu. C'est un combat contre nature. Puisse Dieu nous montrer son miracle à tous deux ! Qu'Il ait de moi miséricorde, bien que je défende ma vie contre mon propre frère ! » Sur ce Bohort leva la main et s'apprêta à frapper son frère Lionel.

CHAPITRE XVII

Comment il vint une voix qui enjoignit à messire Bohort de ne pas toucher Lionel, et d'une nuée qui se plaça entre eux

LÀ-DESSUS il entendit une voix, disant : « Fuis, Bohort, et ne le touche point, sinon tu vas le tuer. » Il descendit une nuée entre eux, sous l'apparence d'un feu brûlant d'une prodigieuse flamme, si bien que leurs deux écus furent consumés. Ils eurent grand-peur. Ils tombèrent tous deux à terre et restèrent ainsi longtemps évanouis. Quand ils revinrent à eux, Bohort vit que son frère n'avait aucun mal. Il leva les mains au ciel, dans la crainte que Dieu ne fît de lui l'objet de sa vengeance. Sur ce il entendit une voix : « Bohort, va-t'en d'ici, et ne tiens plus compagnie à ton frère. Va sans t'arrêter jusqu'au bord de la mer. Messire Perceval t'y attend. »

Il dit alors : « Mon doux frère, mon gentil frère, pour l'amour de Dieu pardonnez-moi toutes les fautes que j'ai commises contre vous. » Lionel lui répondit : « Que Dieu vous les pardonne! Je le fais volontiers. » Messire Bohort le quitta et prit le chemin le plus proche qui menait à la mer. Finalement, le hasard le conduisit à une abbaye qui jouxtait le rivage. Cette nuit-là, Bohort s'y reposa. Dans son sommeil, une voix lui parvint, lui ordonnant de gagner la côte. Il se leva en sursaut, fit au milieu de son front le signe de la croix, prit son armure, mit un harnais à son cheval et l'enfourcha. Il sortit par une brèche dans la muraille et n'arrêta sa chevauchée que lorsqu'il fut devant la mer.

Sur la grève, il trouva un vaisseau, entièrement tendu de soie blanche à fils d'or. Il mit pied à terre et se confia aux soins de Jésus-Christ. Aussitôt qu'il fut monté à bord, le vaisseau prit le large. Son allure était telle qu'il sembla à Bohort qu'il volait sur les flots. Cependant la nuit ne tarda guère. Il ne put distinguer personne et dormit jusqu'à l'aube.

Le matin venu, il s'éveilla. Au milieu de la nef, il aperçut un chevalier, tout armé fors le heaume. Il sut qu'il s'agissait de messire Perceval le Gallois et fut ravi de le voir. Mais Perceval, lui, était stupéfait de cette rencontre. Il lui demanda quel était son nom. « Ah ! gentil sire, s'exclama Bohort, ne me reconnaissez-vous pas ? — Assurément, je m'étonne que vous ayez pu venir céans, à moins que Notre-Seigneur lui-même ne vous y ait conduit. » Sur ce messire Bohort sourit, et il ôta son heaume. Perceval le reconnut. Ils donnèrent libre cours à leur joie que c'était merveille. Bohort dit à Perceval comment il était monté à bord et sur l'exhortation de qui. Chacun fit à l'autre le récit de ses tentations, comme cela vous fut fait à vous. Ils se laissèrent ainsi emporter par la mer. Tantôt ils reculaient, tantôt avançaient. Ils se réconfortaient l'un l'autre et souvent se mettaient à prier. Lors dit messire Perceval : « Il ne nous manque plus que Galaad, le valeureux chevalier. »

Ainsi se termine le SEIZIÈME LIVRE, qui est de messires Gauvain,
Hector des Mares, Bohort de Gaunes et Perceval.
Suit le DIX-SEPTIÈME, qui est de messire Galaad, le noble chevalier.

LIVRE DIX-SEPTIÈME

La quête du Saint-Graal
Galaad

CHAPITRE I

Comment messire Galaad combattit dans un tournoi,
et comment il fut reconnu de messire Gauvain et de messire Hector des Mares

Alors, dit l'histoire, quand Galaad eut sauvé Perceval des mains des vingt chevaliers, il entra dans la Forêt Gaste, où il chevaucha de nombreuses journées. Il y trouva mainte aventure, qu'il mena à bonne fin, sans que le récit en fasse ici mention. Puis, un jour, il prit le chemin de la mer. Ce faisant, il advint qu'il passa non loin d'un château, où se déroulait un grand tournoi. Ceux du dehors avaient tant fait que ceux du dedans avaient le dessous. Pourtant ceux du dedans étaient assez bons chevaliers. Quand Galaad vit que ces derniers étaient mis à mal, au point qu'on les tuait à l'entrée du château, il décida de leur venir en aide. Il coucha sa lance et frappa le premier qui se présentait. Celui-ci tomba sur le sol, tandis que la lance volait en éclats.

Lors Galaad dégaina son épée et se jeta au cœur de la mêlée. Il y accomplit de si merveilleux faits d'armes que chacun s'en ébahit. Il se trouva que Gauvain et messire Hector étaient parmi les chevaliers du dehors. Quand ils reconnurent le bouclier blanc avec la croix rouge, l'un dit à l'autre : « C'est là le valeureux messire Galaad. Il serait bien fou, celui qui irait à sa rencontre pour le combattre. »

Le hasard voulut alors que Galaad passât à portée de messire Gauvain. Il le choqua si rudement qu'il fendit le heaume et la coiffe de fer. La lame pénétra jusques au crâne. Gauvain tomba à terre. Le coup fut si puissant que l'épée glissa jusqu'au sol après avoir coupé en deux l'épaule du cheval. Quand Hector vit Gauvain à terre, il se retira, jugeant qu'il n'était pas sage de faire face à Galaad, compte tenu aussi d'une affection naturelle, puisqu'il était son oncle. Ainsi, par sa grande hardiesse, Galaad fit battre en retraite tous les chevaliers du dehors. Ceux qui étaient au-dedans sortirent sur ces entrefaites et les pourchassèrent, les faisant fuir en tous sens. Galaad vit que nul de ses adversaires ne chercherait à revenir. Il s'éclipsa secrètement. Nul ne sut ce qu'il était devenu.

« Maintenant, j'en réponds, dit Gauvain à Hector, se vérifient les merveilles qui furent annoncées par Lancelot du Lac. L'épée qui était fichée dans la pierre devait me donner un tel coup que je n'eusse pas voulu le recevoir pour le meilleur château du monde. Certes, à présent, cela est établi. Jamais jusque-là je n'avais reçu pareil coup d'épée de la main d'un homme. — Messire, repartit Hector, il me semble que votre quête est finie. — La vôtre non, dit Gauvain, mais la mienne oui. Je ne chercherai point davantage. » Il fut porté dans un château, où on lui ôta son armure. On le coucha dans un lit magnifique. Un médecin trouva qu'il pouvait vivre, et même guérir avant un mois. Ainsi Gauvain et Hector restèrent ensemble, car messire Hector ne voulut point s'en aller avant la guérison de Gauvain.

Le valeureux chevalier Galaad chevaucha jusqu'à ce qu'il fût un soir à deux lieues du château de Corbénic. Lors l'obscurité le surprit. Il se trouvait devant un ermitage. Le bon homme de religion fut heureux quand il s'aperçut que c'était là un chevalier errant. Quand ils furent à se reposer, une noble demoiselle heurta à l'huis, appelant Galaad. L'ermite alla voir ce qu'elle désirait. Elle lui dit : « Messire Ulfin, je suis une noble demoiselle et voudrais parler au chevalier qui se trouve avec vous. » L'homme de bien éveilla Galaad et lui dit : « Levez-vous et parlez à une demoiselle qui paraît avoir grand besoin de vous voir. » Galaad alla devers elle et lui demanda ce qu'elle voulait. « Galaad, répondit-elle, je veux que vous preniez vos armes, montiez à cheval et me suiviez. Je vous montrerai avant trois jours l'aventure la plus grande qu'ait jamais connue chevalier. » Galaad s'arma en diligence. Il prit sa monture, recommanda son hôte à Dieu et dit à la demoiselle de se mettre en route, qu'il la suivrait où il lui plairait d'aller.

CHAPITRE II

Comment messire Galaad chevaucha aux côtés d'une demoiselle et vint à la nef où se trouvaient déjà messire Bohort et messire Perceval

ADONC elle chevaucha, aussi vite que son palefroi pouvait la porter. Ils entrèrent dans une forêt, laquelle avait nom Célibe et s'étendait jusqu'à la mer. Le soir venu, ils arrivèrent devant un château dans une vallée. Il était entouré d'une rivière et clos de murs, épais et élevés. La demoiselle pénétra dans le château avec Galaad, et là il eut fort bon accueil, car elle appartenait à la dame de ce château. Quand il eut ôté son armure, la demoiselle dit : « Madame, resterons-nous ici toute la journée de demain ? — Non, attendons seulement que ce chevalier ait dîné et dormi un peu. » Galaad mangea donc et dormit quelque temps. Puis la jeune fille l'arma à la lumière des torches. Elle prit un coffret, bel et magnifique, qu'elle garda une fois montée à cheval. C'est ainsi qu'ils partirent du château et arrivèrent au bord de la mer.

Lorsqu'ils y furent, ils trouvèrent le vaisseau où étaient Bohort et Perceval. Du vaisseau ils crièrent : « Messire Galaad, vous êtes le bienvenu. Voilà longtemps que nous vous attendions. » Sur ce il leur demanda qui ils étaient. Puis il se tourna vers la demoiselle : « Descendrez-vous ? — Messire, répondit-elle, laissez ici votre monture, je ferai de même avec la mienne. » Ils emportèrent selles et brides, firent dessus le signe de la croix et montèrent à bord de la nef. Les deux chevaliers les reçurent à grande joie, et tous se reconnurent. Le vent se leva et les conduisit par la mer en un lieu extraordinaire. Peu après l'aube vint à poindre.

Galaad ôta son heaume et son épée et demanda à ses compagnons d'où venait ce beau navire. « À la vérité, répondirent-ils, vous en savez autant que nous. Il ne peut venir que de la grâce de Dieu. » Ils se racontèrent, chacun d'eux, toutes leurs difficiles aventures et grandes tentations. « Vraiment, dit Galaad, vous êtes fort redevables à Notre-Seigneur, car vous avez échappé à de redoutables périls. Et sans cette demoiselle, je ne serais pas venu ici, ne pensant jamais vous trouver en ces pays étrangers. — Ah ! Galaad, s'écria Bohort, si Lancelot, votre père, était avec nous, nous serions bien aises. Il me semble qu'il ne nous manquerait plus rien. — Cela ne se pourrait, dit Galaad, que si Notre-Seigneur l'avait voulu. »

La nef alors avait quitté les côtes d'Angleterre. Par aventure, elle aborda entre deux falaises. Elles étaient hautes et hors du commun. Les passagers ne purent mettre pied à terre, car il y avait un tourbillon. Cependant il leur fut possible de passer sans danger à bord d'un autre navire qui se trouvait là. « Allons-y, dit la demoiselle, des aventures nous y attendent. Telle est la volonté de Notre-Seigneur. » Quand ils y furent, ils découvrirent que le bateau était passablement magnifique, mais que ni homme ni femme n'était à bord. Cependant, à l'extrémité du navire, ils virent deux belles inscriptions, dont le message était terrible et surprenant : *Toi qui vas entrer en cette nef, veille à ce que ta croyance soit ferme, car je suis la Foi. Prends garde, donc, à l'instant d'entrer, car si tu échoues, je ne t'aiderai point.*

Lors dit la demoiselle : « Perceval, savez-vous qui je suis ? — Certes non, je n'en ai nulle idée. — Sachez que je suis votre sœur, la fille du roi Pellinor, et soyez assuré, en conséquence, que vous êtes au monde l'homme que j'aime le mieux. Si votre croyance en Jésus-Christ n'est pas parfaite, n'entrez point, vous feriez sombrer le navire. Il est d'une perfection telle qu'il ne supporterait pas de pécheur en son sein. » Quand Perceval apprit que cette femme était sa propre sœur, en son cœur il fut heureux et dit : « Gente sœur, je vais entrer, et si je suis mécréant ou fourbe chevalier, j'accepte de périr. »

CHAPITRE III

Comment messire Galaad pénétra dedans la nef,
d'un beau lit qu'il y trouva parmi d'autres merveilles, et d'une épée

CEPENDANT Galaad se signa et entra. Puis ce fut le tour de la noble demoiselle, de messire Bohort, et enfin de messire Perceval. Quand ils furent entrés, il y avait sous leurs yeux tant de beauté et de richesse qu'ils en furent abasourdis. Au milieu de la nef se voyait un beau lit. Galaad y alla et y découvrit une couronne d'or sous une étoffe de soie. Au bas du lit était une épée, belle et précieuse, sortie du fourreau d'un demi-pied et plus. Cette épée était diversement façonnée. Le pommeau comportait une seule pierre, mais il y brillait toutes les couleurs du monde, et chacune d'elles avait ses propres vertus. Les écailles des poignées étaient faites des côtes de deux animaux différents. Le premier était un serpent vivant en Écosse, appelé serpent du Diable. L'os en possédait un pouvoir particulier : nulle main qui le tenait ne souffrait jamais de fatigue ni de blessure. L'autre animal était un poisson, pas très grand, qui se rencontre dans les eaux de l'Euphrate. On nomme ce poisson ortenax. Ses arêtes sont telles que celui qui les a en main possède assez de force pour ignorer la lassitude. Il ne pense point à la joie ou au chagrin qu'il a vécus, seulement à ce qu'il voit devant lui. Quant à l'épée, nul ne devait la saisir par les poignées qu'un seul, mais celui-là surpasserait tous les autres.

« Par Dieu, s'écria Perceval, je vais tenter de la prendre. » Il mit la main à cette épée, mais sans pouvoir l'agripper. « Sur ma foi, dit-il, je n'y ai pas réussi. » Bohort, lui aussi, posa la main sur l'épée et échoua de même manière. Lors Galaad la regarda et vit inscrit en des lettres que l'on eût dites de sang : *Que nul ne se risque à me dégager de mon fourreau, s'il n'est plus hardi que tout autre. Sinon qui sortira ma lame, sachez bien qu'il souffrira en son corps ou sera mortellement blessé.* « Sur ma foi, dit Galaad, j'aimerais tirer cette épée du fourreau, mais l'offense que l'on peut commettre est si grave que je ne m'y essaierai point.

— Messires, dit la noble demoiselle, apprenez que nul n'a le droit de tirer cette épée du fourreau que vous, messire Galaad. Cette nef arriva dans le royaume d'Angleterre. En ce temps-là une guerre meurtrière opposait le roi Lambor, le père de Pellehan, au roi Varlan. Le roi Varlan avait été sarrasin. Mais il venait d'être baptisé, et on le tenait pour l'un des hommes les plus sages du monde. Il advint qu'un jour le roi Lambor et le roi Varlan assemblèrent leurs gens sur le rivage de la mer où cette nef était à l'ancre. Le roi Varlan fut déconfit et ses gens occis. Il craignit pour sa vie et s'enfuit à bord de ce vaisseau. Là il trouva cette épée. Il la sortit du fourreau et quitta le navire. Sur ce il rencontra le roi Lambor. C'était en toute la chrétienté l'homme qui avait le plus de foi. Quand il vit le roi Lambor, le roi Varlan brandit l'épée et le choqua si âprement sur le heaume qu'il fendit cavalier et monture jusques au sol. Ceci se passait au royaume d'Angleterre. Il en advint dans les deux royaumes de Lambor et de Varlan grande pestilence et grand dommage. Ensuite ni froment, ni herbe, ni fruit (ou presque) ne purent venir. En l'eau ne se voyait nul poisson. C'est la raison pourquoi on appela ces pays, qui sont les terres des deux marches, la Terre Gaste, suite à ce coup douloureux.

« Lorsque le roi Varlan vit l'épée trancher de la sorte, il retourna en arrière chercher le fourreau. Il monta à bord de cette nef, pénétra au-dedans et remit l'épée dans sa gaine. Sitôt qu'il l'eut fait, il tomba mort au pied du lit. Ainsi fut-il prouvé que nul ne pouvait tirer cette épée du fourreau sans mourir ou être estropié. Le roi Varlan demeura là, étendu sans vie, jusqu'à ce qu'une jeune fille vînt à bord du vaisseau et le jetât dehors, car il n'était au monde nul homme assez hardi pour entrer dans la nef, à cause de la mise en garde. »

CHAPITRE IV

Des merveilles de l'épée et du fourreau

LORS ils jetèrent leurs regards sur le fourreau. Il semblait fait de la peau d'un serpent. Pourtant il était aussi vermeil que la rose. Dessus on voyait des lettres d'or et d'argent. Le baudrier n'était que de peu de prix. Il ne paraissait guère en état de soutenir le poids d'une épée aussi magnifiquement ouvragée. L'inscription disait : *Celui qui se servira de moi devra être plus vaillant que tout autre, s'il me porte vraiment comme il faut que je sois portée. Pour ce qui est de l'homme au côté duquel je dois pendre, il ne connaîtra nul affront aussi longtemps qu'il sera ceint de ce baudrier et n'aura pas l'audace de l'enlever. Seules les mains d'une jeune fille pourront l'ôter, et elle sera issue de roi et de reine et devra rester vierge tous les jours de sa vie, tant dans ses pensées que dans ses œuvres. Si elle enfreint sa virginité, elle mourra de la mort la plus infâme qu'ait jamais connue une femme.*

« Messire, dit Perceval, retournez cette épée que nous puissions voir ce qu'il y a sur l'autre côté. » L'autre côté du fourreau était rouge comme le sang, avec des lettres noires comme du charbon. L'inscription disait ceci : *Celui qui m'estimera le plus me trouvera le plus à blâmer quand son besoin sera grand. Et celui auquel je devrais me montrer la plus bienveillante, je le trahirai le plus, et cela une seule fois.* « Gentil frère, dit la demoiselle à Perceval, il advint, quarante ans après la Passion de Jésus-Christ, que Nascien, le beau-frère du roi Mordrain, fut emporté dans une nuée à plus de quatorze jours de route de son pays, parce que Notre-Seigneur en avait ainsi décidé. Il se retrouva dans une île d'Occident, qu'on apelait l'Ile Tournoyante. Il vit alors cette nef, et le lit, et cette épée, comme nous tout à l'heure.

« Il n'eut pas assez d'audace pour dégainer l'épée. Il demeura là huit jours. Le neuvième, il s'éleva un grand vent qui l'éloigna de l'Ile Tournoyante et l'amena dans une autre île. La nef y aborda, près d'un rocher. Là il rencontra le plus grand géant qu'on puisse voir. Cet horrible géant vint à lui pour le tuer. Nascien regarda autour de lui : impossible de fuir, et il n'avait rien pour se défendre. Il courut à son épée. Quand il la vit nue, elle lui parut admirable. Il la brandit et, ce faisant, la cassa en son milieu. « Ah ! se dit Nascien, ce que j'estimais le plus, à présent il me faut y trouver le plus à redire. » Là-dessus il jeta les morceaux de l'épée sur le lit. Puis il sauta par-dessus bord pour combattre le géant et l'occit. Aussitôt il remonta sur le navire. Le vent se leva et poussa le vaisseau vers le large. Par hasard, il fit rencontre d'un autre vaisseau. Le roi Mordrain s'y trouvait, qui avait été tenté fort pernicieusement par un démon dans le port du Rocher Périlleux. Quand ils s'aperçurent, ils furent très heureux de se retrouver. Ils se racontèrent les aventures qu'ils avaient vécues, et comment l'épée avait failli à Nascien à l'instant où il en avait le plus besoin.

« Lorsque Mordrain vit l'épée, il en fit grand éloge. "Mais, dit-il, elle s'est brisée seulement en raison de la dépravation que tu avais en toi, car tu es en état de péché." Il prit l'épée et en assembla les morceaux. Ils se soudèrent pour donner quelque chose d'aussi beau qu'auparavant. Puis Mordrain remit l'épée dans sa gaine et la posa sur le lit. Il entendit alors une voix qui disait : "Sortez de ce vaisseau et entrez dans l'autre, de crainte de tomber en état de péché mortel, car si vous restez ici en cet état, vous ne pourrez vous sauver, vous périrez. "

« Ils passèrent donc sur l'autre nef. En montant à bord, Nascien fut frappé au pied droit par l'épée. Il tomba sur le pont, la tête la première. Il s'écria : "Oh ! mon Dieu, comme je suis blessé !" Il entendit alors une voix qui disait : "Prends cela pour l'offense que tu as commise en dégainant cette épée. Tu en reçois une blessure, car tu n'as jamais été digne de t'en servir, ainsi que l'inscription le montre." — Par Dieu, dit Galaad, nous voilà bien informés. »

CHAPITRE V

Comment le roi Pellehan eut les deux cuisses transpercées parce qu'il avait tiré l'épée du fourreau, et d'autres récits merveilleux

« MESSIRE, poursuivit la demoiselle, il est un roi du nom de Pellehan, le Roi Méhaignié (autrement dit, estropié). Aussi longtemps qu'il put monter à cheval, il fut d'un grand secours à la chrétienté et à la sainte Église. Un jour, il chassa dans un de ses bois, qui s'étendait jusqu'à la mer. Finalement, il perdit ses chiens et ses chevaliers, à l'exception d'un seul. Son chevalier et lui continuèrent à avancer dans la forêt. Ils finirent par arriver au bord de la mer d'Irlande. Ils trouvèrent alors cette nef. Quand le roi Pellehan vit l'inscription et en comprit le sens, il n'hésita pas à entrer, car sa vie était sans tache. Son chevalier, quant à lui, n'eut pas l'audace de le faire. Le roi vit cette épée et la tira du fourreau, mais pas plus que ce que vous pouvez voir. Là-dessus il surgit une lance qui lui transperça les deux cuisses. Jamais depuis il n'a pu guérir, et il ne guérira point, tant que nous ne serons pas venus à lui. Ne se vérifie-t-il pas que le roi Pellehan, votre aïeul, fut estropié en raison de sa hardiesse ? — Si fait, par Dieu, demoiselle », répondit Galaad.

Ils se dirigèrent alors vers le lit, pour le regarder de plus près. Au-dessus du chevet pendaient deux épées. Il y avait là aussi trois fuseaux, le premier plus blanc que neige, le deuxième rouge sang, et le troisième, placé plus haut que les autres, vert émeraude. Les fuseaux étaient de ces trois couleurs, leur couleur naturelle au-dedans, au-dehors point de peinture. « Ces trois fuseaux, dit la demoiselle, viennent du temps où Ève, la pécheresse, cueillit un fruit qui leur valut, à Adam et à elle, d'être chassés du Paradis. Elle emmena le rameau par où la pomme avait tenu. Lors elle s'aperçut que ce rameau était beau et vert, et elle se rappela que sa détresse provenait de cet arbre-là. Elle voulut garder le rameau, aussi longtemps que cela se pouvait. Parce qu'elle n'avait pas de coffre pour l'y conserver, elle le mit en terre. Par la volonté de Notre-Seigneur, le rameau se développa pour en peu de temps devenir un grand arbre, qui fut blanc comme neige, tant les grosses branches que les petites et que les feuilles. Ce fut le signe qu'une vierge l'avait planté.

« Mais ensuite Dieu vint devers Adam et lui ordonna de connaître sa femme charnellement, comme le requérait la nature. Adam s'étendit auprès de sa femme sous cet arbre-là. Aussitôt l'arbre, qui était blanc, devint entièrement vert, comme l'herbe, mais non toutes les boutures qui en avaient été faites. Pendant qu'Adam et Ève étaient unis de la sorte fut engendré Abel. L'arbre longtemps demeura ainsi de couleur verte. Il advint, mais bien après, que sous ce même arbre Caïn tua Abel, ce qui fut à l'origine de grands prodiges. Dès qu'Abel fut mis à mort sous l'arbre vert, celui-ci perdit sa couleur verte et devint rouge, pour figurer le sang versé. Aussitôt il ne fut plus possible d'en faire de nouvelles boutures sans qu'elles dépérissent, mais lui grandit et devint merveilleusement beau. Ce fut l'arbre le plus magnifique et le plus agréable qu'on eût jamais pu voir et regarder. Les boutures qui en avaient été faites avant qu'Abel fût tué sous son couvert gardèrent leurs couleurs premières.

« L'arbre dura ainsi jusqu'au règne de Salomon, le fils du roi David, jusqu'à ce qu'il eût autorité sur le pays à la suite de son père. Ce Salomon était un sage. Il connaissait toutes les vertus des pierres et des arbres. Il connaissait le cours des étoiles et bien d'autres choses encore. Il avait une femme dépravée, ce qui lui fit juger qu'il n'y en avait point de vertueuses. Il les méprisa toutes dans ses écrits. Une voix vint à lui répondre : "Salomon, par une femme un homme peut être malheureux, mais ne t'en soucie point. Un jour il en viendra une qui donnera aux hommes une joie cent fois plus grande que le chagrin causé par cette affliction-là. Et cette femme naîtra de ton lignage." Quand Salomon entendit ces paroles, il se tint pour insensé d'avoir entretenu de pareilles opinions. Son erreur lui fut confirmée par la lecture des livres anciens. En outre, le Saint-Esprit lui montra la venue de la glorieuse Vierge Marie. Lors il demanda à la voix si c'en serait fini là de son lignage. "Non, dit la voix, il viendra un homme qui sera vierge. Ce sera le dernier de ta race et un aussi bon chevalier que le duc Josué, ton beau-frère." »

CHAPITRE VI

Comment Salomon prit l'épée de David sur le conseil de sa femme, et d'autres choses étonnantes

« "À PRÉSENT, je t'ai éclairé sur ce qui te tourmentait." Salomon se réjouit de savoir qu'un homme de cette sorte serait issu de son lignage. Cependant il se demandait toujours quel homme ce serait, quel serait son nom, et il y réfléchissait sans cesse. Sa femme s'aperçut de sa préoccupation. Elle décida qu'un jour ou l'autre elle en saurait la raison.

Quand elle jugea le moment favorable, elle lui demanda ce qui le troublait. Il ne lui cacha rien de ce que la voix lui avait révélé. “Eh bien, dit-elle, je vais faire faire une nef, du meilleur bois et du plus résistant qu'on puisse trouver.”

« Salomon fit quérir tous les charpentiers du pays, parmi les meilleurs qu'il y eût. Quand ils eurent construit le navire, la dame lui dit : “Messire, s'il est vrai que ce chevalier doit surpasser tous ceux qui seront venus avant lui et tous ceux qui viendront après, voici ce que je vous propose : vous irez dans le temple de Notre-Seigneur, là où se trouve l'épée du roi David, votre père, laquelle est la plus merveilleuse et la plus tranchante qu'ait jamais tenue la main d'un chevalier. Vous la prendrez. Vous en ôterez le pommeau. Vous ferez pour mettre à la place un pommeau de pierres précieuses. Il sera si subtilement fait que nul ne pourra s'apercevoir qu'il ne s'agit point d'une seule pierre. Ensuite vous façonnerez des poignées si merveilleuses, si étranges, que personne n'aura vu les pareilles. Puis ce sera un fourreau hors du commun. Quand vous aurez exécuté tout ceci, je donnerai des ordres pour y adjoindre un baudrier, de la sorte qui me conviendra.”

« Tout ceci, le roi Salomon veilla à ce que ce fût fait ainsi qu'elle l'avait imaginé, la nef et tout le reste. Quand la nef fut prête sur la mer à voguer, la dame y fit dresser un grand lit, des plus somptueux. Elle plaça la couronne du roi au chevet du lit, sous une étoffe de soie. Elle mit l'épée au pied. Le baudrier était de chanvre, ce qui courrouça le roi Salomon. “Sire, dit-elle, sachez que je ne dispose de rien d'assez beau pour être digne de soutenir une aussi noble épée. Une vierge se chargera de mettre un autre baudrier. Elle conduira là d'autres chevaliers, mais je ne sais quand ce sera, ni en quels temps.”

« Après quoi elle fit recouvrir la nef d'une étoffe de soie qui ne pourrirait jamais, quelles que fussent les intempéries. Puis cette dame alla trouver un charpentier et lui donna ordre de venir à l'arbre sous lequel Abel avait été tué. “Maintenant, lui dit-elle, taille-moi de cet arbre autant de bois qu'il en faut pour me faire un fuseau. — Ah ! madame, s'écria-t-il, cet arbre est celui que planta notre première mère ! — Fais ce que je te dis ou tu mourras." Sitôt qu'il se mit au travail, il sortit de l'arbre des gouttes de sang. Le charpentier voulut s'arrêter, mais elle ne le permit point. Il tira donc du tronc autant de bois qu'il en fallait pour faire un fuseau. Elle lui commanda d'en prendre encore autant d'un arbre vert, puis d'un arbre blanc. Quand les trois fuseaux eurent été façonnés, elle les fit attacher au ciel de lit.

« Lorsque Salomon vit ceci, il dit à sa femme : "Vous avez fait pour le mieux. Si tous les gens du monde étaient ici réunis, en cet instant, ils ne pourraient deviner le sens de tout cet ouvrage. Seul le pourrait Notre-Seigneur. Même vous, qui l'avez conçu, ne savez pas ce que cela représente. — N'en parlons plus, dit-elle. Vous aurez des nouvelles plus tôt que vous ne le pensez."

« Maintenant vous allez entendre une histoire merveilleuse du roi Salomon et de sa femme. »

CHAPITRE VII

Une histoire merveilleuse du roi Salomon et de sa femme

« CETTE NUIT-LÀ, le roi Salomon s'étendit auprès de la nef, avec peu de compagnie. Quand il fut endormi, il lui sembla que venait du ciel une grande troupe d'anges. Ils descendaient dans le vaisseau. Un homme venu avec eux prenait de l'eau, que lui apportait un ange, dans un vase d'argent, et il en aspergeait tout le navire. Après quoi il vint à l'épée et grava une inscription sur la poignée. Puis il alla sur le pont et y porta une autre inscription, disant : *Toi qui entreras en cette nef, prends garde à être toute foi, car je ne suis que foi et croyance.* Quand Salomon vit ces inscriptions, il resta interdit, au point de ne pas oser entrer. Il se retira donc. Aussitôt le navire prit le large. Son allure fut telle qu'en peu de temps Salomon le perdit de vue. Une voix dit alors : "Salomon, le dernier chevalier de ton lignage se reposera dans ce lit et saura nouvelle de toi." Salomon s'en alla réveiller sa femme pour lui narrer les aventures de la nef. »

L'histoire raconte qu'ensuite longuement les trois compagnons examinèrent le lit et les trois fuseaux. Ils étaient maintenant assurés que les couleurs étaient naturelles et n'avaient pas été peintes. Ils soulevèrent l'étoffe de soie sur le lit et y trouvèrent une aumônière de riche apparence. Perceval la prit. Au-dedans il vit une lettre. Il la lut. Elle expliquait l'origine des fuseaux et de la nef, d'où elle venait et par qui elle avait été construite. « À présent, demanda Galaad, où trouverons-nous la noble demoiselle qui apportera de nouveaux baudriers pour l'épée ? — Gentil sire, répondit la sœur de Perceval, ne vous inquiétez point. Si Dieu le veut, je donnerai un baudrier à cette épée, de nature à lui convenir. »

Elle ouvrit alors un coffret qu'elle avait avec elle et en sortit des baudriers qui étaient magnifiquement brodés d'or. En l'un étaient insérées de belles pierres précieuses et y était cousue une magnifique boucle d'or. « Voyez, messeigneurs, dit-elle, ceci est un baudrier qui peut convenir à l'épée. Et sachez bien que la plus grande partie de ce baudrier a été faite de mes propres cheveux, que j'aimais baucoup lorsque j'appartenais au monde. Mais dès que je sus que cette aventure m'était destinée, je les coupai et fis ce baudrier pour plaire à Dieu. — Nous sommes bien heureux de vous avoir rencontrée, dit messire Bohort. Vous nous avez certainement tirés d'un grand embarras, dans lequel nous nous serions mis sans le récit que vous nous avez fait. »

La noble demoiselle alla disposer le baudrier autour des poignées de l'épée. « À présent, demandèrent-ils tous, quel est le nom de cette épée, et comment l'appellerons-nous ? — À la vérité, répondit-elle, son nom est l'Épée aux Étranges Baudriers. Quant au fourreau, c'est Mémoire de Sang, car nul homme avec du sang dans les veines ne pourra voir la partie de ce fourreau qui fut faite de l'Arbre de Vie sans se souvenir du sang d'Abel. » Lors ils dirent tous à Galaad : « Au nom de Jésus-Christ, nous vous prions de ceindre cette épée, qui tant a été désirée au royaume d'Angleterre. — Maintenant, repartit Galaad, laissez-moi me mettre à empoigner cette épée pour vous donner du courage. Mais sachez bien qu'elle ne m'appartient pas davantage qu'à vous. » Sur ce il la saisit et ses doigts se refermèrent sur elle. La demoiselle la ceignit à la taille de Galaad. « À présent, il m'importe peu de mourir, dit-elle, car je me tiens pour l'une des vierges bénies de ce monde d'avoir armé le chevalier le plus digne de la terre. — Demoiselle, repartit Galaad, vous avez tant fait pour moi que je serai votre chevalier tous les jours de ma vie. »

Ils quittèrent alors la nef pour passer à bord de l'autre, près du rocher. Aussitôt le vent les poussa au large à vive allure. Cependant ils n'avaient pas de vivres. Il advint heureusement que le lendemain matin ils arrivèrent à un château qu'on nomme Carcelois, dans les marches d'Écosse. Quand ils eurent franchi les portes, la noble demoiselle leur dit : « Messeigneurs, voici venir des gens qui, lorsqu'ils sauront que vous êtes de la cour du roi Arthur, vous assailliront sans tarder. — Demoiselle, repartit Galaad, Celui qui nous a fait échapper au rocher nous en délivrera. »

CHAPITRE VIII

Comment Galaad et ses compagnons vinrent à un château, comment on les combattit, comment ils occirent leurs adversaires, et d'autres choses encore

TANDIS QU'ILS PARLAIENT AINSI, il advint qu'un écuyer s'avança au-devant d'eux et leur demanda qui ils étaient. Ils répondirent qu'ils étaient de la maison du roi Arthur. « Vraiment ? s'écria-t-il. Par ma foi, vous voilà mal en point. » Puis il s'en retourna devers la forteresse sur la falaise. Peu après, ils entendirent sonner du cor. Une noble demoiselle s'approcha d'eux pour s'enquérir d'où ils étaient. Ils l'en instruisirent. « Gentils seigneurs, dit-elle, pour l'amour de Dieu faites demi-tour si vous le pouvez. C'est votre mort que vous êtes venus chercher. — Non, répondirent-ils, nous ne retournerons pas en arrière. Celui au service duquel nous sommes nous aidera. »

Cependant qu'ils restaient ainsi à s'entretenir, il survint des chevaliers bien armés qui leur enjoignirent de se rendre ou de mourir. Ils repartirent qu'il n'était point question pour eux de se rendre. Sur ce ces chevaliers firent courir leurs chevaux. Messire Perceval frappa le premier qui se présenta. Il tomba. Perceval lui prit son cheval et l'enfourcha. Galaad imita Perceval. Bohort fit subir à un autre le même traitement, car en cette contrée les trois amis ne disposaient pas de montures. Ils avaient laissé les leurs en d'autres pays quand ils avaient embarqué sur leur navire. Adonc, lorsqu'ils furent tous trois à cheval, ils entreprirent d'attaquer leurs ennemis. Ceux du château s'enfuirent dans le refuge de la forteresse. Galaad, Perceval et Bohort les y suivirent et là mirent pied à terre. De leurs épées ils les occirent et pénétrèrent dans la grand-salle.

Voyant alors quel nombre considérable de gens ils avaient tués, ils se tinrent pour de grands pécheurs. « Certes, fit remarquer Bohort, je pense que s'ils avaient été chers à Dieu, nous n'aurions pas eu le pouvoir de les occire de la sorte. Ils ont tant fait contre Notre-Seigneur qu'Il n'a pas accepté qu'ils pussent plus longtemps agir à leur guise. — Ne dites pas cela, répliqua Galaad. S'ils ont péché contre Dieu, la vengeance ne nous appartient pas. Elle appartient à Celui qui a le pouvoir de la prendre. »

Sur ces entrefaites il sortit d'une salle un homme de bien, qui était prêtre et portait le corps de Dieu dans un calice. Quand il vit tous ceux qui gisaient morts dans la grand-salle, il fut stupéfait. Galaad ôta son heaume et se mit à genoux. Ses deux compagnons en firent autant. « Messire, lui dirent-ils, n'ayez de nous nulle crainte. Nous sommes de la cour d'Arthur. » L'homme de bien voulut savoir comment ces gens-là avaient été tués aussi soudainement. On le lui dit. « À la vérité, déclara-t-il, quand vous auriez vécu jusqu'à la fin des temps, vous n'auriez pas pu faire œuvre plus charitable. — Messire, dit Galaad, j'en ai beaucoup de remords, dans la mesure où ils étaient baptisés. — N'en ayez aucun. Ils n'étaient pas baptisés. Je vais vous dire ce que je sais de ce château.

« Céans l'on pouvait encore rencontrer monseigneur le comte Ernoul il y a moins d'un an. Il avait trois fils, de bons hommes d'armes, et une fille, la plus belle des nobles demoiselles qu'on eût jamais vue. Ces trois chevaliers devinrent amoureux de leur sœur. Leur désir s'échauffa. Ils la prirent de force. Parce qu'elle s'en plaignit à son père, ils la tuèrent. Ils se saisirent de leur père et le mirent en prison, le blessant si gravement qu'il faillit en mourir. Un cousin de la demoiselle le sauva. Ils se livrèrent alors à de nombreux méfaits. Ils tuèrent des clercs, des prêtres, mirent à bas des chapelles, afin que le service de Notre-Seigneur ne pût être célébré, ni les messes dites. Aujourd'hui même, le comte me fit quérir pour être confessé et absous. Mais jamais nul ne fut plus indignement traité que je ne le fus en ce jour par les trois frères. Le comte Ernoul me dit de le supporter, qu'ils n'en avaient plus pour longtemps. Trois serviteurs de Notre-Seigneur viendraient les occire. À présent, c'est chose faite. Par ce que je vous ai dit, vous pouvez donc voir que Notre-Seigneur n'est pas mécontenté par vos actions.

— Certes, repartit Galaad, si cela lui avait déplu, jamais nous n'aurions pu anéantir autant de gens en si peu de temps. » On fit sortir alors le comte Ernoul de sa prison. On le conduisit au milieu de la grand-salle. Aussitôt il reconnut Galaad. Pourtant il ne l'avait vu auparavant que par la révélation qui lui en avait été faite par Notre-Seigneur.

CHAPITRE IX

Comment les trois chevaliers, en compagnie de la sœur de Perceval, vinrent dans la Forêt Gaste, d'un cerf et de quatre lions, et d'autres choses

LORS il se mit à pleurer très tendrement et dit : « Longtemps j'ai attendu votre venue. Mais, pour l'amour de Dieu, tenez-moi embrassé, afin que mon âme quitte mon corps dans les bras d'un homme aussi vertueux que vous. — Volontiers », répondit Galaad. À cet instant, une voix parla bien haut, et chacun put l'entendre : « Galaad, tu m'as bien vengé des ennemis de Dieu. Il te faut maintenant aller au Roi Méhaignié aussitôt que tu le pourras, car de toi il recouvrera la santé qu'il a si longtemps attendue. » Là-dessus l'âme quitta le corps, et Galaad fit donner au comte la sépulture qui lui convenait.

Sans tarder les trois chevaliers partirent, la sœur de Perceval avec eux. Ils entrèrent dans la Forêt Gaste et là virent un cerf blanc conduit par quatre lions. D'un commun accord ils le suivirent, afin de savoir où ils allaient. Ils chevauchèrent bon train et arrivèrent à une vallée. Non loin se trouvait un ermitage, où habitait un homme de bien. Le cerf et les lions entrèrent.

Voyant cela, eux se dirigèrent vers la chapelle. Ils y aperçurent l'ermite. Il était en habit de religieux, dans l'armure de Notre-Seigneur, car il s'apprêtait à célébrer la messe du Saint-Esprit. Ils pénétrèrent au-dedans et entendirent cette messe. Au moment de l'oraison secrète, les trois chevaliers virent le cerf se muer en homme, ce qui les stupéfia, et s'asseoir à l'autel sur un siège magnifique. Les quatre lions aussi se changèrent, l'un en homme, un deuxième en lion ailé, un troisième en aigle, le quatrième en bœuf. Ils prirent place où se tenait auparavant le cerf et sortirent par une verrière, sans que rien fût détruit ou brisé. On entendit alors une voix, disant : « De pareille façon le Fils de Dieu entra dans le sein de la Vierge Marie, dont la virginité ne fut ni détruite ni blessée. »

En entendant ces paroles, ils se prosternèrent, frappés de stupeur. Il se fit une grande clarté. Une fois revenus à eux-mêmes, ils allèrent trouver l'homme de bien et le prièrent de leur expliquer cela. « Qu'avez-vous vu ? » demanda-t-il. Ils lui rapportèrent tout ce qu'ils avaient vu. « Ah ! messires, s'exclama-t-il, vous êtes les bienvenus. À présent, je vois bien que vous êtes les bons chevaliers qui mèneront à bonne fin la quête du Saint-Graal, car vous êtes ceux auxquels Notre-Seigneur montrera de grands secrets. Notre-Seigneur peut bien être représenté sous l'apparence d'un cerf, car le cerf quand il est vieux redevient jeune en sa peau blanche. Notre-Seigneur est retourné de la mort en la vie. Il a quitté son enveloppe terrestre, qui était périssable et qu'il avait revêtue dans le sein de la sainte Vierge Marie. C'est pour cette raison que Notre-Seigneur est apparu sous l'aspect d'un cerf blanc sans tache.

« Par les quatre qui étaient avec lui, il faut entendre les quatre évangélistes, qui mirent par écrit partie des actions de Jésus-Christ qu'il fit quand parmi vous il était homme et de cette terre. Sachez bien que jamais jusque-là nul chevalier n'avait pu connaître le sens de cette apparition. Pourtant, avant ceci, Notre-Seigneur était souvent apparu à des hommes de bien et à de bons chevaliers sous l'apparence d'un cerf. Je suppose, toutefois, que dorénavant on ne le verra plus sous cette forme. » Grande fut leur joie. Ils restèrent là toute la journée. Le lendemain matin, après avoir ouï la messe, ils partirent en recommandant l'ermite à Dieu. Ils arrivèrent à un château et passèrent devant. Sur ces entrefaites, il en sortit un chevalier en armes. Il les rejoignit et dit : « Messires, faites attention à ce que je vais vous dire. »

CHAPITRE X

Comment on les requit de suivre une étrange coutume, à laquelle ils refusèrent de se plier. Et comment ils combattirent et tuèrent maint chevalier

« CETTE NOBLE DEMOISELLE que vous conduisez est-elle vierge ? — Oui, dit-elle, vierge je suis. » Il saisit alors la bride de son cheval : « Par la sainte Croix, dit-il, vous ne m'échapperez point avant d'avoir satisfait à la coutume de ce château. — Laissez-la, dit Perceval. Vous n'agissez pas raisonnablement. Une vierge, où qu'elle aille, garde sa liberté. »

Sur ces entrefaites, il vint hors du château dix ou douze chevaliers en armes. Les accompagnaient de nobles dames, tenant un plat d'argent. Ils dirent : « Cette demoiselle doit se conformer à la coutume de ce château. — Quelle est cette coutume ? demanda Galaad. — Messire, dit l'un des chevaliers, toute vierge qui passe par ici doit emplir une écuelle du sang de son bras droit. — Vous êtes bien coupables, répliqua Galaad, d'avoir institué de pareilles coutumes. Sur mon salut, je vous assure que de cette demoiselle vous n'aurez rien, aussi longtemps que je vivrai. — Par Dieu ! s'écria Perceval, j'aimerais mieux mourir. — Moi aussi ! s'exclama messire Bohort. — Par ma foi, dit le chevalier, vous mourrez donc, car vous ne pourrez nous résister, quand vous seriez les meilleurs chevaliers du monde. »

Ils firent alors courir leurs chevaux les uns contre les autres. Les trois compagnons désarçonnèrent les dix chevaliers. Puis, empoignant leurs épées, ils les jetèrent au sol et les occirent. Sur ce sortirent du château soixante chevaliers en armes. « Gentils seigneurs, dirent les trois compagnons, ayez pitié de vous-mêmes et ne vous mesurez pas à nous. — Gentils sires, repartirent les chevaliers du château, nous vous conseillons de vous retirer, quand vous seriez les meilleurs chevaliers qui soient. N'en faites pas plus, vous en avez assez fait. Nous vous laisserons partir malgré ce dommage, mais il faut que la coutume soit respectée. — Certes, dit Galaad, il n'en est pas question. — Soit, voulez-vous mourir ? — Nous n'en sommes pas encore là ! » dit Galaad.

Ils commencèrent alors à en découdre. Galaad tira son épée, celle des Étranges Baudriers. Il frappa de droite et de gauche, tuant tout ce qui se présentait. Il fit tant de prodiges que nul ne le vit sans penser qu'il n'était pas un être humain ordinaire mais hors du commun. Ses deux compagnons lui prêtaient main-forte. Chacun soutint le combat la journée durant avec la même bravoure.

Cependant la nuit tomba. Il fallut s'interrompre. Lors un valeureux chevalier s'interposa. Il dit aux trois compagnons : « Si vous voulez bien entrer ici cette nuit et accepter le logement que vous y trouverez, vous êtes les bienvenus. Nous vous donnons notre parole de chevaliers que demain vous partirez dans l'état où vous êtes maintenant, sans qu'on ait usé envers vous d'aucune fourberie. Mais, dès que vous saurez de quelle coutume il s'agit, nous pensons que vous ne vous y opposerez plus. — Pour l'amour de Dieu, dit la demoiselle, entrez donc, que je ne vous empêche pas de le faire. — Allons-y », dit Galaad.

Ils entrèrent dans le château. Quand ils furent descendus de cheval, on les reçut à grande joie. Peu après, les trois chevaliers s'informèrent de la coutume du château et de la raison pourquoi elle existait. « Ce qu'elle est, leur dit-on, nous allons vous l'expliquer. »

CHAPITRE XI

Comment la sœur de messire Perceval laissa de son sang le contenu d'une écuelle afin de guérir une dame, ce dont elle mourut. Et comment le corps fut mis dans une nef

« Il y a en ce château une noble dame. Nous-mêmes et cette demeure, nous lui appartenons. Elle possède beaucoup d'autres biens. Il advint, il y a bien des années de cela, qu'elle fut frappée par une maladie. Après être restée pendant longtemps alitée, elle fut atteinte d'une fièvre, et nul médecin ne sut comment la guérir. Enfin un vieillard déclara que si elle pouvait se procurer un plat rempli du sang d'une pucelle, dont la virginité serait au-dessus de tout soupçon, tant dans les pensées que dans les œuvres, et qui fût fille de roi, ce sang lui assurerait la guérison. Il faudrait l'oindre du sang de cette vierge. C'est dans ce but que la coutume fut établie.

— À présent, dit la sœur de Perceval, gentils chevaliers, je vois bien que cette noble dame va mourir si on ne l'aide point. En conséquence, il faudra que je saigne. — Mais, intervint Galaad, si vous donnez tant de sang, il se peut que vous en mouriez. — À la vérité, dit-elle, si je meurs afin de la guérir, j'en aurai beaucoup d'honneur. Ce sera pour le bien de mon âme et la gloire des miens. Et mieux vaut une mort que plusieurs. Conséquemment, on ne se battra pas davantage. Demain, je me conformerai à la coutume de votre château. » La joie fut grande à ces mots, plus grande qu'elle n'avait été jusque-là, car autrement le lendemain les combats eussent été meurtriers. La sœur de Perceval refusa toute autre solution, ne prêtant pas l'oreille à l'avis de ses compagnons. Cette nuit-là, les trois chevaliers eurent ce qu'il y avait de meilleur. Le lendemain matin, ils ouïrent la messe. La sœur de Perceval voulut qu'on amenât la dame malade. Elle vint. L'état de sa santé était fort mauvais.

La demoiselle demanda : « Qui va me prendre mon sang? » Quelqu'un s'avança et prit son sang. Elle saigna, jusqu'à ce que le plat fût rempli. Lors elle leva la main et se signa. Puis elle dit : « Madame, je meurs afin de vous guérir. Pour l'amour de Dieu, priez pour moi. » Sur ce elle s'évanouit. Galaad et ses compagnons se précipitèrent. Ils la relevèrent. Ils étanchèrent le sang. Mais elle en avait tant perdu qu'elle ne pouvait survivre. Quand elle eut repris ses sens, elle dit : « Perceval, mon gentil frère, je meurs pour la guérison de cette dame. Adonc je vous requiers de ne pas m'enterrer en ce pays. Aussitôt que je serai morte, déposez-moi dans une nef au prochain port, et laissez-la dériver au gré des flots. Dès que vous trois serez arrivés à la cité de Sarras, pour y atteindre aux secrets du Saint-Graal, vous découvrirez mon corps au pied d'une tour. Là vous me mettrez en terre, dans le Palais de l'Esprit. Je vous le dis, c'est là aussi que sera enterré Galaad, et vous de même, au même endroit. »

Perceval entendit ces paroles et accéda à ses vœux en pleurant. Une voix s'éleva : « Seigneurs et compagnons, demain, à la première heure, vous trois prendrez des chemins différents, jusqu'à ce que l'aventure vous mène au Roi Méhaignié. » Alors la demoiselle demanda son Sauveur. Aussitôt qu'elle l'eut reçu, l'âme quitta le corps. Le même jour, la dame fut guérie, une fois qu'elle eut été ointe du sang de la demoiselle.

Lors messire Perceval fit une lettre où il écrivit tout ce qu'elle avait accompli pour les aider en leurs étranges aventures. Il mit cette lettre dans la main droite de sa sœur. Il déposa le corps dans une nef, qui fut tendue de soie noire. Le vent se leva. Il éloigna le vaisseau du rivage. Tous les chevaliers le regardèrent, jusqu'à ce qu'il eût disparu à leurs yeux. Ils revinrent tous vers le château. Aussitôt se déchaîna soudainement une tempête. Tonnerre, foudre, pluie, on eût cru que la terre entière allait se rompre. La moitié du château croula. Les vêpres passées, la tempête durait encore.

Sur ce les compagnons virent devant eux un chevalier en armes. Il était gravement blessé, au corps et à la tête. Il s'exclama : « Mon Dieu, secourez-moi, car j'en ai grand besoin. » À sa poursuite vinrent un autre chevalier et un nain. Ils lui crièrent de loin : « Arrêtez, vous ne pourrez nous échapper. » Le chevalier blessé leva les mains au ciel, priant Dieu de ne pas mourir en semblable tribulation. « Assurément, dit Galaad, je vais lui porter secours pour l'amour de Celui qu'il invoque. — Messire, repartit Bohort, laissez-moi m'en charger. Cette affaire n'est pas pour vous. Il ne s'agit jamais que d'un chevalier à affronter, pas davantage. — Messire, je vous l'accorde. » Messire Bohort prit son cheval. Il se recommanda à Dieu et courut après le chevalier blessé, afin de le secourir.

À présent, revenons-en aux deux autres compagnons.

CHAPITRE XII

Comment Galaad et Perceval trouvèrent en un cimetière beaucoup de tombes de vierges, qui avaient été saignées jusqu'à la mort

L'HISTOIRE nous dit qu'alors, toute la nuit durant, Galaad et Perceval furent à leurs prières dans une chapelle, pour obtenir que messire Bohort fût épargné. Le matin venu, ils endossèrent leurs harnois et se dirigèrent vers le château pour savoir ce qui était advenu à ceux qui étaient dedans. Une fois là, ils ne trouvèrent âme qui vive. Tous étaient morts, ayant subi la vengeance de Notre-Seigneur. Là-dessus ils entendirent une voix, disant : « Cette vengeance est due aux vierges qui ont été saignées. » Et ils découvrirent au chevet de la chapelle un cimetière.

Dans ce cimetière ils purent voir trois fois vingt belles tombes. L'endroit était si beau, si plaisant qu'on eût cru que nulle tempête n'avait eu lieu. Gisaient là les corps de toutes les bonnes vierges qui avaient souffert le martyre pour aider la dame malade. Ils virent aussi les noms de chacune, de quelle race elles étaient issues. Toutes étaient de sang royal, et douze étaient filles de rois.

Après quoi ils partirent et entrèrent dans une forêt. « À présent, dit Perceval à Galaad, il faut nous séparer. Priez Notre-Seigneur que nous puissions nous revoir avant longtemps. » Ils enlevèrent leurs heaumes, s'embrassèrent et pleurèrent d'avoir à se quitter.

CHAPITRE XIII

Comment messire Lancelot monta sur la nef où gisait morte la sœur de messire Perceval, et comment il rencontra messire Galaad, son fils

L'HISTOIRE alors raconte que, lorsque Lancelot fut arrivé à la rivière de Marcoise, ainsi qu'il a été rapporté auparavant, il se trouva en grand péril. Il s'étendit à terre et dormit, choisissant de prendre ce que Dieu lui enverrait. Une fois qu'il fut endormi, il eut une vision. Une voix lui dit : « Lancelot, lève-toi, prends ton armure et monte dans la première nef que tu rencontreras. » En entendant ces mots, il sursauta et vit autour de lui une grande clarté. Il se signa, prit ses armes et s'apprêta. Le hasard le mena sur une côte, où il vit un navire qui n'avait ni voile ni rame. Aussitôt qu'il fut à bord, il respira les odeurs les plus suaves qu'il eût jamais respirées et fut rassasié de toutes les nourritures auxquelles il pût songer ou qu'il pût désirer. Il s'exclama : « Doux et gracieux Seigneur, Jésus-Christ, je ne sais en quelle joie je suis, car celle-ci passe toutes les joies terrestres que j'aie jamais goûtées. » Rempli de cette joie, il se coucha sur le pont du navire et dormit jusqu'à l'aube. Quand il s'éveilla, il y trouva un lit magnifique. En ce lit une noble demoiselle gisait morte, laquelle était la sœur de messire Perceval. Tandis qu'il cherchait à savoir qui elle pouvait être, il aperçut dans sa main droite une lettre. Il la lut. Elle lui apprit toutes les aventures que vous avez ouïes et de quel lignage était la demoiselle.

Messire Lancelot demeura auprès de cette demoiselle un mois et davantage. Si vous vous demandez comment il fit pour vivre, Celui qui nourrit de la manne céleste le peuple d'Israël dans le désert, ce fut ainsi qu'Il le nourrit. Chaque jour, après avoir dit ses prières, Lancelot se sentait soutenu par la grâce du Saint-Esprit. Un soir, il alla se délasser au bord de l'eau, car il était quelque peu fatigué de demeurer sur le navire. Il tendit l'oreille : on entendait le galop d'un cheval : quelqu'un chevauchait vers lui. Quand l'homme fut tout près, il apparut à Lancelot que c'était un chevalier. Lancelot le laissa passer et retourna où était le vaisseau. Le cavalier mit pied à terre. Il prit la selle et la bride de son cheval, puis lui rendit sa liberté et monta à bord.

Lancelot alors s'avança vers le chevalier et lui dit : « Vous êtes le bienvenu. » Il lui répondit, le salua à son tour et lui demanda : « Quel est votre nom ? Mon cœur incline beaucoup pour vous. — Sachez que mon nom est Lancelot du Lac. — Messire, je suis heureux de vous voir. Vous m'avez donné la vie en ce monde. — Ah ! seriez-vous Galaad ? — Oui, vraiment. » Sur ce le chevalier s'agenouilla et demanda à Lancelot sa bénédiction. Après quoi il ôta son heaume et embrassa son père. La joie fut grande de l'un et de l'autre. Nul ne peut dire avec quels transports ils s'embrassèrent. Mainte parole affectueuse fut prononcée, comme cela se passe entre père et fils. Il n'est pas nécessaire ici de les reproduire.

Chacun conta à l'autre les aventures et événements hors du commun qu'ils avaient connus pendant tout ce temps, depuis leur départ de la cour. Aussitôt que Galaad vit sur le lit la demoiselle morte, il la reconnut sans peine. Il dit grand bien d'elle, qu'elle avait été la meilleure de toutes les vierges de ce monde et que sa mort était grand dommage. Mais quand Lancelot entendit comment avait été acquise l'épée merveilleuse, qui l'avait faite, et tous les prodiges ci-dessus racontés, il pria Galaad, son fils, de lui montrer cette épée. Ce qu'il fit. Incontinent Lancelot baisa le pommeau de l'épée, la poignée, le fourreau. « Assurément, dit-il, jamais jusque-là je n'avais ouï parler d'aussi nobles aventures menées à bonne fin, ni aussi merveilleuses et étranges. »

Lancelot et Galaad demeurèrent en la nef la moitié d'une année, servant Dieu jour et nuit de tout leur pouvoir. Souvent ils abordaient dans des îles lointaines, où nul ne vivait que des bêtes sauvages. Ils y trouvèrent des aventures en grand nombre, singulières et périlleuses, qu'ils menèrent à leur terme. Mais, pour ce que ces aventures concernaient des bêtes sauvages, et non la quête du Saint-Graal, l'histoire n'en dit mot. Ce serait trop long de raconter tout ce qui leur arriva.

CHAPITRE XIV

Comment un chevalier amena une monture à messire Galaad et lui demanda de se séparer de son père, messire Lancelot

ENSUITE, un lundi, il advint qu'ils abordèrent en lisière d'une forêt, devant une croix. Ils virent venir alors un chevalier, dont l'armure était toute blanche. Il avait fort beau destrier. De sa main droite, il menait un cheval blanc. Il se rendit jusqu'à la nef, salua les deux chevaliers au nom de Dieu tout-puissant et dit : « Galaad, messire, vous êtes assez longtemps demeuré aux côtés de votre père. Quittez ce navire, enfourchez ce cheval et allez où l'aventure vous conduira, en quête du Saint-Graal. » Lors Galaad vint à son père. Il l'embrassa tendrement, disant : « Mon père, doux et gracieux, je ne sais quand je vous reverrai avant que je contemple le corps de Jésus-Christ. — Je vous en requiers, repartit Lancelot, priez Notre-Père Céleste qu'Il fasse de moi son serviteur. » Galaad prit son cheval. Ils entendirent alors une voix : « Pensez à bien agir, car l'un ne reverra pas l'autre avant le redoutable jour du Jugement. » « À présent, Galaad, mon fils, dit Lancelot, puisqu'il nous faut nous séparer et ne jamais nous revoir, je prie Notre-Père de nous tenir, vous et moi, en sa sainte garde. — Messire, dit Galaad, nulle prière ne compte autant que la vôtre. »

Sur ce Galaad entra dans la forêt. Le vent se leva. Pendant plus d'un mois ce vent chassa Lancelot sur toute l'étendue de la mer. Il ne dormit que peu, mais pria Dieu d'avoir des nouvelles du Saint-Graal. Il advint qu'une nuit (à minuit) il aborda près d'un château, sur l'arrière de la demeure. Ce château était noble et de belle apparence. Une poterne donnait sur la mer. La poterne était ouverte, sans défense aucune, seulement deux lions qui en gardaient l'accès. La lune brillait, claire. Lors messire Lancelot entendit une voix : « Lancelot, quitte ce navire et entre dans ce château. Tu y trouveras une grande partie de ce que tu as désiré voir. »

Lancelot courut prendre ses armes. Il endossa son harnois, alla jusqu'à la porte et vit les lions. Il empoigna son épée et la tira du fourreau. Soudainement il vint une main qui lui frappa le bras si durement que l'épée lui échappa. Une voix se fit entendre : « Homme de peu de foi et de piètre croyance, pourquoi faire davantage confiance à ton harnois qu'à ton Créateur, au service duquel tu t'es placé ? » Lancelot répondit : « Notre gracieux Père, Jésus-Christ, je vous sais gré en votre grande merci de me reprendre en mon erreur. Je vois bien maintenant que vous me tenez pour votre serviteur. »

Il reprit alors son épée et la remit au fourreau. Il fit sur son front le signe de la croix et vint devant les lions, qui firent semblant de vouloir l'attaquer. Nonobstant il passa devant eux sans dommage. De l'enceinte il gagna le donjon, où tout le monde dormait. Il entra, en armure, ne trouvant porte ni grande ni petite qui ne fût ouverte. Finalement il découvrit une chambre dont la porte, elle, était close. Il mit sa main sur la poignée pour l'ouvrir, mais ne put y parvenir.

CHAPITRE XV

Comment messire Lancelot se trouva devant la porte de la chambre où était le Saint-Graal

IL FIT de grands efforts pour ouvrir la porte. Prêtant l'oreille, il entendit une voix qui chantait avec tant de douceur qu'elle ne paraissait pas être de cette terre. Il lui sembla qu'elle disait : « Joie et honneur au Père Céleste. » Lancelot s'agenouilla devant la chambre, sachant bien que le Saint-Graal était dedans. Puis il dit : « Notre-Père doux et gracieux, Jésus-Christ, si jamais j'ai fait quelque chose pour vous plaire, Seigneur, en votre miséricorde, ne me tenez pas rigueur des péchés que j'ai pu commettre jusque-là et montrez-moi un peu de ce que je cherche. » Là-dessus il vit la porte de la chambre s'ouvrir. Il en sortit une grande clarté, et la demeure s'illumina comme si toutes les torches du monde eussent été là. Il marcha jusqu'à la porte, voulut entrer. Mais aussitôt une voix lui dit : « Fuis, Lancelot, n'entre point, tu ne dois point le faire. Si tu entres, tu t'en repentiras. »

Il se recula donc, en proie à la consternation. Il jeta un regard au milieu de la salle. Il y vit une table d'argent et le Vaisseau Sacré, recouvert d'une étoffe de soie rouge. Une troupe d'anges l'entourait. L'un d'eux tenait un cierge allumé, un autre une croix et les ornements de l'autel. Devant le Vaisseau Sacré il aperçut un homme de bien dans les habits d'un prêtre. Il lui sembla qu'il effectuait la consécration de la messe. On eût dit qu'au-dessus des mains du prêtre se tenaient trois hommes. Deux de ces hommes mettaient le plus jeune entre les mains du célébrant. Celui-ci le soulevait très haut comme pour le montrer autour de lui. Lancelot ne s'en étonnait point qu'un peu, car il croyait le prêtre si lourdement chargé de ce corps qu'il allait tomber. Ne voyant personne qui offrît de l'aider, il s'approcha de la porte bien vite et dit : « Notre gracieux Père, Jésus-Christ, ne m'imputez pas à péché de porter secours à cet homme de bien, qui a grand besoin d'assistance. »

Incontinent il entra dans la chambre et s'avança vers la table d'argent. Quand il fut tout près, il eut le sentiment d'un souffle sur son visage. On eût dit qu'il s'y mêlait du feu. Il en fut si frappé qu'il crut en être brûlé. Il tomba, sans avoir la force de se relever, comme un homme qui en sa frénésie a perdu tout pouvoir de mouvement, l'ouïe, la vue. Puis il sentit que de nombreuses mains se saisissaient de lui, le prenaient, le portaient hors de la salle, tout cela sans qu'il fût remis de sa défaillance, et puis le laissaient là, apparemment sans vie au regard de chacun.

Le lendemain matin, quand il fit grand jour, les gens du château en se levant trouvèrent Lancelot étendu devant la porte de la chambre. Ils s'étonnèrent qu'il fût parvenu à entrer dans le château. Ils se penchèrent sur lui, lui tâtèrent le pouls, afin de savoir s'il y avait encore de la vie en lui. Ils virent qu'il était vivant mais ne pouvait se lever, ni remuer bras ni jambes. Ils le soulevèrent comme ils purent, le portèrent dans une chambre et le couchèrent dans un lit magnifique, loin de tout bruit. Il demeura ainsi quatre jours. D'aucuns le disaient vif, d'autres non. « Par Dieu, déclara un vieillard, je vous l'affirme, il n'est point mort, mais aussi plein de vie que le plus robuste de vous tous. Je vous conseille donc de bien le soigner, jusqu'à ce que Dieu lui rende la santé. »

CHAPITRE XVI

Comment messire Lancelot demeura vingt-quatre jours comme mort, et d'autres divers sujets

DE CETTE MANIÈRE ils prirent soin de Lancelot, durant vingt-quatre jours et autant de nuits, pendant lesquels il resta sans bouger, comme s'il eût été mort. Le vingt-cinquième jour, après midi, il advint qu'il ouvrit les yeux. Quand il vit des gens autour de lui, il se désola grandement. Il dit : « Pourquoi m'avez-vous réveillé ? J'étais plus à l'aise que je ne suis à présent. Oh, Jésus-Christ ! qui pourrait être béni au point de pouvoir contempler en toute clarté vos grands et merveilleux mystères, là où n'est admis nul pécheur ? — Qu'avez-vous donc vu ? demandèrent-ils à l'entour. — J'ai vu des choses si étonnantes que nul mot ne peut les décrire, et plus que nul cœur n'en peut imaginer. Sans mes péchés j'en aurais vu plus encore. »

Lors ils lui dirent qu'il était demeuré ainsi couché pendant vingt-quatre jours et vingt-quatre nuits. Il lui parut que c'était là châtiment pour les vingt-quatre années qu'il avait été pécheur, ce pourquoi Notre-Seigneur lui avait assigné une pénitence de vingt-quatre jours et autant de nuits. Après cela, messire Lancelot regarda autour de lui et vit la haire qu'il avait portée près d'un an. Il eut bien du regret qu'elle fût là, pensant avoir rompu l'engagement pris auprès de l'ermite de la garder par-devers lui. On lui demanda comment il se portait. « À la vérité, répondit-il, je suis sain de corps, Dieu soit loué. En conséquence, messires, pour l'amour de Notre-Seigneur, dites-moi où je suis. »

Ensemble ils l'informèrent qu'il se trouvait dans le château de

Corbénic. Là-dessus vint une noble dame, qui lui apportait une chemise de lin de fine étoffe. Il n'en voulut point, s'en tenant à la haire. « Messire, lui dirent-ils, la quête du Saint-Graal est tout à fait terminée en ce qui vous concerne. Vous ne verrez pas davantage que ce que vous avez vu. — Je rends grâce à Dieu, dit Lancelot, de sa grande merci pour ce que j'ai pu voir. Cela me suffit, car je pense que nul homme au monde, même ayant mieux vécu que je ne l'ai fait, n'aura pu aboutir à plus de résultat. » Cela dit, il prit la chemise de crin et s'en revêtit. Par-dessus, il mit une chemise de lin, puis par-dessus encore une robe écarlate, propre et neuve. Quand il fut ainsi habillé, ils s'ébahirent tous, car ils le reconnurent pour être Lancelot, le valeureux chevalier. Ils s'écrièrent tous : « Oh ! monseigneur Lancelot, est-ce donc vous ? » À quoi il répondit : « Mais oui, assurément. »

Lors le roi Pellès vint à savoir que le chevalier qui était resté comme mort aussi longtemps n'était autre que messire Lancelot. Il s'en réjouit fort et alla le visiter. Quand Lancelot le vit venir, il se leva. Le roi le fêta. Puis il lui annonça la mort de la belle princesse, sa fille. Lancelot en fut très affligé, car c'était une fort belle dame, jeune et robuste. « Je suis assuré, dit-il, qu'elle a mis au monde le meilleur chevalier qui soit sur cette terre, ou qui vécût jamais depuis la naissance de Notre-Sauveur. » Quatre jours, le roi Pellès retint Lancelot à la cour. Le matin du cinquième, il prit congé du roi et de toute la compagnie, les remerciant de leurs peines.

Tandis qu'ils étaient à dîner dans la grand-salle, il advint que le Saint-Graal couvrit la table de tous les mets auxquels on pût songer avec envie. Alors qu'ils étaient assis, ils virent se fermer toutes les portes et fenêtres de la demeure sans intervention humaine. Ils en furent tous stupéfaits. Nul ne sut que faire. Soudainement un chevalier vint à la grand-porte. Il frappa, criant : « Ouvrez cette porte ! » Ils n'en firent rien. Mais lui continuait de crier : « Ouvrez donc ! » Ils ne bougeaient point. Finalement ils en conçurent tant d'irritation que le roi lui-même se leva et vint à une fenêtre où le chevalier appelait. Il lui dit : « Sire chevalier, vous n'entrerez pas, tant que le Saint-Graal sera ici. Allez ailleurs. À coup sûr, vous n'êtes pas au nombre des chevaliers de la quête, mais l'un de ceux qui ont servi le Malin et quitté le service de Notre-Seigneur. »

Le chevalier se courrouça grandement des paroles du roi. « Sire, lui dit-il, je suis du royaume d'Angleterre, et mon nom est Hector des Mares. Je suis le frère de monseigneur Lancelot. — Par Dieu, repartit le roi, j'ai regret de ce que je vous ai dit. Votre frère est ici avec nous. » Lorsqu'Hector des Mares apprit que son frère était là, l'homme au monde qu'il révérait et aimait le plus, il s'écria : « Mon Dieu ! à présent redoublent mon chagrin et ma honte. Il ne se trompait pas, l'homme de bien de la colline qui nous a expliqué nos rêves, à Gauvain et à moi. » Lors il quitta la cour du château, aussi vite que le lui permettait sa monture, puis passa au-delà des murs.

CHAPITRE XVII

Comment messire Lancelot reprit le chemin de l'Angleterre, et d'autres événements qu'il découvrit sur sa route

LORS le roi Pellès vint à messire Lancelot et lui donna des nouvelles de son frère. Lancelot en fut si chagriné qu'il ne sut que faire. Adonc il prit congé, fit demander ses armes et dit qu'il allait retourner visiter le royaume d'Angleterre, qu'il n'avait pas vu depuis un an. Il recommanda le roi à Dieu. Puis il traversa de nombreux royaumes. Finalement il vint à une abbaye de moines blancs, où ce soir-là on lui fit bon accueil. Le lendemain matin, il se leva, entendit la messe. Devant un autel il trouva un magnifique tombeau, lequel était de fraîche date. Il s'y intéressa. Sur les côtés de la tombe on avait gravé en lettres d'or : *Ci-gît le roi Bademagu de Gorre, qu'a tué le neveu du roi Arthur. Celui-ci a donné son nom : messire Gauvain.*

Lancelot n'en eut pas que peu de chagrin, car il aimait Bademagu beaucoup plus que tout autre, et s'il ne s'était agi de Gauvain, son meurtrier ne s'en serait pas tiré à si bon compte. Il se dit à part soi : « Ah ! Seigneur, c'est grand dommage pour la cour du roi Arthur que la perte de pareil homme ! » Puis il s'en alla pour se rendre à l'abbaye où Galaad avait connu l'aventure des tombes et acquis le bouclier blanc à la croix rouge. Là il eut bonne chère toute la nuit.

Le lendemain matin, il se dirigea vers Camaalot, où il trouva le roi Arthur et la reine. Mais beaucoup des chevaliers de la Table Ronde avaient péri. Ils avaient été tués, plus de la moitié. Trois étaient de retour, savoir messire Gauvain, messire Hector et messire Lionel, ainsi que bien d'autres qu'il n'est pas nécessaire de nommer ici. Toute la cour se réjouit fort de la venue de messire Lancelot. Le roi lui posa de nombreuses questions sur son fils, messire Galaad. Lancelot conta au roi les aventures qu'il avait connues depuis son départ. Il lui narra de même manière celles de Galaad, de Perceval et de Bohort, dont il avait eu connaissance par la lettre de la demoiselle défunte, et de la bouche de son fils. « Plût à Dieu, s'exclama le roi, qu'ils fussent ici tous les trois !
— Cela ne sera point, dit Lancelot. Pour ce qui est de deux d'entre eux, vous ne les reverrez jamais. Seul le troisième reviendra. »

CHAPITRE XVIII

Comment Galaad vint au roi Mordrain, et d'autres matières et aventures

L'HISTOIRE raconte ensuite que Galaad chevaucha en vain de nombreux jours. Finalement il vint un soir à l'abbaye où se trouvait le roi Mordrain. Quand il sut que ce roi était là, il prit le parti de rester pour le voir. Le lendemain matin, après avoir entendu la messe, Galaad alla le trouver. Incontinent le roi le vit, alors qu'il était demeuré aveugle en son lit depuis longtemps. Il se mit sur son séant et dit : « Galaad, serviteur de Jésus-Christ, dont j'attendais la venue depuis tant et tant de jours, embrasse-moi et laisse-moi poser ma tête sur ta poitrine, afin que j'accède au repos en tes bras, car tu es d'une pure virginité qui t'élève au-dessus de tous les chevaliers, comme la fleur du lys, symbole de cette pureté, surpasse toutes les autres. Et tu es la rose, fleur de toutes les vertus et couleur de la flamme. Le feu du Saint-Esprit brûle en toi, d'une ardeur si vive que ma chair, rendue inerte par l'âge, retrouve une seconde jeunesse. » Quand Galaad entendit ces paroles, il serra le roi en ses bras. Puis Mordrain dit : « Jésus, Notre Gracieux Seigneur, à présent j'ai ce que je voulais. Je vous requiers, au point où j'en suis arrivé, de venir me visiter. » Aussitôt Notre-Seigneur entendit sa prière, et l'âme quitta le corps.

Galaad lui fit donner la sépulture qui convient à un roi. Il partit et entra dans la Forêt Périlleuse, où il trouva la source qui bout à gros bouillons (l'histoire en parle auparavant). Dès que Galaad y eut mis la main, l'eau s'arrêta de bouillir. Elle ne brûla plus, la chaleur disparut. Le fait qu'elle brûlait symbolisait la luxure, laquelle en ce temps était fort répandue. Mais cette chaleur ne put résister à la pure virginité de ce chevalier. Dans la contrée, ceci passa pour un miracle. Par la suite, on nomma toujours cette source la source de Galaad.

Puis, par aventure, il arriva dans le pays de Gorre et dans l'abbaye même où Lancelot était venu avant lui. Il y trouva la tombe du roi Bademagu. Le fils de Joseph d'Arimathie avait fondé cette abbaye. Il y avait là aussi la tombe de Siméon, tombe qui avait vu l'échec de Lancelot. Galaad regarda dans une crypte sous l'église abbatiale et là découvrit l'existence de cette tombe de Siméon, qui brûlait de manière très extraordinaire. Il demanda aux frères de quoi il s'agissait. « Messire, répondirent-ils, c'est là une étrange aventure. Nul ne peut la mener à bonne fin que celui qui, par la vertu et la chevalerie, surpasse tous les chevaliers de la Table Ronde. — Je voudrais, dit Galaad, que vous me conduisiez. — Volontiers », dirent-ils.

Adonc ils le conduisirent jusqu'à la porte du caveau. Il descendit les marches et s'approcha de la tombe. Les flammes perdirent de leur force, et le feu s'éteignit, qui depuis longtemps avait été ardent. Une voix s'éleva, disant : « Vous êtes fort redevable à Notre-Seigneur, lequel vous a donné la grâce de pouvoir ôter les âmes de leurs souffrances terrestres et les mettre dans les joies du Paradis. Je suis de votre parenté. En ce brasier je suis demeuré ces trois cent cinquante-quatre dernières années pour expier le péché que j'avais commis contre Joseph d'Arimathie. »

Galaad alors prit le corps dans ses bras et le porta dans l'église. Cette nuit-là, Galaad dormit dans l'abbaye. Le lendemain matin, il fit célébrer un office pour le mort et le fit mettre en terre devant le maître-autel.

CHAPITRE XIX

Comment messire Bohort rejoignit messire Galaad et messire Perceval, comment ils vinrent au château de Corbénic, et d'autres matières

ADONC Galaad quitta cette demeure en recommandant les frères à Dieu. Puis il chevaucha cinq ans avant d'arriver chez le Roi Méhaignié. Ces cinq années-là, Perceval chevaucha toujours à ses côtés. Durant ce temps, les aventures d'Angleterre furent menées à bien. Un jour, par hasard, Galaad et Perceval sortirent d'une grande forêt et là, sur leur route, ils virent messire Bohort, qui chevauchait sans compagnon. Inutile de vous dire comme ils furent heureux. Bohort les salua, ils se souhaitèrent succès et bonne chance. Ils se racontèrent tout. Bohort dit : « Voilà plus de cinq ans que je n'ai pas dormi là où vivent les hommes, mais dans des forêts sauvages et des montagnes. Cependant j'ai toujours trouvé mon réconfort en Dieu. »

Après cela, ils chevauchèrent encore longtemps avant de parvenir au château de Corbénic. Lorsqu'ils y furent entrés, le roi Pellès les reconnut. Grande fut la joie, car on savait bien à les voir arriver qu'ils avaient mené à son terme la quête du Saint-Graal. Lors Éliézel, le fils du roi Pellès, leur apporta l'épée brisée, avec laquelle Joseph d'Arimathie avait eu la cuisse transpercée. Bohort la prit en main, pour voir s'il pouvait la ressouder. Mais ses efforts furent vains. On la donna donc à Perceval, mais celui-ci n'eut pas davantage de pouvoir que Bohort. « À votre tour, dit Perceval à Galaad. S'il existe un homme sur cette terre pour y parvenir, ce ne peut être que vous. » Galaad prit les morceaux de l'épée et les assembla. On eût cru qu'elle n'avait jamais été brisée et venait d'être forgée. Quand les gens du château apprirent que l'aventure de l'épée avait été menée à bien, lors ils remirent l'épée à Bohort, pensant qu'elle ne pouvait mieux échoir, car il était bon chevalier et homme de mérite.

Un peu avant le soir, un grand vent se mit à souffler. Il était torride. Beaucoup craignirent d'être brûlés par ce vent. D'aucuns s'évanouirent de peur. En même temps une voix se fit entendre au milieu d'eux, disant : « Que ceux qui ne doivent pas prendre place à la table de Jésus-Christ se lèvent, car à présent ce sont les vrais chevaliers qui vont être nourris. » Adonc chacun se leva, à l'exception du roi Pellès et d'Éliézel, son fils, lesquels étaient des hommes de sainte vie, et une jeune fille qui était la nièce du roi. Il n'y eut plus que les trois compagnons à la table et les trois personnes susnommées, nul autre. Présentement ils virent des chevaliers en armes entrer par la porte de la grand-salle. Ils ôtèrent leurs heaumes, leurs harnois et dirent à Galaad : « Messire, nous avons fait diligence pour être avec vous à cette table, où sera partagée la sainte nourriture. » Il répondit : « Vous êtes les bienvenus, mais d'où êtes-vous ? » Trois d'entre eux l'informèrent qu'ils venaient de Gaule, trois autres d'Irlande, et les trois derniers du Danemark.

Alors qu'ils étaient à table, il vint d'une chambre un lit de bois, porté par quatre nobles dames. Dans le lit était couché un homme vertueux, malade, une couronne d'or sur la tête. Là, au milieu de la grand-salle, elles posèrent le lit sur le sol et repartirent. L'homme alors leva la tête et dit : « Galaad, chevalier, vous êtes le bienvenu, car j'ai beaucoup désiré vous voir, si grande a été l'angoisse dans laquelle je suis tout ce temps demeuré. Mais à présent je me fie en Dieu que la fin est arrivée, que ma souffrance sera apaisée, et que je quitterai ce monde ainsi qu'il m'a été promis jadis. » Sur ce on entendit une voix : « Il y a parmi vous deux personnes qui n'ont pas pris part à la quête du Saint-Graal. Qu'elles s'en aillent ! »

CHAPITRE XX

Comment Galaad et ses compagnons furent nourris du Saint-Graal, comment Notre-Seigneur leur apparut, et d'autres choses

LE ROI PELLÈS et son fils quittèrent la salle. Après quoi il leur sembla que venait un homme. Quatre anges du ciel l'accompagnaient. Il était vêtu comme sont les évêques et tenait en sa main une croix. Les quatre anges le portaient dessus un trône. Ils le placèrent devant la table d'argent, sur laquelle était le Saint-Graal. Selon toute apparence il y avait au milieu de son front une inscription qui disait : *Voyez ici Joseph, le premier évêque de la chrétienté, celui-là même que Notre-Seigneur consacra dans la cité de Sarras au Palais de l'Esprit.* Les chevaliers s'en ébahirent, car cet évêque était mort plus de trois cents ans auparavant. « Ô chevaliers, leur dit-il, ne vous étonnez pas, car je fus naguère de cette terre. »

Sur ces entrefaites, ils entendirent que s'ouvrait la porte de la salle et virent paraître des anges. Deux portaient des cierges, le troisième un linge, le quatrième une lance. De cette lance coulait beaucoup de sang. Trois gouttes en tombèrent dans un coffret que cet ange tenait de l'autre main. Les deux premiers mirent les cierges sur la table. Le troisième plaça le linge sur le Vaisseau Sacré. Le quatrième posa la lance bien droite au-dessus du coffret qui recueillait le sang. L'évêque alors fit comme s'il s'apprêtait à célébrer la consécration de la messe. Il prit une hostie semblable à du pain. Au moment de l'élévation descendit du ciel quelqu'un qui avait l'apparence d'un enfant. Son visage était vermeil et éclatant comme le feu. L'enfant se fondit dans le pain, si bien que tous virent que ce pain avait la forme d'un être de chair. Puis l'évêque remit l'hostie dans le Vaisseau Sacré et fit tout ce qu'il incombe à un prêtre de faire pendant une messe. Après quoi il alla trouver Galaad et l'embrassa. Puis il lui dit d'aller embrasser ses compagnons. Ce qu'il fit sans tarder.

« À présent, leur dit l'évêque, serviteurs de Jésus-Christ, vous allez être nourris à cette table de mets exquis, que jamais jusqu'à ce jour chevaliers n'avaient encore goûtés. » Quand il eut dit cela, il disparut. Ils s'assirent à la table, pleins de frayeur. Ils dirent leurs prières. Puis, en regardant, ils virent du Vaisseau Sacré sortir un homme, qui donnait tous les signes de souffrir de la Passion de Jésus-Christ. Il saignait aux yeux de tous. « Mes chevaliers, dit-Il, mes serviteurs, mes enfants loyaux, vous qui avez déjà quitté votre existence mortelle pour naître à une vie spirituelle, je ne me cacherai plus désormais à votre regard. Vous allez voir maintenant partie de mes secrets et de mes mystères. Prenez et recevez la sainte nourriture que vous avez tant désirée. » Il prit alors le Vaisseau Sacré de ses propres mains et vint à Galaad. Celui-ci s'agenouilla. Il reçut son Sauveur, et ses compagnons firent de même après lui. La nourriture leur parut si suave que c'était merveille.

Après quoi Il dit à Galaad : « Mon fils, sais-tu ce que je tiens entre mes mains ? — Non, si vous ne me le dites. — Ceci est l'écuelle sacrée dans laquelle j'ai mangé l'agneau le jeudi d'avant Pâques. À présent tu auras vu ce que tu désirais voir plus que tout au monde. Mais tu ne l'as pas vu aussi distinctement que tu le verras dans la cité de Sarras au Palais de l'Esprit. En conséquence, il te faut partir d'ici, emmenant avec toi ce Vaisseau Sacré. Cette nuit, il quittera le royaume d'Angleterre pour ne plus jamais y revenir. Et en connais-tu la raison ? C'est qu'Il n'est pas servi ni adoré comme il convient par les gens ce ce pays. Ils se sont adonnés à de mauvaises mœurs. Je les priverai donc à l'avenir de l'honneur que je leur avais fait.

« Demain, vous irez tous les trois au bord de la mer. Vous y trouverez un navire qui vous attend. C'est la nef où vous avez pris l'Épée aux Étranges Baudriers. Tu n'auras, Galaad, d'autre compagnon que messire Perceval et messire Bohort. Je veux aussi que vous preniez avec vous du sang de cette lance pour en oindre le Roi Méhaignié, ses jambes, tout son corps. Il retrouvera ainsi la santé. — Seigneur, demanda Galaad, pourquoi ces autres compagnons ne doivent-ils pas nous suivre ? — Pour la raison que voici : de même manière que je dispersai mes apôtres, l'un ici, l'autre là, je veux que vous alliez chacun de votre côté. Deux d'entre vous mourront en me servant. Mais l'un des trois reviendra, et il sera porteur de nouvelles. » Là-dessus Il leur donna Sa bénédiction et disparut.

CHAPITRE XXI

Comment Galaad oignit le Roi Méhaignié du sang de la lance, et d'autres aventures

GALAAD aussitôt alla devers la lance qui était posée sur la table. De ses doigts il toucha le sang. Puis il revint au Roi Méhaignié et oignit ses jambes. Là-dessus celui-ci s'habilla, sauta à bas de son lit comme font les gens en parfaite santé et rendit grâce au Seigneur de l'avoir guéri. Ce ne fut pas pour aller ensuite dans le monde. Sans attendre il partit pour une abbaye de moines blancs et devint en tout point un saint homme. La même nuit, vers la minuit, une voix s'éleva au milieu d'eux, disant : « Mes fils et non mes connétables, mes amis et non mes guerriers, partez d'ici pour aller où vous espérez être le plus utiles, ainsi que je vous l'ai ordonné. — Ah ! soyez remercié, Seigneur, de daigner nous appeler vos fils. Il est clair à présent que tous nos efforts n'ont pas été vains. » En diligence, donc, ils prirent leurs armes et s'en furent.

Les trois chevaliers de Gaule, l'un d'eux qui se nommait Claudin, fils du roi Claudas, et les deux autres, étaient des hommes de haute naissance. Galaad pria chacun de ces chevaliers de saluer, s'ils venaient à la cour du roi Arthur, monseigneur Lancelot, son père, et tous ceux de la

Table Ronde. Ils l'assurèrent que, si leur chemin passait par là, ils n'y manqueraient pas. Après quoi Galaad partit, accompagné de Perceval et de Bohort. Ils chevauchèrent trois jours durant, puis arrivèrent au bord de la mer. Là ils trouvèrent la nef, dont l'histoire a déjà parlé. S'approchant du bord, ils virent au milieu du navire la table d'argent qu'ils avaient laissée à côté du Roi Méhaignié, ainsi que le Saint-Graal, recouvert de soie vermeille. Ils furent heureux d'avoir auprès d'eux de pareils objets. Ils montèrent sur le navire en manifestant un profond respect.

Galaad se mit à prier longuement Notre-Seigneur, lui demandant quand il quitterait ce monde. Il pria, pria, jusqu'à ce qu'une voix lui dît : « Galaad, il sera fait droit à ta requête. Lorsque tu demanderas la mort pour ton corps, tu l'obtiendras, et tu accéderas alors à la vie de l'âme. » Perceval entendit ces paroles. Il demanda à Galaad, en vertu de l'amitié qui les unissait, de lui révéler la raison pourquoi il faisait semblable requête. « Je vais vous le dire, répondit Galaad. L'autre jour, quand nous vîmes quelque chose des mystères du Saint-Graal, la joie en mon cœur fut telle que, je crois, jamais être humain n'avait connu un tel délice. Je suis donc assuré que, lorsque mon corps sera privé de vie, mon âme aura une grande béatitude à contempler chaque jour la sainte Trinité et la majesté de Notre-Seigneur, Jésus-Christ. »

Ils restèrent si longtemps à bord de la nef que ses compagnons dirent à Galaad : « Messire, sur ce lit vous devriez vous étendre, car c'est ce qui est écrit dans la lettre. » Il se coucha donc sur le lit et dormit longuement. Quand il s'éveilla, il regarda devant lui et vit la cité de Sarras. À l'instant de mettre pied à terre, ils aperçurent le navire où Perceval avait déposé la dépouille de sa sœur. « Vraiment, s'exclama ce dernier, par Dieu, ma sœur a été fidèle à sa parole ! » Ils enlevèrent de leur nef la table d'argent. Perceval et Bohort la tenaient par devant, Galaad par derrière.

Ce fut ainsi qu'ils gagnèrent la cité. Aux portes ils virent un vieil homme courbant l'échine. Galaad l'appela et lui enjoignit de porter cet objet pesant. « À la vérité, répliqua le vieillard, cela fait dix ans que je ne puis marcher qu'avec ces bâtons. — N'en tiens pas compte, dit Galaad. Lève-toi et montre ta bonne volonté. » Il essaya et découvrit que jamais sa santé n'avait été meilleure. Il courut à la table pour la porter avec Galaad.

Cela fit beaucoup de bruit dans la cité. Un homme perclus de tous ses membres venait d'être guéri par d'étranges chevaliers qui étaient à présent en deçà des murs. Peu après, les trois chevaliers retournèrent au bord de la mer. Ils portèrent dans le palais le corps de la sœur de Perceval et l'enterrèrent avec tous les honneurs dus à la fille d'un roi. Quand le roi de cette cité, lequel avait nom Escorant, vit les trois compagnons, il leur demanda d'où ils venaient et ce qu'ils avaient apporté sur la table d'argent. Ils lui dirent la vérité sur le Saint-Graal et le pouvoir que Dieu y avait mis. Ce roi était un tyran. Il descendait d'une lignée de païens. Il s'empara d'eux et les jeta en prison, au fond d'un cachot.

CHAPITRE XXII

Comment ils furent nourris du Saint-Graal pendant qu'ils étaient en prison, et comment Galaad fut couronné roi

Mais dès qu'ils y furent, Notre-Seigneur leur envoya le Saint-Graal, par la grâce duquel ils furent toujours nourris à leur suffisance pendant qu'ils étaient en prison. À la fin de l'année, il advint que le roi Escorant tomba malade et sentit qu'il allait mourir. Il envoya quérir les trois chevaliers, qui vinrent devant lui. Il implora leur pardon pour ce qu'il leur avait fait. Ils lui pardonnèrent gracieusement. Il mourut aussitôt. Quand le roi fut mort, toute la cité fut fort embarrassée. On ne sut qui pouvait régner.

Cependant, tandis qu'ils délibéraient, une voix descendit au milieu d'eux, leur enjoignant de choisir pour roi le plus jeune des trois chevaliers. Ils couronnèrent donc Galaad. C'était le choix commun des habitants de la cité sainte. Il accepta, autrement ils l'eussent mis à mort.

Lorsqu'il eut autorité sur cette terre, il fit mettre sur la table d'argent une arche d'or et de pierres précieuses, recouvrant le Vaisseau Sacré. Chaque jour, de bonne heure, les trois compagnons venaient devant ce vaisseau faire leurs prières. À la fin de l'an, le jour anniversaire de celui où Galaad avait d'abord porté la couronne d'or, il se leva tôt, de même que ses compagnons. Il se rendit au palais. Devant eux ils virent le Vaisseau Sacré et un homme à genoux, vêtu comme un évêque. Il avait autour de lui une troupe d'anges nombreuse, comme s'il se fût agi de Jésus-Christ en personne. Lors il se leva et commença l'office de Notre-Dame.

Lorsqu'il en fut à la consécration de la messe, après cette consécration, il appela Galaad et lui dit : « Approche, serviteur de Jésus-Christ, et tu verras ce que tu as tant désiré voir. » Galaad regarda à l'intérieur du Vaisseau Sacré. Il se mit à trembler de tous ses membres, lorsque sa chair mortelle commença à contempler les choses de l'Esprit. Il leva les mains au ciel et dit : « Seigneur, je vous remercie. Maintenant je vois ce que je désirais voir depuis longtemps. À présent, doux Seigneur, je voudrais cesser de vivre, s'il vous plaisait de me l'accorder, Seigneur. » Là-dessus l'homme de bien prit en ses mains le corps de Notre-Seigneur et le tendit à Galaad. Celui-ci le reçut avec beaucoup de joie et d'humilité. « Sais-tu maintenant qui je suis ? » demanda le sage. — Non, répondit Galaad. — Je suis Joseph, fils de Joseph d'Arimathie, que Notre-Seigneur t'a envoyé pour te tenir compagnie. Et sais-tu pourquoi Il m'a envoyé, moi, de préférence à tout autre ? Parce que tu m'auras ressemblé en deux choses. Tu auras vu les merveilles du Saint-Graal et auras été parfaitement vierge, comme je l'ai été et le suis. »

Quand il eut prononcé ces paroles, Galaad alla à Perceval, l'embrassa et le recommanda à Dieu. Puis il fit de même avec messire Bohort. Il lui donna ce message : « Gracieux seigneur, saluez pour moi messire Lancelot, mon père, et sitôt que vous le verrez, dites-lui de garder en mémoire l'instabilité de ce monde. » Après quoi il s'agenouilla devant la table, fit ses prières, et soudainement son âme partit vers Jésus-Christ. Une grande foule d'anges la porta au ciel, tandis que ses deux compagnons pouvaient en être les témoins. Les deux compagnons virent descendre du ciel une main, mais ils ne purent voir le corps. La main descendit jusqu'au Vaisseau Sacré, le prit, ainsi que la lance, et l'emporta dans les cieux. Depuis, jamais homme n'a eu l'audace de prétendre qu'il a vu le Saint-Graal.

CHAPITRE XXIII

Du chagrin que manifestèrent Perceval et Bohort quand Galaad fut mort. De Perceval, comment il mourut, et d'autres matières

LORSQUE PERCEVAL ET BOHORT virent que Galaad était mort, ils se désolèrent, autant que deux hommes le firent jamais. Et, s'ils n'avaient pas été vertueux, ils auraient pu vite sombrer dans le désespoir. Les habitants du pays et de la cité furent très affligés. On l'enterra. Aussitôt qu'il fut mis en terre, messire Perceval gagna un ermitage hors des murs de la ville et prit un habit de religieux, Bohort demeura constamment près de lui. Mais il n'abandonna jamais ses vêtements de laïc, car il avait toujours dessein de retourner au royaume d'Angleterre. Pendant un an et deux mois, messire Perceval vécut à l'ermitage une vie très sainte, puis il quitta ce monde. Bohort lui fit donner une sépulture à côté de sa sœur et de Galaad, en terre consacrée.

Lorsque Bohort s'aperçut qu'il était en pays aussi lointain que Babylone, il quitta Sarras, s'arma et se rendit au bord de la mer. Là il monta sur un navire. La fortune le servit, et il parvint au royaume d'Angleterre. Il se hâta de chevaucher jusqu'à Camaalot, où se trouvait le roi. La joie fut grande à la cour de sa venue, car on le croyait mort, tant il était resté longtemps hors de ce pays. Après le repas, le roi fit venir en sa présence de grands clercs, pour écrire la chronique des grandes aventures des valeureux chevaliers.

Lorsque Bohort lui eut narré les aventures du Saint-Graal, telles qu'ils les avaient vécues, lui et ses trois compagnons, savoir Lancelot, Perceval et Galaad, Lancelot raconta celles dont il avait personnellement été le témoin. Tout ceci fut porté sur de grands livres, et ces livres rangés dans des coffres à Salisbury. Sans attendre, messire Bohort dit à messire Lancelot : « Galaad, votre fils, m'a chargé de vous saluer, et après vous le roi Arthur et toute la cour, messire Perceval également, car je les ai enterrés de mes propres mains dans la cité de Sarras. En outre, messire Lancelot, Galaad vous a prié de garder en mémoire l'instabilité de ce monde, comme vous-même l'aviez pressé de le faire lorsque vous fûtes ensemble pendant plus de six mois. — C'est vérité, repartit Lancelot. À présent, je me fie en Dieu que sa prière me sera utile. »

Lors Lancelot prit messire Bohort dans ses bras et dit : « Gentil cousin, vous êtes tout à fait le bienvenu auprès de moi. Tout ce que je pourrai faire pour vous et pour les vôtres, vous trouverez ma pauvre personne prête à l'accomplir en toutes occasions, aussi longtemps que l'âme y restera présente. Cela, je vous le promets sur ma foi et n'y manquerai jamais. Et sachez bien, gentil cousin, messire Bohort, que vous et moi ne nous quitterons plus, tant que nous serons en vie. — Messire, répondit-il, votre volonté sera la mienne. »

Ainsi se termine l'histoire du Saint-Graal, qui a été brièvement traduite du français en anglais. Cette histoire est l'une des plus véridiques et des plus saintes qui soient au monde. Elle compose le DIX-SEPTIÈME LIVRE.

Maintenant suit le DIX-HUITIÈME.

LIVRE DIX-HUITIÈME

Lancelot et Guenièvre

CHAPITRE I

De la joie du roi Arthur et de la reine quand ils surent que la quête du Saint-Graal avait été menée à bonne fin, et comment Lancelot retourna à ses anciennes amours

ADONC, après que fut achevée la quête du Saint-Graal et que tous les chevaliers qui avaient survécu fussent revenus à la Table Ronde, comme le mentionne le livre français du Saint-Graal, il y eut grande joie à la cour. En particulier, le roi Arthur et la reine Guenièvre reçurent avec beaucoup d'allégresse tous ceux qui étaient de retour. Ils se réjouirent fort de la présence de messire Lancelot et de messire Bohort, car ils étaient restés longtemps absents en cette quête.

Ensuite, le livre nous le raconte, messire Lancelot se remit à visiter la reine et oublia les promesses faites et les règles de conduite adoptées durant la quête du Saint-Graal. Si en ses secrètes pensées et au fond de son cœur il n'avait pas été aussi attaché à la reine en réalité qu'en apparence il l'était à Dieu, nul chevalier ne l'aurait surpassé dans la recherche du Vaisseau Sacré. Mais il ne cessait sans en rien dire de songer à la reine. Ils s'aimèrent avec plus d'ardeur qu'auparavant. Ils eurent des entretiens en tête à tête qui firent qu'on en parla souvent dans toute la cour, surtout messire Agravain, le frère de messire Gauvain, qui avait toujours été bavard.

Il advint que messire Lancelot dut faire face à de nombreux recours de la part de dames et demoiselles. Chaque jour, elles s'adressaient à lui, le priant d'être leur champion et, dans de telles affaires de droit, messire Lancelot s'efforçait journellement d'agir selon les désirs de Notre-

Seigneur Jésus-Christ. Constamment, dans la mesure où il le pouvait, il fuyait la compagnie et société de la reine Guenièvre pour éviter la médisance et les bruits. La reine s'en courrouça contre lui. Un jour, elle le fit venir en sa chambre et lui dit : « Messire Lancelot, je vois et sens journellement que votre amour commence à décroître. Vous n'avez nulle joie à vous trouver en ma présence, mais continuellement vous tenez éloigné de cette cour. Vous vous occupez à présent des querelles et affaires des dames de haute et basse condition, plus que jamais auparavant. — Ah ! madame, repartit Lancelot, il faut m'excuser là-dessus pour diverses raisons. La première est que récemment encore je m'étais voué à la quête du Saint-Graal. Je rends grâce à Dieu de sa grande merci et ne dois rien là-dedans à mes mérites, pour avoir pu voir en ma quête autant que jamais aucun pécheur. C'est ce qui m'a été dit. Et si mes pensées secrètes ne m'avaient pas incliné à retourner à votre amour, comme je le fais aujourd'hui, j'eusse vu d'aussi grands mystères qu'en vit jamais mon fils Galaad, ou Perceval, ou messire Bohort. Adonc, madame, cette quête m'occupait encore il y a peu. Soyez assurée que je n'oublierai pas aisément en quel éminent service j'ai consenti de diligents efforts.

« En outre, madame, sachez que beaucoup de gens parlent de notre amour en cette cour et nous observent avec attention, tels messire Agravain et messire Mordret. Soyez sûre que je les redoute davantage à cause de vous que pour toute peur qu'ils pourraient m'inspirer. Si mon péril est grand, je pourrai avoir la chance de m'enfuir et de me libérer, tandis que vous, dans la même situation, devrez supporter tout ce qu'on dira de vous. Si quelque malheur devait vous échoir, suite à quelque égarement dont vous seriez responsable, il ne s'offrirait à vous nul remède ou secours qui ne vînt de moi et des hommes de mon sang. Enfin, madame, il ne fait nul doute que votre audace et la mienne seront cause pour nous de grande honte et calomnie. J'aurais beaucoup de regret à vous voir déshonorée. C'est la raison pourquoi j'entreprends de faire davantage pour demoiselles et pucelles que jamais auparavant. C'est afin que l'on comprenne que j'ai joie et plaisir à combattre pour elles. »

CHAPITRE II

Comment la reine donna ordre à messire Lancelot de quitter la cour, et du chagrin qu'il en eut

PENDANT TOUT CE TEMPS, la reine ne bougeait mie, laissant messire Lancelot parler à sa guise. Quand il eut fini, elle fondit en larmes. Elle sanglota et pleura ainsi de longs moments. Quand elle put s'exprimer, elle dit : « Lancelot, je vois bien à présent que vous êtes un chevalier sans loyauté ni courage, un vulgaire paillard. Vous aimez et possédez d'autres dames, et pour moi n'avez que mépris et dédain. Sachez que je vois clair maintenant en votre fourberie. Conséquemment, je ne vous aimerai jamais plus. Et n'ayez plus jamais l'audace de reparaître à ma vue. Sur l'heure, je vous bannis de cette cour. N'y revenez plus. Je vous interdis ma société. Sous peine de mort, ne cherchez point à me revoir. »

Incontinent messire Lancelot s'en alla, le cœur bien lourd. C'est à peine s'il pouvait marcher, tant sa douleur était grande. Il fit venir à lui messire Bohort, messire Hector des Mares et messire Lionel, et les informa comment la reine l'avait banni de la cour et que son intention en conséquence était de retourner en son pays. « Gentil sire, lui dit messire Bohort, vous ne quitterez pas ces terres si vous voulez mon avis. Il vous faut garder à l'esprit en quel honneur vous êtes ici tenu. On vous répute le plus noble chevalier du monde. Vous vous occupez à présent de mainte affaire d'importance. Les femmes, dans leur vivacité, souvent font ce qu'ensuite elles regrettent fort. Mon conseil sera donc que vous preniez votre cheval et vous rendiez au bon ermitage qui est près d'ici, à côté de Windsor. L'ermite fut naguère un bon chevalier. Il a nom messire Bretiaus. Restez-y jusqu'à ce que je vous fasse connaître de meilleures nouvelles.

— Mon cousin, repartit messire Lancelot, sachez que j'ai grand regret à quitter ce royaume. Mais la reine m'a fait cette défense avec tant de force qu'il me semble que jamais plus elle ne sera comme avant ma bonne dame. — Ne dites pas cela. Bien des fois avant celle-ci, elle s'est mise en colère contre vous, pour ensuite être la première à le regretter. — Vous avez raison. Je vais suivre votre conseil. Je prendrai mon cheval, mon harnois et me rendrai chez l'ermite, messire Bretiaus. Je m'y reposerai jusqu'à ce que j'aie de vous quelque nouvelle. Mais, gentil cousin, je vous en prie, faites que je retrouve l'amour de ma dame, la reine Guenièvre, si vous le pouvez. — Messire, il n'est pas nécessaire de me presser d'agir en pareille circonstance. Vous savez bien que je ferai tout mon possible pour vous être agréable. »

Lors messire Lancelot, le noble chevalier, s'en fut soudainement, le cœur gros. Nul être humain ne sut où il était allé, ni ce qu'il était devenu, hormis messire Bohort. Quand il fut parti, la reine ne trahit nulle sorte de chagrin, ni à ceux de la famille de Lancelot, ni à nul autre. Mais vous devinerez qu'en son cœur, ainsi que le livre nous le dit, elle souffrit beaucoup. Elle le supporta en gardant la mine fière, comme si elle n'éprouvait rien et ne craignait rien.

CHAPITRE III

Comment, à un dîner que donna la reine, un chevalier fut empoisonné, ce que messire Mador imputa à la souveraine

ENSUITE la reine fit donner en privé un dîner à Londres aux chevaliers de la Table Ronde. C'était entièrement dans le dessein de montrer qu'elle avait autant de joie à recevoir tous ces chevaliers que messire Lancelot. Elle eut à ce repas messire Gauvain et ses frères, savoir messires Agravain, Guerrehet, Gahériet et Mordret. En outre, il y avait messire Bohort de Gaunes, messire Blanor de Gaunes, messire Bliobéris de Gaunes, messire Galehot, messire Galeheudin, messire Hector des Mares, messire Lionel, messire Palamède, Saphar, son frère, messire la Cotte Mal Taillée, messire Persant, messire Bras de Fer, messire Brandelis, messire Keu le sénéchal, messire Mador de la Porte, messire Patris, un chevalier d'Irlande, Aliduc, messire Astamor et messire Pinel le Sauvage, lequel était cousin de messire Lamorat de Galles, le bon chevalier que messire Gauvain et ses frères avaient tué par trahison. Ces vingt-quatre chevaliers devaient dîner avec la reine en un lieu tenu secret, sans autre compagnie. On fit un grand festin, avec toutes sortes de mets friands.

Cependant messire Gauvain avait un penchant auquel il sacrifiait chaque jour, tant au dîner qu'au souper. Il aimait beaucoup les fruits de toute sorte, mais plus particulièrement les pommes et les poires. En conséquence, quiconque l'avait à dîner, ou le festoyait, d'ordinaire le pourvoyait en fruits de qualité. C'est ce que fit la reine, pour lui être agréable. Elle mit à sa disposition toutes sortes de fruits, car messire Gauvain était doté d'un solide appétit. Or Pinel détestait messire Gauvain, à cause de son parent, messire Lamorat de Galles. Il s'ensuivit que, seulement par jalousie et aversion, messire Pinel mit du poison dans certaines pommes afin que Gauvain en perdît la vie. Cela se produisit vers la fin du repas. Et il advint par malheur que ce fut un valeureux chevalier du nom de Patris, cousin de messire Mador de la Porte, qui prit une pomme empoisonnée. Quand il l'eut mangée, son corps enfla tant qu'il éclata, et messire Patris tomba mort soudainement au milieu d'eux.

Chacun des chevaliers alors hâtivement quitta la table, en proie à la honte, furieux à en perdre le sens. Ils ne savaient que dire. Considérant que c'était la reine Guenièvre qui avait donné ce banquet et dîner, tous les soupçons se portèrent sur elle. « Madame la reine, dit Gauvain, vous n'ignoriez pas qu'à ce dîner je devais prendre part. Tous ceux qui connaissent mes goûts savent que j'aime beaucoup les fruits. Or, à présent, je vois bien que j'ai failli être empoisonné. En conséquence, madame, je crains fort que cela ne tourne à votre confusion. » La reine resta coite et fort piteuse, si bien que Gauvain ne trouva rien à ajouter.

« Cela ne finira pas ainsi, déclara messire Mador de la Porte. Je perds ici un très noble chevalier de mon sang. Pour cette ignominie et outrage je réclame vengeance et combat à outrance. » Là-dessus, publiquement, messire Mador accusa la reine d'avoir fait mourir son cousin, messire Patris. Personne ne bougea. Nul ne voulut le contredire en aucune façon, car tous soupçonnaient beaucoup la reine, pour ce qu'elle avait donné ce dîner. De son côté, la reine était si déconfite qu'elle ne pouvait faire rien d'autre que pleurer, et cela si fort qu'elle tomba en pâmoison. Tout ce bruit et ces cris attirèrent sur les lieux le roi Arthur. Quand il fut informé de ce malheur, il en fut tout à fait consterné.

CHAPITRE IV

Comment messire Mador accusa la reine de trahison, et comment il n'y eut d'abord nul chevalier qui consentît à combattre pour elle

MESSIRE MADOR, devant le roi, maintint sa position. Il persista à accuser la reine de trahison (il était commun alors de nommer trahison toute sorte de mort indignement perpétrée). « Gentils seigneurs, dit Arthur, j'ai regret de ce malheur. Cependant l'affaire est telle que je ne puis m'en mêler. Il me faut demeurer un juge qui s'en tient au droit. Je déplore de ne pouvoir combattre pour mon épouse, car mon sentiment est qu'elle n'est pour rien dans ce meurtre. En conséquence, je suppose qu'elle ne sera point déshonorée, mais qu'il se trouvera bien un valeureux chevalier pour risquer sa vie en sa défense, afin qu'elle ne soit point brûlée dans une injuste querelle. Adonc, messire Mador, ne soyez pas si pressé. Il se peut qu'elle ne soit pas tout à fait sans amis. Choisissez le jour où vous voudrez combattre, et elle se pourvoira de quelque bon chevalier qui vous fera face. Sinon ce serait pour moi grande honte, ainsi que pour toute ma cour.

— Mon gracieux seigneur, repartit messire Mador, il vous faut m'excuser. Il est vrai que vous êtes notre roi. C'est là votre rang. Mais vous êtes aussi chevalier comme nous et avez fait comme nous vœu de suivre les lois de la chevalerie. Je vous prie instamment de ne point vous fâcher, mais nul parmi les vingt-quatre chevaliers conviés à ce dîner n'est sans avoir conçu de grands soupçons à l'égard de la reine. Qu'en dites-vous, messeigneurs? » demanda-t-il. Ils répondirent aussitôt qu'ils ne pouvaient innocenter la souveraine. Elle avait donné ce repas. Si ce n'était elle, c'était ses serviteurs. « Hélas! gémit la reine, j'ai donné ce repas dans une bonne intention, sans aucune mauvaise pensée. Que le Tout-Puissant ne vienne à mon secours que si je n'ai jamais eu pour dessein pareil forfait! J'en appelle à Lui. — Monseigneur, dit messire

Mador, je vous en requiers, si vous êtes un roi soucieux du droit, fixez-moi un jour où je puisse obtenir justice. — Soit, décida le roi. Dans quinze jours d'ici, je vous accorde de vous présenter à cheval, armé et prêt à combattre, dans le pré qui est à côté de Westminster. S'il advient qu'il y ait ce jour-là un chevalier pour vous rencontrer, vous pourrez faire de votre mieux. Et que Dieu favorise le bon droit ! Mais, s'il arrive que nul chevalier ne se présente contre vous ce jour-là, alors ma reine devra être condamnée au bûcher, et elle sera prête à subir son jugement. — C'est la réponse que j'attendais », dit messire Mador. Et chacun des chevaliers s'en alla où bon lui semblait.

Quand le roi et la reine furent seuls ensemble, il lui demanda comment tout cela s'était fait. Elle répondit : « Par Dieu, je n'en ai pas la moindre idée. — Où est messire Lancelot ? S'il était là, il n'hésiterait pas à combattre pour vous. — Sire, je ne sais où il se trouve. Mais son frère et tous les gens de sa famille pensent qu'il n'est pas dans les limites de ce royaume. — Je le déplore, car s'il était là, il aurait tôt fait de mettre un terme à cette querelle. Je vous conseillerai donc d'aller trouver messire Bohort, lui demandant de combattre pour vous, par amour pour messire Lancelot. Sur ma vie, il ne refusera point. Je vois bien, ajouta-t-il, que nul de ces vingt-quatre chevaliers qui étaient avec vous à votre dîner ne voudra être votre champion ni dire du bien de vous, et votre honneur en pâtira en cette cour. — Hélas ! s'écria la reine, je n'y puis rien changer, mais à présent je regrette le départ de messire Lancelot. S'il était ici, il eût tôt fait de me réconforter ! — Mais pourquoi ne pas avoir réussi à le garder à vos côtés ? Sans nul doute, celui qui a messire Lancelot avec lui a pour soutenir sa cause l'homme le plus valeureux au monde. Maintenant partez, dit le roi à la reine, et demandez à messire Bohort de combattre pour vous, par amour pour messire Lancelot. »

CHAPITRE V

Comment la reine requit messire Bohort de combattre pour elle,
comment il accepta sous une condition,
et comment il prévint messire Lancelot de cela

La reine quitta le roi et envoya quérir messire Bohort, désirant qu'il vînt en sa chambre. Quand il fut venu, elle l'adjura de l'aider. « Madame, répondit-il, que voudriez-vous me voir faire ? Je ne puis en honneur m'en mêler, pour ce que j'étais à ce dîner. Je craindrais que l'un des chevaliers présents n'en nourrît des soupçons à mon égard. Ainsi, madame, messire Lancelot vous manque. Il ne vous eût point failli, que vous ayez tort ou raison. Il vous en fut donné mainte preuve, lorsque vous étiez en danger. Maintenant vous l'avez chassé de ce pays, un homme qui vous valait comme à nous constamment le respect. Je m'étonne, madame, que vous ayez l'audace de me requérir de faire quoi que ce soit pour vous, alors que vous avez banni de vos terres celui qui était notre soutien et notre gloire. — Las ! gentil chevalier, gémit la reine, je m'en remets entièrement à votre bon vouloir. Tout ce qui a été mal fait, je l'amenderai suivant votre conseil. » Là-dessus elle se mit à genoux devant lui et l'implora d'avoir pitié d'elle. « Sinon, je mourrai d'une mort ignominieuse, sans rien avoir à me reprocher. »

Sur ces entrefaites, le roi Arthur arriva. Il trouva la reine agenouillée aux pieds de messire Bohort. Celui-ci la releva et dit : « Madame, vous me faites beaucoup d'offense. — Ah ! gentil chevalier, s'écria le roi, prenez pitié de ma reine, courtois chevalier, car je suis certain à cette heure qu'elle est injustement diffamée. Adonc, en votre courtoisie, promettez de combattre pour elle, je vous en requiers si vous aimez messire Lancelot. — Monseigneur, vous me demandez autant qu'il est possible d'obtenir de moi. Assurément, si j'accepte de combattre pour la reine, je courroucerai beaucoup de mes compagnons de la Table Ronde. Néanmoins je vais accéder à votre demande, monseigneur. Le jour venu, par égard pour monseigneur Lancelot et par égard pour vous, je serai le champion de la reine, à moins que par aventure ne se présente meilleur chevalier que moi, afin de combattre pour elle. — Me le promettez-vous, dit le roi, sur l'honneur ? — Oui, Sire, je ne vous faillirai point, ni à elle, à moins que ne s'offre à la défendre plus valeureux que je ne suis. Lors c'est à lui que reviendra le combat. » Le roi et la reine s'en réjouirent grandement. Ils partirent en le remerciant de grand cœur.

Un jour, messire Bohort s'en fut secrètement. Il alla trouver messire Lancelot, là où il était, chez l'ermite, messire Bretiaus, et il lui raconta tout ce qui leur était advenu. « Ah ! Seigneur ! s'exclama messire Lancelot, ceci arrive au moment où je le souhaitais. En conséquence, je vous en prie, tenez-vous prêt à combattre, mais prenez soin de gagner du temps, jusqu'à ce que vous me voyiez venir, autant que vous le pourrez. Je suis sûr, en effet, que Mador est vif quand la passion l'échauffe. Plus on le fera patienter, plus il aura envie de se battre. — Messire, repartit Bohort, souffrez que je m'occupe de lui, et soyez assuré que tout sera conforme à vos souhaits. »

Messire Bohort quitta Lancelot pour retourner à la cour. Le bruit courut alors partout qu'il serait le champion de la reine. Beaucoup de chevaliers lui tinrent rigueur de ce qu'il acceptait de combattre en la querelle de la souveraine. Ils n'étaient pas nombreux dans toute la cour à ne pas juger qu'elle avait tort et qu'elle était coupable de cette trahison. Voici comment messire Bohort répondit à ses compagnons de la Table Ronde : « Sachez bien, gentils seigneurs, que ce serait indigne pour nous tous de souffrir que la plus noble reine du monde soit publiquement mise à honte. Considérez son seigneur et le nôtre, l'homme sur la terre le plus glorieux, très-chrétien, qui nous a toujours valu de l'honneur en tous lieux. » Beaucoup lui répliquèrent : « Pour ce qui est de notre très noble roi, Arthur, nous l'aimons et l'honorons autant que toi. Mais pour ce qui est de la reine Guenièvre, nous ne l'aimons pas, parce qu'elle fait périr de bons chevaliers.

— Gentils seigneurs, leur répondit messire Bohort, il me semble que vous ne parlez pas comme vous devriez le faire. Jamais encore en ma vie je n'avais entendu dire qu'elle eût jamais causé la perte d'aucun bon chevalier. Au contraire, depuis toujours, que je sache, elle les aide et soutient. Toujours elle s'est montrée large et libérale de ses biens envers eux tous, et la plus généreuse dame en ses dons et faveur que j'aie jamais vue, ou dont j'aie jamais ouï parler. En conséquence, ce serait ignominieux pour nous tous, autant que pour l'épouse de notre très noble roi, si nous souffrions qu'elle fût conduite à une mort indigne. N'en doutez point, je ne le tolérerai pas, car je prétends que la reine n'est pas coupable de l'empoisonnement de messire Patris. Elle n'a jamais nourri envers lui de mauvais sentiments, pas davantage qu'envers aucun des vingt-quatre chevaliers qui étaient à ce dîner. Je prétends que c'est par amitié qu'elle nous a invités à ce repas, non par mauvais dessein, et je suis assuré que par la suite la preuve en sera apportée. En effet, quoi qu'il ait pu se passer, il y a eu trahison, et le coupable est parmi nous. » Lors d'aucuns dirent à messire Bohort : « Nous sommes fort enclins à vous croire. » Certains furent satisfaits, d'autres non.

CHAPITRE VI

Comment, au jour dit, messire Bohort se prépara à combattre pour la reine et, quand il voulut le faire, comment un autre l'en exempta

BIENTÔT ce fut la veille du jour fixé pour le combat. La reine alors envoya quérir messire Bohort et lui demanda en quelles dispositions d'esprit il se trouvait. « À la vérité, madame, répondit-il, mes dispositions d'esprit n'ont pas varié depuis que je vous ai fait promesse. Cela veut dire que je ne vous faillirai point, à moins que par aventure ne se présente meilleur chevalier que moi, désireux de combattre pour vous. En ce cas, madame, je serai dégagé de ma promesse. — Acceptez-vous que je le dise à monseigneur Arthur ? — Comme il vous plaira, madame. » Lors la reine alla devers le roi et lui rapporta la réponse que messire Bohort lui avait faite. « N'ayez point de doute, dit-il, en ce qui concerne messire Bohort, car je le tiens pour l'un des meilleurs chevaliers qui soient maintenant sur la terre et l'un des hommes qui ont le plus de mérite. »

Ainsi passèrent les choses jusqu'au lendemain. Le matin venu, le roi, la reine, tous les chevaliers qui se trouvaient être présents à ce moment-là se rendirent dans le pré, à côté de Westminster, où devait se dérouler le combat. Lorsque le roi fut arrivé, en compagnie de la reine et de plus d'un chevalier de la Table Ronde, la reine fut mise sous la garde du connétable. Un grand feu fut allumé à l'entour d'un pieu de fer, afin que si messire Mador de la Porte prenait le dessus, elle fût brûlée. Telle était la coutume alors observée, pour que ni la faveur, ni l'affection, ni le lien de parenté ne pussent empêcher que justice fût rendue, la même pour un roi que pour un chevalier, et pour une reine comme pour une quelconque pauvre dame.

Cependant entra dedans le champ messire Mador de la Porte. Il jura devant le roi que la reine s'était rendue coupable de trahison envers son cousin, messire Patris. Il s'engagea à le prouver aux dépens de sa vie, en combat singulier, contre qui soutiendrait le contraire. Aussitôt entra à son tour messire Bohort de Gaunes. Il dit : « Pour ce qui est de la reine Guenièvre, elle n'est pas dans son tort. J'apporterai la preuve de ce bras qu'elle n'a pas commis le forfait dont on l'accuse. — En ce cas, tiens-toi prêt, répliqua messire Mador, et nous verrons bien si c'est toi qui as raison ou si c'est moi. — Messire Mador, repartit messire Bohort, soyez assuré que je vous sais bon chevalier. Néanmoins je ne vous crains pas suffisamment pour ne pas me fier en Dieu que je serai en mesure de résister à votre méchanceté. J'ai promis à monseigneur Arthur et à madame la reine que je combattrai pour elle en cette affaire jusqu'à ce que mort s'ensuive, à moins que ne se présente meilleur chevalier que moi qui me dégage de ma promesse. — Est-ce là tout ? demanda messire Mador. Ou bien tu viens te battre avec moi, ou tu refuses. — Prenez votre monture, conclut messire Bohort, et mon avis est que vous n'aurez pas longtemps à attendre avant de trouver quelqu'un en face de vous. »

Chacun alors se rendit sous sa tente et s'apprêta à paraître à cheval, s'y préparant comme bon lui semblait. Bientôt messire Mador entra dedans le champ. Il avait son écu ajusté à l'épaule et sa lance à la main. Il fit le tour du terrain en criant à l'adresse d'Arthur : « Dites à votre champion de s'avancer s'il l'ose. » Messire Bohort eut honte. Il prit son cheval et vint à l'extrémité du champ. Lors il s'aperçut que sortait d'un bois non loin de là un chevalier armé de toutes pièces. Il avait un destrier blanc et un écu que lui, Bohort, ne connaissait pas, avec des armes inconnues. Il arrivait de toute la vitesse de sa monture. Il s'approcha de messire Bohort et lui dit : « Gentil chevalier, je vous en prie, ne m'en veuillez pas. À meilleur chevalier que vous doit revenir ce combat. Adonc, je vous en requiers, retirez-vous. Sachez qu'aujourd'hui j'ai fait un très long voyage. C'est à moi que cette tâche incombe. Je vous l'ai promis la dernière fois que je me suis entretenu avec vous. De tout mon cœur je vous remercie de votre bon vouloir. »

Sur ce messire Bohort alla trouver le roi Arthur et lui rapporta qu'un chevalier était venu qui réclamait de combattre pour la reine. « Quel chevalier est-ce là ? demanda le roi. — Je ne sais pas, répondit messire Bohort, mais c'est un traité qu'il a conclu avec moi. Il devait être ici aujourd'hui. À présent, monseigneur, me voici dégagé de ma promesse. »

CHAPITRE VII

Comment messire Lancelot combattit messire Mador dans la querelle de la reine, et comment il le défit et délivra la souveraine

Le roi appela ce chevalier et lui demanda s'il voulait combattre pour la reine. Il répondit : « C'est dans ce dessein que je suis venu. Adonc, sire le roi, ne me faites pas attendre davantage. Je ne puis m'attarder. Aussitôt que j'aurai terminé ce combat, il me faudra partir, car j'ai beaucoup d'affaires qui m'appellent ailleurs. Sachez-le, c'est un opprobre qui s'attache à vous tous, chevaliers de la Table Ronde, de souffrir que sous vos yeux une reine aussi noble et courtoise que la reine Guenièvre soit ainsi au milieu de vous outragée et mise à honte. » Ils se demandèrent tous quel chevalier ce pouvait être qui prenait de cette manière le combat à son compte. Nul ne le reconnaissait, hormis messire Bohort. Sur ce messire Mador de la Porte dit au roi : « Maintenant laissez-moi me rendre compte à qui j'ai affaire. »

Les deux chevaliers coururent aux deux extrémités du champ. Là ils couchèrent leurs lances et fondirent l'un sur l'autre de toutes leurs forces. La lance de messire Mador vola en éclats. Celle de son adversaire tint bon et renversa cheval et cavalier. Tout fut mis à terre, une grande culbute. Cependant, vigoureusement et vivement, messire Mador se dégagea de sa monture. Il se couvrit de son bouclier. Il tira son épée et enjoignit à l'autre chevalier de descendre et de continuer le combat à pied. L'autre descendit de cheval aussitôt, en homme plein de vaillance. Il mit son écu devant sa poitrine et dégaina son épée. Avec ardeur ils s'assaillirent. Chacun porta à son ennemi nombre de grands coups, harcelant, esquivant, courant et frappant d'estoc, se ruant à l'assaut avec son épée. On eût dit la violence de deux sangliers. Ils combattirent ainsi pendant près d'une heure, car ce Mador était un vigoureux chevalier et qui avait en maint combat difficile fait la preuve de sa force. Mais, fin de compte, son adversaire le choqua de telle manière qu'il tomba face contre terre. L'inconnu s'approcha pour le tirer et l'allonger sur le sol. C'est alors que tout à coup messire Mador se releva et en se relevant frappa son rival. La lame traversa le gras des cuisses, et le sang se mit à jaillir en abondance. Se sentant aussi atteint et voyant son sang couler, son ennemi laissa Mador se remettre debout. Mais quand ce fut fait, il lui asséna sur le heaume un coup si rude que Mador s'affaissa tout de son long. Lors l'inconnu marcha sur Mador pour lui arracher son heaume.

À cet instant messire Mador pria le chevalier de lui garder la vie sauve. Il reconnut sa défaite et abandonna sa querelle avec la reine Guenièvre. « Je ne te ferai grâce, dit le chevalier inconnu, qu'à la condition que tu tiennes quitte la reine à tout jamais et que nulle mention ne soit faite sur la tombe de messire Patris d'un assentiment qu'elle aurait donné à cette trahison. — Tout sera exécuté, répondit Mador. Sans réserve aucune j'abandonne pour toujours ma querelle. » Les juges du champ pour lors le relevèrent. Ils le conduisirent à sa tente, cependant que l'autre chevalier allait droit au pied des marches menant où se trouvait le roi Arthur. La reine était maintenant venue le rejoindre. Ils s'embrassèrent de tout cœur. Quand le roi vit s'avancer le chevalier vainqueur, il se pencha vers lui et le remercia. La reine fit de même. Lors le roi le pria d'ôter son heaume, de se reposer et d'accepter du pain trempé dans du vin. Le chevalier ôta son heaume pour boire. Chacun put voir alors qu'il s'agissait de messire Lancelot du Lac.

Dès que le roi s'en rendit compte, il prit la reine par la main. Il alla à la rencontre de messire Lancelot et lui dit : « Messire, je vous demande pardon de tout le mal que vous vous êtes donné aujourd'hui pour moi et pour ma reine. — Monseigneur, repartit Lancelot, sachez-le, il est juste que je sois toujours avec vous en vos querelles, et avec madame la reine en les siennes, prêt à combattre. Vous êtes l'homme qui m'a conféré le grand ordre de chevalerie, et ce jour-là madame votre reine m'a fait beaucoup d'honneur. Sans elle j'eusse connu la honte. Ce jour-là, en effet, quand vous me fîtes chevalier, par excès de hâte j'égarai mon épée.

Madame votre reine la trouva. Elle l'enveloppa dans la queue de sa robe et me la remit quand j'en eus besoin. Sans quoi j'eusse été mortifié au milieu de tous les chevaliers. En conséquence, monseigneur Arthur, ce même jour je lui promis d'être son chevalier, qu'elle eût raison ou tort. — Je vous demande pardon, reprit le roi, pour l'ouvrage de cette journée. Et sachez que je récompenserai votre bonté. »

Cependant la reine ne cessait de regarder messire Lancelot. Elle pleurait, si fort qu'elle faillit se pâmer du chagrin de l'avoir vu montrer tant de grande générosité là où elle avait témoigné tant de rancune. Les chevaliers de sa parenté entourèrent Lancelot, et chacun manifesta beaucoup de joie à le revoir. Vinrent à lui tous ceux de la Table Ronde présents à ce moment-là, et ils lui souhaitèrent la bienvenue. Messire Mador eut recours aux soins des médecins, et messire Lancelot fut guéri de sa blessure. Il y eut à la cour beaucoup d'allégresse et de réjouissances.

CHAPITRE VIII

Comment la vérité fut connue grâce à la Dame du Lac,
et de divers autres sujets

IL ADVINT que la Dame du Lac (son nom était Viviane, et elle avait épousé messire Pelléas, le bon chevalier) se rendit à la cour. Toujours elle se montra fort bonne envers le roi Arthur et tous ses chevaliers, par le moyen de sa sorcellerie et de ses enchantements. Adonc, quand elle ouït dire que la reine était dans l'affliction à cause de la mort de messire Patris, lors elle déclara bien haut que cette reine n'avait jamais été coupable. Elle dévoila qui avait commis ce forfait et le nomma. C'était messire Pinel. La raison pourquoi il avait fait cela fut publiquement révélée. En conséquence, la reine fut innocentée, et le chevalier Pinel s'enfuit en son pays. Chacun sut que messire Pinel avait empoisonné les pommes au banquet afin de faire périr messire Gauvain, pour ce que messire Gauvain et ses frères avaient mis à mort messire Lamorat de Galles, dont messire Pinel était le cousin. Messire Patris fut enterré dans l'église de Westminster, sous un tombeau. Sur la pierre on inscrivit : *Ci-gît messire Patris d'Irlande, tué par messire Pinel le Sauvage. Il empoisonna des pommes dans le dessein de tuer messire Gauvain. Par malheur, messire Patris mangea l'une de ces pommes, et soudainement son corps éclata.* On inscrivit également sur le tombeau que la reine Guenièvre avait été accusée de trahison pour la mort de messire Patris par messire Mador de la Porte. On y fit mention que messire Lancelot avait combattu ce Mador en défense de la reine Guenièvre, et l'avait défait en combat loyal. Tout ceci fut porté sur la tombe de messire Patris pour innocenter la reine. Messire Mador sollicita chaque jour et longtemps pour obtenir les bonnes grâces de la souveraine. Par le moyen de messire Lancelot, il put retrouver ces bonnes grâces, et tout fut pardonné.

Ainsi passèrent les choses, jusqu'à la fête de Notre-Dame, l'Assomption. Moins de quinze jours avant cette fête, le roi fit crier que de grandes joutes et un tournoi se dérouleraient à Camaalot (autrement dit Winchester). Il fit savoir que le roi d'Écosse et lui jouteraient contre quiconque se présenterait pour les rencontrer. Quand ceci eut été publié, il vint beaucoup de chevaliers. On vit arriver le roi de Norgalles, le roi Aguisant d'Irlande, le roi des Cent Chevaliers, Galehot, le haut prince, le roi du Northumberland, ainsi que maint noble duc et comte de divers pays. Le roi Arthur s'apprêta à partir pour ces joutes. Il voulut que la reine l'accompagnât. Mais elle s'y refusa, disant qu'elle était malade et incapable de monter à cheval.

« J'en ai du regret, repartit le roi. De sept ans on n'aura pu voir assemblée une aussi noble compagnie, excepté à la Pentecôte, lorsque

Galaad quitta la cour. — Vraiment, répondit la reine au roi, il faut m'excuser. Je ne puis y aller, et je le déplore. » Beaucoup pensèrent qu'elle déclinait l'invitation à cause de messire Lancelot du Lac. Celui-ci n'avait pas accepté de chevaucher aux côtés du roi, disant qu'il n'était pas remis de la blessure que messire Mador lui avait faite. Le roi en fut marri et fort courroucé.

Adonc Arthur partit pour Winchester avec sa troupe. Sur le chemin, il logea dans une ville appelée Astolat (maintenant, en anglais, Guildford). Là il dormit dans le château. Lorsqu'il s'en fut allé, la reine fit venir à elle messire Lancelot. Elle lui dit : « Messire Lancelot, vous êtes grandement à blâmer de demeurer ainsi en arrière, après le départ de mon seigneur. Que pensez-vous que diront et penseront vos ennemis et les miens ? Rien d'autre que : "Voyez comme messire Lancelot n'accompagne jamais le roi. La reine non plus n'en fait rien. Ils veulent s'amuser ensemble." C'est ce qu'ils diront, soyez-en sûr. »

CHAPITRE IX

Comment messire Lancelot se rendit à Astolat et reçut une manche de robe à porter sur son heaume à la requête d'une pucelle

« MADAME, répondit messire Lancelot, je reconnais que vous avez raison. C'est une sagesse qui vous est venue depuis peu. En conséquence, madame, cette fois je me laisserai guider par vos avis. Cette nuit-ci, je prendrai du repos, et demain de bonne heure je partirai pour Winchester. Mais je n'en fais pas mystère, ajouta-t-il, je serai l'adversaire du roi et de toute sa compagnie. — Vous pouvez faire ce que vous voulez, repartit la reine, mais si vous suivez mon conseil, vous ne vous opposerez pas au roi ni à vos compagnons. Parmi eux se trouve maint chevalier redoutable de votre sang. Vous n'en ignorez rien, inutile de vous les citer. — Madame, conclut messire Lancelot, ne soyez pas fâchée contre moi, je vous en prie, mais je prendrai l'aventure que Dieu m'enverra. »

Adonc, le lendemain matin de bonne heure, messire Lancelot entendit la messe, déjeuna. Il prit congé de la reine et partit. Puis il chevaucha jusqu'à ce qu'il fût à Astolat, savoir Guildford. Une fois là, il advint que le soir il arriva à la demeure d'un vieux baron, qui avait nom messire Bernard d'Astolat. Comme messire Lancelot entrait en son logis, le roi Arthur l'aperçut. Lui-même marchait dans un jardin à côté du château. Il vit Lancelot qui prenait son logement et le reconnut sans peine. « Voilà qui est bien, dit le roi aux gens qui étaient avec lui, je viens de voir un chevalier qui tiendra sa partie aux joutes où nous allons. Je gage qu'il fera merveille. — Qui est-ce? Dites-le nous, nous vous en prions, demandèrent beaucoup de ceux qui étaient alors à ses côtés. — Vous n'en saurez rien à présent. » Le roi sourit et gagna sa chambre.

Lorsque messire Lancelot fut en son logis et qu'il eut ôté ses armes dans sa chambre, le vieux baron et ermite vint le saluer et lui fit le meilleur accueil. Mais ce vieux chevalier ne savait pas qui il était. « Gentil seigneur, dit messire Lancelot à son hôte, je voudrais vous prier de me prêter un écu qui ne soit pas connu de tout le monde. Le mien est fort connu. — Messire, répondit son hôte, vous aurez ce que vous voulez. Il me semble que vous êtes un chevalier de bonne mine, comme on en voit peu. En conséquence, je vous témoignerai de l'amitié. Sachez, messire, que j'ai deux fils, qui ont récemment été armés chevaliers. Le plus âgé s'appelle messire Terri. Il fut blessé le jour même de son adoubement, si bien qu'il ne peut monter à cheval. C'est son écu que vous aurez.

« Mon fils cadet a nom Lanval, et si vous le voulez bien, il vous accompagnera aux joutes. Il est, pour son âge, vigoureux et robuste. Mon cœur incline beaucoup à croire que vous êtes un noble chevalier. Je vous en prie, donnez-moi votre nom. — Quant à cela, répondit messire Lancelot, il vous faudra pour le moment m'en excuser. Si Dieu m'accorde la grâce de bien me comporter à ces joutes, je reviendrai et vous le dirai. Mais, je vous en requiers, de toute manière permettez à votre fils, messire Lanval, de me suivre, et baillez-moi l'écu de son frère. — Tout ceci sera exécuté », promit messire Bernard.

Ce vieux baron avait une fille qu'on appelait alors la Belle Pucelle d'Astolat. Elle ne cessait de jeter sur messire Lancelot des regards émerveillés. Le livre nous l'assure, elle se prit d'un tel amour pour lui qu'elle ne put jamais ensuite s'en déprendre. Elle en mourut. Son nom était Élaine la Blanche. Alors qu'elle ne pouvait rester en place en sa passion, elle supplia messire Lancelot de porter sur lui aux joutes une marque par où la reconnaître. « Gente demoiselle, lui répondit-il, si je vous l'accorde, vous pourrez dire que j'ai fait pour vous plus que je n'ai jamais fait pour aucune dame ou demoiselle. » Lors il se souvint qu'il irait aux joutes sous un déguisement. Et, parce que jamais jusque-là il n'avait porté aucune sorte de marque de reconnaissance pour aucune demoiselle, il lui vint à l'esprit de le faire : nulle personne de son sang ne saurait par là que c'était lui.

Il dit : « Gente demoiselle, je vous accorderai de porter à mon heaume un signe de reconnaissance venant de vous. Adonc, ce que c'est, montrez-le moi. — Messire, répondit-elle, c'est une manche de robe rouge écarlate que j'ai, bien brodée de grosses perles. » Et elle la lui apporta. Messire Lancelot la reçut. Il reprit : « Jamais auparavant je n'avais tant fait pour nulle demoiselle. » Puis il confia son écu à garder à la belle pucelle, la priant d'en avoir soin jusqu'à son retour. Cette nuit-là, il put joyeusement se délasser, et il eut grande chère, car toujours la demoiselle Élaine resta à ses côtés, aussi longtemps que liberté lui en fut donnée.

CHAPITRE X

Comment le tournoi commença à Winchester, quels chevaliers furent aux joutes, et d'autres choses

ADONC, un matin après cela, le roi Arthur et tous ses chevaliers se mirent en chemin, car leur roi s'était attardé trois jours pour attendre ses nobles chevaliers. Quand il fut parti, messire Lancelot et messire Lanval se préparèrent à chevaucher. Chacun d'eux avait un écu de couleur blanche. Quant à la manche rouge, messire Lancelot l'avait avec lui. Ils prirent congé de messire Bernard, le vieux baron, et de sa fille, la Belle Pucelle d'Astolat. Puis ils chevauchèrent jusqu'à ce qu'ils fussent à Camaalot, désormais appelée Winchester. Il y avait là grande foule de rois, ducs, comtes, barons et maint noble chevalier. Messire Lancelot fut logé discrètement, par le moyen de messire Lanval, chez un riche bourgeois, si bien que personne en la ville ne sut qui ils étaient. Ensuite ils se reposèrent jusqu'au jour de Notre-Dame, l'Assomption, où devait avoir lieu la grande fête.

Les trompettes sonnèrent alors le commencement des combats. Le roi Arthur avait pris place en haut d'une tribune, pour voir qui se comporterait le mieux. Mais, le livre français nous l'assure, il ne souffrit point que messire Gauvain le quittât, car jamais messire Gauvain ne se montrait le meilleur quand messire Lancelot était dedans le champ. Bien souvent messire Gauvain subissait un affront quand messire Lancelot prenait part aux joutes sous un déguisement. Certains des rois, tels le roi Aguisant d'Irlande et le roi d'Écosse, se rangèrent pour lors du côté du roi Arthur. Dans l'autre camp on trouvait le roi de Norgalles, celui des Cent Chevaliers, le roi du Northumberland et messire Galehot, le haut prince. Mais ces trois rois et ce duc étaient bien faibles face au parti du roi Arthur, car avec Arthur s'étaient mis les plus nobles chevaliers de la terre. Adonc chacun des deux partis se sépara de l'autre, et chaque homme se disposa à faire de son mieux.

Messire Lancelot s'apprêta. Il plaça la manche rouge sur sa tête et l'attacha solidement. En compagnie de messire Lanval, il quitta Winchester secrètement et chevaucha jusqu'à un petit bois feuillu derrière la troupe qui s'opposait à la compagnie du roi Arthur. Là ils se tinrent cois jusqu'à l'affrontement des deux camps. Entrèrent dans le champ du côté d'Arthur le roi d'Écosse et celui d'Irlande. En face d'eux se présentèrent le roi du Northumberland et celui des Cent Chevaliers. Le roi d'Écosse renversa celui du Northumberland, tandis que celui des Cent Chevaliers mettait à bas le roi d'Irlande.

Lors messire Palamède, qui s'était rangé du côté d'Arthur, rencontra messire Galehot. Chacun des deux renversa son adversaire, et dans chaque camp on aida les seigneurs à se remettre en selle. Ce fut le commencement d'un rude assaut, de part et d'autre. Se mêlèrent à la bataille messires Brandelis, Sagremor le Desrée, Dodinel le Sauvage, Keu le sénéchal, Girflet, le fils de Do, Mordret, Méliot de Logres, Osenain Cœur Hardi, Saphar, Espinogre, Galeron de Galvoie. Ces onze chevaliers étaient tous de la Table Ronde. Adonc ceux-là, et d'autres encore, entrèrent dans le champ tous ensemble et firent reculer le roi du Northumberland et celui de Norgalles. Quand messire Lancelot vit cela, lui qui attendait dans un petit bois feuillu, il dit à messire Lanval : « Voilà une compagnie de bons chevaliers. Ils font front de même manière que sangliers pourchassés par des chiens. — C'est vrai », dit messire Lanval.

CHAPITRE XI

Comment messire Lancelot et messire Lanval entrèrent dans le champ contre ceux de la cour du roi Arthur, et comment Lancelot fut blessé

« À PRÉSENT, dit messire Lancelot, si vous voulez bien m'aider un peu, vous verrez cette autre compagnie là-bas, qui maintenant poursuit ces hommes qui sont de notre parti, reculer aussi vite qu'ils ont avancé. — Messire, n'y épargnez rien. De mon côté, je ferai de mon mieux. » Lors messire Lancelot et messire Lanval se jetèrent au plus fort de la mêlée. Messire Lancelot mit à terre messire Brandelis, messire Sagremor, messire Dodinel, messire Keu, messire Girflet, tout cela d'une seule lance. Messire Lanval renversa messire Lucan l'échanson et messire Bédoïer. Puis messire Lancelot se procura une autre lance, et alors il renversa messire Agravain, messire Guerrehet, messire Mordret, messire Méliot de Logres. Messire Lanval, de son côté, abattit Osenain Cœur Hardi. Après quoi messire Lancelot dégaina son épée. Il frappa de droite et de gauche. Sa force lui permit de faire vider les étriers à messire Saphar, messire Espinogre, messire Galeron. Ce que voyant, les chevaliers de la Table Ronde se retirèrent, ayant repris leurs chevaux comme ils pouvaient.

« Mon Dieu ! s'écria messire Gauvain, quel chevalier est-ce donc qui accomplit des faits d'armes aussi prodigieux en ce champ ? — Je sais bien de qui il s'agit, répondit le roi Arthur, mais pour l'instant je ne le nommerai pas. — Sire, reprit Gauvain, à sa façon de monter à cheval et à la vigueur des coups que je lui vois donner, je dirais bien que c'est messire Lancelot. Pourtant, il me semble que ce ne devrait pas être lui, car il porte une manche rouge sur la tête, et je sais qu'en nulle joute il n'a de signe de reconnaissance, que la dame soit de haute ou de basse condition. — Ne vous souciez plus de cela, conclut le roi Arthur. On le connaîtra mieux, et il en fera davantage avant qu'il s'en aille. »

Lors le parti qui était opposé au roi Arthur fut bien réconforté, et firent front ceux qui auparavant avaient subi une lourde défaite. Sur ce messire Bohort, messire Hector des Mares, messire Lionel appelèrent à eux les chevaliers de leur sang, tels messire Blanor de Gaunes, messire Bliobéris, messire Aliduc, messire Galinde, messire Galeheudin, messire Bélangère le Beuse. Ces neuf-là, par ailleurs tous parents de messire Lancelot, se jetèrent dans la mêlée avec vigueur, car ils étaient tous de nobles chevaliers. Ils avaient beaucoup de détestation et de ressentiment envers le noble messire Lancelot et messire Lanval, ne les ayant pas reconnus, et voulaient les défaire. Aussi, tous ensemble, ils accoururent et renversèrent maint chevalier de Norgalles et du Northumberland. Quand messire Lancelot les vit se comporter de la sorte, il empoigna une lance. Le rencontrèrent de concert messire Bohort, messire Hector et messire Lionel. En même temps ils le frappèrent de leurs lances. Sous la vigueur de leur assaut le cheval de messire Lancelot fut mis à bas. Par malheur, l'arme de messire Bohort traversa l'écu de son cousin et pénétra dans le flanc du cavalier. Le fût se brisa, tandis que le fer demeurait planté dans les chairs.

Quand messire Lanval vit que son maître restait étendu à terre, il courut sus au roi d'Écosse et le jeta au sol. Par sa force maîtresse il lui prit son destrier et le mena à messire Lancelot. En dépit d'eux tous il le fit monter sur le cheval. Lors messire Lancelot prit une lance et frappa messire Bohort. Monture et cavalier tombèrent. De même manière il en usa avec messire Hector et messire Lionel. De son côté, messire Lanval renversa messire Blanor de Gaunes. Puis messire Lancelot tira son épée du fourreau, car il se sentait si douloureusement atteint qu'il croyait bien avoir reçu un coup mortel. Puis il choqua messire Bliobéris si rudement sur le heaume que celui-ci s'affaissa sur le sol, sans connaissance. Messire Aliduc et messire Galinde connurent le même sort. Messire Lanval, quant à lui, renversa messire Bélangère, lequel était fils d'Alexandre l'Orphelin.

Pendant ce temps, messire Bohort avait été remis en selle. Il vint, en compagnie de messire Hector et de messire Lionel. Tous trois de leurs épées donnèrent sur le heaume de messire Lancelot. Éprouvé par leurs coups et se ressentant de sa blessure, laquelle était fort cruelle, messire Lancelot se prépara à faire son possible aussi longtemps qu'il pourrait tenir. Il heurta messire Bohort, si rudement que celui-ci dut baisser la tête, fort bas. Là-dessus il lui arracha son heaume et eût pu l'occire. Il le traîna au sol et de même façon traita messire Hector et messire Lionel. Le livre nous dit qu'il aurait pu les tuer, mais à la vue de leurs visages, son cœur ne le lui permit point. Il les laissa là. Ensuite il se précipita au plus fort de la mêlée, et il y accomplit les faits d'armes les plus extraordinaires qu'on eût jamais vus ou dont on eût jamais ouï parler. Cependant messire Lanval, le bon chevalier, ne cessait de l'assister. De son épée messire Lancelot mit à terre, puis y traîna, ainsi que le mentionne le livre français, plus de trente chevaliers, dont la plupart étaient de la Table Ronde. Messire Lanval aussi se conduisit fort bien ce jour-là, jetant au sol dix chevaliers de la même compagnie.

CHAPITRE XII

Comment messire Lancelot et messire Lanval quittèrent le champ, et en quel péril se trouva Lancelot

« MON DIEU ! dit messire Gauvain au roi Arthur, je me demande bien quel est ce chevalier qui porte la manche rouge. — Messire, repartit le roi, on le saura avant qu'il parte. » Là-dessus le roi fit sonner la fin des combats, et le prix fut donné par des hérauts au chevalier à l'écu de couleur blanche portant la manche rouge. Le roi des Cent Chevaliers, celui de Norgalles, celui du Northumberland et messire Galehot, le haut prince, s'avancèrent et dirent à messire Lancelot : « Gentil chevalier, Dieu vous bénisse ! Vous avez en ce jour beaucoup fait pour nous. Nous vous prions donc de venir avec nous, afin de recevoir l'honneur et le prix que vous avez mérités par votre valeur. — Mes gentils seigneurs, repartit messire Lancelot, sachez que si j'ai mérité des remerciements, je les ai chèrement payés et en conçois du regret, car il y a des chances pour que je n'en réchappe point. En conséquence, gentils seigneurs, je vous prie de permettre que j'aille où bon me semblera, car je suis gravement blessé. Je n'attache nul prix à nul honneur. J'aimerais mieux pouvoir me reposer que d'être le maître du monde entier. »

Sur ce il poussa un gémissement plaintif et partit au galop loin d'eux, ne s'arrêtant qu'à la lisière d'un bois. Quand il vit que le champ était presque à une demi-lieue et qu'il était assuré d'échapper aux regards, il dit à voix haute : « Oh ! gentil chevalier, messire Lanval, aidez-moi à retirer ce tronçon de lance de mon flanc. Il me fait tant de mal que c'est la mort que je souffre. — Ah ! monseigneur, répondit messire Lanval, je voudrais pouvoir vous satisfaire. Mais je crains fort que si j'ôte ce tronçon de lance, vous ne soyez en danger de perdre la vie. — Je vous l'ordonne, dit Lancelot. Si vous m'aimez, ôtez-le. » Là-dessus il descendit de son cheval, et messire Lanval fit aussitôt de même. Incontinent il retira le tronçon de lance du flanc de messire Lancelot. Celui-ci poussa un grand cri. Une plainte terrible échappa de sa gorge. Le sang jaillit, près d'une pinte, immédiatement. Finalement, messire Lancelot s'affaissa et perdit connaissance, tandis qu'il devenait d'une pâleur mortelle.

« Hélas ! s'écria messire Lanval, que faire ? » Il plaça messire Lancelot face au vent, mais celui-ci demeura près d'une demi-heure étendu comme s'il eût été mort. Enfin, il ouvrit les yeux et dit : « Oh ! Lanval, aidez-moi à me remettre en selle. Près d'ici, à moins d'une lieue, il y a un bon ermite qui naguère fut très noble chevalier et posséda beaucoup de biens. En sa grande vertu il fit vœu de pauvreté et renonça à maint domaine. Son nom est messire Baudouin de Bretagne. Il est fort bon chirurgien et bon médecin. À présent, en route ! Aidez-moi à me rendre là-bas, car mon cœur me dit que je ne mourrai pas de ce qu'a fait mon cousin germain. »

À grand-peine messire Lanval l'aida à monter à cheval. Puis de concert ils chevauchèrent au grand galop, messire Lancelot continuant de perdre son sang, de telle sorte que ce sang se répandait jusques à terre. Enfin ils eurent la chance de parvenir à l'ermitage, qui se trouvait au-dessous d'un bois, un grand rocher de l'autre côté, sous lequel coulait une belle rivière. Messire Lanval heurta du fût de sa lance, criant avec insistance : « Laissez-nous entrer, pour l'amour de Dieu ! » Un gracieux jouvenceau vint au-devant d'eux. Il leur demanda ce qu'ils voulaient. « Mon enfant, lui dit messire Lanval, va trouver ton maître, l'ermite, et prie-le, pour l'amour de Dieu, de laisser entrer ici un chevalier qui est fort grièvement blessé. Et informe-le qu'aujourd'hui j'ai vu ce chevalier accomplir plus d'exploits qu'on n'en fit jamais à ma connaissance. »

Adonc le jouvenceau se hâta de rentrer. Il amena l'ermite, lequel était fort vertueux. Quand messire Lanval le vit, il le pria de leur donner son aide, pour l'amour de Dieu. « Quel chevalier est-ce ? demanda l'ermite. Est-il ou non de la maison du roi Arthur ? — Je ne sais pas qui il est, répondit Lanval, ni quel est son nom, mais ce que je sais, c'est que je l'ai vu en ce jour faire des actions prodigieuses. — De quel parti était-il ? — Messire, aujourd'hui il était opposé au roi Arthur, et le prix lui fut accordé sur tous les chevaliers de la Table Ronde. — J'ai connu un temps, repartit l'ermite, où je l'aurais moins aimé de s'être rangé contre mon seigneur, le roi Arthur, car naguère je fus de cette compagnie de la Table Ronde. Mais je rends grâce à Dieu d'être maintenant dans un état d'esprit différent. Où est-il, que je le voie ? » Messire Lanval conduisit l'ermite jusqu'à lui.

CHAPITRE XIII

Comment Lancelot fut amené à un ermite pour être guéri de sa blessure, et d'autres matières

LORSQUE L'ERMITE regarda Lancelot tandis qu'il était à cheval, penché sur l'arçon de sa selle et toujours perdant son sang que c'était pitié, sans cesse ce chevalier ermite crut pouvoir le reconnaître mais sans y parvenir, parce qu'il était tout blanc d'avoir saigné. « Quel chevalier êtes-vous ? demanda-t-il, et où êtes-vous né ? — Gentil seigneur, répondit Lancelot, je suis un étranger et un chevalier en quête d'aventures, qui se donne beaucoup de peine à travers maint royaume pour acquérir de l'honneur. » L'ermite lui conseilla de choisir une meilleure voie et, à une cicatrice qu'il avait à la joue, sut qu'il était en présence de messire Lancelot. « Las ! s'exclama-t-il, monseigneur, pourquoi me cacher votre nom ? À la vérité, je devrais vous connaître, car vous êtes le plus noble chevalier qu'il y ait sur la terre. Je vois bien que vous êtes messire Lancelot. — Messire, puisque vous savez qui je suis, secourez-moi si vous le pouvez, pour l'amour de Dieu. Je voudrais sans plus tarder être quitte de cette douleur, que ce soit la vie ou la mort qui s'ensuive. — Ne craignez rien, dit l'ermite, vous vivrez, et aurez fort bonne santé. »

Il appela deux de ses serviteurs. Ses serviteurs et lui portèrent Lancelot dans l'ermitage. Vite ils lui ôtèrent son armure et le mirent au lit. Aussitôt l'ermite étancha le sang et fit boire à messire Lancelot du bon vin. Il en fut fort revigoré et put reprendre ses esprits. En effet, en ce temps-là, les ermites n'étaient pas ce qu'ils sont aujourd'hui. Il n'en existait point qui n'avaient été hommes de valeur et de renom. Ces ermites-là avaient grande maison et restauraient des gens dans la détresse.

À présent, tournons-nous vers le roi Arthur et laissons messire Lancelot dans l'ermitage. Lorsque les rois furent réunis, tant d'un camp que de l'autre, et que le grand festin fut sur le point de commencer, le roi Arthur demanda au roi de Norgalles et à ses compagnons où était le chevalier qui portait la manche rouge : « Amenez-le moi, qu'il ait sa louange, l'honneur et le prix qui lui reviennent de droit. » Ce furent messire Galehot, le haut prince, et le roi des Cent Chevaliers qui lui répondirent : « Nous supposons que ce chevalier est blessé et qu'il a peu de chances de vous voir, ni de voir aucun d'entre nous, et c'est grand dommage. Jamais pour chevalier nous n'eûmes autant de regret. — Las ! s'exclama le roi Arthur, comment se fait-il ? Est-il si gravement touché ? Quel est son nom ? — À la vérité, dirent-ils tous, nous ne connaissons pas son nom, ni d'où il venait, ni où il voulait se rendre. — Hélas ! gémit le roi, c'est la pire nouvelle que j'aie entendue de sept ans. Pour toutes les terres que je possède je ne voudrais pas qu'on m'apprît et m'assurât que ce noble chevalier n'est plus. — Le connaîtriez-vous ? — Que je le connaisse ou non, dit Arthur, ce n'est pas de moi que vous saurez qui il est. Mais que Dieu tout-puissant m'envoie de lui de bonnes nouvelles ! » Tous lui firent écho.

« Sur ma foi, déclara messire Gauvain, s'il est vrai que ce bon chevalier est si gravement blessé, c'est grand dommage et pitié pour tout ce pays, car c'est l'un des plus valeureux que j'aie jamais vus dans un champ manier la lance ou l'épée. Si on peut le trouver, je le trouverai. Je suis sûr qu'il n'est pas loin de cette ville. — Acquittez-vous bien de votre tâche, dit le roi Arthur, si vous pouvez le découvrir, encore faut-il que son état ne soit pas tel qu'il ne puisse bouger. — À Dieu ne plaise ! protesta messire Gauvain. Mais je saurai qui il est, si je puis apprendre où il se trouve. » Sans perdre de temps, messire Gauvain emmena un écuyer avec des haquenées et chevaucha tout autour de Camaalot, jusqu'à deux ou trois lieues. Mais il revint sans avoir ouï parler du chevalier.

Lors, dans les deux jours qui suivirent, le roi Arthur et toute sa compagnie s'en retournèrent à Londres. Chemin faisant, il arriva que messire Gauvain prit son logement dans la ville d'Astolat, chez messire Bernard, là où messire Lancelot avait pris le sien. Pendant que messire Gauvain était en sa chambre à se reposer, messire Bernard, le vieux baron, vint par-devers lui, ainsi que sa fille Élaine, pour le divertir, lui demander quelles étaient les nouvelles et qui s'était le mieux conduit au tournoi de Winchester. « Par Dieu, dit messire Gauvain, il y avait là deux chevaliers portant deux écus de couleur blanche, mais celui qui avait sur la tête une manche rouge, assurément celui-là était l'un des meilleurs que j'eusse jamais vus jouter dedans un champ. Je vous affirme que le chevalier à la manche rouge en renversa quarante de la Table Ronde. Son compagnon aussi se conduisit fort bien et avec honneur. — Je rends grâce à Dieu, repartit la Belle Pucelle d'Astolat, que ce chevalier eût pareil succès, car il est le premier que j'aie aimé d'amour, et certes il sera le dernier que j'aimerai jamais. — Gente demoiselle, demanda messire Gauvain, ce bon chevalier a donc votre cœur ? — Mais oui, messire, sachez bien qu'il l'a. — Savez-vous comment il se nomme ? — Non, vraiment. Je ne sais ni son nom, ni d'où il vient. Mais pour ce qui est de l'aimer, je vous le jure ainsi qu'à Dieu, je l'aime. — Comment avez-vous fait sa connaissance ? » demanda Gauvain.

CHAPITRE XIV

Comment messire Gauvain eut son logement chez le seigneur d'Astolat, et là découvrit que c'était messire Lancelot qui portait la manche rouge

C'EST ALORS qu'elle lui raconta ce que vous avez déjà ouï, comment son père avait confié son frère audit chevalier pour se mettre à son service, et comment il lui avait prêté l'écu de son autre frère, messire Terri. « Et céans, avec moi, il a laissé son propre écu. — Mais pourquoi ? demanda Gauvain. — Parce que le sien était trop connu de maint noble chevalier. — Ah ! gente demoiselle, accepteriez-vous de me laisser voir cet écu ? — Messire, il est dans ma chambre, enveloppé. Si vous voulez bien m'accompagner, vous le verrez. — Non, dit messire Bernard à sa fille, envoyez-le quérir. »

Adonc, quand l'écu fut apporté, messire Gauvain enleva ce qui le recouvrait. Quand il le vit, aussitôt il sut que c'était l'écu de messire Lancelot, avec ses armes. « Mon Dieu ! s'exclama-t-il, mon cœur est à présent plus lourd qu'auparavant. — Pourquoi ? demanda Élaine. — J'ai de bonnes raisons pour cela. Est-ce que le chevalier qui possède cet écu est l'objet de votre amour ? — Oui, certes, je l'aime, le Seigneur veuille qu'il m'aime aussi. — Par Dieu, gente demoiselle, vous pouvez à bon droit le souhaiter, car si vous l'aimez, alors vous êtes éprise du chevalier le plus valeureux qui soit au monde et de l'homme qui a le plus de renom. — J'en ai toujours eu le sentiment, dit-elle, car jamais auparavant, quel que fût le chevalier que j'eusse devant les yeux, je n'en avais aimé aucun. — Dieu fasse que vous ayez félicité l'un de l'autre, mais le risque est grand. Cependant, reprit-il, vous pouvez considérer que vous avez de la chance. Je connais ce noble chevalier depuis vingt-quatre ans, et jamais avant ce jour, moi ou tout autre chevalier, j'ose l'affirmer, n'avions vu ni entendu dire qu'il eût porté signe ou marque de reconnaissance de dame, noble dame ou pucelle, en joute ou bien tournoi. En conséquence, gente demoiselle, vous êtes assurément fondée à lui en savoir gré. Pourtant je crains fort que vous ne le revoyez plus jamais en ce monde. Et c'est grande pitié, plus grande il n'y eut jamais pour nul chevalier qui fut sur cette terre.

— Hélas ! gémit-elle, comment cela peut-il être ? Est-il mort ? — Je ne dis pas cela, mais sachez qu'il est grièvement blessé, d'après tout ce qu'on en sait, et selon ce qu'on a vu il est plus probable qu'il soit mort que vivant. Enfin, sachez qu'il s'agit du noble messire Lancelot, car à cet écu je le reconnais. — Hélas ! gémit la Belle Pucelle d'Astolat, comment cela peut-il être, et quelle fut sa blessure ? — À la vérité, répondit messire Gauvain, c'est l'homme qui l'aimait le plus au monde qui lui a fait cette blessure. Et je puis dire que si le chevalier qui la lui a causée savait assurément qu'il avait blessé messire Lancelot, ce serait le chagrin le plus cruel qu'il eût jamais éprouvé en son cœur. — Gentil père, dit alors Élaine, je vous requiers de me donner permission de m'en aller à la recherche de cet homme. Sans quoi je sens bien que je vais perdre la raison. Je n'aurai de cesse que je l'aie trouvé, ainsi que mon frère, messire Lanval. — Faites comme bon vous semblera, lui répondit son père. J'ai grand regret de la blessure de ce noble chevalier. » Aussitôt on aida Élaine à se préparer, devant messire Gauvain, au milieu de grandes lamentations.

Ensuite, le lendemain matin, messire Gauvain alla devers le roi Arthur. Il lui rapporta qu'il avait trouvé l'écu de messire Lancelot confié à la Belle Pucelle d'Astolat. « Tout cela, je le savais déjà, dit le roi. C'est la raison pourquoi je ne voulus point vous permettre de prendre part aux grandes joutes. J'avais vu messire Lancelot entrer en son logis très tard le soir à Astolat. Cependant je m'étonne, poursuivit-il, qu'il ait accepté de porter un signe de reconnaissance d'une demoiselle, car jamais jusqu'à maintenant je n'avais entendu dire ou appris qu'il eût porté une marque d'aucune femme en ce monde. — Sur ma foi, repartit messire Gauvain, la Belle Pucelle d'Astolat est éprise de lui que c'est merveille. Ce qu'il faut y voir, je ne puis le dire. Elle est partie à cheval pour le retrouver. »

Adonc le roi et tous les autres s'en revinrent à Londres, et là messire Gauvain découvrit publiquement à toute la cour que c'était messire Lancelot qui s'était montré le meilleur aux joutes.

CHAPITRE XV

Du chagrin qui frappa messire Bohort quand il apprit la blessure de Lancelot. Et de la colère de la reine à cause qu'il avait porté la manche rouge

QUAND MESSIRE BOHORT entendit la nouvelle, vous devinez quelle fut sa tristesse et celle de tous ses parents. Mais, lorsque la reine Guenièvre apprit que messire Lancelot avait porté la manche rouge de la Belle Pucelle d'Astolat, de rage elle faillit perdre l'esprit. Elle envoya chercher messire Bohort de Gaunes en toute diligence. Lorsqu'il fut devant elle : « Ah ! messire Bohort, avez-vous entendu dire avec quelle déloyauté messire Lancelot m'a trahie ? — Hélas ! madame, je crains qu'il ne se soit trahi lui-même en même temps que nous tous. — Peu importe qu'il se soit perdu ! c'est un fourbe et traître chevalier. — Madame, je vous en prie, ne dites pas cela. Vous savez bien que je ne puis entendre sur lui de pareils propos. — Pourquoi, messire Bohort, ne devrais-je pas l'appeler traître, alors qu'il a porté une manche rouge sur sa tête à Winchester, aux grandes joutes ? — Madame, cette manche rouge m'inspire un remords cuisant. Mais je crois pouvoir dire qu'il la porta sans mauvaise intention. La raison en fut qu'il ne voulait être reconnu d'aucun chevalier de son sang. En effet, avant ce jour, nul de nous tous ne l'avait jamais vu porter signe ou marque de reconnaissance venant de pucelle, dame ou noble dame. — Quelle honte ! Pourtant, malgré tout son orgueil et sa présomption, vous vous êtes ce jour-là montré le meilleur des deux. — Non, madame, ne dites point cela. Il nous a défaits, mes compagnons et moi, et il eût pu nous occire s'il avait voulu. — Quelle ignominie ! J'ai entendu messire Gauvain confier à monseigneur Arthur que c'était merveille de voir le grand amour qu'il y avait entre lui et la Belle Pucelle d'Astolat. — Madame, je ne puis empêcher messire Gauvain de dire ce qui lui plaît. Cependant je crois pouvoir affirmer qu'en ce qui concerne monseigneur Lancelot, il n'aime en particulier nulle dame, noble dame ou pucelle. Il aime toutes les femmes pareillement. En conséquence, madame, quoi que vous puissiez dire, sachez que je vais me hâter de me mettre à sa recherche, pour le trouver où qu'il soit, et que Dieu me fasse parvenir de lui de bonnes nouvelles ! »

Adonc laissons-les là et parlons de messire Lancelot. Il était en grand danger. Quand la belle Élaine arriva à Winchester, elle le chercha de tous côtés. Par chance, messire Lanval était allé chevaucher pour se divertir, afin d'échauffer son cheval. Sitôt qu'elle vit ce chevalier, Élaine le reconnut. Elle le héla. Quand il l'entendit, tout de suite il vint à elle. Elle lui demanda comment se portait son seigneur, messire Lancelot. « Qui vous a dit, ma sœur, que le nom de mon seigneur était messire Lancelot ? » Elle lui rapporta comment, à son écu, messire Gauvain avait su que c'était lui. Ils chevauchèrent ensemble jusqu'à l'ermitage, où incontinent elle mit pied à terre.

Messire Lanval la fit entrer et la conduisit à messire Lancelot. Quand elle le vit couché en son lit, si malade et si pâle, la parole lui manqua. Soudainement elle tomba sur le sol, en proie à une brusque pâmoison, et là elle demeura longtemps. Quand elle fut remise, elle poussa un cri et dit : « Monseigneur Lancelot, hélas, pourquoi êtes-vous donc en pareil état ? » Puis elle défaillit encore. Messire Lancelot pria messire Lanval de la relever. « Et puis amenez-la moi. » Quand elle fut revenue à elle, messire Lancelot l'embrassa et lui dit : « Gente demoiselle, pourquoi vous conduire de la sorte ? Vous me faites souffrir. Ne me présentez plus pareil visage. Me visitant pour me réconforter, vous êtes la très bien venue. Quant à cette petite blessure que j'ai, j'en serai bientôt guéri par la grâce de Dieu. Mais je me demande qui vous a donné mon nom. » Lors la Belle Pucelle lui raconta tout, comment messire Gauvain avait pris son logement chez son père. « Et par le moyen de votre écu, il y découvrit votre nom. — Las ! soupira messire Lancelot, je regrette que mon nom ait été découvert, car je suis sûr que cela finira par de l'emportement. » Il réfléchit que messire Gauvain informerait la reine Guenièvre qu'il avait porté la manche rouge, et en faveur de qui. Cela, il le savait bien, se terminerait par des transports de colère.

Adonc cette pucelle, Élaine, ne quitta plus le chevet de messire Lancelot. Elle le veilla jour et nuit. Elle prit de lui tant de soin que jamais, à ce qu'assure le livre français, une femme ne montra à un homme plus de bienveillance. Messire Lancelot pria messire Lanval de guetter messire Bohort à Winchester, au cas où il y viendrait. Il lui dit à quel signe le reconnaître. C'était une cicatrice au front. « Je suis certain qu'il va me rechercher. C'est lui, le valeureux chevalier qui m'a blessé. »

CHAPITRE XVI

Comment messire Bohort rechercha Lancelot et le trouva dans l'ermitage, et des lamentations de l'un et de l'autre

À PRÉSENT, tournons-nous vers messire Bohort de Gaunes, qui vint à Winchester pour y rechercher son cousin, messire Lancelot. Quand il arriva, aussitôt, par le moyen des gens que messire Lanval avait mis à guetter un homme de cette sorte, le renseignement lui fut donné. Messire Lanval à son tour vint à Winchester. Il y trouva messire Bohort. Il lui dit qui il était, qui logeait avec lui et lui donna son nom. « Gentil chevalier, lui repartit messire Bohort, maintenant je vous requiers de me conduire à monseigneur Lancelot. — Messire, prenez votre cheval, et dans moins d'une heure vous serez près de lui. »

Ils partirent et arrivèrent à l'ermitage. Lorsque messire Bohort vit messire Lancelot en son lit couché, pâle et défait, tout de suite il se troubla. D'affection et de compassion, il demeura sans voix. Il pleura tendrement, pendant longtemps. Quand il put parler, il dit : « Oh ! monseigneur Lancelot, Dieu vous bénisse et vous envoie prompte guérison ! Je suis bien marri de mon infortune et malheur, car maintenant je suis bien en droit de me dire malheureux. Je crains fort que Dieu ne soit grandement irrité contre moi, pour souffrir que j'aie ainsi la honte de vous avoir fait du mal, à vous qui êtes assurément notre chef et notre gloire. J'ai donc fondement à me croire misérable. Comment se peut-il qu'un aussi piètre chevalier que moi ait eu le pouvoir malencontreusement de blesser le plus noble chevalier de la terre ? Indignement je vous ai assailli, accablé et, quand vous pouviez me tuer, vous m'avez épargné. Je n'ai pas fait de même. Ceux de ma race et moi vous avons combattu à outrance. Je m'étonne, poursuivit-il, que mon cœur ou mon sang ne se révoltent pas. En conséquence, monseigneur Lancelot, j'implore votre pardon.

— Gentil cousin, répondit Lancelot, vous êtes le bienvenu. Et sachez que pour me plaire vous en avez trop dit, et que cela ne me plaît point. Moi aussi, j'ai eu votre dessein. Avec orgueil j'eusse aimé vous vaincre tous et lors, en cet orgueil, j'ai failli perdre la vie. C'était de ma faute. J'aurais pu vous prévenir que j'étais là. Je n'aurais pas été blessé. Le vieux proverbe dit justement que le combat est rude quand des parents ou des amis se heurtent les uns aux autres. Point de merci alors, mais une guerre mortelle. Adonc, gentil cousin, laissons là ces paroles et accueillons sans murmure ce que Dieu nous envoie. Abandonnons ce sujet et parlons de quelque chose de réjouissant. Ce qui est fait est fait. Avisons-nous d'un remède pour que je guérisse au plus tôt. »

Lors messire Bohort se pencha au chevet du lit et dit à messire Lancelot que la reine était fort en colère contre lui, à cause qu'il avait porté la manche rouge aux grandes joutes. Il lui raconta comment messire Gauvain avait découvert cela : « Ce fut grâce à votre écu, que vous aviez confié aux soins de la Belle Pucelle d'Astolat. — Adonc la reine est furieuse, et moi j'en suis bien fâché, car je n'ai mérité nul courroux. Tout ce que j'ai fait, ce fut parce que je ne voulais pas qu'on me reconnût. — Je n'ai pas tardé à vous justifier. Pourtant ce fut en pure perte. Elle m'en a dit bien plus que je ne vous en ai dit à l'instant. Mais cette femme qui s'occupe tant de vous, souffla messire Bohort, est-ce bien celle qu'on nomme la Belle Pucelle d'Astolat? — C'est elle-même, et il n'y a nul moyen pour que je m'en débarrasse. — Pourquoi vous en débarrasser? C'est une fort belle demoiselle, bien mise, bien apprise. Dieu veuille, gentil cousin, que vous puissiez l'aimer! Mais là-dessus je ne puis, ni n'ose, vous conseiller. Cependant je vois bien, à ses soins diligents, que son cœur est tout à vous. — Je le déplore. — Messire, repartit Bohort, elle n'est pas la première qui a perdu sa peine à vouloir vous conquérir, et le dommage n'en est que plus grand. »

Ensuite ils parlèrent de mille autres choses. Moins de trois jours après, messire Lancelot avait retrouvé sa force et vigueur.

CHAPITRE XVII

Comment messire Lancelot endossa son armure pour voir s'il pouvait porter des armes, et comment sa blessure se rouvrit

LORS messire Bohort dit à messire Lancelot que l'engagement était pris d'un grand tournoi et de grandes joutes entre le roi Arthur et le roi de Norgalles, devant se tenir le jour de la Toussaint non loin de Winchester. « Est-ce vrai? s'écria Lancelot. Si oui, vous allez demeurer avec moi encore un peu de temps, jusqu'à ce que je sois guéri, car je me sens tout à fait robuste et vigoureux. — Dieu soit loué! » s'exclama messire Bohort. Ils furent donc là près d'un mois ensemble, cependant que cette jouvencelle Élaine diligemment, jour et nuit, donnait ses soins à messire Lancelot. Jamais femme ni enfant ne furent plus remplis d'attention envers époux ni père que cette Belle Pucelle d'Astolat envers son malade. Ce pourquoi messire Bohort fut très content d'elle.

Un jour, messire Lancelot, messire Bohort et messire Lanval tombèrent d'accord pour demander à l'ermite de chercher des herbes dans les bois. C'était pour un bain destiné à messire Lancelot. Ce dernier demanda aussi à la belle Élaine le même service. Cependant il enjoignit à messire Lanval de l'armer de pied en cap, voulant faire l'essai de son armure et de sa lance, voir s'il allait souffrir ou non. Adonc, quand il fut sur son cheval, il le stimula tant qu'il put. Le cheval était fort vigoureux et dispos, car il n'avait fait nul effort depuis un mois. Messire Lancelot mit sa lance en arrêt. Le coursier bondit avec force lorsqu'il sentit les éperons. Celui qui montait ce cheval, le plus noble qu'il y eût au monde, le poussa continûment et puissamment, sans ôter la lance de l'arrêt. Ainsi messire Lancelot fit de tels efforts, il mit tant de force à faire avancer sa monture que le bas de sa blessure se rouvrit, tant au-dedans qu'au-dehors. Le sang jaillit avec une violence si grande qu'il se sentit d'une extrême faiblesse, au point de ne plus pouvoir tenir en selle. Il cria à messire Bohort et à messire Lanval : « Ah ! messire Bohort, messire Lanval, à l'aide ! Je touche à ma fin dernière. » Là-dessus il tomba à terre sur le côté, comme un corps dénué de vie.

Messire Bohort et messire Lanval vinrent à lui, leur chagrin ne connaissant plus de bornes. Le hasard voulut que la pucelle Élaine entendît leurs lamentations. Elle accourut. Quand elle trouva là messire Lancelot tout armé, elle se mit à pleurer et sangloter comme folle. Elle le couvrit de baisers. Elle fit ce qu'elle put pour le ranimer. Puis elle accabla de vifs reproches son frère et messire Bohort. Elle les appela traîtres et fourbes, pour avoir tiré Lancelot de son lit. Elle poussa des cris, dit qu'elle les accuserait publiquement de l'avoir tué. Là-dessus arriva le saint ermite, messire Baudoin de Bretagne. Quand il trouva messire Lancelot en pareil état, il eut peu de mots, mais vous devinez qu'il fut en colère. Il leur dit : « Portons-le dans la maison. »

Tous ils aidèrent à le porter dans l'ermitage. Ils lui ôtèrent son armure, le couchèrent dans son lit. Cependant, toujours le sang coulait de la plaie que c'était pitié. Lancelot demeurait sans mouvement. Le chevalier ermite mit quelque chose dans son nez et un peu d'eau dans sa bouche. Il sortit alors de son évanouissement, et l'ermite étancha le sang. Lorsque messire Lancelot put parler, l'ermite lui demanda pourquoi il avait mis sa vie en danger. « Messire, répondit-il, ce fut parce que je croyais être robuste. Ce fut aussi parce que messire Bohort m'avait rapporté qu'il y aurait à la Toussaint de grandes joutes entre le roi Arthur et le roi de Norgalles. Il me vint alors à l'esprit d'essayer par moi-même si je pouvais en être ou non. — Ah ! messire Lancelot, repartit l'ermite, votre ardeur et courage n'en auront fini qu'à votre dernier jour. Mais maintenant vous allez suivre mon conseil. Que messire Bohort s'en aille ! Laissez-le lors de ce tournoi faire ce qu'il pourra. Et, par la grâce de Dieu, lorsque le tournoi sera fini et que vous reviendrez ici, messire Bohort, messire Lancelot sera aussi bien portant que vous l'êtes, pourvu, bien sûr, qu'il se laisse gouverner par moi. »

CHAPITRE XVIII

Comment messire Bohort repartit et donna des nouvelles de messire Lancelot, puis du tournoi, et à qui le prix fut attribué

LORS messire Bohort s'apprêta à quitter messire Lancelot. Celui-ci lui dit : « Gentil cousin, messire Bohort, recommandez-moi à tous ceux auxquels il est de mon devoir de me recommander. Et je vous en prie, efforcez-vous à ces joutes, afin d'y être le meilleur, par amour pour moi. Je vous attendrai ici en m'en remettant à la miséricorde divine jusqu'à votre retour. » Adonc messire Bohort partit et vint à la cour du roi Arthur. Il leur rapporta en quel lieu il avait laissé messire Lancelot. « J'ai regret d'entendre cela, dit le roi, mais puisqu'il ne court pas le risque de perdre la vie, nous pouvons tous rendre grâce à Dieu. » Puis messire Bohort informa la reine du danger qu'avait couru messire Lancelot en voulant essayer son cheval. « Et tout ce qu'il fit, madame, ce fut par amour pour vous, parce qu'il eût voulu être de ce tournoi. — Honte à lui, chevalier poltron! repartit la reine. Sachez que je suis désolée qu'il en réchappe. — Il en réchappera, dit messire Bohort, et tous ceux qui ont un autre souhait (hormis vous, madame), nous qui sommes de son sang devrions contribuer à l'abrègement de leur vie. Mais, madame, reprit messire Bohort, souvent monseigneur Lancelot vous a déplu. Pourtant, fin de compte, à chaque fois vous avez reconnu en lui un loyal chevalier. » Sur ce il s'en alla.

Lors chacun des compagnons de la Table Ronde qui étaient là présents se prépara à prendre part à ces joutes de la Toussaint. Y vinrent également beaucoup d'autres chevaliers, de différents pays. Comme le jour dit se faisait proche, on vit arriver le roi de Norgalles, celui des Cent Chevaliers, messire Galehot, le haut prince, de Sorelois. On vit également venir le roi Aguisant d'Irlande et le roi d'Écosse. Les trois derniers de ces rois se mirent du côté d'Arthur. Le jour de la Toussaint, messire Gauvain fit de grands exploits. C'est lui qui fut le premier à l'ouvrage. Les hérauts comptèrent qu'il avait renversé vingt chevaliers. Messire Bohort de Gaunes entra en même temps. On mit aussi à son compte jusqu'à vingt chevaliers. Le prix, en conséquence, fut partagé entre eux deux, car ils avaient été les premiers dans le champ et y étaient demeurés les derniers. Messire Gahériet, de même, à ce que dit le livre, ce jour-là accomplit des actions d'éclat. Il mit à terre et y traîna trente chevaliers. Pourtant, cela fait, il ne s'attarda point mais partit. Ce fut la raison pourquoi il ne fut pas récompensé. Messire Palamède également fit ce jour-là des prouesses. Il renversa vingt chevaliers. Mais il quitta les lieux soudainement. On pensa que messire Gahériet et lui s'en étaient allés ensemble vers de mystérieuses aventures.

Quand le tournoi fut fini, messire Bohort partit lui aussi. Il alla où était messire Lancelot, son cousin. Il le trouva debout et marchant. On eut de part et d'autre grande joie à se revoir. Messire Bohort conta à messire Lancelot toutes les joutes, comme avez ouï. « Je m'étonne, dit Lancelot, que messire Gahériet, après de tels exploits, n'ait pas voulu rester. — Cela nous a tous étonnés car, hormis vous-même, ou messire Tristan, ou messire Lamorat de Galles, je n'avais jamais vu chevalier mettre à terre autant d'hommes en aussi peu de temps. Mais ensuite il nous a quittés, sans que nous puissions savoir où il était passé. — Sur ma foi, c'est un noble chevalier, un homme vigoureux et bien en souffle. Avec de l'expérience, je crois que sa valeur lui permettrait d'affronter n'importe qui. En outre, il est gracieux, courtois, loyal, généreux, débonnaire et doux. Il est dépourvu de tout artifice, franc, fidèle, honnête. »

Après quoi ils s'apprêtèrent à quitter l'ermite. Adonc, un matin, ils prirent leurs chevaux. Élaine la Blanche les accompagnait. Quand ils furent à Astolat, ils eurent bon logement. Messire Bernard, le vieux baron, et messire Terri, son fils, leur firent très bonne chère. Le jour où messire Lancelot dut partir, la belle Élaine, ayant amené avec elle son père, messire Lanval et messire Terri, eut ces paroles :

CHAPITRE XIX

Des grandes lamentations de la Belle Pucelle d'Astolat quand Lancelot fut sur le point de partir, et comment elle mourut d'amour pour lui

« MONSEIGNEUR LANCELOT, maintenant je vois que vous voulez partir. Mais, gentil et courtois chevalier, prenez pitié de moi et ne tolérez point que je meure de vous aimer. — Que voudriez-vous me voir faire ?

demanda-t-il. — Je voudrais vous avoir pour mari. — Gente demoiselle, je vous en remercie, mais à la vérité, j'ai résolu de ne jamais me marier. — En ce cas, gentil chevalier, consentez-vous à m'avoir pour maîtresse ? — Dieu garde ! Je récompenserais bien mal votre père et votre frère de leur grande bonté. — Hélas ! s'exclama Élaine, il me faudra donc mourir de vous aimer. — Non, repartit Lancelot, car sachez, belle demoiselle, que j'aurais pu me marier déjà si je l'avais voulu, mais c'est que je n'ai encore jamais cherché à le faire. Cependant, à cause, belle demoiselle, que vous m'aimez comme vous dites, pour votre bienveillance et affection, je veux vous montrer de la bonté. Voici ce que je ferai. Quand vous donnerez votre cœur à quelque bon chevalier qui voudra vous épouser, soyez assurée que je vous baillerai à l'un et à l'autre mille livres par an pour vous et vos héritiers. Voilà ce que j'entends vous offrir, gente demoiselle, en remerciement pour vos bonnes grâces, et toujours, aussi longtemps que je vivrai, je serai votre chevalier. — De tout ceci je ne veux rien, et si vous ne voulez pas m'épouser, ou au moins être mon ami, sachez bien, messire Lancelot, que mes beaux jours sont finis. — Gente demoiselle, dit-il, à aucun de ces deux partis, pardonnez-moi, vous ne pouvez vous attendre. »

À ces mots elle poussa un cri perçant et tomba sans connaissance. Des femmes la portèrent dedans sa chambre, et là elle s'abandonna à la douleur. Messire Lancelot voulut partir, mais d'abord il demanda à messire Lanval quelles étaient ses intentions. « Que puis-je faire d'autre, répondit-il, que de vous suivre, à moins que nous ne me repoussiez ou m'ordonniez de vous quitter ? » Lors messire Bernard vint devers messire Lancelot et lui dit : « Je ne puis m'empêcher de voir que ma fille Élaine va mourir à cause de vous. — Je n'y puis rien changer, repartit Lancelot. J'en ai grand regret. Mais je m'en rapporte à vous : ma proposition est honorable. Je déplore qu'elle m'aime ainsi qu'elle le fait. À nul moment je n'ai recherché sa faveur ni ses promesses. Pour ce qui est de mon fait, vous avez ma foi de chevalier qu'elle est une pure vierge. Je n'ai porté atteinte à sa virginité ni en pensée ni en mes actions. Sa détresse m'afflige profondément, car elle est fort gente demoiselle, bonne, gracieuse, bien apprise. — Père, dit messire Lanval, je puis vous garantir qu'elle est parfaitement vierge, pour la part qu'a pu y prendre monseigneur Lancelot. Mais sa conduite n'est pas sans ressembler à la mienne. Depuis que j'ai vu monseigneur Lancelot, je n'ai jamais pu me séparer de lui et ne désire rien d'autre que de le suivre. »

Messire Lancelot prit alors congé. Ils partirent et vinrent à Winchester. Lorsqu'Arthur sut que messire Lancelot était arrivé en parfaite santé, il en eut grande joie, de même que messire Gauvain et tous les chevaliers de la Table Ronde, à l'exception de messire Agravain et de messire Mordret. La reine Guenièvre était, de son côté, en courroux furieux contre messire Lancelot. Elle ne voulut à aucun prix lui parler et s'éloigna de lui. Il ne négligea rien pour tenter de s'entretenir avec elle, mais ne put y parvenir.

Maintenant parlons de la Belle Pucelle d'Astolat. Elle se désola tant jour et nuit qu'elle ne put ni dormir, ni manger, ni boire. Toujours elle se plaignait de messire Lancelot. Quand elle eut ainsi passé dix jours, elle en fut à ce point affaiblie qu'elle ne pouvait plus que quitter ce monde. Lors elle se confessa et reçut son Créateur. Cependant elle ne cessait de se lamenter de Lancelot. Son père spirituel lui enjoignit de laisser là pareilles pensées. Elle répliqua : « Pourquoi écarterais-je de telles pensées ? Ne suis-je pas une femme pétrie de chair ? Aussi longtemps que la vie habitera mon corps, je serai en droit de me plaindre, car ma croyance est que je ne fais nul tort, bien que j'aime un homme fait de chair lui aussi. Je prends Dieu à témoin que je n'ai jamais aimé nul autre que messire Lancelot du Lac et ne le ferai jamais. Je suis vierge, tout à fait, je ne l'ai connu ni lui ni aucun autre. Et puisque Dieu a permis que je meure pour l'amour d'un aussi noble chevalier, j'implore le Très-Haut d'avoir pitié de mon âme, et puissent les innombrables peines que j'ai endurées racheter une partie de mes péchés ! Mon doux Seigneur, poursuivit la gente pucelle, je vous en prends à témoin, je n'ai jamais commis de grandes offenses contre vos lois, sinon d'avoir aimé ce noble chevalier, messire Lancelot, hors de toute mesure et de n'avoir pu, Seigneur miséricordieux, par ma seule force résister à cet amour fervent qui me conduit à la mort. »

Lors elle appela son père, messire Bernard, et son frère, messire Terri. De tout cœur elle pria son père de permettre à son frère d'écrire une lettre, ainsi qu'elle voudrait la voir écrite. Ce que son père lui accorda. Quand la lettre fut faite, mot pour mot semblable à ce qu'elle avait conçu, elle demanda à son père qu'on la veillât jusqu'à ce qu'elle mourût. « Et pendant que mon corps sera chaud, qu'on place cette lettre dans ma main droite et que ma main lui soit solidement liée, tant que le corps ne sera pas froid. Qu'on me mette dans un lit magnifique avec les plus riches habits que j'ai, puis que mon lit avec mes vêtements soit chargé dans une charrette qu'on amènera à l'endroit le plus proche où coule la Tamise. Ensuite qu'on m'installe dans une barque, un seul homme avec moi que vous croirez capable de la diriger où il faut qu'elle aille, et que ma barque soit recouverte de soie noire, plusieurs fois. C'est là, mon père, ce que je vous conjure de faire exécuter. »

Son père lui accorda que fidèlement tout serait accompli ainsi qu'elle l'avait conçu. Puis son père et son frère donnèrent libre cours à leur chagrin, car quand ce fut fait, aussitôt elle mourut. Adonc, après sa mort, le corps et le lit, tout fut mené par le plus court chemin jusqu'à la Tamise. Là un homme, le corps, et tout le reste, tout fut confié au fleuve. L'homme conduisit la barque jusqu'à Westminster. Une fois rendu, il rama longtemps çà et là avant qu'on s'aperçut de sa présence.

CHAPITRE XX

Comment le corps de la pucelle d'Astolat vint devant le roi Arthur, de l'enterrement, et comment messire Lancelot offrit l'argent de la messe

LE HASARD voulut que le roi Arthur et la reine Guenièvre fussent ensemble à une fenêtre à deviser. En regardant du côté de la Tamise, ils épièrent cette barque noire et se demandèrent ce qu'elle pouvait signifier. Le roi appela messire Keu et la lui montra. « Sire, repartit celui-ci, soyez assuré que c'est l'annonce de quelque nouvelle. — Vous allez vous rendre là-bas, lui enjoignit le roi. Prenez avec vous messires Brandelis et Agravain et promptement rapportez-moi ce qu'il en est. »

Ces trois chevaliers partirent. Ils vinrent à la barque et montèrent dessus. Là ils trouvèrent le corps le plus beau qui soit, reposant sur une couche magnifique. Un pauvre homme se tenait assis à l'extrémité de la barque, se refusant à prononcer un seul mot. Les trois chevaliers retournèrent au roi et lui dirent ce qu'ils avaient trouvé. « Je veux voir ce beau corps », dit le roi. Il prit la reine par la main et se rendit là où il était. Il s'assura que la barque était bien amarrée, puis il monta à bord avec la reine et quelques chevaliers. Il y vit la plus belle femme qui soit, reposant sur un lit somptueux. Son corps jusqu'en son milieu était vêtu de beaucoup d'habits splendides. Tout était de drap d'or, et elle semblait sourire en son sommeil.

La reine aperçut en sa main droite une lettre. Elle en informa le roi. Le roi prit la lettre et dit : « À présent, je suis sûr que cette lettre nous apprendra ce qu'était cette femme, et pourquoi elle est venue jusqu'ici. » Le roi et la reine sortirent de la barque et commandèrent à quelqu'un d'y faire bonne garde. Quand il fut en sa chambre, Arthur appela beaucoup de chevaliers. Il déclara qu'il voulait savoir tout ce qui était écrit en cette lettre. Il l'ouvrit et demanda à un clerc de la lire. Voici ce qu'elle contenait : *Très noble chevalier, messire Lancelot, maintenant la mort a passé, et nous voilà deux à nous disputer votre amour. Je fus votre amante, celle qu'on nommait la Belle Pucelle d'Astolat. Adonc c'est vers toutes les dames que je me tourne afin de me plaindre. Cependant priez pour mon âme et donnez-moi au moins une sépulture. Offrez-moi l'argent de ma messe. Ce sera ma dernière requête. Je suis morte vierge et pure, j'en prends Dieu à témoin. Priez pour mon âme, messire Lancelot, vous qui n'avez point de pair.* Telle était la substance de la lettre. Quand on la lut, le roi, la reine, tous les chevaliers se mirent à pleurer, de compassion pour la douleur de ses plaintes.

On envoya chercher messire Lancelot. Quand il fut venu, le roi Arthur fit lire la lettre devant lui. Lorsqu'il l'eut entendue de bout en bout, messire Lancelot dit : « Monseigneur Arthur, sachez bien que je suis fort affligé de la mort de cette gente demoiselle. Dieu sait que je n'ai jamais voulu cette mort. Là-dessus je demanderai le témoignage de son propre frère. Il est ici, c'est messire Lanval. Je ne dirai pas, poursuivit-il, qu'elle n'était pas aussi belle que vertueuse. Et je lui étais fort redevable. Mais elle m'aimait hors de toute mesure. — Vous auriez pu lui montrer, intervint la reine, de la bonté et de la générosité, qui eussent préservé sa vie. — Madame, elle ne voulait entendre parler de rien d'autre que d'être ma femme, ou bien ma maîtresse. Je n'ai consenti à aucune de ces deux choses-là. Mais je lui ai proposé, pour la bienveillance qu'elle avait fait voir à mon endroit, mille livres par an pour elle et ses héritiers, et d'épouser tout chevalier qu'elle jugerait bon de préférer en son cœur. C'est que, madame, je n'aime point qu'on me contraigne à aimer. L'amour doit venir du cœur, et non d'aucune contrainte. — C'est vérité, dit le roi. L'amour de maint chevalier est libre en ses mouvements et refuse qu'on le soumette. S'il est lié, il se délie. »

Après quoi le roi dit à Lancelot : « Ce sera à votre honneur de veiller à ce qu'elle ait une sépulture honorable. — Sire, répondit Lancelot, j'y apporterai tous mes soins. » Beaucoup de chevaliers affluèrent pour contempler la belle pucelle. Le lendemain matin, elle fut mise en terre avec solennité. Messire Lancelot offrit l'argent de la messe, et tous les chevaliers de la Table Ronde qui étaient alors présents contribuèrent à l'offrande avec lui. Puis le pauvre hère repartit avec la barque. La reine fit venir messire Lancelot. Elle lui demanda pardon de s'être fâchée contre lui sans raison. « Ce n'est pas la première fois, repartit Lancelot, que je vous fâche sans cause véritable. Mais, madame, il me faut toujours accepter ce que vous faites, et la peine que je dois souffrir n'a que peu d'importance. »

Ce fut ainsi que passa l'hiver, au milieu de toutes sortes de chasses à courre et au faucon. Joutes et tournois abondèrent. Y prirent part beaucoup de grands seigneurs. Partout, en tous lieux, messire Lanval acquit beaucoup d'honneur, si bien qu'il devint fort en renom parmi bien des chevaliers de la Table Ronde.

CHAPITRE XXI

De grandes joutes qui eurent lieu tout le temps de Noël, d'autres grandes joutes et d'un grand tournoi ordonnés par le roi Arthur, et de messire Lancelot

LES CHOSES passèrent ainsi jusqu'à la Noël. Chaque jour, des joutes avaient lieu pour l'obtention d'un diamant. À celui qui joutait le mieux on donnait le diamant. Messire Lancelot refusait de jouter, à moins que ce ne fût à de grandes joutes criées partout. Mais messire Lanval prit part aux combats tout le temps de Noël. Il s'y comporta fort bien et eut droit aux plus grandes louanges. Il n'y en eut que peu à faire aussi bien. Il s'ensuivit que bien des chevaliers jugèrent qu'il devait être reçu de la Table Ronde à la prochaine fête de Pentecôte.

Après la Noël, le roi Arthur fit venir à lui beaucoup de chevaliers. Ensemble ils décidèrent de la façon dont seraient composés les partis lors d'un grand tournoi et de grandes joutes. Le roi de Norgalles dit à Arthur qu'en son camp il aurait le roi Aguisant d'Irlande, celui des Cent Chevaliers, celui du Northumberland et messire Galehot, le haut prince. Adonc ces quatre rois et ce puissant duc se rangèrent contre le roi Arthur et les chevaliers de la Table Ronde. On publia que le jour retenu pour les joutes serait celui de la Chandeleur et qu'elles se tiendraient à côté de Westminster. Beaucoup de chevaliers s'en réjouirent et se préparèrent, afin de venir aux joutes aussi dispos que cela se pouvait.

La reine Guenièvre envoya quérir messire Lancelot et lui dit : « Je vous demande de ne prendre part à nulle joute ou tournoi sans que ceux de votre sang puissent vous y reconnaître. Aux joutes qui vont se tenir vous aurez de moi une manche d'or. Je vous en prie, par amour pour moi, prenez-y de la peine, afin qu'on y parle de vous avec honneur. Mais je vous enjoins, si vous voulez que je vous aime, d'avertir vos parents que ce jour-là vous porterez à votre heaume cette manche d'or. — Madame, dit Lancelot, ce sera fait. » Chacun des deux fut ainsi fort content de l'autre.

Quand messire Lancelot jugea le moment venu, il dit à messire Bohort qu'il allait partir, sans personne avec lui que messire Lanval, devers le bon ermite qui habitait dans la forêt de Windsor (son nom était messire Bretiaus). Il comptait là se reposer, autant qu'il le pourrait, afin d'être dispos le jour des joutes. Il partit donc en compagnie de messire Lanval, et nul au monde ne sut ce qu'il était devenu, hors les nobles de sa famille. Quand il fut à l'ermitage, vous devinez comme il fut bien reçu. Chaque jour, il allait à une source proche de l'ermitage. Là il s'étendait à terre, regardait l'eau jaillir et bouillonner. Parfois il y dormait.

Or, en ce temps-là, une dame vivait en cette forêt. Elle était grande chasseresse. Journellement elle chassait et ne se séparait jamais de son arc. Nul homme ne l'accompagnait, seulement des femmes. Elles tiraient à l'arc et savaient fort bien tuer un cerf, tant en l'approchant qu'en s'embusquant. Constamment elles portaient arcs et flèches, cors et coutelas, et avaient beaucoup de bons chiens, tant pour mener en laisse que pour attaquer le gibier. Il advint donc que cette dame chasseresse lança son chien contre une biche qui n'avait pas été fécondée et qu'elle voulait tirer à l'arc. Cette biche s'enfuit en sautant par-dessus les haies et au travers des bois. La dame et d'aucunes de ses femmes la suivirent, puis s'arrêtèrent, en écoutant les chiens : la biche était aux abois en quelque rivière. Or, il advint que cette biche vint à la source où messire Lancelot dormait et sommeillait.

Lorsqu'elle fut à la source, elle avait tant couru qu'elle tomba dans l'eau et y demeura longtemps. Les chiens arrivèrent et cherchèrent, car ils avaient perdu sa bonne trace. Peu après parut la dame elle-même, la chasseresse. Elle savait par le chien qu'elle avait avec elle que la biche était dans l'eau de cette source. Elle vint hardiment. Elle découvrit la biche. Elle mit une grande flèche à son arc, qu'elle décocha. Mais la flèche porta trop loin. Malencontreusement, elle atteignit messire Lancelot dans le gras de la fesse, où elle se planta jusque par-delà les barbillons. Lorsque messire Lancelot se sentit touché, il se leva, précipitamment, comme fou. Il aperçut la dame qui l'avait blessé. Voyant que le tireur était une femme, il lui dit : « Dame ou demoiselle, qui que vous soyez, c'est malheur que vous portiez un arc. Le Diable lui-même a fait de vous un archer. »

CHAPITRE XXII

Comment messire Lancelot, après qu'il eut été blessé, vint trouver un ermite, et d'autres matières

« JE VOUS DEMANDE PARDON, gentil seigneur, dit la dame. Je suis de bonne famille. J'ai coutume de chasser en cette forêt, et Dieu sait que je ne vous avais pas vu. Mais il y avait ici, dans l'eau de cette fontaine, une biche non fécondée. Je croyais avoir bien tiré, et le coup a dévié. – Las ! gémit Lancelot, vous m'avez blessé. » La dame partit. Messire Lancelot, du mieux qu'il put, retira la flèche, mais en laissa la pointe dans la fesse. Ce fut ainsi qu'il regagna l'ermitage, sans force et perdant de plus en plus de sang.

Quand messire Lanval et l'ermite virent que Lancelot était blessé, vous devinez quel fut leur chagrin. Cependant messire Lanval ignorait comment la blessure avait été faite et qui en était l'auteur. Quand ils le surent, leur colère ne connut pas de bornes. À grand-peine l'ermite parvint à retirer la pointe de la flèche de la fesse de messire Lancelot. Il perdait beaucoup de son sang. La blessure était fort douloureuse, et il était malencontreux qu'elle fût là, car c'était à un endroit qui l'empêchait de s'asseoir sur une selle. « Le Seigneur ait pitié de moi ! s'exclama-t-il. Je puis me dire l'homme le plus infortuné du monde. À chaque fois que j'ai le plus envie d'acquérir de l'honneur m'advient toujours quelque traverse. Mais si Dieu me vient en aide, et si c'est sa volonté, en dépit de tous je serai sur le terrain des joutes le jour de la Chandeleur, quoi qu'il s'ensuive. » Adonc on se procura tout ce qu'on put trouver pour guérir messire Lancelot.

Le jour venu, il s'arrangea pour s'équiper, de même que messire Lanval et leurs chevaux, comme s'ils eussent été Sarrasins. C'est ainsi qu'ils partirent et s'approchèrent du champ. Le roi de Norgalles avait avec lui cent chevaliers. Celui du Northumberland en amenait cent de qualité. Le roi d'Irlande conduisait aussi cent bons chevaliers, prêts à courir à la joute. Messire Galehot, le haut prince, en apportait cent également. Le roi des Cent Chevaliers en avait autant, tous de valeur éprouvée. Puis entra la compagnie du roi Arthur. Il y avait là le roi d'Écosse, avec cent chevaliers. Le roi Urien de Gorre en fournissait le même nombre. Le roi Hoël de Bretagne en donnait autant, le duc Archalain également. Le roi Arthur lui-même pénétra dedans le champ avec deux cents chevaliers, dont la plupart étaient de la Table Ronde et dont le mérite était chose acquise. De vieux chevaliers furent placés sur des tribunes afin de juger, avec la reine, de qui se comporterait le mieux.

CHAPITRE XXIII

Comment messire Lancelot se conduisit à ces joutes, et de la conduite d'autres hommes

ON SONNA le commencement des combats. Le roi de Norgalles se heurta à celui d'Écosse, lequel se retrouva au sol. Le roi d'Irlande renversa le roi Urien. Celui du Northumberland mit à terre le roi Hoël de Bretagne. Messire Galehot, le haut prince, fit choir le duc Archalain. Lors le roi Arthur entra en courroux furieux. Il courut sus au roi des Cent Chevaliers et le jeta à bas. Ensuite, de la même lance, il abattit trois autres chevaliers. Après quoi, sa lance brisée, il se conduisit encore fort bien. Là-dessus entrèrent dans le champ messire Gauvain, messire Guerrehet, messire Agravain et messire Mordret. Chacun d'eux renversa un chevalier. Messire Gauvain en renversa quatre. Ce fut le commencement d'une grande mêlée, avec l'entrée dedans le champ des chevaliers de la parenté de Lancelot, auxquels s'étaient joints messire Gahériet, messire

Palamède et beaucoup de chevaliers de la Table Ronde. Ils se mirent à serrer de si près les quatre rois et le puissant duc qu'ils furent déconfits. Cela n'empêche point que ce duc Galehot, le haut prince, était un noble chevalier et, par sa grande vaillance aux armes, il tint efficacement tête à ceux de la Table Ronde.

Tout cela n'échappa point à messire Lancelot. Il entra dans le champ, messire Lanval à ses côtés, avec la rapidité de la foudre. Aussitôt messire Bohort et les chevaliers de son sang l'épièrent. Ils se dirent tous l'un à l'autre : « Je vous préviens, faites bien attention à cet homme qui porte sur la tête une manche d'or. C'est messire Lancelot du Lac en personne. » En sa grande bonté, messire Bohort en avertit messire Gahériet. « Je suis bien content, dit celui-ci, de le savoir. — Mais quel est donc, demandèrent-ils tous, celui qui l'accompagne sous le même habillement? — C'est le bon et généreux chevalier messire Lanval », répondit messire Bohort. Messire Lancelot rencontra messire Gauvain. Sa force lui permit de le faire tomber, ainsi que sa monture. De même il mit à terre messire Agravain, messire Guerrehet. Il fit aussi choir messire Mordret, tout cela d'une seule lance.

Après quoi messire Lanval se heurta à messire Palamède. Ils mirent tant de vigueur et d'ardeur à se rencontrer que les deux chevaux ne purent rester debout. Ensuite, on remit les cavaliers en selle. Messire Lancelot fit face à messire Palamède. Celui-ci tomba. Puis messire Lancelot, sans décesser, le temps de prendre de nouvelles lances, renversa trente chevaliers, dont la plupart étaient de la Table Ronde. Cependant ceux de sa parenté s'écartaient de lui et engageaient le combat ailleurs, là où il ne venait point. Le roi Arthur se mit en colère quand il vit messire Lancelot accomplir de pareils exploits. Il appela à lui messire Gauvain, messire Mordret, messire Keu, messire Girflet, messire Lucan l'échanson, messire Bédoïer, messire Palamède, messire Saphar, son frère. Adonc le roi, avec ces huit chevaliers, se prépara à assaillir messire Lancelot et messire Lanval.

Tout ceci, messire Bohort et messire Gahériet le virent. « Je crains fort à présent, dit messire Bohort, que monseigneur Lancelot n'ait fort à faire. — Sur ma foi, repartit messire Gahériet, je vais courir à lui pour l'aider, quoi qu'il puisse lui arriver. C'est lui qui m'a armé chevalier. — N'en faites rien, si vous voulez mon conseil, à moins que vous n'y alliez sous un déguisement. — Vous me verrez déguisé », dit messire Gahériet. Sur ce il épia un chevalier gallois, là où il s'était retiré pour se reposer. Il avait été sévèrement touché auparavant par messire Gauvain. Messire Gahériet s'en fut le trouver et le pria en sa chevalerie de lui prêter son écu à la place du sien. « Je veux bien », répondit-il. Quand messire Gahériet eut son écu, le livre nous dit qu'il était de sinople, chargé de la figure d'une pucelle.

Lors messire Gahériet courut précipitamment devers messire Lancelot, aussi vite qu'il put, et lui dit : « Chevalier, prenez garde. Voici le roi Arthur qui accourt, accompagné de huit nobles chevaliers, afin de vous défaire. Je suis venu vous tenir compagnie, à cause de l'amitié que vous m'avez naguère témoignée. — Grand merci, dit messire Lancelot. — Messire, rencontrez messire Gauvain. Moi, je rencontrerai messire Palamède. Et que messire Lanval affronte le noble roi Arthur ! Lorsque nous les aurons vaincus, tenons-nous tous les trois bien près les uns des autres. »

Lors vint le roi Arthur, accompagné de ses huit chevaliers. Messire Lancelot rencontra messire Gauvain. Il le choqua si rudement que l'arçon de sa selle se rompit et qu'il tomba à terre. Puis messire Gahériet se heurta au valeureux messire Palamède. Il donna sur lui si fort que monture et cavalier furent jetés au sol. Ensuite le roi Arthur fit face à messire Lanval. L'un et l'autre se culbutèrent. Tout fut mis à bas, chevaux et le reste, et les cavaliers demeurèrent étendus longuement sans bouger.

Après quoi messire Lancelot renversa messire Agravain, messire Guerrehet, messire Mordret. Messire Gahériet fit choir messire Keu, messire Saphar, messire Girflet. Messire Lanval fut remis en selle. Il abattit messire Lucan l'échanson et messire Bédoïer. Il y eut alors dans le champ force bons chevaliers. Messire Lancelot se rua de-ci, de-là. Il tailla dans des heaumes, en arracha. Nul ne put résister à la violence de ses coups, tant de lance que d'épée. Messire Gahériet fit de telles actions d'éclat que chacun se demanda quel chevalier ce pouvait être avec l'écu de sinople. Ce jour-là il renversa et tira au sol plus de trente chevaliers. Le livre français nous l'assure, messire Lancelot s'ébahit en voyant messire Gahériet mettre à son compte de telles prouesses, cherchant de quel chevalier il s'agissait. Quant à messire Lancelot lui-même, il renversa et tira au sol vingt chevaliers.

Messire Lancelot ne sut pas qui était messire Gahériet. Si messire Tristan de Léonois ou encore messire Lamorat de Galles avaient été en vie, il aurait pensé avoir affaire à l'un d'eux. Adonc toujours messire Lancelot, messire Gahériet, messire Lanval soutenaient le combat, tandis qu'en face messires Bohort, Hector des Mares, Lionel, Bliobéris, Galeheudin, Pelléas et d'autres de la parenté du roi Ban, rassemblés dans un même camp, étaient occupés par un autre engagement et menaient la vie rude au roi des Cent Chevaliers et à celui du Northumberland.

CHAPITRE XXIV

Comment le roi Arthur s'ébahit grandement des joutes qui se disputaient dans le champ, et comment il alla trouver messire Lancelot

ADONC ce tournoi et ces joutes durèrent longtemps, jusqu'à ce qu'il fût presque nuit, car les chevaliers de la Table Ronde ne cessaient de prêter main-forte au roi Arthur. Le roi était furieux de ce que ses chevaliers et lui ne pussent l'emporter ce jour-là. Lors messire Gauvain lui dit : « Je m'étonne que de toute la journée messire Bohort de Gaunes et ses compagnons du même sang que messire Lancelot ne se soient jamais trouvés à vos côtés. Il doit y avoir une raison. — Sur ma foi, intervint messire Keu, toute la journée messire Bohort s'est tenu là-bas à la droite du champ, et là, lui-même et ceux de sa famille se sont conduits plus honorablement que nous. — Cela se peut, répliqua Gauvain, mais je n'en persiste pas moins à craindre une tromperie. J'en mets ma tête à couper, le chevalier qui porte une manche vermeille brodée d'or est messire Lancelot. Je le vois bien à sa façon de monter à cheval et à la force de ses coups. L'autre chevalier aux mêmes couleurs est le jeune et valeureux messire Lanval. Quant à celui dont l'écu est de sinople, c'est mon frère, messire Gahériet. Je le reconnais malgré son déguisement. Nul ne pourra jamais l'obliger à s'opposer à messire Lancelot, parce que c'est messire Lancelot qui l'a fait chevalier.

— Sur ma foi, dit Arthur, mon neveu, je vous crois. Dites-moi en conséquence votre avis sur ce qu'il vaut mieux faire. — Sire, vous aurez mon avis. Faites sonner la fin des combats. Si c'est là messire Lancelot du Lac et mon frère, messire Gahériet avec lui, aidés par ce valeureux jeune chevalier qu'est messire Lanval, fiez-vous à moi, il ne servira de rien de nous efforcer contre eux. Nous réussirions si nous nous mettions à dix ou douze contre un seul. Mais ce ne serait pas un exploit, seulement une honte. — Vous avez raison, dit le roi. À n'en pas douter, ce serait indigne pour nous, qui sommes si nombreux, de les assaillir plus longtemps. Assurément, ce sont trois bons chevaliers, surtout celui qui a la manche d'or. » On sonna donc la fin des combats. Mais incontinent le roi Arthur fit envoyer un messager aux quatre rois, ainsi qu'au puissant duc, les priant de veiller à ce que le chevalier à la manche d'or restât en leur compagnie, afin qu'il pût lui parler.

Lors, sans attendre, le roi Arthur mit pied à terre. Il ôta son armure, prit une petite haquenée et partit rejoindre messire Lancelot, car l'un de ses serviteurs avait été chargé de l'épier constamment. Il le trouva avec les quatre rois et le duc. Il les pria tous à souper. Quand chacun se fut défait de ses armes, le roi Arthur reconnut messire Lancelot, messire Lanval et messire Gahériet. « Ah ! messire Lancelot, s'exclama-t-il, aujourd'hui vous nous avez donné bien du mal, à mes chevaliers et à moi ! » Tous ensemble ils gagnèrent le logis d'Arthur. Là il y eut un grand banquet, de grandes réjouissances, et l'on donna le prix à messire Lancelot. Les hérauts annoncèrent qu'il avait renversé cinquante chevaliers, messire Gahériet trente-cinq, messire Lanval vingt-quatre.

Après quoi messire Lancelot raconta au roi et à la reine comment la dame chasseresse l'avait atteint d'une grande flèche à la fesse dans la forêt de Windsor. La plaie était de six pouces de profondeur, et d'autant pour la longueur. Arthur blâma messire Gahériet d'avoir abandonné ses compagnons pour se ranger aux côtés de messire Lancelot. « Monseigneur, repartit messire Gahériet, il m'a fait chevalier et, quand je l'ai vu en pareil embarras, il m'a semblé qu'en honneur je devais l'aider. Il en faisait tant, et il y avait tant de nobles chevaliers contre lui ! Quand je compris que c'était messire Lancelot du Lac, j'eus honte de voir tant de chevaliers l'assaillir, alors qu'il était seul. — À la vérité, dit le roi à messire Gahériet, vous avez raison. Vous avez agi honorablement et ajouté beaucoup à votre crédit. Tous les jours de ma vie, poursuivit-il, sachez que je vous en aimerai et m'en fierai à vous davantage. C'est toujours le fait d'un chevalier de mérite de se porter à l'aide d'un autre chevalier de mérite quand il le voit en grand danger, car toujours homme d'honneur déplore de voir homme d'honneur mis à honte. Celui à qui l'honneur fait défaut et qui se conduit lâchement jamais ne se montrera généreux. Jamais il ne fera preuve d'une quelconque bienveillance lorsqu'il verra quelqu'un en péril, car toujours un poltron ne témoigne de nulle pitié, cependant qu'un homme de bien se comportera constamment avec autrui comme il voudrait qu'on se comportât avec lui. »

Adonc on festoya superbement rois et ducs. Jeux, divertissements, réjouissances ne firent point défaut. On traita ses hôtes avec munificence. Qui alors se montrait courtois, loyal, fidèle à ses amis avait droit à beaucoup d'affection.

Ainsi se termine le DIX-HUITIÈME LIVRE. Et suit le DIX-NEUVIÈME.

LIVRE DIX-NEUVIÈME

Lancelot et Guenièvre

CHAPITRE I

Comment l'amour fidèle est comparé à l'été

AINSI passèrent les choses, de la Chandeleur jusqu'après Pâques. Vint le mois de mai, où tous les cœurs pleins de sève commencent à porter fleurs et fruits. De même, en effet, qu'herbes et arbres produisent fruits et fleurs en mai, de même alors tous les cœurs allègres touchés par l'amour s'ouvrent et s'épanouissent. Les actions sont lestes. Il donne du courage à tous les amoureux, ce gaillard mois de mai. Il les oblige, on ne sait comment, à faire quelque chose de plus en ce mois qu'en tout autre. Lors chaque herbe, chaque arbre revigore hommes et femmes. Les amoureux se ressouviennent de quelque courtoisie autrefois montrée, de quelque service rendu naguère, et de maint geste aimable sorti de l'esprit par négligence. De même, en effet, que l'hiver flétrit, et toujours corrompt et défigure le vert visage de l'été, de même sévit l'infidélité en amour, tant chez l'homme que chez la femme. En mainte personne il n'est nulle constance. On le voit tous les jours : que malignement l'hiver vienne à flétrir, aussitôt nous effaçons de notre mémoire et rejetons l'amour fidèle, comptant pour peu de chose ou même rien du tout ce qui nous a tant coûté. Ce n'est pas sage ni constant d'agir ainsi. C'est débilité de nature et grand manquement à l'honneur, peu importe qui se conduit de cette manière.

Adonc, tel le mois de mai quand il fleurit et prospère en maint jardin, de même que tout homme d'honneur ouvre son cœur en ce monde, d'abord à Dieu, puis au bonheur de ceux auxquels il a promis fidélité. Qui a de l'honneur, homme ou femme, aime toujours quelqu'un de préférence aux autres. Il est vrai qu'aux armes l'honneur ne peut jamais être ignoré, mais d'abord c'est à Dieu qu'il est dû. Ensuite la querelle doit venir de la dame. Un amour de cette sorte, je le nomme vertueux. Cependant, à présent, les hommes ne peuvent aimer huit jours de suite. Ils veulent satisfaire chacun de leurs désirs. Cet amour-là ne peut raisonnablement durer. Quand l'accord est vite obtenu, la passion prompte, l'ardeur se refroidit. C'est ainsi que va l'amour maintenant, bientôt l'on brûle, bientôt l'on glace. Ce n'est pas cela, la constance.

Autrefois, l'amour n'était pas le même. Hommes et femmes pouvaient s'aimer sept années de rang. Il n'y avait pas entre eux d'appétits luxurieux. L'amour était loyal et fidèle. Et voyez, c'est ainsi qu'on aimait au temps d'Arthur. C'est pourquoi je compare l'amour de maintenant à été et hiver. L'un est chaud, l'autre froid. De même va l'amour aujourd'hui. Adonc, vous tous qui êtes amoureux, rappelez-vous le mois de mai, comme le fit la reine Guenièvre, à propos de laquelle je remarque ici en passant qu'aussi longtemps qu'elle vécut elle fut fidèle en amour. C'est pourquoi sa fin fut bonne.

CHAPITRE II

Comment la reine Guenièvre alla cueillir des fleurs au mois de mai en compagnie de chevaliers de la Table Ronde, chacun vêtu de vert

ADONC il advint qu'au mois de mai, la reine Guenièvre fit venir à elle des chevaliers de la Table Ronde. Elle leur donna à savoir que tôt le lendemain matin, elle chevaucherait pour aller cueillir des fleurs dans les bois et les prés, à côté de Westminster. « Et sachez que tous vous devrez avoir belle monture et tous être vêtus de vert, que l'étoffe soit de drap ou bien de soie. J'amènerai avec moi dix dames. Chaque chevalier aura une dame en croupe derrière lui, et chaque chevalier un écuyer et deux valets. Et je veux que vous ayez tous de belles montures. » Ils s'apprêtèrent, aussi vite qu'ils le purent. Les noms de ces chevaliers étaient messire Keu le sénéchal, messire Agravain, messire Brandelis, messire Sagremor le Desrée, messire Dodinel le Sauvage, messire Osenain Cœur Hardi, messire Ladinas de la Forêt Sauvage, messire Persant de l'Inde, messire Bras de Fer, qu'on appelait aussi le Chevalier des Plaines Rouges, et messire Pelléas, l'amoureux. Ces dix chevaliers se préparèrent en toute diligence à chevaucher en compagnie de la reine. Adonc le lendemain matin ils prirent leurs chevaux, de même que leur reine, et l'on partit cueillir des fleurs dans les bois et les prés au gré de sa fantaisie, tout au plaisir et à la joie. La reine Guenièvre avait résolu d'être de retour auprès du roi Arthur au plus tard à dix heures. Elle s'était fixé cette heure-là.

Il y avait en ce temps un chevalier du nom de Méléagant. Il était fils du roi Bademagu. Ce chevalier alors possédait un château qui lui avait été baillé par le roi Arthur, à moins de trois lieues de Westminster. Il était fort épris de la reine Guenièvre, et cela depuis bien des années. Le livre nous dit qu'il s'était déjà embusqué pour l'enlever. Cependant, toujours il renonçait à ses projets à cause de messire Lancelot. En nulle façon il ne voulait s'approcher de la reine si messire Lancelot lui tenait compagnie. Sinon il était sans cesse auprès d'elle.

En ce temps, la coutume voulait qu'elle ne chevauchât jamais qu'entourée d'une nombreuse troupe d'hommes d'armes. C'étaient de bons chevaliers, jeunes pour la plupart et désireux d'acquérir de la réputation. On les appelait les Chevaliers de la Reine. Jamais en nulle bataille, tournoi ni joute ils ne portaient nul signe par où reconnaître leurs propres armes, mais seulement des écus de couleur blanche. C'est par là qu'on les savait Chevaliers de la Reine. Quand quelqu'un venait à se distinguer par ses nobles exploits, à la fête suivante de Pentecôte, s'il y avait eu des chevaliers tués ou morts de leur belle mort — et il ne se passait jamais d'année sans qu'il y en eût — on choisissait à la place des trépassés les hommes les plus dignes pour devenir Chevaliers de la Reine. C'est ainsi qu'ils avaient toujours les premières places ou étaient tous renommés pour leur mérite, que ce fût messire Lancelot ou aucun autre.

Cependant ce chevalier, messire Méléagant, avait bien épié la reine et appris le dessein qu'elle avait. Il était averti que messire Lancelot ne l'accompagnerait pas et qu'elle n'aurait avec elle d'autres hommes d'armes que les dix nobles chevaliers susdits, tous vêtus de vert, pour aller cueillir les fleurs de mai. Il se pourvut en conséquence de huit fois vingt hommes d'armes et de cent archers, afin d'œuvrer à la perte de la reine et de ses chevaliers, car il pensait le moment bien choisi pour un enlèvement.

CHAPITRE III

Comment messire Méléagant se saisit de la reine et de ses chevaliers, lesquels furent gravement blessés en combattant

ADONC, lorsque la reine eut cueilli les fleurs de mai avec tous ses chevaliers, tous furent parés d'herbes, de mousses et de fleurs, de la meilleure façon qui soit et la plus gaie. C'est alors que surgit d'un bois messire Méléagant, avec huit fois vingt hommes bien armés, prêts à livrer bataille pour les faire prisonniers. Ils intimèrent à la reine et à ses chevaliers l'ordre de ne pas bouger. Qu'ils le voulussent ou non, ils ne bougeraient mie. « Traître chevalier, dit la reine Guenièvre, qu'as-tu donc en tête ? Veux-tu te rendre indigne ? Souviens-toi que tu es fils de roi, compagnon de la Table Ronde, alors que tu cherches à déshonorer le noble prince qui t'a fait chevalier. Tu fais la honte de toute la chevalerie, en même temps que la tienne. Quant à moi, sache que tu ne me rendras point infâme, car j'aimerais mieux me couper la gorge que de connaître par toi le déshonneur. — Toutes ces paroles, repartit messire Méléagant, m'importent peu. Apprenez, madame, que je vous aime depuis longtemps. Jamais jusqu'à maintenant ne m'était venue pareille occasion de me saisir de vous. Je vous prendrai donc comme je vais vous trouver. »

Lors les dix chevaliers parlèrent tous d'une même voix. Ils dirent : « Messire Méléagant, sachez-le, vous allez être failli d'honneur. Vous voulez également vous en prendre à nous, nonobstant que nous soyons sans nos armures. Vous avez sur nous un grand avantage. Il semble que vous nous ayez épiés. Cependant, plutôt que vous ne déshonoriez la reine et nous tous, nous préférerions perdre la vie. Si nous nous conduisions autrement, nous serions à jamais perdus de réputation. » Lors répondit messire Méléagant : « Préparez-vous du mieux que vous pourrez et protégez la reine. »

Les dix chevaliers de la Table Ronde tirèrent leurs épées du fourreau. Les autres leur coururent sus avec leurs lances. Les dix chevaliers les attendirent de pied ferme. Ils écartèrent les lances de leurs épées, si bien que nulle ne leur fit aucun mal. Lors leurs ennemis se jetèrent sur eux, l'épée à la main. Aussitôt messire Keu, messire Sagremor, messire Agravain, messire Dodinel, messire Ladinas, messire Osenain furent jetés à terre avec de cruelles blessures. Messire Brandelis, messire Persant, messire Bras de Fer, messire Pelléas se battirent longtemps. Ils furent gravement touchés. Ces dix chevaliers, avant d'être mis à bas, occirent quarante hommes parmi les plus hardis et les meilleurs.

Lorsque la reine vit ses chevaliers ainsi piteusement blessés, et que finalement il leur faudrait périr, de compassion et de peine elle cria à l'adresse de messire Méléagant : « Ne tue pas mes nobles chevaliers. Je te suivrai, mais à une condition, c'est que tu les épargnes et n'acceptes plus qu'ils soient davantage mis à mal. J'ajoute qu'ils devront être conduits là où tu me conduiras, où que ce puisse être, car j'aime mieux me tuer que de te suivre, si mes nobles chevaliers ici présents ne peuvent demeurer près de moi. — Madame, repartit Méléagant, par égard pour vous ils seront conduits avec vous en mon propre château, pourvu que vous vous soumettiez et chevauchiez avec moi. » Lors la reine pria les quatre chevaliers qui combattaient encore d'arrêter de se battre. Elle et eux resteraient ensemble. « Madame, dit messire Pelléas, peu me chaut de mourir ou de demeurer en vie. » Le livre français l'affirme, messire Pelléas choquait si rudement que nulle armure ne pouvait lui résister.

CHAPITRE IV

Comment messire Lancelot apprit que la reine était captive, et comment messire Méléagant tendit une embuscade à Lancelot

LORS, sur ordre de la reine, ils arrêtèrent le combat. On mit les chevaliers blessés à dos de cheval, les uns assis, les autres au travers de leurs montures. Ils faisaient peine à voir. Messire Méléagant l'enjoignit à la reine et à tous ses chevaliers : nul ne devait s'éloigner de la souveraine. En effet, il redoutait beaucoup messire Lancelot du Lac, craignant qu'il ne vînt à savoir ce qui se passait. Tout ceci n'échappa point à la reine Guenièvre. Secrètement elle fit venir à elle un valet de chambre, auquel vite on bailla un cheval. Elle lui dit : « Va, quand tu jugeras que c'est le moment, porter cet anneau à messire Lancelot du Lac, et prie-le, s'il m'aime, de venir me sauver. Son bonheur avec moi est à ce prix. Et ne ménage point ton cheval, tant par terre que par eau. »

Adonc le valet guetta le bon moment, et sans tarder il donna des éperons à sa monture, partant aussi rapidement qu'il le put. Quand messire Méléagant le vit ainsi s'enfuir, il comprit que c'était par le commandement de la reine et pour avertir messire Lancelot. Ceux qui avaient les meilleurs coursiers le prirent en chasse et tirèrent des flèches sur lui. Mais le valet leur échappa à tous soudainement. Messire Méléagant dit à la reine : « Madame, vous avez dessein d'user de traîtrise avec moi. Mais je ferai en sorte que messire Lancelot ne vienne pas promptement vous rejoindre. » Après quoi il resta près d'elle, et tous gagnèrent son château à grande hâte. Sur le chemin, messire Méléagant mit aux embûches les meilleurs archers qu'il put trouver en cette contrée, jusqu'au nombre de trente, afin d'épier la venue de messire Lancelot. Il leur commanda, s'ils voyaient arriver un chevalier comme lui, monté sur un cheval blanc, surtout de tuer le cheval, mais de ne s'en prendre au cavalier lui-même en nulle manière, car il était trop difficile à vaincre.

Ceci fut donc éxécuté, et l'on s'en vint au château. Cependant la reine refusa obstinément de permettre à aucun chevalier et à aucune dame de quitter sa vue. Toujours ils demeurèrent en sa présence. Messire Méléagant, à ce que dit le livre, n'osa pas se livrer à des violences par crainte de messire Lancelot, pensant qu'il était prévenu.

Quand le valet eut faussé compagnie à la troupe de messire Méléagant, peu après il arriva à Westminster. Sans tarder il alla trouver messire Lancelot. Lorsqu'il eut transmis son message et donné l'anneau de la reine : « Las ! s'exclama Lancelot, je suis à jamais perdu d'honneur si je ne sauve de la honte cette noble dame. » Vite il demanda son armure. Cependant le valet lui raconta comment les dix chevaliers avaient merveilleusement combattu, comment messire Pelléas, messire Bras de Fer, messire Brandelis et messire Persant de l'Inde avaient vaillamment résisté, surtout messire Pelléas, nul ne pouvant lui tenir tête, comment ils avaient tous continué de se battre jusqu'au bout, quand ils avaient été mis à terre. La reine alors avait conclu un traité pour leur garder la vie sauve, acceptant de suivre messire Méléagant.

« Hélas! gémit messire Lancelot, faut-il qu'une aussi noble dame périsse de la sorte! Plutôt qu'on ne me baille la France entière, j'eusse mieux aimé m'être trouvé là, bien armé. » Quand il eut endossé son harnois et fut monté à cheval, il pria le valet de chambre de la reine d'informer messire Lanval de son brusque départ et de lui en donner les raisons. « Et priez-le, s'il m'aime, de se hâter de partir à ma suite, et de ne pas s'arrêter avant d'être parvenu au château où messire Méléagant séjourne, ou habite. Ce Méléagant y entendra parler de moi, s'il est vrai que je suis un homme. Je délivrerai la reine et les dix chevaliers qu'il a faits prisonniers par trahison. Sa tête m'en répondra, et celle de tous les gens qui le soutiennent. »

CHAPITRE V

Comment fut tué le cheval de messire Lancelot,
et comment il monta dans une charrette pour secourir la reine

LORS messire Lancelot courut le grand galop. Le livre nous dit qu'il entra dans l'eau au pont de Westminster et fit à la nage traverser la Tamise à son cheval pour reprendre pied à Lambeth. Puis, en peu de temps, il vint au lieu même où les dix nobles chevaliers avaient combattu contre messire Méléagant. Messire Lancelot suivit leurs traces jusqu'à un bois. Là il y avait un chemin en ligne droite. Les trente archers lui intimèrent l'ordre de faire demi-tour et de ne pas continuer par là. « Qui vous a chargés de me le dire, répliqua Lancelot, et de m'obliger, moi qui suis chevalier de la Table Ronde, à quitter ce droit chemin ? — Tu le quitteras, sinon tu poursuivras à pied, car sache que nous tuerons ton cheval. — Ce ne serait pas une grande prouesse que de le tuer. Mais pour ce qui est de moi, quand il sera mort, je ne donne pas cher de votre peau, quand vous seriez cinq cents de plus que vous n'êtes. »

Adonc ils tirèrent sur le cheval de messire Lancelot et lui décochèrent plus d'une flèche. Messire Lancelot se dégagea de sa monture et continua à pied. Mais il y avait entre les archers et lui tant de fossés et de haies qu'il ne put en atteindre aucun. « Quelle honte, hélas, s'exclama-t-il, qu'un chevalier puisse ainsi user de traîtrise avec un autre chevalier ! Mais le vieux proverbe a raison : un homme de mérite n'est jamais autant en danger que si le danger vient d'un lâche. » Messire Lancelot poursuivit sa route quelque temps, puis il se trouva encombré de son armure, son écu, sa lance, et tout son équipement. Assurément il fut dans un grand embarras. Il hésitait beaucoup à se séparer de quoi que ce fût en cet équipement, car il craignait fort la déloyauté de messire Méléagant.

Lors le hasard voulut que passât une charrette, qui venait là quérir du bois. « Dis-moi, charretier, demanda messire Lancelot, que dois-je te donner pour que tu me permettes de sauter dans ta charrette et pour que tu me mènes à un château à moins d'une lieue d'ici ? — Tu ne monteras pas dans ma charrette, répondit le charretier, car j'ai reçu l'ordre d'aller chercher du bois pour mon seigneur, messire Méléagant. — Je voudrais lui parler. — Tu ne monteras pas. » Sur ce messire Lancelot bondit sur le charretier et lui asséna un coup si rude qu'il tomba à terre raide mort. L'autre charretier, son compagnon, prit peur. Il craignit d'avoir le même sort. Il cria : « Gentil seigneur, épargnez-moi et je vous conduirai là où vous voudrez. — En ce cas, dit messire Lancelot, je te somme de me conduire, ainsi que cette charrette, jusqu'à la porte de messire Méléagant. — Sautez dedans et vous y serez tout à l'heure. »

Le charretier mena son cheval au grand galop, tandis que le destrier de messire Lancelot suivait, avec plus de quarante flèches dans le corps. Plus d'une heure et demie plus tard, dame Guenièvre, qui guettait à une fenêtre cintrée avec ses dames d'honneur, aperçut un chevalier en armure debout dans une charrette. « Voyez, madame, lui dit une de ses dames suivantes, voici venir dans une charrette un chevalier tout armé de bonne mine. Je suppose qu'on va le pendre. — Où cela ? » demanda la reine. Lors elle s'aperçut à son écu que c'était messire Lancelot du Lac lui-même qui se trouvait là. Puis elle se rendit compte que son cheval ne cessait de suivre la charrette, marchant sans arrêt sur son ventre et ses boyaux. « Las ! s'exclama la reine, je vois bien à présent, et en donne la preuve, qu'a bien de la chance celui qui possède un ami sûr. Ah ! ah ! très noble chevalier, te voilà bien mal à l'aise quand tu voyages dans une charrette ! »

Puis elle tança la dame qui avait représenté messire Lancelot comme allant à la pendaison dans une charrette. Il était infâme et bien mal venu d'imaginer le plus noble chevalier du monde voué à une mort aussi ignominieuse. « Dieu garde, s'écria la reine, et lui épargne toute fin déshonorante ! » Messire Lancelot pour lors était arrivé devant les portes du château. Il descendit et cria, de telle sorte que le bruit en retentit dans toute la demeure : « Où donc es-tu, traître perfide, messire Méléagant, chevalier de la Table Ronde ! Montre-toi, chevalier félon, ainsi que tes compagnons. Me voici, messire Lancelot du Lac, et je vais te combattre. » Là-dessus il poussa la porte, qui s'ouvrit largement au nez du portier. De son gantelet il lui porta un coup sous l'oreille qui lui rompit le col.

CHAPITRE VI

Comment messire Méléagant demanda pardon à la reine,
comment elle apaisa messire Lancelot,
et d'autres matières

QUAND MESSIRE MÉLÉAGANT sut que messire Lancelot était là, il courut devers la reine Guenièvre. Il tomba à genoux devant elle et lui dit : « Pitié, madame ! Je m'en remets entièrement à votre merci. — Qu'avez-vous donc ? demanda-t-elle. À la vérité, je pouvais bien penser que quelque bon chevalier voudrait me venger, quand bien même monseigneur Arthur n'aurait pas été informé de ce que vous avez fait. — Madame, tout le mal que j'ai fait sera réparé, en tout point comme vous le désirerez. Je n'attends rien que de votre pardon. — Que voulez-vous que je fasse ? — Rien d'autre que de décider de tout et de gouverner monseigneur Lancelot. Tout ce qui pourra vous être offert, à lui comme à vous, en ce pauvre château, vous l'aurez jusqu'à demain matin, et lors vous pourrez tous retourner à Westminster. Ma personne, tout ce que j'ai, tout est à votre disposition. — Vous parlez comme il convient, dit la reine. Mieux vaut la paix que la guerre, et moins on fera de bruit, mieux cela vaudra pour ma réputation. »

Lors la reine et ses dames suivantes descendirent trouver le chevalier, messire Lancelot, qui était demeuré, en courroux furieux, dans la cour du château à attendre que l'on se batte. Sans cesse il criait : « Montre-toi, traître chevalier ! » La reine vint à lui et lui dit : « Messire Lancelot, pourquoi tant de passion ? — Ah ! madame, pourquoi cette question ? Il me semble que votre colère devrait passer la mienne. C'est vous qui avez le dommage et le déshonneur. Assurément, madame, je n'ai pas subi une perte bien grande. On m'a tué le petit d'une jument. Mais l'outrage m'afflige bien plus que le dommage. — Certes, repartit la reine, vous avez raison. Je vous suis reconnaissante du fond du cœur. Mais il faut me suivre en cette maison dans un esprit de paix. Tout dépend désormais de moi seule. Le mal qui a été fait sera amendé au mieux. Le chevalier regrette bien sincèrement de s'être mis dans ce mauvais pas. — Madame, si vous et lui vous êtes arrangés, je ne puis aller contre, bien que messire Méléagant se soit indignement conduit avec moi, et lâchement.

« Ah ! madame, si j'avais su que si tôt vous auriez abouti à un arrangement, je n'aurais pas fait si vite à venir à vous. — Pourquoi parler ainsi ? Regretteriez-vous vos bonnes actions ? Sachez-le bien, je me suis mise d'accord avec lui, non par faveur ou par amour, mais pour faire taire toute rumeur infamante. — Madame, vous comprendrez aisément que je n'ai jamais désiré ni bien accueilli calomnie ou bavardage qui porte atteinte à l'honneur. Cependant il n'y a roi, reine ou chevalier en ce monde, à l'exception de monseigneur le roi Arthur et de vous, madame, qui puisse m'empêcher de faire en sorte que le cœur de messire Méléagant s'arrête de battre avant mon départ de ces lieux. — Je le sais. Mais que désirez-vous de plus ? Tout sera ordonné de la manière qui vous plaira. — Madame, pourvu que vous soyez contente, rien ne me soucie. Pour ce qui est de moi, il ne vous sera pas difficile de me satisfaire. » Aussitôt la reine prit messire Lancelot par sa main nue, car il avait ôté son gantelet, et elle se rendit avec lui en sa chambre. Là elle lui enjoignit d'enlever son armure.

Messire Lancelot demanda où se trouvaient les dix chevaliers qui avaient été gravement blessés. Elle les lui montra. Ils le reçurent à grande joie. Il s'affligea beaucoup de leurs blessures et les plaignit grandement. Il leur raconta comment traîtreusement Méléagant avait placé des archers pour tuer son cheval, et comment il avait été contraint de monter dans une charrette. Ils se lamentèrent tous les uns auprès des autres. C'est bien volontiers qu'ils se fussent vengés, mais ils s'apaisèrent à cause de la reine.

Ensuite, le livre français nous le rapporte, longtemps messire Lancelot fut appelé le Chevalier à la Charrette. Il fit mainte action d'éclat et connut de grandes aventures. Mais laissons là le Chevalier à la Charrette et revenons à notre récit. Adonc messire Lancelot eut bonne chère de la reine. Il lui fit promesse que cette nuit-là il viendrait à une fenêtre qui donnait sur un jardin. Cette fenêtre avait des barreaux de fer. Messire Lancelot promit d'y rencontrer la reine, quand tout le monde serait endormi.

Messire Lanval, bride abattue, vint devant les portes, criant : « Où est monseigneur Lancelot du Lac ? » On l'envoya quérir. Quand il vit messire Lancelot, messire Lanval lui dit : « Monseigneur, j'ai pu me rendre compte des difficultés que vous avez rencontrées, car j'ai trouvé votre cheval tué par des flèches. — Pour ce qui est de cela, repartit messire Lancelot, je vous en prie, messire Lanval, parlons d'autre chose, qu'il n'en soit plus question ! Nous arrangerons ceci à un autre moment du mieux que nous pourrons. »

CHAPITRE VII

Comment messire Lancelot nuitamment vint retrouver la reine, et comment messire Méléagant accusa celle-ci de trahison

LORS on sonda les plaies des chevaliers qui avaient été blessés, et on y appliqua des baumes. C'est ainsi que le temps passa jusqu'à l'heure du souper. La reine et tous ses chevaliers eurent aussi bonne chère que cela se pouvait. Ensuite, quand ce fut le moment, chacun regagna sa chambre. Cependant, en nulle façon, la reine ne consentit à ce que les chevaliers blessés fussent éloignés d'elle. On les installa dans de petites chambres près de la sienne, sur des lits et des oreillers, afin qu'elle-même pût s'occuper d'eux s'ils avaient besoin de quelque chose.

Lorsque messire Lancelot fut dans celle des chambres qui lui avait été assignée, il appela messire Lanval et lui dit que cette nuit-là il devait s'entretenir avec sa dame, la reine Guenièvre. « Messire, repartit messire Lanval, permettez-moi de vous accompagner si vous le voulez bien, car je redoute fort une traîtrise de la part de messire Méléagant. — Non, dit Lancelot, je vous remercie, mais j'irai seul. » Il prit en main son épée et secrètement se rendit en un lieu où il avait préalablement remarqué une échelle. Il mit cette échelle sous son bras, traversa le jardin avec elle, la posa contre l'appui de la fenêtre. La reine était là, prête à le rencontrer. Ils se plaignirent l'un à l'autre de beaucoup de choses de toute sorte. Puis messire Lancelot émit le regret de ne pouvoir entrer chez elle. « Savez-vous, lui dit-elle, que j'ai le même regret que vous ? — Voudriez-vous, en votre cœur, que je fusse à vos côtés ? — Oui, vraiment, dit la reine.

— Eh bien, je vais essayer ma force, par amour pour vous. » Il empoigna les barres de fer et tira si fort qu'il les descella complètement de la pierre. L'un des barreaux, tandis qu'il l'arrachait, coupa la chair des mains jusqu'à l'os. Après cela, messire Lancelot sauta dedans la chambre pour rejoindre la reine. « Ne faites pas de bruit, dit-elle. Mes chevaliers blessés reposent ici tout près. » Ainsi donc, pour abréger mon propos, messire Lancelot alla au lit avec la reine. Il ne souffrit aucunement de sa main déchirée, mais jusqu'à l'aube prit son plaisir et à sa convenance. Vous devinez qu'il ne ferma pas l'œil. Il demeura éveillé, et quand il jugea le moment arrivé où il ne pouvait s'attarder davantage, il prit congé et sortit par la fenêtre. Il remit celle-ci en état du mieux qu'il put. Ensuite il regagna sa chambre. Quand il y fut, il raconta à messire Lanval comment il s'était blessé. Messire Lanval soigna sa main. Il étancha le sang. Il mit dessus un gant, de manière à ce que l'on ne s'aperçût de rien. La reine, elle, resta longtemps au lit, jusqu'à neuf heures.

Lors messire Méléagant se rendit à la chambre de la souveraine. Il y trouva ses dames suivantes, qui étaient prêtes et avaient fini de s'habiller. « Mon Dieu ! madame, s'exclama-t-il, qu'avez-vous donc à dormir si longtemps ? » Aussitôt il tira le rideau pour la regarder. Il la vit où elle se trouvait. Drap et oreiller étaient couverts du sang de messire Lancelot du Lac, qui avait coulé de sa main déchirée. Lorsque messire Méléagant s'avisa de ce sang, il pensa que la reine trompait le roi et que certains des chevaliers blessés avaient partagé sa couche la nuit durant. « Ah ! madame, s'écria-t-il, à présent il se découvre bien que vous êtes fausse et trahissez monseigneur Arthur. Il est clair que ce n'est pas sans raison que vous avez placé ces chevaliers blessés aussi près de votre chambre. En conséquence, je vous accuserai de trahison devant monseigneur le roi Arthur. À présent, madame, vous êtes manifestement coupable d'une action honteuse. Leur perfidie, à eux tous, ou à certains d'entre eux, j'en donnerai la preuve, car un chevalier blessé a cette nuit couché avec vous. — C'est faux, répliqua la reine. Je m'en rapporte à eux tous. »

Lorsque les dix chevaliers entendirent les paroles de messire Méléagant, ils parlèrent d'une même voix et lui dirent : « Tu mens. C'est à tort que tu nous imputes une pareille action. Nous le prouverons en te combattant, que ce soit l'un ou l'autre. Tu choisiras qui tu voudras parmi nous quand nous serons guéris de nos blessures. — Point de cela ! repartit messire Méléagant. Fi de votre arrogance ! Vous pouvez tous voir en regardant ici que cette nuit un chevalier blessé a dormi avec la reine. » Ils eurent honte, tous, quand ils virent le sang. Vous devinez comme messire Méléagant fut content d'avoir acquis sur la reine Guenièvre un tel avantage. Il y vit un moyen de dissimuler sa trahison. Au milieu de ce bruit survint messire Lancelot, qui les trouva tous fort préoccupés.

CHAPITRE VIII

Comment messire Lancelot se fit le champion de la reine pour livrer combat à messire Méléagant, et comment il tomba dans un piège

« QUE SIGNIFIE TOUT CECI ? » demanda messire Lancelot. Messire Méléagant lui dit alors ce qu'il avait découvert et lui montra le lit de la reine. « À la vérité, repartit Lancelot, il ne vous convenait point, et ce n'était point d'un chevalier, de toucher au lit d'une reine pendant que les rideaux étaient tirés et qu'elle y était couchée. Je suis sûr que monseigneur Arthur lui-même n'aurait point tiré les rideaux pendant qu'elle était en son lit, à moins qu'il ne lui eût semblé bon de s'étendre à ses côtés. En conséquence, ce que vous avez fait est indigne et vous déshonore. — Je ne vois pas ce que vous voulez dire, répliqua messire Méléagant, mais je suis certain d'une chose, c'est que l'un de ses chevaliers blessés a cette nuit partagé sa couche. Je prouverai donc sur le champ clos qu'elle a trahi monseigneur Arthur. — Prenez garde. Si je vous comprends bien, si vous entendez prouver la vérité de ce que vous dites, votre défi sera relevé. — Monseigneur Lancelot, je vous conseille de prendre garde, vous aussi. Vous avez beau être un valeureux chevalier (on vous répute, et vous le savez bien, le meilleur au monde), cependant vous devriez hésiter avant de combattre dans une injuste querelle, car Dieu se réserve d'intervenir dans toutes les batailles. — Certes, Dieu doit être craint. Mais en la circonstance, je démens sans détour. Cette nuit, nul de ces dix chevaliers blessés n'a partagé la couche de madame la reine Guenièvre. Je prouverai de mon bras que vous ne dites point la vérité là-dessus en ce moment. — Cela suffit. Voici mon gant. Je la dis traîtresse envers monseigneur le roi Arthur, et j'affirme que cette nuit l'un des chevaliers blessés était au lit avec elle. — Je relève votre gant », dit messire Lancelot.

Les défis furent revêtus du sceau de leurs cachets et remis aux dix chevaliers. « Quand nous rencontrerons-nous? demanda Lancelot. — Dans huit jours d'ici, répondit messire Méléagant, dans le pré qui jouxte Westminster. — J'en suis d'accord. — À présent, toutefois, reprit messire Méléagant, puisqu'il est acquis que nous devons nous battre, je vous prie, si vous êtes noble chevalier, de n'ourdir tout ce temps contre moi nulle félonie ni vilaine action, et moi-même ne ferai rien de tel à votre encontre. — Dieu m'en soit témoin, sachez à n'en point douter que jamais je n'ai été de ce caractère-là. J'en appelle à tous les chevaliers qui me connaissent de longue date. Je n'ai jamais eu recours à une perfidie et n'ai jamais aimé la compagnie d'un homme qui en usait. — En ce cas, allons dîner, dit messire Méléagant. Après dîner, la reine et vous, et tous les autres, vous pourrez regagner Westminster. — Je veux bien », dit messire Lancelot.

Lors messire Méléagant lui dit : « Vous plairait-il de visiter les salles en ce château? — Volontiers. » Ils allèrent ensemble de salle en salle. Messire Lancelot ne redoutait nul danger. Toujours homme d'honneur et de vaillance est le moins enclin à voir partout une menace, car il imagine que chacun lui ressemble. Cela n'empêche pas que celui qui use de perfidie vous met souvent en grand péril. C'est ce qui advint à messire Lancelot. Il ne craignait nul danger mais, accompagnant messire Méléagant, il marcha sur une trappe. La planche glissa, et il tomba de plus de deux toises dans une fosse emplie de paille. Méléagant s'en alla. Il se conduisit comme s'il ignorait où Lancelot était passé. On remarqua l'absence de ce dernier et se demanda ce qu'il était devenu. Mais la reine et beaucoup des chevaliers pensèrent qu'il était parti selon son habitude, soudainement. Messire Méléagant s'arrangea pour faire disparaître tout à coup la monture de messire Lanval, de façon que tout le monde crût que messire Lancelot s'en était allé inopinément.

Ainsi passèrent les choses jusqu'après le dîner. Messire Lanval alors n'eut de cesse qu'il eût commandé des litières pour les chevaliers blessés, afin qu'on pût les y installer. Puis la reine et eux tous, les dames, nobles dames et autres, chacun se mit en route pour Westminster. Là les chevaliers rapportèrent au roi Arthur comment Méléagant avait accusé la reine de haute trahison et comment messire Lancelot avait relevé son gant. « Et dans huit jours d'ici, ils combattront devant vous. — Sur ma foi, repartit le roi, j'ai peur que messire Méléagant ne se soit mis une grande affaire sur les bras. Mais où est messire Lancelot ? — Sire, répondirent-ils tous, nous ne savons pas où il est, mais nous pensons qu'il est parti en quête d'aventures, comme il a souvent accoutumé de le faire, car il a le destrier de messire Lanval. — Ne vous occupez pas de lui, dit le roi. Nous le retrouverons, à moins qu'il ne soit la victime de quelque piège. »

CHAPITRE IX

Comment messire Lancelot fut délivré de sa prison par une dame, prit un coursier blanc et vint, afin de rester fidèle au jour dit

LAISSONS DONC messire Lancelot gisant dans cette basse-fosse, où il souffrait beaucoup. Chaque jour, il venait une dame, qui lui apportait à boire et à manger et cherchait à le séduire pour qu'il fît d'elle sa maîtresse. Mais toujours messire Lancelot, le noble chevalier, lui disait non. « Messire Lancelot, lui répliquait-elle, vous êtes malavisé, car vous ne pourrez jamais sortir de cette prison que si vous profitez de mon aide. Quant à votre dame, la reine Guenièvre, elle sera brûlée vive en votre absence, si vous n'êtes là au jour prévu pour le combat. — Dieu garde qu'elle soit brûlée du fait de mon absence ! S'il advient que je ne puisse être là, ils comprendront aisément, tant le roi que la reine et tous les hommes d'honneur, que je suis ou mort, ou malade, ou encore emprisonné. Tous ceux qui me connaissent diront de moi que je suis en quelque mauvais pas, si je ne suis là au jour dit. Et je suis assuré qu'il se trouvera quelque bon chevalier de mon sang, ou quelqu'un d'autre qui m'aime, pour se charger de ma querelle. Adonc sachez bien que vous ne réussirez point à me faire peur. Et s'il n'y avait d'autre femme en toute l'étendue de ce pays, je ne voudrais pas encore de vous. — En ce cas, vous êtes perdu d'honneur et n'en réchapperez point, dit la dame. — Pour ce qui est de la honte attachée à ce monde, Notre-Seigneur m'en protège ! Quant à mon malheur, tout est bienvenu que Dieu m'envoie. »

Elle revint le voir le jour même du combat et lui dit : « Messire Lancelot, il me semble que vous avez le cœur bien dur. Cependant, si vous consentiez à m'embrasser, ne fût-ce qu'une fois, je vous délivrerais, vous rendrais votre harnois et vous baillerais le meilleur cheval qu'il y ait en l'écurie de messire Méléagant. — Pour ce qui est de vous embrasser, répondit-il, je puis le faire sans faillir à l'honneur. Mais sachez bien que si je croyais qu'il y eût quelque déshonneur à vous embrasser, je m'y refuserais. »

Il lui donna un baiser. Elle le prit par la main et le conduisit à son armure. Quand il fut armé, elle le mena jusqu'à une écurie, où se trouvaient douze bons coursiers, et lui demanda de choisir le meilleur. Messire Lancelot jeta les yeux sur un beau cheval blanc qui lui plaisait plus que tout autre. Aussitôt il donna ordre aux palefreniers de le seller au plus vite, de la meilleure selle pour la guerre qui fût à disposition. Ses ordres furent exécutés. Messire Lancelot se saisit de sa lance, pendit son épée à son côté et recommanda la dame à Dieu, disant : « Madame, pour cette bonne action je vous rendrai service, si jamais cela est en mon pouvoir. »

CHAPITRE X

Comment messire Lancelot vint, le jour même où messire Méléagant l'attendait sur le champ clos, et s'apprêta à combattre

À PRÉSENT, laissons messire Lancelot galoper de toute la vitesse de son cheval et parlons de la reine Guenièvre. Elle avait été conduite devant un bûcher pour y être brûlée. Messire Méléagant, en effet, se sentait assuré que messire Lancelot ne serait pas en mesure de prendre part au combat. C'est pourquoi il ne cessait de crier à l'adresse du roi Arthur de lui rendre justice, s'il ne pouvait lui montrer messire Lancelot du Lac. Le roi et toute la cour étaient fort abattus et honteux de ce que la reine dût être brûlée à cause que messire Lancelot n'était pas là. « Monseigneur Arthur, dit messire Lanval, vous pouvez aisément comprendre que tout ne va pas bien pour monseigneur Lancelot. S'il était en vie, à moins d'être malade ou emprisonné, soyez assuré qu'il serait ici. Jamais vous n'avez ouï dire qu'il ait failli à celui pour lequel il s'était engagé à combattre. En conséquence, monseigneur, je vous adjure de me donner permission de livrer combat ici aujourd'hui à la place de mon seigneur et maître, et afin de sauver madame la reine.

— Grand merci, gentil messire Lanval, repartit le roi Arthur. Je crois pouvoir affirmer que tout ce dont messire Méléagant accuse ma reine est faux. J'ai parlé à chacun des dix chevaliers blessés, et il n'en est pas un seul qui, s'il était en bonne santé et capable de se battre, ne voudrait prouver aux dépens de la personne de messire Méléagant qu'est contraire à la vérité ce qu'il impute à ma dame, la reine. — C'est ce que je veux faire, moi aussi, dit messire Lanval, pour défendre l'honneur de mon seigneur, messire Lancelot, si vous m'y autorisez. — Je vous y autorise, dit le roi. Faites de votre mieux. Je crois bien que messire Lancelot est victime de quelque traîtrise. »

Lors messire Lanval fut armé et mis à cheval. Tout soudain, à l'extrémité de la lice, messire Lancelot parut afin de livrer le combat. Juste au moment où les hérauts devaient annoncer : « Laissez-les aller », il survint, galopant de toute la vitesse de sa monture. Arthur cria : « Holà! » et « Attendez! » Lancelot fut appelé à se présenter à cheval devant le roi, et là il dit publiquement, devant le prince et devant tout le monde, comment messire Méléagant en avait usé avec lui du commencement à la fin. Lorsque le roi, la reine, tous les seigneurs connurent la perfidie de messire Méléagant, ils eurent tous honte pour lui. On fit venir la reine Guenièvre, et le roi confia sa défense au champion qui s'était proposé en premier.

Il n'y avait plus rien à dire. Messire Lancelot et messire Méléagant s'apprêtèrent à combattre. Ils empoignèrent leurs lances et se chargèrent sus avec la rapidité de la foudre. Messire Lancelot fit voler son adversaire par-dessus la croupe de son cheval. Après quoi il mit pied à terre. Il ajusta son écu à son épaule, tandis qu'il tenait son épée à la main. Messire Méléagant, de même manière, se mit en devoir de lui faire face. Ils se portèrent plus d'un coup plein de force. Finalement messire Lancelot choqua l'autre si rudement sur le heaume qu'il tomba à terre sur le flanc. Méléagant se mit alors à crier bien haut : « Très noble chevalier, messire Lancelot du Lac, épargnez ma vie. Je me rends à vous et vous en requiers, si vous êtes chevalier et compagnon de la Table Ronde, ne me tuez point. Je reconnais ma défaite et, que je vive ou que je meure, m'en remets au roi et à vous-même. »

Messire Lancelot ne sut plus ce qu'il devait faire. Plus que tout au monde il eût aimé pouvoir se venger de messire Méléagant. Il leva les yeux vers la reine Guenièvre afin de voir, à un geste ou à l'expression de sa physionomie, ce qu'elle voulait qu'il fît. Elle eut alors un signe de la tête à son intention comme pour dire : « Tuez-le. » Il sut parfaitement à ce signe qu'elle désirait la mort de messire Méléagant. Sur ce messire Lancelot enjoignit à son adversaire de se relever pour éviter la honte et de se battre à outrance. « Non, répondit-il, je ne me relèverai point, avant que vous m'ayez reconnu défait et se rendant à merci. — Je vais vous faire une proposition généreuse, dit alors messire Lancelot. Je vais découvrir ma tête et la partie gauche de mon corps, tout ce qui peut être désarmé, et je vais attacher ma main gauche derrière mon dos, de telle sorte que je ne puisse m'en servir. C'est ainsi que je vais me battre avec vous. »

Messire Méléagant se releva d'un bond. Il s'écria à haute voix : « Monseigneur Arthur, vous avez entendu cette proposition. Je l'accepte. Qu'il soit désarmé et lié, comme il le propose ! — Qu'en pensez-vous ? demanda le roi à Lancelot. Vous en tenez-vous à votre offre ? — Oui, monseigneur, je ne reviens jamais sur ce que j'ai dit. » Les juges de la lice ôtèrent son armure à messire Lancelot, d'abord la tête, puis le bras gauche et le côté gauche. Ensuite ils lui attachèrent le bras gauche derrière le dos, sans qu'il eût de bouclier ou quoi que ce soit, puis on remit les chevaliers face à face. Vous pensez qu'il y eut mainte dame et maint chevalier pour s'ébahir que messire Lancelot prît des risques aussi grands.

Messire Méléagant s'avança, l'épée haute. Messire Lancelot exposa sans hésiter sa tête nue et son côté gauche sans armure. Lorsque Méléagant crut pouvoir frapper à la tête ainsi exposée, lestement messire Lancelot recula jambe gauche et côté gauche. Il présenta sa main droite et son épée à ce coup et l'écarta avec beaucoup d'adresse. Puis, fort violemment, il choqua son adversaire sur le heaume, si âprement que l'épée fendit la tête en deux. Il n'y avait plus rien à faire. On tira Méléagant hors du champ. À la prière instante des chevaliers de la Table Ronde, le roi accepta qu'il eût une sépulture. On mentionna qui l'avait occis et pour quelle raison. À la suite de cela, le roi et la reine tinrent messire Lancelot du Lac en plus grande estime que jamais auparavant, et jamais il n'en eut affection plus grande.

CHAPITRE XI

Comment messire Urry vint à la cour d'Arthur pour y être guéri de ses blessures, et comment le roi voulut d'abord le toucher de ses mains

ENSUITE le livre français nous rapporte qu'il y avait dans le pays de Hongrie un valeureux chevalier. Son nom était messire Urry. Il recherchait les aventures. Partout où lui venait aux oreilles qu'on pouvait s'illustrer en quelque action d'éclat, c'est là qu'il désirait se rendre. Or il advint qu'en Espagne se trouvait le fils d'un comte, nommé Alpheüs. Lors d'un grand tournoi en ce pays, ce messire Urry, chevalier de Hongrie, et messire Alpheüs d'Espagne se rencontrèrent, la haine au cœur. Chacun voulut un combat à outrance. Le hasard fit que messire Urry occit messire Alpheüs, le fils du comte espagnol. Mais ce chevalier qui fut tué avait infligé à messire Urry, avant de mourir, sept grandes blessures, trois à la tête et quatre sur le corps, dont une à la main gauche.

Ce messire Alpheüs avait une mère, qui était grande sorcière. De colère à cause de la mort de son fils elle fit en sorte, par ses subtils artifices, que messire Urry ne pût jamais guérir. Toujours ses plaies tantôt se gâteraient, tantôt saigneraient. Il ne se rétablirait jamais, aussi longtemps que le meilleur chevalier au monde n'aurait pas sondé ses blessures. Ce fut ce qu'elle prétendit avoir fait et par quoi l'on sut que messire Urry ne pourrait jamais guérir. Lors la mère de messire Urry fit faire une litière et l'y installa. La litière était tirée par deux palefrois. Cette dame emmena avec elle la sœur de messire Urry, une fort belle demoiselle, qui avait nom Félélolie. Elle emmena aussi un page, pour s'occuper de leurs chevaux. C'est ainsi qu'elle conduisit messire Urry à travers de nombreux pays. Selon le livre français, pendant sept ans, de cette manière elle le mena par tous les pays chrétiens, sans pouvoir trouver aucun chevalier capable de soulager son fils.

Adonc elle arriva en Écosse et dans le pays d'Angleterre. Par aventure elle vint, environ la fête de Pentecôte, à la cour du roi Arthur, qui alors se tenait à Carlisle. Quand elle y fut, elle fit savoir publiquement qu'elle était venue en ce pays pour la guérison de son fils. Le roi envoya quérir cette dame et lui demanda la raison pourquoi elle avait choisi d'amener ce chevalier blessé en son pays. « Très noble roi, lui répondit la dame, sachez que je l'ai amené céans pour qu'il y soit guéri de ses blessures, desquelles depuis sept ans il n'a pu se guérir. » Puis elle lui raconta où il avait été blessé et par qui. Elle lui dit comment la mère de son adversaire avait en son orgueil révélé que par enchantement il ne connaîtrait jamais la guérison, tant que le meilleur chevalier du monde n'aurait pas sondé ses plaies. « J'ai donc traversé tous les pays chrétiens dans l'espoir d'obtenir cette guérison, hormis celui-ci. Et si je ne parviens pas à le délivrer de son mal en ce pays-ci, je cesserai de m'y efforcer, et c'est dommage car c'était un chevalier valeureux et de grand mérite.

— Quel est son nom? demanda Arthur. — Mon bon et gracieux seigneur, son nom est messire Urry de la Montagne. — Puisque vous avez choisi de venir en ce pays, vous y êtes la très bien venue. Et n'ayez nulle crainte, votre fils recouvrera la santé, si jamais chrétien peut la lui rendre. Afin d'encourager tous les autres hommes d'honneur, moi-même je tenterai de toucher les plaies de votre fils. Ensuite ce sera le tour de tous les rois, ducs et comtes qui sont maintenant ici présents avec moi. Je leur en donnerai l'ordre et suis assuré qu'ils m'obéiront et se conformeront à mon commandement. Entendons-nous bien : si je vais être le premier à toucher et sonder ses plaies du mieux que je pourrai, ce ne sera pas que je présume être digne de guérir votre fils en raison de mes hauts faits. Mais je veux inciter d'autres hommes d'honneur à m'imiter. »

Lors le roi donna ordre à tous les rois, ducs et comtes, et à tous les nobles chevaliers de la Table Ronde qui se trouvaient là en cette circonstance, de venir dans le pré de Carlisle. Il n'y avait alors en ce lieu que cent un compagnons de la Table Ronde. Quarante-neuf étaient ailleurs. Nous devrons donc commencer par le roi Arthur. Il est naturel de commencer par le plus en renom parmi les hommes qui alors avaient reçu le baptême.

CHAPITRE XII

Comment le roi Arthur toucha les plaies de mesire Urry, imité ensuite en cela par maint chevalier de la Table Ronde

LORS le roi Arthur regarda messire Urry, et il lui parut qu'en bonne santé il avait dû être de fort bonne mine. Il le fit porter hors de sa litière et mettre sur le sol. On y posa un coussin d'or, afin que le roi s'y agenouillât. Puis le noble roi Arthur dit : « Gentil chevalier, j'ai regret de votre blessure. Pour encourager tous les autres nobles chevaliers, je vais vous prier d'accepter qu'avec douceur je touche vos plaies. — Très noble roi chrétien, repartit Urry, faites comme bon vous semblera. Je suis à la merci de Dieu, et à vos ordres. »

Arthur avec douceur le toucha. Certaines de ses plaies se remirent alors à saigner. Le roi Clarion du Northumberland les sonda, sans effet. Puis ce fut le tour de messire Aguignier, qu'on nommait aussi le roi des Cent Chevaliers. Il essaya, sans succès. Ensuite vint le roi Urien du pays de Gorre. Après lui le roi Aguisant d'Irlande. Après lui le roi Nante de Garlot. Il fut suivi par le roi Caradoc d'Écosse. Après lui ce fut le duc Galehot, le haut prince. Lui succéda Constantin, qui était fils de messire Cador de Cornouailles. Se présenta ensuite le duc Achalain. Il fut imité par le comte Ulban, puis par le comte de Lamballe, puis par le comte Aristant.

Après vint le tour de messire Gauvain, avec ses trois fils, messire Guinglain, messire Florent et messire Lovel, ces deux derniers engendrés de la sœur de messire Brandelis. Ils échouèrent tous. S'avancèrent alors messire Agravain, messire Guerrehet, messire Mordret et le valeureux chevalier qu'était messire Gahériet. Pour la chevalerie il valait mieux que tous ses frères ensemble. Après cela se présentèrent des chevaliers du même sang que Lancelot, mais Lancelot lui-même n'était pas alors à la cour. Il courait les aventures. On vit venir messire Lionel, messire Hector des Mares, messire Bohort de Gaunes, messire Blanor de Gaunes, messire Bliobéris de Gaunes, messire Galeheudin, messire Galehodin, messire Ménéduc, messire Villars le Vaillant et messire Hébès le Renommé. Tous ceux-là étaient de la parenté de messire Lancelot, et ils échouèrent tous.

Ensuite on vit s'avancer messire Sagremor le Desrée, messire Dodinel le Sauvage, messire Dinadan, messire Brunor le Noir, messire Keu le sénéchal, messire Keu d'Estrans, messire Méliot de Logres, messire Petitpas de Winchelsea, messire Galeron de Galvoie, messire Merlin du Tertre, messire Cardoc, messire Yvain l'Avoutre et messire Osenain Cœur Hardi. Puis ce furent messire Astamor, messire Hélyan de Gomoret, messire Crosselème, messire Servais le Preux, dont on disait qu'il était fort robuste. Le livre raconte que la grande Dame du Lac festoya messire Lancelot et messire Servais le Preux. Quand elle les eut festoyés tous deux à plusieurs reprises, elle les pria de lui accorder une faveur. Ils y consentirent. Elle demanda alors à messire Servais de ne jamais se battre contre messire Lancelot du Lac, et de même manière requit messire Lancelot de ne jamais se mesurer à messire Servais. Ce que chacun promit. Messire Servais en effet, à ce que dit le livre français, n'eut jamais envie ni désir de se battre contre des hommes, à moins qu'il ne s'agît de géants. Il y ajoutait dragons et bêtes sauvages.

Revenons-en à ceux qui, à la requête du roi Arthur, furent amenés à toucher les plaies de messire Urry, tous ceux qui assistaient au grand festin, tels les chevaliers de la Table Ronde. Le roi agit ainsi dans le dessein de savoir lequel parmi eux était le meilleur chevalier. Lors vinrent messire Agloval, messire Dorian, messire Tor, qui fut engendré de la femme d'Arès le vacher (mais il le fut avant qu'Arès épousât cette femme). Le roi Pellinor les avait tous engendrés, d'abord messire Tor, puis messire Agloval, messire Dorian, messire Lamorat, le plus noble chevalier qu'il y eût jamais au temps d'Arthur pour ce qui est des faits d'armes du monde temporel, enfin messire Perceval, sans égal hormis messire Galaad pour les hauts faits d'inspiration céleste (mais ces deux-là moururent en la quête du Saint-Graal). Après quoi s'avancèrent messire Girflet, fils de Do, messire Lucan l'échanson, messire Bédoïer, son frère, messire Brandelis, messire Clégis, messire Sadoc, messire Dinas le sénéchal, de Cornouailles, messire Fergus, messire Driant, messire Lambéguet, messire Clèremonde, messire Clodomir, messire Ascanor, messire Édouard de Carnavon, messire Priamus, qui fut baptisé par messire Tristan, le noble chevalier. Ces trois-là étaient frères.

Parut messire Hélain le Blanc, qui était fils de messire Bohort, lequel l'avait engendré de la fille du roi Brangorre. Il était accompagné de messire Briant de Listenois. Puis ce furent messire Gautier, messire Regnault, messire Guimart. C'étaient trois frères que messire Lancelot avait vaincus sur un pont, sous les couleurs de messire Keu. Ensuite vinrent messire Guivret le Petit, messire Bélangère le Beuse, qui était fils du bon chevalier messire Alexandre l'Orphelin, tué par la fourberie du roi Marc. Ce roi perfide tua également Tristan, le noble chevalier, tandis qu'il jouait de la harpe devant sa dame, la Belle Yseut. Ce fut à l'aide d'une lance bien pointue. Sa mort, tous les chevaliers qu'il y avait au temps d'Arthur la pleurèrent amèrement. Nul ne fut davantage regretté que messire Tristan et messire Lamorat, car ils furent tués par traîtrise, messire Tristan par le roi Marc et messire Lamorat par messire Gauvain et ses frères. Messire Bélangère vengea la mort de son père, Alexandre, après que messire Tristan eut été occis par le roi Marc. La Belle Yseut défaillit et mourut sur le corps sans vie de messire Tristan, ce qui fut grand dommage. Tous ceux qui autour du roi Marc avaient consenti au meurtre de messire Tristan n'en réchappèrent point, tels messire Andret et beaucoup d'autres.

Ensuite se présentèrent messire Marganor, messire Nicorant le Pauvre, messire Supinabel, messire Bélinant l'Orgueilleux, que le bon chevalier messire Lamorat avait vaincu en combat loyal, messire Néronéans et messire Plénorin, les deux valeureux chevaliers qu'avait défaits messire Lancelot. Puis on vit s'avancer messire Darras, messire Érec, fils de Lac, messire Marin, le frère du roi Armant, pour lequel messire Palamède avait combattu deux frères à la Cité Vermeille. Puis ce furent messire Célice de la Tour Douloureuse, messire Édouart des Orcades, messire Bras de Fer, autrement nommé le noble Chevalier des Plaines Rouges, que messire Gahériet avait conquis par amour pour dame Léone, messire Arroc de Grévant, messire Greu, fils du roi d'Alénie, qui combattit le géant de la Colline Noire, messire Espinogre, qui était le fils du roi du Northumberland.

Après quoi vint messire Pelléas. Il aima la dame Arcade. Il serait mort d'amour pour elle sans une des dames du Lac, dont le nom était dame Viviane. Elle épousa messire Pelléas et lui permit de toujours échapper aux coups mortels. C'était un fort noble chevalier. Messire Lamiel de Cardiff se présenta ensuite. Lui aussi fut un grand amoureux. Puis ce fut le tour de messire Plein de Force, de messire Mélian de l'Ile, de messire Boort Cœur Hardi, qui était fils du roi Arthur, de messire Mador de la Porte, de messire Calogrenant, de messire Hervé de la Forêt Sauvage, de messire Mauruc, le bon chevalier, qui fut trahi par sa femme (sept années durant, elle lui donna l'aspect d'un loup). Vinrent après messire Persant, messire Parthénopée, son frère, qu'on appelait le Chevalier Vert, et messire Pergamon, frère des deux autres, qu'on nommait le Chevalier Rouge et que messire Gahériet défit, tandis qu'on le connaissait lui-même sous le nom de Belles Mains. Ces cent un chevaliers sondèrent les plaies de messire Urry, pour obéir aux ordres du roi Arthur.

CHAPITRE XIII

Comment messire Lancelot reçut d'Arthur l'ordre de toucher les plaies de messire Urry, comment aussitôt celui-ci fut complètement guéri, et comment on rendit grâce à Dieu

« MON DIEU ! s'exclama le roi Arthur, où est donc passé messire Lancelot du Lac pour ne pas se trouver ici maintenant ? » Mais, tandis qu'ils se tenaient debout à parler de choses et d'autres, on l'aperçut qui venait vers eux à cheval, et on en rapporta la nouvelle au roi. « Silence ! demanda-t-il, qu'on ne dise rien de cela avant qu'il vienne à nous ! » Adonc messire Lancelot vit le roi Arthur. Aussitôt il descendit de sa monture et vint au roi pour le saluer et saluer tout le monde. Dès que la jeune fille qui était sœur de messire Urry eut porté ses regards sur messire Lancelot, elle courut devers son frère, là où il était, dans la litière, et lui dit : « Mon frère, un chevalier est arrivé pour lequel mon cœur incline grandement. — Gente sœur, répondit-il, mon cœur aussi est attiré vers lui, et j'espère assurément maintenant pouvoir être guéri, car j'ai plus d'inclination pour lui que pour tous ceux qui ont sondé mes plaies jusqu'ici. »

Arthur dit alors à messire Lancelot : « Il faut que vous fassiez comme nous. » Il lui conta ce qu'ils avaient fait et lui montra tous ceux qui étaient venus avant lui. « Dieu garde, s'écria messire Lancelot, après que tant de rois et de chevaliers ont essayé et échoué, que j'aie la présomption de réussir là où vous tous, messeigneurs, n'avez pu obtenir de succès. — Je ne vous laisse pas le choix, repartit le roi Arthur. Je vous ordonne de faire ce que tous nous avons fait. — Mon très glorieux seigneur, vous savez bien que je n'ose ni ne puis désobéir à vos ordres. Mais si je le pouvais ou si j'osais, soyez assuré que je n'entreprendrais pas de toucher les plaies de ce chevalier blessé, dans l'intention de surpasser tous les autres chevaliers. Dieu me garde de cette indignité !

— Vous avez tort de le prendre ainsi, dit le roi. Vous ne le ferez pas par présomption mais pour nous tenir compagnie, parce que vous êtes de la Table Ronde. Et n'en doutez point, conclut-il, si vous ne réussissez pas à guérir cet homme, je prétends que nul chevalier en ce pays ne pourra y parvenir. En conséquence, je vous en prie, faites comme nous. »

Lors les rois et chevaliers pour la plupart prièrent messire Lancelot de sonder les plaies de messire Urry. Puis le chevalier blessé lui-même se mit sur son séant avec peine et instamment fit la même demande, disant : « Chevalier plein de courtoisie, je vous requiers pour l'amour de Dieu de guérir mes blessures, car il me semble que depuis que vous êtes là, elles ne me font plus souffrir. — Ah ! mon gentil seigneur, s'exclama messire Lancelot, Dieu veuille que je puisse vous aider ! Je crains fort de subir un échec, car jamais encore mon mérite n'a pu me permettre d'atteindre aussi haut. »

Sur ce il s'agenouilla près du chevalier blessé, disant : « Monseigneur Arthur, il me faut obéir à vos ordres, lesquels sont fort contraires à mon inclination. » Puis il joignit les mains, regarda du côté de l'orient, en se disant dans le secret de son cœur : « Vous le Père, le Fils et le Saint-Esprit, je vous en adjure en votre miséricorde, comblez le peu d'honneur et d'honnêteté que je puis avoir. Sainte Trinité, permettez que j'aie le pouvoir de guérir ce chevalier malade, par une vertu et une grâce insignes venant de vous et assurément point de moi, Seigneur miséricordieux. »

Après quoi messire Lancelot pria messire Urry de lui permettre de voir son visage. Dévotement agenouillé, il sonda trois des blessures. Elles saignèrent un peu. Puis incontinent elles guérirent tout à fait. On aurait cru que de sept ans tout avait été sain. Pareillement, il sonda trois autres plaies du corps, et elles guérirent de même manière. Enfin il sonda la dernière, qui était à la main, et aussitôt la guérison fut complète. Le roi Arthur et tous les rois et chevaliers se mirent à genoux et rendirent grâce au Seigneur et à sa sainte Mère. Messire Lancelot ne pouvait s'arrêter de pleurer, comme un enfant qui vient d'être battu.

Ensuite le roi Arthur, de la manière la plus dévote, fit venir des prêtres et des clercs pour accompagner messire Urry en son entrée à Carlisle au milieu des chants à la louange de Dieu. Quand ce fut fait, le roi se fit vêtir aussi superbement que cela se pouvait. Il n'y eut alors que peu de chevaliers de meilleure apparence en toute la cour, car il était fort bien fait et robuste. Arthur demanda à messire Urry comment il se sentait. « Mon bon seigneur, lui fut-il répondu, jamais je ne fus aussi gaillard. — Êtes-vous d'humeur à jouter et manier les armes ? — Sire, dit messire Urry, si j'avais en ma possession tout ce qu'il faut pour courir à la joute, j'eusse tôt fait de me préparer. »

CHAPITRE XIV

Comment, contre cent chevaliers, fut assemblé un parti, lui aussi de cent chevaliers, et d'autres matières

LORS Arthur assembla un parti de cent chevaliers pour être opposé à un autre, du même nombre. Adonc, le lendemain matin, on jouta pour un diamant, mais sans que prît part aux combats aucun des chevaliers les plus redoutables. Bref, messire Urry et messire Lanval furent les meilleurs ce jour-là. Nul des deux ne défit et ne traîna au sol moins de trente chevaliers. Après quoi, avec l'assentiment de tous les rois et barons, messire Urry et messire Lanval furent faits chevaliers de la Table Ronde. Messire Lanval s'éprit de la demoiselle Félélolie, la sœur de messire Urry. On les maria au milieu d'une grande allégresse. Le roi Arthur leur bailla à chacun une baronnie. Ce messire Urry ne voulut plus ensuite quitter messire Lancelot. Messire Lanval et lui demeurèrent toujours à son service. Chacun en la cour les considéra comme de bons chevaliers, et pleins d'ardeur au combat. Ils accomplirent plus d'une prouesse, car ils refusaient toujours de prendre du repos et constamment étaient en quête d'aventures. On vécut donc longtemps en cette cour dans la magnificence et dans la joie. Mais, nuit et jour, messire Agravain, le frère de messire Gauvain, épiait la reine Guenièvre et messire Lancelot du Lac, pour qu'ils connussent honte et ignominie.

J'arrête là mon récit, laissant de côté de grands livres de messire Lancelot du Lac et les grandes aventures qui furent siennes quand on l'appelait le Chevalier à la Charrette. Le livre français nous le rapporte : pour se moquer, des chevaliers et des dames l'appelèrent le Chevalier qu'on mène dans une charrette, comme s'il avait été jugé à pendre. À la suite de cela, pour marquer son mépris à l'égard de tous ceux qui lui avaient donné ce nom, il se fit véritablement transporter un an durant dans une charrette. Peu après qu'il eut occis messire Méléagant en se faisant le champion de la reine, il cessa, et ce pendant une année, de venir à la cour à dos de cheval. À ce que dit le livre français, durant tout ce temps, il livra plus de quarante combats. Mais, parce que je n'ai plus en ma possession la véritable histoire du Chevalier à la Charrette, je laisse là le récit des aventures de messire Lancelot et passe à celui de la mort du roi Arthur. Messire Agravain en fut la cause.

Fin du DIX-NEUVIÈME LIVRE.
Suit la très pitoyable histoire de la mort du roi Arthur,
qui fait le VINGTIÈME.

LIVRE VINGTIÈME

Le commencement de la fin

CHAPITRE I

Comment messire Agravain et messire Mordret pressèrent messire Gauvain de découvrir l'amour qu'il y avait entre messire Lancelot et la reine Guenièvre

AU MOIS DE MAI, quand tous les cœurs pleins de vie fleurissent et bourgeonnent — car en cette saison, plaisante à voir et revigorante, hommes et femmes se délectent et réjouissent de la future venue de l'été aux fraîches fleurs — l'hiver, avec ses âpres coups de vent, ses tourmentes réduit gaillards et gaillardes à se tenir à croupetons tout près du feu —, donc en cette saison où vient le mois de mai, il advint beaucoup de fureur et de malheur, qui ne cessèrent point avant que la fleur de la chevalerie du monde entier fût détruite et mise à mort. Et tout cela doit être mis sur le compte de deux malheureux chevaliers, lesquels se nommaient Agravain et messire Mordret. Ils étaient frères de messire Gauvain. Ces messire Agravain et messire Mordret nourrissaient continûment une haine secrète envers la reine, dame Guenièvre, et messire Lancelot. Nuit et jour, ils épiaient ce dernier.

La mauvaise fortune voulut donc que messire Gauvain et tous ses frères fussent un jour réunis dans la chambre du roi Arthur. Messire Agravain dit alors, ouvertement et non à voix basse, de manière que beaucoup de chevaliers pussent entendre : « Je m'étonne que nous n'ayons pas honte tous, tant que nous sommes, de voir et savoir que messire Lancelot jour et nuit partage la couche de la reine. Cela n'échappe à aucun. Et tous nous le tolérons honteusement, nous souffrons tous qu'un roi aussi noble que le roi Arthur connaisse pareille indignité. » Messire Gauvain prit alors la parole et dit : « Messire Agravain, mon frère, je vous en requiers et l'enjoins, ne parlez plus de ces choses-là devant moi car, sachez-le bien, je ne lierai point partie avec vous. — Par Dieu, s'exclamèrent messire Guerrehet et messire Gahériet, Agravain, mon frère, nous n'aurons point de part à vos actions. — Moi si, dit messire Mordret. — Je vois bien, dit messire Gauvain, qu'il en résultera une longue suite de toutes sortes de malheurs. Mon frère, messire Mordret, il vous faut en convenir. Je regrette que vous n'ayez pas renoncé à vous mêler de tout ceci et vous soyez donné tant de peine, car je sais ce qu'il en adviendra. — Advienne que pourra, répliqua messire Agravain, j'en informerai le roi.

— Ce ne sera point suivant mon conseil, dit messire Gauvain. S'il vient à y avoir guerre et querelle entre messire Lancelot et nous, soyez certain, mon frère, que plus d'un roi et d'un grand seigneur se rangeront aux côtés de messire Lancelot. En outre, mon frère, messire Agravain, il faut vous ressouvenir combien de fois il a sauvé le roi et la reine. Les meilleurs de nous tous auraient le sang glacé jusques au cœur si messire Lancelot ne s'était montré meilleur que nous. Il en a fait la preuve en mainte occasion. Pour ma part, jamais je ne serai contre lui, pour ce qu'il a fait un jour quand il m'a délivré des mains de messire Caradoc de la Tour Douloureuse, l'a tué et ainsi m'a sauvé la vie. J'ajoute, mes frères, messire Agravain et messire Mordret, que de même manière il vous a tirés, et soixante-deux chevaliers avec vous, des prisons de messire Tarquin. Il me semble, mon frère, messire Agravain, que de tels bienfaits et qu'une telle bienveillance doivent être gardés en mémoire. — Faites comme bon vous semblera, répondit messire Agravain, je ne me tairai plus. »

Là-dessus le roi Arthur s'approcha d'eux. « À présent, mon frère, tenez votre langue, dit messire Gauvain. — Non, repartirent messire Agravain et messire Mordret. — Vraiment? dit messire Gauvain. En ce cas, Dieu vous soit en aide! Quant à moi, je refuse de prêter l'oreille à vos médisances et de prendre part à vos menées. — Nous aussi, firent assavoir messire Gahériet et messire Guerrehet. Nous ne dirons jamais de mal de cet homme-là. — Messire Lancelot, ajouta messire Gahériet, m'arma chevalier. Rien ne pourra m'amener à médire de lui. » Sur ce trois des frères quittèrent les deux autres, donnant libre cours à leur chagrin. « Las ! s'exclamèrent messire Gauvain et messire Gahériet, ce royaume à présent est dans le désarroi le plus profond, et la noble compagnie de la Table Ronde va se disperser. » Après quoi ils partirent.

CHAPITRE II

Comment messire Agravain découvrit au roi Arthur l'amour de messire Lancelot et de la reine Guenièvre, et comment le roi lui donna toute liberté de se saisir de Lancelot

LE ROI alors leur demanda la raison de tout ce bruit. « Monseigneur, répondit Agravain, je vais vous révéler ce que je ne puis vous celer davantage. Mon frère, messire Mordret, et moi venons de nous ouvrir à mes frères, messire Gauvain, messire Guerrehet et messire Gahériet, de ce que nul n'ignore, que messire Lancelot partage la couche de votre reine, et ce depuis longtemps. Nous sommes les fils de votre sœur et ne pouvons plus le tolérer. Nous savons tous que vous devez être au-dessus de messire Lancelot. Vous êtes le roi qui l'a fait chevalier. Adonc nous le montrerons coupable, qu'il est traître envers votre personne. — Si cela est vrai, répondit le roi, assurément il est félon. Cependant, je répugnerais à mettre quelque chose en mouvement avant d'avoir des preuves. Messire Lancelot est hardi chevalier. Vous n'ignorez pas qu'il est le meilleur de nous tous. À moins qu'il ne soit pris sur le fait, il combattra celui qui répandra le bruit, et je ne connais personne qui soit capable de se mesurer à lui. En conséquence, si c'est vrai ce que vous me dites, j'aimerais qu'il fût pris sur le fait. » En réalité, le livre français l'affirme, le roi avait fort peu envie d'un éclat à propos de messire Lancelot et de sa reine. Il avait des soupçons mais ne voulait pas qu'on lui en parlât. Messire Lancelot avait tant fait pour la reine et pour lui, et tant de fois que, soyez-en certains, le roi avait pour lui beaucoup d'affection.

« Monseigneur, dit messire Agravain, demain matin vous allez à la chasse. Soyez sans crainte, messire Lancelot ne vous accompagnera point. Quand viendra le soir, vous pourrez faire savoir à la reine que vous passerez hors du palais la nuit entière. Vous pourrez aussi envoyer quérir vos cuisiniers. Je gage ma tête que cette même nuit nous le surprendrons avec la reine. Nous vous l'amènerons, mort ou vif. — J'y consens, dit le roi. Mais je vous conseille de prendre avec vous des compagnons dont vous soyez sûrs. — Sire, mon frère, messire Mordret, et moi aurons avec nous douze chevaliers de la Table Ronde. — Prenez garde, dit le roi. Je vous préviens que vous le trouverez plein de vigueur. — Allons faire le nécessaire », conclurent messire Agravain et messire Mordret.

Adonc, le lendemain matin, le roi Arthur partit pour la chasse. Il envoya un messager à la reine pour lui faire savoir qu'il ne rentrerait pas de toute la nuit. Messire Agravain et messire Mordret s'adjoignirent douze chevaliers et se dissimulèrent dans une salle du château de Carlisle. Voici quels étaient les noms de ces chevaliers : messire Calogrenant, messire Mador de la Porte, messire Guinglain, messire Méliot de Logres, messire Petitpas de Winchelsea, messire Galeron de Galvoie, messire Merlin du Tertre, messire Astamor, messire Hélyan de Gomoret, messire Crosselème, messire Florent, messire Lovel. Ces douze chevaliers, donc, accompagnèrent messire Mordret et messire Agravain. Ils étaient tous d'Écosse, ou parents de messire Gauvain, ou encore amis de ses frères.

À la tombée du jour, messire Lancelot confia à messire Bohort qu'il irait cette nuit-là s'entretenir avec la reine. « Messire, si vous voulez mon avis, lui repartit messire Bohort, vous n'irez pas cette nuit. — Pourquoi? — Messire, je ne cesse de craindre messire Agravain. Chaque jour, il vous épie afin de vous mettre à honte, vous ainsi que nous tous. Et jamais mon cœur n'a tant incliné contre votre visite, depuis que vous allez voir la reine, comme je sens qu'il le fait aujourd'hui. Je redoute que cette nuit le roi ne s'éloigne de son épouse que dans le dessein, peut-être, de vous tendre un piège, à la reine et à vous. C'est pourquoi j'ai grand peur de quelque trahison. — Soyez sans crainte, je ne ferai qu'aller et venir. Je ne m'attarderai pas. — Messire, je regrette que vous y alliez. Je crains fort que votre visite de cette nuit ne nous cause du dommage à nous tous. — Gentil cousin, je m'étonne beaucoup que vous disiez cela. La reine ne m'a-t-elle pas envoyé chercher? Il n'y a pas à disputer là-dessus. Je ne serai point assez poltron pour qu'elle ne me voie pas mettre à profit la faveur qu'elle me montre. — Dieu vous aide, dit messire Bohort, et vous fasse revenir sain et sauf! »

CHAPITRE III

Comment on épia messire Lancelot dans la chambre de la reine, et comment messire Agravain et messire Mordret vinrent avec douze chevaliers pour l'occire

ADONC messire Lancelot partit. Son épée sous le bras et avec seulement un manteau, point d'armure, ce noble chevalier se mit en grand péril. Il marcha ainsi jusqu'à ce qu'il fût devant la chambre de la reine. On lui ouvrit aussitôt. Après quoi le livre français (ce sont ses termes) nous dit que la reine et Lancelot furent ensemble. Étaient-ils au lit ou bien occupés à une autre sorte de divertissement ? Je préfère n'en point parler. L'amour alors n'était pas ce qu'il est aujourd'hui. Quoi qu'il en soit, tandis qu'ils étaient ainsi ensemble, survinrent messire Agravain et messire Mordret, en compagnie de douze chevaliers de la Table Ronde. Ils s'écrièrent : « Traître chevalier, messire Lancelot du Lac, tu es pris maintenant. » Ils criaient ainsi, d'une voix retentissante, afin que toute la cour pût les entendre. Tous les quatorze, ils étaient armés de toutes pièces, comme s'ils devaient livrer bataille.

« Las ! gémit la reine Guenièvre, nous voici tous les deux dans un bien mauvais pas. — Madame, y aurait-il ici en votre chambre une armure quelconque pour en couvrir mon pauvre corps ? Si oui, donnez-la-moi, et j'aurai tôt fait d'arrêter leur méchanceté, avec l'aide de Dieu. — À vrai dire, répondit la reine, je n'ai ni armure, ni bouclier, ni épée, ni lance. C'est pourquoi je crains fort que nos longues amours ne connaissent une fin ignominieuse. J'entends, au bruit qu'ils font, qu'il y a là plus d'un noble chevalier. Je suis sûre qu'ils sont armés comme il convient. Contre eux vous ne pourrez opposer de résistance. Il y a de grandes chances pour que vous soyez tué, et moi alors, je serai brûlée. Si vous pouviez leur échapper, je n'aurais nulle crainte. Vous me sauveriez du danger où je me trouverais, quel qu'il fût.

— Las ! s'exclama messire Lancelot, de toute ma vie je n'ai jamais connu pareil embarras. Dire que je vais ainsi périr d'une mort indigne parce que je n'ai pas mon armure avec moi ! » Cependant toujours, d'une même voix, messire Agravain et messire Mordret criaient : « Chevalier félon, sors de la chambre de la reine. Sache bien que tu es entouré de toute part et ne pourras pas t'échapper. » « Seigneur ! se dit messire Lancelot, impossible de supporter ces cris et ce bruit odieux ! Mieux vaudrait la mort, maintenant, que d'avoir à endurer cette souffrance. » Il prit alors la reine en ses bras, lui donna un baiser et lui dit : « Reine très noble et très chrétienne, je vous en adjure, vous qui avez toujours été mon estimée bonne dame, cependant que moi, en toute occasion, dans la mesure de mes moyens, je demeurais votre pauvre mais loyal chevalier, si je ne vous ai jamais failli, que vous eussiez raison ou tort, depuis le jour où le roi Arthur m'adouba, priez pour mon âme au cas où je mourrais ici. Je n'ai point de doute là-dessus, messire Bohort, mon cousin, et tout le reste de ma parenté, sans compter messire Lanval et messire Urry, ne manqueront pas de vous sauver du bûcher. Adonc, madame, prenez courage. Quoi qu'il puisse m'advenir, vous irez avec messire Bohort, mon cousin, et messire Urry, et ils vous rendront la vie aussi plaisante qu'il sera en leurs pouvoir et moyens. Vous vivrez comme une reine sur mes terres.

— Non, Lancelot, dit la reine, sache bien que je ne continuerai pas à vivre quand tu ne seras plus. Si tu meurs, j'accueillerai la mort avec autant de résignation, pour l'amour du Christ, qu'en eut jamais une reine chrétienne. — Eh bien, madame, dit Lancelot, puisque le jour est venu où nos amours doivent prendre fin, soyez-en sûre, je vendrai ma peau aussi chèrement que je le pourrai. Je suis mille fois plus triste à cause de vous qu'à cause de moi. Plutôt que d'être le seigneur de toute la chrétienté, j'aimerais avoir sur moi une bonne cuirasse, qu'on puisse parler de mes hauts faits avant que l'on me tue. — Vraiment, dit la reine, je voudrais, quant à moi, qu'il plût à Dieu que ce fût moi leur prisonnière et leur victime et qu'on vous laissât vous échapper. — Cela ne sera point, dit messire Lancelot. Dieu me garde de pareille honte, et que Jésus soit mon bouclier et mon harnois ! »

CHAPITRE IV

Comment messire Lancelot occit messire Calogrenant et endossa son armure, puis tua messire Agravain, ainsi que douze de ses compagnons

SUR CE messire Lancelot enroula son manteau autour de son bras, pour bien l'envelopper et sûrement. Ses ennemis avaient alors trouvé dans la grand-salle un banc de belle longueur. Ils tentèrent avec ce banc d'enfoncer la porte. « Gentils seigneurs, leur dit messire Lancelot, laissez là ce bruit et ces coups de bélier. Je vais ouvrir cette porte, et vous pourrez faire de moi ce que vous voudrez. — Ouvre donc, dirent-ils en réponse. Il ne te sert de rien de t'efforcer contre nous tous. Fais-nous entrer dans cette chambre, et nous épargnerons ta vie jusqu'à ce que tu paraisses devant le roi Arthur. »

Lors messire Lancelot ôta la barre de la porte. De sa main gauche il la tint entrebâillée, de manière qu'une seule personne pût entrer à la fois. Il entra sans hésiter un bon chevalier, grand et fort. Il s'appelait Calogrenant de Gorre. De son épée il porta à messire Lancelot un coup violent. Mais lui détourna le coup et choqua son ennemi si rudement sur le heaume qu'il tomba mort, face contre terre, dedans la chambre. Lors messire Lancelot, de par sa grande force, traîna le chevalier plus au-dedans. Avec l'aide de la reine et de ses dames, vite il endossa le harnois de messire Calogrenant. Cependant messire Agravain et messire Mordret ne cessaient de crier au-dehors : « Traître chevalier, sors de la chambre de la reine !

— Arrêtez ce bruit, dit messire Lancelot à messire Agravain, car sachez-le bien, messire Agravain, vous ne me ferez pas prisonnier cette nuit. En conséquence, si vous voulez mon avis, partez tous, laissez la porte de cette chambre et cessez de faire tout ce vacarme et tout cet esclandre. Je vous promets, foi de chevalier, si vous voulez bien partir d'ici et arrêter votre tumulte, que dès demain matin je me présenterai devant vous tous et devant le roi. On verra bien alors lequel d'entre vous osera m'accuser de trahison. Là je vous répondrai, comme un chevalier doit le faire, et vous dirai que je suis venu voir la reine sans aucune mauvaise intention. Puis je le prouverai et l'établirai à vos dépens, par la force de mon bras. — Fi donc ! traître, répliquèrent messire Agravain et messire Mordret, nous t'aurons, que tu le veuilles ou non, et nous te tuerons si cela nous plaît. Sache que le roi Arthur nous a laissé le choix, ou de t'épargner, ou de t'occire. — Ah ! messires, s'écria Lancelot, ne connaissez-vous point d'autre merci ? En ce cas, défendez-vous. »

Lors messire Lancelot ouvrit toute grande la porte de la chambre. Avec vigueur et vaillance il avança au milieu d'eux. Incontinent, du premier coup d'épée, il tua messire Agravain. Puis il fit subir le même sort à douze de ses compagnons, peu de temps après. Il les étendit raides morts. Nul des douze ne put résister à une seule de ses attaques. En outre, il blessa messire Mordret, lequel s'enfuit à toutes jambes. Quand ce fut fait, messire Lancelot retourna auprès de la reine. Il lui dit : « Madame, à présent vous n'ignorez pas que c'en est fini de notre parfaite amour. Désormais, le roi Arthur sera toujours mon ennemi. En conséquence, madame, si vous consentez à ce que je vous garde auprès de moi, je vous mettrai à l'abri de tous les dangers qui vous guettent.

— Ce n'est pas le meilleur parti à prendre, repondit la reine. Il me semble que le mieux, maintenant que vous avez causé tant de dommage, sera de vous en tenir là. Si vous voyez que demain ils veulent me faire périr, alors vous pourrez me secourir, de la manière qui vous paraîtra la plus expédiente. — Je veux bien, dit messire Lancelot. Soyez sans crainte, aussi longtemps que je vivrai, je me porterai à votre secours. » Sur ce il l'embrassa. Chacun donna à l'autre une bague. Il quitta la reine et regagna son logis.

CHAPITRE V

Comment messire Lancelot vint à messire Bohort et lui raconta ce qui lui était arrivé, quels risques il avait courus, et comment il avait pu échapper à ses ennemis

LORSQUE MESSIRE BOHORT aperçut messire Lancelot, jamais il ne fut aussi content de le voir rentrer chez lui. « Mon Dieu ! s'exclama messire Lancelot, pourquoi vous êtes-vous armé de pied en cap ? Que signifie ceci ? — Messire, répondit messire Bohort, après que vous nous eûtes quittés, nous tous qui sommes de votre sang, ainsi que vos amis, nous fûmes si troublés que certains sautèrent à bas de leurs lits tout nus et que d'autres sous le pouvoir de leurs rêves sortirent leurs épées du fourreau. En conséquence, notre avis est qu'une grande querelle est proche. Nous avons tous cru que vous étiez pris au piège de quelque trahison. C'est pourquoi nous nous sommes ainsi préparés, afin de pourvoir à tout besoin dans lequel vous auriez été. — Gentil cousin et vous tous, repartit messire Lancelot, sachez que cette nuit je me suis trouvé dans le plus grand embarras que j'eusse connu de ma vie. Pourtant, je me suis tiré d'affaire. » Lors il leur raconta comment et de quelle manière, ainsi qu'avez ouï par ci-devant. « Or donc, mes compagnons, je vous demande à tous de garder courage, quelle que soit la difficulté où je me trouve, car maintenant c'est la guerre, pour nous tous.

— Messire, dit Bohort, tout est bienvenu que Dieu nous envoie. Nous avons connu avec vous beaucoup de prospérité et d'honneur. Nous accueillerons le malheur en votre compagnie, comme nous avons accueilli la bonne fortune. C'est pourquoi, dirent-ils tous — et il y avait là maint chevalier valeureux — surtout il ne faut point vous décourager. Il n'y a sur la terre nulle troupe de chevaliers à laquelle nous ne puissions infliger du dommage, autant qu'eux en retour. En conséquence, ne perdez espoir en nulle façon. Nous assemblerons tous ceux que nous aimons et qui nous aiment, et tout ce que vous voudrez voir fait le sera. Adonc, messire Lancelot, dirent-ils, nous accepterons le mal en même temps que le bien.

— Grand merci, repartit messire Lancelot, de votre réconfort. En mon désarroi, mon gentil cousin, vous me donnez beaucoup de courage, et je vous suis fort redevable. Mais il y a une chose, mon gentil cousin, que je voudrais vous voir faire en toute diligence, avant la fin de la journée. Allez trouver en leur logis ceux qui sont ici près du roi, afin de découvrir qui est de mon côté et qui ne l'est pas. Il me faut maintenant distinguer mes amis de mes ennemis. — Messire, répondit messire Bohort, je ferai de mon mieux. Avant sept heures je saurai qui, parmi ceux dont vous avez parlé, se rangera avec vous. »

Lors messire Bohort fit venir à lui messire Lionel, messire Hector des Mares, messire Blanor de Gaunes, messire Galeheudin, messire Galehodin, messire Galehot, messire Ménéduc, messire Villars le Vaillant, messire Hébès le Renommé, messire Lanval, messire Urry de Hongrie, messire Néronéans, messire Plénorin. Ces deux derniers chevaliers, messire Lancelot les avait adoubés. En conséquence, ils ne pouvaient plus se ranger contre lui. Il y eut aussi Érec, fils de Lac, messire Célice de la Tour Douloureuse, messire Mélian de l'Ile, messire Bélangère le Beuse, qui était fils de messire Alexandre l'Orphelin. Sa mère, Ailies la Belle Pèlerine, était parente de messire Lancelot. C'est pourquoi il se joignit à lui. Vinrent également messire Palamède et messire Saphar, son frère, afin de soutenir messire Lancelot, messire Clégis, messire Sadoc, messire Dinas, messire Clèremonde. Ces vingt-quatre chevaliers s'assemblèrent. Ils étaient armés et à cheval. Ils promirent à messire Lancelot de faire ce qu'il voudrait.

Puis se mirent avec eux, tant de Norgalles que de Cornouailles, se souvenant de messire Lamorat et de messire Tristan, jusqu'au nombre de quatre-vingts chevaliers. « Messeigneurs, leur dit messire Lancelot, sachez bien que depuis que je suis venu en ce pays, toujours j'ai cherché à aider monseigneur le roi Arthur et madame la reine Guenièvre, dans la mesure de mes moyens. Cette nuit, madame la reine m'a envoyé chercher pour que je m'entretienne avec elle. Je suppose qu'il y avait trahison là-dessous, nonobstant que je prétende pouvoir innocenter entièrement la reine elle-même. Malgré tout, j'ai failli perdre la vie dans un complot. Dieu m'a permis d'échapper à leur perfidie et méchanceté. »

Lors messire Lancelot, le noble chevalier, leur raconta sans rien omettre comment il s'était trouvé fort embarrassé dans la chambre de la reine, et comment et de quelle manière il avait échappé à ses ennemis. « En conséquence, ajouta-t-il, sachez-le bien, mes gentils seigneurs, je suis assuré qu'il n'y aura plus que guerre pour moi et les miens. Parce que cette nuit j'ai occis ces chevaliers, dont messire Agravain, le frère de messire Gauvain, et au moins douze de ses compagnons, en raison de cela je suis certain que ce sera une guerre mortelle, car ces chevaliers avaient été envoyés par le roi Arthur et de lui tenaient leurs ordres pour l'exécution de cette perfidie. Le roi en sa fureur et malignité condamnera la reine au bûcher, et cela je ne puis le souffrir, qu'elle soit brûlée à cause de moi. Si l'on m'écoute, si l'on m'accepte, si l'on veut bien que je sois son champion, alors je combattrai pour la reine, pour soutenir qu'elle est une dame loyale envers son seigneur. Mais le roi en sa passion, je le crains, ne l'acceptera pas, ainsi qu'il devrait le faire. »

CHAPITRE VI

Des opinions et projet de messire Lancelot et de ses amis pour sauver la reine

« MONSEIGNEUR LANCELOT, dit messire Bohort, mon avis est que vous acceptiez le mal en même temps que le bien, sans perdre patience et en rendant grâce à Dieu. Puisque le sort en a décidé ainsi, je vous conseille de rester sur vos gardes. Si vous le voulez vraiment, il n'y a nulle compagnie de chevaliers chrétiens baptisés qui puisse vous causer du tort. Je vous conseillerai en outre, monseigneur, si madame la reine Guenièvre est dans la détresse, vu que de ses peines vous êtes la cause, de vaillamment vous porter à son secours. Si vous agissiez autrement, le monde entier parlerait de vous avec mépris jusqu'à la fin des temps. Puisque vous avez été surpris avec elle, que votre conduite ait été bonne ou mauvaise, il est maintenant de votre devoir de demeurer à ses côtés, afin qu'elle ne périsse point et ne soit point condamnée à une mort ignominieuse, car si elle meurt, la honte sera pour vous. — Dieu me garde de l'infamie, dit messire Lancelot, qu'il protège et sauve madame la reine des outrages et d'une mort honteuse, et fasse qu'elle ne périsse point par ma faute! Adonc, mes gentils seigneurs, mes parents, mes amis, que comptez-vous faire? » Ils répondirent tous : « Nous ferons comme vous.

— Je vous le demande, reprit messire Lancelot, si monseigneur Arthur, suivant de mauvais conseils, en sa fureur envoie madame la reine au bûcher demain pour y être brûlée, je vous en prie maintenant, conseillez-moi : que vaut-il mieux faire? » Ils répondirent tous ensemble d'une même voix : « Messire, nous pensons que le mieux est de vaillamment vous porter au secours de la reine, considéré que si on veut la brûler, c'est à cause de vous. Et l'on peut supposer que, s'ils pouvaient vous tenir, vous auriez droit à même mort, ou à plus honteux encore. Messire, nous vous disons tous que, étant donné que maintes fois vous avez épargné à la reine de perdre la vie dans les querelles des autres, il nous paraît que votre honneur gagnera à ce que vous la délivriez de ce danger où, si elle se trouve, c'est à cause de vous. »

Messire Lancelot restait immobile. Il dit : « Mes gracieux seigneurs, soyez assurés que je répugnerais à faire quelque chose qui pût vous déshonorer, ou déshonorer notre sang. Et n'en doutez point, il m'en coûterait que madame la reine mourût d'une mort infâme. Pourtant, si votre avis doit être que je la secoure, il me faudra causer bien du dommage avant d'y parvenir. Peut-être devrai-je faire périr quelques-uns de mes amis les plus chers, ce dont j'aurais bien du regret. Peut-être aussi se trouve-t-il des chevaliers qui, s'ils pouvaient y réussir, ou désobéir à monseigneur le roi Arthur, me rejoindraient sans tarder, et ceux-là je serais désolé de leur nuire. En outre, s'il advient que je sauve la reine, quel toit lui donner?

— C'est le moindre de nos soucis, répondit messire Bohort. Comment fit le noble messire Tristan, grâce à votre bonté? Ne garda-t-il pas près de lui la Belle Yseut à la Joyeuse Garde pendant près de trois ans? Ce fut fait à l'instigation de nous tous. La demeure vous appartient toujours. De même manière, vous pouvez suivre votre penchant et vite y emmener la reine, s'il advient que le roi la condamne au bûcher. En la Joyeuse Garde vous pourrez l'héberger, assez longtemps pour que la fureur du roi s'apaise. Puis vous la ramènerez à son époux en grande cérémonie. Peut-être aurez-vous droit alors à des remerciements pour ainsi la ramener, à de l'affection et de la reconnaissance, tandis qu'à d'autres ira la malveillance?

— La chose est trop difficile à exécuter, repartit messire Lancelot. Par ce qui est arrivé à messire Tristan, je puis me méfier. Se fiant à des traités, il ramena la Belle Yseut de la Joyeuse Garde au roi Marc. Et voyez ce qu'il en advint à la fin, comment indignement ce fourbe, ce traître de roi Marc l'occit alors qu'il était assis à jouer de la harpe devant sa dame, la Belle Yseut. Derrière son dos, il lui jeta une lance bien pointue, qui alla se planter dans le cœur. Cela m'afflige de parler de sa mort, car on pourrait chercher dans le monde entier, on ne trouverait point son pareil.

— Tout ceci est vrai, dit messire Bohort. Cependant une chose devrait nous rassurer, vous et nous. Vous savez bien que le roi Arthur et le roi Marc n'ont jamais eu semblable caractère. Nul n'a jamais pu convaincre le roi Arthur d'avoir manqué à sa promesse. » Adonc abrégeons ce propos : ils furent tous d'accord pour que, si le lendemain ils voyaient que la reine était menée au bûcher, promptement tous, à leurs risques, périls et fortunes, ils se porteraient à son aide. En conséquence, à l'instigation de messire Lancelot, ils se mirent tous aux embûches dans un bois aussi proche que possible de Carlisle. Et là ils se tinrent cois, attendant de savoir ce que le roi allait faire.

CHAPITRE VII

Comment messire Mordret hâtivement courut trouver le roi pour lui rendre compte des combats, de la mort de messire Agravain et de celle des autres chevaliers

REVENONS-EN maintenant à messire Mordret. Quand il eut échappé à messire Lancelot, le noble chevalier, aussitôt il prit sa monture, l'enfourcha et courut trouver le roi Arthur, gravement blessé comme il était, et ayant perdu beaucoup de sang. Quand il fut rendu, il raconta au roi ce qui s'était passé, comment ils avaient tous perdu la vie, lui seul excepté. « Mon Dieu ! s'exclama le roi, comment cela a-t-il bien pu se produire ? L'avez-vous surpris dans la chambre de la reine ? — Oui, Dieu m'en soit témoin ! Nous l'y avons trouvé sans armes. Et là il a occis Calogrenant et s'est revêtu de son armure. » Mordret rapporta tout au roi, du commencement à la fin. « Mon Dieu ! dit le roi, c'est un chevalier d'une bravoure extraordinaire ! Hélas ! j'ai grand regret qu'il puisse compter au nombre de mes ennemis. Je suis sûr à présent que la noble compagnie de la Table Ronde est à jamais rompue, car plus d'un chevalier de mérite voudra se ranger avec lui. Et maintenant les choses sont telles qu'en honneur je ne puis faire autrement : la reine doit mourir. »

On prit donc, au milieu de cet échauffement des esprits, une grande décision : la reine devait être condamnée à mort. La loi était telle en ce temps-là que, peu importait qui vous étiez, votre état, votre rang, si vous étiez trouvé coupable de trahison vous mouriez. C'était sans remède. On vous accusait, vous étiez pris sur le fait : on vous jugeait sur l'heure. On procéda aussitôt de la sorte pour la reine Guenièvre, parce que messire Mordret s'était tiré d'affaire avec de graves blessures et qu'étaient morts treize chevaliers de la Table Ronde. Ces preuves et faits furent cause que le roi Arthur ordonna que la reine fût menée au bûcher pour y être brûlée.

Lors messire Gauvain prit la parole. Il dit : « Monseigneur Arthur, je vous conseillerai de ne pas être trop prompt, mais de bien vouloir surseoir, en ce qui concerne cette condamnation de madame la reine, et ce pour de nombreuses raisons. La première est que, même s'il est vrai qu'on a trouvé messire Lancelot dans sa chambre, cependant il se pourrait qu'il n'y fût pas venu dans une mauvaise intention. Vous savez, monseigneur, que votre épouse est fort redevable à messire Lancelot, plus qu'à aucun autre chevalier. Souvent il lui a sauvé la vie et s'est battu pour elle, alors que toute la cour lui tournait le dos. Peut-être l'avait-elle envoyé chercher pour un bon motif, et non dans un mauvais dessein, peut-être pour le récompenser de bonnes actions accomplies pour elle dans le passé. Peut-être madame la reine l'avait-elle mandé afin qu'il vînt, à sa requête, privément et en secret, jugeant que c'était mieux ainsi pour éviter la médisance, qu'elle redoutait. Souvent nous faisons bien des choses en pensant agir au mieux, et pourtant il arrive que cela tourne au pire. Je suis assuré que madame votre reine est vertueuse et loyale envers vous. Quant à messire Lancelot, conclut messire Gauvain, je suis certain qu'il prouvera son innocence aux dépens de tout chevalier, quel qu'il soit, l'accusant de vilénie et d'infamie. Et de même manière, il innocentera madame la reine Guenièvre.

— Je n'ai aucune peine à le croire, dit le roi Arthur. Mais je ne veux pas qu'on agisse de la sorte avec messire Lancelot. Il se fie tellement à la force de son bras qu'il ne craint personne. Conséquemment, pour ce qui est de ma reine, il ne la défendra plus en combattant. Elle subira la rigueur de la loi. Et si je parviens à me saisir de lui, soyez sûr qu'il mourra d'une mort indigne. — Dieu garde, repartit messire Gauvain, que j'en sois jamais le témoin ! — Pourquoi dites-vous cela ? À la vérité, vous n'avez nulle raison de l'aimer. La nuit dernière, il a tué votre frère, messire Agravain, un fort bon chevalier. Et il a failli tuer votre autre frère, messire Mordret. Il a aussi fait périr douze nobles chevaliers. En outre, messire Gauvain, souvenez-vous qu'il a occis deux de vos fils, messire Florent et messire Lovel.

— Monseigneur, dit messire Gauvain, toutes ces choses, je les connais, et ces morts, je les regrette profondément. Mais j'avais prévenu mes frères et mes fils. Je leur avais annoncé comment cela allait tourner en fin de compte. Ils n'ont pas voulu m'entendre. En conséquence, je n'interviendrai pas. Je ne tenterai pas de les venger. Je leur avais dit qu'il était vain de s'opposer à messire Lancelot. Je regrette la mort de mes frères et de mes fils, mais ils l'ont cherchée. Plus d'une fois j'avais mis en garde mon frère, messire Agravain, et lui avais représenté les dangers qui se sont ensuite abattus sur lui.

CHAPITRE VIII

Comment messire Lancelot et ses parents sauvèrent la reine du bûcher, et comment messire Lancelot occit de nombreux chevaliers

LORS le noble roi Arthur dit à messire Gauvain : « Cher neveu, je vous en requiers, apprêtez-vous, mettez votre plus belle armure, faites-vous accompagner de vos frères, messire Guerrehet et messire Gahériet, et vous mènerez ma reine au bûcher pour qu'elle y entende le jugement prononcé contre elle et subisse la mort. — Non, mon très noble seigneur, repartit messire Gauvain, cela je ne le ferai point. Soyez assuré que je ne me trouverai jamais en un lieu où une reine aussi noble que l'est ma dame, dame Guenièvre, sera promise à une mort indigne. Sachez-le bien, poursuivit-il, mon cœur ne peut me permettre de la voir mourir. Et il ne sera jamais dit que je vous aurai aidé à l'accomplissement de son trépas. » Sur ce le roi lui repartit : « Souffrez que vos frères, messire Guerrehet et messire Gahériet, y aillent. — Monseigneur, dit messire Gauvain, n'en doutez point, ils n'auront guère envie de s'y rendre, à cause des nombreux dangers qui risquent de les y attendre. Mais ils sont jeunes et tout à fait incapables de vous refuser. »

Messire Guerrehet prit la parole, de même que messire Gahériet, le bon chevalier. Ils dirent au roi Arthur : « Sire, vous pouvez certes nous intimer l'ordre d'être là. Mais, sachez-le bien, ce sera entièrement contre notre gré. Si nous y sommes, en stricte obéissance, il vous faudra loyalement ne pas nous en tenir rigueur, mais nous serons en habits de paix, sans harnois de guerre sur notre dos. — Au nom de Dieu, dit le roi, apprêtez-vous. Elle ne tardera pas à recevoir son arrêt. — Hélas ! gémit messire Gauvain, dire que j'aurai vu ce jour funeste ! » Il se détourna, pleurant amèrement, et se retira en sa chambre. La reine fut conduite en dehors de Carlisle. On la dépouilla de ses vêtements, jusqu'à la chemise. Son père spirituel lui fut amené, afin qu'elle fût absoute de ses péchés. Il y eut des pleurs et des lamentations. Maint seigneur se tordit les mains de douleur, mainte dame. Cependant il n'y eut qu'assez peu de chevaliers à porter l'armure pour l'exécution de la sentence.

Sur les lieux messire Lancelot avait dépêché quelqu'un, pour savoir quand on enverrait la reine à la mort. Sitôt que cet homme la vit dépouillée de ses vêtements jusqu'à la chemise, puis absoute, il prévint son seigneur. On éperonna les chevaux, on les pressa et en peu de temps on vint au bûcher. Tous ceux qui voulurent résister furent occis.

Il n'en était aucun qui fût de force à tenir tête à messire Lancelot. Aussi tous ceux qui portaient armes et s'opposèrent aux assaillants, tous ceux-là périrent, plus d'un noble chevalier. Perdirent la vie en cette occasion messire Bélinant l'Orgueilleux, messire Ségurade, messire Girflet, messire Brandelis, messire Agloval, messire Tor. Moururent aussi messire Gautier, messire Guimart, messire Régnault, trois frères. Même fin eurent messire Domas, messire Priamus, messire Keu d'Estrans, messire Driant, messire Lambéguet, messire Marin. Périrent également messire Parthénopée, messire Pergamon, deux frères, qu'on nommait le Chevalier Vert et le Chevalier Rouge.

Au milieu de ce désordre et de cette violence, tandis que messire Lancelot courait de-ci de-là, malencontreusement il occit Guerrehet et messire Gahériet, le noble chevalier. Ils étaient sans armes et furent surpris. Le livre français le rapporte, messire Lancelot les choqua sur le crâne, ce qui fit qu'ils tombèrent morts sur le terrain. La vérité, cependant, est qu'il ne les reconnut pas et qu'on les trouva sans vie là où la mêlée avait été la plus ardente.

Quand ce fut fait, et que messire Lancelot eut occis ou mis à la fuite tous ceux qui faisaient mine de lui résister, il courut droit à dame Guenièvre. Il lui fit donner un manteau et une robe. Puis il la fit mettre en croupe derrière lui, la priant de garder bon courage. Vous pensez comme elle fut contente d'avoir échappé à la mort. Elle rendit grâce à Dieu et à messire Lancelot. C'est ainsi qu'il poursuivit son chemin avec la reine, selon le livre français, jusqu'à la Joyeuse Garde. Là il lui donna asile, comme un noble chevalier doit le faire. Beaucoup de grands seigneurs et quelques rois envoyèrent à messire Lancelot force bons chevaliers. Maint homme de grand mérite le rejoignit. Quand il fut de notoriété publique que le roi Arthur et messire Lancelot étaient en conflit, ils furent nombreux à se réjouir de leur querelle et nombreux aussi à s'en attrister grandement.

CHAPITRE IX

Du chagrin et des lamentations du roi Arthur après la mort de ses neveux et d'autres bons chevaliers, aussi à cause de la reine, son épouse

REVENONS-EN au roi Arthur. Quand on lui rapporta comment et de quelle manière la reine avait été éloignée du bûcher, et quand il connut la mort de ses nobles chevaliers, en particulier celle de messire Guerrehet et de messire Gahériet, de chagrin il défaillit. Lorsqu'il fut revenu de son évanouissement, il s'exclama : « Hélas ! pourquoi ai-je jamais porté une couronne sur ma tête ? J'ai perdu à présent la plus belle compagnie de nobles chevaliers que roi chrétien eût jamais assemblée. Hélas ! mes bons chevaliers, on me les a tués ! En deux jours j'aurai perdu quarante d'entre eux, sans parler de la glorieuse troupe de messire Lancelot et de ceux de son sang. Jamais dans l'honneur je ne réussirai encore à les garder tous ensemble. Quel dommage que cette guerre ait jamais commencé !

« Maintenant, mes gentils compagnons, j'ordonne que nul n'informe messire Gauvain de la mort de ses deux frères. J'en suis sûr, en effet, lorsqu'il entendra que messire Gahériet n'est plus, sa raison sera près de s'égarer. Mon Dieu ! pourquoi messire Lancelot a-t-il tué messire Gahériet et messire Guerrehet ? Je suis assuré qu'en ce qui concerne messire Gahériet, mon neveu l'aimait plus que personne au monde.
— C'est vrai, dirent certains chevaliers, mais ils périrent au milieu de la confusion, quand messire Lancelot courut au plus fort de la mêlée. Ils n'avaient pas d'armes. Il les frappa sans savoir qui il frappait. Et c'est ainsi que malencontreusement ils furent occis.

— Leur mort, dit Arthur, sera cause d'une guerre sans merci, la plus dure qu'on ait jamais vue. Je suis certain que si messire Gauvain apprenait que messire Gahériet avait été tué, il ne me laisserait nul repos avant que j'aie fait mourir les parents de messire Lancelot, et messire Lancelot lui-même, ou alors il faudrait que ce fût Lancelot qui me tuât. En conséquence, poursuivit-il, sachez bien que mon cœur n'a jamais été aussi lourd que maintenant. Et je suis bien plus affligé de la perte de mes bons chevaliers que de celle de ma gente reine. Des reines, je puis en avoir autant que je veux. Mais pareille compagnie de bons chevaliers jamais ne se retrouvera réunie. Je puis le prétendre à présent, dit le roi Arthur, il n'y eut jamais de roi chrétien qui réussit à ranger autant d'hommes d'aussi bonne étoffe sous une même bannière. Quel dommage que messire Lancelot et moi ayons pu un jour nous quereller ! Ah ! Agravain, Agravain, Dieu ait pitié de ton âme ! C'est le mal que ton frère, messire Mordret, et toi voulaient à messire Lancelot qui est la cause de tout ce chagrin. » Et toujours, se plaignant de la sorte, le roi pleurait et défaillait.

Lors quelqu'un s'en fut trouver messire Gauvain et lui rapporta comment la reine avait été emmenée par messire Lancelot, et près de vingt-quatre chevaliers occis. « Dieu protège mes frères ! s'exclama Gauvain. Je savais fort bien que messire Lancelot sauverait la reine, ou mourrait sur le champ de la bataille. Et, à dire vrai, il n'eût pas été homme d'honneur s'il ne l'avait secourue ce jour-là, car elle eût été brûlée à cause de lui. En la circonstance, il n'a fait que se conduire en bon chevalier, et ainsi que je l'aurais fait moi-même, si j'avais été en pareille situation. Mais où sont donc mes frères ? demanda-t-il. Je m'étonne de ne pas entendre parler d'eux.

— Pour ne rien vous cacher, dit l'homme, messire Gahériet et messire Guerrehet sont morts. — Dieu garde ! s'écria messire Gauvain. Pour rien au monde je n'aurais voulu qu'ils périssent, en particulier mon valeureux frère, messire Gahériet. — Messire, il est mort, et c'est grande pitié. — Qui l'a tué ? — Messire, Lancelot les a tués l'un et l'autre. — Je ne puis le croire. Je ne puis croire qu'il ait tué mon frère, messire Gahériet.

Gahériet sans doute l'aimait mieux que moi, et que tous ses autres frères, et que le roi aussi. Et je suis sûr que si messire Lancelot lui avait demandé de se joindre à lui, il l'eût fait, contre le roi et contre nous tous. Je ne pourrai donc jamais être persuadé que messire Lancelot ait tué mon frère. — Messire, c'est ce que l'on dit. »

CHAPITRE X

Comment le roi Arthur, à la requête de messire Gauvain, décida de faire la guerre à messire Lancelot et mit le siège devant son château, appelé la Joyeuse Garde

« HÉLAS ! fit messire Gauvain, désormais je n'aurai plus de joie. » Il tomba en défaillance et resta longtemps étendu, comme mort. Puis, quand il fut sorti de son évanouissement, de chagrin il se mit à crier, disant : « Hélas ! » Il courut trouver le roi, pleurant et poussant des cris : « Oh ! roi Arthur, oh ! mon oncle, mon valeureux frère, messire Gahériet, n'est plus, de même que mon frère, messire Guerrehet. C'étaient deux nobles chevaliers. » Le roi pleura comme lui. Tous deux se pâmèrent. Quand on les eut fait revenir à eux, messire Gauvain parla. Il dit : « Sire, je veux voir mon frère, messire Gahériet. — Vous ne pouvez le voir, répondit le roi. Je l'ai fait mettre en terre, ainsi que messire Guerrehet. Je savais bien que votre chagrin allait passer toute mesure, et la vue de messire Gahériet l'eût redoublé. — Hélas ! monseigneur, comment ont-ils tué mon frère, messire Gahériet ? Mon bon seigneur, je vous en prie, dites-le-moi. — La vérité, je vais vous la dire, comme on me l'a donnée. C'est messire Lancelot qui l'a tué, de même qu'il a tué messire Guerrehet. — Las ! ils ne portaient pas d'armes pour s'opposer à lui, que ce fût l'un ou l'autre. — Je ne sais ce qui s'est passé. À ce que l'on raconte, messire Lancelot les occit tous les deux là où le combat était le plus âpre, et sans les avoir reconnus. Il ne nous reste plus qu'à trouver quelque moyen de venger leur mort.

— Mon roi, seigneur et oncle, je vous le dis, vous avez ma promesse, une promesse que je tiendrai, foi de chevalier : à partir de ce jour, je ne ferai point défaut à messire Lancelot, avant que l'un de nous deux ait tué l'autre. En conséquence, je vous en requiers, mon seigneur et roi, préparez-vous à la guerre car, sachez-le bien, je me vengerai de messire Lancelot. Si vous voulez mon service et mon affection, faites diligence, approchez vos amis. J'en fais le serment à Dieu : à cause de la mort de mon frère, messire Gahériet, je chercherai messire Lancelot, par plus de sept royaumes s'il le faut, mais je le tuerai, ou alors c'est lui qui me tuera. — Vous n'aurez nul besoin de le chercher si loin car, à ce que j'entends dire, c'est lui qui nous attend, vous et moi, en la Joyeuse Garde. Et beaucoup de gens se joignent à lui, d'après la rumeur. — Je n'ai nulle peine à le croire. Mais, monseigneur, voyez ce qu'en pensent vos amis. J'en parlerai aux miens. — Ce sera fait, dit le roi, et je suppose que j'aurai assez de puissance pour le tirer de la tour de son château la mieux défendue. »

Lors le roi envoya lettres et demandes à travers toute l'Angleterre, en large et en long, pour faire venir tous ses chevaliers. Il en eut ainsi beaucoup, et des ducs et comtes, si bien qu'il disposa d'une grande armée. Quand ils furent assemblés, il leur dit comment messire Lancelot l'avait privé de sa reine. Puis le roi et toute son armée s'apprêtèrent à mettre le siège devant messire Lancelot, là où il était, en la Joyeuse Garde. Messire Lancelot le sut. Il s'adjoignit maint chevalier de mérite. Beaucoup, en effet, se mirent de son côté, certains à cause de lui, d'autres à cause de la reine. Ainsi dans les deux camps on se retrouva bien muni et pourvu de tout ce qu'il faut pour mener une guerre. Cependant l'armée du roi Arthur était si puissante que messire Lancelot ne voulut point l'attendre en terrain découvert. En outre, il n'avait nulle envie de livrer bataille au roi Arthur. Il se retira donc en son château fort avec des vivres de toute sorte et autant d'hommes valeureux qu'il pouvait en nourrir au-dedans des murs de la ville et du château. Puis le roi Arthur arriva, avec messire Gauvain et une immense armée. Ils mirent le siège autour de la Joyeuse Garde, tant la ville que le château. On guerroya âprement, d'un côté comme de l'autre. Mais en nulle façon messire Lancelot de longtemps ne voulut sortir à cheval, ni saillir de sa forteresse. Et il ne permit à nul de ses bons chevaliers de tenter une sortie, ni hors de la ville ni hors de ses tours, avant quinze semaines.

CHAPITRE XI

Comment le roi Arthur et messire Lancelot communiquèrent entre eux, et comment le roi admonesta messire Lancelot

LORS il advint qu'un jour, au temps de la moisson, messire Lancelot regarda par-dessus les remparts. Il parla d'une voix forte au roi Arthur et à messire Gauvain : « Messeigneurs, sachez bien qu'est vain tout ce que vous faites à ce siège. Vous n'acquérez ici nulle gloire, mais seulement inimitié et déshonneur. Si je voulais sortir, avec mes bons chevaliers, j'aurais tôt fait de mettre fin à cette guerre. — Sors, répondit Arthur à Lancelot, si tu l'oses, et je te promets de te rencontrer à découvert. — Dieu garde que je rencontre le très noble roi qui m'a fait chevalier. — Fi de tes belles paroles, car, sois-en assuré et fie-toi à ce que je t'en dis, je suis ton ennemi mortel et le demeurerai jusqu'au jour de ma mort. Tu as fait périr mes valeureux chevaliers, des hommes de mon sang du plus haut mérite. Je ne les retrouverai jamais plus. En outre, tu as partagé la couche de ma reine. Tu as fait d'elle ta maîtresse pendant de longues années. Ensuite, traîtreusement, par la force tu me l'as ravie.

— Mon très noble seigneur et roi, repartit messire Lancelot, vous pouvez dire ce que vous voudrez, vous savez bien que je ne me battrai pas contre vous. Vous me dites que j'ai tué vos bons chevaliers. Je sais que c'est la vérité, et j'en ai beaucoup de regret. Mais j'ai été contraint de les combattre pour sauver ma vie, sinon j'aurais dû les laisser m'occire. Pour ce qui est de madame la reine Guenièvre, il n'est nul chevalier au monde qui aurait l'audace de vouloir prouver à mes dépens que j'aie jamais été traître envers vous. Il vous plaît de dire que j'ai fait de madame votre reine ma maîtresse pendant des années et des années. À cela je ferai toujours la même réponse sans ambiguïté. Je m'engage à prouver aux dépens de tout chevalier, quel qu'il soit, hormis vous-même et messire Gauvain, que madame la reine Guenièvre est loyale envers vous, autant qu'à son seigneur aucune dame en ce monde. Et cela, je l'établirai à la force de mon bras.

« Il est vrai qu'il a plu à la bonne grâce de la reine de me vouloir du bien et de m'aimer davantage que tout autre chevalier. Dans la mesure de mes moyens, en retour j'ai voulu me montrer digne de son affection. Souvent, monseigneur, vous avez consenti à ce qu'elle fût brûlée et mise à mort, en votre emportement, et lors j'eus la chance de combattre pour elle. Avant que j'eusse quitté ses ennemis, ils reconnurent leurs erreurs, et elle leur pardonna avec beaucoup de bonté. En de telles occasions, monseigneur Arthur, je vous ai été cher. Vous m'avez remercié d'avoir sauvé votre reine du bûcher. Vous m'avez promis d'être à jamais mon bon seigneur. Maintenant il me semble que vous récompensez bien mal les services que je vous ai rendus. En outre, mon bon seigneur, il me paraît que j'aurais perdu beaucoup de mon honneur de chevalier si j'avais souffert que madame votre reine fût brûlée, car elle eût été brûlée à cause de moi. J'avais livré des combats pour elle en d'autres querelles que les miennes. Mais je crois que cette fois j'étais mieux fondé à combattre, sachant bien que c'était à bon droit. Conséquemment, mon bon et gracieux seigneur, conclut messire Lancelot, que votre reine retrouve votre faveur! Elle est à la fois belle, loyale et vertueuse.

— Honte à toi, chevalier fourbe et poltron! s'exclama messire Gauvain. Sache que mon seigneur et oncle, le roi Arthur, reprendra sa reine et qu'il se saisira de toi aussi, que tu le veuilles ou non. Il vous tuera tous les deux si cela lui plaît. — Cela se peut, répliqua messire Lancelot, mais n'en doutez point, monseigneur Gauvain, s'il me prend envie de sortir de ce château, il vous sera malaisé de vous emparer de nous, la reine et moi. Vous aurez plus de peine qu'en tout combat difficile que vous ayez pu remporter. — Fi de ton arrogance! dit messire Gauvain. Pour ce qui est de madame la reine, je me refuserai toujours à en dire du mal. Mais toi, chevalier fourbe et poltron, quelle raison avais-tu de tuer mon valeureux frère, messire Gahériet, qui t'aimait plus que tous ceux de mon sang? Hélas! tu l'avais fait chevalier de tes propres mains! Pourquoi le tuer, lui qui t'aimait tant? — Me justifier, dit Lancelot, ne servirait à rien. Mais, par Dieu et par la foi que je dois au grand ordre de chevalerie, j'eusse autant aimé tuer mon propre cousin, messire Bohort de Gaunes, à ce moment-là. Comment ai-je pu être aussi infortuné! Je n'avais pas vu messire Gahériet, ni messire Guerrehet. — Tu mens, coquin, tu les as tués afin de me nuire. En conséquence, sache-le, je te ferai la guerre, aussi longtemps que je vivrai.

— J'en ai du regret, repartit messire Lancelot, car je vois bien que cela ne servirait à rien de chercher aucune conciliation, tant que vous, messire Gauvain, serez aussi résolu en votre malignité. Sans quoi je suis sûr que je retrouverais les bonnes grâces de monseigneur Arthur. — Je n'ai nulle peine à le croire, dit messire Gauvain, chevalier fourbe et poltron! Cela fait bien longtemps que tu nous tyrannises, moi et tous les autres, et que tu fais périr beaucoup de nos bons chevaliers. — Vous en parlez à votre guise. Pourtant on n'a jamais pu dire de moi, ni publiquement prouver, que jamais par une machination traîtresse j'avais occis aucun bon chevalier. Mais vous, monseigneur Gauvain, l'avez fait.

Moi, je n'ai jamais tué que pour me défendre, lorsque j'y étais réduit, afin de sauver ma vie. — Ah! fourbe, s'écria messire Gauvain, tu veux parler de messire Lamorat. Oui, c'est vrai, je l'ai tué. — Vous n'étiez pas seul, remarqua Lancelot. C'eût été trop d'ouvrage pour vous seul de l'occire, car c'était à son âge l'un des meilleurs chevaliers qui eussent reçu le baptême, et sa mort fut grande pitié. »

CHAPITRE XII

Comment les cousins et parents de messire Lancelot l'incitèrent à sortir et à se battre, et comment eux-mêmes se préparèrent

« BIEN, BIEN, dit messire Gauvain à Lancelot, puisque tu me reproches ce qui est survenu à messire Lamorat, sois assuré que je ne te quitterai pas avant d'avoir pris sur toi un tel avantage que tu ne puisses m'échapper. — Je vous fais suffisamment confiance, repartit messire Lancelot, pour n'attendre de vous que peu de merci, si vous me tenez entre vos mains. » Cependant, selon le livre français, le noble roi Arthur aurait repris sa reine et se serait réconcilié avec messire Lancelot sans messire Gauvain, qui ne voulut aucunement le laisser faire. Il fut cause que beaucoup se mirent à injurier messire Lancelot. Tous à la fois, ils l'appelèrent « chevalier fourbe et poltron ». Quand messire Bohort de Gaunes, messire Hector des Mares et messire Lionel ouïrent cette clameur, ils firent venir à eux messire Palamède, le frère de messire Saphar, messire Lanval et beaucoup d'autres chevaliers de leur propre famille. Ils allèrent ensemble trouver messire Lancelot. « Monseigneur, dirent-ils, sachez bien que nous n'avons que mépris pour les paroles outrageantes que nous avons entendu Gauvain vous adresser. En conséquence, nous vous en prions et vous en faisons un devoir, si vous voulez que nous continuions à vous servir, ne nous maintenez pas davantage dedans ces murs. Nous vous le disons franchement : nous allons saillir au-dehors et nous battre avec eux. Vous vous conduisez comme quelqu'un qui a peur, et toutes vos belles paroles ne vous mèneront nulle part. N'en doutez pas, messire Gauvain n'acceptera pas que vous vous mettiez d'accord avec le roi Arthur. Adonc combattez pour votre vie et votre droit, si vous l'osez.

— Las! soupira messire Lancelot, pour ce qui est de sortir de ce château et de livrer bataille, j'hésite beaucoup à le faire. » Lors, à haute voix, il parla au roi Arthur et à messire Gauvain : « Messeigneurs, je vous en requiers et adjure, puisqu'on me demande et presse de saillir aux champs, ni vous, monseigneur Arthur, ni vous, messire Gauvain, n'y venez point. — Que ferons-nous donc? demanda messire Gauvain. Le roi a-t-il ou non une querelle à vider avec toi? Moi, j'en ai une, en tout cas, Lancelot, à cause de la mort de mon frère, messire Gahériet. — Il me faudra donc livrer bataille, conclut messire Lancelot. Mais, sachez-le bien, vous, monseigneur Arthur, et vous, messire Gauvain, vous le regretterez, quel que soit le moment où je serai aux prises avec vous. »

Ce fut ainsi qu'ils se quittèrent. Dans chaque camp, on s'apprêta à en découdre le lendemain matin. D'un côté et de l'autre, on fit de grands préparatifs. Messire Gauvain prévit beaucoup de chevaliers pour s'occuper de messire Lancelot, le renverser et l'occire. Le lendemain matin, à neuf heures, le roi Arthur se tint prêt sur le champ de bataille avec trois grandes armées. Lors la compagnie de messire Lancelot sortit par trois portes, fort bien rangée. Messire Lionel était à l'avant-garde, messire Lancelot au centre. Messire Bohort vint par la troisième porte. Ils sortirent en bon ordre et disposition, comme il sied à de très nobles chevaliers. Et toujours messire Lancelot recommandait à tous les siens d'épargner en toute circonstance le roi Arthur et messire Gauvain.

CHAPITRE XIII

Comment messire Gauvain jouta et renversa messire Lionel, et comment messire Lancelot remit en selle le roi Arthur

LORS messire Gauvain sortit des rangs de l'armée du roi. Il s'avança et offrit de jouter. Messire Lionel était un bouillant chevalier. Promptement il alla au-devant de lui. Messire Gauvain lui perça le corps d'outre en outre, si bien qu'il tomba lourdement sur le sol, comme s'il eût été mort. Messire Hector des Mares et d'autres le portèrent au-dedans du château.

Ce fut le commencement d'une grande bataille. Beaucoup de gens y perdirent la vie. Continuellement messire Lancelot faisait de son mieux pour épargner ceux qui étaient du parti du roi Arthur, car messire Palamède, messire Bohort et messire Saphar renversaient force chevaliers et se montraient redoutables. Avec messire Blanor de Gaunes, messire Bliobéris de Gaunes, messire Bélangère le Beuse, cela faisait six chevaliers qui causaient beaucoup de dommage. Sans cesse le roi Arthur s'approchait de messire Lancelot, afin de l'occire. Mais lui subissait et ne rendait pas les coups.

Puis messire Bohort se heurta au roi. D'une lance il le mit à terre. Messire Bohort descendit de son cheval. Il dégaina son épée et demanda à messire Lancelot : « Mettrai-je fin à cette guerre ? » Il voulait tuer le roi. « Ne sois pas si hardi, répliqua messire Lancelot. Sous peine d'y perdre ta tête, ne le touche plus. Je ne verrai jamais ce si noble roi, qui me fit chevalier, devant moi perdre vie ou honneur. » Là-dessus il descendit de cheval à son tour, souleva le roi et le remit en selle, disant : « Monseigneur Arthur, pour l'amour de Dieu arrêtez cette querelle. Vous n'en tirez nulle gloire. Je pourrais vous combattre à outrance. Mais toujours je vous évite, cependant que ni vous-même, ni les vôtres ne cherchez à m'éviter. Monseigneur, rappelez-vous ce que j'ai fait pour vous en mainte circonstance. Me voici maintenant mal payé de mes peines. »

Lorsque le roi Arthur fut remonté à cheval, il regarda messire Lancelot. Les larmes lui jaillirent des yeux, à la pensée de la grande courtoisie qui se trouvait en cet homme-là, plus qu'en aucun autre. Puis il s'éloigna. Quand il ne put voir messire Lancelot plus longtemps, il s'exclama : « Hélas ! pourquoi cette guerre a-t-elle jamais commencé ? » Ensuite les armées de chaque parti se retirèrent pour se reposer. On enterra les morts, et l'on mit des baumes sur les plaies des blessés. Ainsi passa cette nuit, jusqu'au lendemain matin.

Le lendemain matin, à neuf heures, on s'apprêta de nouveau à livrer bataille. Messire Bohort menait l'avant-garde. Vint messire Gauvain, farouche comme un sanglier, une grande lance à la main. Quand messire Bohort le vit, il songea à venger son frère, messire Lionel, de l'affront que messire Gauvain lui avait infligé la veille. Dès qu'ils se reconnurent, chacun mit sa lance en arrêt et, de toute la force de leurs montures — ainsi que de la leur — ils se heurtèrent, si vilainement qu'ils se transpercèrent l'un l'autre et tombèrent tous deux sur le sol. Après quoi les deux armées se joignirent au combat, et il y eut un grand massacre dans les deux camps. Messire Lancelot secourut messire Bohort et le fit porter au-dedans du château. Mais ni messire Bohort, ni messire Gauvain ne moururent de leurs blessures. Ils se rétablirent tous les deux.

Lors messire Lanval et messire Urry prièrent messire Lancelot de s'efforcer et de combattre, ainsi qu'ils l'avaient fait. « Nous voyons bien que vous refusez le combat et ne donnez pas votre mesure. Cela cause beaucoup de tort. En conséquence, nous vous en prions, ne ménagez pas vos ennemis plus qu'ils ne vous ménagent. — Las ! soupira messire Lancelot, je n'ai pas le cœur à me battre contre monseigneur Arthur. Il me semble toujours que je n'agis pas comme je le devrais. — Monseigneur, dit messire Palamède, quand vous les ménageriez tout le jour, jamais ils ne vous en sauront gré. Et s'ils peuvent prendre l'avantage sur vous, vous êtes un homme mort. »

Messire Lancelot comprit qu'ils lui disaient la vérité. Il fit plus d'efforts qu'auparavant, en raison aussi de la grave blessure de son cousin, messire Bohort. En peu de temps, quand vint l'heure des vêpres, son parti et lui se retrouvèrent en meilleure situation. Leurs chevaux pataugeaient dans le sang jusques au-dessus des fanons, tant il y avait de gens occis. Lors, par compassion, messire Lancelot retint ses chevaliers et permit au parti d'Arthur de se retirer sur le côté. Ses propres compagnons se retirèrent en son château. Dans chaque camp, on mit les morts en terre, et l'on appliqua des onguents sur les plaies des blessés.

Après que messire Gauvain eut été touché, ceux du parti du roi Arthur perdirent de leur superbe et ne furent plus aussi pressés de se battre. La nouvelle de cette guerre se répandit dans toute la chrétienté pour finalement venir aux oreilles du pape. Considérant le grand mérite du roi Arthur et de messire Lancelot, dont on disait qu'ils étaient les plus nobles chevaliers du monde, il fit appeler un illustre clerc qui se trouvait être là présent (le livre français parle de l'évêque de Rochester). Il lui remit des bulles, sous sceau de plomb, adressées au roi Arthur d'Angleterre. Elles lui enjoignaient — sinon il mettait tout le pays en interdit — de reprendre sa reine, dame Guenièvre, et de s'accorder avec messire Lancelot.

CHAPITRE XIV

Comment le pape envoya ses bulles pour faire la paix, et comment messire Lancelot conduisit la reine au roi Arthur

ADONC, lorsque l'évêque susdit fut venu à Carlisle, il montra ces bulles au roi. Quand le roi entendit le sens de ces bulles, il ne sut plus que faire. C'est bien volontiers qu'il se fût réconcilié avec messire Lancelot, mais messire Gauvain ne voulait pas le laisser faire. Cependant, pour ce qui était de reprendre la reine, il y consentait. Messire Gauvain en nulle façon ne tolérait que le roi se remît d'accord avec messire Lancelot. L'évêque obtint du roi son grand sceau. Il eut sa parole de roi oint et sacré que messire Lancelot pourrait aller et venir sans crainte, et que lui, le roi, ne ferait nul reproche à la reine, ni aucun autre, pour tout ce qui avait pu se passer auparavant. Tous ces arrangements, l'évêque en eut des assurances fermes et écrites à mettre sous les yeux de messire Lancelot.

Quand il fut à la Joyeuse Garde, l'évêque montra à Lancelot comment le pape leur avait envoyé des lettres, à Arthur et à lui, et il lui représenta les dangers encourus s'il empêchait la reine de retourner près du roi. « Je n'ai jamais songé, repartit Lancelot, à refuser à monseigneur Arthur de lui rendre sa reine. Mais, considérant qu'elle était destinée à mourir à cause de moi, il me semble qu'il était de mon devoir de lui sauver la vie et d'écarter d'elle ce danger, en attendant une solution meilleure. À présent, grâce au ciel, le pape a fait la paix entre eux. Dieu sait que je serai mille fois plus heureux de la ramener que je n'ai pu être de l'enlever. Avec ce que vous me montrez, je puis être assuré d'aller et venir en sûreté, et que la reine aura la même liberté dont elle jouissait auparavant. Je suis certain également que pour nul soupçon qu'on ait pu concevoir avant ce jour elle ne courra désormais un quelconque danger. Sinon, ajouta-t-il, je saurais prendre le risque de la protéger contre un péril plus pressant encore qu'aucun de ceux dont je l'ai jamais gardée. — Vous n'avez pas à craindre tout cela, dit l'évêque. N'en doutez point, le pape doit être obéi. Il ne serait pas de l'honneur du pape, ni de ma modeste probité, d'admettre que vous soyez mis à mal, ou que la reine soit exposée à un péril, ou bien outragée. »

Sur ce il montra à messire Lancelot toutes ses lettres, tant du pape que du roi Arthur. « Ceci est assurance assez grande, dit messire Lancelot. Je puis fort bien me fier à ce qu'écrit mon seigneur de sa main, et me fier au sceau que voici. Je n'ai jamais connu mon roi faillir à sa promesse. En conséquence, vous allez me précéder auprès de lui. Vous me recommanderez à sa bienveillance et lui ferez savoir que dans huit jours à compter de celui-ci, par la grâce de Dieu, je lui amènerai moi-même madame la reine Guenièvre. Puis vous le direz à mon roi vénéré, pour ce qui est de la reine, je veux sans ambiguïté qu'elle n'ait rien à craindre ni à redouter de personne, en dehors de monseigneur Arthur lui-même et de monseigneur Gauvain — et encore, pour ce dernier, est-ce plus en raison de l'affection que le roi lui porte que pour ce qu'il est. »

Là-dessus l'évêque partit. Il vint au roi, à Carlisle, et lui rapporta sans rien omettre tout ce que messire Lancelot lui avait répondu. Lors les larmes jaillirent des yeux d'Arthur. Messire Lancelot se pourvut de cent chevaliers, tous vêtus de velours vert, et leurs chevaux caparaçonnés jusqu'aux talons. Chacun des chevaliers tenait en main un rameau d'olivier en signe de paix. La reine avait à sa suite vingt-quatre nobles dames, habillées de même façon. Messire Lancelot était suivi de douze coursiers. Sur chacun était assis un jouvenceau de bonne famille. Ils étaient tous vêtus de velours vert, avec des chaînes d'or autour de la taille. Les chevaux étaient caparaçonnés de même manière jusqu'aux talons, avec beaucoup de colliers d'or, enchâssés de pierres précieuses et de perles, jusques à un millier. Messire Lancelot et la reine étaient habillés d'une étoffe blanche à fils d'or. Et comme on vous le conte — c'est dit dans le livre français — messire Lancelot chevaucha en compagnie de la reine de la Joyeuse Garde à Carlisle. Il traversa ainsi la ville avant d'entrer dans le château, de façon à ce que chacun pût voir. Et, vous vous en doutez, plus d'un eut des larmes dans les yeux.

Ensuite messire Lancelot lui-même mit pied à terre. Après avoir sauté à bas de son cheval, il prit soin de la reine et la conduisit là où se tenait le roi Arthur, sur son trône. Messire Gauvain était assis devant, avec beaucoup d'autres grands seigneurs. Quand il vit le roi et messire Gauvain, messire Lancelot prit la reine par le bras pour la conduire. Lorsqu'ils furent devant le roi, il s'agenouilla, la reine aussi. Sachez-le, il y eut plus d'un hardi chevalier, là présent aux côtés du prince, pour pleurer aussi tendrement que si c'étaient ses proches qui étaient devant lui. Le roi ne fit nul geste et ne dit pas un mot. Quand messire Lancelot eut vu quel visage il lui faisait, il se releva, aida la reine à se relever. Puis il parla comme suit, en noble chevalier :

CHAPITRE XV

Comment la reine fut rendue au roi par messire Lancelot, et ce que dit messire Lancelot à messire Gauvain

« MON VÉNÉRÉ ROI, vous voyez que, suivant en cela le commandement du pape et le vôtre, je vous ai amené madame la reine, comme le bon droit le requiert. S'il se trouve aucun chevalier, quel que soit son rang, vous-même excepté, qui veut ou ose dire qu'elle n'est pas loyale envers vous et vertueuse, moi ici présent, messire Lancelot du Lac, je montrerai aux dépens de ce chevalier qu'elle vous est fidèle. Vous avez prêté l'oreille aux menteurs, d'où cette querelle entre vous et moi. Il fut un temps, monseigneur Arthur, où vous étiez fort satisfait de mes actions, quand je livrais combat pour madame la reine. Et vous savez parfaitement, mon très noble roi, que naguère on lui fit beaucoup de tort. En conséquence, puisqu'il vous a plu maintes fois que je fusse son champion, il me semble, mon bon seigneur, que je n'en avais que plus de raison de la sauver du bûcher, car cette fois-là, elle eût été brûlée à cause de moi. Ceux qui vous avaient fait ces rapports mentaient. Ils en ont été punis. En effet, selon toute apparence, si la puissance de Dieu ne m'avait pas soutenu, comment aurais-je pu résister à quatorze chevaliers, armés et préparés, tandis que moi, j'étais sans armes et pris au dépourvu ?

« J'avais été mandé chez madame votre reine, je ne sais pour quel motif. Je n'avais pas plus tôt passé la porte de la chambre que messire Agravain et messire Mordret m'appellèrent "chevalier traître et poltron". — Avec raison, intervint messire Gauvain. — Monseigneur Gauvain, répliqua Lancelot, on a pu voir que dans leur querelle ils avaient tort. — Cependant, messire Lancelot, dit le roi, je ne vous avais donné nulle cause d'agir avec moi comme vous l'avez fait. Je vous ai honoré, vous et les vôtres, plus qu'aucun de mes chevaliers. — Mon bon seigneur, repartit messire Lancelot, ne vous en offensez point, mais vous savez bien que moi et les miens vous avons souvent rendu plus de services que tous les autres, bien des fois et en divers lieux. Alors que vous étiez dans un très mauvais pas, en différentes occasions, moi-même je vous ai arraché à beaucoup de dangers. Toujours, lorsque j'en avais le pouvoir, j'ai été heureux de vous plaire, de même qu'à monseigneur Gauvain. Tant dans les joutes que dans les tournois, ainsi que dans les batailles rangées, à cheval, à pied, je vous ai souvent secouru, de même que monseigneur Gauvain et beaucoup d'autres de vos chevaliers, en de nombreuses occasions.

« Maintenant je vais me vanter d'une chose : je veux que vous le sachiez tous, jusqu'à ce jour, jamais je n'ai rencontré de chevalier qui ne se révélât devoir me céder si je combattais à outrance, grâce en soit rendue à Dieu. C'est vrai, de bons chevaliers m'ont tenu tête, tels messire Tristan et messire Lamorat. Mais c'est que j'avais à chaque fois pour eux de la bienveillance et que je me doutais de qui ils étaient. J'en prends le ciel à témoin, jamais je ne me suis courroucé et jamais n'ai conçu beaucoup de jalousie d'aucun bon chevalier que je voyais ardent à acquérir de l'honneur. J'ai toujours au contraire tiré contentement de trouver quelqu'un qui était capable de me résister, à cheval ou à pied.

« Messire Caradoc de la Tour Douloureuse était fort noble chevalier et homme de très grande vigueur. Vous le savez, monseigneur Gauvain. On peut à juste titre dire qu'il était noble chevalier quand on sait que par la force il vous tira de votre selle et vous attacha à l'arçon de la sienne, vous mettant devant lui, en travers de sa monture. Ce jour-là, monseigneur Gauvain, je vous ai porté secours, et cet homme, sous vos yeux, je l'ai tué. Pareillement, je trouvai son frère, messire Tarquin, conduisant de même manière messire Guerrehet, votre frère à vous. Il était lié devant lui. J'ai sauvé votre frère et occis ce Tarquin, par la même occasion délivrant de sa geôle soixante et quatre chevaliers de monseigneur Arthur. À présent, j'ose le dire, jamais je n'avais rencontré de chevaliers plus vigoureux, ni meilleurs à manier les armes, que n'étaient ce messire Caradoc et ce messire Tarquin. Je le sais pour les avoir combattus à outrance. Il me semble, dit messire Lancelot à messire Gauvain, que vous devriez vous en souvenir. Je vous le dis, car si j'avais votre bon vouloir, je me fie en Dieu que j'aurais bientôt les bonnes grâces de monseigneur Arthur. »

CHAPITRE XVI

Ce que se dirent messire Gauvain et messire Lancelot, soit beaucoup d'autres propos

« LE ROI peut bien faire ce qu'il veut, dit messire Gauvain, mais sachez-le, messire Lancelot, vous et moi jamais ne nous accorderons, aussi longtemps que nous vivrons, car vous avez occis trois de mes frères. Et pour deux d'entre eux, ce fut lamentablement et traîtreusement fait. Ils ne portaient pas de harnois de guerre pour s'opposer à vous et s'étaient refusés à en porter. — Plût à Dieu qu'ils eussent été armés ! repartit messire Lancelot. Ils seraient encore en vie. Soyez-en sûr, messire Gauvain, pour ce qui est de messire Gahériet, je n'aime aucun de mes parents autant que je l'aimais, lui. Toute ma vie, je regretterai sa mort. Ce n'est pas que je vous craigne beaucoup, mais j'ai nombre de raisons pour en avoir du chagrin. La première est que c'est moi qui l'avais adoubé. La deuxième est que je suis assuré qu'il m'aimait plus que tout autre chevalier. La troisième est qu'il était fort noble, loyal, courtois, généreux, débonnaire. La quatrième est que je sus, aussitôt que la nouvelle me fut connue de sa mort, que jamais plus je n'aurais votre affection, mais qu'entre nous la guerre ne connaîtrait pas de fin. En outre, je me doutais que vous feriez en sorte que mon noble seigneur Arthur fût désormais toujours mon ennemi mortel. Cependant, Dieu m'en soit témoin, en nulle façon je n'ai voulu la mort de messire Gahériet, ni celle de messire Guerrehet. Hélas ! quel dommage que ce jour-là ils n'aient pas eu d'armure !

« Mais voici ce que je propose : si cela peut convenir au roi en sa bienveillance, et vous convenir à vous, monseigneur Gauvain, je m'offre à me rendre d'abord à Sandwich. J'irai nu-pieds, en chemise. Toutes les quatre lieues, je fonderai et doterai une maison de religion. L'ordre en sera celui que vous m'indiquerez. Il y aura là chaque fois entière communauté de religieux, afin de chanter et dire les offices, jour et nuit, en particulier pour le repos de l'âme de messire Gahériet et de celle de messire Guerrehet. Ceci, je le ferai depuis Sandwich jusques à Carlisle. Et chaque abbaye aura ce qu'il faut pour sa dépense. J'y pourvoirai, aussi longtemps que j'aurai des biens en pays chrétien. Il n'y aura nulle de ces maisons de religion qui ne sera bâtie, munie et garnie en tout point comme il convient à un lieu saint, j'y engage ma foi. Et ceci, messire Gauvain, me paraît plus désirable, pieux et favorable aux âmes des trépassés que le choix que vous avez fait, vous, mon très noble souverain, et vous, messire Gauvain, de guerroyer contre moi, ce qui ne vous sera d'aucun profit. »

Entendant cela, tous les chevaliers et toutes les dames qui étaient présents se mirent à pleurer comme s'ils avaient perdu la raison. Les larmes coulèrent le long des joues du roi Arthur. « Messire Lancelot, dit messire Gauvain, j'ai très bien entendu vos paroles et vos larges propositions. Mais sachez que, si le roi est libre de faire ce qui lui plaît, pour ma part je ne vous pardonnerai jamais la mort de mes frères, en particulier celle de messire Gahériet. Et si mon oncle, le roi Arthur, choisit de s'accorder avec vous, il y perdra mes services, car je vous considère sans nul doute comme coupable de trahison, envers lui aussi bien qu'envers moi.

— Messire, repartit Lancelot, il n'y a personne en ce monde qui soit en mesure de prouver la vérité de ce que vous dites. Et si vous, messire Gauvain, m'accusez d'un crime aussi grand, pardonnez-moi, mais je serai obligé de vous combattre. — Non, dit messire Gauvain, nous n'en sommes plus là. Le pape en est la cause. Il a enjoint à mon oncle, le roi Arthur, de reprendre sa reine et de s'accorder avec vous, messire Lancelot, pour le temps présent. En conséquence, vous pourrez repartir comme vous êtes venu. Mais en ce pays il vous sera interdit de demeurer plus de quinze jours. C'est l'ordre impératif que je vous donne. Le roi et nous, nous sommes mis d'accord là-dessus avant votre arrivée. Sans quoi, ajouta-t-il, sachez-le bien, vous ne seriez venu ici qu'à votre corps défendant. Et s'il n'y avait le commandement du pape, je me battrais avec toi, en combat singulier, et ferais apparaître à tes dépens que tu as traîtreusement agi, tant envers mon oncle, le roi Arthur, qu'envers moi. Oui, je le prouverai, aux dépens de ta personne, une fois que tu seras parti d'ici, où que tu sois, quand je t'aurai trouvé. »

CHAPITRE XVII

Comment messire Lancelot quitta le roi et la Joyeuse Garde pour aller vers la mer, et quels chevaliers l'accompagnèrent

MESSIRE LANCELOT poussa un soupir. Les larmes coulèrent le long de ses joues. Il dit : « Hélas ! très noble royaume chrétien, toi que j'ai aimé plus que tout autre, et où j'ai acquis une grande part de mon honneur, c'est ainsi que je vais devoir te quitter ! Oui, vraiment, je regrette d'avoir jamais foulé ton sol, si je dois de la sorte, sans cause et sans faute aucune, me retrouver honteusement banni. Cependant la fortune est changeante. Sa roue ne reste pas immobile. Il n'est rien qui soit immuable. Cela est prouvé par mainte chronique ancienne, du noble Hector, de Troïlus, d'Alexandre le grand conquérant, et de bien d'autres encore. En leur plus grande élévation, ce fut alors qu'ils tombèrent le plus bas. Il en va de même pour moi. En ce royaume, j'avais acquis de la gloire. Grâce à moi et aux miens, toute la Table Ronde connaissait une réputation plus grande. Nous y avions plus de part, ceux de mon sang et moi, que tout autre de nos compagnons.

« Adonc, sachez-le, messire Gauvain, je puis vivre sur mes terres, aussi bien qu'aucun chevalier ici présent. Et si vous, très vénéré roi, décidez d'y venir avec messire Gauvain pour m'y faire la guerre, il me faudra vous résister du mieux que je pourrai. Mais vous, messire Gauvain, si vous y venez, je vous en prie, ne m'accusez point de trahison ni de félonie. Si vous me combattez, je devrai vous combattre. — Fais de ton mieux, répliqua Gauvain. Et hâte-toi, que je ne te voie plus. Sois assuré que nous ne tarderons pas à te suivre, pour forcer le château le mieux défendu que tu possèdes, afin qu'il s'écroule sur ta tête.

— Il n'en sera nul besoin, repartit messire Lancelot. Quand même je serais aussi orgueilleux et insolent que vous, soyez sûr que j'irais à votre rencontre en terrain découvert. — Arrête ton bavardage. Laisse-nous la reine et quitte cette cour au plus vite. — Eh bien, dit messire Lancelot, si je m'étais douté de cette discourtoisie, j'aurais réfléchi à deux fois avant de venir. Et croyez que si la reine m'avait été aussi chère que vous en répandez le bruit, je me serais fait fort de la garder, contre la meilleure troupe de chevaliers qui fût au monde. »

Puis messire Lancelot dit à Guenièvre, de façon que le roi l'entendît, ainsi qu'eux tous : « Madame, il me faut à présent me séparer à jamais de vous et de cette noble compagnie. Puisqu'il en est ainsi, je vous adjure de prier pour moi et de dire du bien de moi. Si les mauvaises langues vous causent de graves ennuis, vite, madame, faites-le moi savoir et, s'il est possible au bras d'un chevalier de vous délivrer en combattant, je vous délivrerai. » Sur ce il l'embrassa. Puis il dit, fort ouvertement : « Maintenant, voyons qui dans cette salle osera affirmer que la reine n'est pas fidèle à monseigneur Arthur. Voyons qui parlera, s'il l'ose. » Après quoi il conduisit la reine au roi, puis prit congé et partit. Et il n'y eut roi, duc, comte, baron ni chevalier, dame ni noble dame, qui ne pleurât, comme gens qui ont perdu l'esprit, tous excepté messire Gauvain.

Et lorsque le noble messire Lancelot prit son cheval pour sortir de Carlisle, il y eut des larmes et des sanglots, de grande douleur à l'idée qu'il s'en allait. C'est ainsi qu'il partit pour la Joyeuse Garde, laquelle toujours ensuite il nomma la Douloureuse Garde. En ces conditions il quitta la cour pour n'y plus revenir. Quand il fut rendu en son château, il manda ses compagnons et les interrogea, pour savoir ce qu'ils comptaient faire. Ils répondirent ensemble d'une même voix que ce serait la même chose que lui. « Mes gentils compagnons, leur dit-il, je dois quitter ce très noble royaume, et maintenant que je m'y apprête, j'ai bien de la peine. Je partirai sans nul honneur. Un banni n'en a point au sortir d'un pays. C'est là ce qui m'afflige. Je ne cesse de craindre que lorsque je serai mort, les chroniqueurs n'aillent dire que j'ai été chassé de ce royaume. Sans cela, mes gentils seigneurs, soyez-en sûrs, si je n'avais pas craint l'infamie, madame la reine Guenièvre et moi ne nous serions jamais séparés. »

Lors prirent la parole nombre de nobles chevaliers, tels messire Palamède, messire Saphar, son frère, messire Bélangère le Beuse, messire Urry, messire Lanval, et bien d'autres. « Messire, si vous êtes disposé à demeurer en ce pays, nous ne vous faillirons point. Si, par contre, ce n'est pas votre désir, en ce cas pareillement nul des bons chevaliers ici présents ne vous fera défaut, et ce pour de nombreuses raisons. L'une d'elles est que tous ceux d'entre nous qui ne sont pas de votre sang ne seront plus jamais les bienvenus à la cour. Et puisque nous avons choisi de nous ranger à vos côtés quand en ce royaume vous connaissiez malheur et chagrin, sachez que nous choisirons tout aussi bien d'aller avec vous en d'autres pays pour y connaître le même sort que le vôtre.

— Mes gentils seigneurs, repartit messire Lancelot, je vous comprends et vous témoignerai ma reconnaissance, dans la mesure de mes moyens. Sachez que les biens que j'ai eus en naissant, je les partagerai avec vous de la manière que voici : je distribuerai tous mes domaines et toutes mes terres parmi vous, sans y regarder. J'aurai moi-même une part aussi réduite qu'aucun de vous, car j'ai en suffisance tout ce qu'il me faut, et n'ai point besoin de paraître avec plus d'éclat. Je me fie en Dieu qu'avec le produit de mes terres je pourvoirai à vos besoins, aussi bien qu'il fut jamais pourvu aux besoins d'un chevalier. »

Lors tous parlèrent d'une même voix : « Honte à celui qui voudra vous quitter ! Nous voyons bien que ce royaume ne connaîtra désormais plus de paix, mais toujours luttes et différends, à présent qu'est divisée la compagnie de la Table Ronde. C'était cette noble compagnie qui faisait le soutien du roi Arthur. À son excellence le roi et tout son royaume devaient tranquillité et repos. Pour une grande part, ajoutèrent-ils tous, c'est à vos insignes vertus qu'ils étaient redevables. »

CHAPITRE XVIII

Comment messire Lancelot passa la mer,
et comment il fit grands seigneurs les chevaliers qui le suivirent

« EN VÉRITÉ, dit messire Lancelot, je vous rends grâce à tous de vos bonnes paroles. Nonobstant je sais bien que le bon ordre en ce royaume ne m'était pas entièrement dû. J'ai fait mon devoir, du mieux que je pouvais. Assurément, j'ai connu durant ma vie beaucoup de rebellions, qui par moi ont été soumises. Je gage que sous peu nous entendrons tous à nouveau parler de sédition, et j'en ai bien du regret. Je redoute toujours que messire Mordret ne crée des troubles. Il est fort jaloux et s'emploie à en fomenter. »

Adonc on s'accorda pour suivre messire Lancelot en ses terres. Pour brièveté furent équipés et payés tous ceux qui en firent la demande. Au total, ce furent cent chevaliers qui partirent de suite avec messire Lancelot et firent serment de ne jamais l'abandonner, quoi qu'il pût arriver. Ils s'embarquèrent à Cardiff et firent voile jusqu'à Bénoïc. Certains disent que Bénoïc était Bayonne, d'autres Beaune, là où l'on fait le vin de Beaune. Mais, à dire vrai, messire Lancelot et ses cousins étaient seigneurs de toute la France et de toutes les terres qui en dépendaient. Ses parents et lui jouirent de tout cela grâce à sa grande bravoure.

Après quoi messire Lancelot pourvut, munit et garnit toutes ses nobles villes et châteaux. Tous les habitants des terres susdites humblement se rangèrent à son obéissance. Quand il eut fait régner l'ordre dans tous ces pays, peu après il convoqua un parlement. Lors il fit couronner messire Lionel roi de France. Messire Bohort fut mis à régner sur toutes les terres du roi Claudas. Messire Hector des Mares, qui était le plus jeune frère de messire Lancelot, il le fit couronner roi de Bénoïc et de toute la Guyenne, une terre qui lui appartenait en propre. Messire Hector devint le prince de tous ces pays.

Voici comment messire Lancelot divisa ses domaines et avança tous ses nobles chevaliers. Premier, il éleva ceux de son sang. De messire Blanor il fit le duc du Limousin, en Guyenne, de messire Bliobéris le duc de Poitiers, de messire Galeheudin celui d'Auvergne. À messire Galehodin il donna le duché de Saintonge, à messire Galinde celui du Périgord. Messire Ménéduc fut fait comte du Rouergue, messire Villars le Vaillant comte du Béarn. Messire Hébès le Renommé obtint le comté de Comminges, messire Lanval celui d'Armagnac. À messire Urry il bailla celui d'Astarac, à messire Néronéans celui de Pardiac. À messire Plénorin fut dévolu le comté de Foix, à messire Célice de la Tour Douloureuse revint celui de Marsan. À messire Mélian de l'Ile échut le comté de Tursan. Messire Bélangère le Beuse fut pourvu de celui des Landes. Messire Palamède fut fait duc de Provence, messire Saphar duc de Languedoc. Messire Clégis reçut le comté d'Agen, messire Sadoc celui de Sarlat. De messire Dinas le sénéchal il fit le duc d'Anjou et de messire Clèremonde celui de Normandie. Ainsi récompensa-t-il ses nobles chevaliers et beaucoup d'autres dont il me semble qu'il serait trop long de les citer.

CHAPITRE XIX

Comment le roi Arthur et messire Gauvain assemblèrent une grande armée, prête à franchir la mer, afin de faire la guerre à messire Lancelot

ADONC laissons messire Lancelot en ses terres, ainsi que ses nobles chevaliers, ses compagnons, et retournons au roi Arthur et à messire Gauvain, lesquels apprêtèrent une grande armée, jusqu'au nombre de soixante mille. Ils firent le nécessaire pour que leurs navires pussent franchir la mer, puis s'embarquèrent à Cardiff. Lors le roi Arthur mit toute l'Angleterre principalement sous le gouvernement de messire Mordret. Il plaça également la reine Guenièvre sous son autorité. Ce fut parce que messire Mordret était son fils que le roi Arthur lui donna ainsi le gouvernement de son pays et de sa femme. Puis le roi passa la mer et débarqua dans les terres de messire Lancelot. Là il brûla et dévasta, afin d'assouvir la soif de vengeance de messire Gauvain, tout ce qu'ils purent envahir.

Quand la nouvelle parvint à messire Lancelot que le roi Arthur et messire Gauvain avaient pris pied en ses domaines et y faisaient force destructions et ravages, messire Bohort prit la parole. Il dit : « Monseigneur Lancelot, il est honteux pour nous de les laisser ainsi libres de chevaucher sur nos terres. Sachez-le bien, vous pouvez le leur permettre aussi longtemps que vous voudrez, s'ils vous tiennent ils ne vous ménageront pas pour autant. » Puis parla messire Lionel, lequel se montra prudent et avisé : « Monseigneur Lancelot, je vous donnerai ce conseil : restons dans nos villes fortes et bien remparées, jusqu'à ce qu'ils aient faim et froid, et soufflent dans leurs doigts. Alors attaquons-les de vive force et déchirons-les à belles dents, comme moutons dans un pré, afin que les étrangers gardent à jamais en mémoire ce qu'il advient quand on débarque ainsi sur nos terres. »

Après quoi le roi Bademagu s'adressa à messire Lancelot : « Messire, votre courtoisie nous perdra tous. C'est elle qui est cause de toute cette désolation. S'ils peuvent ainsi courir à leur gré en nos domaines, le temps viendra où tous, nous ne compterons plus pour rien, nous cachant dans des trous comme à présent. » Ensuite ce fut messire Galinde qui dit à messire Lancelot : « Messire, il y a ici des chevaliers de sang royal, qui ne veulent plus languir davantage. Ils sont en ces murs. Donnez-nous donc permission, s'il est vrai que nous sommes des chevaliers, d'aller à leur rencontre en terrain découvert, et là nous les tuerons, et ils regretteront le jour où ils se sont aventurés en ce pays. » Après lui parlèrent sept frères de Norgalles, et c'étaient sept nobles chevaliers. On aurait pu chercher à travers les terres de sept rois avant de trouver leurs pareils. Ils dirent tous d'une même voix : « Messire Lancelot, pour l'amour de Dieu, laissez-nous sortir avec messire Galinde. Nous ne sommes pas accoutumés à nous tapir dans les châteaux ni dans les nobles villes. »

Lors parla messire Lancelot, qui était maître et capitaine d'eux tous. « Gentils seigneurs, leur dit-il, sachez bien que je répugne à sortir avec mes chevaliers, afin de ne pas répandre le sang de chrétiens. Mes terres, je le sais, quelque temps encore seront bien pauvres pour subvenir aux besoins d'une armée, à cause des dures guerres que le roi Claudas dans le passé livra à ce pays, à mon père, le roi Ban, et à mon oncle, le roi Bohort. En attendant, eh bien, nous resterons à l'abri de nos fortes murailles, et j'enverrai un messager à monseigneur Arthur, afin de conclure un traité. La paix vaut toujours mieux que la guerre. »

Adonc messire Lancelot envoya une demoiselle, et un nain avec elle, requérant le roi Arthur de mettre fin à la guerre qu'il faisait à ses domaines. Elle monta sur un palefroi, le nain courant à ses côtés. Quand elle arriva devant le pavillon du roi Arthur, elle descendit de cheval. Un gentil chevalier, messire Lucan l'échanson, vint à sa rencontre. Il lui demanda : « Gente demoiselle, venez-vous de la part de messire Lancelot du Lac ? — Oui, messire. Je viens ici pour parler à monseigneur le roi. — Las ! soupira messire Lucan, monseigneur Arthur voudrait bien aimer messire Lancelot, mais messire Gauvain s'y oppose. » Puis il ajouta : « Je prie Dieu, demoiselle, que vous réussissiez, car nous tous qui sommes auprès du roi souhaitons le bon succès de messire Lancelot, de préférence à celui de tout autre chevalier sur la terre. »

Là-dessus Lucan conduisit la demoiselle au roi, là où il était, en compagnie de messire Gauvain, afin qu'il pût entendre ce qu'elle avait à lui dire. Quand elle eut fini de donner son message, les larmes coulaient des yeux du roi. Tous les barons furent heureux de pouvoir lui conseiller de s'accorder avec messire Lancelot, tous excepté messire Gauvain. Il demanda : « Mon seigneur et oncle, que comptez-vous faire ? Ferez-vous demi-tour, alors que vous êtes déjà allé si loin en votre voyage ? Tout le monde va parler de votre lâcheté. — Non, repartit Arthur, sachez-le bien, messire Gauvain, je m'en tiendrai à vos conseils. Il me semble pourtant que ses offres généreuses sont trop bonnes pour être refusées. Mais, puisque j'ai fait tout ce chemin, j'accepte que vous donniez sa réponse à cette demoiselle. Pour ma part, ce que j'éprouve m'empêche de parler. Ses propositions ont tant de noblesse ! »

CHAPITRE XX

Quel message messire Gauvain fit parvenir à messire Lancelot, comment le roi Arthur mit le siège devant Bénoïc, et d'autres matières

LORS messire Gauvain s'adressa en ces termes à la demoiselle : « Demoiselle, dites à messire Lancelot qu'il perd sa peine maintenant à solliciter mon oncle. S'il avait voulu travailler à la paix, il lui eût fallu le faire avant. Maintenant c'est trop tard. Et dites-lui que moi, messire

Gauvain, je lui donne à savoir ceci : il a ma promesse que, par la foi que je dois à Dieu et à la chevalerie, je ne lui laisserai nul repos jusqu'à ce qu'il m'ait tué, ou que je l'aie tué, lui. »

Le demoiselle se mit à pleurer et s'en alla. Plus d'un eut les yeux humides. Messire Lucan la reconduisit jusqu'à son palefroi. Elle vint à messire Lancelot, là où il était, au milieu de tous ses chevaliers. Quand il eut entendu cette réponse, les larmes lui coulèrent le long des joues. Ses nobles chevaliers autour de lui marchaient à grands pas. Ils dirent : « Messire Lancelot, pourquoi ce visage? Rappelez-vous qui vous êtes et qui nous sommes. Permettez-nous, en nobles chevaliers, de les combattre en terrain découvert.

— Cela serait aisé à exécuter, repartit messire Lancelot, mais jamais je n'ai été aussi peu enclin à livrer bataille. En conséquence, je vous en prie, gentils seigneurs, si vous m'aimez, laissez-vous gouverner comme je le désire. Je me déroberai toujours au noble roi qui me fit chevalier. Lorsque je ne pourrai plus l'éviter, il me faudra certes me défendre. Mais ce sera plus honorable pour moi, comme pour nous tous, que de chercher à nous mesurer avec un noble prince que nous avons tous servi. »

Sur ce ils se turent et cette nuit-là prirent du repos. Le lendemain de bonne heure, à la pointe du jour, tandis que des chevaliers regardaient au-dehors, ils virent que la cité de Bénoïc était assiégée tout autour. Vite les ennemis commençaient à dresser des échelles. Ils furent repoussés hors de la ville et écartés des murs avec force. Lors s'avança messire Gauvain, bien armé, sur un puissant destrier. Il vint devant la grand-porte, criant : « Lancelot, où es-tu? N'y a-t-il personne parmi vous, fiers chevaliers, pour oser rompre une lance avec moi? » Lors messire Bohort s'apprêta. Il sortit de la ville, et là messire Gauvain le rencontra. Gauvain le fit tomber de son cheval et faillit l'occire. Messire Bohort fut secouru et emmené dans la ville.

Messire Lionel s'avança. Il était le frère de messire Bohort et voulait le venger. Lui et messire Gauvain, chacun mit sa lance en arrêt, et ils se coururent sus. Ils se heurtèrent avec rage. Messire Gauvain fut assez heureux pour renverser messire Lionel et le blesser fort gravement. On porta secours à ce dernier et le conduisit au-dedans des murs. Messire Gauvain revint chaque jour. C'était rarement sans mettre à bas un chevalier ou un autre. On passa ainsi la moitié d'un an, cependant que se faisait un grand massacre de gens des deux côtés.

Puis il advint un jour que messire Gauvain se présenta devant les portes armé de toutes pièces sur un noble destrier, une grande lance à la main. Il cria d'une voix forte : « Où es-tu maintenant, traître perfide, messire Lancelot? Pourquoi te caches-tu dans des trous, à l'abri des remparts, comme un poltron? Montre-toi, traître chevalier plein de fausseté, et je vengerai ici même, aux dépens de ta vie, la mort de mes trois frères. » Rien dans ces paroles n'échappa à messire Lancelot. Ses parents et chevaliers s'assemblèrent autour de lui. D'une même voix ils lui dirent : « Messire Lancelot, il vous faut à présent vous défendre en bon chevalier, sinon vous êtes à jamais perdu d'honneur. On vous accuse de trahison. Il est temps pour vous de bouger. Vous n'avez que trop dormi et trop subi. — Par Dieu, dit messire Lancelot, je suis fort chagrin des paroles de messire Gauvain. Il a porté contre moi une lourde accusation. Je vois bien comme vous qu'il me faut me défendre, ou être un lâche. »

Messire Lancelot fit seller son plus robuste destrier. Il ordonna qu'on allât chercher ses armes et qu'on amenât le tout à la porte de la tour. Puis il parla bien haut, à l'adresse du roi Arthur. Il dit : « Monseigneur Arthur, vous le noble roi qui me fîtes chevalier, sachez bien que je suis fort triste, à cause de vous, de vous voir ainsi me poursuivre. J'ai toujours cherché à vous éviter. Si j'avais voulu me venger, je vous aurais rencontré en terrain découvert et rabaissé le caquet de vos plus hardis chevaliers. Cela fait maintenant six mois que je refuse de vous combattre et vous laisse agir à votre guise, messire Gauvain et vous. À présent, je ne puis le tolérer davantage. Il me faut absolument me défendre, puisque messire Gauvain m'accuse de trahison. C'est tout à fait malgré ma volonté que j'en viens à me battre contre quelqu'un de votre sang. Mais voilà, je ne puis me dérober. J'y suis réduit, comme une bête aux abois. »

Lors messire Gauvain répondit : « Lancelot, si tu as le courage de te battre, cesse de babiller, sors et nous viderons notre querelle. » Promptement, messire Lancelot endossa son armure. Il monta sur son cheval. Chacun des deux chevaliers prit en main une grande lance. L'armée, hors des murs, se tint immobile, à l'écart. Les nobles chevaliers de Lancelot sortirent de la cité en grand nombre. Quand Arthur vit comme étaient nombreux les gens de pied et les chevaliers, il s'ébahit. Il se dit : « Hélas ! quel dommage que messire Lancelot soit mon ennemi ! Je vois bien à présent qu'il m'a épargné. » L'arrangement fut pris que nul ne s'approcherait des deux combattants, ni ne se mêlerait de leurs affaires, aussi longtemps que l'un des deux ne serait pas mort ou ne se serait pas rendu à merci.

CHAPITRE XXI

Comment messire Gauvain et messire Lancelot combattirent ensemble, et comment messire Gauvain fut culbuté et blessé

LORS messire Gauvain et messire Lancelot mirent entre eux beaucoup d'espace. Puis ils se heurtèrent de toute la force de leurs montures, aussi vite qu'elles pouvaient aller. Chacun des deux frappa l'autre au mitan de l'écu. Mais ces chevaliers avaient tant de vigueur, leurs lances étaient si bonnes, que leurs chevaux ne purent résister au choc et s'affaissèrent sur le sol. Lors les cavaliers se dégagèrent des arçons et ajustèrent leurs boucliers devant eux. Ils se mirent face à face et se portèrent plus d'un coup douloureux un peu partout sur le corps, si bien que le sang jaillit en de multiples endroits. Messire Gauvain possédait en ce temps-là un don et avantage, qu'il tenait d'un saint homme. Tous les jours de l'année, de neuf heures à midi, sa force ces trois heures-là s'accroissait jusqu'à trois fois ce qu'elle était auparavant. Cela lui valait d'acquérir beaucoup d'honneur. Pour lui être utile, le roi Arthur avait établi par ordonnance que tout combat, quel qu'il fût, et quelle que fût la querelle, livré en sa présence, commencerait à neuf heures. Tout cela avait été fait pour messire Gauvain. On pensait probable que, s'il se trouvait à combattre, il prendrait le dessus pendant les trois heures que sa force accrue le servirait. Cependant il n'y avait alors que peu de chevaliers à connaître cet avantage que possédait messire Gauvain, en dehors du roi Arthur.

C'est en ces conditions que messire Lancelot fut opposé à messire Gauvain. Lorsqu'il vit que la force de son adversaire ne cessait de croître, Lancelot s'ébahit et craignit fort de subir un affront. Le livre français nous dit qu'il pensa, quand il se rendit compte que messire Gauvain devenait deux fois plus fort, avoir affaire à un démon et non à une créature terrestre. Il avança, sauta de côté, se couvrit de son bouclier, sans perdre de sa vigueur ni de son agilité, trois heures durant. Cependant messire Gauvain lui portait mainte attaque violente, maint coup douloureux, si bien que tous les chevaliers qui regardaient messire Lancelot se demandaient comment il pouvait résister. Mais fort peu savaient le mal qu'il avait à tenir.

Et puis, passé midi, messire Gauvain ne disposa plus que de ses forces naturelles. Quand messire Lancelot le vit ainsi faiblir, il allongea ses coups, se rapprocha de son adversaire et lui dit : « Monseigneur Gauvain, je crois que c'est fini pour vous. À présent, monseigneur, il me faut faire ce que je dois. J'ai subi de votre part aujourd'hui force coups vigoureux et sévères qui m'ont causé beaucoup de douleur. » Lors il redoubla ses propres coups et choqua messire Gauvain si âprement sur le heaume qu'il tomba sur le flanc. Messire Lancelot alors se recula. « Pourquoi t'écartes-tu ? demanda messire Gauvain. Reviens, chevalier traître et perfide, et tue-moi, car si tu me laisses, quand je serai rétabli je recommencerai à me battre avec toi. — Alors je vous tiendrai tête, messire, si Dieu le veut, mais sachez-le bien, messire Gauvain, je ne frappe jamais un chevalier à terre. »

Sur ce messire Lancelot retourna dans la ville. Messire Gauvain fut porté dans le pavillon du roi Arthur. On fit quérir des médecins pour sonder les plaies, et on leur appliqua des onguents. Messire Lancelot dit : « Je vous souhaite à présent une bonne journée, monseigneur Arthur, et sachez que vous n'acquerrez nul honneur devant ces murs. Si je voulais faire sortir mes chevaliers, plus d'un homme en vos rangs perdrait la vie. En conséquence, monseigneur, rappelez-vous le bien qu'on vous a fait. Et, quel que soit mon succès, que Dieu soit votre guide partout où vous irez ! »

CHAPITRE XXII

Du chagrin que conçut le roi Arthur à cause de la guerre, et d'un autre combat, où messire Gauvain eut encore le dessous

« LAS ! soupira le roi, quel dommage que cette malheureuse guerre ait jamais commencé ! Toujours et en tous lieux messire Lancelot évite de me combattre. Il fait de même avec les gens de ma famille. On l'a bien vu aujourd'hui avec mon neveu, messire Gauvain. » Lors le roi Arthur tomba malade, du chagrin que lui causait son neveu, qui était si gravement touché, et à cause de la guerre entre messire Lancelot et lui. Ceux qui étaient du parti du roi maintinrent ensuite le siège, mais sans grand engagement au-dehors des murs, tandis que ceux qui étaient au-dedans ne bougeaient point, se défendant seulement en cas de besoin.

Messire Gauvain demeura malade trois semaines en ses tentes. Tous les chirurgiens que l'on put quérir l'assistèrent. Aussitôt qu'il put aller et venir et monter à cheval, il s'arma de toutes pièces, enfourcha un coursier, se saisit d'une lance et courut devant la grand-porte de Bénoïc. Là il cria d'une voix forte : « Où donc es-tu, Lancelot ? Montre-toi, chevalier fourbe, traître et poltron, car je suis venu, moi, messire Gauvain, établir de mon bras la vérité de ce que je dis à présent de toi. »

Toutes ces paroles, messire Lancelot les entendit. Après, il dit ceci : « Messire Gauvain, je regrette vos propos grossiers, et que vous persistiez à les tenir. Sachez-le, messire Gauvain, je connais votre force et tout ce que vous pouvez montrer. Mais vous savez aussi, messire Gauvain, qu'il vous est impossible de me faire grand mal. — Descends, traître chevalier, lui fut-il répondu, bats-toi, et c'est le contraire que l'on verra. C'est par malencontre que lors du dernier combat j'ai été blessé de tes mains. Sache que je suis venu aujourd'hui pour amender cela, car je pense cette fois te faire tomber aussi bas que tu m'as fait tomber l'autre fois. — Dieu me garde, répliqua messire Lancelot, de jamais devoir craindre autant de vous que vous avez pu craindre de moi. Ce serait ma fin. Cependant, messire Gauvain, vous n'aurez pas lieu de croire que je tarde outre mesure. Puisqu'aussi bassement vous m'accusez de trahison, je vais vous donner de la besogne, autant que vous pourrez en prendre. »

Là-dessus messire Lancelot s'arma de toutes pièces. Il monta sur son cheval. Il prit une grande lance et sortit par la porte de la ville. Les deux armées s'assemblèrent, celle du dehors et celle du dedans. Elles se rangèrent dans l'ordre qui convenait à de valeureux combattants. On commanda aux deux partis de ne rien entreprendre, seulement de regarder le combat des deux nobles chevaliers. Ceux-ci mirent leurs lances en arrêt et se chargèrent sus avec la rapidité de la foudre. Messire Gauvain rompit sa lance en heurtant messire Lancelot. Elle se brisa en menus morceaux à hauteur de la main. Messire Lancelot frappa avec plus de vigueur, si bien que le cheval de messire Gauvain se cabra. Monture et cavalier s'abattirent. Lors messire Gauvain promptement se dégagea des arçons. Il mit son bouclier devant lui. Vivement, il dégaina son épée et dit à messire Lancelot : « Descends, traître chevalier. Ce fils de jument m'a failli. Mais, sache-le bien, le fils d'un roi et d'une reine ne te faillira point. »

Messire Lancelot alors sauta à bas de sa monture. Il ajusta son écu devant lui et tira son épée du fourreau. Les deux hommes se trouvèrent ainsi face à face, se portant plus d'un coup sévère, si bien que chacun dans les deux camps s'en ébahit grandement. Quand messire Lancelot vit que la vigueur de messire Gauvain s'accroissait merveilleusement, il modéra son ardeur, ménagea son souffle et ne laissa que fort peu paraître l'étendue de ses propres forces. Se couvrant de son écu, il fit un pas en avant, un pas sur le côté, tantôt ici, tantôt là, pour rendre vains les assauts de son ennemi et briser ses élans. Messire Gauvain, quant à lui, fit tout ce qui était en son pouvoir pour le tuer. Le livre français nous le dit, à mesure qu'augmentait sa force, messire Gauvain était également plus en souffle et plus furieux. Trois heures durant il fit donc beaucoup souffrir messire Lancelot, qui eut bien de la peine à se défendre.

Lorsque ces trois heures furent passées, messire Lancelot sentit que messire Gauvain en était réduit à ses forces naturelles. Il lui dit : « Je vous ai par deux fois mis à l'épreuve, et par deux fois vous vous êtes montré un chevalier fort redoutable et un homme d'une étonnante vigueur. Nombreuses sont les prouesses que vous avez faites en votre vie. Par cet accroissement de vos forces vous avez trompé plus d'un chevalier de grand mérite et courage. À présent, je vois bien que c'en est fini de vos actions d'éclat. C'est donc à mon tour de montrer ce que je sais faire. » Il se rapprocha de messire Gauvain et redoubla ses coups. Celui-ci se défendit vaillamment, mais nonobstant messire Lancelot le choqua si rudement sur le heaume, à l'endroit de son ancienne blessure, qu'il s'affaissa sur le flanc et perdit connaissance.

Dès qu'il fut revenu de son évanouissement, messire Gauvain brandit son épée et voulut en frapper d'estoc messire Lancelot, à terre comme il était, disant : « Traître chevalier, sache que je ne suis pas encore mort. Approche et livre ce combat à outrance. — Je ne ferai rien de plus que ce que j'ai fait, repartit messire Lancelot. Quand je vous verrai debout, je me battrai avec vous, aussi longtemps que vous pourrez rester sur vos jambes. Mais pour ce qui est de frapper un homme blessé qui ne peut se relever, Dieu me garde de pareille honte ! »

Lors il se détourna et poursuivit son chemin vers la cité. Messire Gauvain ne cessait de l'appeler « traître chevalier ». Il dit : « Sache-le bien, messire Lancelot, quand je serai guéri, je recommencerai à te combattre. Je ne te laisserai pas en repos avant qu'un de nous deux soit tué. » Le siège continua. Près d'un mois messire Gauvain resta au lit malade. Quand il fut bien rétabli et prêt avant trois jours à livrer un nouveau combat à messire Lancelot, lors parvinrent d'Angleterre à Arthur des nouvelles qui l'obligèrent à lever le camp avec toute son armée.

Suit le VINGT ET UNIÈME LIVRE.

LIVRE VINGT ET UNIÈME

La mort d'Arthur

CHAPITRE I

Comment messire Mordret voulut se faire roi d'Angleterre et épouser la reine, la femme de son oncle

ALORS QUE MESSIRE MORDRET avait autorité sur toute l'Angleterre, il fit faire des lettres, dont on eût dit qu'elles venaient d'au-delà des mers. Ces lettres spécifiaient que le roi Arthur avait été tué lors d'un combat avec messire Lancelot. Mordret convoqua un parlement, réunit les barons et les contraignit à le choisir comme roi. Il fut couronné à Cantorbéry et donna un grand banquet qui dura quinze jours. Ensuite il se rendit à Winchester. Là il se saisit de la reine Guenièvre et déclara sans ambages qu'il l'épouserait, elle qui était la femme de son oncle, et de son père aussi. Puis il donna des ordres pour le festin et arrêta le jour des noces. La reine en fut fort marrie. Mais elle n'osa pas ouvrir son cœur. Elle répondit courtoisement et consentit à ce que voulait messire Mordret.

Après quoi elle lui demanda permission d'aller à Londres acheter tout ce qui était nécessaire pour la cérémonie. À cause de ses gracieuses paroles, messire Mordret lui fit suffisamment confiance et l'autorisa à partir. Quand elle fut rendue à Londres, elle se réfugia dans la Tour. Soudainement et en toute hâte, elle y mit toutes sortes de vivres, la pourvut d'une bonne troupe de gens pour la défendre, puis s'y enferma. Quand messire Mordret sut et comprit qu'il avait été berné, il entra en courroux furieux. Pour vous le faire court, il alla mettre le siège devant la Tour de Londres avec beaucoup de ses gens. Il lui donna de vigoureux assauts, fit lancer force gros boulets et tirer de grands canons. Tout cela, cependant, ne lui servit de rien. Il eut beau user de belles paroles, ou de vilains mots : la reine Guenièvre ne voulut plus se fier à lui, assez pour se remettre en son pouvoir.

Vint alors l'archevêque de Cantorbéry. C'était un grand clerc et un saint homme. Il dit à messire Mordret : « Messire, que comptez-vous donc faire ? Premier, voulez-vous offenser Dieu, mais aussi vous mettre à honte, de même que toute la chevalerie ? Le roi Arthur n'est-il pas votre oncle ? Il n'est rien moins que le frère de votre mère. C'est d'elle qu'il vous engendra, de sa propre sœur. En conséquence, comment pouvez-vous épouser la femme de votre père ? Messire, dit ce grand clerc, changez d'avis ou je prononcerai contre vous ma malédiction en bonne et due forme. — Qu'attends-tu ? répliqua messire Mordret. Sache que je n'ai pas peur de toi. — Sachez aussi, messire, dit l'archevêque, que je ne craindrai pas de faire mon devoir. J'ajoute que, lorsque vous faites courir le bruit que monseigneur Arthur est mort, alors qu'il n'en est rien, vous préparez de grands tourments à ce pays.

— Tais-toi, prêtre plein de fourberie. Si tu m'échauffes les oreilles davantage, je te fais couper la tête. » L'archevêque s'en alla. Il prononça la malédiction de la façon la plus solennelle. Lors messire Mordret le rechercha, afin de l'occire. L'archevêque s'enfuit, emmenant une partie de ses biens, et se rendit près de Glastonbury. Là il se fit prêtre ermite dans une chapelle et vécut dans la pauvreté et la prière, car il savait bien qu'une guerre funeste se préparait. Messire Mordret sollicita la reine Guenièvre, par lettres et messagers, moyens honnêtes ou malhonnêtes, pour l'amener à sortir de la Tour de Londres. Mais tout cela fut vain. Elle lui répondit aussitôt, tant ouvertement que secrètement, qu'elle aimait mieux se tuer que l'avoir pour mari.

Lors la nouvelle parvint à messire Mordret que le roi Arthur avait levé le siège devant messire Lancelot et qu'il rentrait en son royaume avec une grande armée pour se venger de lui. Messire Mordret fit mander tous les barons du pays. Ils furent nombreux à venir. En effet, on disait communément parmi eux qu'avec Arthur la vie n'était que guerres et querelles, tandis qu'avec messire Mordret elle était toute joie et félicité. C'est ainsi que le roi Arthur fut décrié et diffamé. Et il y en eut beaucoup qu'il avait tirés de rien, et auxquels il avait baillé des terres, qui ne purent trouver un mot à dire en sa faveur.

Vous tous, les Anglais, voyez, quelle calamité ! Un homme qui était le plus grand roi et chevalier de ce monde, qui plus qu'aucun autre aimait la compagnie des nobles chevaliers, outre que c'était lui qui les protégeait tous, les Anglais de ce temps ne purent s'en contenter. Telle était la coutume et usage de ce pays. On dit que nous-mêmes n'avons point renoncé à cette coutume-là et lui sommes toujours fidèles. Hélas ! c'est un grand défaut chez nous, les Anglais : rien ne peut longtemps nous plaire. Il en allait ainsi des gens de ce temps-là. Ils furent plus satisfaits de messire Mordret qu'ils ne l'avaient été du roi Arthur. Beaucoup vinrent par-devers lui et lui dirent qu'ils resteraient à ses côtés, quoi qu'il pût advenir. Adonc messire Mordret se rendit à Douvres avec une grande armée, car c'était là, avait-il entendu dire, que le roi Arthur débarquerait, et il voulait chasser son propre père de ses domaines. Et toute l'Angleterre, ou la plupart des gens, étaient de son parti, tant on aimait la nouveauté.

CHAPITRE II

Comment, après avoir reçu des nouvelles,
le roi Arthur s'en retourna et vint à Douvres,
où messire Mordret le rencontra pour l'empêcher de débarquer.
Et de la mort de messire Gauvain

TANDIS QUE MESSIRE MORDRET était à Douvres avec son armée arriva le roi Arthur avec une grande flotte de petits vaisseaux, galères et grands vaisseaux. Et messire Mordret était là à l'attendre, quand il voudrait débarquer, pour empêcher son propre père de mettre le pied sur une terre dont il était le roi. On lança de grands et de petits bateaux, chargés de nobles hommes d'armes. Il y eut grand massacre de chevaliers de bonne famille. Plus d'un hardi baron fut mis à bas, de part et d'autre. Le roi Arthur était si brave que nul n'eut assez de force pour l'empêcher de débarquer, et ses chevaliers résolument le suivirent. Ils débarquèrent donc, en dépit de messire Mordret et de toutes ses troupes, et repoussèrent ce dernier, si bien qu'il s'enfuit avec tous ses gens.

La bataille achevée, le roi fit enterrer ceux de son armée qui avaient trépassé. On trouva le noble messire Gauvain dans un grand bateau, gisant à demi mort. Quand le roi apprit qu'il était aussi gravement touché, il alla le voir. Lorsqu'il fut auprès de lui, son chagrin ne connut plus de bornes. Il le prit en ses bras et par trois fois défaillit. Quand il fut revenu à lui, il s'écria : « Hélas ! messire Gauvain, le fils de ma sœur, te voici mis à bas, toi que j'aimais le mieux au monde ! Je n'aurai désormais plus de joie, car à présent, Gauvain, mon neveu, je puis tout te dire : c'est de messire Lancelot et de toi que je tirais le plus de satisfaction, en vous que je plaçais le plus de confiance, et maintenant je ne pourrai plus me réjouir ni de l'un, ni de l'autre. Tout le bonheur m'a fui que je pouvais attendre ici-bas.

— Sire, mon oncle, repartit messire Gauvain, sachez que le jour de ma mort est venu. Je me suis montré vif et têtu, c'est ce qui a tout fait. On m'a frappé à l'endroit de l'ancienne blessure que messire Lancelot m'avait causée. Je sens bien que je vais en mourir. Si messire Lancelot avait été à vos côtés comme autrefois, cette maudite guerre n'eût jamais commencé. De tout cela je m'accuse. Messire Lancelot et les chevaliers de son sang, par leur bravoure, tenaient vos méchants ennemis en crainte et soumission. Maintenant il va vous manquer. Hélas! je n'ai pas voulu me réconcilier avec lui. À présent, je vous en prie, mon oncle, donnez-moi une plume, du papier et de l'encre, que je lui écrive de ma propre main. »

Puis, quand on lui eut apporté du papier et de l'encre, Gauvain fut doucement relevé par le roi Arthur (il avait été confessé et absous auparavant). Il écrivit ceci, d'après le livre français : *À messire Lancelot, fleur de tous les chevaliers dont j'aie jamais ouï parler ou que j'aie jamais vus de ma vie. Moi, messire Gauvain, fils du roi Lot des Orcades et de la sœur du noble roi Arthur, je vous salue et vous fais connaître que, ce dixième jour du mois de mai, j'ai été frappé à l'endroit de la blessure que je reçus de vous devant la cité de Bénoïc, et qu'à cause de cette même blessure reçue de vous j'arrive au jour de ma mort. Je veux que tout le monde le sache, moi, messire Gauvain, chevalier de la Table Ronde, ma mort, je l'ai cherchée, elle ne vous est point due mais j'ai tout fait pour qu'elle survienne. C'est pourquoi je vous adjure, messire Lancelot, de revenir en ce royaume, d'y visiter mon tombeau et dire quelque prière, quelque chose pour le repos de mon âme.*

Le jour même où j'écris cette lettre, j'ai été mortellement blessé, et ce fut au même endroit où j'avais été frappé de votre main, messire Lancelot. De plus noble que vous je n'aurais pu recevoir ma mort. Maintenant, messire Lancelot, au nom de toute l'affection qui a jamais pu exister entre nous, ne tardez point. Passez la mer en toute hâte, afin de secourir avec vos nobles chevaliers le noble roi qui vous adouba, monseigneur Arthur. Il est placé dans le plus grand embarras par un traître perfide, mon demi-frère, messire Mordret. Celui-ci s'est fait couronner roi et voulait épouser madame la reine Guenièvre. Il l'eût fait, si elle ne s'était enfermée en la Tour de Londres. Adonc, ce dixième jour de mai, monseigneur Arthur et nous tous avons débarqué à Douvres pour les assaillir. Nous avons mis à la fuite ce traître hypocrite, messire Mordret. C'est là aussi, malheureusement, que l'on m'a frappé où vous m'aviez frappé. À la date de cette lettre, écrit de ma propre main. La signature est de mon sang. Et je vous en requiers, chevalier le plus en renom dans le monde, visitez mon tombeau.

Quand ce fut fait, messire Gauvain se mit à pleurer. Le roi aussi. Puis l'un et l'autre se pâmèrent. Quand ils furent tous deux revenus à eux, le roi fit en sorte que messire Gauvain reçût son Sauveur. Après cela, Gauvain pria le roi d'envoyer chercher messire Lancelot et de le chérir plus que tout autre chevalier. À l'heure de midi, il rendit l'esprit. Le roi le fit enterrer dans une chapelle, en deçà des murs du château de Douvres. On peut toujours y voir son crâne et la blessure que messire Lancelot lui fit dans un combat. Après quoi on vint dire au roi que messire Mordret avait à nouveau disposé son armée pour combattre sur la plaine de Barham. Le lendemain matin, le roi y alla. Il y eut entre eux une grande bataille, avec beaucoup de morts d'un côté et de l'autre. Mais, fin de compte, le parti du roi Arthur résista le mieux. Messire Mordret et les siens s'enfuirent vers Cantorbéry.

CHAPITRE III

Comment ensuite le fantôme de messire Gauvain apparut au roi Arthur et l'avertit qu'il ne lui fallait pas combattre ce jour-là

Lors le roi fit chercher par toutes les villes les corps de ses chevaliers occis et leur donna une sépulture. Ceux qui avaient été grièvement blessés, on leur appliqua des onguents. Beaucoup de gens rejoignirent le roi Arthur. Ils dirent que c'était à tort que messire Mordret lui faisait la guerre. Le roi marcha vers l'ouest avec son armée. Il se dirigea vers Salisbury, non loin du bord de la mer. Un jour fut fixé entre le roi et messire Mordret, pour se rencontrer dans une plaine, entre Salisbury et la côte. Ce jour était le lundi après le dimanche de la Trinité. Le roi s'en réjouit fort, à la pensée de pouvoir se venger de messire Mordret. Celui-ci leva beaucoup de gens autour de Londres, car ceux du Kent, du Sussex, du Surrey, de l'Essex, du Suffolk et du Norfolk, pour la plupart, étaient de son côté. Plus d'un chevalier de grande valeur rejoignit, tantôt le camp de messire Mordret, tantôt celui du roi. Mais ceux qui aimaient messire Lancelot se rangèrent avec messire Mordret.

Adonc, le dimanche de la Trinité, la nuit, le roi Arthur fit un rêve étrange. Le voici : il lui sembla qu'il était assis sur un trône, et ce trône mis sur une estrade. Le siège avait été placé près d'une roue. Le roi était vêtu de la plus belle étoffe d'or que l'on pût faire. Il se prit à imaginer qu'au-dessous de lui, bien au-dessous, se trouvait un lac noir, hideux et profond. Dedans il y avait toutes sortes de serpents, de vers, de bêtes sauvages, vilaines et horribles à voir. Soudain il lui parut que la roue tournait d'un tour complet et que lui-même tombait au milieu des serpents. Chaque bête le happait par un bras ou par une jambe. Il se mit à crier, en son lit, tout en dormant : « À l'aide! » Chevaliers, écuyers, valets l'éveillèrent. Il était si égaré qu'il ne savait plus où il se trouvait. Après quoi il sommeilla de nouveau, sans dormir ni se réveiller tout à fait.

Il crut alors que venait à lui messire Gauvain, entouré d'un grand nombre de gentes dames. Quand Arthur le vit, il lui dit : « Bienvenue au fils de ma sœur! Je pensais que vous étiez mort. Maintenant je vois que vous êtes vivant. J'en suis très redevable à Dieu tout-puissant. Ô mon gentil neveu, le fils de ma sœur, qui donc sont ces dames qui sont venues ici avec vous? — Sire, répondit-il, ce sont toutes des dames pour lesquelles j'ai combattu lorsque j'étais en vie. Pour toutes j'ai livré combat en de justes querelles. Dieu leur a accordé cette grâce, à leur instante prière, parce que j'avais été leur champion, de me conduire à vous céans. Et Il m'a permis de vous mettre en garde contre un risque de mort. En effet, si vous combattez demain messire Mordret, comme vous l'avez décidé l'un et l'autre, soyez sûr que vous serez tué, ainsi que la plupart des gens, dans les deux camps. À cause de la grande faveur en laquelle Dieu tout-puissant vous tient et de sa grande bonté à votre égard, aussi par compassion pour vous et pour beaucoup d'hommes de bien qui perdraient la vie en cette bataille, Dieu m'a envoyé près de vous par une grâce particulière, afin de vous prévenir qu'en nulle façon vous ne devez combattre demain matin, mais conclure un traité de paix d'un mois, jour pour jour. Faites des offres généreuses pour avoir un délai. Avant un mois messire Lancelot viendra avec tous ses nobles chevaliers. Glorieusement il vous donnera son secours et tuera messire Mordret, ainsi que tous ceux qui voudront se ranger avec lui. »

Sur ces entrefaites, messire Gauvain et toutes les dames disparurent. Sans attendre, le roi fit venir ses chevaliers, écuyers et serviteurs, leur demandant d'aller quérir au plus vite ses nobles seigneurs et sages évêques. Quand ils furent venus, il leur conta sa vision, ce que messire Gauvain lui avait dit, et comment il l'avait prévenu que s'il combattait le lendemain il serait tué. Puis il appela messire Lucan l'échanson, son frère, messire Bédoïer, deux évêques avec eux, et leur enjoignit ceci : « Peu importe comment, si vous le pouvez, concluez un traité avec messire Mordret d'une durée d'un mois, jour pour jour. N'y épargnez rien. Proposez-lui des terres, des biens, autant que vous le jugerez bon. » Là-dessus ils partirent et vinrent à messire Mordret, là où il était, avec une armée redoutable de cent mille hommes. Ils parlementèrent longtemps avec lui. Finalement messire Mordret fut d'accord pour recevoir Cornouailles et Kent, durant la vie du roi Arthur. Ensuite, après sa mort, il aurait toute l'Angleterre.

CHAPITRE IV

Comment, malencontreusement, par la faute d'une vipère, la bataille commença, où Mordret fut tué et Arthur mortellement blessé

ENSUITE il fut ensemble décidé que le roi Arthur et messire Mordret iraient à la rencontre l'un de l'autre entre leurs deux armées, chacun amenant avec lui quatorze personnes. C'est avec cet engagement pris qu'ils revinrent à Arthur. Le roi leur dit : « Je suis content que cela soit fait. » Puis il s'apprêta à partir pour le champ. À l'instant de partir, il recommanda ceci à toute son armée, s'ils voyaient une épée sortie du fourreau : « Surtout avancez sans hésiter et tuez ce traître de messire Mordret. Je ne lui fais nullement confiance. » Messire Mordret donna les mêmes conseils à son armée : « Si vous voyez qu'on dégaine une épée, point d'hésitation. Chargez sus eux bravement et tuez tout ce qui est devant vous. Je ne me fie nullement à ce traité. Je sais bien que mon père veut se venger de moi. » Adonc ils se rencontrèrent comme il avait été prévu. On se mit d'accord et consentit à tout. On envoya quérir du vin et l'on but.

Presque aussitôt une vipère sortit d'une petite touffe de bruyère et mordit au pied un chevalier. Quand il sentit cette morsure, il baissa les yeux et vit la vipère. Lors il tira son épée du fourreau pour la tuer, sans penser à faire aucun autre mal. Mais, lorsque dans les deux camps on vit luire cette épée, on sonna de la trompe, de la trompette, du cor. On poussa des cris furieux. Les deux armées se mirent face à face. Le roi Arthur prit son cheval. Il dit : « Quel jour funeste ! » et rejoignit son parti. Messire Mordret fit de même. Jamais il n'y eut en nul pays chrétien de plus âpre bataille. Ce ne fut que charges, assauts, coups d'estoc et de taille. On échangea plus d'un propos farouche et plus d'une estocade meurtrière. Toujours le roi Arthur courait parmi les rangs de messire Mordret, en tous sens, et se conduisait avec beaucoup de mérite, comme doit le faire un noble roi. Il ne faiblissait point. Messire Mordret ce jour-là fit de son mieux et courut de grands risques. Ils combattirent ainsi tout au long du jour, ne s'arrêtant que lorsque les nobles chevaliers furent couchés sur la froide terre. Ils ne cessèrent qu'à l'approche de la nuit, et pour lors cent mille étaient étendus morts dans la plaine.

Quand il vit ses gens ainsi tués, la colère d'Arthur ne connut plus de bornes. Il jeta ses regards autour de lui. Il sut alors que de toute son armée et de tous ses bons chevaliers, il ne restait plus en vie que deux hommes. L'un était messire Lucan l'échanson, l'autre son frère, messire Bédoïer. Ils étaient fort gravement blessés. « Seigneur ! s'écria le roi, que sont devenus tous mes nobles chevaliers ? Dire que j'aurai vu un jour aussi cruel ! Maintenant ma fin est venue. Plût à Dieu qu'il me fût donné de savoir où est ce traître de messire Mordret, qui est cause de toute cette désolation ! » Il s'aperçut alors de l'endroit où il se trouvait. Il s'appuyait sur son épée parmi des monceaux de cadavres. « Donnez-moi donc ma lance, dit Arthur à messire Lucan. J'ai vu où se tenait le félon dont tout ce malheur est l'ouvrage.

— Sire, laissez-le, repartit messire Lucan. Il est infortuné. Si vous survivez à ce triste jour, vous serez suffisamment vengé de ce qu'il vous a fait. Mon bon seigneur, rappelez-vous le rêve de la nuit passée, ce que l'esprit de messire Gauvain vous a dit cette nuit-là. Nonobstant, Dieu en sa grande bonté vous a préservé jusqu'à cette heure. En conséquence, pour l'amour de Dieu, monseigneur, restez-en là. Grâce au ciel, le champ nous est demeuré. Nous sommes trois encore en vie, tandis qu'avec messire Mordret il n'y a plus personne. Si vous ne cherchez pas à en faire davantage, c'est la fin de ce jour néfaste. — Vienne la vie, vienne la mort, dit le roi, à présent que je le vois seul là-bas, il ne m'échappera point. Je ne me retrouverai jamais avec sur lui un tel avantage. — Dieu vous soit en aide ! » dit messire Bédoïer.

Lors le roi prit sa lance en ses deux mains. Il courut sus à messire Mordret, criant : « Traître, maintenant c'est ton heure dernière. » Quand il l'entendit, messire Mordret se rua vers le roi Arthur, l'épée sortie de son fourreau. Le roi le frappa sous l'écu, d'un grand coup de sa lance. L'arme perça le corps d'outre en outre et ressortit de plus d'une toise. Quand il sentit que sa blessure était mortelle, messire Mordret se jeta en avant, de toute la force qui lui restait. Il s'enfonça la lance jusqu'à la garde. En même temps il frappa son père, le roi Arthur, de son épée, qu'il tenait en ses deux mains. Le coup atteignit un côté de la tête. Il perça le heaume et le crâne. Puis messire Mordret tomba à terre, raide mort.

Le noble roi Arthur s'affaissa. Il perdit connaissance, et cela maintes fois. Maintes fois messire Lucan l'échanson et messire Bédoïer le relevèrent. Comme ils purent, ils le conduisirent, en unissant leurs forces, jusqu'à une petite chapelle non loin de la mer. Quand il y fut, le roi se sentit soulagé. Lors il entendit des cris venant du champ de bataille. « Allez-y, messire Lucan, dit-il, et faites-moi savoir ce que signifie ce bruit. » Messire Lucan partit (il était gravement blessé en maint endroit). Il regarda, écouta. En avançant, à la clarté de la lune, il vit que des détrousseurs et voleurs étaient arrivés sur les lieux, afin de piller et dérober à plus d'un noble chevalier ornements, colliers, nombre de bagues et de riches joyaux. Ceux qui n'étaient pas tout à fait morts, ils les tuaient pour leurs harnois et leurs richesses. Quand messire Lucan se fut avisé de cela, il se hâta de revenir trouver le roi et lui rapporta tout ce qu'il avait vu et entendu. « Si vous voulez mon avis, dit-il, le mieux est de vous porter en quelque ville. — Je voudrais bien que cela pût se faire », dit le roi.

CHAPITRE V

Comment le roi ordonna qu'on jetât dans le lac son épée Excalibur, et comment, lui-même, il fut confié à des dames dans une barque

« MAIS je ne puis rester debout, tant la tête me fait mal. Ah ! messire Lancelot, aujourd'hui vous m'aurez beaucoup manqué. Hélas ! pourquoi me suis-je jamais opposé à vous ? Pour moi, maintenant, c'est la mort assurée. Messire Gauvain m'en avait prévenu dans mon rêve. » Lors messire Lucan prit le roi par un bras, messire Bédoïer le prit par l'autre. Cependant qu'ils le soulevaient, le roi défaillit. De par l'effort qu'il avait fait, messire Lucan s'évanouit. Une partie de ses boyaux lui sortit du corps. Le cœur rompit à ce noble chevalier. Quand le roi revint à lui, il le vit, comment il avait l'écume à la bouche et comment une partie de ses entrailles était à ses pieds. « Las ! gémit-il, c'est pour moi un spectacle bien affligeant que de voir ce noble duc qui meurt ainsi pour me servir. Il a voulu m'aider quand c'était lui qui avait besoin d'aide, et plus que moi. Hélas ! il n'a pas consenti à se plaindre, tant était grand son désir de me porter secours. Que Dieu ait pitié de son âme ! »

Messire Bédoïer se mit à pleurer, de la mort de son frère. « Cesse ces larmes et lamentations, lui dit le roi. Tout cela ne me servira de rien. Si je pouvais rester en vie moi-même, sache-le, la mort de messire Lucan me serait une peine qui ne me quitterait jamais plus. Mais mon heure est proche maintenant. Prends Excalibur, ma bonne épée, et avec cette épée gagne la rive de ce lac, là-bas. Quand tu seras rendu, je te l'ordonne, jette l'épée dans l'eau et reviens me dire ce que tu auras vu. — Monseigneur, dit Bédoïer, vos ordres seront éxécutés, et promptement je vous rendrai compte. »

Messire Bédoïer partit. Chemin faisant, il regarda la noble épée. Il vit que le pommeau et la poignée étaient tout entiers de pierres précieuses. Il se dit : « Si je jette dans l'eau cette riche épée, il ne s'ensuivra nul bien, seulement dommage et perte. » Sur ce il la cacha sous un arbre. Puis, aussitôt qu'il put, il revint trouver le roi. Il lui dit qu'il était allé au lac et avait jeté l'épée dans l'eau. « Et qu'as-tu vu ? — Sire, rien que vagues et vent. — Tu ne dis pas la vérité, repartit le roi. Retourne donc hâtivement et fais ce que je t'ai ordonné. Si tu veux m'être cher et bien-aimé, n'hésite pas, jette-la. »

Messire Bédoïer retourna. Il prit l'épée en sa main. Mais il lui parut que c'était honte et péché de jeter cette noble épée. Il la dissimula et revint dire au roi qu'il était allé jusques au lac et s'était acquitté de sa charge. « Et qu'as-tu vu ? demanda le roi. — Rien, sire, que le battement des vagues et la noirceur de l'eau. — Ah ! traître menteur, s'éxclama le roi Arthur, tu viens de me trahir deux fois. Qui l'eût cru de toi, qui m'as été si cher et bien-aimé ? On te dit noble chevalier, et tu veux me trahir pour la richesse d'une épée. Retourne, fais vite. Tous ces retards me mettent en grand hasard de perdre la vie. J'ai pris froid. Maintenant si, n'ayant pas agi selon mes ordres, je te vois revenir encore, je te tue de mes propres mains. Pour t'approprier une belle épée, veux-tu donc que je meure ? »

Messire Bédoïer partit. Il alla à l'épée. Vite il la prit et gagna la rive du lac. Il noua le baudrier autour de la poignée. Puis il jeta l'épée dans l'eau, aussi loin qu'il le put. Il se dressa alors au-dessus de l'eau un bras, au bout de ce bras une main, qui saisit l'épée, l'empoigna, l'agita et brandit, par trois fois. Puis la main disparut dans l'eau avec elle.

Messire Bédoïer revint devers le roi et lui conta ce qu'il avait vu. « Las ! soupira le roi, aide-moi à partir d'ici. Je crains d'avoir trop tardé. » Messire Bédoïer le prit sur son dos et ainsi avec lui marcha jusqu'au bord du lac. Quand ils y furent, tout près de la rive on vit venir une barque. Il s'y trouvait plus d'une gente dame, et parmi elles trois reines. Toutes avaient des capuchons noirs, et toutes elles pleurèrent et poussèrent des cris de douleur à la vue du roi Arthur.

« À présent, place-moi dans la barque », dit-il. Ce que fit avec précaution messire Bédoïer. Les trois reines reçurent le roi avec beaucoup de lamentations. Elles le couchèrent. Dans le giron de l'une des reines il posa la tête. Lors cette reine lui dit : « Ah ! mon cher frère, pourquoi avez-vous tardé si longtemps à venir près de moi ? Hélas ! cette blessure à la tête a souffert de trop de froid. » À la rame, on l'éloigna du rivage. Messire Bédoïer regarda s'en aller toutes ces dames. Lors il s'écria : « Ah ! monseigneur Arthur, que vais-je devenir, maintenant que vous me quittez et me laissez seul ici au milieu de mes ennemis ? — Ne perds pas courage, lui dit le roi. Fais pour le mieux. En moi on ne peut désormais mettre nulle confiance. Je pars pour le val d'Avalon, afin d'y guérir de ma cruelle blessure. Si tu n'entends plus jamais parler de moi, prie pour le repos de mon âme. »

Cependant, toujours les reines et dames versaient des pleurs et poussaient des cris, que c'était pitié de les entendre. Dès que messire Bédoïer eut perdu la barque de vue, il se mit à pleurer lui aussi et à gémir, puis il entra dans la forêt. Il chemina ainsi toute la nuit. Le matin venu, entre deux bosquets vénérables, il aperçut une chapelle et un ermitage.

CHAPITRE VI

Comment, le lendemain, messire Bédoïer trouva le roi mort dans un ermitage, et comment il y demeura avec l'ermite

MESSIRE BÉDOÏER s'en réjouit. Il s'y rendit. Quand il fut dans la chapelle, il y vit l'ermite, étendu face contre terre. Tout près il y avait une tombe fraîchement creusée. Lorsque l'ermite vit messire Bédoïer, il le reconnut sans peine, car peu de temps avant il avait été l'archevêque de Cantorbéry, que messire Mordret avait chassé. « Messire, demanda Bédoïer, quel homme est enterré là, pour lequel vous priez avec tant de foi? — Mon fils, répondit l'ermite, je n'en sais rien assurément, mais je le devine. Cette nuit, à minuit, il est venu beaucoup de dames. Elles ont apporté ici le corps d'un homme, qu'elles m'ont prié de mettre en terre. Elles ont fait l'offrande de cent cierges et m'ont remis cent besants. — Hélas! gémit messire Bédoïer, c'était monseigneur Arthur. C'est lui qui est enterré en cette chapelle. » Sur ce il défaillit. Quand il fut revenu à lui, il demanda à l'ermite de demeurer en sa compagnie et de vivre là désormais, dans le jeûne et la prière. « D'ici je ne veux plus partir, dit-il, de mon plein gré, mais tous les jours de ma vie je veux prier pour monseigneur Arthur. — Vous êtes le bienvenu, repartit l'ermite. Je vous connais mieux que vous ne pensez. Vous êtes le hardi Bédoïer, et le très noble duc messire Lucan l'échanson était votre frère. »

Lors messire Bédoïer conta à l'ermite tout ce que vous avez ouï par ci-devant. Il resta près de celui qui avait été l'archevêque de Cantorbéry. Il se couvrit de pauvres vêtements et très humblement se mit à son service, priant et jeûnant. Je ne trouve plus rien d'écrit après cela sur le roi Arthur dans des livres qui fassent autorité. Je n'y vois pas davantage qu'on ait eu l'assurance de sa mort. Je vois qu'il fut emmené dans une nef, où se trouvaient trois reines. La première était la sœur du roi, la reine Morgane la Fée. La deuxième était la reine de Norgalles. La troisième était celle de la Terre Gaste. Il y avait aussi dedans la nef Viviane, la grande Dame du Lac, qui avait épousé Pelléas, le bon chevalier. Cette dame avait beaucoup fait pour le roi Arthur. Elle n'avait jamais permis à messire Pelléas d'être en nul lieu où il pourrait mettre sa vie en danger. C'est pourquoi il vécut avec elle fort longtemps et en grand repos.

Davantage sur la mort du roi Arthur, je ne pus jamais le découvrir, seulement que des dames l'avaient amené sur le lieu de sa sépulture. Quelqu'un y fut enterré, l'ermite en témoigna qui naguère avait été archevêque de Cantorbéry. Cependant il ne savait pas avec certitude si c'était vraiment là le corps du roi. Ce fut messire Bédoïer, chevalier de la Table Ronde, qui fit écrire ce récit.

CHAPITRE VII

De l'opinion de certains sur la mort du roi Arthur,
et comment la reine Guenièvre se fit nonne à Almesbury

NONOBSTANT l'on raconte en maint endroit d'Angleterre que le roi Arthur n'est pas mort, mais que par la volonté de Notre-Seigneur Jésus il fut transporté dans un autre lieu. On dit pareillement qu'il reviendra et retrouvera la sainte Croix. Je ne puis assurer que c'est ainsi que les choses se passeront. Je dirai plutôt qu'en ce monde il changea de vie. Cependant beaucoup font valoir que sur sa tombe on lit ce vers : *Hic jacet Arthurus Rex, quondam Rexque Futurus* (ci-gît le roi Arthur, qui fut roi et le sera).

Je laisse donc à cet endroit de l'histoire messire Bédoïer en compagnie de l'ermite, qui vivait alors dans une chapelle non loin de Glastonbury. C'est là qu'était son ermitage. Ils vécurent ainsi une vie de prière, de jeûne et de grande abstinence. Quand la reine Guenièvre sut que le roi Arthur était mort, ainsi que tous les nobles chevaliers, messire Mordret et tout le reste, elle partit secrètement, avec cinq dames suivantes, et se rendit à Almesbury. Là elle se fit nonne. Elle porta des habits noirs et blancs. Elle fit grande pénitence, autant qu'en fit jamais dame pécheresse en ce pays, et jamais nul ne réussit à l'égayer. Elle vécut dans le jeûne, la prière, les œuvres de charité. Tout le monde s'ébahit de voir à quel point elle était devenue vertueuse.

À présent, laissons la reine Guenièvre à Almesbury, nonne vêtue de noir et de blanc. Elle y fut abbesse et en charge du couvent, comme la raison le voulait. Ne nous occupons plus d'elle et parlons de messire Lancelot du Lac.

CHAPITRE VIII

Comment, quand messire Lancelot apprit la mort du roi Arthur, celle de messire Gauvain, et d'autres nouvelles, il vint en Angleterre

LORSQU'IL ENTENDIT en son pays que messire Mordret avait été couronné roi d'Angleterre et faisait la guerre au roi Arthur, son propre père, voulant l'empêcher de mettre le pied en ses propres domaines, aussi quand on lui rapporta que ledit messire Mordret avait mis le siège devant la Tour de Londres parce que la reine refusait de l'épouser, messire Lancelot entra en courroux furieux. Il dit à ses parents : « Las ! ce traître fieffé de messire Mordret, je regrette à présent de l'avoir laissé m'échapper. Il a beaucoup outragé monseigneur Arthur. Je le vois bien à la triste lettre que m'envoie monseigneur Gauvain — Dieu ait pitié de son âme ! — que monseigneur Arthur est dans un bien mauvais pas. Dire que j'aurai vécu pour entendre que le très noble roi qui me fit chevalier a été ainsi renversé par l'un de ses sujets, et en son propre royaume ! Cette lettre affligeante, que monseigneur Gauvain m'a envoyée avant de mourir, me priant de visiter son tombeau, sachez bien que ses mots désolants sont à jamais gravés dans mon cœur. Il n'y eut jamais plus noble chevalier. Funeste aura été l'heure de ma naissance puisque j'aurai eu le malheur d'occire messire Gauvain, messire Guerrehet, le bon chevalier, et enfin mon ami, messire Gahériet, dont le mérite était si grand ! Hélas ! je puis me dire infortuné d'avoir pu agir aussi malencontreusement, et cependant, hélas, il se pourrait que je n'eusse pas la chance de jamais tuer ce traître de messire Mordret !

— Cessez de vous plaindre, répliqua messire Bohort, et d'abord tirez vengeance de la mort de messire Gauvain. Ensuite il sera bon que vous visitiez son tombeau, avant de venger monseigneur Arthur et madame la reine Guenièvre. — Je vous remercie, dit messire Lancelot. Toujours vous songez à mon honneur. » Après quoi, en toute diligence, on mit tout en œuvre pour qu'avec petits vaisseaux et galères messire Lancelot et son armée pussent passer en Angleterre. Il franchit la mer et vint à Douvres. Il y débarqua, accompagné de sept rois. Leur nombre était si grand qu'il faisait peur à voir. Messire Lancelot s'enquit auprès de gens de Douvres de ce que le roi Arthur était devenu. On lui répondit qu'il était mort, de même que messire Mordret et cent mille hommes de guerre, en un seul jour. Messire Mordret avait livré bataille au roi Arthur dès son débarquement. C'est là que le valeureux messire Gauvain avait été tué. Le lendemain matin, il avait combattu le roi sur la plaine de Barham. Là le roi avait pris le dessus. « Hélas ! s'écria messire Lancelot, c'est la nouvelle la plus affligeante qui m'ait jamais été donnée ! Maintenant, gentils sires, montrez-moi le tombeau de messire Gauvain. » Des gens de la ville le conduisirent dedans le château de Douvres et le lui montrèrent.

Messire Lancelot s'agenouilla et pleura. Il pria avec ferveur pour le repos de l'âme de Gauvain. Ce soir-là, il fit des largesses. Tous ceux qui voulurent bien venir eurent même part de viande, poisson, vin et bière. Chaque homme, chaque femme reçut douze pence, quel qu'il fût. De sa propre main, messire Lancelot distribua cet argent, vêtu d'une robe de deuil. Il ne cessa de verser des pleurs, invitant tout le monde à prier pour l'âme de messire Gauvain. Le lendemain matin, tous les prêtres et clercs qu'on put trouver dans le pays furent mandés. Ils chantèrent la messe de requiem. Messire Lancelot fut le premier à donner à l'offrande. Il bailla quarante livres à chacun des prêtres. Les sept rois à leur tour ajoutèrent quarante livres pour chacun d'eux. Il y avait là aussi mille chevaliers. Tous firent don d'une livre. L'offrande dura du matin jusqu'au soir, et deux nuits durant messire Lancelot demeura couché sur le tombeau à pleurer et prier.

Le troisième jour, il fit venir les rois, ducs, comtes, barons et chevaliers. Voici ce qu'il leur dit : « Mes gentils seigneurs, je vous sais gré de m'avoir accompagné en ce pays. Mais nous sommes arrivés trop tard. Je le regretterai aussi longtemps que je vivrai. Cependant, contre la mort nul ne peut se rebeller. Puisqu'il en est ainsi, poursuivit-il, pour moi, j'irai quérir madame la reine Guenièvre. J'ai ouï dire qu'elle avait beaucoup souffert et qu'elle avait été très malade. On m'a rapporté qu'elle avait fui vers l'ouest. Adonc attendez-moi tous ici. Si je ne suis pas de retour dans les quinze jours à venir, prenez vos bateaux, vos gens et retournez en votre pays. Je m'en tiendrai à ce que je vous ai dit. »

CHAPITRE IX

Comment messire Lancelot partit chercher la reine Guenièvre, et comment il la trouva à Almesbury

LORS vint messire Bohort de Gaunes. Il dit : « Monseigneur Lancelot, à quoi pensez-vous, d'aller chevaucher à présent en ce royaume ? Sachez-le bien, vous n'y trouverez que peu d'amis. — Quoi qu'il en soit, repartit messire Lancelot, restez ici. J'entends faire ce voyage, et ni homme fait, ni jouvenceau ne m'accompagnera. » Il ne servait à rien de tenter quelque chose. Messire Lancelot partit et chevaucha vers l'ouest. Il chercha de sept à huit jours. Fin de compte, il arriva devant un couvent de femmes. La reine Guenièvre l'aperçut, alors qu'il marchait dans le cloître. Quand elle le vit, par trois fois elle perdit connaissance, et toutes les dames et nobles dames eurent bien du mal à la soutenir. Lorsqu'elle fut en mesure de parler, elle appela les dames et nobles dames et leur dit : « Vous devez vous étonner, gentes dames, que je me comporte ainsi. À la vérité, la cause en est la vue de ce chevalier qui se tient là-bas. Adonc, je vous en prie, demandez-lui de venir à moi. »

Quand messire Lancelot eut été conduit jusqu'à elle, elle dit à toutes les dames : « De cet homme et de moi toute cette guerre a été l'ouvrage, ainsi que la mort des plus nobles chevaliers de la terre. C'est notre amour, c'est parce que nous nous sommes aimés qu'a péri mon très valeureux seigneur. C'est pourquoi, messire Lancelot, j'ai choisi cette condition, afin d'obtenir le salut de mon âme. Nonobstant je garde confiance qu'après ma mort, par la grâce de Dieu, je pourrai voir le visage béni du Christ et, au jour du Jugement, m'asseoir à sa droite, car d'aussi grands pécheurs que j'ai jamais pu l'être sont devenus des saints du paradis. Adonc, messire Lancelot, je vous en requiers et supplie à jointes mains, pour tout l'amour qui a pu exister entre nous, ne contemplez plus jamais mon visage. Je vous l'ordonne, au nom de Dieu, cessez de me visiter, retournez en votre royaume et maintenez-le bien à l'abri de la guerre et de la destruction. J'ai beau vous avoir tant aimé, mon cœur ne me permet plus de vous voir, car à cause de vous et de moi la fleur des rois et chevaliers n'est plus. En conséquence, messire Lancelot, allez en votre royaume, prenez-y femme et vivez avec elle dans la joie et la félicité. Je vous le demande bien sincèrement, priez Notre-Seigneur pour moi, afin que je répare ma mauvaise vie.

— Or çà, ma douce dame, repartit messire Lancelot, voudriez-vous donc me voir retourner en mon pays pour m'y marier ? Non, madame, sachez-le bien, je ne le ferai point. Je ne manquerai pas tant aux promesses que je vous ai faites. Le même sort que vous avez choisi, je le choisirai, afin de plaire à Dieu, et toujours pour vous je veux prier, plus que pour tout autre. — Si c'est là votre résolution, dit la reine, tenez vos engagements, mais j'ai bien du mal à croire que vous n'irez pas à nouveau dans le monde. — Madame, vous en parlez à votre guise. Pourtant vous m'avez toujours connu fidèle à ma promesse. Dieu garde que je ne renonce point au monde comme vous l'avez fait ! La quête du

Saint-Graal m'aurait fait quitter sa vanité sans votre seigneur. Si pour lors j'avais arrêté ce choix, avec mon cœur, ma volonté, mon esprit, j'eusse dépassé tous les chevaliers de la quête, hormis messire Galaad, mon fils. Adonc, madame, puisque vous avez voulu régler votre vie, il me faudra le vouloir aussi, en bonne raison. J'en prends Dieu à témoin, c'est de vous que j'ai connu les joies de la terre. Et si je vous avais trouvée à présent disposée à me suivre, j'avais résolu de vous emmener en mon royaume. »

CHAPITRE X

Comment messire Lancelot vint à l'ermitage où était l'archevêque de Cantorbéry, et comment il y prit l'habit de religion

« Mais, puisque je vous trouve dans une autre disposition, je vous l'assure sur ma foi, désormais toujours je ferai pénitence et prierai ma vie durant, si je rencontre un ermite qui me reçoive, que son habit soit blanc ou gris. Conséquemment, madame, je vous le demande, embrassez-moi pour la dernière fois. — Non, dit la reine, je ne le ferai point. Abstenez-vous à l'avenir de pareilles actions. » Là-dessus ils se séparèrent.

Cependant il n'y eut jamais d'homme au cœur assez dur pour ne pouvoir pleurer au spectacle de la douleur à laquelle ils s'abandonnèrent. Ils se lamentèrent comme si leurs corps eussent été percés de lances. Plus d'une fois ils défaillirent. Les dames portèrent la reine en sa chambre. Messire Lancelot revint à lui. Il alla prendre son cheval. Tout le jour, toute la nuit, il chevaucha dans la forêt, en larmes. Finalement, il aperçut un ermitage et une chapelle, entre deux rochers. Il entendit tinter une petite cloche, qui invitait à entendre la célébration de la messe.

Il s'approcha, mit pied à terre, attacha son cheval à la barrière et assista à l'office. Le célébrant était l'archevêque de Cantorbéry. L'archevêque et messire Bédoïer le reconnurent. Ils parlèrent ensemble après l'office. Mais quand messire Bédoïer eut tout raconté de ce qu'il savait, de chagrin le cœur de messire Lancelot faillit se rompre. Il leva les bras au ciel et s'écria : « Hélas! qui peut placer sa confiance en ce monde? » Puis il se mit à genoux et pria l'archevêque de le confesser et de l'absoudre. Ensuite il lui demanda instamment de l'admettre en sa communauté. L'archevêque répondit : « Oui, volontiers. » Il fit prendre l'habit à messire Lancelot, qui servit Dieu nuit et jour en cet ermitage, par la prière et par le jeûne.

Pendant ce temps, la grande armée attendait à Douvres. Puis messire Lionel prit avec lui quinze barons et se rendit à Londres pour savoir ce qu'était devenu messire Lancelot. Il y fut tué, de même que beaucoup des barons. Après quoi messire Bohort de Gaunes donna des ordres pour que la grande armée rentrât en son pays. Messire Bohort, messire Hector des Mares, messire Blanor, messire Bliobéris et beaucoup d'autres des parents de messire Lancelot entreprirent de chevaucher par toute l'Angleterre, en long et en large, afin de le rechercher. Par aventure, messire Bohort parvint à la chapelle où se trouvait messire Lancelot. Il entendit tinter une petite cloche, qui invitait à ouïr la messe. Il mit pied à terre et assista à l'office.

Quand la messe fut dite, l'archevêque, messire Lancelot et messire Bédoïer vinrent à lui. Lorsque messire Bohort vit de quelle façon messire Lancelot était vêtu, il pria l'archevêque de lui donner le même vêtement. On lui fit donc prendre l'habit, et il vécut dans la prière et dans le jeûne. Avant six mois arrivèrent messire Galinde, messire Galehodin, messire Blanor, messire Villars, messire Clèremonde, messire Galeheudin. Tous ces nobles chevaliers restèrent à l'ermitage. Quand ils virent que messire Lancelot avait ainsi réglé sa vie, ils n'eurent plus envie de partir, mais prirent l'habit comme lui.

Pendant six ans ils firent ainsi grande pénitence. Puis de l'archevêque messire Lancelot reçut l'habit de prêtre. Un an il célébra la messe. Il n'y eut nul des autres chevaliers qui ne récitât, n'aidât à chanter les offices, ne sonnât les cloches, ou ne s'acquittât de quelque petit service. Leurs chevaux s'égarèrent où ils purent. Ils n'avaient cure des richesses de ce monde. Quand ils virent messire Lancelot endurer pareille pénitence, en priant et jeûnant, ils n'eurent plus de considération pour tout ce qu'ils pouvaient subir. Ils voyaient le plus noble chevalier du monde faire telle abstinence qu'il en devenait tout maigre.

Une nuit, messire Lancelot eut une vision. Charge lui était donnée, pour la rémission de ses péchés, de se rendre en diligence à Almesbury. « Lorsque tu y seras, tu trouveras morte la reine Guenièvre. Emmène tes compagnons, avec un char tiré par des chevaux. Rapporte la dépouille de la reine et enterre-la auprès de son époux, le noble roi Arthur. » Trois fois en une même nuit la vision se représenta à messire Lancelot.

CHAPITRE XI

Comment, avec ses sept compagnons, messire Lancelot se rendit à Almesbury et y trouva morte la reine Guenièvre, qu'ils conduisirent à Glastonbury

MESSIRE LANCELOT se leva avant le jour. Il mit l'ermite au courant. « Il serait bon, dit celui-ci, que vous vous prépariez et ne désobéissiez point à la vision. » Adonc messire Lancelot prit avec lui ses sept compagnons. À pied ils cheminèrent de Glastonbury jusqu'à Almesbury, qui en est éloigné d'un peu plus de dix lieues. Il leur fallut près de deux jours pour faire le voyage, car ils manquaient de forces et vigueur. Quand messire Lancelot entra dans le couvent d'Almesbury, la reine Guenièvre était morte depuis une demi-heure seulement. Les dames lui contèrent qu'elle leur avait tout révélé, avant de trépasser, que messire Lancelot était prêtre depuis un an ou presque. « Et il vient ici, aussi vite qu'il le peut, pour chercher le corps défunt. Et aux côtés de mon seigneur, le roi Arthur, il me mettra en terre. » À la suite de quoi elle dit, de façon que chacun pût l'entendre : « Je supplie Dieu tout-puissant qu'il ne me soit jamais donné de revoir messire Lancelot avec les yeux de ce monde. » Et ce fut, dirent toutes les dames, constamment sa prière ces deux jours-là, jusqu'à ce qu'elle rendît l'âme.

Messire Lancelot contempla le visage de la reine, mais sans pleurer beaucoup. Il se contenta de soupirer. Il veilla lui-même à ce que fussent faites les cérémonies requises, célébrant l'office des morts le soir et la messe le lendemain matin. On fit venir un char funèbre. Cent torches furent mises à brûler sans cesse autour de la dépouille. Continuellement messire Lancelot et ses sept compagnons tournèrent autour du char, chantant et récitant plus d'une sainte oraison, et de l'encens fut brûlé au-dessus du corps. Messire Lancelot et ses sept compagnons firent le chemin à pied d'Almesbury jusqu'à Glastonbury. Quand ils furent arrivés à la chapelle et à l'ermitage, il y eut pour la reine un office des morts, célébré avec beaucoup de dévotion. Le lendemain matin, l'ermite, qui naguère avait été archevêque de Cantorbéry, dit la messe de requiem, lui aussi fort dévotement. Messire Lancelot fut le premier à donner à l'offrande, suivi de ses sept compagnons.

Puis le corps fut enveloppé dans une toile de Reims enduite de cire, de la tête jusqu'aux pieds, et dans cette toile roulé trente fois. Ensuite il fut mis sous une feuille de plomb, puis dans un cercueil de marbre. Quand la reine fut déposée en terre, messire Lancelot s'évanouit. L'ermite vint et lui fit reprendre ses sens. Il lui dit : « Vous êtes à blâmer. Vous offensez Dieu par ce chagrin que vous montrez. — Vraiment, repartit messire Lancelot, je crois bien ne pas l'offenser. Il connaît mes intentions. Mon chagrin n'a pas été causé, et ne l'est pas maintenant, par le souvenir des joies du péché. Il est d'une nature à ne jamais avoir de fin. Je me rappelle sa beauté, la noblesse qu'elle avait et partageait avec son roi. Aussi, lorsque j'ai vu le corps de son époux et le sien couchés l'un près de l'autre, vraiment mon cœur ne m'a plus permis de soutenir l'accablement de mon corps. En outre, quand je me suis souvenu que c'était par ma faute, mon arrogance et mon orgueil, que l'un et l'autre se trouvaient maintenant si bas qui avaient été sans rivaux parmi tous les chrétiens de la terre, sachez-le, ce souvenir de leur affection et de ma méchanceté entra si profondément en mon cœur que je ne pus le supporter sans défaillir. » C'est là ce que dit le livre français.

CHAPITRE XII

Comment messire Lancelot tomba malade, puis mourut, et comment son corps fut porté à la Joyeuse Garde pour y être enterré

ENSUITE messire Lancelot ne se nourrit que peu et but de même, jusqu'à ce qu'il mourût. Il devint de plus en plus malade, maigrit et dépérit. Ni l'archevêque, ni aucun de ses compagnons ne réussirent à le faire manger. Il buvait peu. Finalement sa taille décrut d'une coudée, et il devint méconnaissable. Continûment il priait, le jour, la nuit. Parfois il sommeillait, d'un sommeil vite interrompu. On le retrouvait sans cesse étendu, le visage appuyé contre le tombeau du roi Arthur et de la reine Guenièvre. Il n'y avait nul réconfort que l'archevêque, ou messire Bohort, ou aucun de ses compagnons pût lui apporter. Rien n'y faisait. En conséquence, moins de six semaines après, il tomba malade et garda le lit. Il envoya chercher l'archevêque qui était ermite, et tous ses fidèles compagnons. Il dit d'une voix lugubre : « Sire évêque, je vous prie de m'administrer tous les sacrements qui conviennent à un chrétien. — Vous n'en aurez nul besoin, repartirent l'ermite et ses compagnons. Il ne s'agit que de l'épaisseur de votre sang. Demain, par la grâce de Dieu, vous serez beaucoup mieux portant. — Gentils sires, sachez que mon corps affligé va devoir gagner la terre. J'en suis averti, plus que je ne veux vous le dire à présent. Adonc administrez-moi les sacrements. »

Quand il eut communié et eut reçu l'extrême-onction, tout ce qui à un chrétien doit être administré, il demanda à l'archevêque que ses compagnons pussent porter son corps à la Joyeuse Garde (certains y voient Alnwick, d'autres Bamborough) : « J'en ai bien du regret, mais je fis naguère le vœu d'y être enterré. Pour ne pas faillir à ma promesse, je vous requiers tous de m'y conduire. » Parmi ses compagnons, pour lors, on se mit à pleurer et à se tordre les mains de douleur. Puis, plus tard dans la nuit, ils allèrent ensemble se coucher. Tous dormaient dans la même chambre.

Après minuit, peu avant le jour, l'archevêque devenu ermite, alors qu'il était à dormir en son lit, fut pris d'un grand éclat de rire. Ses compagnons se réveillèrent. Ils vinrent le trouver et lui demandèrent de quoi il souffrait. « Mon Dieu ! s'exclama l'archevêque, pourquoi m'avez-vous tiré de mon sommeil ? Jamais de ma vie je n'avais été si gai et si à l'aise. — Pourquoi ? demanda messire Bohort. — À la vérité, messire Lancelot était à mes côtés, avec des anges. Leur nombre dépassait celui de tous les hommes que j'avais jamais pu voir en un seul jour. Les anges soulevaient messire Lancelot jusques au ciel, et les portes du ciel s'ouvraient devant lui. — Ce n'est que l'effet d'un sommeil troublé, dit messire Bohort. Je suis sûr que messire Lancelot n'a rien et se porte bien. — Cela se peut, conclut l'archevêque. Allez à son lit et vous verrez ce qu'il en est. »

Lorsque messire Bohort et ses compagnons vinrent à son lit, ils le trouvèrent raide mort. On eût dit, ainsi couché, qu'il souriait, et autour de lui se répandait la plus douce odeur qu'ils eussent jamais sentie. On pleura, on se tordit les mains de douleur. Ce fut le plus grand deuil qu'on mena jamais. Le lendemain matin, l'archevêque célébra la messe de requiem. Ensuite les neuf chevaliers et lui placèrent messire Lancelot sur le même char où avait été mise la reine Guenièvre, avant qu'elle fût enterrée. Et ainsi tous ils accompagnèrent le corps jusqu'à ce qu'ils fussent à la Joyeuse Garde. Continuellement cent torches brûlaient autour de la dépouille. Moins de quinze jours plus tard, ils arrivèrent au bout de leur voyage. Ils déposèrent le corps au milieu du sanctuaire de l'église. Ils chantèrent et récitèrent beaucoup de prières et de psaumes au-dessus et autour. Cependant le visage demeurait nu et à découvert, de manière à ce que tout le monde pût le regarder. Telle était la coutume en ce temps-là. Tous les hommes de renom gisaient ainsi à visage découvert, jusqu'à ce que le corps fût enterré. Tandis qu'ils célébraient l'office arriva messire Hector des Mares. Sept années durant il avait cherché son frère, messire Lancelot, par toute l'Angleterre, et l'Écosse, et le pays de Galles.

CHAPITRE XIII

Comment messire Hector trouva mort son frère, messire Lancelot, comment Constantin régna aussitôt après Arthur, et de la fin de ce livre

LORSQUE MESSIRE HECTOR entendit tout ce bruit et vit toute cette lumière dans le sanctuaire de l'église en la Joyeuse Garde, il descendit de son cheval, l'éloigna et entra dans ce sanctuaire. Là on chantait et pleurait. Tous le reconnurent, mais lui ne les reconnut pas. Messire Bohort alla vers lui. Il lui dit que reposait là son frère, messire Lancelot. Messire

Hector jeta son bouclier, son épée, son heaume. Il regarda le visage de messire Lancelot et tomba en défaillance. Quand il revint à lui, il n'est guère au pouvoir de quiconque de rapporter les douloureuses plaintes que la vue de son frère lui coûta. « Ah ! Lancelot, s'écria-t-il, tu étais le premier de tous les chevaliers chrétiens, et maintenant tu gis là, toi qui, je puis le prétendre, ne rencontras jamais en ce monde de chevalier à ta mesure. En outre, tu étais le plus courtois des chevaliers portant écu. Tu fus l'ami le plus fidèle à sa maîtresse qui jamais monta à dos de cheval, l'amant le plus loyal parmi les pécheurs qui aima jamais une femme. Nul homme plus bienveillant ne frappa jamais d'une épée, nul n'apparut plus beau au milieu d'une cohorte de chevaliers. Personne n'égalait ta douceur et noblesse, quand dans une grand-salle tu prenais ton repas en compagnie des dames. Mais tu étais aussi le plus ardent chevalier qui jamais coucha une lance, quand tu te retrouvais face à ton ennemi mortel. »

Douleur et larmes ne connurent plus de bornes. On garda le corps de messire Lancelot en l'église dans une galerie pendant quinze jours, puis on l'enterra fort pieusement. Ensuite, sans se hâter, ils accompagnèrent tous l'archevêque de Cantorbéry en son ermitage. Là ils restèrent ensemble plus d'un mois. Lors messire Constantin, qui était le fils de messire Cador de Cornouailles, fut élu roi d'Angleterre. C'était un très noble chevalier, et avec honneur il régna sur ce royaume. Ce roi Constantin envoya quérir l'archevêque de Cantorbéry, quand il sut où il était. On lui rendit son archevêché, et il quitta son ermitage. Mais messire Bédoïer y demeura ermite jusqu'à la fin de ses jours.

Messire Bohort de Gaunes, messire Hector des Mares, messire Galeheudin, messire Galinde, messire Galehodin, messire Blanor, messire Bliobéris, messire Villars le Vaillant, messire Clèremonde, tous ces chevaliers s'en retournèrent dans leurs pays. Le roi Constantin eût bien voulu les garder avec lui, mais ils refusèrent de demeurer en ce royaume. Ils vécurent tous chez eux en odeur de sainteté. Certains livres anglais disent qu'ils ne quittèrent pas l'Angleterre après la mort de messire

Lancelot, mais c'est fantaisie de poète. En effet, le livre français nous le dit, qui fait foi, messire Bohort, messire Hector, messire Blanor et messire Bliobéris se rendirent en Terre Sainte, là où avait vécu Jésus-Christ et où il était mort, dès qu'ils eurent fait régner l'ordre en leurs domaines. Le livre rapporte que messire Lancelot leur en avait donné mission, avant de quitter ce monde. Ces quatre chevaliers livrèrent plus d'une bataille aux mécréants ou Turcs. Et c'est là qu'ils perdirent la vie, un vendredi saint, servant Dieu.

Telle est la fin de tout le roman du roi Arthur et de ses nobles chevaliers de la Table Ronde, lesquels, tous réunis, étaient toujours au nombre de cent cinquante. Ainsi se termine également « La mort d'Arthur ». Je le requiers de vous tous, hommes et dames de bonne maison qui lirez ce livre d'Arthur et de ses chevaliers, du commencement à la fin, priez pour moi, tant que je serai en vie, pour que Dieu m'envoie bonne délivrance et, quand je serai mort, je vous en requiers tous, priez pour moi. Ce livre fut terminé la neuvième année du règne du roi Édouard IV, par messire Thomas Malory, chevalier. Que Dieu tout-puissant lui vienne en aide, car il est serviteur de Jésus-Christ, tant la nuit que le jour !

Ainsi finit ce noble et joyeux livre, intitulé *la Mort d'Arthur*, nonobstant qu'il traite de la naissance, de la vie et des faits et gestes dudit roi Arthur, de ses nobles chevaliers de la Table Ronde, de leurs merveilleuses quêtes et aventures, de l'accès qu'ils eurent aux secrets du Saint-Graal, et finalement de la mort douloureuse de tous et de la façon dont ils quittèrent ce monde. Cet ouvrage fut traduit en anglais par messire Thomas Malory, chevalier, comme il est dit plus haut, et par moi, William Caxton, divisé en vingt et un livres, chapitres, imprimé et achevé en l'abbaye de Westminster, le dernier jour de juillet, l'année de Notre-Seigneur MCCCCLXXXV. *Caxton me fieri fecit* (Caxton me fit faire).

RÉPERTOIRE DES PRINCIPAUX PERSONNAGES

ACALON DE GAULE, amant et champion de Morgane la Fée
ACHALAIN, duc, d'abord ennemi d'Arthur
AGLOVAL, fils de Pellinor, frère de Perceval
AGRAVAIN, fils du roi Lot, frère de Gauvain
AGUIGNIER, dit le roi des Cent Chevaliers, cousin et sénéchal de Galehot
AGUISANT, roi d'Irlande, père de la Belle Yseut
AILIES LA BELLE PÈLERINE, épouse d'Alexandre l'Orphelin
ALEXANDRE L'ORPHELIN, fils de Baudouin et neveu du roi Marc
ALIDUC, chevalier, tué dans la guerre contre les Romains, heureusement ressuscité par la suite (de même que d'autres)
AMANT, roi qui dans la quête du Graal symbolise Jésus-Christ
ANDRET, cousin et ennemi de Tristan
ANGLEDIS, épouse de Baudouin, mère d'Alexandre l'Orphelin
ARCADE, demoiselle qui refuse d'aimer Pelléas
ARÈS LE VACHER, son épouse est la mère de Tor
ARMANT, roi de la Cité Vermeille
AUCTOR, père nourricier d'Arthur

BADEMAGU, roi de Gorre, cousin du roi Urien, père de Méléagant
BALAIN LE SAUVAGE, le chevalier aux deux épées
BALAN, frère de Balain
BAN, roi de Bénoïc, père de Lancelot
BAUDOUIN, frère du roi Marc, père d'Alexandre l'Orphelin
BAUDOUIN DE BRETAGNE, vice-roi pendant la campagne d'Arthur contre les Romains, plus tard ermite

BÉDOÏER, chevalier de la Table Ronde, frère de Lucan l'échanson

BÉLANGÈRE LE BEUSE, fils d'Alexandre l'Orphelin

BÉLINANT L'ORGUEILLEUX, chevalier, frère de Frolles

BELLES MAINS, surnom donné par Keu le sénéchal à Gahériet

BERNARD D'ASTOLAT, père d'Élaine la Blanche

BLAISE, maître de Merlin, chroniqueur du règne d'Arthur

BLANOR DE GAUNES, frère de Bliobéris, cousin de Lancelot

BLASINE, fille du duc de Tintagel et d'Ygerne, épouse du roi Nante

BLIANT, chevalier, protecteur de Lancelot en sa folie

BLIOBÉRIS DE GAUNES, frère de Blanor, cousin de Lancelot

BOHORT DE GAUNES, roi, père de Bohort et de Lionel

BOHORT DE GAUNES, fils du précédent, cousin de Lancelot

BOORT, fils d'Arthur et de Lisanor

BRANDELIS, chevalier de la Table Ronde

BRANGIEN, dame suivante de la Belle Yseut

BRANGORRE, roi d'Estrangore

BRAS DE FER, autrement dit le Chevalier Rouge des Plaines Rouges, amoureux de Léone, devient de la Table Ronde

BRETIAUS, chevalier du duc de Tintagel, puis d'Arthur. Également le nom d'un ermite de la forêt de Windsor

BRISANE, enchanteresse, dame suivante d'Élaine, la fille du roi Pellés

BRUN SANS PITIÉ, fourbe chevalier, grand amateur de dames et de demoiselles

BRUNOR, chevalier, seigneur du château des Pleurs, père de Galehot

BRUNOR LE NOIR, chevalier, appelé la Cotte Mal Taillée par Keu le sénéchal

CADOR DE CORNOUAILLES, baron d'Arthur, père de Constantin

CAHÉDIN, fils d'Hoël, roi de Bretagne, amoureux de la Belle Yseut

CALOGRENANT, chevalier, tué par Lionel, puis, plus tard, par Lancelot

CARADOC, roi d'Écosse (à distinguer de Caradoc de la Tour Douloureuse, frère de Tarquin, tué par Lancelot)

Célice de la Tour Douloureuse, neveu d'Aguignier
Célinan, frère de Bliant
Clarion, roi du Northumberland
Claudas, roi, ennemi des rois Ban et Bohort
Clégis, chevalier d'Arthur
Clèremonde, chevalier ami de Lancelot
Constantin, fils de Cador, succède à Arthur comme roi d'Angleterre
Corsabrin, Sarrasin, tué par Palamède
Cotte Mal Taillée (la), surnom donné par Keu le sénéchal à Brunor le Noir
Crosselème, chevalier de la Table Ronde

Daguenet, fou du roi Arthur
Darras, chevalier qui emprisonne Tristan, Palamède et Dinadan
Dinadan, chevalier de la Table Ronde, bon raillard, ami de Tristan
Dinas, sénéchal du roi Marc, ami de Tristan
Dodinel le Sauvage, chevalier de la Table Ronde
Domas, chevalier qui emprisonne le roi Arthur
Dorian, fils de Pellinor, frère de Lamorat

Édouard de Carnavon, chevalier, frère de Priamus
Édouart des Orcades, chevalier, frère de Sadoc
Élaine, femme du roi Ban, mère de Lancelot
Élaine, fille du roi Pellès, mère de Galaad
Élaine la Blanche, fille de Bernard, dite la Belle Pucelle d'Astolat
Éliézel, fils du roi Pellès
Érec, fils du roi Lac, chevalier de la Table Ronde
Espinogre, fils du roi du Northumberland, chevalier de la Table Ronde
Eustache, duc de Cambénic, ennemi d'Arthur
Évalac, roi païen de Sarras, prend au baptême le nom de Mordrain, guéri par Galaad

FÉLÉLOLIE, sœur d'Urry, épouse de Lanval
FERGUS, comte, ami de Tristan
FLORENT, fils de Gauvain
FROLLES DES ILES LOINTAINES, chevalier tué par Lamorat

GAHÉRIET, fils du roi Lot, frère de Gauvain, surnommé Belles Mains par Keu le sénéchal
GALAAD, fils de Lancelot et d'Élaine
GALEHEUDIN, compagnon d'armes de Lancelot
GALEHODIN, roi en Sorelois
GALEHOT, le haut prince, fils de Brunor, seigneur de Sorelois
GALERON DE GALVOIE, chevalier de la Table Ronde
GALINDE, compagnon d'armes de Lancelot
GARLAN, chevalier qui peut se rendre invisible, frère du roi Pellehan, tué par Balain
GAUTIER, chevalier cornouaillais, frère de Guimart et de Regnault
GAUVAIN, fils du roi Lot, neveu d'Arthur
GIRFLET, fils de Do de Carduel, chevalier de la Table Ronde
GOLAPAS, géant tué par Arthur
GOUVERNAIL, gouverneur, puis écuyer de Tristan
GUENIÈVRE, fille du roi Léodegan, épouse d'Arthur
GUERREHET, fils du roi Lot, frère de Gauvain
GUIMART, chevalier cornouaillais, frère de Gautier et de Regnault
GUINGAMOR, chevalier, frère de Léone
GUINEBAUT, frère du roi Ban
GUINGLAIN, fils de Gauvain

HÉBÈS LE RENOMMÉ, parent de Lancelot, écuyer de Tristan, puis chevalier de la Table Ronde
HÉLAÉ, sorcière, dame du château de Nécromance
HÉLAIN LE BLANC, fils de Bohort de Gaunes, chevalier de la Table Ronde
HÉLIABEL, épouse du roi Méliaduc, mère de Tristan

HÉLIOT, joueur de harpe

HÉLYAN DE GOMORET, chevalier écossais, de la Table Ronde

HERLAU LE BARBU, chevalier, tué par Garlan

HOËL, duc de Tintagel, premier mari d'Ygerne, père de Morcade, de Blasine et de Morgane la Fée

HOËL, roi de Bretagne, père de Cahédin et d'Yseut aux Blanches Mains, peut-être le même qu'Hoël (livre V), duc de Bretagne

IDER, roi de Cornouailles (à distinguer d'Ider, fils d'Yvain aux Blanches Mains, livre V)

JOSEPH D'ARIMATHIE, dans les Évangiles ensevelit le corps du Christ après la Passion

JOSEPH, fils de Joseph d'Arimathie, selon la quête du Graal vient en Grande-Bretagne avec le Saint-Graal

KEU LE SÉNÉCHAL, fils d'Auctor, sénéchal d'Arthur (autrement dit, son intendant); à distinguer de Keu d'Estrans, chevalier de la Table Ronde, parent de Guenièvre

LAMORAT DE GALLES, fils du roi Pellinor

LANCELOT DU LAC, fils du roi Ban, père de Galaad

LANCER, fils du roi d'Irlande, tué par Balain

LANVAL, fils de Bernard d'Astolat, chevalier de la Table Ronde

LÉODEGAN, roi de Carmélide, père de Guenièvre

LÉONE, dame du Château Périlleux, épouse Gahériet

LÉONETTE, sœur de Léone, épouse Guerrehet

LIONEL, frère de Bohort, cousin de Lancelot

LOT, roi des Orcades, époux de Morcade, père de Gauvain

LOVEL, fils de Gauvain

LUCAN L'ÉCHANSON (OU BOUTEILLER), chargé de l'intendance des vins à la cour du roi Arthur, chevalier de la Table Ronde

LUCIUS, empereur de Rome, ennemi d'Arthur

MADOR DE LA PORTE, chevalier de la Table Ronde
MARC, roi de Cornouailles, fourbe et poltron, oncle de Tristan
MAREHAUT, frère de la reine d'Irlande, chevalier de la Table Ronde, tué par Tristan (à distinguer de Marehaut, roi d'Irlande, son père)
MARGANOR, sénéchal d'Aguignier (lui-même sénéchal de Galehot)
MARIN, frère du roi Armant
MÉLÉAGANT, fils du roi Bademagu, chevalier de la Table Ronde
MÉLIADUC, roi de Léonois, père de Tristan
MÉLIAN DE L'ILE, fils du roi du Danemark
MÉLIOT DE LOGRES, chevalier de la Table Ronde
MÉNÉDUC, chevalier, parent de Lancelot
MERLIN, magicien et devin
MERLIN DU TERTRE, chevalier de la Table Ronde
MORDRAIN, nom de baptême du roi Évalac
MORDRET, fils d'Arthur et de sa demi-sœur Morcade
MORGANE LA FÉE, demi-sœur d'Arthur, épouse du roi Urien, mère d'Yvain aux Blanches Mains, magicienne experte et redoutable

NABON LE NOIR, géant, seigneur de l'île du Servage, tué par Tristan
NANTE, roi de Garlot, époux de Blasine
NASCIEN L'ERMITE, descendant de Joseph d'Arimathie, visité par Gauvain (à distinguer de Nascien, beau-frère du roi Évalac et de Nascien, roi et ancêtre de Lancelot)
NÉRO, frère du roi Rion
NÉRONÉANS DE L'ISLE, chevalier armé par Lancelot
NICORANT LE PAUVRE, chevalier au service de Tristan

OSENAIN CŒUR HARDI, chevalier de la Table Ronde

PALAMÈDE, chevalier sarrasin, fils du roi Esclabor
PARTHÉNOPÉE, ou le Chevalier Vert, de la Table Ronde
PELLÉAS, l'amoureux, époux de Viviane, chevalier de la Table Ronde
PELLEHAN, roi de Listenois, dit le Roi Méhaignié, blessé par Balain, guéri par Galaad
PELLÈS, fils du précédent, père d'Élaine, roi de Listenois
PELLINOR, roi de Listenois, père de Lamorat et de Perceval, tué par Gauvain
PÉRARD, ou le CHEVALIER NOIR, frère de Parthénopée, tué par Gahériet
PERCEVAL LE GALLOIS, fils de Pellinor, frère de Lamorat
PERGAMON, ou le CHEVALIER ROUGE, frère de Parthénopée (à distinguer de Bras de Fer, ou le Chevalier Rouge des Plaines Rouges, tous deux sont de la Table Ronde)
PERSANT DE L'INDE, ou le CHEVALIER BLEU, frère de Parthénopée, de la Table Ronde
PERSIDE LE BLOI, chevalier
PETITPAS DE WINCHELSEA, chevalier de la Table Ronde
PINEL LE SAUVAGE, chevalier, parent de Lamorat
PLÉNORIN, chevalier, compagnon d'armes de Lancelot
PRIAMUS, fils d'un prince païen en rebellion contre Rome, chevalier de la Table Ronde

REGNAULT, chevalier cornouaillais, frère de Gautier et de Guimart
RION, roi de Norgalles, ennemi d'Arthur

SADOC, ami de Tristan, chevalier cornouaillais (à distinguer de Sadoc, frère d'Édouart des Orcades, cousin de Gauvain)
SAGREMOR LE DESRÉE, chevalier de la Table Ronde
SAPHAR, frère de Palamède, chevalier de la Table Ronde
SÉGURADE, chevalier, frère de Palamède

TARQUIN, chevalier, ennemi d'Arthur

TAULAS, géant tué par Tristan

THOLOMER, roi sarrasin, cousin du roi Évalac

TOR, fils de Pellinor et de la femme d'Arès le vacher, chevalier de la Table Ronde

TRADELMANT, roi de Norgalles

TRISTAN DE LÉONOIS, fils de Méliaduc, neveu du roi Marc

ULFIN, chevalier d'Uter Pendragon, puis d'Arthur. Un ermite porte aussi ce nom

URIEN, roi de Gorre, époux de Morgane la Fée

URRY DE LA MONTAGNE, chevalier hongrois guéri par Lancelot

UTER PENDRAGON, roi d'Angleterre, père d'Arthur, époux d'Ygerne

VILLARS LE VAILLANT, chevalier, ami de Lancelot

VIVIANE, dame du Lac, épouse de Pelléas, aimée par Merlin

YGERNE, épouse du duc Hoël de Tintagel, puis du roi Uter Pendragon, mère de Morcade, Blasine, Morgane et Arthur

YSEUT AUX BLANCHES MAINS, fille du roi Hoël de Bretagne, épouse de Tristan

YSEUT (LA BELLE), fille du roi Aguisant d'Irlande, épouse du roi Marc de Cornouailles

YVAIN AUX BLANCHES MAINS, fils du roi Urien et de Morgane la Fée (à distinguer d'Yvain l'Avoutre, fils bâtard du roi Urien, demi-frère du précédent, chevalier de la Table Ronde)

TABLEAUX GÉNÉALOGIQUES

Généalogie de Gauvain

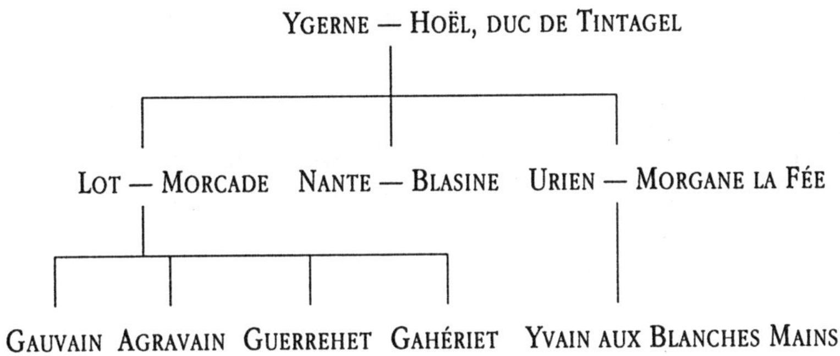

Généalogie de Mordret

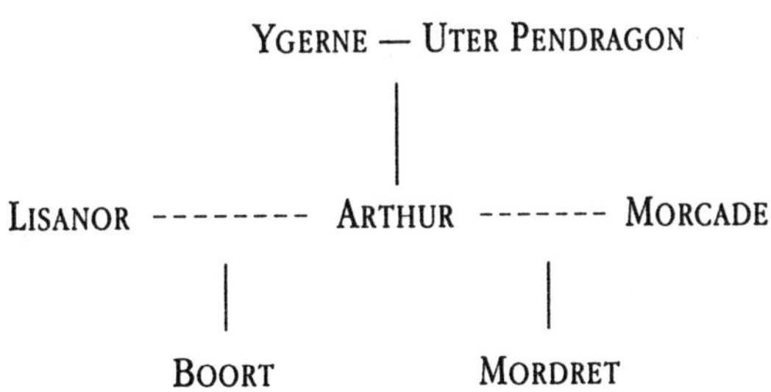

Généalogie de Lancelot

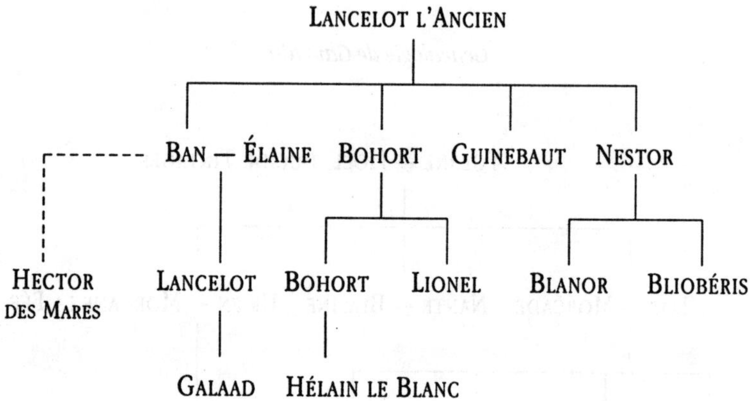

TABLE DES MATIÈRES

TOME I

Sir Thomas Malory et « Le Morte Darthur », préface, par Claude Gauvin 9

Avant-propos du traducteur, par Pierre Goubert 15

LIVRE PREMIER
L'avènement

I *Comment Uter Pendragon fit venir à lui le duc de Cornouailles ainsi qu'Ygerne, sa femme, et comment ils repartirent soudainement* 21

II *Comment Uter Pendragon fit la guerre au duc de Cornouailles et comment, par l'entremise de Merlin, il partagea la couche de la duchesse et engendra Arthur* 23

III *De la naissance du roi Arthur et de la manière dont il fut nourri* 25

IV *De la mort du roi Uter Pendragon* 27

V *Comment Arthur fut choisi comme roi, et des merveilles et prodiges d'une épée ôtée d'une pierre par ledit Arthur* 28

VI *Comment le roi Arthur ôta l'épée à plusieurs reprises* 31

VII *Comment le roi Arthur fut sacré roi, et comment il distribua des offices* 33

VIII *Comment le roi Arthur au pays de Galles, à la Pentecôte, donna une grande fête, et quels rois et seigneurs vinrent à cette fête* 34

IX *De la première guerre que fit le roi, et comment il demeura maître du champ de bataille* 36

X *Comment Merlin conseilla au roi Arthur de faire venir le roi Ban et le roi Bohort, et comment on prit leur avis sur la conduite de la guerre* 38

XI *D'un grand tournoi mis sur pied par le roi Arthur et les deux rois Ban et Bohort, et comment on passa la mer* 41

XII *Comment onze rois assemblèrent une grande armée contre le roi Arthur* 44

XIII *D'un rêve que fit le roi des Cent Chevaliers* 45

XIV *Comment les onzes rois et leur armée combattirent Arthur et son armée, et de beaucoup de hauts faits en cette guerre* 46

XV *Toujours de la même bataille* 49

XVI *Davantage encore sur la même bataille* 52

XVII *Davantage encore sur cette même bataille, et comment il y fut mis fin grâce à Merlin* 55

XVIII *Comment le roi Arthur, le roi Ban et le roi Bohort secoururent le roi Léodegan, et d'autres incidents* 58

XIX *Comment le roi Arthur chevaucha jusqu'à Carlion, de son rêve, et comment il vit la Bête en Chasse* 61

XX *Comment le roi Pellinor prit le cheval d'Arthur et poursuivit la Bête en Chasse, et comment Merlin fit rencontre d'Arthur* 63

XXI *Comment Ulfin accusa la reine Ygerne, la mère d'Arthur, de trahison. Et comment il arriva un chevalier qui demanda que fût vengée la mort de son maître* 65

XXII *Comment Girflet fut fait chevalier, et comment il jouta avec un chevalier* 66

XXIII *Comment douze chevaliers s'en vinrent de Rome et demandèrent qu'il fût payé tribut pour les terres d'Arthur, et comment Arthur combattit un chevalier* 68

XXIV *Comment Merlin sauva la vie à Arthur, jeta un sort au roi Pellinor et l'endormit* 71

XXV *Comment Arthur, par l'entremise de Merlin, obtint une autre épée du nom d'Excalibur de la Dame du Lac* 72

XXVI *Comment Arthur eut connaissance que le roi Rion avait défait onze rois, et comment celui-ci demanda la barbe d'Arthur pour en agrémenter son manteau* 74

XXVII *Comment on envoya chercher tous les enfants nés le premier jour de mai, et comment Mordret fut épargné* 75

LIVRE DEUXIÈME
Balain

I *D'une demoiselle qui vint ceinte d'une épée à la recherche d'un homme possédant assez de vertu pour dégager cette épée de son fourreau* 79

II *Comment Balain, sous l'accoutrement d'un pauvre chevalier, tira l'épée qui ensuite fut cause de sa mort* 81

III *Comment la Dame du Lac demanda la tête du chevalier qui avait obtenu l'épée, ou bien la tête de la pucelle* 83

IV *Comment Merlin conta l'aventure de la demoiselle* 85

V *Comment Balain fut poursuivi par messire Lancer, chevalier d'Irlande. Comment il jouta avec lui et le tua* 86

VI *Comment une demoiselle qui était l'amante de Lancer se tua par amour pour lui, et comment Balain fit rencontre de son frère Balan* 88

VII *Comment un nain reprocha à Balain la mort de Lancer, et comment le roi Marc de Cornouailles trouva les corps des amants et leur érigea un tombeau* 89

VIII *Comment Merlin prophétisa que les deux meilleurs chevaliers du monde combattraient en cet endroit, à savoir messire Lancelot et messire Tristan* 91

IX *Comment Balain et son frère, grâce aux conseils de Merlin, se saisirent du roi Rion et l'amenèrent au roi Arthur* 92

X *Comment le roi Arthur se battit contre Néro et le roi Lot des Orcades, comment le roi Lot fut joué par Merlin, et comment douze rois furent tués* 94

XI *Des funérailles de douze rois, de la prophétie de Merlin, et du coup douloureux que Balain devait porter* 96

XII *Comment un chevalier plein de tristesse se présenta aux regards d'Arthur, comment Balain alla le chercher, et comment ce chevalier fut tué par un autre chevalier qui s'était rendu invisible* 98

XIII *Comment Balain et la demoiselle firent rencontre d'un chevalier qui fut tué de même manière, et comment la demoiselle dut donner son sang à cause de la coutume d'un château* 99

XIV *Comment Balain rencontra ce chevalier nommé Garlan dans un festin et là le tua pour, avec son sang, guérir le fils de son hôte* 101

XV *Comment Balain combattit le roi Pelleban, comment son épée se brisa, et comment il se procura une lance avec laquelle il porta le coup douloureux* 103

XVI *Comment Balain fut délivré par Merlin et sauva un chevalier qui voulait se tuer par amour* 104

XVII *Comment ce chevalier tua la jeune fille qu'il aimait, de même qu'un chevalier couché près d'elle, comment il se tua de sa propre épée, et comment Balain chevaucha vers un château où il perdit la vie* 107

XVIII *Comment Balain rencontra son frère Balan et comment, à leur insu, ils combattirent l'un contre l'autre jusqu'à mourir de leurs blessures* 109

XIX *Comment Merlin leur donna une même sépulture, et de l'épée de Balain* 111

LIVRE TROISIÈME
Le mariage

I *Comment Arthur prit femme et épousa Guenièvre, fille de Léodegan, roi du pays de Carmélide, grâce auquel il eut la Table Ronde* 115

II *Comment les chevaliers de la Table Ronde furent installés et leurs sièges bénis par l'archevêque de Cantorbéry* 117

III *Comment un pauvre hère demanda au roi Arthur de faire son fils chevalier* 118

IV *Comment messire Tor fut reconnu pour être le fils du roi Pellinor, et comment Gauvain fut fait chevalier* 120

V *Comment, au festin de mariage du roi Arthur avec Guenièvre, un cerf fit irruption dans la grand-salle, ainsi que trente couples de chiens, et comment une chienne mordit le cerf, qui fut emmené* 121

VI *Comment messire Gauvain s'en fut chercher le cerf, et comment deux frères combattirent l'un contre l'autre pour la possession dudit cerf* 123

VII *Comment le cerf fut poursuivi jusque dans un château et là mis à mort, et comment messire Gauvain tua une dame* 125

VIII *Comment quatre chevaliers combattirent Gauvain et Guerrehet, et comment ceux-ci furent vaincus et leurs vies épargnées à la requête de quatre dames* 126

IX *Comment messire Tor courut à la poursuite du chevalier qui avait emporté la chienne, et de son aventure chemin faisant* 129

X *Comment messire Tor trouva la chienne près d'une dame, et comment un chevalier s'en prit à lui pour la possession de cette chienne* 130

XI *Comment messire Tor vainquit le chevalier, et comment celui-ci perdit sa tête à la requête d'une dame* 132

XII *Comment le roi Pellinor courut à la poursuite de la dame et du chevalier qui l'avait enlevée, comment une autre dame requit son aide, comment il combattit pour la première avec deux chevaliers, desquels il tua l'un d'un seul coup d'épée* 134

XIII *Comment le roi Pellinor obtint la dame et l'emmena à Camaalot à la cour du roi Arthur* 137

XIV *Comment, sur son chemin, Pellinor surprit l'entretien de deux chevaliers, tandis qu'il reposait la nuit dans un vallon, et des aventures de Pellinor et de la dame* 139

XV *Comment, lorsqu'il fut venu à Camaalot, on fit jurer à Pellinor sur un livre saint de dire la vérité au sujet de sa quête* 140

LIVRE QUATRIÈME
Sorcières, enchanteresses, inspiratrices

I *Comment Merlin sottement s'enticha d'une des dames du Lac, comment il fut emprisonné sous une pierre au creux d'un rocher et là mourut* 145

II *Comment cinq rois vinrent en ce pays guerroyer contre le roi Arthur, et à quel parti celui-ci s'arrêta* 147

III *Comment le roi Arthur rencontra ses ennemis, les défit, tua les cinq rois, et mit tout le reste à la fuite* 148

IV *Comment les combats furent terminés avant la venue du roi Pellinor, et comment le roi Arthur fonda une abbaye au lieu où s'était tenue la bataille* 150

V *Comment messire Tor fut fait chevalier de la Table Ronde, et comment Bademagu en conçut du mécontentement* 152

VI *Comment le roi Arthur, le roi Urien et messire Acalon de Gaule poursuivirent un cerf, et de leurs prodigieuses aventures* 154

VII *Comment Arthur décida de combattre, afin de sortir de son emprisonnement, et aussi de délivrer vingt chevaliers qui étaient emprisonnés avec lui* 155

VIII *Comment Acalon se retrouva près d'une fontaine, et comment il entreprit de livrer combat à Arthur* 157

IX *Du combat entre le roi Arthur et Acalon* 160

X *Comment l'épée du roi Arthur, avec laquelle il combattait, se brisa, comment d'Acalon il recouvra sa propre épée, Excalibur, et comment il défit son ennemi* 162

XI *Comment Acalon reconnut la félonie de Morgane la Fée, sœur du roi Arthur, et comment elle avait projeté de faire périr celui-ci* 164

XII *Comment Arthur réconcilia les deux frères, délivra les vingt chevaliers, et comment messire Acalon mourut* 165

XIII *Comment Morgane eût voulu faire périr le roi Urien, son époux, et comment messire Yvain, son fils, le sauva* 168

XIV *Comment la reine Morgane la Fée conçut beaucoup de chagrin de la mort d'Acalon, et comment elle déroba le fourreau à Arthur* 169

XV *Comment Morgane la Fée sauva la vie à un chevalier, qui sans cela eût été noyé, et comment le roi Arthur rentra chez lui* 171

XVI *Comment la demoiselle du Lac sauvegarda le roi Arthur d'un manteau qui l'aurait brûlé* 173

XVII *Comment messire Gauvain et messire Yvain firent rencontre de douze gentes demoiselles, et comment elles se plaignirent de messire Marehaut* 174

XVIII *Comment messire Marehaut jouta avec messire Gauvain et messire Yvain et les renversa tous deux* 176

XIX *Comment messire Marehaut, messire Gauvain et messire Yvain firent rencontre de trois demoiselles, et comment chacun en choisit une* 180

XX *Comment un chevalier et un nain se disputèrent une dame* 181

XXI *Comment le roi Pelléas souffrit d'être fait prisonnier pour ce qu'il voulait voir sa dame, et comment messire Gauvain lui promit de lui faire obtenir l'amour de cette dame* 184

XXII *Comment messire Gauvain alla voir la dame Arcade, et comment messire Pelléas les trouva endormis* 186

XXIII *Comment messire Pelléas cessa d'aimer la dame Arcade grâce à la demoiselle du Lac, qu'ensuite il aima toujours* 190

XXIV *Comment messire Marehaut chevaucha en compagnie de sa demoiselle, et comment il vint devers le duc des Marches du Sud* 191

XXV *Comment messire Marehaut combattit le duc et quatre de ses fils et les contraignit à se rendre* 193

XXVI *Comment messire Yvain chevaucha en compagnie de la demoiselle de soixante ans, et comment il obtint le prix dans un tournoi* 195

XXVII *Comment messire Yvain combattit deux chevaliers et les défit* 196

XXVIII *Comment, au bout de l'an, les trois chevaliers avec leurs trois demoiselles se retrouvèrent à la fontaine* 198

LIVRE CINQUIÈME

Lucius, empereur de Rome

I *Comment douze ambassadeurs, hommes d'âge, vinrent de Rome devers le roi Arthur, pour demander que la Grande-Bretagne payât tribut* 203

II *Comment les rois et barons promirent au roi Arthur aide et soutien contre les Romains* 205

III *Comment le roi Arthur assembla un parlement à York, et comment il ordonna que le royaume fût gouverné en son absence* 208

IV *Comment le roi Arthur, une fois à bord de son navire et couché dans sa cabine, eut un rêve étrange, et de l'interprétation de ce rêve* 209

V *Comment un habitant de la contrée lui parla d'un géant extraordinaire, et comment il le combattit et le défit* 210

VI	*Comment le roi Arthur envoya messire Gauvain et d'autres chevaliers devers Lucius, et comment ils furent assaillis et s'en sortirent avec honneur*	214
VII	*Comment Lucius mit des espions en embuscade pour reprendre ses chevaliers qui avaient été faits prisonniers, et comment il y fut mis obstacle*	216
VIII	*Comment un sénateur informa Lucius de leur déconfiture, et aussi de la grande bataille entre Arthur et Lucius*	218
IX	*Comment Arthur, après avoir gagné la bataille contre les Romains, entra en Allemagne, et de là passa en Italie*	221
X	*D'un combat livré par messire Gauvain à un Sarrasin, lequel ensuite se rendit à merci et devint chrétien*	223
XI	*Comment les Sarrasins sortirent d'un bois pour sauver leurs bêtes, et d'une grande bataille*	226
XII	*Comment messire Gauvain s'en retourna devers le roi Arthur, comment le roi conquit une cité, et comment il fut couronné empereur*	228

LIVRE SIXIÈME
Lancelot

I	*Comment messire Lancelot et messire Lionel quittèrent la cour, et comment messire Lionel, après avoir laissé dormir messire Lancelot, fut fait prisonnier*	235
II	*Comment messire Hector partit à la recherche de messire Lancelot, et comment il fut fait prisonnier par messire Tarquin*	237
III	*Comment quatre reines trouvèrent Lancelot endormi, et comment par enchantement il fut pris et emmené dans un château*	239
IV	*Comment messire Lancelot fut délivré par le moyen d'une demoiselle*	241
V	*Comment un chevalier trouva messire Lancelot couché dans le lit de sa maîtresse, et comment messire Lancelot combattit ce chevalier*	242
VI	*Comment messire Lancelot fut accueilli par la fille du roi Bademagu, et comment il se plaignit à son père*	244

VII *Comment messire Lancelot se conduisit en un tournoi, et comment il rencontra messire Tarquin menant messire Guerrebet* 246

VIII *Comment messire Lancelot et messire Tarquin combattirent ensemble* 249

IX *Comment messire Tarquin fut occis, et comment messire Lancelot dit à messire Guerrebet de délivrer tous les prisonniers* 251

X *Comment messire Lancelot chevaucha en compagnie d'une demoiselle et occit un chevalier qui tourmentait toutes les dames, de même qu'un vilain qui gardait un pont* 253

XI *Comment messire Lancelot occit deux géants et libéra un château* 255

XII *Comment chevaucha messire Lancelot sous le déguisement du harnois de messire Keu, et comment il renversa un chevalier* 259

XIII *Comment messire Lancelot jouta contre quatre chevaliers de la Table Ronde et les défit* 261

XIV *Comment messire Lancelot poursuivit une chienne jusque dans un château où il découvrit le cadavre d'un chevalier, et comment ensuite une demoiselle le requit de guérir son frère* 263

XV *Comment messire Lancelot entra dans la Chapelle Périlleuse et à un cadavre ôta un morceau de linceul, ainsi qu'une épée* 264

XVI *Comment messire Lancelot, à la requête d'une dame, recouvra un faucon, mais fut ainsi trompé* 267

XVII *Comment messire Lancelot rejoignit un chevalier qui poursuivait sa femme afin de la tuer, et ce qu'il lui dit* 269

XVIII *Comment messire Lancelot revint à la cour du roi Arthur, et comment tout fut raconté de ses nobles exploits et nobles actions* 271

LIVRE SEPTIÈME
Gabériet

I *Comment Belles Mains vint à la cour du roi Arthur et lui présenta trois requêtes* 275

II *Comment messire Lancelot et messire Gauvain se mirent en colère de ce que messire Keu se moquait de Belles Mains, et d'une demoiselle qui désira qu'un chevalier combattît pour une dame* 277

III *Comment Belles Mains émit le vœu de livrer ce combat, comment cela lui fut accordé, et comment il désira être fait chevalier par messire Lancelot* 280

IV *Comment Belles Mains partit, comment il eut de messire Keu une lance et un écu, et comment il jouta avec messire Lancelot* 281

V *Comment Belles Mains dit son nom à messire Lancelot, et comment par celui-ci il fut fait chevalier et ensuite rejoignit la demoiselle* 282

VI *Comment Belles Mains combattit et tua deux chevaliers au passage d'une rivière* 285

VII *Comment Belles Mains combattit le Chevalier de la Plaine Noire, jusqu'à ce qu'il tombât et mourût* 287

VIII *Comment le frère du chevalier qui avait été tué rencontra Belles Mains et combattit avec lui, avant de se rendre* 289

IX *Comment, une fois encore, la demoiselle rabroua Belles Mains et ne voulut point consentir à ce qu'il s'assît à sa table, mais l'appela « garçon de cuisine »* 291

X *Comment le troisième des frères, qu'on appelait le Chevalier Rouge, jouta et combattit contre Belles Mains, et comment Belles Mains prit le dessus* 293

XI *Comment messire Belles Mains eut à souffrir de grands outrages de la part de la demoiselle et patiemment les souffrit* 295

XII *Comment Belles Mains combattit avec messire Persant de l'Inde et le contraignit à se soumettre* 298

XIII *Des gracieuses paroles qu'échangèrent messire Persant et Belles Mains, et comment ce dernier révéla à son hôte que son nom était messire Gahériet* 301

XIV *Comment la dame qui était assiégée apprit par sa sœur que celle-ci avait amené un chevalier afin de combattre pour elle, et sut quels combats il avait livrés avec succès* 303

XV *Comment la demoiselle et Belles Mains vinrent au siège et arrivèrent devant un sycomore. Comment là Belles Mains sonna du cor et aussitôt le Chevalier de la Plaine Rouge se présenta pour combattre avec lui* 305

XVI *Comment les deux chevaliers se rencontrèrent, des paroles qu'ils échangèrent, et comment ils entamèrent le combat* 307

XVII *Comment, après un long combat, Belles Mains défit le chevalier et s'apprêta à l'occire. Mais, cédant à la requête des barons, il l'épargna et le contraignit à se soumettre à la dame* 309

XVIII *Comment le chevalier se rendit, et comment Belles Mains le contraignit à aller à la cour du roi Arthur pour y implorer la merci de messire Lancelot* 312

XIX *Comment Belles Mains s'en vint à la dame, comment lorsqu'il arriva devant le château il trouva porte close, et des paroles que la dame lui adressa* 314

XX *Comment messire Belles Mains courut après messire Guingamor pour secourir son nain et vint dans le château où il se trouvait* 316

XXI *Comment messire Gabériet, autrement connu sous le nom de Belles Mains, fut mis en présence de sa dame, comment ils firent connaissance, et de leur amour* 319

XXII *Comment la nuit survint un chevalier en armes qui combattit avec messire Gabériet, et comment celui-ci, bien que grièvement blessé à la cuisse, fit sauter la tête dudit chevalier* 320

XXIII *Comment le même chevalier revint lors de la nuit suivante, fut de nouveau décapité, et comment à la fête de Pentecôte tous les chevaliers que messire Gabériet avait vaincus vinrent se soumettre au roi Arthur* 323

XXIV *Comment le roi Arthur leur octroya son pardon et leur demanda où se trouvait messire Gabériet* 326

XXV *Comment la reine des Orcades se rendit à cette fête de Pentecôte, et comment messire Gauvain et ses frères vinrent lui demander sa bénédiction* 327

XXVI *Comment le roi Arthur envoya chercher dame Léone, et comment elle fit crier un tournoi en son château, auquel se rendirent beaucoup de chevaliers* 329

XXVII *Comment le roi Arthur se rendit à ce tournoi avec ses chevaliers, comment la dame le reçut avec honneur, et comment les chevaliers se rencontrèrent* 333

XXVIII *Comment les chevaliers se comportèrent dans les combats* 335

XXIX *Davantage au sujet du même tournoi* 338

XXX *Comment messire Gabériet fut épié par les bérauts, et comment il s'échappa du champ clos* 340

XXXI *Comment messire Gabériet s'en vint à un château où il fut bien logé, et comment il jouta avec un chevalier et l'occit* 341

XXXII *Comment messire Gabériet combattit avec un chevalier qui retenait captives en son château trente dames, et comment il l'occit* 344

XXXIII *Comment messire Gabériet et messire Gauvain combattirent l'un contre l'autre, et comment ils se reconnurent grâce à la demoiselle Léonette* 346

XXXIV *Comment messire Gabériet auprès du roi Artbur reconnut qu'ils s'aimaient, et de la date qui fut fixée pour leur mariage* 348

XXXV *Des grandes cérémonies lors des noces, de qui fut fait officier, et des joutes qui accompagnèrent le festin* 350

LIVRE HUITIÈME

Tristan et Yseut — Lamorat

I *Comment naquit messire Tristan de Léonois, et comment sa mère mourut à sa naissance, ce pourquoi elle l'appela Tristan* 357

II *Comment la belle-mère de Tristan se procura du poison pour le faire mourir* 359

III *Comment messire Tristan fut envoyé en France, eut pour gouverneur un nommé Gouvernail, et comment il apprit à jouer de la barpe, à chasser au faucon et à courre* 361

IV *Comment messire Marebaut vint d'Irlande demander tribut aux Cornouailles, sinon il livrerait combat* 362

V *Comment Tristan entreprit de combattre pour éviter aux Cornouailles de payer tribut, et comment il fut fait chevalier* 364

VI *Comment messire Tristan arriva dans l'île pour y livrer combat à messire Marebaut* 367

VII *Comment messire Tristan combattit messire Marebaut et gagna le combat, et comment messire Marebaut s'enfuit vers son navire* 368

VIII *Comment messire Marehaut, après qu'il fut arrivé en Irlande, mourut du coup que messire Tristan lui avait porté, et comment Tristan fut blessé* 370

IX *Comment messire Tristan fut confié aux soins de la Belle Yseut pour être guéri de sa blessure* 372

X *Comment messire Tristan remporta le prix à un tournoi en Irlande et là fit en sorte que Palamède ne pût porter de harnois avant un an* 374

XI *Comment la reine s'aperçut que de son épée messire Tristan avait tué son frère, messire Marehaut, et en quel péril Tristan se trouva* 376

XII *Comment messire Tristan quitta le roi, la Belle Yseut et sortit d'Irlande pour regagner les Cornouailles* 378

XIII *Comment messire Tristan et le roi Marc entrèrent en conflit pour l'amour qu'il portaient à la femme d'un chevalier* 380

XIV *Comment messire Tristan partagea la couche de la dame, et comment son mari combattit avec lui* 382

XV *Comment messire Bliobéris demanda la plus belle dame en la cour du roi Marc, laquelle il emmena, et comment on le combattit* 384

XVI *Comment messire Tristan se battit avec deux chevaliers de la Table Ronde* 386

XVII *Comment, pour une dame, messire Tristan combattit messire Bliobéris, et comment on laissa à la dame le choix de celui avec lequel elle irait* 388

XVIII *Comment la dame abandonna messire Tristan pour demeurer avec messire Bliobéris, et comment elle désira retourner auprès de son mari* 390

XIX *Comment le roi Marc envoya vers l'Irlande messire Tristan pour y quérir la Belle Yseut, et comment par hasard celui-ci arriva en Angleterre* 392

XX *Comment Aguisant, roi d'Irlande, fut mis en demeure de venir à la cour du roi Arthur pour y répondre d'une accusation de trahison* 393

XXI *Comment messire Tristan ôta un écu à un chevalier, et comment Gouvernail l'informa de ce qui concernait le roi Aguisant* 395

XXII *Comment messire Tristan combattit pour le roi Aguisant et défit son adversaire, et comment celui-ci ne voulut à aucun prix se rendre* 397

XXIII *Comment messire Blanor demanda à messire Tristan de le tuer, comment celui-ci l'épargna, et comment ils en vinrent à un arrangement* 399

XXIV *Comment messire Tristan demanda la Belle Yseut pour le roi Marc, et comment Tristan et Yseut burent le philtre d'amour* 401

XXV *Comment messire Tristan et Yseut se retrouvèrent en prison, et comment Tristan combattit en défense de la beauté d'Yseut et trancha la tête à une autre dame* 403

XXVI *Comment messire Tristan combattit avec messire Brunor et finalement lui trancha la tête* 405

XXVII *Comment messire Galehot combattit messire Tristan, et comment celui-ci se rendit et promit de se faire compagnon de messire Lancelot* 406

XXVIII *Comment messire Lancelot rencontra messire Caradoc qui emmenait messire Gauvain, et de la délivrance de celui-ci* 409

XXIX *Du mariage du roi Marc avec la Belle Yseut, de Brangien, la fille d'honneur de celle-ci, et de Palamède* 410

XXX *Comment Palamède demanda la reine Yseut, comment Lambéguet courut après elle afin de la secourir, et de la fuite d'Yseut* 412

XXXI *Comment messire Tristan poursuivit Palamède, comment il le trouva et le combattit, et comment grâce à Yseut le combat cessa* 414

XXXII *Comment messire Tristan ramena chez elle la reine Yseut, et du débat qui opposa le roi Marc à messire Tristan* 417

XXXIII *Comment messire Lamorat jouta avec trente chevaliers, et comment messire Tristan, à la requête du roi Marc, renversa son cheval* 418

XXXIV *Comment messire Lamorat envoya une corne au roi Marc pour se venger de messire Tristan, et comment celui-ci fut contraint d'entrer dans une chapelle* 421

XXXV *Comment messire Tristan reçut le secours de ses gens, comment la reine Yseut fut mise dans un abri de lépreux, et comment Tristan fut blessé* 423

XXXVI *Comment messire Tristan servit à la guerre le roi Hoël de Bretagne et occit l'adversaire de celui-ci sur le champ de bataille* 425

XXXVII *Comment messire Supinabel informa messire Tristan qu'il était perdu de réputation à la cour du roi Arthur, et de messire Lamorat* 427

XXXVIII *Comment messire Tristan et son épouse arrivèrent en Galles, et comment il y rencontra messire Lamorat* 428

XXXIX *Comment messire Tristan combattit messire Nabon, eut la victoire et fit messire Ségurade seigneur de l'île* 431

XL *Comment messire Lamorat quitta messire Tristan, et comment il fit rencontre de messire Frolles, puis de messire Lancelot* 433

XLI *Comment messire Lamorat occit messire Frolles, et du combat courtois qu'il livra à messire Bélinant, son frère* 436

LIVRE NEUVIÈME
La Cotte Mal Taillée — Tristan et Yseut

I *Comment un jeune homme s'en vint à la cour du roi Arthur, et comment par mépris messire Keu l'appela la Cotte Mal Taillée* 441

II *Comment une demoiselle vint à la cour et désira qu'un chevalier se chargeât d'une quête, que la Cotte Mal Taillée entreprit* 443

III *Comment la Cotte Mal Taillée renversa messire Daguenet, le fou du roi, et des reproches que cela lui valut de la part de la demoiselle* 445

IV *Comment la Cotte Mal Taillée combattit cent chevaliers, et comment il s'échappa grâce à une dame* 447

V *Comment messire Lancelot arriva à la cour pour y entendre parler de la Cotte Mal Taillée, comment il partit à sa poursuite, et comment la Cotte Mal Taillée fut fait prisonnier* 449

VI *Comment messire Lancelot combattit avec six chevaliers, puis avec messire Briant, et comment il délivra les prisonniers* 451

VII *Comment messire Lancelot retrouva la Demoiselle Médisante et lui donna le nom de Demoiselle Bienveillante* 453

VIII *Comment la Cotte Mal Taillée fut retenu captif, puis sauvé par messire Lancelot, et comment celui-ci défit quatre frères* 456

IX *Comment messire Lancelot fit la Cotte Mal Taillée seigneur du château de Pendragon, et comment ensuite il fut fait chevalier de la Table Ronde* 458

X *Comment, par l'entremise de Brangien, sa fille d'honneur, la Belle Yseut envoya des lettres à messire Tristan, et de diverses aventures de celui-ci* 459

XI *Comment messire Tristan rencontra messire Lamorat de Galles, comment ils combattirent et ensuite tombèrent d'accord pour ne plus jamais se combattre* 461

XII *Comment messire Palamède poursuivit la Bête en Chasse, et d'une seule lance renversa messire Tristan et messire Lamorat* 462

XIII *Comment messire Lamorat fit rencontre de messire Méléagant, et comment ils combattirent ensemble au sujet de la beauté de dame Guenièvre* 464

XIV *Comment messire Keu fit rencontre de messire Tristan, de l'opprobre ensuite jeté sur les chevaliers des Cornouailles, et de la manière dont ils joutèrent* 467

XV *Comment le roi Arthur fut amené en la Forêt Périlleuse, et comment messire Tristan lui sauva la vie* 469

XVI *Comment messire Tristan vint à la Belle Yseut, comment Cahédin s'éprit d'elle, et d'une lettre que trouva Tristan* 471

XVII *Comment messire Tristan partit de Tintagel, et comment il se désola et demeura si longtemps dans une forêt qu'il en perdit l'esprit* 473

XVIII *Comment messire Tristan plongea Daguenet dans une fontaine, comment Palamède envoya une demoiselle à la recherche de Tristan, et comment le même Palamède rencontra le roi Marc* 475

XIX *Comment le bruit courut que messire Tristan était mort, et comment la Belle Yseut voulut se tuer* 478

XX *Comment le roi Marc trouva messire Tristan nu, le fit porter chez lui à Tintagel, et comment on l'y reconnut grâce à une chienne* 479

XXI *Comment le roi Marc, suivant l'avis de ses conseillers, bannit messire Tristan des Cornouailles pour une durée de dix ans* 481

XXII *Comment une demoiselle chercha de l'aide afin de secourir messire Lancelot contre trente chevaliers, et comment messire Tristan se battit avec eux* 483

XXIII *Comment messire Tristan et messire Dinadan vinrent à un logis où il leur fallut jouter avec deux chevaliers* 486

XXIV *Comment messire Tristan jouta avec messire Keu et messire Sagremor le Desrée, et comment messire Gauvain le fit échapper à Morgane la Fée* 488

XXV *Comment messire Tristan et messire Gauvain allèrent au-devant des trente chevaliers pour les combattre, mais eux n'osèrent pas sortir* 490

XXVI *Comment dame Brangien trouva Tristan endormi près d'une fontaine, et comment elle lui remit des lettres de la part de la Belle Yseut* 492

XXVII *Comment messire Tristan fut jeté au sol par messire Palamède, et comment Lancelot renversa deux chevaliers* 494

XXVIII *Comment messire Lancelot jouta avec Palamède et le renversa, pour ensuite subir l'assaut de douze chevaliers* 497

XXIX *Comment messire Tristan se conduisit au premier jour du tournoi et pour lors remporta le prix* 498

XXX *Comment messire Tristan se retourna contre le parti du roi Arthur, quand il vit que messire Palamède était de ce parti* 500

XXXI *Comment messire Tristan trouva Palamède auprès d'une fontaine et l'emmena en son logis* 502

XXXII *Comment messire Tristan renversa messire Palamède, comment il jouta avec le roi Arthur, et d'autres hauts faits* 505

XXXIII *Comment messire Lancelot blessa messire Tristan, et comment ensuite celui-ci mit à terre messire Palamède* 507

XXXIV *Comment le prix du troisième jour fut attribué à messire Lancelot, et comment il le donna à messire Tristan* 509

XXXV *Comment Palamède arriva au château où était messire Tristan, et de la quête qu'entreprirent messire Lancelot et dix chevaliers pour retrouver ce dernier* 511

XXXVI *Comment messire Tristan, messire Palamède et messire Dinadan furent faits prisonniers et mis dans une geôle* 514

XXXVII *Comment le roi Marc eut regret de la bonne renommée de messire Tristan, et comment certains des chevaliers du roi Arthur joutèrent avec d'autres des Cornouailles* 516

XXXVIII *De la perfidie du roi Marc, et comment messire Guerrebet le mit à terre, ainsi qu'Andret, son neveu* 519

XXXIX *Comment, après être demeurés longtemps captifs, messire Tristan, messire Palamède et messire Dinadan furent délivrés* 521

XL *Comment messire Dinadan sauva une dame des mains de messire Brun sans Pitié, et comment messire Tristan reçut un écu de Morgane la Fée* 524

XLI *Comment messire Tristan emporta l'écu, et aussi comment il occit l'amant de Morgane la Fée* 527

XLII *Comment Morgane la Fée enterra son amant, et comment messire Tristan fit l'éloge de messire Lancelot et de sa parenté* 528

XLIII *Comment, au tournoi, messire Tristan porta l'écu que Morgane la Fée lui avait remis* 529

LIVRE DIXIÈME
Tristan et Yseut — Alexandre l'Orphelin

I *Comment messire Tristan jouta et mit à terre le roi Arthur, parce que Tristan ne lui avait rien dit de la raison pour laquelle il portait l'écu* 533

II *Comment messire Tristan sauva la vie de messire Palamède, et comment ils s'engagèrent à se combattre avant quinze jours* 535

III *Comment messire Tristan recherche un robuste chevalier qui l'avait renversé, de même que beaucoup d'autres de la Table Ronde* 538

IV *Comment messire Tristan renversa messire Sagremor le Desrée et messire Dodinel le Sauvage* 540

V *Comment messire Tristan fit rencontre de messire Lancelot, là où se trouvait le bloc de marbre, et comment ils combattirent sans se reconnaître* 542

VI *Comment messire Lancelot conduisit messire Tristan à la cour, et de la grande joie que manifestèrent le roi et d'autres à sa venue* 544

VII *Comment, par dépit des honneurs accordés à messire Tristan, le roi Marc vint en Angleterre, accompagné de deux chevaliers, et comment il occit l'un d'eux* 546

VIII *Comment le roi Marc s'en vint auprès d'une fontaine, où il trouva messire Lamorat gémissant à cause de l'amour qu'il avait pour l'épouse du roi Lot* 548

IX *Comment le roi Marc, messire Lamorat et messire Dinadan arrivèrent à un château, et comment le roi Marc y fut reconnu* 551

X *Comment messire Berlet rencontra le roi Marc, et comment messire Dinadan prit le parti de ce dernier* 552

XI *Comment le roi Marc railla messire Dinadan, et comment ils firent rencontre de six chevaliers de la Table Ronde* 554

XII *Comment les six chevaliers envoyèrent messire Daguenet jouter avec le roi Marc, et comment celui-ci refusa le combat* 556

XIII *Comment, par aventure, messire Palamède rencontra le roi Marc en sa fuite, et comment il renversa messire Daguenet, ainsi que d'autres chevaliers* 558

XIV *Comment le roi Marc, ainsi que messire Dinadan, entendirent messire Palamède se lamenter et se désoler grandement à la pensée de la Belle Yseut* 560

XV *Comment il fut rapporté au roi Arthur que le roi Marc avait injustement occis messire Armant, et comment messire Lancelot se mit en quête du roi Marc pour le conduire au roi Arthur* 562

XVI *Comment messire Dinadan informa messire Palamède du combat entre messire Lancelot et messire Tristan* 565

XVII *Comment messire Lamorat vint à jouter avec différents chevaliers du château où se trouvait Morgane la Fée* 567

XVIII *Comment messire Palamède eût voulu jouter à la place de messire Lamorat avec les chevaliers du château* 569

XIX *Comment messire Lamorat jouta avec messire Palamède et le blessa grièvement* 571

XX *Comment il fut raconté à messire Lancelot que le roi Marc avait été pourchassé par Daguenet, puis que celui-ci avait été mis à terre, de même que six autres chevaliers* 573

XXI *Comment le roi Arthur fit crier des joutes, et comment messire Lamorat entra en lice et renversa messire Gauvain, puis bien d'autres* 576

XXII *Comment le roi Arthur réconcilia le roi Marc avec messire Tristan, et comment ils partirent pour les Cornouailles* 578

XXIII *Comment messire Perceval fut fait chevalier du roi Arthur, et comment une jeune fille muette retrouva l'usage de la parole et amena le jeune homme à la Table Ronde* 580

XXIV *Comment messire Lamorat visita l'épouse du roi Lot, et comment messire Guerrebet tua celle qui était sa propre mère* 582

XXV *Comment messire Agravain et messire Mordret rencontrèrent un chevalier qui s'enfuyait, comment ils furent tous deux mis à terre, et de messire Dinadan* 584

XXVI *Comment le roi Arthur, la reine et Lancelot reçurent des lettres de Cornouailles, et de la réponse qu'ils donnèrent* 586

TOME II

LIVRE DIXIÈME *(suite)*

XXVII *Comment messire Lancelot se courrouça d'une lettre qu'avait envoyée le roi Marc, et de Dinadan qui sur le roi fit une chanson* 601

XXVIII *Comment messire Tristan fut blessé, et d'une guerre qui fut faite au roi Marc. Aussi de messire Tristan, comment il promit de le secourir* 602

XXIX *Comment messire Tristan ordonna la bataille, et comment Hélias demanda quelqu'un pour combattre en combat singulier* 605

XXX *Comment messire Tristan et messire Hélias combattirent ensemble au sujet du tribut, et comment en champ clos le premier tua le second* 607

XXXI *Comment, à un grand festin que donnait le roi Marc, vint un joueur de harpe qui chanta la chanson que Dinadan avait faite* 610

XXXII *Comment, par traîtrise, le roi Marc tua son frère, Baudouin, en récompense de ses bons services* 612

XXXIII *Comment Angledis, l'épouse de Baudouin, s'enfuit avec son jeune fils, Alexandre l'Orphelin, et vint au château d'Arundel* 613

XXXIV *Comment Angledis donna le pourpoint taché de sang à Alexandre, son fils, le jour où il fut fait chevalier, et sa charge en même temps* 615

XXXV *Comment on parla au roi Marc de messire Alexandre, et comment le roi voulut tuer messire Sadoc pour avoir épargné l'enfant* 616

XXXVI *Comment messire Alexandre gagna le prix dans un tournoi, et de Morgane la Fée. Comment aussi il combattit avec messire Malagrin et l'occit* 618

XXXVII *Comment la reine Morgane la Fée retint Alexandre en son château, et comment elle guérit ses blessures* 621

XXXVIII *Comment Alexandre fut délivré de la reine Morgane la Fée par le moyen d'une demoiselle* 622

XXXIX *Comment Alexandre fit rencontre d'Ailies, la Belle Pèlerine, et comment il jouta avec deux chevaliers. Ensuite de lui, et de messire Mordret* 625

XL *Comment messire Galehot fit crier des joutes en Sorelois, les chevaliers de la reine Guenièvre devant jouter contre quiconque se présenterait* 627

XLI *Comment messire Lancelot combattit dans le tournoi, et comment messire Palamède fit des actions d'éclat pour une demoiselle* 628

XLII *Comment messires Galehot et Palamède combattirent ensemble, et de messires Dinadan et Galehot* 631

XLIII *Comment messire Archade accusa messire Palamède de trahison, et comment celui-ci le tua* 632

XLIV *De la troisième journée, et comment messire Palamède jouta avec messire Lamorat. D'autres choses aussi* 633

XLV *De la quatrième journée, et de beaucoup de hauts faits d'armes* 636

XLVI *De la cinquième journée, et comment se comporta messire Lamorat* 637

XLVII *Comment messire Palamède combattit avec Corsabrin au sujet d'une demoiselle, et comment il le tua* 639

XLVIII *De la sixième journée, et de ce que l'on y fit* 642

XLIX *De la septième bataille, et comment messire Lancelot, sous le déguisement d'une pucelle, renversa messire Dinadan* 644

L. *Comment, traîtreusement, messire Tristan fut amené à prendre part à un tournoi pour y être occis, et comment il fut mis en prison* 646

LI *Comment le roi Marc fit faire des lettres qu'il donna pour être du pape, et comment messire Perceval délivra messire Tristan de sa prison* 648

LII *Comment messire Tristan et la Belle Yseut vinrent en Angleterre, et comment messire Lancelot les conduisit au château de la Joyeuse Garde* 651

LIII *Comment, sur les conseils de la Belle Yseut, messire Tristan s'arma pour chevaucher, et comment il fit rencontre de messire Palamède* 653

LIV *De messire Palamède, comment il rencontra messire Bliobéris et messire Hector, et de messire Perceval* 657

LV *Comment messire Tristan rencontra messire Dinadan, de leurs propos, et de ce qu'il dit aux frères de messire Gauvain* 659

LVI *Comment messire Tristan mit à terre messire Agravain et messire Guerrebet, et comment la Belle Yseut envoya chercher messire Dinadan* 662

LVII *Comment messire Dinadan rencontra messire Tristan et comment, alors que celui-ci joutait avec messire Palamède, Dinadan le reconnut* 664

LVIII *Comment ils s'approchèrent du château de Louvrezep, et d'autres propos sur la mort de messire Lamorat* 667

LIX *Comment ils arrivèrent sur les bords de la rivière Humber, et comment ils y trouvèrent un navire, où gisait le cadavre du roi Armant* 669

LX *Comment messire Tristan et ses compagnons eurent un hôte qui ensuite combattit Tristan, et d'autres sujets* 671

LXI *Comment messire Palamède alla combattre deux frères en raison de la mort du roi Armant* 674

LXII *Copie de la lettre écrite pour venger la mort du roi, et comment messire Palamède dut combattre pour avoir cette vengeance* 677

LXIII *De la préparation de messire Palamède et des deux frères qui devaient combattre avec lui* 679

LXIV *De la bataille entre messire Palamède et les deux frères, et comment ils furent occis* 682

LXV *Comment messire Tristan et messire Palamède rencontrèrent Brun sans Pitié, et comment messire Tristan et la Belle Yseut se rendirent à Louvrezep* 684

LXVI *Comment messire Palamède jouta avec messire Galebodin, puis avec messire Gauvain, et les renversa tous deux* 687

LXVII *Comment messire Tristan et ses compagnons commencèrent le tounoi de Louvrezep, de diverses joutes et de divers sujets* 689

LXVIII *Comment joutèrent messire Tristan et ses compagnons, et des hauts faits dont ils s'illustrèrent en ce tournoi* 691

LXIX *Comment messire Tristan fut démonté et mis à terre par messire Lancelot, et comment ensuite messire Tristan renversa le roi Arthur* 694

LXX *Comment messire Tristan changea de harnois (le nouveau était entièrement rouge), comment il se conduisit, et comment messire Palamède tua le cheval de Lancelot* 696

LXXI *Ce que messire Lancelot dit à messire Palamède, et comment le prix de cette journée fut remis à ce dernier* 698

LXXII *Comment messire Dinadan incita messire Tristan à bien faire* 700

LXXIII *Comment le roi Arthur et messire Lancelot vinrent voir la Belle Yseut, et comment messire Palamède renversa le roi Arthur* 702

LXXIV *Comment, le deuxième jour, Palamède abandonna messire Tristan pour rejoindre le camp opposé* 705

LXXV *Comment messire Tristan quitta le champ, réveilla messire Dinadan et changea son habillement pour un noir* 707

LXXVI *Comment messire Palamède changea d'écu et d'armure pour nuire à messire Tristan, et ce que messire Lancelot fit à ce dernier* 709

LXXVII *Comment messire Tristan partit avec la Belle Yseut, et comment Palamède le suivit et s'excusa* 712

LXXVIII *Comment le roi Arthur et messire Lancelot vinrent les voir en leurs pavillons, tandis qu'ils étaient à souper, et de messire Palamède* 715

LXXIX *Comment messire Tristan et messire Palamède se comportèrent le lendemain, et comment le roi Arthur fut démonté* 717

LXXX *Comment messire Tristan se rangea du côté du roi Arthur, et comment Palamède s'y refusa* 719

LXXXI *Comment messire Bliobéris et messire Hector dirent à la reine Guenièvre ce qu'ils savaient de la beauté de la Belle Yseut* 721

LXXXII *Comment Espinogre se lamenta auprès d'une fontaine, comment messire Palamède arriva et le découvrit, et de leur commune désolation* 723

LXXXIII *Comment messire Palamède amena sa dame à messire Espinogre, et comment il fut assailli, de même que messire Saphar* 725

LXXXIV *Comment messire Palamède et messire Saphar conduisirent messire Espinogre en son château, et d'autres aventures* 727

LXXXV *Comment messire Tristan se prépara à secourir messire Palamède, mais messire Lancelot le sauva avant qu'il vînt* 730

LXXXVI *Comment messires Tristan et Lancelot, en compagnie de Palamède, vinrent à la Joyeuse Garde, et de Palamède et messire Tristan* 732

LXXXVII *Comment il fut convenu d'un jour pour se battre entre messire Tristan et messire Palamède, et comment messire Tristan fut blessé* 735

LXXXVIII *Comment messire Palamède vint au jour dit pour combattre, mais comment messire Tristan ne put le rejoindre. Et d'autres choses* 736

LIVRE ONZIÈME
Lancelot

I *Comment messire Lancelot courut les aventures, comment il aida une dame à se délivrer de ses tourments, et comment il combattit contre un dragon* 741

II *Comment messire Lancelot vint à Pellès, du Saint-Graal, et d'Élaine, la fille du roi Pellès* 743

III *Comment messire Lancelot se mécontenta lorsqu'il sut qu'il avait partagé la couche de dame Élaine, et comment elle fut délivrée de Galaad* 745

IV *Comment messire Bohort vint devers dame Élaine et vit Galaad, et comment il fut nourri du Saint-Graal* 747

V *Comment messire Bohort obligea messire Baudoïer à se rendre, des étranges aventures qu'il connut, et de la manière dont il les mena à bien* 750

VI *Comment partit messire Bohort, comment messire Lancelot subit les reproches de la reine Guenièvre, et de l'excuse qu'il trouva* 752

VII *Comment dame Élaine, la mère de Galaad, vint à Camaalot en grande pompe, et comment messire Lancelot se conduisit avec elle* 753

VIII *Comment dame Brisane, par enchantement, mena messire Lancelot jusqu'au lit de dame Élaine, et des reproches que fit à celui-ci la reine Guenièvre* 755

IX *Comment dame Élaine reçut de la reine Guenièvre l'ordre d'avoir à quitter la cour, et comment messire Lancelot perdit la raison* 756

X *Du chagrin qui frappa la reine Guenièvre à cause de messire Lancelot, et comment il fut recherché par des chevaliers de sa parenté* 759

XI *Comment fut occis un serviteur de messire Agloval, et quelle vengeance celui-ci et messire Perceval en tirèrent* 761

XII *Comment messire Perceval secrètement quitta son frère, comment il délivra un chevalier enchaîné, et d'autres actions* 763

XIII *Comment messire Perceval fit rencontre de messire Hector, comment ils combattirent longuement, et comment chacun fut près de perdre la vie* 765

XIV *Comment, par miracle, ils furent tous les deux guéris, par la venue du Vaisseau Sacré du Saint-Graal* 767

LIVRE DOUZIÈME
Lancelot — Tristan et Yseut

I *Comment, en sa folie, messire Lancelot se saisit d'une épée, combattit un chevalier et sauta dans un lit* 771

II *Comment messire Lancelot fut transporté dans une litière, et comment il secourut messire Bliant, son hôte* 773

III *Comment messire Lancelot se battit contre un sanglier et le tua, et comment il fut blessé et conduit dans un ermitage* 774

IV *Comment messire Lancelot fut reconnu par dame Élaine, transporté dans une chambre et ensuite guéri par le Saint-Graal* 776

V *Comment messire Lancelot eut honte, une fois guéri et en possession de sa raison, et comment Élaine voulut qu'on lui donnât un château* 778

VI *Comment messire Lancelot vint en l'Ile de Joie, et là se nomma « le Chevalier qui Mal Fit »* 780

VII *D'un grand tournoi en l'Ile de Joie, comment y vinrent messire Perceval et messire Hector, et comment messire Perceval combattit messire Lancelot* 781

VIII *Comment chacun reconnut l'autre, de leur grande courtoisie, comment le frère de messire Lancelot, messire Hector, vint à lui, et de leur joie* 783

IX *Comment messire Bohort et messire Lionel vinrent chez le roi Brangorre, comment messire Bohort emmena son fils, Hélain le Blanc, et de messire Lancelot* 784

X *Comment messire Lancelot, en compagnie de messire Perceval et de messire Hector, vint à la cour, et de sa grande joie* 786

XI *Comment la Belle Yseut conseilla à messire Tristan d'aller à la cour pour la grande fête de Pentecôte* 787

XII *Comment messire Tristan partit sans son armure et rencontra messire Palamède, comment ils se frappèrent l'un l'autre, et comment Palamède renonça à poursuivre le combat* 789

XIII *Comment messire Tristan prit le harnois d'un chevalier qui était blessé, et comment il renversa messire Palamède* 791

XIV *Comment messire Tristan et messire Palamède combattirent longtemps ensemble puis s'accordèrent, et comment Tristan fit baptiser Palamède* 792

LIVRE TREIZIÈME

La quête du Saint-Graal — Galaad — Lancelot

I *Comment, lors de la vigile de la fête de Pentecôte, entra dans la grand-salle en présence du roi Arthur une demoiselle, qui demanda à messire Lancelot de venir adouber un chevalier, et comment il la suivit* 797

II *Comment furent découvertes les lettres inscrites sur le Siège Périlleux, et de la prodigieuse aventure de l'épée fichée dans une pierre* 799

III *Comment messire Gauvain essaya de retirer l'épée, et comment un vieillard amena Galaad* 801

IV *Comment le vieillard conduisit Galaad au Siège Périlleux et l'y plaça, et comment tous les chevaliers s'ébahirent* 802

V *Comment le roi Arthur montra la pierre qui flottait sur l'eau à Galaad, et comment celui-ci en retira l'épée* 804

VI *Comment le roi Arthur assembla tous les chevaliers non loin de Camaalot, afin de jouter avant leur départ* 805

VII *Comment la reine souhaita voir Galaad, comment ensuite tous les chevaliers furent nourris du Saint-Graal, et comment ils firent vœu d'en mener la quête* 806

VIII *Comment se lamentèrent grandement le roi, la reine et les dames quand partirent les chevaliers, et comment ils partirent* 808

IX *Comment Galaad se procura un écu, et quel était le sort de ceux qui avaient l'audace de se saisir de cet écu* 811

X *Comment Galaad partit avec l'écu, et comment le roi Évalac l'avait reçu de Joseph d'Arimathie* 813

XI *Comment Joseph de son sang dessina une croix sur le bouclier blanc, et comment Galaad fut conduit par un moine à une tombe* 815

XII *De la merveille que messire Galaad vit et entendit dans la tombe, et comment il fit Mélian chevalier* 817

XIII *De l'aventure que connut Mélian, comment Galaad le vengea, et comment Mélian fut transporté dans une abbaye* 819

XIV *Comment messire Galaad partit, et comment il lui fut ordonné de se rendre au château des Pucelles pour en abolir l'infâme coutume* 821

XV *Comment messire Galaad combattit les chevaliers de ce château et abolit son infâme coutume* 822

XVI *Comment messire Gauvain arriva à l'abbaye pour suivre Galaad, et comment il fut confessé par un ermite* 825

XVII *Comment messire Galaad rencontra messire Lancelot et messire Perceval, les renversa et les quitta* 827

XVIII *Comment messire Lancelot, entre le sommeil et la veille, vit venir un malade porté dans une litière, et comment ce malade fut guéri par le Saint-Graal* 829

XIX *Comment une voix s'adressa à messire Lancelot, comment il s'aperçut que son cheval et son heaume avaient disparu, et comment ensuite il continua son chemin à pied* 831

XX *Comment messire Lancelot fut entendu en confession, du chagrin qui fut le sien, et des bons exemples qui lui furent montrés* 832

LIVRE QUATORZIÈME

La quête du Saint-Graal — Perceval

I *Comment messire Perceval vint à une recluse, lui demanda conseil, et comment elle lui dit qu'elle était sa tante* 837

II *Comment Merlin compara la Table Ronde au monde entier, et comment les chevaliers qui devaient atteindre aux secrets du Saint-Graal devaient être reconnus* 839

III *Comment messire Perceval entra dans un monastère, où il trouva le roi Mordrain, devenu un vieillard* 840

IV *Comment messire Perceval vit de nombreux hommes d'armes portant le corps d'un chevalier, et comment il les combattit* 842

V *Comment un serviteur demanda à Perceval de reprendre un destrier volé, comment la haquenée de Perceval fut tuée, et comment il obtint une monture* 844

VI *Du grand danger que courut messire Perceval à cause de sa monture, et comment il vit un dragon aux prises avec un lion* 845

VII *De la vision qu'eut messire Perceval, comment elle fut expliquée, et de son lion* 847

VIII *Comment messire Perceval vit venir à lui une nef, et comment la dame en cette nef l'informa qu'on lui refusait son héritage* 849

IX *Comment messire Perceval lui promit son aide, comment il requit d'elle son amour, et comment il fut sauvé du démon* 851

X *Comment, par pénitence, messire Perceval se fendit la cuisse, et comment la femme fut connue pour être le Diable* 853

LIVRE QUINZIÈME
La quête du Saint-Graal — Lancelot

I *Comment messire Lancelot vint à une chapelle, où il trouva mort, vêtu d'une chemise blanche, un religieux de cent ans* 857

II *D'un mort, comment on eût voulu le tuer à coups d'épée, comment cela ne put se faire, et comment messire Lancelot prit la haire du trépassé* 858

III *D'une vision qui advint à messire Lancelot, comment il la raconta à un ermite et désira ses conseils* 860

IV *Comment l'ermite interpréta pour lui la vision de messire Lancelot et lui dit que messire Galaad était son fils* 862

V *Comment messire Lancelot jouta avec de nombreux chevaliers, et comment il fut fait prisonnier* 864

VI *Comment messire Lancelot raconta sa vision à une femme, et comment elle la lui expliqua* 865

LIVRE SEIZIÈME
La quête du Saint-Graal
Gauvain — Hector des Mares — Bohort de Gaunes — Perceval

I *Comment messire Gauvain faillit se lasser de la quête du Saint-Graal, et de son rêve merveilleux* 871

II *De la vision de messire Hector, et comment Gauvain jouta avec messire Yvain l'Avoutre, auquel il était lié par serment de fraternité* 873

III *Comment messire Gauvain et messire Hector vinrent à un ermitage pour s'y confesser, et comment ils racontèrent leurs visions à l'ermite* 875

IV *Comment l'ermite interpréta la vision de messire Hector* 877

V *Des bons conseils que l'ermite donna à messire Gauvain* 879

VI *Comment messire Bobort fit rencontre d'un ermite, comment il se confessa à lui, et de la pénitence que l'ermite lui infligea* 880

VII *Comment messire Bobort fut hébergé par une dame, et comment il décida de combattre un champion pour garder ses terres à cette dame* 882

VIII *D'une vision que messire Bobort eut cette nuit-là, et comment il combattit et défit son adversaire* 883

IX *Comment la jeune dame fut remise en possession de ses terres grâce au combat de messire Bobort, du départ de celui-ci, comment il rencontra messire Lionel fait prisonnier et battu d'épines, et aussi d'une jeune fille qui risquait d'être déshonorée* 886

X *Comment messire Bobort renonça à secourir son frère pour aider la demoiselle, et comment on lui dit que Lionel était mort* 887

XI *Comment messire Bobort raconta à un prêtre le rêve qu'il avait fait, et du conseil que celui-ci lui donna* 889

XII *Comment un démon sous l'apparence d'une femme eût voulu tenter messire Bobort, et comment par la grâce de Dieu il échappa à la tentation* 891

XIII *Du pieux entretien d'un abbé avec messire Bobort, et des conseils qu'il lui donna* 893

XIV *Comment messire Bobort fit rencontre de son frère, messire Lionel, et comment celui-ci voulut le tuer* 895

XV *Comment messire Calogrenant combattit messire Lionel afin de sauver Bobort, et comment l'ermite fut tué* 897

XVI *Comment messire Lionel occit messire Calogrenant, et comment ensuite il eût voulu tuer messire Bobort* 899

XVII *Comment il vint une voix qui enjoignit à messire Bobort de ne pas toucher Lionel, et d'une nuée qui se plaça entre eux* 900

LIVRE DIX-SEPTIÈME
La quête du Saint-Graal — Galaad

I *Comment messire Galaad combattit dans un tournoi, et comment il fut reconnu de messire Gauvain et de messire Hector des Mares* 905

II *Comment messire Galaad chevaucha aux côtés d'une demoiselle et vint à la nef où se trouvaient déjà messire Bohort et messire Perceval* 907

III *Comment messire Galaad pénétra dedans la nef, d'un beau lit qu'il y trouva parmi d'autres merveilles, et d'une épée* 909

IV *Des merveilles de l'épée et du fourreau* 911

V *Comment le roi Pelleban eut les deux cuisses transpercées parce qu'il avait tiré l'épée du fourreau, et d'autres récits merveilleux* 913

VI *Comment Salomon prit l'épée de David sur le conseil de sa femme, et d'autres choses étonnantes* 915

VII *Une histoire merveilleuse du roi Salomon et de sa femme* 917

VIII *Comment Galaad et ses compagnons vinrent à un château, comment on les combattit, comment ils occirent leurs adversaires, et d'autres choses encore* 920

IX *Comment les trois chevaliers, en compagnie de la sœur de Perceval, vinrent dans la Forêt Gaste, d'un cerf et de quatre lions, et d'autres choses* 922

X *Comment on les requit de suivre une étrange coutume, à laquelle ils refusèrent de se plier. Et comment ils combattirent et tuèrent maint chevalier* 924

XI *Comment la sœur de messire Perceval laissa de son sang le contenu d'une écuelle afin de guérir une dame, ce dont elle mourut. Et comment le corps fut mis dans une nef* 926

XII *Comment Galaad et Perceval trouvèrent en un cimetière beaucoup de tombes de vierges, qui avaient été saignées jusqu'à la mort* 928

XIII *Comment messire Lancelot monta sur la nef où gisait morte la sœur de messire Perceval, et comment il rencontra messire Galaad, son fils* 929

XIV *Comment un chevalier amena une monture à messire Galaad et lui demanda de se séparer de son père, messire Lancelot* 931

XV *Comment messire Lancelot se trouva devant la porte de la chambre où était le Saint-Graal* 933

XVI *Comment messire Lancelot demeura vingt-quatre jours comme mort, et d'autres divers sujets* 935

XVII *Comment messire Lancelot reprit le chemin de l'Angleterre, et d'autres événements qu'il découvrit sur sa route* 937

XVIII *Comment Galaad vint au roi Mordrain, et d'autres matières et aventures* 939

XIX *Comment messire Bohort rejoignit messire Galaad et messire Perceval, comment ils vinrent au château de Corbénic, et d'autres matières* 941

XX *Comment Galaad et ses compagnons furent nourris du Saint-Graal, comment Notre-Seigneur leur apparut, et d'autres choses* 943

XXI *Cmment Galaad oignit le Roi Mébaignié du sang de la lance, et d'autres aventures* 945

XXII *Comment ils furent nourris du Saint-Graal pendant qu'ils étaient en prison, et comment Galaad fut couronné roi* 947

XXIII *Du chagrin que manifestèrent Perceval et Bohort quand Galaad fut mort. De Perceval, comment il mourut, et d'autres matières* 949

LIVRE DIX-HUITIÈME
Lancelot et Guenièvre

I *De la joie du roi Arthur et de la reine quand ils surent que la quête du Saint-Graal avait été menée à bonne fin, et comment Lancelot retourna à ses anciennes amours* 953

II *Comment la reine donna ordre à messire Lancelot de quitter la cour, et du chagrin qu'il en eut* 955

III *Comment, à un dîner que donna la reine, un chevalier fut empoisonné, ce que messire Mador imputa à la souveraine* 957

IV *Comment messire Mador accusa la reine de trahison, et comment il n'y eut d'abord nul chevalier qui consentît à combattre pour elle* 959

V *Comment la reine requit messire Bohort de combattre pour elle, comment il accepta sous une condition, et comment il prévint messire Lancelot de cela* 961

VI *Comment, au jour dit, messire Bohort se prépara à combattre pour la reine et, quand il voulut le faire, comment un autre l'en exempta* 963

VII *Comment messire Lancelot combattit messire Mador dans la querelle de la reine, et comment il le défit et délivra la souveraine* 966

VIII *Comment la vérité fut connue grâce à la Dame du Lac, et de divers autres sujets* 968

IX *Comment messire Lancelot se rendit à Astolat et reçut une manche de robe à porter sur son heaume à la requête d'une pucelle* 970

X *Comment le tournoi commença à Winchester, quels chevaliers furent aux joutes, et d'autres choses* 973

XI *Comment messire Lancelot et messire Lanval entrèrent dans le champ contre ceux de la cour du roi Arthur, et comment Lancelot fut blessé* 975

XII *Comment messire Lancelot et messire Lanval quittèrent le champ, et en quel péril se trouva Lancelot* 977

XIII *Comment Lancelot fut amené à un ermite pour être guéri de sa blessure, et d'autres matières* 980

XIV *Comment messire Gauvain eut son logement chez le seigneur d'Astolat, et là découvrit que c'était messire Lancelot qui portait la manche rouge* 982

XV *Du chagrin qui frappa messire Bohort quand il apprit la blessure de Lancelot. Et de la colère de la reine à cause qu'il avait porté la manche rouge* 985

XVI *Comment messire Bohort rechercha Lancelot et le trouva dans l'ermitage, et des lamentations de l'un et de l'autre* 987

XVII *Comment messire Lancelot endossa son armure pour voir s'il pouvait porter des armes, et comment sa blessure se rouvrit* 989

XVIII *Comment messire Bohort repartit et donna des nouvelles de messire Lancelot, puis du tournoi, et à qui le prix fut attribué* 991

XIX *Des grandes lamentations de la Belle Pucelle d'Astolat quand Lancelot fut sur le point de partir, et comment elle mourut d'amour pour lui* 993

XX *Comment le corps de la pucelle d'Astolat vint devant le roi Arthur, de l'enterrement, et comment messire Lancelot offrit l'argent de la messe* 997

XXI *De grandes joutes qui eurent lieu tout le temps de Noël, d'autres grandes joutes et d'un grand tournoi ordonnés par le roi Arthur, et de messire Lancelot* 999

XXII *Comment messire Lancelot, après qu'il eut été blessé, vint trouver un ermite, et d'autres matières* 1002

XXIII *Comment messire Lancelot se conduisit à ces joutes, et de la conduite d'autres hommes* 1003

XXIV *Comment le roi Arthur s'ébahit grandement des joutes qui se disputaient dans le champ, et comment il alla trouver messire Lancelot* 1006

LIVRE DIX-NEUVIÈME
Lancelot et Guenièvre

I *Comment l'amour fidèle est comparé à l'été* 1011

II *Comment la reine Guenièvre alla cueillir des fleurs au mois de mai en compagnie de chevaliers de la Table Ronde, chacun vêtu de vert* 1012

III *Comment messire Méléagant se saisit de la reine et de ses chevaliers, lesquels furent gravement blessés en combattant* 1014

IV *Comment messire Lancelot apprit que la reine était captive, et comment messire Méléagant tendit une embuscade à Lancelot* 1016

V *Comment fut tué le cheval de messire Lancelot, et comment il monta dans une charrette pour secourir la reine* 1018

VI *Comment messire Méléagant demanda pardon à la reine, comment elle apaisa messire Lancelot, et d'autres matières* 1021

VII *Comment messire Lancelot nuitamment vint retrouver la reine, et comment messire Méléagant accusa celle-ci de trahison* 1023

VIII *Comment messire Lancelot se fit le champion de la reine pour livrer combat à messire Méléagant, et comment il tomba dans un piège* 1026

IX *Comment messire Lancelot fut délivré de sa prison par une dame, prit un coursier blanc et vint, afin de rester fidèle au jour dit* 1028

X *Comment messire Lancelot vint, le jour même où messire Méléagant l'attendait sur le champ clos, et s'apprêta à combattre* 1030

XI *Comment messire Urry vint à la cour d'Arthur pour y être guéri de ses blessures, et comment le roi voulut d'abord le toucher de ses mains* 1033

XII *Comment le roi Arthur toucha les plaies de mesire Urry, imité ensuite en cela par maint chevalier de la Table Ronde* 1035

XIII *Comment messire Lancelot reçut d'Arthur l'ordre de toucher les plaies de messire Urry, comment aussitôt celui-ci fut complètement guéri, et comment on rendit grâce à Dieu* 1039

XIV *Comment, contre cent chevaliers, fut assemblé un parti, lui aussi de cent chevaliers, et d'autres matières* 1041

LIVRE VINGTIÈME
Le commencement de la fin

I *Comment messire Agravain et messire Mordret pressèrent messire Gauvain de découvrir l'amour qu'il y avait entre messire Lancelot et la reine Guenièvre* 1045

II *Comment messire Agravain découvrit au roi Arthur l'amour de messire Lancelot et de la reine Guenièvre, et comment le roi lui donna toute liberté de se saisir de Lancelot* 1047

III *Comment on épia messire Lancelot dans la chambre de la reine, et comment messire Agravain et messire Mordret vinrent avec douze chevaliers pour l'occire* 1049

IV *Comment messire Lancelot occit messire Calogrenant et endossa son armure, puis tua messire Agravain, ainsi que douze de ses compagnons* 1052

V *Comment messire Lancelot vint à messire Bohort et lui raconta ce qui lui était arrivé, quels risques il avait courus, et comment il avait pu échapper à ses ennemis* 1054

vi *Des opinions et projet de messire Lancelot et de ses amis pour sauver la reine* 1056

VII *Comment messire Mordret hâtivement courut trouver le roi pour lui rendre compte des combats, de la mort de messire Agravain et de celle des autres chevaliers* 1059

VIII *Comment messire Lancelot et ses parents sauvèrent la reine du bûcher, et comment messire Lancelot occit de nombreux chevaliers* 1061

IX *Du chagrin et des lamentations du roi Arthur après la mort de ses neveux et d'autres bons chevaliers, aussi à cause de la reine, son épouse* 1064

X *Comment le roi Arthur, à la requête de messire Gauvain, décida de faire la guerre à messire Lancelot et mit le siège devant son château, appelé la Joyeuse Garde* 1066

XI *Comment le roi Arthur et messire Lancelot communiquèrent entre eux, et comment le roi admonesta messire Lancelot* 1068

XII *Comment les cousins et parents de messire Lancelot l'incitèrent à sortir et à se battre, et comment eux-mêmes se préparèrent* 1071

XIII *Comment messire Gauvain jouta et renversa messire Lionel, et comment messire Lancelot remit en selle le roi Arthur* 1073

XIV *Comment le pape envoya ses bulles pour faire la paix, et comment messire Lancelot conduisit la reine au roi Arthur* 1076

XV *Comment la reine fut rendue au roi par messire Lancelot, et ce que dit messire Lancelot à messire Gauvain* 1078

XVI *Ce que se dirent messire Gauvain et messire Lancelot, soit beaucoup d'autres propos* 1081

XVII *Comment messire Lancelot quitta le roi et la Joyeuse Garde pour aller vers la mer, et quels chevaliers l'accompagnèrent* 1083

XVIII *Comment messire Lancelot passa la mer, et comment il fit grands seigneurs les chevaliers qui le suivirent* 1086

XIX *Comment le roi Arthur et messire Gauvain assemblèrent une grande armée, prête à franchir la mer, afin de faire la guerre à messire Lancelot* 1088

XX *Quel message messire Gauvain fit parvenir à messire Lancelot, comment le roi Arthur mit le siège devant Bénoïc, et d'autres matières* 1090

XXI *Comment messire Gauvain et messire Lancelot combattirent ensemble, et comment messire Gauvain fut culbuté et blessé* 1093

XXII *Du chagrin que conçut le roi Arthur à cause de la guerre, et d'un autre combat, où messire Gauvain eut encore le dessous* 1095

LIVRE VINGT ET UNIÈME
La mort d'Arthur

I *Comment messire Mordret voulut se faire roi d'Angleterre et épouser la reine, la femme de son oncle* 1101

II *Comment, après avoir reçu des nouvelles, le roi Arthur s'en retourna et vint à Douvres, où messire Mordret le rencontra pour l'empêcher de débarquer. Et de la mort de messire Gauvain* 1104

III *Comment ensuite le fantôme de messire Gauvain apparut au roi Arthur et l'avertit qu'il ne lui fallait pas combattre ce jour-là* 1106

IV *Comment, malencontreusement, par la faute d'une vipère, la bataille commença, où Mordret fut tué et Arthur mortellement blessé* 1109

V *Comment le roi ordonna qu'on jetât dans le lac son épée Excalibur, et comment, lui-même, il fut confié à des dames dans une barque* 1112

VI *Comment, le lendemain, messire Bédoïer trouva le roi mort dans un ermitage, et comment il y demeura avec l'ermite* 1114

VII *De l'opinion de certains sur la mort du roi Arthur, et comment la reine Guenièvre se fit nonne à Almesbury* 1116

VIII *Comment, quand messire Lancelot apprit la mort du roi Arthur, celle de messire Gauvain, et d'autres nouvelles, il vint en Angleterre* 1117

IX *Comment messire Lancelot partit chercher la reine Guenièvre, et comment il la trouva à Almesbury* 1119

X *Comment messire Lancelot vint à l'ermitage où était l'archevêque de Cantorbéry, et comment il y prit l'habit de religion* 1121

XI *Comment, avec ses sept compagnons, messire Lancelot se rendit à Almesbury et y trouva morte la reine Guenièvre, qu'ils conduisirent à Glastonbury* 1123

XII *Comment messire Lancelot tomba malade, puis mourut, et comment son corps fut porté à la Joyeuse Garde pour y être enterré* 1125

XIII *Comment messire Hector trouva mort son frère, messire Lancelot, comment Constantin régna aussitôt après Arthur, et de la fin de ce livre* 1127

ANNEXES

Répertoire des principaux personnages 1131

Tableaux généalogiques 1139

Table des matières 1141

Achevé d'imprimer
en octobre 1995
par l'Imprimerie Bussière
à Saint-Amand-Montrond (Cher)
pour le compte de la Librairie l'Atalante.

N° d'imprimeur : 2402
Dépôt légal : octobre 1994